ISBN 978-1-332-47335-9
PIBN 10358869

FLORA von TIROL.

Ein

Verzeichniss

der

in Tirol und Vorarlberg wild wachsenden und häufiger gebauten

GEFÄSSPFLANZEN.

Mit Berücksichtigung ihrer Verbreitung und örtlichen Verhältnisse verfasst und nach Koch's Synopsis der deutschen Flora geordnet

von

Frz. Freih. v. Hausmann.

Erstes Heft. (Bogen 1—36.)

Enthält:

die I. und II. Unterklasse der dicotyledonischen Gefässpflanzen.

Diese **Flora Tirols** wird noch im Laufe dieses Jahres in 3 Heften vollständig erscheinen:

Das II. Heft enthält den Rest der **Dicotyledoneen,** die **Monocotyledoneen** und **cryptogamischen Gefäßpflanzen,**

das III. Heft bildet einen **Anhang**, und wird enthalten: 1. Eine gedrängte **Uebersicht** der Ordnungen, Gattungen und Arten unserer Flora, ihrer Verbreitung über die 4 Kreise Tirols, und im Vergleiche zu den Nachbarfloren.

2. Die **Literatur** der Flora Tirols.

3. **Kurze biographische Skizzen ausländischer Botaniker,** die zu **unserer Flora in irgend einer Beziehung stehen,** so wie **verstorbener inländischer.**

4. **Verzeichniß von zweifelhaften Angaben tirolischer Arten** mit kritischen Bemerkungen.

5. **Nachträge.**

6. Vollständiges **Synonimen-Register.**

7. **Linnaeischer Schlüssel** zur erleichterten Bestimmung der Gattungen unserer Flora.

Dem II. Hefte wird ein **vollständiges Register** beigegeben; dem ungeachtet aber hat auch das I. Heft ein **separates Register,** damit das Ganze auch in Theilen gebunden werden kann, wenn dies zur bequemern Benützung vorgezogen werden sollte.

Das ganze Manuscript liegt **vollendet** vor, und das II. Heft ist im Drucke schon bedeutend vorgeschritten.

Preis des ganzen 80 bis 90 Druckbogen starken Werkes 6 fl. C.Mze. oder 7 fl. 12 kr. R.Mze. oder 4 Rthlr. 6 Sgr.

FLORA von TIROL.

Ein

Verzeichniss

der

in Tirol und Vorarlberg wild wachsenden und häufiger gebauten

GEFÄSSPFLANZEN.

Mit Berücksichtigung ihrer Verbreitung und örtlichen Verhältnisse verfasst und nach Koch's Synopsis der deutschen Flora geordnet

von

Frz. Freih. v. Hausmann.

Erstes Heft.

Enthält:

die I. und II. Unterklasse der dicotyledonischen Gefässpflanzen.

Innsbruck.

Im Verlage der Wagner'schen Buchhandlung.

1851.

Abkürzungen der häufiger vorkommenden Gewährsmänner.

Ambr.	gleich:	Ambrosi.	Lutt.	gleich:	Lutterotti.
Bon.	,,	Boni.	Lbd.	,,	Leybold.
Cst.	,,	Custer.	Mrts.	,,	Martens.
Crist.	,,	Cristofori.	Per.	,,	Perini.
Elsm.	,,	Elsmann.	Prkt.	,,	Perktold.
Eschl.	,,	Eschenlohr.	Poll.	,,	Pollini.
Fk.	,,	Funk.	Rsch.	,,	Rauschenfels.
Frl.	,,	Frölich.	Schtz.	,,	Scheitz.
Fcch.	,,	Facchini.	Str.	,,	Sauter.
Gbh.	,,	Gebhard.	Schm.	,,	Schmuck.
Giov.	,,	Giovanelli.	Schpf.	,,	Schöpfer.
Hrg.	,,	Hargasser.	Tpp.	,,	Tappeiner.
Hsm.	,,	Hausmann.	Tir. B.	,,	Tiroler Bothe.
Hll.	,,	Hell.	Trn.	,,	Traunsteiner.
Hfl.	,,	Heufler.	Wld.	,,	Waldmüller.
Hfm.	,,	Hofmann.	Wlf.	,,	Wulfen.
Hrnsch.	,,	Hornschuch.	Zcc.	,,	Zuccarini.
Iss.	,,	Isser.			

Das Höhenmass ist der Wiener Fuss.

Das Zeichen ! hinter dem Namen des Gewährsmannes (einigen Autoren das der Autopsie) bedeutet, dass der Verfasser das auf den Standort bezügliche Exemplar nicht eingesehen.

Register.

(Die Zahlen beziehen sich auf die Seiten.)

Zusatz zu: *Oxytropis uralensis*, pag. 220.

Schlern, Seiseralpe, Rosszähne und Joch Latemar (Hsm.). Granitalpen Südtirols (Fcch.). Judicarien: am Frate in Breguzzo (Bon.).

PLANTAE VASCULARES.

GEFÆSSPFLANZEN.

Pflanzen aus Zellgewebe und Gefässen gebaut, mit Saugöffnungen und wahren (bei wenigen auf Schuppen zurückgeführten) Blättern versehen.

I. Klasse. DICOTYLEDONEAE.

Exogeneae phanerogamae.

Dicotyledonische Gefässpflanzen.

Stengel besteht aus Rinde, einem von Markansätzen durchstrahlten Holzringe und aus dem von dem Holzringe eingeschlossenen Marke. Bei strauch- und baumartigen Pflanzen ist der Stamm aus mehreren concentrischen, von der Rinde umzogenen Holzlagen gebildet. Blüthen mit Geschlechtswerkzeugen versehen. Staubkölbchen 2fächerig. Fortpflanzung durch Samen, die den Keim zur neuen Pflanze in sich einschliessen. Keim mit 2 gegenständigen, seltener mit mehreren quirlständigen Keimblättern, die sehr selten bei blätterlosen Pflanzen fehlen.

I. Unterklasse. THALAMIFLORAE.

Fruchtbodenblüthige.

Blumenblätter mehrere, getrennt und nebst den Staubgefässen auf dem Fruchtboden und nicht auf dem Kelche eingefügt.

I. Ordnung. RANUNCULACEAE. Juss.

Hahnenfussartige.

Kelch 3 — 6blättrig, oft blumenblattartig. Blumenblätter 4—15 in einer oder mehreren Reihen, bisweilen in Nektarien umgebildet, selbst ganz fehlend. Staubgefässe frei, zahlreich mit angewachsenen Staubkölbchen, welche in Längsritzen aufspringen. Fruchtknoten mit eiweisshaltigen Samen, welche der innern Naht angeheftet sind. Frucht nuss-, beeren- oder kapselartig. Kräuter oder Sträucher mit meist scharfem, brennendem Safte, nebenblattlos.

I. Gruppe. **Clematideae De C.** Knospenlage des Kelches klappig oder einwärts gefaltet. Früchtchen nicht aufspringend, 1samig.

1. *Clèmatis L.* Waldrebe.

Kelch blumenblattartig, 4—5blättrig, in der Knospenlage klappig oder einwärts gefaltet, abfällig, Blumenkrone fehlend. Früchtchen nussartig, 1samig, in einen bärtigen oder kahlen Schweif ausgehend. (XIII. 2.). *)

1. ***C. recta L.*** Aufrechte W. Stengel aufrecht, krautig; Blätter gefiedert, Blättchen eiförmig, zugespitzt; ***Kelchblätter*** länglich, stumpf, ***kahl, aussen am Rande flaumig;*** Früchtchen in einen langen zottigen Schweif ausgehend.

Auf buschigen Hügeln und an Zäunen im südlichern Tirol. Unter Salurn ober der Landstrasse gegen Cadin; dann in Valsugana: häufig in den Hecken der Strasse von Telve bis Primolano (Hsm.). Gebüsche am Bergabhange zwischen Neumarkt und Trient (Zcc!). Trient: am Monte Zambana und bei Gardolo (Hfl.).

C. erecta All. Brennendscharf. Officinell: Herba Clematidis vel Flammulae Jovis. Bl. weiss. Jun. Jul. ♃.

2. ***C. Vitalba L.*** Gemeine W. Stengel kletternd; Blätter gefiedert, Blättchen eiförmig, zugespitzt, ganzrandig, grob-gesägt o. etwas gelappt, an der Basis meist herzförmig; ***Kelchblätter*** länglich, ***auf beiden Seiten filzig;*** Früchtchen in einen langen zottigen Schweif auslaufend.

In Zäunen, Hecken u. Auen gemein, doch mehr im Thale. Vorarlberg: bei Bregenz (Str!). Oetzthal: bei Umhausen (Hfl.). Imst (Lutt.). Innsbruck: in der Klamm u. im Villerberge (Precht. Prkt.). Stubai: Unterberg bis Telfes (Hfl.). Kitzbüchel (Trn.). Schwaz (Schm.). Lienz (Rsch! Schtz.). Vintschgau: bei Laas (Tpp.). Meran: bei Hafling und Partschins (Iss.). Bozen: in der Rodler- und Kaiserau, auch beim Kalkofen etc.; seltener auf Gebirgen, z. B. einzeln am Wege unter Klobenstein bei 3500′; Salurn und Margreid (Hsm.). Val di Non: bei Castell Brughier (Hfl.). Fleims (Fcch!). Trient (Per!). Judicarien: bei Tione (Bon.). — Ehemals officinell: Herba et stipites Clematidis silvestris. Jun. Jul. ♄.

3. ***C. Viticella L.*** Blaue W. Stengel kletternd; Blätter gefiedert, Fieder 3zählig oder 5zählig-fiederig, Blättchen eiförmig, ganzrandig, ungetheit oder 2—3lappig; Kelchblätter dreieckig, verkehrt-eiförmig, stumpf, mit einem abwärts gekehrten Spitzchen; ***Früchtchen in einen kurzen kahlen Schweif auslaufend.***

In Gebüschen und Zäunen im südlichsten Gebiethe. — Am Baldo: Vall dell'Artillon (Calceolari!). Im angränzenden Verone-

*) Die römische Ziffer bedeutet die Klasse, die arabische die Ordnung des Linnéischen Sexualsystemes.

sischen bei Chiusa (Ponal), dann einzeln an der Landstrasse gegen Verona (Hsm.). Am Gardasee im Veronesischen (Clementi). Bl. violett oder roth. Mai, Jul. ♄.

2. ***Atragene L.*** Alpenrebe.

Kelch blumenblattartig, 4—5blättrig, Blätter in der Knospenlage einwärts gefaltet, Blumenblätter viele, etwa 12, mit einem Nagel versehen und viel kleiner als der Kelch. Früchtchen nussartig, 1samig, in einen bärtigen Schweif auslaufend. (XIII. 2.).

4. ***A. alpina L.*** Gemeine A. Blätter doppelt-3zählig, Blättchen gesägt, ungetheilt, Blumenblätter stumpf, spatelig. — Ein Schlingstrauch der Alpen und Voralpen, wo er an felsigen Orten u. in Wäldern gemein, auch nicht selten ins Thal herabsteigend. — Vorarlberg: auf der Mittagspitze (Str!). Grieskogel bei Telfs, dann am Solstein bei Innsbruck (Str.). Alpen bei Imst und bei Arzel (Lutt!). Längenthal in Lisens (Prkt.). Rattenberg: Weg zur Postalpe (Wld!). Kitzbüchel (Trn.). Zillerthal: Waxegger Bergmähder (Brannel). Schmirn im Wippthale (Hfm.). Pusterthal: bei Welsberg (Hll.); Innervilgraten, Tefereggen, Gössnitz-, Hof- und Teischnitzalpe (Schtz.); am Burgstein in Taufers (Iss.), auf dem Kohlalbl bei Innichen und an den Felsen hinter Schlossbruck bei Lienz (Rsch!). Wormserjoch: gegen das Münsterthal (Iss.). Vintschgau: bei Laas (Tpp.), bei Glurns (Eschl!). Auf allen Alpen und Gebirgen um Bozen: am Ritten von 3800′ aufwärts, z. B. um Klobenstein und Lengmoos, dann Rittneralpe; Schlern, Seiseralpe und Mendel; geht am Kalkofen bei Margreid und an der Landstrasse bei Auer u. Blumau bis ins Thal herab (Hsm.). Eislöcher bei Eppan (Hfl!). Fassa und Fleims (Fcch!). Cima d'Asta (Petrucci!). Gebirge um Trient u. Roveredo (Per. Crist.). Val di Fornace u. di Pinè (Joh. Sartorelli!). Monte Baldo u. Bondone (Poll!). Judicarien: am Bache Pissone u. Wälder bei Stelle nächst Tione (Bon.). — A. alpina Scop. Scharfgiftig.
Bl. blau. Im Thale Mai; Alpen u. Voralpen Jun. Jul. ♄.

II. Gruppe. **Anemoneae De C.** Kelch u. Blumenkrone in der Knospenlage dachig. Blumenblätter flach, ohne Honiggrube o. fehlend. Früchtchen nicht aufspringend, 1samig.

3. ***Thalictrum L.*** Wiesenraute.

Kelch fast blumenblattartig, 4- selten 5blättrig, Blätter in der Knospenlage dachig. Blumenkrone fehlend. Früchtchen nussartig, 1samig, einem kleinen scheibenförmigen Fruchtboden eingefügt. (XIII. 2).

I. Rotte. ***Tripterium De C.*** Früchtchen glatt, nicht gerieft, 3kantig, Kanten geflügelt, mit einem Stielchen über den Fruchtboden emporgehoben.

5. ***T. aquilegifolium L.*** Agleiblättrige W. Verästelungen des Blattstieles mit Nebenblättchen; Rispe fast ebensträussig; ***Früchtchen 3kantig-geflügelt, glatt.***

Im Gebüsche und an Wäldern der Gebirgs- und Alpenregion, auch ins Thal herabsteigend. — Vorarlberg: bei Bregenz (Str!). Imst (Lutt!). Innsbruck: Weg zu den Zirler Bergmähdern und auf den Anhöhen über Mühlau (Schm. Precht). Zillerthal (Schrank!). Auen u. Bergwälder um Kitzbüchl (Trn.). Pusterthal: Welsberg, Innnervilgraten und Lienz (Hll. Schtz.). Vintschgau: bei Matsch u. an Ackerrainen bei Glurns (Eschl. Tpp.). Gebirge um Bozen; Ritten: am Bache bei Waidach nächst Klobenstein u. am Lengmooser Schiess-Stande; am Wege von Pranzoll nach Aldein und von da nach Weissenstein (Hsm.). Seiseralpe (Hfm.). Fassa (Fcch!). Am Gazza u. Bondone u. bei Povo nächst Trient; in Primiero (Per.). Valsugana: bei Borgo gegen Sette Selle (Mrts!). Gebirge um Roveredo (Crist.). Judicarien: Vall maggiore der Alpe Lenzada (Bon.), Val di Rendena (Eschl!).

β. *atropurpureum.* Stengel oberwärts, so wie die Blüthen auswendig mehr oder weniger ins Violette ziehend; Stengel zugleich bereift. Blattadern stärker hervortretend u. dichter zusammengerückt — T. atropurpureum Jacq. — Auf Alpen. Pusterthal: in Prax (Hll.). Bozen: am Joch Grimm (Gundlach), u. Rittneralpe gegen den Horn ober der Schön im Gebüsche bei etwa 5800′ (Hsm.). Hofalpe u. Gössnitz bei Lienz (Schtz.).

Bl. grünlich o. weiss, manchmal ins Violette ziehend; Staubfäden lila. Im Thale Mai; auf Gebirgen u. Alpen Jun. Jul. ♃.

II. Rotte. ***Euthalictrum* DeC.** Früchtchen längsfurchig.

§. 1. ***Früchtchen in ein kurzes Stielchen verschmälert, an der Spitze mit der Narbe hackig-gebogen. Bl. grünlich.***

6. ***T. alpinum L.*** Alpen-W. Stengel ganz einfach, fast nackt; ***Traube endständig, einfach; fruchttragende Blüthenstielchen zurückgekrümmt.***

Auf feuchten Stellen der Alpen, stellenweise. — Alpen bei Lienz (Host!). Sumpfige Triften der Seiseralpe zwischen dem Tschapith u. dem Frombache (Hsm.), häufig auf der der Saltaria-Hütte gegenüber gelegenen Anhöhe (Elsm!). Wormserjoch: italienische Seite alla seconda Cantoniera (Rainer!). An der Gränze des Münsterthales in Menge auf dem Joche Joata zwischen Scharl u. Tschirfs (Moritzi!). Jun. Jul. ♃.

§. 2. ***Früchte sitzend, an der Spitze gerade.***

a. Rispe dem Umfange nach pyramidenförmig oder eiförmig; Blüthen zerstreut oder an der Spitze der Aestchen doldig, aber nicht dichtbüschelig. Blüthen grünlich oder gelblich, äusserlich oft röthlich überlaufen.

7. ***T. foetidum L.*** Stinkende W. Stengel schwach gerieft, nebst den Blättern von ***abstehenden, einfachen u. drüsentragenden Haaren flaumig;*** die besondern Blattstiele schwachkantig; Oehrchen der Blattscheiden kurz, ganzrandig; Blätt-

chen rundlich oder verkehrt-eiförmig, 3zähnig oder 3spaltig u. gezähnt; Rispe abstehend, locker; Blüthen u. Staubgefässe überhangend; *Narben* länglich-eiförmig, fransig-gezähnelt, *mit hinterwärts aneinander geschlagenen Seiten.*

An steinigen Stellen u. Felsen vom Thale bis an die Alpen. Oberinnthal: im Oetzthale mit der Varietät (Zcc!). Wormserjochstrasse: gemein von Prad bis Franzenshöhe; dann wieder jenseits des Joches um den Bädern von Bormio (Hsm.). Im Laaserthale und bei Tschengels im Vintschgau (Tpp. Karpe). Bozen: selten am nördlichen Abhange des Calvarienberges und am kühlen Brünnel, dann an den Felsen der Strasse zwischen Otten und Blumau; häufiger bei Salurn (Hsm.). Kollmann: an der Warte des Schlosses Trostburg; ober den Buchhöfen bei Eppan (Hfl.). Fassa: ober Penia u. Campitello (Fcch!). Trient: bei Vela (Hfl.).

β. *glabrum.* Kahl. T. alpestre Gaud? Im Oetzthale bei Fend (Tpp.).

Im Thale Ende Mai; Alpen u. Voralpen Jun. Jul. ♃.

8. ***T. vulgatum Schultz.*** Gemeine W. Stengel gerieft; besondere Blattstiele durch hervortretende Linien kantig, Blättchen rundlich oder keilförmig-verkehrt-eiförmig, 3zähnig oder 3theilig u. 5zähnig, seltener 9zähnig; Oehrchen der Blattscheiden abgerundet; ***Blüthen*** zerstreut, fast doldig u. ***nebst den Staubgefässen überhangend; Wurzel Ausläufer treibend.***

Auf Wiesen u. Grasplätzen, auch im Gebüsche auf Hügeln. Oberinnthal: um Imst (Lutt.). Innsbruck: am Spitzbüchl (Hfl.). Stubai: hinter Unternberg (Hfl!). Rattenberg (Wld.). Pusterthal: bei Hopfgarten (Schtz.). Im mittlern Vintschgau (Tpp.). Meran (Kraft). Brixen (Hfm!). Bozen: gemein auf allen Wiesen im Thale, auch auf Hügeln, z. B. am nördlichen Abhange des Calvarienberges, wo die Pflanze in trockenen Jahren eine etwas graugrüne Farbe annimmt (Hsm.). Trient: am Monte Margone (Hfl.). Roveredo (Crist.).

Die vorherrschende Form ist z. B. um Bozen das T. Jacquinianum Koch. Seltener allda das T. majus Jacq., welches nach Dr. Facchini auch in Fleims am Avisio, Castello gegenüber vorkommt u. eine üppigere Form mit quirl- u. doldenblüthiger Rispe ist. Alle mir vorliegenden Tiroler Exemplare haben einen an der Basis beblätterten Stengel, demnach käme das echte T. minus L. Koch syn. in Tirol gar nicht vor. Zu vergleichen hierüber Koch syn. ed. 2. p. 1015.

T. vulgatum Schultz. Fl. der Pfalz p. 3. Ende Mai, Jun. ♃.

T. sylvaticum Koch. Von Voriger unterschieden durch einen glatten, stielrunden, bereiften Stengel, durch zusammengedrückt-stielrunde schwachkantige besondere Blattstiele u. eine weit kriechende Wurzel. Im benachbarten Kärnthen bei Heilig-Blut (Schultz Fl. der Pfalz p. 3)!

9. ***T. elatum Jacq.*** Hohe W. Stengel gefurcht, bereift; Blättchen rundlich o. verkehrt-eiförmig, bis 7zähnig, graugrün und matt; Oehrchen der Blattscheiden kurz, abgerundet, etwas abstehend; Verzweigung des Blattstieles ohne Nebenblättchen; Rispe ausgebreitet, Aeste abstehend, steif; Blüthen fast doldig u. quirlig; ***Blüthenstielchen, Blüthen u. Staubgefässe gerade-hervorgestreckt;*** Wurzel faserig.

An Hügeln u. Wegen im südlichen Tirol. Zwischen Bozen und Meran; bei Vela nächst Trient; Malga di Pietena an der Vette di Feltre (Fcch!). Pusterthal: Teischnitzalpe u. am grauen Käs (Schtz.). Jul. ♃.

10. ***T. simplex L.*** Einfache W. Stengel gefurcht; ***Blättchen länglich-keilförmig,*** 3spaltig und ungetheilt, länglich, matt; Oehrchen der obern Blattscheiden eiförmig-länglich, zugespitzt; ***Rispe länglich-pyramidenförmig,*** Aeste traubig; ***Blüthen zerstreut, nickend; Wurzel kriechend.***

An Gebüsch auf Hügeln und an trockenen Triften bis an die Voralpen. — Innsbruck: bei Mutters (Friese). Pusterthal: bei Welsberg (Hll.). Am Ritten bei Bozen: z. B. Klobenstein am Ackerrande auf dem Ameiser, am Bache bei Waidach und Weg nach Kematen ober dem Kalkofen (Hsm.). In Pinè bei Brusac (Fcch.). Ende Jun. Jul. ♃.

11. ***T. galioides Nestler.*** Laubkrautartige W. Stengel gefurcht; ***Blättchen linealisch, spiegelnd,*** ungetheilt, die endständigen oft 3spaltig; Oehrchen der obern Blattscheiden eiförmig-länglich, zugespitzt, gezähnelt; ***Rispe länglich-pyramidenförmig,*** Aeste traubig; ***Blüthen zerstreut, nickend. Wurzel kriechend.***

An Triften und buschigen Hügeln, auch an Bächen. — Mit Voriger am Ritten unter Kematen doch seltener (Hsm.). Monte Gazza bei Trient (Merlo). Roveredo (Crist.).

Gewiss nur Varietät der Vorigen, wie schon Koch vermuthet, ich finde an derselben Stelle Exemplare bald mit breitern, bald mit ganz schmalen, bald mit spiegelnden, bald mit matten Blättern. Ende Jun. Jul. ♃.

b. Rispe fast ebensträussig. Blüthen an der Spitze der Aeste und Aestchen gedrängt. Früchte daselbst in dichten Büscheln. Blüthen gelb.

12. ***T. angustifolium Jacq.*** Schmalblättrige W. Stengel gefurcht; ***Blättchen*** länglich-keilförmig o. linealisch, ungetheilt u. 3spaltig, glänzend, ***unterseits bleicher,*** kahl oder feinflaumig; Oehrchen der obern Blattscheiden eiförmig-zugespitzt; Blattstiele 3zählig-zusammengesetzt, Verästelung ohne Nebenblättchen; ***Rispe fast ebensträussig; Blüthen an der Spitze der Aestchen gehäuft u. nebst den Staubgefässen aufrecht; Wurzel faserig.***

Gemein auf Sumpfwiesen der Thalebene, mehr im südlichen Tirol. — Unterinnthal: bei Rattenberg (Wld!). Pusterthal: bei Lienz (Rsch!). Meran (Kraft). In Menge auf den Mösern im Etschlande von Terlan bis Trient (Hsm.). Trient: im Campo Trentino (Per.). Valsugana: Vall Sella bei Borgo (Ambr.). Am Gardasee (Precht). Hälfte Jun. Jul. ♃.

13. *T. flavum L.* Gelbe W. Stengel gefurcht; *Blättchen* verkehrt-eiförmig-keilförmig, ganz o. 3spaltig, *unterseits bleicher*, die der obern Blätter linealisch; Oehrchen der Blattscheiden länglich-eiförmig, länger als die Breite der Scheiden; Blattstiele fiederig-zusammengesetzt, Verästelungen des Blattstieles mit Nebenblättchen; *Rispe fast ebensträussig, Blüthen an der Spitze der Aeste gehäuft und nebst den Staubgefässen aufrecht; Wurzel kriechend.*

Auf feuchten Wiesen. — Vorarlberg: gemein um Bregenz (Str!). Fassa: nördlich von Campitello; bei Pinè und in Primiero (Fcch!). Am Baldo und Gardasee (Poll!).

Obsolet: Radix Thalictri. Jun. Jul. ♃.

4. *Anemóne L.* Windröschen.

Kelch blumenblattartig, 5—15blättrig, in der Knospenlage dachig, abfällig, Blumenkrone fehlend; Früchtchen einsamig, nussartig, in unbestimmter Anzahl einem verdickten halbkugeligen o. kegelförmigen Fruchtboden eingefügt. (XIII. 2.).

I. Rotte. *Hepatica.* Hülle 3blättrig, Blätter sitzend, ungetheilt, kleiner als die Blüthe, derselben sehr genähert, einen Kelch darstellend. Früchtchen ungeschwänzt.

14. *A. Hepatica L.* Dreilappiges W. Leberkraut. *Blätter 3lappig*, ganzrandig.

In Bergwäldern, schattigen Thälern und Auen gemein. — Vorarlberg: bei Feldkirch (Str!). Oberinnthal: bei Imst (Lutt!). Um Innsbruck (Schpf.). Unterinnthal: bei Kropfsberg (Gbh.), selten in Zillerthal (Schrank!). Kitzbüchl (Trn.). Pusterthal: bei Welsberg (Hll.), in Tefereggen (Schtz.), u. bei Lienz (Rsch! Schtz.). Brixen (Hfm.). Bozen: sehr gemein am Fusse des Berges längs der Landstrasse bis Salurn u. Terlan, am Ritten einzeln bis 3800′ (Hsm.). Meran: bei St. Valentin (Iss.). Fleims u. Fassa (Fech!). Valsugana: bei Borgo (Ambr.). Um Trient (Per! Hfl.). Roveredo: auf der Nordseite (Crist.). Am Baldo (Poll!). Judicarien: bei Tione (Bon.).

Hepatica nobilis Volkam. H. triloba De C.

Officinell: Herba Hepaticae nobilis.

Bl. hellazurblau oder rosenroth, selten weiss. Eine Spielart mit gefüllten Blüthen zur Zierde in Gärten. März, Apr. ♃.

II. Rotte. *Pulsatilla.* Hüllblätter 3zählig, sitzend, gefingert-vieltheilig, an der Basis in eine Scheide verwachsen. Früchtchen lang- u. zottig-geschwänzt.

15. *A. vernalis L.* Frühlings-Küchenschelle. Hüllblätter sitzend, gefingert-vieltheilig; *Wurzelblätter gefiedert, Blättchen eiförmig, 3spaltig,* Zipfel ganz, 2—3-zähnig, Zähne o. Läppchen eiförmig; Früchtchen u. der vielmal längere Schweif zottig.

Auf Gebirgstriften u. Alpen durch ganz Tirol von 3800′—7000′. —Lechthal: Alpe Bockbach bei Steeg (Frl!). Oberinnthal: bei Arzel u. Wens (Lutt.). Innsbruck: auf dem Patscherkofel u. Serles (Hfl.). Haller Salzberg u. Kellerjoch bei Schwaz (Hrg!). Zillerthal (Schrank!), Gerloswand allda (Moll!). Kitzbüchl: am Geisstein (Trn.). Pusterthal: bei Welsberg (Hll.), Geiselberg (Wulfen!), in Tefereggen u. Innervilgraten (Schtz.); Ellnerspitze bei Brunecken (F. Naus); Alpe Cisa in Buchenstein (M. v. Kern); Marenwalder- *) und Thaleralpe bei Lienz (Rsch! Schtz.). Meransergebirge bei Brixen (Hfm.). Vintschgau: Planail (Iss.), Alpen bei Prad u. Laas (Karpe. Tpp.). Valkamaierjoch in Ulten (Eschl.). Jaufen (Gbh!). Gebirge um Bozen: Schlern, Seiseralpe, Mendel, Salten, Villandereralpe, am Ritten in Menge schon bei 3880′ auf dem Ameiser bei Klobenstein, Rittneralpe (Hsm.); Kreuzjoch, Uebergang von Sarnthal nach Passeyer (Fr. Mayer). Fassa u. Fleims (Fech!). Am Gazza bei Trient (Per.). Spinale (Bon.). Am Gletscher in Genova (Per!). Joch von Molveno nach Vezzano (Hfl.). Casa Pinello u. Frabort in Valsugana (Sartorelli!). Alpe von Torcegno (Ambr.).

Pulsatilla vernalis Mill.

Bl. schmutzig-weiss, auswendig ins Violette ziehend.
Mai, Jul. ♃.

16. ***A. Pulsatilla L.*** Gemeine Küchenschelle. Hüllblätter sitzend, fingerig-vielspaltig; ***Wurzelblätter dreifach-fiederspaltig,*** Zipfel linealisch, verschmälert-spitz; ***Blüthen ziemlich aufrecht; Kelchblätter noch einmal so lang als die Staubgefässe, an der Basis glockig, endlich von der Mitte an zurückgebogen-abstehend;*** Früchtchen sammt dem vielmal längern Schweif zottig.

Auf sonnigen Hügeln u. magern Triften. — Innsbruck: am Spitzbüchl (Hfl.), dann am Galgen, Judenfreithof u. ober Arzel (Schpf.). Vintschgau: in Malsac bei Planail nächst Glurns (Iss.).

Pulsatilla vulgaris Mill. — Officinell: Herba Pulsatillae.

Bl. hell-violett o. lila. März. Mai. ♃.

17. ***A. montana Hoppe.*** Berg-Küchenschelle. Hüllblätter sitzend, fingerig-vieltheilig; Wurzelblätter dreifach-fiederspaltig, Zipfel linealisch, spitz; ***Blüthen überhängend; Kelchblätter gerade, mit der Spitze auswärts-gebogen, noch 1mal so lang als die Staubgefässe,*** anfangs glockig-gestellt, zuletzt abstehend; Früchtchen u. ihr vielmal längerer Schweif zottig.

Magere Triften, sonnige Hügel u. grasige Abhänge im südlichen Tirol, gemein vom Fuss der Gebirge bis an die Voralpen. — Brixen: bei Schabs (Hfm.), u. von da nach Mühlbach (Hsm.). Vintschgau: von Meran aufwärts bis Churburg (Tpp.). Meran: bei Mais u. am Kiechelberg (Iss.). Thal Ulten (Eschl.).

---

*) Marenwalderalpe, so lautet die Aussprache im Volks-Dialekte, eigentlich Mair im Walderalpe.

Bozen: auf allen Anhöben, z. B. Calvarienberg u. gegen Runkelstein etc.; am Ritten: auf dem Fenn bei Klobenstein einzeln bis 4000′ gehend (Hsm.). Trient: ai Masi dell' Aria (Hfl. Per.).

Pulsatilla montana Reichenb.

Officinell: Herba Pulsatillae nigricantis.

Der Provinzialname ist: Osterglöckchen, Osterblume. Mit den Kelchblättern färbt man die Ostereier violett. Bl. violett, selten schwefelgelb. Beide Farben untereinander am Kiechelberge bei Meran, woher ich Exemplare durch Herrn Med. Dr. Tappeiner besitze. Die schwefelgelbe Varietät ist allda nichts Seltenes und der Landmann nennt sie gelbe Osterblume. Die Kelchblätter breiten sich nur aus, wenn die Pflanze bei vorgerückter Temperatur blüht und bei Sonnenschein; im Februar und März entwickeln sie sich selten vollständig.

Februar — April. ♃.

III. Rotte. *Anemonanthea De C.* Hüllblätter sitzend, ganz oder fingerig-eingeschnitten, von den Blüthen entfernt. Früchtchen ungeschwänzt.

18. *A. narcissiflora L.* Narcissenblüthiges W. Hüllblätter sitzend, eingeschnitten, Wurzelblätter 5theilig, Zipfel am Rande übereinandergelegt, 3spaltig und eingeschnitten mit linealischen Zipfelchen; *Blüthen doldig;* Kelchblätter meist 5, elliptisch; *Früchtchen kahl.*

Auf Alpentriften von 4500—7000′ sehr zerstreut. — Vorarlberg: auf der Dornbirneralpe (Str!), dann am Widderstein (Tir. B.)! Oberinnthal: Rossberg bei Vils (Frl!); Aggenstein bei Tannheim (Dobel!); auf der Tissner Tschei bei Ried (Lutt!); Alpen bei Pfunds, Zirl und Telfs (Str.). Kitzbüchl: am Horn (Trn.). Abhänge des Schlern gegen die Seiseralpe (Zcc!). Vette di Feltre (Montini! Ambr.). Judicarien: auf der Alpe Gavardina in Val di S. Giovanni (Bon.), u. Alpe Lenzada (Per.).

Bl. weiss, Stengel 1—12blüthig. Jun. Jul. ♃.

A. Coronaria L. Kronen-W. Hüllblätter sitzend, zerschlitzt; Wurzelblätter 3zählig, Blättchen fast doppelt-fiedertheilig, Zipfel linealisch. Kelch 6—8blättrig. Früchtchen in Wolle eingehüllt. Einheimisch im südlichen Europa, aber häufig als Zierpflanze in Gärten. Bl. gross, 2—3 Zoll im Durchmesser, in den mannigfaltigsten Farben prangend, 1färbig oder bunt, oft gefüllt. Stengel 1blüthig. Mai. ♃.

IV. Rotte. *Preonanthus De C.* Hüllblätter 3zählig auf einem kurzen erweiterten Blattstiele sitzend, von der Gestalt der Wurzelblätter. Früchtchen geschwänzt.

19. *A. alpina L.* Alpen-Küchenschelle. *Wurzelblätter 3zählig-zusammengesetzt,* Zipfel eingeschnitten; *Hüllblätter* 3zählig, kurzgestielt, *von der Gestalt der Wurzelblätter;* Blüthen einzeln; Kelchblätter meist 6; *Früchtchen und der vielmal längere Schweif zottig.*

Gemein auf Alpen und Voralpen durch das ganze Land. —

Vorarlberg: auf der Dornbirneralpe (Str!). Oberinnthal: am Säuling (Kink); Alpen bei Zirl (Str!). Aggenstein bei Tannheim (Dobel). Innsbruck: auf dem Patscherkofel (Hfl.).. Kellerjoch (Schm!). Zillerthal (Gbh.). Kitzbüchl: am Horn (Trn.). Schmirn (Hfm.). Pusterthal: in Enneberg (Iss.), in Prax (Hll.), Tefereggen, Innervilgraten (Schtz.), Innichen (Stapf), Thaleralpe u. Tristacher Bergwiesen bei Lienz (Rsch! Schtz.). Zilalpe bei Meran (Elsm.). Jaufen (Gbh!). Schlernalpe u. Rittneralpe, viel seltener als die Varietät (Hsm.). Trient: am Bondon (Hfl.). Auf der Gazza u. Scanuccia (Per!). Judicarien (Bon.). Monte Baldo (Poll!).

β. sulfurea. Blüthen gelb. A. sulfurea L. Gemein im südlichen Tirol. Vorarlberg: auf der Dornbirneralpe (Str!). Auf dem Rosskogel (Str!); Arzler Bergwiesen bei Imst (Lutt!). Schmirn (Hfm.). Kitzbüchl (Trn.). Pusterthal: Innervilgraten (Schtz.), bei Welsberg und in Prax (Hll.); Maistadt und Niederndorf (Wlf!); Geiselsberg bei Brunecken (M. v. Kern); Lienzeralpen (Rsch!). Lüseneralpe (Hfm.). Vintschgau: Bergwiesen bei Prad (Karpe); im Matscherthale (Eschl.); am Strimhof bei Laas (Tpp.). Naturnserjoch bei Meran (Iss.). Jaufen (Gbh!). Bozen: auf der Mendel, dem Schlern, Seiseralpe, Wiesen zwischen Aldein u. Weissenstein; am Ritten bei 4600′ ober Kematen beginnend, Rittner- u. Villandereralpe; auf dem Salten ober Jenesien (Hsm.). Fleims u. Fassa (Fcch!). Valsugana: bei Borgo gegen Sette Selle (Mrts!). Alpe von Torcegno (Ambr.), am Montalon (Montini!). Gebirge um Roveredo (Crist.). Judicarien: Alpe Cengledino (Bon.).

Bl. weiss, mit schmalen oval-länglichen Kelchblättern (Pulsatilla alba Reich.), oder mit breitern breit-eiförmigen Kelchblättern (P. Burseriana *α.* Reichenb. P. grandiflora Hoppe); bei der Varietät schwefelgelb (P. Burseriana *β.* lutea Reich.) wenn die Kelchblätter zugleich breit-eiförmig sind. Auch bei der schwefelgelben Varietät variiren die Kelchblätter oval-länglich u. breit-eiförmig. Jun. Jul. ♃.

V. Rotte. *Anemone.* Hüllblätter 3zählig, gestielt; von der Gestalt der Wurzelblätter. Früchtchen ungeschwänzt. Die wurzelständigen Blätter fehlen oft.

20. ***A. baldensis L.*** Erdbeerfrüchtiges Windröschen. ***Hüllblätter den wurzelständigen Blättern gleichgestaltet,*** kurz-gestielt; ***Wurzelblätter doppelt-3zählig,*** Blättchen 3theilig, Zipfel 3zähnig; Blüthen einzeln; Kelchblätter meist 8, elliptisch-länglich, unterseits zottig; ***Früchtchen wollig, fast so lang als der kahle Griffel.***

Höhere Alpentriften im südlichen Theile des Landes. — Pusterthal: auf der Tristacheralpe bei Lienz (Rsch!), Teischnitzalpe allda u. am grauen Käs (Schtz.). Vintschgau: in der Putzenblaisen im Martellthale (Tpp.). Zilalpe bei Meran (Elsm.). Kalkalpen bei Bozen: Schlern, Seiser- und Tierseralpe (Hsm.

Eschl.). Fassa und Fleims (Fcch!). Monte Spinale (Tpp.). Col Santo (Fleischer!). Scanuccia u. Collalto bei Roveredo (Crist.). Auf dem Altissimo des Baldo und Bondone (Per.). Am Portole (Montini!). Judicarien: Alpe Lenzada und Campiglio (Bon.), Spinale (Per.).

A. fragifera Wulf.

Bl. weiss. Ende Jun. Jul. ♃.

21. *A. nemorosa L.* Hain - W. ***Hüllblätter 3zählig, gestielt; Blattstiel halb so lang als das Blatt;*** Blättchen eingeschnitten-gesägt, das mittlere 3spaltig, an der Basis keilig, die seitenständigen 2spaltig, an der Basis schief-eiförmig; Blüthen einzeln; ***Kelchblätter meist*** zu 6, länglich, stumpf, ***auf beiden Seiten kahl;*** Früchtchen flaumhaarig, fast so lang als der Griffel.

Auf Waldtriften, in Auen und buschigen Hügeln stellenweise. — Oberinnthal: bei Ehrwald (Lutt!). Innsbruck: unter dem Husselhofe u. im Villerberg (Hfl. Prkt.). Kitzbüchl (Trn.). Zillerthal: auf Bergwiesen am Hainzenberge (Moll!). Lienz: im Walde hinter Schlossbruck (Rsch!). Bozen: bei Sigmundscron (Eschl.), am Ritten: in der Waldwiese bei Klobenstein am sogenannten Bäckersteige westlich von diesem zwischen dem Astnerhofe und dem Rösslerbache stellenweise in Menge, auch am Wiesenzaune in der Waidacher Wiese am Oberboznerteige (Hsm.). Auf Hügeln bei Obermais nächst Meran (Iss.). Valsugana: bei Borgo (Ambr.). Val di Non: hinter Cles und bei Denno (Hfl!). Buschige Hügel um Roveredo (Crist.). Vallarsa (Per.). Baldo: Val dell' Artillon (Poll!). Judicarien: Wiesen bei Prada u. ai Finali bei Tione (Bon.).

Obsolet: Herba Ranunculi albi vel nemorosi. — Bl. weiss, aussen oft mehr o. weniger röthlich. März. Apr. ♃.

22. *A. ranunculoides L.* Hahnenfussartiges W. Goldhähnchen. ***Hüllblätter dreizählig, gestielt; Blattstiel vielmal kürzer als das Blatt;*** Blättchen eingeschnitten-gesägt, das mittlere 3spaltig, an der Basis keilförmig, die seitenständigen 2spaltig, an der Basis etwas schief; Blüthen meist zu zwei; ***Kelchblätter*** oval, seicht ausgerandet, ***unterseits flaumhaarig;*** Früchtchen flaumhaarig, fast so lang als der Griffel.

Auf Waldwiesen sehr zerstreut im Gebiethe. — Vorarlberg: bei Feldkirch (Str!). Innsbruck: zwischen Wiltau und Amras (Friese), u. unter dem Reinerhofe (Prkt.). Unterinnthal: bei Kropfsberg (Gbh.); Kitzbüchl: selten z. B. bei Birchnern (Trn.); Waldtriften bei Ebbs (Harasser). Bozen: bei Sigmundscron (Eschl!)? Gebirge um Trient u. am Baldo: im Thale dell'Artillon (Poll!), u. allda in Val di Novesa (Manganotti!).

Bl. gelb. Mai. ♃.

23. *A. trifolia L.* Dreiblättriges W. ***Hüllblätter 3zählig, gestielt, Blättchen*** breit-lanzettlich, zugespitzt, ***ungetheilt,*** gesägt, an der Basis ganzrandig; Blüthen einzeln, Kelchblätter meist zu 6, oval-länglich, auf beiden Seiten kahl,

Früchtchen flaumhaarig, fast so lang als der Griffel. — In Wäldern, Auen und Vorhölzern, gemein im südlichen Tirol vom Thale bis an die Voralpen. — Pusterthal: bei Welsberg (Hll.), u. um Innichen (Stapf), Lienz (Schtz.). Bergwiesen um Brixen (Hfm.). Bozen: in Menge auf der Schattenseite am Fusse des Berges von Blumau längs der Strasse bis Salurn und geht am Kollererberg bis etwa 4000′ (Hsm.). Bozen u. Sarnthal (Eschl.). Fleims: bei Predazzo (Fech!). Valsugana: bei Borgo (Ambr.). Trient: bei Povo und am Doss San Rocco (Per. Hfl.). Roveredo (Crist.).

Bl. weiss. Ein Exemplar mit (wenigstens im getrockneten Zustande) blass-himmelblauer Bl. von Dr. Hell bei Welsberg gesammelt im Herbar des Innsbrucker Museums. Apr. Mai. ♃.

5. *Adónis L.* Adonis.

Kelch 5blättrig, krautartig, abfällig. Blumenkrone 5—15-blättrig, Blätter ohne Honiggrube. Früchtchen nussartig, einsamig, m eiförmig - cylindrischen Fruchtboden eingefügt. (XIII. 2e)ne

24. ***A. autumnalis L.*** Herbst-A. Kelch kahl, abstehend, von den halbkugelig - zusammenschliessenden Blumenblättern entfernt; Früchtchen zahnlos, in den *geraden Schnabel* auslaufend.

Auf bebautem Boden im südlichen Tirol, auch in Gärten gepflanzt und allda verwildernd. — Innsbruck: im Wiltauer Stiftsgarten (Prkt.). Weinberge bei Meran (Iss.). Felder um Bozen u. Meran (Eschl.).

Bl. blutroth, am Grunde schwarz. Mai. Aug. ⊙.

25. ***A. aestivalis L.*** Sommer-A. Feuerröschen. Kelch kahl, an die ausgebreiteten Blumenblätter angedrückt; Früchtchen mit zwei Zähnen am obern Rande und einem spitzen Zahne an der Basis, *Schnabel aufstrebend*, *gleichfarbig* grün.

Unter der Saat. — Oberinnthal: bei Imst (Lutt.). Innsbruck: Aecker zwischen der Froschlacke und dem Husselhofe (Hfl.). Bozen: Aecker unter der Landstrasse bei Deutschen u. Atzwang, dann bei Siebenaich (Hsm.). Trient (Per!). Cavalese (Iss.).

A. miniata Jacq. — Obsolet: Flores et Semen Adonidis. — Bl. mennigroth, seltener pomeranzengelb oder strohgelb, oft am Grunde schwarz. Mai. Jun. ⊙.

26. ***A. flammea Jacq.*** Brennrothe A. Kelch rauhhaarig, an die ausgebreiteten Blumenblätter angedrückt; Früchtchen an ihrem oberm Rande vor dem *aufstrebenden an der Spitze brandigen Schnabel* mit einem abgerundeten Zahne. — Auf Aeckern der Ebene bei Roveredo (Crist.).

Bl. klatschroth o. strohgelb, an der Basis oft schwarz; an den mir vorliegenden Exemplaren von Roveredo strohgelb mit rothen Streifen, wie sie nach Wirtgen (Fl. v. Coblenz p. 4) auch bei Kreuznach vorkommen. Mai, Jun. ⊙.

III. Grupe. **Ranunculaceae De C.** Knospenlage des Kelches u. der Blumenkrone dachig. Früchtchen nicht aufspringend, nussartig, 1samig. Blumenblätter an der Basis mit einer Schuppe o. einer honiggrubartigen Oeffnung versehen.

6. ***Ceratocéphalus Moench.*** Hornköpfchen.

Kelchblätter 5, krautig, ohne Sporn, Blumenblätter 5, benagelt, Nagel mit einer Honiggrube. Staubgefässe 5-15. Früchtchen nussartig, einsamig, ährenartig einem säulenförmigen Fruchtboden eingefügt, an der Basis 2höckerig, an der Spitze langgehörnt. Kleine, jährige, weichhaarige, 1blüthige Kräuter mit vieltheilgen wurzelständigen Blättern. (V. 6.).

27. ***C. orthoceras De C.*** Geradhorniges H. Spitze der Nüsschen in einen geraden Horn ausgehend, Horn an der Basis am breitesten.

In Vintschgau (Iss.), ohne nähere Standorts- u. Vorkommens-Angabe. In Deutschland bisher nur bei Prag u. in Wien aufgefunden u. zwar an Rainen, in Hohlwegen, an Erdabhängen u. Aeckern.

1—3 Zoll hoch, graugrün, Blüthen klein, schwefelgelb. April, Mai. ⊙.

6. b. ***Ranúnculus L.*** Hahnenfuss.

Kelchblätter meist 5, selten 3, spornlos, abfällig, Blumenblätter 5—12, Nagel mit einer nackten oder mit einer Schuppe versehenen Honiggrube. Früchtchen nussartig, 1samig, einem kugeligen o. kegelförmigen Fruchtboden eingefügt. (XIII. 2.).

I. Rotte. ***Batrachium De C.*** Blumenblätter weiss, mit einem hellgelben Nagel; Honiggrübchen unbedeckt und auch nicht mit einem hervortretenden Rande versehen. Früchtchen quer-gestreift-runzelig. Wasserpflanzen.

28. ***R. aquatilis L. α.*** Verschiedenblättriger Wasserhahnenfuss. ***Schwimmende Blätter nierenförmig, lappig o. gespalten;*** untergetauchte borstlich-vielspaltig, Zipfel nach allen Seiten abstehend; Blumenblätter verkehrt-eiförmig; Früchtchen quer-runzelig, steifhaarig oder kahl, am Ende kurz-bespitzt; Fruchtboden behaart, fast kugelig.

In Gräben mit stehendem oder langsam fliessendem Wasser, wie es scheint im Gebiethe sehr selten. — Pusterthal: bei Lienz gegen Mittewald (Rsch!). Um Bozen (Elsm!).

R. aquatilis Bertoloni Fl. ital. tom. V. p. 571. R. heterophyllus Wigg. — Bl. weiss. Jun. Sept. ♃.

28. b. ***R. pantothrix De C. Bertol.*** Gemeiner Wasser-Hahnenfuss. ***Blätter sämmtlich untergetaucht, borstlich-vielspaltig,*** Zipfel nach allen Seiten abstehend; Blumenblätter verkehrt-eiförmig; Staubgefässe länger als das Köpfchen der Fruchtknoten; Früchtchen quer-runzelig, meist ein wenig steifhaarig, am Ende kurz-bespitzt, Fruchtboden behaart, fast kugelig.

In Gräben mit stehendem o. langsam fliessendem Wasser.

Innsbruck: bei Amras (Eschl.). Kitzbüchl (Trn.). Pusterthal: bei Niederndorf (Hll.). Vintschgau: im Laasermoose (Tpp.). Brixen (Hfm.). Um Bozen, doch seltener als β.: Margreid, Salurn; Trient: ausser San Martino (Hsm.). Im Etschlande u. in einem Teiche bei San Pellegrino (Fcch.).

β. *paucistamineus.* Blüthen 2—4mal kleiner; Staubgefässe um eben so vielmal weniger d. i. 5—12 (an der Species 20 u. mehr). R. paucistamineus Tausch. Koch Taschenb. Mehr in seichtern Gräben. Innsbruck: am Amraser See (Prkt.). Lienz (Schtz.). Gemein um Bozen (Hsm.). Vintschgau: an den Strassengräben bei Laas (Tpp.). Valsugana: bei Borgo (Ambr.).

γ. *terrestris.* Rasenartig; Blattzipfelchen kürzer, dicker, saftig; Stengel oft nur 1—3″ lang. Entsteht ausser dem Wasser, in ausgetrockneten Gräben. R. aquatilis γ terrestris homophyllus Reichenb. Icon. Ranunc. tab. III. — Diese Varietät fand ich um Bozen nur kleinblüthig, sie findet sich auch bei Laas im Vintschgau.

Die Blattzipfel legen sich bei α u. β, wenn man die Pflanze aus dem Wasser nimmt, pinselartig zusammen, bei R. divaricatus bleiben sie auch ausser dem Wasser in eine kreisrunde Fläche ausgebreitet.

Bl. weiss. Jun. Sept. ♃.

28. c. ***R. Petiveri Koch.*** Petiver's Wasserhahnenfuss. Untergetauchte Blätter borstlich-vielspaltig, Zipfel nach allen Seiten abstehend; die schwimmenden obern 3theilig oder tief-3spaltig, Zipfel 3eckig-verkehrt-eiförmig, 2—3spaltig, gekerbt oder gezähnt; die schwimmenden untern oft gedreit, Blättchen ziemlich lang, gestielt, verkehrt-eiförmig-fächerformig; Stengel stumpf-kantig; Blumenblätter verkehrt-eiförmig; Staubgefässe länger als das Köpfchen der Fruchtknoten; Früchtchen etwas gedunsen, quer-runzelig, unberandet, steifhaarig o. kahl, an dem Ende kurz-bespitzt.

In Bächen u. stehendem Wasser. Tirol, Kärnthen u. Steiermark (Maly enum. pag. 252)! R. Petiveri Koch syn. ed. 2. pag. 13. R. aquatilis ε Petiveri Koch Taschenb. p. 8. Wohl nur Varietät von aquatilis? Jun. Aug. ♃.

29. ***R. divaricatus Schrank.*** Spreizblättriger Wasserhahnenfuss. *Blätter sämmtlich untergetaucht, borstlich-vielspaltig, Zipfel in eine kreisrunde Fläche auseinander tretend.* Blumenblätter verkehrt-eiförmig; Staubgefässe länger als das Köpfchen der Fruchtknoten; Früchtchen querrunzelig, steifhaarig, an dem Ende kurz-bespitzt.

In Gräben u. kleinen Bächen. — Innsbruck: in der Froschlacke ausser dem Innrain (Hfl.). Zillerthal: in kleinen Bächen beim Mitterdorf (Schrank!).

R. circinnatus Sibth. — Bl. weiss. Jul. Sept. ♃.

30. ***R. fluitans Lam.*** Fluthender Wasserbahnen-

fuss. ***Blätter sämmtlich untergetaucht, borstlich-vielspaltig, Zipfel verlängert, gleichlaufend,*** gerade vorgestreckt; Blumenblätter länglich-keilig; Staubgefässe meist kürzer als das Köpfchen der Fruchtknoten; Früchtchen quer-runzelig, kahl, an dem Ende bespitzt.

In Gräben mit fliessendem Wasser. — Unterinnthal: bei Kössen (Trn.). Brixen (Hfm.). Bozen: in Menge im grossen Abzugsgraben von der Sigmundscroner Brücke abwärts (Hsm.). Pranzoll: jenseits der Etsch am Stadelhofe (Hfl.).

R. peucedanifolius Desf. R. fluviatilis Wigg. — Die Staubgefässe finde ich nicht selten so lang als das Köpfchen der Fruchtknoten auch ändern die Blüthen rücksichtlich ihrer Grösse ab und zwar an demselben Standorte. Jun. Sept. ♃.

II. Rotte. ***Hecatonia.*** Honiggrübchen am Rande nackt o. am Rande in eine Röhre oder oberwärts in eine oft 2spaltige Schuppe vorgezogen; Röhre oder Schuppe häutig und nicht dicklich und fleischig, Früchtchen an den Seiten glatt oder daselbst mit unregelmässig in einander mündenden Adern. (Bl. weiss oder rosenroth angelaufen).

31. ***R. rutaefolius L.*** Rautenblättriger H. ***Blätter*** aderig, ***die der Wurzeln doppelt - gefiedert, Fiederchen 3theilig-vielspaltig, Läppchen linealisch;*** Stengel 1-3blüthig; Kelch kahl; Blumenblätter verkehrt-eiförmig, ganzrandig o. ungleich-gekerbt; Früchtchen schräg-eiförmig, netzig-runzelig, unberandet, Schnabel kurz gebogen.

Triften und Steingerölle der höhern Alpen, auf Kalk. — Zillerthal: in der Zemm (Schrank!). Volderer Joch bei Hall (Guttenberg!). Kitzbüchl: auf dem Geisstein (Trn.). Pusterthal: Kirschbaumeralpe (Hoppe!), Schleinizalpe bei Lienz (Hohenwarth!). Grossglockner; auf der Geisenplatte in Vintschgau (Tpp.). Schlern und Seiseralpe (Hsm. Zcc!). Dolomitalpen in Fassa u. Fleims (Fech!). Spinale (Sternberg! Per!). Bondone, Baldo u. Scanucchia (Poll!).

Callianthemum coriandrifolium Reichenb. R. alpinus coriandrifolio Pona.

Bl. weiss. Jul. Aug. ♃.

32. ***R. glacialis L.*** Eis-H. Blätter aderig, die wurzelständigen 3zählig; Blättchen gestielt, 3theilig-vielspaltig, mit lanzettlichen, stumpflichen Läppchen; Stengel 1-3blüthig; ***Kelch sehr rauh-haarig;*** Blumenblätter verkehrt-eiförmig, seicht-ausgerandet; Früchtchen schräg-eiformig, kahl, unberandet, Schnabel gerade.

Alpenjöcher über 7000′, durch das ganze Land. — Oberinnthal: Alpen bei Ladis (Gundlach), auf dem Timmljoch (Zcc!). Venetberg bei Imst (Lutt.). Alpen bei Zirl und Telfs (Str.). Alpen um Innsbruck: Viller- u. Neunerspitze, dann Siminger Joch (Hfl.). Längenthal in Sellrain (Prkt.). Kellerjoch bei Schwaz (Hrg!). Schmirn (Hfm.). Geisstein bei Kitzbüchl (Trn.). Pfitschgrundkarr in Zillerthal (Gbh.). Griesbachjoch in Pfitsch (Stotter!), Pusterthal: in Tefereggen, Innervilgraten, Hofalpe und Gössnitz (Schtz.); Joch von Enneberg nach Buchenstein (Iss.); Schleinitzer- und Marenwalderalpe bei Lienz (Rsch!); am Rudelhorn bei Welsberg (Hll.). Vintschgau: Wormserjochstrasse an der Gränze (Hsm.), dann im Laaserthale (Tpp.). Naturnserjoch bei Meran (Iss.). Schneeberg bei Sterzing, Sarnerscharte u. Schönant auf der Villandereralpe (Hsm.). Fassa u. Fleims (Fcch!). Col Briccon in Paneveggio (Per.). Valsugana: am Cima d'Asta (Ambr.), am Portole (Moretti!), am Montalon (Montini!). Judicarien: am Frate di Breguzzo (Bon.), u. am Gletscher in Val di Genova (Per!).

Bl. an derselben Stelle bald weiss, bald mehr oder weniger roth überlaufen. Jul. Aug. ♃.

33. ***R. Seguieri Vill.*** Seguier's H. ***Blätter*** aderig, ***die wurzel- und stengelständigen handförmig-vielspaltig,*** im Umrisse herzförmig-rundlich, ***Läppchen zugespitzt;*** Stengel 1—3blüthig; Kelch kahl; Blumenblätter verkehrt-eiförmig, abgerundet; Früchtchen schräg-eiförmig, konvex, unberandet, netzig-runzelig, Schnabel dünn, backig.

Höhere Triften der Kalkalpen in Südtirol. — Pusterthal: Kirschbaumer- und Tristacheralpe bei Lienz (Rsch! Zois! Ortner. Schtz.). Schlern- u. Tierseralpe bei Bozen (Hsm. Elsm.). Alpen von Fassa und Fleims; dann am Col di Lana in Livinalongo (Fcch!). Valsugana (Crist!). Bondone und Spinale (Per. Tpp.).

R. Columnae All.

Bl. weiss. Jul. Aug. ♃.

34. ***R. alpestris L.*** Alpen-H. ***Blätter*** aderig, ***die wurzelständigen herzförmig-rundlich, 3- u. 5spaltig, Zipfel verkehrt-eiförmig, vorne eingeschnitten-gekerbt;*** Stengel einblüthig, meist einblättrig, das stengelständige Blatt 3spaltig mit linealischen Zipfeln oder ungetheilt; Blüthenstiel gefurcht; Kelch kahl; Blumenblätter verkehrt-eiförmig oder 3lappig; Früchtchen verkehrt-eiförmig, konvex, glatt, unberandet, Schnabel gerade, an der Spitze hackig.

Kiesige Triften der Alpen und Voralpen. — Vorarlberg: Mittagspitze u. Dornbirneralpe (Str!). Am Steinjoch in Pfafflar (Lutt!); am Geishorn bei Thannheim (Dobel!); Oberinnthal: subalpine Gegenden im Geisthale, am Solstein (Str.). Innsbruck: Sattelspitze und Seegruben (Hfl.); Saileberg (Prkt.). Joch in Nassdux (Hfl.). Rattenberg: am Gratelkopf (Wld.). Zillerthal: am Gerlosstein (Gbh.). Pusterthal: Schleiniz- u. Trelewitscheralpe bei Lienz (Rsch!). Vintschgau: Wormserjoch bei Franzenshöhe (Hsm.); allda u. in Schlinig am Sursass (Tpp.). Marmolata in Fassa; Felsen von San Martino ober Paneveggio in Fleims (Fcch!). Am Spinale u. Castellazzo (Per.). Am Bondon u. Campobruno (Poll!). Baldo: am Altissimo (Hfl!).

Bl. weiss. Jun. Jul. ♃.

35. ***R. Traunfellneri Hoppe.*** Traunfellner's H. ***Blätter*** aderig, ***die wurzelständigen 3theilig, im Umrisse***

nierenförmig, der mittlere Zipfel 3spaltig, die seitlichen tief 2spaltig, Zipfelchen wiederum 2spaltig, Läppchen lanzettlich; Stengel 1bluthig, meist 1blättrig, das Stengelblatt linealisch, ungetheilt; Kelch kahl; Blüthenstiel gefurcht; Blumenblätter verkehrt-herzförmig oder 3lappig.

Felsige Orte der Alpen in der Schweiz, Tirol u. Kärnthen (Koch syn.)! Wormserjoch (Fk!). Kirschbaumeralpe bei Lienz (Hrg!), nach Hoppe jedoch (Flora 1837 p. 64) allda nur R. Seguieri. Am Glockner Kärnthner Seite (Lösche!).

Kaplan Pacher in Sagritz im Möllthale hat am Glockner nie den R. Traunfellneri gefunden, wohl aber den R. alpestris in vielen Formen. Den wahren R. Traunfellneri scheinen viele nicht zu kennen, wenigstens erhielt ich schon öfter Varietäten der R. alpestris dafür. An den 3spaltigen, oder 3theiligen Wurzelblättern lassen sich doch beide ziemlich leicht unterscheiden. Meine Exemplare des R. Traunfellneri sind von Kärnthen und Krain. — Bl. weiss. Jun. Jul. ♃.

36. ***R. aconitifolius L.*** Eisenhutblättriger H. — *Blätter* aderig, *wurzel- u. stengelständige handförmig-3—7theilig, Zipfel 3spaltig, zugespitzt, eingeschnitten-gesägt;* Stengel vielblüthig; Früchtchen verkehrt-eiförmig, höckerig-konvex, aderig-runzlig, unberandet, Schnabel dünn, hackig.

Alpen u. Voralpen. — Alpen bei Zirl u. Telfs am Solstein u. Rosskogl (Str.). Kitzbüchl (Trn.). Dorferalpe, Innervilgraten (Schtz.). Hochgruben bei Innichen (Bentham!). Alpen bei Brunecken (Pfaundler)!

β. *platanifolius.* Höher, Stengel vielblüthig, Blattzipfel länger-zugespitzt. R. platanifolius L. — Vorarlberg: im Bregenzerwald (Str!). Oberinnthal: ober Obladis (Lütt!). Längenthal in Sellrain und Alpe Lizum (Prkt. Hfl.). Schwazeralpen (Schm!) Zillerthal: in der Zemm (Gbh.). Kitzbüchl (Trn.). Alpen bei Rattenberg (Wld!) Pusterthal: bei Welsberg (Hll.), in Tefereggen (Schtz.), Innichen (Stapf.), Tristacher- u. Amblacher Bergwiesen bei Lienz (Rsch! Schtz.). Hochgebirge um Brixen (Hfm.). Vintschgau: Wormserjochstrasse unter Franzenshöhe (Hsm.). Laaseralpe (Tpp.). Naturnseralpe (Iss.). Schleern, Seiser- u. Rittneralpe; Geyerberg bei Salurn (Hsm.). Wälder von Fassa u. Fleims (Fcch!). Valsugana: ober Torcegno auf Wiesen (Ambr.). Am Bondon bei Trient (Hfl.). Monte Baldo: al Cerbiol u. Gambon (Poll!). Judicarien: auf der Alpe Lenzada (Bon.).

Meist nur 1—3 Fuss hoch, mannshohe Exemplare mit 120 Blüthen in Voralpenthälern des Geyerberges bei Salurn.

Bl. weiss. Jun. Aug. ♃.

37. ***R. parnassifolius L.*** Parnassienblättriger H. *Blätter* nervig, *die wurzelständigen herzförmig-eiförmig,*

ganzrandig, Blattnerven der obern Fläche nebst dem Stengel u. Blüthenstielen wollig.

Kiesige Orte der höchsten Alpen. -- Oberinnthal am Grieskogl in Oezthal (Zc!). Südöstliche Gehänge des Solsteins auf Steingerölle über den Zirler Bergmähdern (Hfl!). Pusterthal: Kerschbaumeralpe (Hoppe!), am Fusssteige zur Zochalpe (Rsch!) allda u. auf der Tristacheralpe (Ortner), Kerschbaumeralpe (Schtz.). Vintschgau: auf Gerölle der Stilfseralpe, Wormserjoch auf der Schweizer- u. welschen Seite (Tpp.). Zilalpe bei Meran (Elsm!). —

Stengel 1—10blüthig, 2—6″ hoch; Bl. weiss oder röthlich. Jul. ♃.

38. ***R. pyrenaeus L.*** Pyrenäen-H. ***Blätter*** nervig, ***ganzrandig, lanzettlich;*** Stengel 1—3blüthig; ***Blüthenstiel an der Spitze wollig;*** Früchtchen verkehrt-eiförmig, konvex, glatt, unberandet: Schnabel dünn, hackig; Wurzelfasern stielrund, gegen die Spitze verschmälert.

Auf alpinen Triften. — Oberinnthal: am Grieskogl bei Sölden (Zc!). Pusterthal: Alpe Ködnitz in Kals u. Alpen bei St. Jacob in Tefereggen (Schtz.); Zetterfelder u. Leibniger Alpe bei Lienz (Rsch! Schtz.). Gsieseralpe (Hll.). Vintschgau: Alpentriften bei Stilfs (Tpp.). Wormserjoch (Funk). Am Fusse des Ortlers (Eschl.). Valkamaierjoch (Giovanelli!). Kirchbergerjoch in Ulten (Hfl.). Zilalpe bei Meran (Elsm.). Schleern u. Mendel bei Bozen (Hsm.). Sarnthal: Joch zwischen Oberstückl u. Passeier (Eschl!). Jaufenspitze (Gbh.). Fassa und Fleims (Fcch!), Val di Sol (Per.). Valsugana: am Montalon (Montini!). Bl. weiss. Jun. Jul. ♃.

III. Rotte. ***Ranunculus.*** Blüthen hell- oder goldgelb, Das Honiggrübchen mit einer fleischigen auswärts gerichteten Schuppe bedeckt.

§. ***1. Blätter ungetheilt. Wurzel faserig.***

39. ***R. Flammula L.*** Brennender H. Sumpf-H. ***Blätter elliptisch, lanzettlich oder linealisch;*** Stengel aufrecht, aufstrebend oder niedergestreckt, oft wurzelnd. ***Früchtchen*** verkehrt-eiförmig, ***glatt***, schwach berandet, ***in ein kurzes Spitzchen endigend.***

An Gräben, Teichrändern u. sumpfigen Wiesen bis an die Voralpen. — Vorarlberg: gemein um Bregenz (Str!). Innsbruck: in den Schlammgräben vor Afling (Hfl.). Schwaz (Schm!) Zillerthal: bei Mitterdorf (Gbh.). Kitzbüchl: auf Moorwiesen u. an Gräben bis 4000′ z. B. im Bichlach (Unger!). Pusterthal im Antholzer Moos (Hll.). Vintschgau: im Moose bei Laas (Tpp.). Trient: bei Baselga (Fcch!). Judicarien: an den Bächen der Gebirgswiesen bei Tione (Bon.).

β. reptans. Stengel niedergestreckt, wurzelnd, dünner, kürzer, mit bogenformig aufwärts gekrümmten Gliedern; Blätter schmäler. — R. reptans L. Koch syn. ed. 2. pag. 434. u.

Taschenb. pag. 11. — Vorarlberg: bei Bäumle (Str!). Innsbruck: auf Wiesen am Sparberegg (Hfl.). Vintschgau: am Haidersee (Tpp.), bei Mals (Hfm!). Ritten: am östlichen Ufer des Wolfsgruber Sees; auf feuchten Wiesen bei Salurn (Hsm.).

Ehemals officinell: Herba Flammulae — Bl. gelb. —

Jun. Aug. ♃.

40. ***R. Lingua L.*** Langblättriger H. ***Blätter verlängert-lanzettlich,*** zugespitzt; Stengel steif-aufrecht, vielblüthig, an der Basis quirlig-bewurzelt, Auslaufer treibend; ***Früchtchen*** zusammengedrückt, berandet, ***glatt, Schnabel breit, kurz schwertförmig.***

In Gräben u. Sümpfen der Hauptthäler. — Innsbruck: an dem Giessen ausser der Schwimmschule (Hfl.). An der Landstrasse zwischen Bozen u. Meran (Eschl.). Im Etschlande auf den Mösern bei Terlan, Sigmundskron, Salurn u. Margreid (Hsm.). Zwischen Salurn u. Welschmichael (Mrts!).

Obsolet: Herba et Radix Ranunculi flammei majoris.

Bl. gelb. Jun. Aug. ♃.

§. 2. ***Blätter ungetheilt, oder etwas lappig, Wurzel vielknollig, nämlich aus verdickten Fasern zusammengesetzt.***

41. ***R. Ficaria L.*** Feigwarzenkraut. Schárbockkraut. — Stengel beblättert; ***Blätter rundlich-herzförmig, die untern geschweift, die obern eckig;*** Kelch meist 3blättrig.

Auf Grasplätzen, in Auen u. Hecken der Thäler. — Vorarlberg: gemein um Bregenz (Str!). Oberinnthal: bei Imst (Lutt!). Innsbruck: im Hofgarten östlich (Hsm.), u. am Wege unter der Gallwiese (Schpfr.), dann auf den Wiesen vor Vill (Prkt.). An Obstangern u. schattigen Wäldern bei Kitzbüchl (Trn. Unger!). Pusterthal: bei Tristach (Ortner), Obstgärten bei Lienz (Sebtz. Rsch!), an Bächen in Taufers (Iss.). Bozen: in der Stadtau, u. an den östlichen Höfen bei Frangart; Salurn: an den Weinbergrainen der sogenannten Wieseln (Hsm.). Valsugana: bei Borgo Ambr.). Judicarien: an Bächen bei Tione (Bon.). Am Baldo: ausser dem Gebiethe in Val Fredda (Calceolari!). Ficaria ranunculoides Mönch. Reichenb. F. verna Huds.

Obsolet: Radix et Herba Chelidonii minoris. — Bl. gelb.

Apr. Maj. ♃.

42. ***R. Thora L. var. α.*** Giftiger H. ***Das untere stengelständige Blatt*** sitzend, oder kurz gestielt, ***rundlich-nierenförmig,*** gekerbt, das folgende verkehrt-eiförmig, vorne eingeschnitten, das blüthenständige lanzettlich; Stengel 1—3-blüthig.

Alpen u. Voralpentriften im südlichen Tirol. — Pusterthal: Kirschbaumeralpe (Bischof! Hoppe! Hrg!), Schleinizalpe (Hohenwarth!). Fassa: in Fucchiada, Fleims: in Viesena (Fcch!). Valsugana: am Civerone, Manasso u. alla Zenzola di Sella bei Borgo, Vette di Feltre (Ambr.). Spinale (Tpp.). Portole (Montini!). Gipfel des Baldo u. auf dem Bondone (Poll!) Baldo: südliche Abhänge des Altissimo (Hfl.). Gebirgswiesen um Roveredo (Crist.). Judicarien: Alpe Lenzada u. Gavardina (Bon.). Wurzelblätter fehlen. — Bl. gelb. Juni, Jul. ♃.

43. ***R. hybridus Biria.*** Bastard-H. *Das untere stengelständige Blatt sitzend, oder kurz gestielt, quer-breiter, etwas nierenförmig, vorne* fast gestutzt, *eingeschnitten-lappig,* der mittlere Lappen eiförmig-zugespitzt, die blüthenständigen lanzettlich; Stengel 1—3blüthig.

Felsige Triften der Kalkalpen. Innsbruck: am Solstein (Str.) Kitzbüchl: am grossen Rettenstein (Trn.). Pusterthal: Alpen in Prax (Hll.), u. südlich von Innichen (Stapf); Kirschbaumer- u. Tristacheralpe bei Lienz (Ortner), auf dem Auerling allda (Schtz.). Schleern u. Seiseralpe (Hsm.). Dolomitalpen in Fassa u. Fleims (Fcch!). Monte Baldo (Jan!). Judicarien: Alpe Gavardina (Bon.).

R. Phtora Crantz. Reichenb. fl. exe. — Ein einzelnes Wurzelblatt. Bl. gelb. Scharf-giftig wie Vorige. Jun. Jul. ♃.

R. asiaticus L. Garten-Ranunkel. Eine bekannte, aus dem Oriente stammende Topf- u. Gartenpflanze. Sie hat die vielknollige Wurzel dieser — die Blätter (3zählig oder doppelt-3zählig; Blättchen rhombisch, 3spaltig, eingeschnitten) der folgenden Abtheilung. Bl. gelb, durch Kultur pomeranzengelb, verschieden-roth, weiss, bläulich, aschfarben u. aus allen diesen Farben gesprenkelt, auch halb- oder ganz gefüllt.

§. 3. ***Blätter zusammengesetzt oder tief gelappt u. gespalten; Wurzel faserig (bei R. bulbosus die Stengelbasis knollenartig-verdickt); Früchtchen glatt.***

a. Blüthenstiel stielrund und nicht gefurcht.

44. ***R. auricomus L.*** Goldhaariger H. ***Wurzelblätter herzförmig-kreisrund oder nierenförmig,*** gekerbt, ungetheilt, 3-vielspaltig; Blüthenstiele an der Basis scheidig; Stengelblätter fingerig-getheilt, Zipfel linealisch oder lanzettlich, spreizend; Stengel vielblüthig; Blüthenstiele rund; Früchtchen bauchig, schmal-berandet, ***sammthaarig,*** Schnabel fast von der Basis an hackig.

Gebirgswiesen u. Wälder der Alpen u. Voralpen. — Zillerthal: in der Zemm (Schrank!). Bozen: auf Wiesen ober Völs (Elsm!). Fassa: Wiesen in Fedaia u. Soreghes; Fleims: auf der Alpe Lusia (Fcch!). Alpentriften des Baldo: vorzüglich im Thale Losanna, delle Pietre, u. dell' Artillon (Poll!). Bl. gelb. — Jun. Jul. ♃.

45. ***R. montanus L.*** Berg-H. Wurzelblätter handförmig-getheilt, Zipfel verkehrt-eiförmig, 3spaltig, stumpflich-gezähnt; ***das untere stengelständige 5theilig, Zipfel länglich-linealisch, handförmig-spreizend,*** das obere 3spaltig; Stengel 1-mehrblüthig; ***Blüthenstiele rund;*** Früchtchen berandet, auf beiden Seiten konvex, Schnabel etwas gekrümmt; vielmal kürzer als das Früchtchen; ***Fruchtboden borstig.***

Auf alpinen Weiden, seltener ins Thal herab. — Vorarlberg: im Aachgries u. in Bergwäldern bei Bregenz (Str!); am Freschen, dann Alpe Tillisun in Montafon (Custer!). Oberinnthal: im Tösnerthale, am Solstein (Str.); Alpen bei Imst (Lutt!); Gaishorn bei Thannheim (Dobel!); am Krähkogl (Zc!). Innsbruck: gemein auf den Mühlauer Bergmähdern u. im Gleirscherthale (Hfl.), am Seileberg (Prkt.). Georgenberg (Schm!), Kellerjoch bei Schwatz (Hrgs!). Rattenberg (Wld!). Kitzbüchl: am Schattberg (Trn.). Pusterthal: bei Welsberg (Hll.), Innichen (Stapf.);. Lienz (Schtz.), Leibniger- u. Alkaseralpe bei Lienz (Rsch!) Schleinizalpe (Hohenwarth!). Vinschgau: Wormserjoch (Gundlach); Laaseralpen (Tpp.). Schleern und Seiseralpe (Hsm.). Malga di Gazza u. bei Andolo ober Molveno (Hfl.). Auf der Scanucchia bei Roveredo (Crist.). Am Baldo: al Cerbiol u. Gambon (Poll!); am Altissimo (Hfl!).

β. major. Wurzelblätter mit mehrern Läppchen eingeschnitten; die mittleren Zipfel des untern stengelständigen länger; an der Spitze 3- u. mehrzähnig. — R. Gouani Willd. Vorarlberg: Alpe Tillisun in Montafon (Custer!).

Bl. gelb. Jun. Jul. ♃.

R. gracilis. Schleich. (R. carinthiacus Hoppe) unterscheidet sich von R. montanus L. durch spitzigere Blattläppchen, entferntere schmälere Lappen, u. ganz kurz geschnäbelte Früchtchen. Koch (syn. ed. 2. p. 18, u. Taschenb. p. 12) empfiehlt ihn einer weitern Beobachtung. Reichenbach jedoch (Fl. exe. p. 723, u. Deutschl. Fl. die Ranunkelgew. p. 89) hält ihn für wesentlich verschieden, u. bringt ihn als Art mit folgender Diagnose: „Wurzelblätter 3—5—7theilig, Theilstücke lanzettlich, auseinanderstehend, 3- u. 2spaltig; Stengelblätter 3-7theilig, Abschnitte linealisch, ganzrandig; Blumenblätter umgekehrt-eirund, auseinanderstehend, Nüsschen sehr kurz-geschnäbelt". In Tirol fand ihn Heufler in ziemlicher Menge auf trockenen Triften am Bondone bei Trient u. zwischen Cavedago u. Andolo am Uebergange von Val di Non ins Sarcathal. Der zahlreichen Exemplare ungeachtet, die mir von daher vorliegen, muss ich mich eines Urtheiles darüber enthalten, da ich die Pflanze nicht lebend, u. nicht an ihrem Standorte beobachten konnte.

46. ***R. Villarsii De C.*** Villars H. Wurzelblätter handförmig-getheilt, Zipfel verkehrt-eiförmig, 3spaltig, spitz-gezähnt; ***das stengelständige einzeln, oder mehrere fingerig-getheilt, Zipfel linealisch;*** Stengel 1-mehrblüthig; ***Blüthenstiele rund; Fruchtboden borstig;*** Früchtchen linsenförmig zusammengedrückt, berandet, Schnabel backig.

Gebirgswälder im südlichen Tirol bis in die Alpen. — Vintschgau: am Godria bei Laas bei 6000′ (Tpp.). Auf der Mendel bei Bozen (Hsm.). Trient: am Doss della Croce bei Sardagna (Hfl.). Roveredo (Crist.). Auf der Scanucchia u. am

Baldo (Poll!). Judicarien: zuoberst im Val grande bei Bolbeno (Bon.).

Bl. gelb. Jun. Jul. ♃.

47. ***R. acris L.*** Scharfer H. Wiesen-H. Schmalzblümchen. Wurzelblätter handförmig-getheilt, Zipfel fast rautenförmig, eingeschnitten, spitz-gezähnt; Stengelblätter gleichgestaltet, die obern 3theilig, mit linealischen Zipfeln; Blattstiele flaumig, Haare anliegend oder aufrecht; Stengel vielblüthig; ***Blüthenstiele rund***; Früchtchen linsenförmig-zusammengedrückt, berandet, ***Schnabel*** etwas gekrümmt, ***vielmal kürzer als das Früchtchen; Fruchtboden kahl.***

Gemein auf Wiesen bis in die Alpen. — Vorarlberg: um Bregenz (Str!). Oberinnthal: im Oezthal (Hfl.), bei Zirl, hier auch mit gefüllten Blumen (Str!). Innsbruck: am Berg Isel u. Pastberg (Hfl.). Längenthal in Sellrain bei 6000′ (Prkt.). Schwaz (Schm!). Zillerthal (Moll!). Kitzbüchl (Trn.). Pusterthal: um Lienz (Rsch! Schtz.). Welsberg (Hll.); Bruneckken (F. Naus!); St. Jacob in Tefereggen (Schtz.). Vintschgau: bei Laas (Tpp.). Bozen: auf allen Wiesen; Klobenstein am Ritten; Seiseralpe u. Schleern (Hsm.). Fassa u. Fleims (Fcch!). Um Trient u. in Pinè (Per!). Roveredo (Crist.). Judicarien: bei Tione (Bon.).

Eine Varietät mit weniger eingeschnittenen Blättern, breitern Blattzipfeln u. angedrückt behaartem Stengel ist R. Steveni Andrz. Diese um Klobenstein am Ritten auf Wiesen, vorzüglich in Wäldern; sie wird auf fettem Boden bis 2 Fuss hoch, u. ist somit nicht Erzeugniss des trockenen Standortes, wie Koch (Syn. p. 19) annimmt.

Obsolet: Herba Ranunculi pratensis vel acris.

Bl. gelb. Anf. Mai — Aug. ♃.

48. ***R. lanuginosus L.*** Wolliger H. Wurzelblätter handförmig-getheilt, Zipfel breit-verkehrt-eiförmig, 3spaltig, eingeschnitten, spitz-gezähnt; Stengelblätter gleichgestaltet, die obern 3theilig mit länglich-lanzettlichen Zipfeln; ***Blattstiele rauhaarig***; Haare weitabstehend; Stengel vielblüthig; ***Blüthenstiele rund;*** Früchtchen linsenförmig-zusammengedrückt, berandet, ***Schnabel*** an der Basis breit, an der Spitze eingerollt, ***fast halb so lang als das Früchtchen; Fruchtboden kahl.***

Gebirgswälder bis in die niedern Alpen. — Innsbruck (Schpf.). Kitzbüchl (Trn.). Im Thale bei Georgenberg (Schm.). Zillerthal: am Hainzenberge (Moll!). Pusterthal: bei Welsberg (Hll.); Lienz (Schtz.), allda auf den Tristacher Bergwiesen u. in den Wäldern daneben (Rsch!). Bozen: einmal herausgeschwemmt im Talferbette bei Runkelstein; Ritten: einzeln in Wäldern bei Klobenstein; Schleern: sehr selten ober der Schlucht (Hsm.). Fassa u. Fleims (Fcch!). Am Spinale u. Bondone (Per.). Monte Baldo: al Cerbiol u. Gambon (Poll!). Judicarien: am Monte Aprico bei Bolbeno (Bon.).

Bl. gelb. Mai. Jul. ♃.

b. Blüthenstiel gefurcht.

49. ***R. polyanthemos. L.*** Vielblüthiger H. Wurzelblätter handförmig-getheilt, Zipfel 3spaltig oder 3theilig, eingeschnitten, Abschnittchen fast linealisch; ***Blüthenstiele gefurcht,*** Früchtchen linsenformig-zusammengedrückt, berandet, ***Schnabel hackig; Fruchtboden borstig.***

Auf Waldwiesen u. an Waldrändern. — Schwaderalpe bei Schwaz (Schm!). Vintschgau: Feuchte Wiesen bei Göflan (Tpp.). Thalwiesen um Bozen doch viel seltener als R. acris (Hsm.).

Bl. gelb. — Mai. Jul. ♃.

50. ***R. nemorosus De C.*** Wald-H. Wurzelblätter handförmig-getheilt, Zipfel verkehrt-eiförmig, 3spaltig, gezähnt; ***Blüthenstiele gefurcht;*** Fruchtchen linsenförmig-zusammengedrückt, berandet, ***Schnabel an der Spitze eingerollt; Fruchtboden borstig.***

Gebirgswälder u. Waldtriften bis an die Alpen. — Vorarlberg: am Pfänder bei Bregenz (Str!); am Freschen u. Axberg, auch in der Ebene im Bodenseer Ried (Custer!). Innsbruck: nördliche Abhänge bei Allerheiligen u. am Widmannhofe (Hfl. Prkt.). Kitzbüchl z. B. am Schattberge (Trn.). Pusterthal: in der Tiefe um Welsberg u. auf der Toblacheralpe (Hll.). Vintschgau: bei Laas u. am Fusse des Spitzlat (Tpp.). Bozen: gemein am Ritten z. B. auf dem Fenn bei Klobenstein, dann am Bache ober Pemmern bei 5400′, hier oft auch mit halbgefüllten Blumen (Hsm.).

Uebrigens betrachte ich den R. polyanthemos L. u. R. nemorosus Dec. nur für Formen derselben Art.

Bl. gelb. Jun. Jul. ♃.

51. ***R. repens L.*** Kriechender H. ***Wurzelblätter 3zählig und doppelt 3zählig,*** Blättchen 3spaltig, eingeschnitten-gezähnt; Blüthenstiele gefurcht; ***Kelch abstehend; Früchtchen*** linsenförmig-zusammengedrückt, berandet, ***fein eingestochen-punktirt;*** Ausläufer kriechend.

An Gräben, feuchten Wiesen, Waldsümpfen, auch an Aeckern. — Vorarlberg: um Bregenz (Str!) Imst (Lutt!). Innsbruck: an der Kaiserstrasse, u. Weg zur Gallwiese (Hfl.). Rattenberg (Wld!). Kitzbüchl: auf bebautem Boden (Trn.). Pusterthal: bei Welsberg (Hll.), Hopfgarten, Innervilgraten, um Lienz (Schtz.). Bozen: gemein z. B. an der Strasse nach Sigmundskron; seltener am Ritten um Klobenstein (Hsm.). Val di Non bei Denno (Hfl!). Fassa u. Fleims (Fcch!). Um Trient (Per!). Judicarien: auf Aeckern bei Tione (Bon.).

Obsolet: Herba et Flores Ranunculi dulcis.

Bl. gelb. In Gärten auch eine Spielart mit gefüllten Blumen. Mai. Jun. ♃.

52. ***R. bulbosus L.*** Knolliger. H. ***Wurzelblätter 3zählig u. doppelt 3zählig***, Blättchen 3spaltig, eingeschnitten-gezähnt; Blüthenstiele gefurcht; ***Kelch zurückgeschlagen; Früchtchen*** linsenförmig-zusammengedrückt, berandet, ***glatt***; Stengel an der Basis knollenförmig.

Auf Triften, an Rainen, Wegen u. sonnigen Hügeln bis an die Alpen. — Vorarlberg: bei Bregenz (Str!). Oberinnthal: bei Imst (Lutt!). Innsbruck: am Höttingerbüchl u. auf Triften bis zur Höttingeralpe (Hfl.). Kitzbüchl (Trn.). Rattenberg (Wld!). Schwaz (Schm!). Pusterthal: um Welsberg (Hll.); Innervilgraten; um Lienz (Schtz.). Brixen (Hfm.). Meran (Iss.). Bozen: gemein z. B. am Runkelsteiner Schlosswege; selten am Ritten: bei Klobenstein (Hsm.). Val di Non: bei Cles (Hfl!). Fassa u. Fleims (Fcch!). Trient: am Doss della Croce ober Sardagna u. bei Sopramonte (Hfl. Per.). Valsugana: bei Borgo (Ambr.). Judicarien: um Tione (Bon.).

Officinell: Radix Ranunculi bulbosi.

Bl. gelb. Apr. Mai. Gebirge Jun. ♃.

§. 4. ***Blätter zusammengesetzt, oder tief gelappt; Wurzel faserig; Früchtchen runzlig, dornig, oder mit Knötchen besetzt.***

53. ***R. Philonótis Ehrh.*** Rauhhaariger H. Wurzelblätter 3zählig oder doppelt 3zählig, Blättchen 3spaltig, eingeschnitten-gezähnt; Blüthenstiele gefurcht; ***Kelch zurückgeschlagen; Früchtchen*** linsenförmig-zusammengedrückt, berandet, ***auf den ganzen Mittelfeldern, oder nur vor dem Rande mit einer Reihe Knötchen besetzt.***

An Gräben, Wegen, Rainen, meist nur im Thale. — Innsbruck: auf den Wiltauer Feldern beim Gratzennatz (Hfl.). Unterinnthal: an Sümpfen bei Erpfendorf (Trn.). Bozen: an der Strasse nach Sigmundscron u. von hier nach Frangart, dann an den Leiferer Türkäckern unter St. Jacob; Pranzoll, an der alten Strasse nach Auer (Hsm.). Bei Rabland ober Meran (Hrg!). Valsugana: bei Castelnuovo (Ambr.), bei Telve (Fcch!). Am Baldo: Val dell' Artillon, doch häufiger in der Ebene (Poll!).

R. hirsutus Curt.

Bl. gelb. Mai. Jul. ⊙.

54. ***R. sceleratus L.*** Blasenziehender H. Die untern Blätter handförmig-getheilt, eingeschnitten-gekerbt, die obern 3spaltig, Zipfel linealisch; Kelch zurückgeschlagen; das ***Fruchtköpfchen länglich-ährenförmig; Früchtchen unbekielt***, am Rande mit einer eingegrabenen Linie umzogen, in der Mitte auf beiden Seiten ***fein-runzelig.***

An Gräben u. Teichen. — Innsbruck, an der Kaiserstrasse (Hfl.). Unterinnthal: bei Ebbs (Harasser!). Bozen: am Kühbacher Weiher, dann an der Landstrasse bei Morizing rechts am Anrather Hofe (Hsm.). Bei Girlan nächst Bozen; bei Predazzo in Fleims (Fcch!). Trient: Gräben im Campo Trentino (Per!). Valsugana. Gräben bei Borgo (Ambr.).

Obsolet: Herba Ranunculi palustris vel aquatici.

Bl. ganz klein, blassgelb. Jun. Aug. ⊙.

55. ***R. arvensis L.*** Acker—H. Wurzelblätter ganz oder 3spaltig, gezähnt, ***Stengelblätter 3zählig, Blättchen*** gestielt, ***3-vielspaltig,*** Zipfel keilförmig, vorne gezähnt, die oberen linealisch; ***Früchtchen flach-zusammengedrückt, geschnäbelt, dornig, knotig oder netzig,*** mit einem hervorspringenden, auf beiden Seiten dornigen oder gezähnten, in der Mitte bekielten Rande.

Auf bebautem Boden. — Unterinnthal: selten auf Feldern bei Brixen im Brixenthale (Unger!). Im Etschlande bei Salurn u. Margreid (Hsm.); um Bozen (Elsm!). In Fassa; um Trient (Fcch.). Roveredo (Crist.).

Bl. gelb. Mai. Jun. ⊙.

56. ***R. muricatus L.*** Stachelfrüchtiger H. ***Die untern Blätter rundlich oder nierenförmig,*** 3lappig, ungleich-grob-gekerbt, die obern 3spaltig, an der Basis keilig; Blüthenstiele den Blättern gegenständig; ***Kelch abstehend; Früchtchen*** geschnäbelt, flach, ***knötig oder dornig,*** mit einem glatten geschärften Rande umzogen.

Im wärmern Tirol auf bebautem Boden, auf feuchten und trockenen wüsten Plätzen (Host!).

Bl. gelb. Mai. Jul. ⊙.

R. parviflorus L. Kleinblüthiger H. ***Blätter herzförmig-rundlich,*** 3spaltig, lappig-gekerbt, die obern 5lappig, die obersten länglich, ungetheilt oder 3lappig; Blüthenstiele den Blättern gegenständig; ***Kelch zurückgeschlagen; Früchtchen*** geschnäbelt, ***linsenförmig-zusammengedrückt, knötig oder dornig,*** mit einem glatten geschärften Rande umzogen.

Am westlichen Ufer des Gardasees, aber ausser der Gränze zwischen Limone u. Gargnano (Fcch!).

Besagter Standort ist jedenfalls keine Meile von der Gränze entfernt. — Bl. blassgelb, sehr klein. Apr. Mai. ⊙.

IV. Gruppe. **Helleboreae. De C.** Knospenlage des Kelches u. der Blumenkrone dachig. Staubkolbchen auswärtsaufspringend. Fruchtchen kapslig, 1fächerig, vielsamig.

7. *Caltha L.* Dotterblume.

Kelch blumenblattartig, regelmässig, meist 5blättrig, abfällig. Blumenkrone fehlt. Kapseln 5—10, mehrsamig, frei (XIII. 2.)

57. ***C. palustris L.*** Gemeine D. Stengel aufstrebend; Blätter herzförmig-kreisrund, die untern gestielt, die obern sitzend.

Auf feuchten Wiesen u. in Sümpfen vom Thale bis an die Alpen. — Vorarlberg: um Bregenz (Str!). Oberinnthal: um

Imst (Lutt!). Jnnsbruck: auf der Ulfiswiese (Karpe), u. hinter dem Berg Isel (Hfl.) Längenthal in Sellrain (Prkt.) Zillerthal: bei Zell (Moll!). Kitzbüchl: gemein (Unger! Trn.). Pusterthal: in Taufers (Iss.), bei Welsberg (Hll.), Tefereggen, Innervilgraten u. Lienz (Schtz.), Brixen (Hfm.). Bozen: gemein auf den Mösern längs der Etsch bei Trient und Meran; Ritten: in den Wiesengräben um Klobenstein u. wenigstens bis 5000′ z. B. bei Pemmern (Hsm.); bei Völs am Fusse des Schleern (Hinterhuber!). Fassa u. Fleims (Fcch!). Trient (Per.). Valsugana: um Borgo (Ambr.).

Obsolet: Herba et Flores Calthae palustris.

Stengel vielblüthig. Blätter meist kleingekerbt; grob-gekerbt oder auch gesägt, an der Basis selbst eingeschnitten u. sehr spitzig-gesägt, dabei wiewohl selten fast 3eckig, fand ich sie bisweilen im Sumpfe bei Rappesbüchl nächst Klobenstein. Eben da fand ich auch monströse Blüthen mit verkehrt eiförmig-länglich keiligen, ja selbst linealischen Blumenblättern. Bl. pomeranzen- oder dottergelb. — Ende März—Mai ♃.

8. *Trollius L.* Trollblume.

Kelch blumenblattartig, 5—vielblätterig, abfällig. Blumenblätter viel kleiner, 5—20, linealisch-keilig, an der Basis mit einer Honiggrube versehen. Kapseln zahlreich, frei, sitzend, vielsamig. (XIII. 2.).

58. ***T.*** ***europaeus.L.*** Gemeine T. Die 10—15 Kelchblätter fast in eine Kugel zusammenschliessend, Blumenblätter so lang als die Staubgefässe, oder etwas kürzer; Blätter 5theilig, Zipfel rautenformig, 3spaltig, eingeschnitten u. gesägt.

Auf feuchten Bergwiesen bis in die Alpen, seltener auf moorigen Boden im Thale. — Vorarlberg: bei Dornbirn (Str!). Bregenzerwald (Tir. B.)! Oberinnthal: bei Imst (Lutt.) Zirl u. Telfs (Str!). Stubai: bei Neustift (Hfl!). Innsbruck: in der Figgenau, bei Sistrans u. am Villerbache (Hfl.). Lisens (Prkt.). Kitzbüchl (Trn.). Zillerthal: am Hainzenberg (Gbh.). Pusterthal: in Taufers (Jss.); Tefereggen, Innervilgraten (Schtz.); Welsberg (Hll.); Lienz (Rsch! Schtz.). Vintschgau: bei Laas (Tpp.). Hafling bei Meran (Jss.). Bozen: Wiese bei Capenn; Ritten: z. B. Amtmannwiese zwischen Klobenstein u. Lengmoos; Seiseralpe (Hsm.). Val di Non: bei Rabbi (Merlo). Fassa u. Fleims (Fcch!) Alpen um Trient (Per!). Valsugana: bei Borgo (Ambr.). Roveredo (Crist.). Baldo (Poll!). Judicarien: bei Tione (Bon.), bei Andolo nächst Molven (Hfl.). — Auf böhern Alpen z. B. am Schleern oft kaum Spannhoch u. 1blüthig: T. humilis Crantz. — Kelchblätter citronengelb; Blumenkronenblätter etwas dunkler. Mai. Jul. ♃.

9. *Eranthis Salisb.* Winterling.

Kelch blumenblattartig, 5—8blättrig, abfällig, Blumenblätter kleiner, nektarienartig, lang benagelt, Platte röhrenförmig ungleich-zweilippig, innere Lippe sehr kurz. Kapseln viele, auf dem Fruchtboden langgestielt. (XIII. 2.).

59. ***E. hyemàlis Salisb.*** Gemeiner W. Kelchblätter 5—8, länglich. — Wurzelblätter langgestielt, 5—7theilig, vielspaltig. — In Wäldern der Alpen u. Voralpen an der südöstlichen Gränze Italiens. Am Portole, dann im Vicentinischen am Summano (Montini!). Als Tirolerpflanze schon von Laichharding angeführt.

Helleborus hyemalis L. — Obsolet: Radix Hellebori byemalis vel Aconiti hyemalis. Scharf-giftig. Stengel einblüthig.

Bl. gelb. — März. Apr. ♃.

10. *Hellèborus L.* Niesswurz.

Kelch fast blumenblattartig, 5blättrig, bleibend. Blumenblätter kleiner, nectarienartig, lang benagelt, Platte röhrenartig, zweilippig. Kapseln auf dem Fruchtboden sitzend. (XIII. 2.). Alle unsere Arten gehören zu den scharf-narkotischen Giften.

60. ***H. niger L. Schwarze N.*** Christwurz. Wurzelblätter fussförmig; ***Schaft mit 2—3 Deckblättern, 1—2-blüthig; Deckblätter oval.***

Schattige Wälder der Gebirge u. Voralpen. Unterinnthal: bei Pillersee (Unger!); auf trockenem Kalkboden zwischen Waidring u. St. Ulrich (Trn.), am Kaiser und bei Schwoich (Berndorfer!). Im Tridentinischen (Per.). Roveredo (Crist.). Im Gebiethe von Roveredo weit verbreitet, und von da südlich bis ins Veronesische, und westlich bis ins Brescianische von der Weinregion bis über die mittlere Gebirgsregion (Fcch.). Am Baldo, bei Ponale (Poll!). Judicarien: häufig in den Wäldern bei Tione (Bon.). —

Offic.: Radix Hellebori nigri vel Melampodii.

Bl weiss. Dezember, Febr. ♃.

61. ***H. viridis L.*** Grüne N. ***Stengel nackt, an den Verästelungen beblättert;*** Blätter fussformig, Blättchen der Wurzelblätter zurückgekrümmt, rinnig-gebogen, verlängert-lanzettlich, spitz, ungleich-tief-gesägt, kahl, oder etwas flaumhaarig, unterseits runzlig-geädert, ***Adern vorspringend; Narben aufrecht.***

Gebirgswälder und steinige schattige Abhänge. — Unterinnthal: bei St. Johann (Trn.), u. bei Erl (Harrasser). In Vallarsa (Per.).

Wurzel in den Apotheken wie Vorige unter gleichem Namen. — Bl. grün, wohlriechend, doch schwächer als die der folgenden. März. Apr. ♃.

62. ***H. odorus W. K.*** Wohlriechende N. ***Stengel nackt, an den Verästelungen beblättert;*** Blätter fussförmig, Blättchen der Wurzelblätter flach, breit-lanzettlich, zugespitzt, klein- fast gleich-gesägt, kahl, oder hinterseits kurz-

haarig, runzlig-äderig, ***Adern vorspringend***; ***Narben wagrecht-zurückgekrümmt.***

In den Obstgärten im Riede bei Bregenz häufig (Str!) — Ich halte mit Bertoloni, Spenner etc. den H. odorus nur für Varietät des H. viridis L.

Blüthen grün, wohlriechend. März. Apr. ♃.

63. ***H. foetidus L.*** Stinkende N. ***Stengel*** vielblüthig, ***beblättert***; die untern Blätter mit 7 u. 9 Blättchen, die obern 3spaltig, kleiner als der verbreiterte Blattstiel; ***Deckblätter der Aeste u. Blüthenstiele oval.***

An gebirgigen Orten u. an Wegen im südlichsten Tirol. Selten westlich von Roveredo; bei Riva (Fcch!). An Wegen bei Riva u. Condino (Bon.). In Rendena (Per.).

Obsolet: Radix et Herba Hellebori foetidi seu Helleborastri. — Bl. grün. März. Apr. ♃.

11. *Isópyrum L.* Muschelblümchen.

Kelch blumenblattartig, regelmässig, 5—6blättrig, abfällig. Blumenblätter 5, kleiner als die Kelchblätter, nektarienartig, röhrig, 1—2lippig. Kapseln viele auf dem Fruchtboden sitzend, an der Basis schwach-zusammenhängend. (XIII. 2.).

64. ***J. thalictroides L.*** Wiesenrautenartiges M. Wurzel kriechend, Fasern büschelig; Blumenblätter stumpf. — In Weidengebüschen an den Ufern der Drau u. Isel bei Lienz (Rsch!). Am Baldo (Barbieri bei Bertoloni)! — Das nach Menzel (Vergleiche Flora 1820 p. 129 u. 1838 p. 10.) um Trient vorkommende I. aquilegioides L. dürfte hieher zu ziehen sein, nach Bertoloni (Fl. ital. tom. V. p. 584) wenigstens ist letzteres nur eine Form mit breitern Blättern. Bl. weiss. Apr. Mai. ♃.

Nigélla L. Schwarzkümmel.

Kelch blumenblattartig, regelmässig, 5blättrig, abfällig. Blumenblätter 5—10, nektarienartig, kleiner als der Kelch, benagelt, an der Basis der Platte ein mit einer Schuppe bedecktes Honiggrübchen. Kapseln 5—10, mehrsamig, sitzend, mehr oder weniger zusammengewachsen. — (XIII. 2.)

N. damascena. L. Damascener-Schw. (Grödl in der Staude um Bozen.) Staubkölbchen grannenlos; Kapseln glatt, von der Basis bis zur Spitze verwachsen; Blüthen behüllt; Samen 3kantig, quer-runzlig.

Häufig als Zierpflanze in Gärten, u. allda wie verwildert. Blumen hellblau mit grünen Adern. Jun. Aug. ⊙.

12. *Aquilegia L.* Aglei.

Kelch blumenblattartig, 5blättrig, Blumenkrone 5blättrig, trichterförmig, mit dem Rande ihres schiefen Saumes zwischen den Kelchblättern angeheftet, unten in einen hohlen Sporn vorgezogen. — (XIII. 2.)

65. ***A. vulgaris L.*** Gemeine A. ***Sporne an der Spitze hackig***, Platte sehr stumpf, ausgerandet; ***Staubgefässe län-***

ger als die Platte; Kelchblätter länglich-eiförmig; Blätter doppelt-3zählig, *Blättchen 3lappig, gekerbt,* Kerben eiformig, abgerundet.

An Waldwiesen u. in Vorhölzern, auch häufig in Gärten. Vorarlberg: gemein um Bregenz (Str!) Angränzende Schweiz: bei Rheineck (Custer bei Doll)! Oberinnthal: bei Finstermünz (Tpp.). Vintschgau: bei Churburg (Gundlach).

β. *platysepala.* Mit breitern Kelchblättern u. etwas grössern u. blässern Blumen. A. platysepala Reichenb. Icon. Ranunc. tab. CXIVI. Brixen, selten bei Köstland (Hfm.).

Obsolet: Radix, Herba, Flores et Semina Aquilegiae.

Bl. blau-violett, in Gärten auch weiss u. rosenroth u. gefüllt. Mai. Jun. ♃.

66. *A. atrata Koch.* Schwärzliche A. *Sporne an der Spitze hackig,* länger als die sehr stumpfe, mit einer kleinen vorspringenden Spitze versehene Platte; *Staubgefässe* $1^1/_2$ *länger als die Platte;* Kelchblatter länglich-eiförmig; Blätter doppelt-3zählig, Blättchen tief-3spaltig, eingeschnitten oder gekerbt, Kerben länglich, oder stumpf.

In Auen u. Vorhölzern vom Thale bis in die Alpen. — Vorarlberg: am Pfänder bei Bregenz (Str!), im Bodenseer Ried (Cust!). Innsbruck: in der Klamm u. am Villersee (Precht. Hfl.). Rattenberg: Weg nach Brandenberg bei Mariathal (Wld.) Kitzbüchl: auf der Lämmerbüchlalpe (Trn.). Pusterthal: am Rauchkogl bei Lienz (Schtz.), in der Fichtenregion um Innichen (Stapf). Bozen: in der Rodlerau u. im Gehölze am Fusse des Berges zwischen Haslach u. Kühbach; am Ritten gemein z. B. bei Waidach, um Pemmern u. Rittneralpe bis 5400′ an der Schön; Seiseralpe (Hsm.). Trient: bei Povo u. am Bondone (Per.). Borgo (Ambr.). Tione: auf Wiesen bei Prada (Bon.).

A. nigricans Baumg. Reichenb. — Aendert ab wie folgende mit kleinern oder doppelt grössern Blüthen. — Bl. violettbraun.

Im Thale: Mai, auf den Gebirgen: Jun. Jul. ♃.

67. *A. pyrenaica De C.* Pyrenaeische A. *Sporne an der Spitze ziemlich gerade oder gebogen; Platte abgerundet,* so lang, als der Sporn u. die Staubgefässe, oder ein wenig länger; Kelchblätter länglich-eiförmig; Blätter einfach-o. doppelt-3zählig, wenig-kerbig, Kerben abgerundet.

Felsige, sparsam beraste Orte der Kalk-Gebirge u. niedern Alpen im südlichen Tirol. — Pusterthal: Alpen bei Prax (Hll.), am Rauchkogl bei Lienz (Schtz.), an der Strasse bei Peitelstein, dann bei Longarone im benachbarten Bellunesischen (Hsm.). Am Schleern zwischen den Felsenwänden u. ober der Schlucht unter P. Pumilio (Hfl. Hsm.). Im Kessel zwischen dem Schleern, dem Tierseralpl u. Rosengarten (Fcch.). Borgo: an den Felsen der Zanzola (Ambr.). Am Baldo (Jan!). Vette di Veltre (Montini!). Im benachbarten Berchtesgaden im Wimbachthale am Watzmann (Einsele).

A. alpina Lam. Sternb. non L. Kleinere Exemplare sind A.

viscosa Reichenb. Jcones Ranunc. tab. CXVI, grössere: A. Einseleana Schultz in Flora 1848 p. 153. — Stengel 1—5blüthig, Bl. heller oder dnnkler himmelblau. — Jun. Jul. ♃.

13. ***Delphinium. L.*** Rittersporn.

Kelch blumenblattartig, 5blättrig, oberes Kelchblatt bespornt. Blumenkrone nektarienartig, 4blättrig, die 2 obern Blätter bespornt, Sporne eingeschlossen oder alle 4 in ein einziges bespornţes verbunden. Kapseln 1—3—5, vielsamig, frei, sitzend. (XIII. 2.).

68. ***D. Consolida L.*** Feld R. Blumenkrone einblätterig, Stengel einfach-ästig; Trauben armblüthig, Blüthenstielchen viel länger als das Deckblatt; Fruchtknoten kahl.

Auf Aeckern mehr im Thale. Oberinnthal: bei Tarrenz (Lutt.). Innsbruck: zwischen Igels u. Patsch (Hfl.). Pusterthal: bei Welsberg (Hll.). Sterzing (Hfl!). Brixen (Hfm.). Vintschgau: bei Laas (Tpp.). Meran: bei Lana u. Marling (Fr. Mayer). Im Etschlande: bei Kaltern, Pauls, Pranzoll, Margreid u. Salurn; seltener um Bozen z. B. bei St. Jacob (Hsm.). Trient u. um Arco (Fcch!). Roveredo (Crist.). Judicarien: beim Bade Comano (Bon.).

Obsolet: Herba et Flores Consolidae regalis vel Calcatrippae. Bl. azurblau. Hälfte Mai. Jul. ⊙.

D. Ajácis L. Garten-R. Voriger sehr verwandt, durch eine verlängerte reichblüthige Traube, durch Deckblätter die meist länger als das Blüthenstielchen u. flaumige Fruchtknoten verschieden. Man findet ihn in allen Gärten, doch auch hie und da in deren Nähe, u. an Wegen verwildernd. Blumen blau, rosenroth oder weiss; auch häufig gefüllt. Jun. Jul. ⊙.

69. ***D. elàtum L.*** Berg-R. Blumenkrone 4blättrig, Saum der untern Blumenblätter 2spaltig, bärtig; Blätter handförmig-5spaltig, Zipfel 3spaltig, eingeschnitten-gesägt, Blattstiele an der Basis nicht scheidig; Bluthenstielchen oberwärts mit zwei linealischen Deckblättern.

Auf Grasplätzen der Alpen u. Voralpen im südlichsten Tirol. — In Primiero an der Alpe Agnerola u. Malga Pietèna (Fcch.). Vette di Feltre (Montini)! Am Baldo, Vall dell' Artillon (Pona!). — D. montanum DeC.

Kelch azurblau, Blumenblätter russfarben. Jun. Jul. ♃.

14. ***Aconitum*** L. Eisenhut. Sturmhut.

Kelch blumenblattartig, 5blättrig, abfällig, das obere Blatt (die Haube) helmförmig-gewölbt. Blumenblätter 3—5, kleiner als die Kelchblätter, unter der Haube verborgen, die 2 obern kapuzenförmig, lang-benagelt, nektarientragend, die übrigen klein, linealisch, auch fehlend. Kapseln 3—5, mehrsamig, frei, sitzend. (XIII. 2.).

70. ***A. Anthòra. L.*** Feinblättriger E. Giftheil. — Nectarien auf einem gebogenen Nagel wagrecht-nickend, *Sporn*

kreisförmig-zurückgerollt, an der obern Seite seiner Basis *rechtwinkelig-einwärtsgebrochen.*

Auf Kalkgerölle der Alpe Broccon in Tessino (Fcch.). Valsuganer Alpen (Crist!). Am Baldo ausser dem Gebiethe, an Felsen der Vall Fredda (Poll!). Scharf-narkotisch-giftig. Obsolet: Radix Anthorae.

Bl. gelb, flaumhaarig. Jul. Aug. ♃.

71. ***A. Napèllus L.*** Wahrer F. (blaue Wolfswurz.) — ***Nectarien*** auf einem gebogenen Nagel ***wagerecht-nickend,*** Sporn etwas zurückgekrümmt; ***Blüthen traubig; die jüngern Früchtchen spreizend;*** Samen scharf-3kantig, auf dem Rücken stumpf-faltig-runzlig.

Auf Alpen u. Voralpen durch ganz Tirol.-Vorarlberg: am Freschen, dann im Riede zwischen Gaisau u. Fussach: A. rivale Hegetschw.: (Cust!); bei Au im Bregenzerwald (Tir. B!). Oberinnthal: Alpen bei Imst (Lutt!); Gaishorn bei Tannheim (Dobel!). Zillerthal (Gbh.). Pusterthal: Alpen südlich von Innichen (Stapf.); auf dem Brunst bei Welsberg (Hll.); auf der Mühlbacheralpe (Jss.). Vintschgau: im Suldnerthale (Tpp.). Valsuganeralpen (Ambr.). Fassa u. Fleims (Fcch!). Primiero (Parolini!). Monte Baldo (Crist.), Portole u. Vette di Feltre (Montini!).

Als ***Varietäten*** mag man unterscheiden:

1. Blüthenstiele aufrecht, sammt den Staubfäden kahl.

a.) Sporn sehr kurz, kopflos, d. i. abgerundet u. nach oben weder verbreitert, noch *gekrümmt.* A. Kölleanum Reichenb. Jcon. Ranunc. tab. XCIX. Alpen am Glockner in Kals u. Schleiniz (Sieber). Um Kitzbüchl auf Schiefergebirgen zwischen 4- u. 6000′ die gemeinste Art (Unger! Trn.). Teischnitzalpe u. am grauen Käss. (Schtz.).

b) Sporn kopfförmig, nämlich nach oben verbreitert oder gekrümmt, u. zwar:

aa) Haube wenig gewölbt, halb-mondförmig, klaffend. A. Hoppeanum Reich. tab. XCIV. Bei Heilig Blut am Glockner (Hoppe!). Griesalpe bei Kitzbüchl (Str!) Hofalpe, Gössnitz, Teischnitzalpe u. am grauen Käs. (Schtz.). Am Gössnitz-Wasserfalle (Fk!). Mühlbacheralpe u. Antholz (Jss.).

bb) Haube geschlossen, höher-gewölbt. A. nasutum Reichenb. tab. XCIV. Pusterthal: im Kalserthale (Sieber). Kitzbüchl: auf der Alpe Jochberg u. in Gärten cultivirt, aber unfruchtbar (Trn.).

2. Blüthenstiele aufrecht, kahl, Staubfäden behaart.

a) Sporn kopflos. A. tauricum Wulf. Reichenb. tab. XCIX. Griesalpjoch bei Kitzbüchl (Trn.). Am Matreyer Tanrn in Pusterthal (Wlf!). Teischnizeralpe in Kals (Rsch!). Schleern, u. Gebirge ober Salurn (Hsm.). Am Baldo (Poll!). Innervilgraten, Teischnitzalpe u. am grauen Käs. (Schtz.). Ochsenalpe in Pregratten (Hornschuch!).

3. Blüthenstiele aufrecht, von krausen Haaren flaumig.

a) Sporn kopflos, Traube locker. A. formosum. Reichenb. tab. XCVI. Vorarlberg: auf der Dornbirneralpe (Str!).

b) Sporn kopfförmig, Haube klaffend, über halbkuglig-gewölbt, Traube dicht. A. Napellus Reichenb. tab. XCII. Vintschgau: im Laaserthale (Tpp.). Alpen bei Meran (Kraft.). Seiseralpe, Schleern u. Mendel (Hsm.). Um Alphütten in Rabbi (Hfl.). Lienzeralpen (Rsch!). Kitzbüchl (Trn.).

4. Blüthenstielchen kraus-behaart, steif-abstehend.

a) Sporn kopfförmig, Staubfäden behaart, Haube geschlossen, halbkugelig. A. neubergense Reichenb. tab. LXXXVIII. A. neomontanum Wulf. Alpen bei Imst im Oberinnthale (Lutt.). — A. eminens Koch. Reichenb. tab. LXXXIX hat eine zurückgebogene Honiglippe, die länger als ihre Düte u. die untersten Blüthenstiele länger als die Blüthe. Vorarlberg: auf der Dornbirneralpe (Str!).

Scharf-narkotisch-giftig. Officinell ist das Kraut: Herba Aconiti. — Blüthen violett oder blau, selten weiss. Jun. Aug. ♃.

72. ***A. Stoerkeanum Reichenb.*** Störk's E. ***Honigbehälter*** auf einem oberwärts gebogenen Nagel *schief-geneigt*, Sporn backig; *die jüngern Früchtchen einwärts gekrümmt, zusammenschliessend;* Samen scharf-3kantig, auf dem Rücken geschärft-runzlig-faltig.

Waldige Orte der Voralpen. — Gärten bei Schwaz (Schm.). Um Kitzbüchl in Gärten u. hie u. da auf Gottesäckern verwildert, aber nie Samen tragend (Trn.). Gebirge ober Salurn u. Joch Grimm bei Bozen; von hier in meinen Garten neben A. Napellus u. paniculatum gepflanzt, um 14 Tage später als ersterer, u. 14 Tage früher als letzterer blühend, aber immer unfruchtbar. — Bl. violett. Jul. Aug. ♃.

73. ***A. variegatum L.*** Buntblühender E. ***Honigbehälter auf einem geraden Nagel aufrecht***, oder schief-geneigt, Sporn hackig, Trauben an der Basis ästig, endlich rispig; jüngere Früchtchen parallel; Samen scharf-3kantig, quer-gefaltet, Rückenfalten geflügelt, häutig, wellig. — Bergwälder u. Alpen. Vorarlberg: am Freschen (Str!). Oberinnthal: bei Ladis (Gundlach); Zirl (Str!). Klamm bei Innsbruck (Schneller.). Kitzbüchl in Wäldern am Sintersbach u. Griesalpjoch neben A. Napellus, aber viel später blühend (Trn.). Schwaz (Schm!). Pusterthal: im Ahornachgebirge in Taufers (Iss.); bei Lienz auf den Wänden des Rauchkogels (Rsch!). Vintschgau; bei Graun (Hfm.). Am Glockner; Valsugana: bei Tezze (Fcch!). Thäler des Baldo (Poll!).

A. Cammarum Jacq. — Das Kraut wird auch als: Herba Aconiti für die Apotheken gesammelt. Bl. violett, blau, oder weiss u. blau bunt. Jul. Aug. ♃.

74. *A. paniculatum Lam.* Rispiger E. *Honigbehälter* auf einem gekrümmten Nagel *nickend*, Sporn zurückgekrümmt; *Blüthen traubig, endlich sperrig-rispig;* jüngere Früchtchen spreizend; Samen scharf-3kantig, quer-gefaltet, Rückenfalten geflügelt, häutig, wellig.

Wälder u. Thäler der Alpen u. Voralpen. — Vorarlberg: am Freschen (Custer!), im Bodenseer Ried (Döll!). Kitzbüchl (Unger!). Pusterthal. bei Welsberg (Hll.); Lienz, am Scherbenkofl (Rsch!); Höhe des Mattreier Thörls (Hornschuch!). Vintschgau: im Suldnerthale (Iss.); im Laaserthale (Tpp.). Schlern (Eschl.). Am Ritten: bei Lengmoos im Thälchen bei der Sallrainer Mühle selten; Kastelrutt, am Wege nach Gröden bei St. Peter; Gebirge ober Salurn (Hsm.). Mendel bei Bozen (Hfl.). In Fassa bei Moëna (Fcch!). Fleims: bei Predazzo (Parolini!). Valsugana: bei Borgo (Ambr.). Baldo: Vall dell' Artillon, u. al prato di Brentonico (Poll!). Judicarien: Vall' maggior der Alpe Lenzada (Bon.). —

A. cernuum Wulf. — Scharf-narkotisch-giftig wie Vorige.

Bl. violett oder blau. — Jul. Aug. ♃.

75. *A. Lycóctonum. L.* Wolfswurz - E. Weisse Wolfswurz. Die Honigbehälter aufrecht, *Sporn fädlich, zirkelförmig zusammengerollt;* Samen überall faltig-runzlig, stumpf-3kantig mit scharfem Kiele. —

Alpenthäler und Wälder der Voralpen. — Vorarlberg (Str!) Oberinnthal bei Imst (Lutt.). Zirl (Str.) Innsbruck: in der Klamm u. bei Sonnenburg (Hfl.). Schwaz (Sehm!). Längenthal (Prkt.). Rattenberg: am Schlossberg (Wld!) Kitzbüchl (Trn.). Zillerthal (Moll! Braune!). Pusterthal: in Prax (Hll.); bei Peitelstein in Ampezzo (Hsm.); Pregratten (Hornschuch!); Kerschbaumeralpe bei Lienz (Ortner.); Innervilgraten, Hofalpe, u. Gössnitz (Schtz.). Vintschgau: bei Trafoi (Iss.); im Laaserthale (Tpp.). Gemein am Ritten, von 3850′ aufwärts, z. B. im Thälchen hinter Sallrain bei Lengmoos, um Pemmern; Seiseralpe, u. Gröden (Hsm.). Mendel bei Bozen (Hfl.). Fassa, u. Fleims (Fcch!). Terlago bei Trient (Merlo.). Scanuccia bei Roveredo (Crist.). Montalon, u. Vette di Feltre (Montini!). In der Buchenregion am Gazza bei Trient; in Paneveggio (Per!). Valsugana: Gebirge bei Borgo (Ambr.). Judicarien: auf der Alpe Lenzada (Bon.).

Bemerkenswerth ist, dass südlich der Centralalpenkette nur die Ranunkelblättrige Blattform: mit linealisch-zerschlitzten, sichelförmigen, sparrigen, vielspaltigen verlängerten Theilstücken (A. ranunculifolium Reichenb. Icon. tab. LXXXI) vorkömmt; nördlich derselben aber nur die gemeine Blattform: mit verkürzten, breit-rhombischen, einander berührenden zerschlitzten u. eingeschnittenen Theilstücken (A. Thelyphonum u. Vulparia Reich. tab. LXXIX u. LXXX). Obsolet: Radix et Herba Aconiti lutei vel Lycoctoni. Scharf-narkotisch-giftig. —

Bl. schwefelgelb, od. weisslich. — Ende Jun. Jul. ♃. —

V. Gruppe. **Paeonieae De C.** Kelch blumenblattartig in der Knospenlage dachig. Staubkölbchen einwärts aufspringend. Früchtchen kapslig, oder eine Beere, 1-mehrsamig. Tribus parum naturalis (Endlicher gen. plant. pag. 850). —

15. *Actaea L.* Cristofskraut.

Kelch 4blättrig, abfällig. Blumenkrone 4- auch 5-6blättrig, übergehend in die zahlreichen Staubgefässe. Frucht eine einfächerige, mehrsamige Beere (XIII. 1).

76. *A. spicata L.* Gemeines C. Beeren rundlich-oval; Blumenblätter so lang als die Staubgefässe; Trauben eiförmig; Blätter 3zählig-doppelt-gefiedert, Blättchen eiförmig, o. länglich, eingeschnitten-gesägt.

An schattigen Orten, u. Gebüschen, auf Gebirgen bis an die Alpen. — Vorarlberg: im Gebiethe von Bregenz (Str!). Oberinnthal: bei Tarrenz (Lutt!). Innsbruck: bei Kranebitten (Hfl.), und hinter dem Amraser Schlosse (Eschl.). Unterinnthal: an Felsen bei Kropfsberg (Gbh.), um Kitzbüchl (Trn.); im Zillerthale (Schrank!). Pusterthal: bei Welsberg (Hll.); um Lienz (Rsch! Schtz.). Klobenstein am Ritten: gegen Wolfsgruben, an der Sallrainer Mühle etc., bis etwa 4800′ unter Pemmern; am Geyerberg bei Salurn (Hsm.). Vintschgau: bei Laas (Tpp.), bei Glurns (Eschl!). Am Zilfall bei Partschins ober Meran (Iss.). Valsugana: bei Borgo (Ambr.). Fassa, u. Fleims (Fcch!). Gebirge um Roveredo (Crist.). Judicarien: al Coler der Alpe Lenzada (Bon.). Val di Rendena (Eschl!). Monte Baldo (Clementi.), allda im Thale dell' Artillon (Poll!). — Obsolet: Radix Christoforianae vel Aconiti racemosi.

Bl. weiss. Beeren schwarz. — Mai. Jul. ♃.

16. *Paeonia L.* *Paeonie.* Gichtrose.

Kelch 5blättrig, ungleich, bleibend. Blumenblätter 5 o. mehrere, unbenagelt, fast kreisrund; Staubgefässe zahlreich; 2—5 Fruchtknoten mit zungenförmigen Narben. Kapseln einfächerig, nach innen aufspringend. Samen kugelig, glänzend. (XIII. 2.).

77. *P. officinalis L.* Gebräuchliche P. Pfingstrose. Stengel ganz einfach, 1blüthig. Blätter doppelt-3zählig, unten bleicher grün, etwas schimmernd, oder auch weisslich-lauchgrün, Blättchen 2—3theilig, Zipfel ganz, 2- o. 3spaltig; Früchtchen 2—3, bei ihrer Reife von einander abstehend; Wurzelfasern zu länglichen Knollen verdickt, meist langgestielt.

Gebirgige Orte im südlichern, selten im nördlichen Tirol. Auch häufig in Gärten. — Oberinnthal: an Felsen bei Finstermünz (Rockita.). Val di Non: ober der Rocchetta am Wege nach Spor; in der Buchenregion von Cavedago über's Joch bis unter Andolo (Hfl.). Bei Sardagna nächst Trient (Per.). Valsugana: Wälder am Berge Efre ober Ivano (Ambr.). Gebirge um Roveredo, dann im Gebiete von Arco, u. Riva (Fcch.). Baldo: südliche Abhänge des Altissimo (Hfl.). —

Die wildwachsende Pflanze hat meist schmälere, lineal-lanzettliche, oft rinnige, unterseits weisslich-lauchgrüne Blattzipfel; auch kommen häufig die Blattstiele sammt der untern Blattseite feinbehaart vor. Beides eine natürliche Folge des Standortes. Unter den von Cristofori bei Terragnuolo nächst Roveredo gesammelten Exemplaren liegen mir auch solche vor, die mit der P. officinalis der Gärten vollkommen übereinstimmen. Auch zog ich aus Samen der P. pubens Sims. vom Baldo, im Garten Exemplare, deren Blätter denen der daneben gepflanzten Garten P. vollkommen glichen. — P. pubens Sims. Reichenb. Icon. Ranunc. tab. CXXIV. P. lobata Desf. Reichenb. tab. CXXIII. P. peregrina Mill. Koch syn. P. officinalis Bertol. Fl. ital. tom. V. pag. 392. P. rosea Host. — Officinell: Radix, Herba, et Flores Paeoniae. —

Bl. blut- o. rosenroth, in Gärten gefüllt. Mai ♃.

P. corallina Retz. Korallensamige P. Stengel ganz einfach, 1blüthig; Früchtchen meist 5, wagerecht abstehend; Blätter doppelt-3zählig, unterseits weisslich-lauchgrün, Blättchen elliptisch länglich, o. elliptisch, ganz, das endständige an der Basis keilig; Wurzelfasern rübenförmig gegliedert-ästig, sitzend o. kurz-gestielt. —

Angeblich bei Meran hinter dem Bade nächst der Töll, wenn nicht mit Voriger verwechselt, was sehr wahrscheinlich. Im benachbarten Baiern am Kugelbache bei Reichenhall, also nicht weit ausser der Gränze (Hinterhuber.). Im Bassanesischen in Gebirgswäldern bei Pove (Montini!). —

Bl. blut- o. rosenroth. Mai. ♃.

II. Ordnung. BERBERIDEAE. Vent.

Sauerdornartige.

Blüthen zwittrig, regelmässig; Kelch frei, 3—9blättrig, oft gefärbt; Blumenblätter abfällig, so viele als Kelchblätter, und diesen gegenständig; Staubgefässe frei, so viele als Blumenblätter und diesen gegenständig, selten mehr, Staubkölbchen angewachsen, mit 2 Klappen aufspringend. Frucht einfächerig, beeren- o. kapselartig. Keim gerade in der Achse des Eiweisses. Kräuter, o. Sträucher mit wässerigem Saft. Blätter abwechselnd, gestielt. —

17. *Bérberis L.* Sauerdorn. Beisslbeere.

Kelch 6blättrig, 2reihig abfällig, mit 2 Nebenschuppen; Blumenblätter 6, inwendig an der Basis doppelt-drüsig. Frucht eine 2-3samige Beere. (VI. 1.). —

78. ***B. vulgaris* L.** Gemeiner S. Dornen 3theilig; Blätter büschlig, verkehrteiförmig, gewimpert-gesägt; Trauben vielblüthig, niederhängend; Blumenblätter ganz o. seicht-ausgerandet.

In Hecken u. Zäunen gemein vom Thale bis an die Alpen. — Bregenz (Str!). Oetzthal (Hfl.). Imst (Lutt!). Villerberg, Arzl u. Völs bei Innsbruck (Prkt. Schpf.). Durch ganz Stubai (Hfl.). Zillerthal (Moll!). Welsberg (Hll.), Lienz (Rsch!); Innervilgraten, Tefereggen (Schtz.). Brixen (Hfm.). Um Bozen, überhaupt im ganzen Etschlande; geht am Ritten bei Klobenstein u. Pemmern einzeln bis 5300′ (Hsm.). Val di Non: Castell Brughier; Mezzolombardo u. Zambana (Hfl.). Trient z. B. bei Gocciadoro (Hfl.). Am Baldo (Poll!). Judicarien: bei Tione (Bon.). —

Offic.: Baccae et Cortex Berberidis. —

Dorniger 4—6′ hoher Strauch. Bl. gelb. Beeren roth.
Im Thale Anf. Mai, auf Gebirgen Jun. ♄.

18. *Epimedium* L. Sockenblume.

Kelch 4blättrig, abfällig; Blumenblätter 4, sockenförmig; Staubgefässe 4 vor den Blumenblättern; Kapsel schotenartig, vielsamig. (IV. 1.).

79. ***E. alpinum* L.** Alpen-S. Wurzelblätter fehlend, das stengelständige doppelt-3zählig, Blättchen herzförmig-lanzettlich, zugespitzt, gesägt. —

Im Gebüsche auf Hügeln, u. Gebirgen mittlerer Höhe im südlichen Tirol. — In Menge auf der nördlichen Seite des Doss San Rocco bei Trient (Hfl.). Im Tridentinischen (Fcch: Per.). Valsugana: bei Borgo (Ambr.). Roveredo (Crist.). Monte Scanuppia: gegen Valsorda (Hfl.) Am Baldo (Barbieri!) — Obsolet: Herba Epimedii. —

Kelchblättchen violett-bräunlich; Blumenblätter citronengelb. — Apr. Mai. ♃.

III. Ordnung. NYMPHAEACEAE. De C.

Seerosenartige.

Blüthen zwitterig; Kelch 4—6blättrig; Blumenkrone regelmässig, vielblättrig, allmälig in die Staubgefässe übergebend. Staubgefässe zahlreich, Staubkölbchen 2fächerig, der Länge nach aufspringend. Früchtchen zahlreich, quirlförmig unter sich und mit dem Fruchtboden zu einem vielfächerigen Fruchtknoten verwachsen; Eierchen an die Wände der Fächer angeheftet. Griffel so viele als Fächer, in eine schildförmige Narbe vereinigt. — Wasserpflanzen mit dickem, fleischigem, kriechendem Wurzelstocke, und schwimmenden Blättern u. Blüthen.

19. *Nymphaea L.* Seerose.

Kelch 4blättrig, abfällig; Blumenblätter zahlreich, ohne Honiggrübchen. Narbe schildförmig, vielstrahlig. (XIII. 1.).

80. ***N. alba L.*** Weisse S. Blätter rundlich, tief-herzförmig, ganzrandig, Lappen der Basis wegen der geradlinigen Bucht schief-eiförmig; Fruchtknoten bis gegen die Spitze mit Staubgefässen besetzt; Narben 12—20strahlig.

In tiefen Gräben, u. Sümpfen im Thale. — Vorarlberg: gemein um Bregenz (Str!). Oberinnthal: im Stradersee bei Tarrenz (Lutt.). Innsbruck: am Amraser See (Prantner.). Kitzbüchl: im Schwarzsee (Trn.). Walch- u. Hechtsee in Unterinnthal (Harasser!). Lienz (Scbtz), allda im Tristacher See (Rsch!). Burgstall, u. Gargazon nächst Meran (Kraft.). Siebenaich bei Bozen (Fr. Mayer.). Eppan: im Montickler See (Gundlach.). Bozen: in den grossen Abzugsgräben zwischen Morizing u. Sigmundscron, dann bei Salurn u. Margreid (Hsm.).

β. minor. Blüthen um die Hälfte kleiner. N. alba β. minor De C. — In Gräben bei Bregenz (Str!). Innsbruck: im Lanser See (Schpfr.). — Obsolet: Radix, Flores, et Semen Nymphaeae. —

Bl. schneeweiss. — Jun. Aug. ♃.

N. biradiata Sommerauer. In Pinzgau häufig im Zellersee u. bei Uttendorf (nur 1 Meile von der Gränze) nach Sauter!

20. *Nuphar Sm.* Teichrose. Nixblume.

Kelch 5blättrig. Blumenblätter zahlreich mit einem Honiggrübchen auf dem Rücken. Narbe ganzrandig, geschweift, o. sternförmig-gezähnt. (XIII. 1.).

81. ***N. luteum Sm.*** Gelbe Teichrose. Kelch 5blättrig; Narbe flach, tief-genabelt, ganzrandig, kaum randschweifig, 10—20strahlig, Strahlen vor dem Rande verschwindend; Staubkölbchen länglich-linealisch; Blätter oval bis auf ein Drittel herzförmig-eingeschnitten, Lappen genähert. —

In Sümpfen, tiefen Gräben, u. Teichen, seltener auf Gebirgen. — Vorarlberg: um Bregenz (Str!). Unterinnthal: häufig im Walchsee (Unger!), daselbst und im Hechtsee (Harasser!). Im Gebiethe von Bozen: in einem Waldteiche am Fusse des Schlern zwischen Völs, u. Ratzes; gemein bei Margreid, Salurn, u. Kurtinig (Hsm.). Trient: im See von Terlago (Per!). —

β. minor. Blüthen um die Hälfte kleiner. Vorarlberg: mit der Species bei Fussach, u. Hard (Str!).

Bl. gelb. — Jun. Jul. ♃.

82. ***N. pumilum. Sm.*** Kleine T. Kelch 5blättrig; *Narbe sternförmig-spitz-gezähnt*, o. eingeschnitten; meist

10strahlig, zuletzt halbkuglig, mit an den Rand auslaufenden Strahlen; Staubkölbchen fast 4eckig, um die Hälfte länger als breit; Blätter fast oval, tief-herzformig, Lappen meist auseinander-tretend.

Selten. Unterinnthal: am Schwarzsee bei Kitzbüchl (Trn.). Bl. gelb. Jul. ♃.

IV. Ordnung. PAPAVERACEAE. De C.

Mohnartige.

Kelch 2blättrig, abfällig; Blumenkrone 4blättrig, regelmässig; Staubgefässe unterweibig, selten 4, meist zahlreich, frei. Frucht einfächerig, o. unvollständig-mehrfächerig; Samenträger zwischen den Klappen, o. auf den Wänden der Fächer. Keim sehr klein, gerade in der Basis des Eiweisses. — Kräuter mit weissem, o. gelbem Milchsafte, meist narkotisch. —

21. *Papáver L.* Mohn.

Kelch 2blättrig, abfällig. Blumenblätter 4, in der Knospenlage runzelig-gefaltet. Staubgefässe zahlreich. Griffel keine. Eine 4—20strahlige Narbe. Kapsel unvollkommen 4—20fächerig, ohne Mittelsäulchen, unter der Griffelscheibe an der Spitze eines jeden der unvollkommenen Fächer durch ein Loch aufspringend. (XIII. 1.).

§. 1. ***Kapsel steifhaarig.***

83. ***P. pyrenaicum De C.*** Pirenäen - M. ***Staubfäden pfriemlich; Kapsel*** verkehrt - eiförmig, ***steifhaarig,*** Schaft 1blüthig, Blätter haarig, fast doppelt fiederspaltig, Fiedern breitlich, umgekehrt-eirund-rhombisch, genähert. —

Steinige Stellen der höhern Kalkalpen. — Pusterthal: auf den Praxeralpen (Hll.); Kerschbaumer- u. Tristacheralpe bei Lienz (Ortner. Schtz.). Alpen südlich von Innichen (Stapf.). Joch vom Burgunerthal nach Senges (Stotter!). Peitlerkofl bei Brixen (Hfm.). Schlern u. Langkofl der Seiseralpe; Ultneralpe (Hsm.). Wormserjoch (Koch. syn!). Partschinseralpe bei Meran (Iss.). Fassa u. Fleims: Alpe Kissel, Larsec, Soial, dann im Avisio bei San Pellegrino (Fcch!). Am Montalon (Montini!). Valsugana: am Montalon (Ambr.). In Tessin (Sartorelli!). Velte di Feltre (Parolini!). Am Baldo (Sternberg!).

β. ***albiflorum.*** Blumenblätter weiss, an der Basis citronengelb. P. Burseri Reichenb. Icon. Papaver. tab. XIII. Mehr im nördlichen Tirol. Ochsenalpe, u. Steinjoch bei Imst (Lutt.). Alpen bei Zirl und Telfs (Str.). Solstein bei Innsbruck (Hfl.). Auf dem Kaiser bei Kitzbüchl zwischen 6- u. 7000′ (Trn.). Sehr selten auf dem Schlern wo die Species gemein (Hsm.). Auf Gerölle am Fusse des Plattkogl (Schultz!).

Papaver alpinum L. unterscheidet sich durch kahle Blätter, die doppelt gefiedert, mit lanzett-linealischen von einander entfernten Fiedern. Zu vergleichen Bertoloni fl. ital. tom. V. pag. 321. u. Moritzi Flor. d. Schweiz. pag. 171.

Blumenblätter gelb, o. orange (P. aurantiacum Lois.), selten hochroth; bei β. weiss. Jul. Aug. ♃.

84. ***P. Argemóne L.*** Acker-M. ***Staubfäden oberwärts verbreitert; Kapsel*** verlängert-keulenförmig, ***von zerstreuten, aufrechten Borsten steifhaarig;*** Stengel beblättert, vielblüthig.

Auf Aeckern. — Selten im Eggenthale nächst Bozen (Fcch!). Judicarien: bei Tione gegen die Gavardina (Bon.).

Bl. hochroth. Mai. Jun. ⊙.

§. 2. ***Kapsel kahl.***

85. ***P. Rhoeas L.*** Feld-M. ***Staubfäden pfriemlich; Kapsel*** kurz-verkehrt-eiförmig, an der Basis abgerundet, ***kahl; Läppchen der Narbe mit ihrem Rande sich deckend;*** Stengel steifhaarig, mehrblüthig; Blätter gefiedert, u. doppelt gefiedert, Zipfel länglich-lanzettlich, eingeschnitten-gezähnt.

Auf Aeckern, an Wegen, u. Weinbergen. — Vorarlberg: bei Bregenz (Str!). Imst (Lutt!). Innsbruck: gegen die Froschlache (Hfl.). Unterinnthal: sehr selten im Brixenthale (Unger!). Pusterthal: bei Lienz (Rsch!). Bozen: in den Weinbergen u. Türkäckern bei Siebenaich; in Menge bei Laag an der Strasse nach Salurn (Hsm.). Cavalese (Iss.). Trient: an den Weinbergsmauern am Doss Trent (Hfl.). Roveredo (Crist.). Judicarien: bei Tione (Bon.).

β. ***strigosum.*** Haare der Blüthenstiele angedrückt. P. Rhoeas β. strigosum Bönningh. Pusterthal: bei Hopfgarten in Tefereggen (Schtz.). Fleims (Fcch!). — Officinell: Flores Bhoeados, seu Papaveris erratici.

Bl. hochroth meist mit schwarzen Flecken an der Basis. Mai. Jun. ⊙.

86. ***P. dubium L.*** Saat-Mohn. ***Staubfäden pfriemlich; Kapsel*** keulenförmig, gegen die Basis allmählig verschmälert, ***kahl; Kerben der Narbe getrennt;*** Stengel steifhaarig, mehrblüthig; Blätter doppelt-fiederspaltig; Zipfel linealisch, entfernt-gezähnt.

Aecker, Wege, u. Weinberge. Pusterthal: an sandigen Orten bei Lienz an der Kranzenleite (Rsch!). Bozen: gemein in den Weinleiten bei Rentsch am hohen Wege, Gries im Gandelhofe, am Eisakdamme beim Kalkofen, u. heilig Grab gegen Haslach; am Ritten selten bei Unterinn u. Siffian bis 3000′ (Hsm.). Fleims: bei Tesero (Fcch!). Valsugana: um Borgo, bei Levale (Ambr.).

Bl. hochroth. Apr. Jun. ⊙.

P. somniferum L. Gebräuchlicher M. Magen. ***Staubfäden oberwärts verbreitet; Kapsel*** fast kuglig, ***kahl;*** Blätter länglich, ungleich-gezähnt, die obern ganz, mit herzförmiger Basis stengelumfassend, die untern buchtig, an der Basis verschmälert.

Häufig angebaut durch ganz Tirol u. Vorarlberg, auch verwildernd an Häusern, Schutt, u. Gärten. Offic.: Capita vel Capsulae Papaveris, Semina Papaveris albi. Varietäten o. wahrscheinlicher eigene Arten: *α. hortense.* Kapseln fast kugelig (kleiner als bei β.), Kapsellöcher geöffnet, Scheidewände sich (bis auf $^2/_3$ der Länge des Halbmessers) dem Mittelpunkte nähernd. P. somniferum Reichenb. Deutschl. Fl. die Mohngew. pag. 15, u. Icones Papav. tab. XVII. Bl. lila o. roth in vielen Abstufungen, selten weiss, meist gefüllt. Samen gelblich, braungelb, o. schwärzlich (nach Reichenb. hechtblau). Diese Var. bei uns nur in Gärten zur Zierde, und allda wie verwildert.

β. officinale. Kapseln eiförmig, Kapsellöcher geschlossen, Scheidewände vom Mittelpunkte entfernt ($^1/_3$, höchstens $^1/_2$ des Halbmessers messend). P. officinale Gmel. Reichenb. wie oben. Bl. meist weiss an der Basis lila-gefleckt, o. blassroth. Samen weisslich, hechtblau, o. schwärzlich. Jun. Jul. ☉.

22. *Chelidonium L.* Schöllkraut.

Kelch 2blättrig, abfällig. Blumenblätter 4. Staubfäden zahlreich. Narbe 2lappig. Kapsel schotenförmig, 2klappig, Klappen von der Basis bis zur Spitze aufspringend. Samen an 2 fädliche, gleichsam eine durchbrochene Scheidewand darstellende Samenträger angeheftet. (XIII. 1.).

87. ***C. majus L.*** Gemeines Sch. Blüthenstiele doldig; Kelch fast kahl; Staubfäden oberwärts breiter; Schoten linealisch, holperig, kahl.

An Zännen, Mauern, u. Hecken gemein im Thale, seltener auf Gebirgen. — Bregenz (Str!). Oberinnthal: bei Imst (Lutt!). Innsbruck (Schpfr.). Schwaz (Schm!). Kitzbüchl (Unger!). Zillerthal (Moll!). Pusterthal: bei Welsberg (Hll.), um Lienz (Rsch! Schtz.). Bozen: allenthalben, auch, doch selten, bei Lengmoos am Ritten (Hsm.). Eppan (Hfl.). In Fleims (Fcch!). Val di Non: bei Castell Brughier (Hfl.) Trient (Per. Hfl!). Valsugana: bei Borgo (Ambr.).

Officinell: Radix et Herba Chelidonii majoris.

Bl. gelb. Apr. Sept. ♃.

V. Ordnung. FUMARIACEAE. De C.

Erdrauchartige.

Blumenkrone unregelmässig, Blumenblätter 4, frei, o. zusammengewachsen. Staubgefässe 6, in 2 Bündel verwachsen.

Fruchtknoten 1fächerig, 1—mehr-eiig. Kräuter mit wässerigem Safte. Bei unsern Arten die Blüthen in Trauben, u. getheilte, spiralig stehende Blätter.

23. ***Cory'dalis De C.*** Helmbusch.

Kelch 2blättrig, o. keiner. Blumenblätter 4, unregelmässig, das obere an der Basis gespornt. Staubfäden 2brüderig. Kapsel schotenförmig, 2klappig, vielsamig. (XVII, 1.).

88. **C. *cava Schweigg. u. Koert.*** Hohlwurzliger H. ***Wurzel knollig*** auf allen Seiten mit Wurzelfasern besetzt, hohl, zuletzt vielstenglig; ***Stengel 2blättrig***, ohne Schuppe über der Basis; Blätter doppelt-3zählig, eingeschnitten; fruchttragende Trauben aufrecht; ***Deckblätter ganz***, Blüthenstielchen 3mal kürzer als die Kapsel.

An Gebüschen u. Zäunen. Kitzbüchl (Trn.). Obstgärten des Dorfes Bichl im Zillerthal (Moll!). Im Etschlande: bei Salurn auf Kalkgrus neben der Schiessstätte (Hsm.). Valsugana: bei Borgo (Ambr.). Mittelgebirge um Roveredo; am Campogrosso (Crist.). Am Baldo (Poll!). Fumaria cava Mill.

Obsolet: Radix Aristolochiae cavae.

Bl. weiss o. trübpurpurn untereinander.

Ende März, Apr. ♃.

89. ***C. solida Sm.*** Gefingerter H. ***Wurzel knollig***, nicht ausgehöhlt, am untersten Ende mit Fasern besetzt; Blätter doppelt-3zählig, eingeschnitten; ***der untere Blattstiel blattlos, schuppenförmig; Deckblätter fingerig-getheilt;*** Fruchttraube verlängert, aufrecht, Früchte entfernt; Blüthenstielchen so lang, als die Kapsel.

An Zäunen, Hecken, u. buschigen Hügeln, auch auf bebautem Boden. — Bregenz (Str!). Brixen (Hfm.). Meran: Weinberge bei Algund und von da bis Naturns (Tpp.), am Schönanerberg (Iss.). Sehr gemein im Etschlande: um Bozen an der Strasse von Morizing nach Siebenaich, u. von Sigmundscron zur Paulsner Höhle, auf Aeckern bei St. Pauls gegen Missian; am Fusse des Berges zwischen Pranzoll u. Auer (Hsm.). Am Doss Trent bei Trient (Per. Hfl.). Valsugana: bei Tezze (Ambr.) Tione (Bon.).

C. digitata Pers. Fumaria Halleri Willd.

Nach Hofrath Koch unterscheidet sich die in Südtirol wachsende C. solida, wovon er lebende und getrocknete Exemplare aus der Bozner u. Brixner Gegend erhielt, auf den ersten Blick von der um Erlangen, überhaupt jenseits der Alpen, wachsenden Pflanze dieses Namens; bei der südtirolischen nämlich ist die Platte des obern Blumenblattes verflächt, während die Seiten der Platte bei jener stets zurückgerollt, u. zusammen einen konischen spitzen Körper vorstellen. Die Beobachtung Koch's habe ich an unzähligen Exemplaren aus verschiedenen Standorten der Bozner-Gegend bestätiget gefunden, lebende Exemplare von jenseits der Alpen aber bisher nicht vergleichen können, daher ich, unsere Pflanze einsweilen als eine *Varietas australis* bezeichnend, ein entscheidenderes Urtheil fortgesetzten Beobachtungen und Vergleichen anheim stellen muss.

Bl. blasspurpurn, trübpurpurn, o. weiss.

Hälfte März, Apr. ♃.

90. *C. fabacea Pers.* Bohnenartiger H. *Wurzel knollig,* nicht hohl, am untern Ende mit Fasern besetzt; Blätter doppelt-3zählig, eingeschnitten; *der untere Blattstiel blattlos, schuppenförmig; Deckblätter ganz;* Fruchttraube gedrungen, überhangend; Blüthenstielchen 3mal kürzer als die Kapsel. —

An Zäunen, Gebüschen, auch in die Gebirge ansteigend. — Oberinnthal: bei Brennbüchl nächst Imst (Lutt.). Innsbruck: am Berg Isel (Hfl.). Auf Kalkboden um Kitzbüchl 2500′ — 5000′ (Trn.). Bei Kastelrutt nächst Bozen (Tpp.). Mittelvintschgau: bei Tschengels und Laas, dann im Taufererthale (Tpp.). Valsugana: bei Borgo (Ambr.), u. bei Caldonazzo (Fcch!). — C. intermedia Merat. — Obsolet: Radix Aristolochiae fabeaceae.

Bl. trübpurpurn. Apr. Mai. ♃.

91. *C. lutea De C.* Gelber H. *Wurzel ästig-faserig;* Blätter 3zählig-3fach-fiederig, in das Lauchgrüne spielend, Blättchen ganz, u. 3spaltig, die endständigen breit-verkehrt-eiförmig; *Blattstiele oberseits flach, unberandet; Deckblätter* länglich, *haarspitzig,* gezähnelt; Kapsel länglich, meist so lang als das Blüthenstielchen; *Samen glänzend, sehr fein-körnig-runzlig, mit abstehendem, körnig-lappigem, gezähneltem Anhängsel.*

In Felsritzen, an Mauern u. im Gerölle im südlichen Tirol. — Etschland: Margreid auf Kalkgrus am Bache ober dem Kalkofen, u. von da hinabgeschwemmt (Hsm.). Val di Non: bei Flavon (Tpp.). Trient gegen Terlago (Per!). Montegazza (Merlo.). Auf Gerölle an schattigen Hügeln bei Roveredo (Crist.). Am Baldo (Clementi), allda bei Tret de spin (Hfl.). Judicarien. am Bache Rediver, u. Pissone bei Tione (Bon.).

Fumaria lutea L. — Obsolet: Herba Fumariae luteae.

Bl. citronengelb, an der Spitze sattgelb. — Jun. Aug. ♃.

92. *C. ochroleuca Koch.* Gelblich weisser H. *Wurzel ästig-faserig;* Blätter 3zählig-3fach-fiederig, in das Lauchgrüne spielend, Blättchen ganz, u. 3spaltig, die endständigen verkehrt-eiförmig-keilig; *Blattstiele oberseits flach, u. zu beiden Seiten mit einem hervortretenden Rande versehen; Deckblätter* länglich, *haarspitzig,* gezähnelt; Kapsel linealisch-länglich, länger als das Bluthenstielchen; *Samen fast glanzlos, körnig-rauh, mit angedrücktem, fast ganzrandigem Anhängsel.*

An felsigen Orten im südlichen Tirol (Koch Taschenb!). C. capnoides *α*. De C.

Bl. weisslichgelb, an der Spitze gelb. — Jul. Sept. ♃.

93. ***C. acaulis Pers.*** Stengelloser H. ***Wurzel ästig-faserig;*** Blätter 3zählig-doppelt-fiederig, o. fiederig, weisslich-graugrün; Blättchen ganz o. 3spaltig, u. 5spaltig, das endständige breit-verkehrt-eiförmig; ***Blattstiele oberseits flach, unberandet; Deckblätter länglich, haarspitzig,*** gezähnelt; Kapsel länglich, 2—3mal kürzer als das Blüthenstielchen; Samen fast glanzlos, körnig-rauh, mit angedrücktem, fast ganzrandigem Anhängsel.

An Felsen u. Mauerritzen. Im südlichen Tirol wie die 2 Vorigen, u. Folgende (Kittel Linneisch. Tschb. p. 333)! Fumaria acaulis Wulf.

Bl. weisslich, vorne grünlich-gelb. — Mai, Jun. ♃.

94. ***C. capnoides L.*** Erdrauchartiger H. ***Wurzel ästig-faserig;*** Blätter 3zählig, Blättchen 3theilig, o. 3spaltig, u. eingeschnitten; unterstes Deckblatt von der Gestalt eines Stengelblattes, länger als das Blüthenstielchen; ***Sporn fast von der Länge der Blumenkrone;*** Samen sehr glatt, glänzend. —

Auf fettem steinigem Boden im obern Tefereggen in Pusterthal, an der obern Gränze der Cerealien, u. weiter hinauf; dann in Livinallongo (Fcch.). Tefereggen: bei Hopfgarten, Innervilgraten (Schtz.). — C. Gebleri Led.

Bl. gelblich-weiss. Jun. Jul. ⊙.

24. ***Fumaria L.*** Erdrauch.

Kelch 2blättrig, abfällig; Blumenblätter 4, das obere an der Basis gespornt, u. unten mit den zwei seitenständigen verbunden; Staubfäden zweibrüdrig; Schötchen einsamig, nicht aufspringend, nussartig. (XVII. 1.).

F. capreolata L. Rankender E. ***Kelchblätter halb so lang als die Blumenkrone;*** Schötchen rundlich, sehr stumpf; die fruchttragenden Trauben locker; Blattzipfel länglich, u. verkehrt-eiförmig.

Nach Pollini in Menge am Gardasee, in den Gärten bei Limone im Brescianischen, also nicht weit von der Gränze.

Bl. weiss, o. gelblich-weiss, auf dem Rücken oft purpurn, an der Spitze schwarz-purpurn. Mai—Sept. ⊙.

95. ***F. officinalis L.*** Gemeiner E. ***Kelchblätter 3mal kürzer als die Blumenkrone,*** breiter als das Blattstielchen; Schötchen rundlich, quer-breiter, vorne gestutzt, etwas ausgerandet; die fruchtragenden Trauben locker; Blattzipfel länglich, u. linealisch.

Auf bebautem Boden, Schutt, auch an Abhängen. — Vorarlberg: um Bregenz (Str!). Oberinnthal: auf Kornfeldern bei

Reutte (Kink.), bei Imst (Lutt!). Innsbruck: auf den Wiltauer Feldern (Prkt.), u. ober Weyerburg (Karpe), dann am Hügel hinter Weyerburg (Schpf.). Auf einem Felde bei Achenrain (Wld!). Zillerthal: häufig auf den Aeckern am Guggelberge (Schrank!). Pusterthal: bei Welsberg (Hll.) u. um Lienz (Rsch! Schtz.). Meran: am Kiechlberg, bei Marling (Tpp.). Gemein um Bozen, z. B. in den Weinbergen bei Gries, u. im Gandlhofe allda; am Ritten in Gärten um Klobenstein; Margreid etc. (Hsm.). Trient, auf bebauten Hügeln (Per.). Valsugana: bei Borgo (Ambr.). Judicarien: bei Tione (Bon.).

Offic.: Herba Fumariae.

Bl. purpurn, an der Spitze schwarz-purpurn. Blüht um Bozen an warmen Lagen schon häufig Ende März.

Apr. Sept. ⊙.

96. ***F. Vaillantii* Lois.** Vaillants-E. *Kelchblätter* schmäler als das Blüthenstielchen, *vielmal kürzer als die Blumenkrone*, kleinen Schuppen ähnelnd; Schötchen kreisrund, abgerundet-stumpf; die fruchttragenden Trauben locker; Blattzipfel linealisch.

Auf bebautem Boden, an Wegen, Schutt. — Vintschgau: an Zäunen bei Loretz, u. Schlanders (Tpp.). Pusterthal: bei Heimfels (Schtz.). Bozen: im Acker am Calvarienberge; dann häufig in den Weinbergen vor Morizing links von der Strasse, auch um Siebenaich etc. (Hsm.) — Offic.: wie Vorige.

Bl. wie bei Voriger. Apr. Jul. ⊙.

VI. Ordnung. CRUCIFERAE Juss.

Kreuzblüthler.

Blüthen zwittrig. Kelch 4blättrig, abfällig. Blumenblätter 4, regelmässig, kreuzförmig gestellt, sammt den Staubgefässen dem Fruchtboden eingefügt. Staubgefässe 6, 4mächtig, die 4 längern den Samenträgern, die 2 kürzern den Klappen gegenüber. Fruchtknoten 1—2fächerig, 2—mehreiig, mit zwischenklappigen, an der Scheidewand anliegenden Samenträgern. Same eiweisslos. Keim gekrümmt. Kräuter oder Halbsträucher mit wässerigem Safte von oft beissendem Geschmacke. Ihre Samen zeichnen sich durch reichen Gehalt an fettem Oele aus.

I. Unterordnung. SILIQUOSAE.

Schotenfrüchtige Kreuzblüthler.

Frucht eine linealische, o. linealisch-lanzettliche, 2klappige, aufspringende Schote. (XV. 2.).

I. Gruppe. **Arabideae.** Die Keimblätter aneinanderliegend; das Würzelchen seitlich auf der Spalte der Keimblätter. Samen zusammengedrückt.

25. ***Matthióla Brown.*** Levkoi.

Schote linealisch, rund, o. zusammengedrückt. Narbe zweilappig, Lappen aneinander-liegend, aufrecht, auf dem Rücken verdickt, o. auch gehörnt, zuletzt etwas abstehend. Samen glatt, hautrandig. (Nach Matthioli dem italienischen Botaniker so benannt, daher Matthióla, u. nicht Mathíola.)

97. ***M. varia De C.*** Bunter Levkoi. Stengel aufrecht; Blätter linealisch, stumpf, ganzrandig, nach der Basis schmäler; Blüthen fast stiellos; Blumenblätter verkehrt-eiförmig; Schoten aufrecht, zusammengedrückt.

An felsigen Abhängen des westlichen Ufers des Gardasees, von der Brescianischen Gränze bis Riva (Fcch.). Am Gardasee (Per!) — Cheiranthus varius Sibth.

Bl. schön purpurn. Mai, Jun. ♃.

M. incana R. Br. Graue L.

Aufrecht, ästig; Blätter grau, lanzettlich, ganzrandig, oder etwas gezähnt.

Zierpflanze aus dem südlichern Europa, häufig in Gärten u. Töpfen. (Rother Veilstingl um Bozen). Varietäten, nach andern Arten sind:

α. perennis. Stengel am Grunde halbstrauchig; Blätter ganzrandig; Schoten zusammengedrückt. — Zwei- o. mehrjährig. Cheiranthus incanus L.

β. annua. Völlig krautartig, 1jährig; Blätter etwas gezähnt; Schoten fast walzlich. Cheiranthus annuus L.

Bl. roth, weiss, lila, violett, o. gesprenkelt, oft gefüllt.

Cheiranthus L. De C. Lack.

Schote linealisch mit einem auf der Mitte der Klappen vorragenden Längs-Nerven, 4seitig, etwas verflacht; Narbe 2lappig, mit zurückgekrümmten Lappen. Samen einreihig, zusammengedrückt, stumpfrandig.

C. Cheiri L. Goldlack. (Gelber Veilstingl um Bozen). Blätter lanzettlich, spitz, ganzrandig, von einfachen zerstreuten Haaren, angedrückt-haarig, die untern beiderseits 1—2zähnig, Zähne spitz. Schoten zusammengedrückt.

Eine bekannte Zierpflanze. Obsolet: Flores Cheiri. — Um Bozen im Freien, in sonnigen Lagen im April blühend. ♃.

26. ***Nasturtium Brown.*** Brunnenkresse.

Schote linealisch o. elliptisch. Klappen konvex, o. fast flach, nervenlos, o. eine Spur eines Mittelnerven an der Basis. Samen ungleich zweireihig. Keimblätter aneinanderliegend, flach.

§. 1. Blumenblätter weiss.

98. ***N. officinale R. Br.*** Gemeine Brunnenkresse. Schoten linealisch, fast so lang als das Blüthenstielchen; Blät-

ter gefiedert, die obern 3—7paarig, die untern 3zählig, die ***Blättchen*** geschweift, die seitenständigen ***elliptisch***, das endständige eiförmig, an der Basis fast herzförmig.

Gemein in den Gräben der Hauptthäler. — Vorarlberg: um Bregenz (Str!). Unterinnthal: in Wiesengräben bei St. Johann (Trn.). Brixen, an Quellen (Hfm.). In Menge im Etschlande: um Bozen gegen Leifers, u. Sigmundscron; bei Pranzoll, u. Salurn (Hsm.). Valsugana: bei Borgo (Ambr.). Am Gardasee (Poll! Clementi.). Judicarien: bei Tione (Bon.). Um Trient (Per!).

β. siifolium. Blättchen aus herzeiförmiger Basis lanzettlich zugespitzt. Stengel viel höher u. dicker, oft daumendick, mit weiter Höhlung. N. siifolium Reichenb. Icones Tetradyn. tab. L. In tiefern Gräben. Vintschgau: bei Glurns (Hfm.), u. bei Laas (Tpp.) Seltener um Bozen, unter der Species vor Sigmundscron am Seitenwege zu den Türkäckern am Abzugsgraben rechts von der Strasse (Hsm.)

Ausser dem Wasser wird die Pflanze in allen Theilen kleiner, mit rundlichen Blättchen. N. microphyllum Reichenb. Diese Form fand ich bei Sigmundscron nächst Bozen an Dämmen neben gereinigten Gräben. — Sisymbrium Nasturtium L.

Officinell: Herba recens Nasturtii aquatici.

Bl. weiss, Staubbeutel gelb. Apr. Sept. ♃.

§. 2. Blumenblätter gelb.

99. ***N. amphybium R. Br.*** Verschiedenblättrige Br. ***Schötchen elliptisch, o. fast kuglig, 2—3mal kürzer als das Blüthenstielchen;*** Blätter länglich, o. lanzettlich, nach der Basis verschmälert, gesägt, o. gezähnelt, an der Basis mit o. ohne Oehrchen, die untern kammartig- o. leyerförmig-eingeschnitten; ***Stengel an der Basis wurzelnd, ausläufertreibend, und im Wasser aufgeblasen-röhrig;*** Blumenblätter länger als der Kelch.

In Gräben, an Ufern. — Vorarlberg: am Wellenstein (Str!). Am Gardasee (Poll!). — Sisymbrium amphybium L. Cochlearia aquatica Meyer. — Obsolet: Radix et Herba Raphani aquatici. Mai, Jul. ♃.

100. ***N. anceps Reichenb.*** Zweikantige Br. ***Schötchen*** linealisch, o. länglich-linealisch, ungefähr ***halb so lang als das Blüthenstielchen, Blätter leyerförmig-fiederspaltig,*** u. gezähnt, ***die obern*** verkehrt-eiförmig, eingeschnitten-gezähnt, o. *fiederspaltig,* mit gezähnten Fiedern; Stengel aufrecht; ***Blumenblätter länger als der Kelch.***

An feuchten Orten. — Vorarlberg: häufig an der Strasse zwischen Hard u. Fussach (Custer.). Jun. Jul. ♃.

101. ***N. sylvestre R. Br.*** Wilde Br. ***Schötchen linealisch, so lang, o. etwas länger o. kürzer als das Blü-***

thenstielchen ; Blätter sämmtlich tief-fiederspaltig, oder gefiedert, Fieder länglich-lanzettlich, gezähnt, o. wieder fiederspaltig, die der obern Blätter oft linealisch, Stengel sehr ästig, ausgebreitet; *Blumenblätter länger als der Kelch.*

An Gräben, Wegen, auch an Aeckern. — Vorarlberg: selten um Bregenz (Str!); bei Feldkirch (Custer.). Innsbruck: auf Schutt an der Zirlerstrasse, u. an den Wiltauer Feldern (Hfl.). Pusterthal: an Bächen, u. Aeckern bei Lienz (Rsch!). Bozen: selten im Gebüsche am Graben an der Strasse vor der Paulsner Höhle; Neumarkt gegen St. Florian links am Graben; bei Salurn; Trient: am Wege nach Cognola (Hsm.) Borgo (Ambr.). Campo Trentino (Per.). Roveredo (Crist.). — Sisymbrium sylvestre L. — Obsolet: Herba Sisymbrii sylvestris, seu Erucae palustris. Mai, Jul. ♃.

102. *N. palustre De C.* Sumpf-Br. Schoten länglich, gedunsen, ungefähr so lang als das Blüthenstielchen, die untern Blätter leyerförmig, die obern tief-fiederspaltig, Zipfel länglich, gezähnt; *Blumenblätter so lang als der Kelch.*

An feuchten Orten, Ufern, u. zeitweise überschwemmten Stellen. — Vorarlberg: bei Bregenz (Str!). Innsbruck: an der obern Innbrückenstrasse (Hfl.). Kitzbüchl (Trn.). Sterzinger Moos (Hfl.). Pusterthal: bei Hopfgarten, u. Lienz (Schtz.), Welsberg (Hll.). Brixen (Hfm.). Bozen: gemein am Talferbette, u. um Sigmundscron an der Etsch; Salurn, Margreid u. Pranzoll (Hsm.). Pinè u. Brusaco (Fcch!). Valsugana: bei Borgo u. Tezze (Ambr. Sartorelli!). Jun. Sept. ⊙.

27. *Barbárea R. Br.* Barblkraut.

Kelch aufrecht. Schote linealisch, zusammengedrückt-4-kantig, Klappen konvex mit einem hervorspringenden Längsnerven. Narbe stumpf, ganz, oder ausgerandet. Samen in jedem Fache einreihig, ungesäumt. Keimblätter aneinander liegend, flach. —

103. *B. vulgaris R. Br.* Gemeines B. Die untern Blätter leyerförmig, der Endlappen sehr gross, rundlich, oder eiförmig, an der Basis etwas herzförmig, die Seitenlappen 4-paarig, das oberste Paar von der Breite des Querdurchmessers des Endlappen, die obern Blätter ungetheilt, verkehrt-eiförmig, gezähnt; die Trauben während des Aufblühens gedrungen; die jüngern Schoten schräg-aufrecht. Samen rundlich.

An Wegen, Dämmen, Bächchen, u. feuchten Grasplätzen. — Vorarlberg: um Bregenz (Str!). Unterinnthal: auf Wiesen bei St. Johann, u. in der Langau bei Kitzbüchl (Trn.) Bei Mariathal nächst Rattenberg (Wld!). Schwaz (Schm.). Pusterthal: bei Welsberg (Hll.); bei Lienz (Schtz.), allda im Wartschengraben, u. an Bächchen am Gränzamte Capaun (Rsch!). Vintschgau: bei Vezzan (Tpp.). Bozen: gemein an der Legshütte am Kalkofen, u. von hier am Eisackdamme bis zur Rödlerau; Ritten: am Wege von Klobenstein nach Lengmoos (Hsm.). An Bächchen bei Trient; dann in Vallarsa (Per!). Vall' Aviana am Baldo (Poll!). Judicarien: längs der Strasse bei Fontanedo (Bon.)

Erysimum Barbarea L. — Obsolet: Herba Barbareae.

Bl. gelb. Mai, Jul. ⊙.

28. ***Turritis* L.** Thurmkraut.

Kelch schlaff-aufrecht. Schote linealisch, 4kantig etwas platt, mit einem starken Längsnerven. Narbe stumpf, ganz, o. etwas ausgerandet. Samen in jedem Fache 2reihig. Keimblätter aneinander liegend, flach.

104. ***T. glabra* L.** Kahles Th. Wurzel-Blätter schrotsäge-zähnig, o. buchtig-gezähnt von 3gabligen Haaren rauh, die stengelständigen kahl, mit herzpfeilförmiger Basis stengelumfassend; Schoten steif-aufrecht, 6mal so lang als ihr Stiel; Samen fast eiförmig.

An Rainen, Mauern, u. an Hecken auf sonnigen Hügeln bis an die Voralpen. — Bregenz (Str!). Innsbruck: sparsam z. B. bei Weyerburg, u. Egerdach (Hfl. Prkt.). Am alten Schlosse bei Rattenberg (Wld!). Kitzbüchl (Trn.). Pusterthal: bei Welsberg (Hll.); Lienz (Schtz.); allda an den Zäunen im Mohrenfelde u. in Hecken gegen Nussdorf (Rsch!). Gemein um Bozen, z. B. am Eisackdamme an der Rodlerau; im Gebüsche ober der Landstrasse gegen Siebenaich; Ritten: auf der Mauer zwisehen Klobenstein u. Lengmoos (Hsm.). Ackerränder bei Trient (Per!). Vall' dell' Artillon am Baldo (Poll!). Judicarien: bei Stelle, u. alla Pinéra bei Tione (Bon.).

Bl. gelblich weiss. Mai, Jul. ⊙.

29. ***A'rabis* L.** Gänsekraut.

Kelch aufrecht. Schote linealisch, platt, o. etwas konvex, mit einem Längsnerven, o. an dessen Statt viele Längsäderchen. Narbe stumpf, ganz, o. etwas ausgerandet. Samen in jedem Fache 1reihig, meist flach. Blumen meist weiss. Keimblätter aneinander liegend, flach.

I. Rotte. ***Alomatium* De C.** Samen flügellos, o. mit einem schmälern gegen die Spitze manchmal verbreitertem Flügel umzogen.

§. 1. Die stengelständigen Blätter an der Basis herzförmig-stengelumfassend.

105. ***A. brassicaeformis* Wallr.** Kohlartiges G. *Blätter kahl, ganzrandig,* die wurzelständigen länglich, o. rundlich, in den Blattstiel zugeschweift, die stengelständigen länglich-lanzettlich, *mit tief-herz-pfeilförmiger Basis stengelumfassend;* Schoten auf einem abstehenden Blüthenstiel-

chen ziemlich aufrecht, Klappen etwas konvex, mit einem starken Nerven bezeichnet; Samen flügellos.

An waldigen Bergabhängen im südlichern Tirol, nördlich bis ober Molven im Bezirke von Stenico (Fcch.). In Val fredda am Baldo (Manganotti.).

Brassica alpina L. Erysimum alpinum De C. Bertoloni.

Bl. weiss. Mai, Jul. ♃.

106. ***A. alpina L.*** Alpen-G. ***Blätter von ästigen Härchen rauh,*** etwas ins Graue fallend, die untern länglich-verkehrt-eiförmig, in den Blattstiel verschmälert, die obern eiförmig, ***mit tief-herzförmiger Basis stengelumfassend;*** Stengel etwas zottig; Schoten abstehend, flach, etwas holperig, am Rande ein wenig verdickt, Klappen fast nervenlos; Samen mit einem häutigen schmalen Rande umzogen; ***Stämmchen verlängert,*** niedergestreckt.

Gemein durch ganz Tirol auf steinigen Triften, u. an Felsen der Alpen u. Voralpen, auch durch die Flüsse in die Thäler herab. — Vorarlberg: auf den Feldkircheralpen, u. im Aachgries bei Bregenz (Str!); bei Au im Bregenzerwald (Tir. B!). Am Aggstein bei Tannheim (Dobel!). Innsbruck: auf dem Solstein, Serles, u. Widersberg (Hfl.). Karrljoch, u. in Lisens (Prkt.), am Inn bei Schwaz (Schm.). Zillerthal: bei Zell (Gbh.). Alpenbäche bei Rattenberg (Wld.). Alpen, u. an Gebirgsbächen bei Kitzbüchl (Trn.) Schmirn; am Schneeberg bei Sterzing (Hfm.). Pusterthal: in Taufers (Iss.); in Prax (Hll.); Tefereggen (Schtz.); Innichen (Stapf.); Marenwalderalpe bei Lienz (Rsch!); Teischnitz- u. Dorferalpe bei Lienz (Schtz.). Gebirge um Bozen: Schlern, u. Seiseralpe; Mendel; Rittner- u. Villandereralpe; auch nicht selten im Thale im Talferbette hinter Runkelstein (Hsm.). Vintschgau: Wormserjoch bei Franzenshöhe (Gundlach.); bei Laas (Tpp.). Val di Non: an der Novella-Mündung (Hfl.). Fleims u. Fassa (Fcch!). Alpen um Trient (Per!). Gebirge um Roveredo (Crist.) Valsuganeralpen (Ambr.); Portole u. Vette di Feltre (Montini! Contareni!). Am Baldo: bei Aque negre, u. Campion (Poll!). Judicarien: Alpe Lenzada; Spinale (Bon.).

β. ***crispata.*** Stengelblätter buchtig-gezackt, stark wellig.

A. crispata Willd. Reichenb. Icon. Tetradyn. tab. XXXVII. Eine durch fetten, feuchten Boden, u. im Schatten erzeugte Form. Voralpenthäler am Schlern (Hsm.). Hochebene bei Andolo im Grase an Zäunen (Hfl.).

Bl. weiss. Im Thale Mai, Alpen Jun. Jul. ♃.

107. ***A. auriculata Lam.*** Geöhrltes G. ***Blätter,*** u. Stengel von ästigen Härchen rauh; Wurzelblätter länglich, in den Blattstiel verschmälert, stengelständige eiformig-länglich, gezähnt, ***mit tief-herz-pfeilförmiger Basis sitzend;*** Trauben zuletzt verlängert, schlängelig; ***Schoten*** ziemlich entfernt,

abstehend, zusammengedrückt, fast 3nervig, ***kaum breiter als das Blüthenstielchen;*** Samen mit einer gesättigtern Linie eingefasst, flügellos; Wurzel dünn, einfach; Stämmchen fehlend.

Auf sonnigen Hügeln. Meran (Iss.). Um Trient z. B. am Doss Trent (Per.).

Bl. weiss. März, Apr. ⊙.

108. ***A. saxatilis All.*** Stein-G. ***Blätter,*** u. Stengel ***von ästigen Härchen rauh,*** fast zottig; Wurzelblätter länglich, in den Blattstiel verlängert, die stengelständigen eiförmig, o. länglich, schwach-gezähnt, ***mit tief-herz-pfeilförmiger Basis sitzend;*** Trauben armblüthig, fast steif; ***Schoten*** etwas entfernt, abstehend, zusammengedrückt, fast 3nervig, ***3mal breiter als das Blüthenstielchen;*** Samen schmal-geflügelt; ***Stämmchen fehlen.***

An schattigen Orten der Voralpen in Südtirol. — Vintschgau: bei Laas, u. Schlanders, im Gebüsche am Godria bei 4000′ (Tpp.) Fleims: bei Predazzo; im obern Val di Ledro (Fcch.). Valle Losanna am Baldo (Poll!).

Bl. weiss. Jun. Jul. ⊙.

109. ***A. hirsuta Scop.*** Rauhhaariges G. Stengel unterwärts von abstehenden Haaren rauhhaarig; ***Blätter*** länglich, gezähnelt, mit ästigen Härchen bestreut, die wurzelständigen in den Blattstiel verschmälert, die stengelständigen aufrecht-abstehend, ***mit gestutzt-geöhrter, o. herzförmiger Basis sitzend, die Oehrchen vom Stengel abstehend; Schoten aufrecht,*** schmal-linealisch, zusammengedrückt, längsäderig, mit einem etwas hervortretenden Nerven; Samen nicht punktirt, an der Spitze etwas geflügelt.

Auf Triften, grasigen Hügeln, u. Abhängen bis an die Voralpen. — Innsbruck: bei Aldrans, u. Mühlau gegen den Breitbüchl (Hfl.), Pusterthal: in Tefereggen (Schtz.); bei Lienz, im Schustergraben, u. an der öden Wand hinter dem Rauchkogl (Rsch!). Vintschgau: auf Wiesen bei Schlanders (Tpp.). Bei Lana nächst Meran (Fr. Mayer.). Bozen: auf den Wiesen bei St. Jacob, dann am grasigen Abhange vor Campil gegen den Eisack; Ritten: selten bei Waidach nächst Klobenstein (Hsm.). Trient: ai Masi d'Aria; Val di Non: bei Denno (Hfl.). Fleims u. Fassa (Fcch!). Hügel um Roveredo (Crist.). Valsugana: bei Borgo (Ambr.). Vall dell' Artillon am Baldo; am Gardasee (Poll!).

β. ***glaberrima.*** Ganz kahl, oder nur am Blattrande kurze Haare. —

Bozen: selten im Griesnerberge (Hsm.),

Bl. weiss. Apr. Jun. ⊙ u. ♃.

§. 2. Die stengelständigen Blätter sitzend, und manchmal halb-stengelumfassend, aber an der Basis nicht herzförmig.

110. ***A. ciliata R. Br.*** Gewimpertes G. Stengel kahl,

o. unterwärts von abstehenden Haaren rauh; ***Blätter*** länglich, gezähnelt, o. ganzrandig, mit ästigen Härchen bewimpert, o. bestreut, die wurzelständigen in den Blattstiel verschmälert, die stengelständigen aufrecht, etwas abstehend, ***sitzend an der Basis abgerundet;*** Schoten ziemlich abstehend, schmal-linealisch, zusammengedrückt, längsäderig, mit einem etwas hervortretenden Nerven; ***Samen*** von einer gesättigteren Linie umzogen, ***flügellos,*** unpunktirt.

α. glabrata. Stengel kahl; Blätter kahl, nur am Rande mit Haaren besetzt. A. ciliata Brown.

Auf Hügeln, u. Triften bis in die Alpen. — Innsbruck: Weg zu den Arzler Mähdern von der Alphutte aus (Hfl.). Auf Kalkhügeln um Kitzbüchl bis in die Alpen (Trn.). Pusterthal: bei Hopfgarten in Tefereggen (Schtz.). Vintschgau: auf der Stilfseralpe mit *β.* (Tpp.). Paneveggio u. Venigiotta (Fcch!). Am Baldo (Poll. bei Bertoloni). A. serpyllifolia pubescens Pollini nach Bertoloni.

β. hirsuta. Stengel rauhhaarig; Blättchen von ästigen Härchen kurzhaarig-rauh. A. alpestris Schleich. Reichenb. Icon. Tetradyn. tab. XL. Vorarlberg: am Freschen (Custer!). Brandjoch, u. Sattelspitze bei Innsbruck (Hfl.). Pusterthal: bei Lienz (Schtz.). Vintschgau: auf der Stilfseralpe (Tpp.). Villandereralpe nächst Bozen selten (Hsm.). Kitzbüchl mit *α.* (Trn.). Am Bondone bei Trient (Per.). Judicarien: häufig am Arno, u. auf Triften bei Tione (Bon.).

Beide Varietäten gehen allmälig in einander über.

Bl. weiss. Jun. Jul. ⊙ u. ♃.

111. ***A. muralis Bertoloni.*** Mauer-G. Stengel unterwärts von abstehenden Haaren rauhharig; ***Blätter*** von ästigen Haaren rauhhaarig, u. in das Graue fallend, die wurzelständigen länglich, verkehrt-eiförmig, etwas spatelförmig, stumpf-gezähnt, in den Blattstiel verschmälert, die stengelständigen länglich, aufrecht, ***sitzend; Schoten an die Spindel angedrückt,*** linealisch, zusammengedrückt, längsgeädert, mit einem schwachen Nerven; ***Samen mit einem häutigen Flügel umzogen.***

An Felsen im südlichen Tirol. Bei Cadin nächst Salurn (Fcch.). —

Bl. weiss. Mai ⊙ u. ♃.

111. b. ***A. petraea Lamark.*** Felsen-G. Stengel kahl; Wurzelblätter gestielt, länglich-verkehrt-eiförmig, ganzrandig o. hinten gezähnt, mit meistens 3 Zähnen o. Läppchen auf jeder Seite, o. leyerförmig, kahl, o. von 2—3gabligen Haaren rauhhaarig, die stengelständigen länglich-linealisch, nach der Basis verschmälert, ganzrandig, sitzend, kahl; Schoten abstehend, schmal-linealisch, fast flach, mit einem sehr feinen Längsnerven. —

Bregenzerwald ober den Schneeplatten des Widdersteins (Tir. B.)! Dieser Standort wurde seiner Höhe wegen allgemein bezweifelt, da A. petraea überdiess auch nicht in der Schweiz vorkommt; dass sie jedoch in Tirol vorkomme, u. auch in die Alpen steige, bezeugt ein mir vorliegendes, von Isser bei Laas in einer Seehöhe von 4000′ gesammeltes Exemplar. Sonst an Kalkfelsen in Franken, in Steyermark, u. in der Brühl bei Wien. —

Bl. weiss, selten blass-rosenroth. ♃.

112. ***A. arenosa Scop.*** Sand-G. Stengel von einfachen Haaren rauhhaarig; ***Blätter*** mit ästigen Härchen bestreut, die wurzelständigen gestielt, ***leyerförmig-schrot-sägenartig, mit 6—9 Läppchen auf jeder Seite***, die stengelständigen nach der Basis verschmälert, kurz-gestielt, die obern ganzrandig; Schoten linealisch, abstehend, fast flach, mit einem sehr feinen Längsnerven.

Auf Sandfeldern, an Wegen u. Ufern im südlichern Tirol. Judicarien: al ponte di Stelle bei Tione (Bon.). Trient: gegen Cognola (Hfl!).

Sisymbrium arenosum L.

Bl. lila, o. seltener weiss. Jun. Jul. ⊙.

113. ***A. Halléri L.*** Hallers-G. ***Blätter*** ganzrandig, o. etwas gezähnt, gestielt, ***die wurzelständigen herzförmig-rundlich, o. eiförmig***, auf einem nackten, o. mit Anhängseln versehenen Blattstiele, ***die untern stengelständigen eiförmig***, die obern lanzettlich.

Auf Hügeln, an Hohlwegen, u. an Flussbetten bis an die Alpen. Unterinnthal: im Thale Sellrain; Innsbruck: bei Grinzens (Hfl.), Bergwiesen bei Oberperfuss (Str!). Kitzbüchl: im nördlichen Gebiethe, z. B. bei Söll, am Neuberge (Unger!); dann bei Goign an der Landstrasse (Trn.). Voralpen im Zillerthal (Schrank!). Pusterthal: am Grauen Käs, u. Teischnitzalpe bei Lienz (Schtz.). Val di Non: an der Novellamündung (Hfl.). Judicarien: unter der Brücke bei Stelle (Bon.); Voralpen bei Stenico (Per.).

Bl. weiss. Jun. Jul. ♃.

II. Rotte. **Lomaspora De C.** Die Samen mit einem breiten häutigen Flügel umzogen.

114. ***A. Turrita L.*** Thurmkrautartiges G. ***Blätter*** mit ästigen Härchen bestreut, gezähnt, die wurzelständigen elliptisch in den Blattstiel verschmälert, die stengelständigen länglich, ***mit tief-herzförmiger Basis stengelumfassend;*** Blüthenstielchen ungefähr so lang als der Kelch; Schoten auf einem aufrechten Blüthenstielchen abwärtsgekrümmt, flach, in der Mitte holperig, am Rande verdickt; ***Samen mit einem häutigen breiten Flügel umzogen.***

An Abhängen am Fusse der Berge im südlichen Tirol. — Gemein um Bozen, z. B. am Wege zum Wasserfalle u. Runkelstein, in Hertenberg, Gandlberg bei Gries und längs der Strasse gegen Siebenaich (Hsm.), bei Kühbach (Tpp.). Val di Non: bei Denno; Trient z. B. am Wege von Piè di Castello nach Sardagna (Hfl.). Am Baldo alla Madonna; am Gardasee (Poll!). An der Gränze Tirols sparsam bei Füssen am linken Ufer des Lechs gleich unterhalb des Lechfalles 1843 (Einsele!).
Bl. weisslich, o. weisslich-gelb. März, Apr. ⊙.

115. *A. pumila Jacq.* Niedriges G. *Blätter* ganzrandig, o. etwas gezähnelt, *glänzend*, nebst dem 2—3blättrigen Stengel von ästigen, u. einfachen Härchen *zerstreut-haarig*, die wurzelständigen in eine Rosette ausgebreitet, verkehrteiförmig, in den Blattstiel verschmälert, die stengelständigen eiförmig-länglich, sitzend; Schoten aufrecht, flach, in der Mitte holperig, am Rande etwas verdickt; *Samen mit einem breiten häutigen Flügel umzogen.*

In Felsritzen, u. auf steinigen Triften der Alpen. — Vorarlberg: auf der Mittagspitze (Str!), am Widderstein (Köberlin!), am Gurtiser Berg (Cst!). Alpe Söben bei Vils (Frl!), Mädelealpe (Dobel!). Brandjoch, und Solstein bei Innsbruck (Hfl.). Alpen bei Zirl und Telfs (Str!). Auf dem Kellerjoch (Hrg!), Lampsenjoch (Schm.). In Schmirn (Hfm.). Kitzbüchl: an Kalkfelsen am Horn (Trn.); allda am Geisstein, u. auf der Salve (Unger!). Pusterthal: auf den Alpen in Prax (Hll.), am Geislberg (Wlf!), u. südlich von Innichen (Stapf.); auf den Alpen um Lienz (Rsch! Schtz.). Wormserjoch, bei Franzenshöhe; Joch Grimm bei Bozen (Gundlach); Alpen um Bozen, als Schlern, Seiseralpe, Mendel, und Villandereralpe (Hsm.). Vailer Joch in Fassa (Eschl.). Monte gazza bei Trient (Merlo.). Judicarien: Alpe Lenzada, u. am Frate in Breguzzo (Bon.). Auf dem Baldo, u. Portole (Poll! Hfl!). Spinale (Per!). —
A. scabra All. A. nutans Mönch.
Var.: fast kahl, Wurzelblätter nur am Rande gewimpert.
Bl. weiss. Jun. Jul. ♃.

116. *A. bellidifolia Jacq.* Masliebenblättriges G. *Blätter* ganzrandig, o. etwas gezähnt, *glänzend*, *kahl*, die wurzelständigen in eine Rosette ausgebreitet, verkehrt-eiformig, in den Blattstiel verschmälert, die stengelständigen eiformig, oder länglich, halbstengelumfassend; *Stengel reichblättrig*, kahl, Schoten aufrecht, flach in der Mitte holperig, am Rande etwas verdickt, *Samen mit einem breiten* häutigen *Flügel umzogen.*

Etwas feuchte Grasplätze der Alpen, u. Voralpen durch ganz Tirol. — Vorarlberg: am Wege von Krummbach zum Widderstein (Tir. B!); Alpe Tillisun in Montafon (Cst!).

Am Schramkogl ober Lengenfeld (Hrg!). Aggstein bei Tannheim (Dobel!). Innsbruck: in der Klamm (Schpf.), u. unter der Höttingeralpe; am Ruzbache unter Telfes in Stubai; am Hennensteigl in Nassdux (Hfl.). Zillerthal: auf der Gerlossteinalpe (Gbh.). Kitzbüchl, an quelligen Orten von 4—6000′ (Trn.). In Schmirn (Hfm.). Pusterthal: auf den Praxeralpen (Hll.); Hofalpe u. Hochrieb hinter dem Rauchkogl bei Lienz (Rsch!). Alpe Ködnitz in Kals; Grauer Käs, u. Teischnitzeralpe bei Lienz (Schtz.). Vintschgau: im Laaserthale; im Moose im Naudererthale (Tpp.). Seiser- u. Villandereralpe bei Bozen (Hsm.). Judicarien: bei Campiglio am Uebergange ins Sulzthal (Bon.) Auf dem Baldo (Sternberg!).

Bl. weiss. Jun. Jul. ♃.

117. ***A. caerulea Haenke.*** Blaublühendes G. ***Blätter glänzend, kahl,*** mit einfachen Haaren bewimpert, die wurzelständigen aufrecht, verkehrt-eiförmig, in den langen Blattstiel verschmälert, ***vorne 3- o. 5zähnig,*** die stengelständigen länglich, sitzend; Stengel von einfachen Haaren flaumig, 2—3blättrig; Schoten aufrecht, flach, in der Mitte holperig, am Rande etwas verdickt; ***Samen mit einem häutigen*** breiten ***Flügel umzogen.***

Feuchte Stellen der höhern Alpen. — An der bayerischen Gränze am Alpspitz (Leybold). Lechthal auf dem Gimpele bei Steeg (Frl!). In Schmirn (Hfm.). Pusterthal: auf der Alpe Karrthal, u. Frossnitz (Hänke!); am Glockner, u. in der Gamsgrube (Hoppe!); Alpe Trelewitsch (Schtz.); am Gletscher im Teischnitzthale, und auf der Kerschbaumeralpe bei Lienz (Rsch!). Alpen bei Sagritz im angränzenden Kärnthen (Pacher). Vintschgau: Wormserjoch (Gundlach.); im Suldnerthale (Tpp.). Zilalpe bei Meran (Elsmann!). Höhere Stellen des Schlern (Hsm.). Vailerjoch in Fassa (Eschl.). Alpe Vail, u. Monzoni in Fassa (Fcch!). Judicarien: am Frate in Val di Breguzzo (Bon.).

Bl. blass-blau. Jul. Aug. ♃.

30. *Cardamine L.* Schaumkraut.

Schote linealisch, oder nach beiden Enden verschmälert; Klappen flach, nervenlos, o. mit einem schwachen Ansatze zu einem Mittelnerven an der Basis, Samen in jedem Fache einreihig. Keimblätter aneinander liegend, flach. Bl. an den meisten weiss. —

I. Rotte. **Cardamine.** Narbe gross, fast halbkuglig, das Ende des fast walzigen Griffels bedeckend. Samenstränge dünn u. schmal.

118. ***C. alpina Willd.*** Alpen-Sch. ***Wurzelblätter ungetheilt, rauten-eiförmig,*** abgerundet-stumpf, ohne Spitz-

chen, langgestielt, ***die stengelständigen ganz, o. fast 3lappig, o. an der Basis mit einem Oehrchen, kurzgestielt.***

An nassen steinigen Stellen der höhern Alpen. — Vorarlberg: Alpe Tillisun in Montafon (Cust!). Oberinnthal: an der Engelswand bei Tumpen (Hfl.), am Hochederer (Str.). Gleirscherjöchl, über Alpein in Stubai, auf der Fernerau in Gschnitz (Hfl.). In Schmirn; auf der Hegedexspitze (Hfm.). Kellerjoch (Schm!). Zillerthal: Rothahornkarr u. bei Zell (Schrank! Gbh.). Schiefergebirge um Kitzhüchl, z. B. auf dem Geisstein, u. der Thoralpe über 6000′ (Trn.). Pfitscherjoch (Hfl. Stotter!). Rudelhorn bei Welsberg (Hll.), Kalsertaurn, Marenwalder-, Trelewitsch- u. Dinzlalpe bei Lienz (Rsch!). Alpen bei Sagritz im angränzenden Möllthale (Pacher). Schneeberg bei Sterzing; Wormserjochstrasse, am höchsten Punkte derselben (Hsm.). Griánkopf, u. Laaserthal in Vintschgau (Tpp.). Plattkogl der Seiseralpe (Giov.). Trientneralpen (Per.). Alpen von Fassa u. Fleims (Fcch!). Valsugana: am Montalon, Cima d'Asta, u. Caldanave (Ambr. Sartorelli!). Am Frate in Breguzzo (Bon.).

Bl. weiss. Jul. Aug. ♃.

119. ***C. resedifolia L.*** Resedablättriges Sch. ***Die ersten Wurzelblätter eiförmig, stumpf, langgestielt, die folgenden 3theilig, o. nebst den Stengelblättern gefiedert, 2—3paarig,*** die Blättchen länglich-keilförmig, stumpf, ganzrandig, das ungepaarte grösser; fruchttragende Trauben kurz, gedrungen; Schoten u. Blüthenstielchen aufrecht.

Auf Grasplätzen von den Voralpen bis auf die höchsten Jöcher. — Vorarlberg: Alpe Tillisun (Cust!). Oberinnthal: am Krähkogl, und Alpen von Zirl und Telfs (Zc! Str.). Rosskogl, Glunggezer u. Patscherkofl (Hfl. Friese). Längenthal u. Karrljoch (Prkt.). Kellerjoch, Zillerthaler- u. Kitzbüchleralpen (Schm. Gbh. Trn.). Hochgruben bei Innichen (Bentham!). Alpen bei Brixen, Welsberg, Innervilgraten u. Tefereggen (Hfm! Hll. Schtz.). Hochrieb, Zaberniz, Marenwalder- u. Schleinizalpe bei Lienz (Rsch! Schtz.). Wormserjoch (Gundlach), Laaserthal (Tpp.), bei Katharinenberg in Schnals (Hfl.). Gemein auf den Alpen um Bozen: Rittneralpe u. Horn, Schlern u. Seiseralpe, Sarnerscharte, Joch Grimm (Hsm.); Penserjoch (Hfl.). Alpen um Trient, Vallarga im Fersinathale (Per.). Fassa und Fleims, z. B. am Sadole (Rainer! Fcch! Parolini!). Montalon, Portole, u. Vette di Feltre (Montini!). Val di Sol: am Sauerbrunnen bei Pejo; Val di Rendena u. Coël di San Valentino (Bon.). —

Bl. weiss. Jul. Aug. ♃.

120. ***C. impatiens L.*** Spring-Sch. ***Blätter sämmtlich gefiedert, vielpaarig,*** Blättchen der untern Blätter eiförmig, 3—5spaltig, gestielt, die der obern länglich-lanzettlich,

an dem hintern Rande gezähnt, sitzend, das Endblättchen grösser, ***Blattstiele der stengelständigen Blätter pfeilförmig-geöhrelt.***

An feuchten, schattigen, waldigen Orten vom Thale bis an die Voralpen. — Vorarlberg: gemein um Bregenz (Str!). Innsbruck: am Eingang zur Klamm, am Pastberg an der Sill, und Innau unter Amras (Hfl.). Auen, um Kitzbüchl (Trn.). Zillerthal: bei Finkenberg (Flörke!). Pusterthal: bei Welsberg (Hll.); beim Dorfe Schlatten nächst Lienz hinter der Kirche (Rsch!). Vintschgau: in Erlengebüschen am Rablandermoos (Tpp.). Bozen: im Walde am Wege nach Runklstein, Campil, u. Kühbach, an der Landstrasse bei Notten; Ritten: selten bei Lengmoos im Thälchen bei Sallrain (Hsm.). Fleims: ober Predazzo u. Forno (Fcch!). Schattige Hügel um Trient (Per.). Valsugana: bei Borgo (Ambr.). Am Baldo (Clementi); allda, Vall dell' Artillon (Poll!), u. ai Lavaci (Manganotti!). Judicarien: häufig um Tione (Bon.).

Blumenblätter sehr klein, weiss, oft fehlend.

Mai, Jul. ⨀.

121. ***C. sylvatica Link.*** Wald-Sch. Blätter sämmtlich gefiedert, ***Blättchen der untern Blätter rundlich-eiförmig,*** geschweift, o. gezähnt, gestielt, das endständige grösser, der obern Blätter länglich, o. linealisch; Blattstiele ohne Oehrchen; ***Blumenblätter noch einmal so lang als der Kelch, länglich-verkehrt-eiförmig,*** in den Nagel allmälig verschmälert; Schoten auf den etwas abstehenden Blüthenstielchen ziemlich aufrecht; ***Griffel so lang als die Breite der Schote;*** Stengel kantig.

An feuchten, sandigen Waldstellen um Kitzbüchl (Trn.). Wälder um Roveredo (Crist!).

Stengel mehr beblättert als an der folgenden; Blättchen der Stengelblätter breiter, oft gezähnt.

Bl. klein, weiss. Apr. Jun. ⨀.

122. ***C. hirsuta L.*** Behaartes Sch. Blätter sämmtlich gefiedert; ***Blättchen der untern rundlich-eiförmig,*** geschweift, o. gezähnt, gestielt, das Endblättchen grösser, der obern länglich, o. linealisch; Blattstiele ohne Oehrchen; ***Blumenblätter noch einmal so lang als der Kelch, länglich-verkehrt-eiförmig,*** in den Nagel allmälig verschmälert; Schoten u. Blüthenstielchen aufrecht; ***Griffel kürzer als die Breite der Schote;*** Stengel kantig.

Auf Grasplätzen, auch im Gebüsch auf Hügeln u. Abhängen; auf Aeckern. — Vorarlberg: gemein bei Bregenz (Str!). Zirl und Telfs (Str!). Kitzbüchl: auf begrasten Hügeln, u. Wiesen (Trn.) Bozen: am Talferbette im Viertl Sand bei Gries, am Runkelsteiner Schlosswege, im Gebüsche ober der Landstrasse nach Morizing, u. in Menge auf Türkäckern am

Mondscheingraben nächst Sigmundscron (Hsm.). Um Trient (Per.). Valsugana: bei Borgo (Ambr.). Judicarien: an Mauern bei Tione (Bon.).

Bl. meist 4männig, weiss. Anf. März — Mai ⨀.

123. *C. pratensis L.* Wiesen-Sch. Blätter sämmtlich gefiedert, ***Blättchen*** der wurzelständigen rundlich-eiförmig, gestielt, das Endblättchen grösser, fast nierenformig, die *der stengelständigen linealisch, ganzrandig;* Blattstiele ohne Oehrchen; ***Blumenblätter 3mal so lang als der Kelch, verkehrt-eiförmig;*** Staubgefässe um die Hälfte kürzer als die Blume; Stengel stielrund, oberwärts schwach gerillt.

Auf feuchten Wiesen bis in die Voralpen, selten auf Alpen. — Vorarlberg: um Bregenz (Str!). Imst (Lutt!). Innsbruck: auf der Ulfiswiese, u. auf der Gallwiese (Hfl.), am Amraser See (Schpf.). Kitzbüchl (Trn.). Lienz (Rsch!). Brixen (Hfm.). Vintschgau: Wiesen bei Schlanders (Tpp.). Andrian bei Bozen (Gundlach). Klobenstein am Ritten im Graben der Sumpfwiese bei Waidach; Seiseralpe: auf nassen Triften u. in Gräben (Hsm.). Val di Pinè (Per!). Valsugana: bei Borgo (Ambr.). — Obsolet: Herba et Flores Nasturtii pratensis seu Cardamines.

Bl. schön lila, selten weiss. Apr. Mai ♃.

II. Rotte. **Cardaminia.** (Reichenb. Deutschl. Flor. Viermächtige S. 64). Narbe gross, zweilippig auf dem verdickten Ende des in der Mitte verdünnten Griffels. Samenstränge dünn, u. schmal.

124. *C. amara L.* Bitteres Sch. Blätter sämmtlich gefiedert, ***Blättchen*** der untern Blätter rundlich-eiförmig, der obern länglich, *alle eckig-gezähnt,* das Endblättchen grösser; ***Blumenblätter 3mal so lang als der Kelch, verkehrt-eiförmig;*** Staubgefässe fast so lang als die Blumenkrone, Stengel kantig-gefurcht.

Gemein an Quellen, u. Bächchen bis in die Alpen. — Vorarlberg: um Bregenz (Str!). Oberinnthal: um Imst (Lutt!); im Oetzthale bei Fend (Hfl.). Innsbruck (Hfl.). Längenthal in Stubai (Prkt.). Schwaz (Schm.). Kitzbüchl (Trn.). Um Zell im Zillerthale (Gbh.). Pusterthal: um Welsberg, u. auf den Sarlwiesen in Prax (Hll.); Innervilgraten, Hopfgarten in Tefereggen, um Lienz (Schtz.). Brixen (Hfm.). Auf Wiesen bei Schlanders in Vintschgau; Algund bei Meran (Tpp.). Bozen: im Talferbette, an der Quelle vor Runkelstein, u. an den Bewässerungsgräben vom Fagen nach Gries, dann auf allen Gebirgen umher (Hsm.). An Bächen im Tridentinischen (Per!). Fleims (Fcch!). am Montalon (Parolini!). Borgo (Ambr.).

β. *hirta.* Stengel steifhaarig, Blüthenstiele kahl. C. amara β hirta W. u. Gr. Oberinnthal: am Seigeser Wasserfall (Hfl.). Rittner Horn an der Quelle, hier die Blumenblätter oft gegen die Spitze zu purpurn gefärbt (Hsm.). Val di Sol, bei Pejo (Bon.). —

Diese Pflanze liefert (wenigstens bei uns) die als Salat bekannte Brunnenkresse, u. nicht Nasturtium officinale, beide werden aber oft von Anfängern verwechselt, sie lassen sich jedoch leicht auch an Exemplaren ohne reife Schoten durch die Farbe der Staubbeutel unterscheiden, die bei N. offic. gelb, bei C. amara aber violett sind. Officinell: Herba Nasturtii majoris amari, seu Cardamines amarae.

Bl. weiss. — Im Thale Anfang Apr., Gebirge und Alpen Jun. Jul. ♃.

125. *C. asarifolia L.* Haselwurzblättriges Sch. ***Blätter*** kahl, gestielt, ***herzförmig-kreisrund***, geschweift-gezähnt; Stengel aufstrebend, beblättert.

Im Gries der Gebirgsströme im südlichen Tirol (Sartorelli!). Judicarien: an Quellen der Alpe Bergamasca über Darzo (Fcch.); häufig an den Bächen in Breguzzo, Rendena, u. auf den Gebirgen um Tione (Bon.). Ausser der Gränze in Val Trompia im Brescianischen (Bracht!).

Bl. weiss. Jun. Aug. ♃.

III. Rotte. **Epicoryne.** (Reichenb. wie oben). Narbe klein, zweilippig auf dem Mittelpunkte des keulenförmigen Griffelendes. Samenstränge (an der Art unserer Flora) mehr oder weniger verbreitert.

126. *C. trifolia L.* Dreiblättriges Sch. ***Blätter 3zählig***, Blättchen kurz-gestielt, rautenförmig-rundlich, geschweift-gekerbt; ***Stengel 1blättrig, oder nackt***; Ausläufer kriechend.

In feuchten schattigen Gebirgs- u. Voralpenwäldern. — Vorarlberg: in den Dornbirner Wäldern (Str!). Unterinnthal: um Kitzbüchl z. B. im Bichlach (Trn. Schm.); bei Rattenberg im Walde hinter Mariathal (Wld.). Valsugana: steinige Orte bei Tezze (Ambr.). Roveredo: in der Buchenregion in Vallarsa (Per.).

Bl. weiss. Mai, Jun. ♃.

31. *Dentaria L.* Zahnwurz.

Schote schmal-lanzettlich nach beiden Seiten verschmälert; Klappen flach, nervenlos, o. mit einem schwachen Ansatze zu einem Mittelnerven an der Basis. Samen in jedem Fache einreihig. Keimblätter an einander liegend, gestielt, am Rande beiderseits der Länge nach einwärts gefaltet.

127. *D. enneaphyllos L.* Neunblättrige Z. Stengel 3blättrig; ***Blätter quirlig-gestellt, 3zählig***, Blättchen ungleich-gesägt; ***Staubgefässe so lang als die Blumenkrone.***

Schattige Gebirgs- u. Voralpenwälder. — Innsbruck: am Pastberg (Prkt.), hinter Planetzing gegen das Höttinger Bild

(Schpf!). Bergwälder und Voralpen bei Rattenberg (Wld!). Kitzbüchl, z. B. am Schattberg (Trn. Schm.). Am Kaiser und Schwoich (Berndorfer!). Zillerthal: östlich vom Gerlossteinkögele (Moll!). Pusterthal: in Prax (Hll.); auf dem Rauchkogl bei Lienz (Rsch!). Bozen: Wälder am Wege von Kaltern zum Mendelhaus (Hsm.), u. am Todten Moose bei Kollern (Gundlach), beim Schlosse Hoheneppan (Tpp.). Am Bondone bei Trient, u. in den Buchenwäldern über Molveno (Hfl.). Monte della Bella in Fleims (Fcch!). In der Buchenregion um Roveredo (Crist.). Puisle bei Borgo (Ambr.). Vall dell' Artillon am Baldo; am Campogrosso (Poll!). Judicarien: auf der Alpe Lenzada, u. der Gavardina bei Tione (Bon.), Val di Rendena (Eschl!). —

Bl. gelblich-weiss. Apr. Mai ♃.

127. b. ***Dentaria trifolia W. K.*** Dreiblättrige Z. Stengel 2—5blättrig; Blätter wechselständig, gestielt, 3zählig, Blättchen entfernt-gesägt, zugespitzt; Staubgefässe von ungefährer Länge der Blumenblätter.

Im Walde Latemar nächst Welschnofen bei Bozen (Fcch!). Im angränzenden Bassanesischen bei Cismon (Montini!).

Bl. weiss o. gelblich. Apr. Mai ♃.

128. ***D. digitata Lamark.*** Fingerblättrige Z. Stengel 3—4blättrig; *Blätter wechselständig*, gestielt, *5zählig*, die obern 3zählig, *Blättchen* ungleich-gesägt, *zugespitzt mit einem feinen, sehr spitzen Ende*, die äussern kleiner.

Gebirgs- u. Voralpenwälder. — Vorarlberg: bei Grub (Cust!). Unterinnthal: bei Goign, u. Hopfgarten (Trn.). Gebirge bei Salurn, z. B. bei Kerschbaum u. am Geyer (Hsm.). Bei Predazzo in Fleims (Fcch!). Sardagna nächst Trient (Per!). Bei Andolo, u. am Gazza ober Molven (Hfl.). Vall dell' Artillon am Baldo (Poll!), u. Vall di Novesa (Bracht!). Valsugana: Wälder bei Borgo in Val Caldiera ober Civeron (Ambr.). Judicarien: bei Stelle, u. Alpe Lenzada (Bon.).

D. pentaphyllos Scop.

Bl. rosenroth. Mai, Jun. ♃.

129. ***D. bulbifera L.*** Zwiebelknospige Z. Stengel vielblättrig; *Blätter wechselständig, die untern gefiedert, die obern ungetheilt;* Blattwinkel zwiebeltragend.

Gebirgswälder von der östlichen Schweiz längs der Alpen bis Oestreich (Koch Syn.)! Vorarlberg: am Hacken, und bei Götzis (Str!), u. am Kobleter Berg (Cust.). Vall dell' Artillon am Baldo (Poll!), daselbst ai Pianetti; in Vallarsa (Fcch.).

Die Wurzel wie die der Vorigen und Folgenden ehemals als: Radix Dentariae minoris, vel antidysentericae gebräuchlich.

Bl. hellroth o. weisslich. Apr. Mai ♃.

130. ***D. pinnata Lamark.*** Siebenblättrige Z. Sten-

gel 3—5blättrig; ***Blätter wechselständig,*** gestielt, ***sämmtlich gefiedert, Blättchen*** lanzettlich, ***spitz,*** gesägt.

Wälder der Gebirge u. Voralpen im südlichen Tirol (Koch Taschenbuch). Am Baldo (Jan!), daselbst im Thale dell' Artillon (Manganotti!).

D. heptaphyllos Vill.

Bl. purpurn. Apr. Mai. ♃.

II. Gruppe. **Sisymbrieae.** Keimblätter aufeinanderliegend, flach, das Würzelchen auf dem Rücken des einen Keimblattes.

32. ***Hésperis L.*** Nachtviole.

Kelch an der Basis etwas sackartig. Schote linealisch. Narbe zweilappig, Läppchen unterwärts 2schenklig-getheilt, beide späterhin aneinander gedrückt, auf dem Rücken flach. Samen in jedem Fache einreihig. Keimblätter aneinander liegend, flach. — (Blüthen vom Abend an bis zum Morgen wohlriechend.) —

131. ***H. matronalis L.*** Gemeine N. Blüthenstielchen so lang, u. länger als der Kelch; Blumenblätter verkehrt-eiförmig, sehr stumpf, meist mit einem Spitzchen; Schoten auf den abstehenden Blüthenstielchen aufrecht, kahl, ziemlich stielrund, holperig; Blätter ei-lanzettlich, zugespitzt, gezähnt, die untersten bisweilen leyerformig; Stengel aufrecht, kahl, o. von ästigen Haaren flaumig.

Auf feuchten Wiesen. — Vorarlberg: bei Hohenems am Emser Schlossberg, wirklich wild (Cust!). Innsbruck: ober dem Löwenhause (Hfl.). — Obsolet: Herba et Semen Hesperidis seu Violae matronalis.

Bl. lila. Mai, Jun. ⊙.

33. ***Sisymbrium L.*** Rauke.

Schote linealisch, Klappen konvex mit 3 Längsnerven. Narbe stumpf, ganz, o. ausgerandet. Samen in jedem Fache einreihig. Keimblätter aufeinander liegend, flach.

I. Rotte. ***Velárum De C.*** Schoten gegen die Spitze verschmälert, pfriemenförmig, an die Spindel angedrückt. Bl. gelb.

132. ***S. officinale Scopoli.*** Officinelle R. Wegsenf. Blätter schrotsägenförmig-fiedertheilig, Zipfel 2—3paarig, länglich, gezähnt, der endständige sehr gross, spontonförmig; ***Schoten*** mit den Blüthenstielchen ***der Spindel angedrückt,*** linealisch-pfriemlich, flaumhaarig.

An Wegen, Schutt, u. Häusern. — Vorarlberg: gemein um Bregenz (Str!). Oberinnthal: bei Imst (Lutt!). Innsbruck: am Mühlauer Badhaus (Hfl.), u. beim Kloster Wiltau (Prkt.). Kitzbüchl (Unger!). Schwaz: gegen den Inn (Schm!). Lienz (Rsch! Schtz.). Bozen: am Wege von Gries zum Fagen am

Klosterstadel, u. an der Strasse nach Meran bei Gargazon; bei Salurn an den Häusern gegen St. Joseph; bei Trient (Hsm.). Valsugana: bei Borgo, u. Castellnuovo (Ambr.). Judicarien: bei Tione (Bon.).

Erysimum officinale L.

Officinell: Herba et Semen Erysimi.

Bl. gelb. Jun. Sept. ☉.

II. Rotte. *Irio De C.* Schoten linealisch, stielrund, von de Spindel abstehend. Samen länglich, o. fast eiförmig. — Blr gelb.

133. *S. austriacum Jacq.* Oesterreichische R. *Blätter* schrot-sägenförmig-fiedertheilig, u. *nebst dem Stengel kahl,* o. ein wenig borstig; Zipfel vielpaarig aus einer breiten Basis 3eckig-spitz, o. lanzettlich-verschmälert, der endständige grösser, an den obern Blättern verlängert; Kelch etwas abstehend; *Schoten genähert,* auf den aufstrebenden o. gewundenen Blüthenstielchen etwas abstehend, o. abwärts geneigt, die jüngern kürzer als der konvexe Strauss.

Steinige Orte, felsige Hügel etc., in Vorarlberg, Franken, Würtemberg etc., (Kittel Linnaeisch. Taschenb. p. 315)!

Mai, Jul. ☉.

II. Rotte. *Irio De C.* Schoten linealisch, stielrund, von de Spindel abstehend. Samen länglich, oder fast eiförmig. — Blr gelb.

134. *S. Loeselii L.* Lösel's Rauke. *Blätter* schrot-sägenförmig-fiedertheilig, *die untern nebst dem Stengel steifhaarig,* Zipfel gezähnt, an der Basis ohne Oehrchen, an den untern Blättern länglich, die endständigen zusammenfliessend, an den obern lanzettlich, der endständige sehr gross, spontonförmig; Kelch abstehend; *Schoten* aufstrebend, etwas gekrümmt, *noch 1mal so lang als das abstehende Blüthenstielchen, die jüngern kürzer als der konvexe Strauss.*

Auf Schutthaufen im östlichen Pusterthale bei Lienz, z. B. im Hofgarten an der Senkgrube (Rsch!). Ausser Tirol nach Reichenbach im Veronesischen, in Bayern etc.

Bl. gelb. Jun. Jul. ☉.

135. *S. Columnae L.* Columna's Rauke. *Blätter* schrot-sägenförmig-fiedertheilig; Zipfel gezähnt, *an der Basis geöhrelt,* mit aufgerichteten Oehrchen, an den untern Blättern eiformig-länglich, der endständige eckig, an den obern lanzettlich, der endständige verlängert-spontonförmig; *Kelch aufrecht, geschlossen;* Schoten vielmal länger als das Blüthenstielchen, abstehend.

An Wegen, Rainen, u. Mauern. — Bozen: bei Rentsch auf der Mauer ober dem hohen Wege, u. links am Wege vor der Feigenbrücke seit 1831 (Hsm.).

Bl. gelb. Apr. Jun. ☉.

135. b. ***Sisymbrium pannonicum Jacq.*** Die untern Blätter schrot-sägenförmig fiedertheilig, Zipfel gezähnt, an der Basis geöhrelt, mit aufstrebenden Oehrchen; die obern gefiedert, Fieder schmal-linealisch, der endständige gleichformig; Kelch weit abstehend; Blüthenstielchen und Schoten abstehend, fast gleich dick.

Vintschgau: bei Laas (Facchini bei Bertol.)!

Bl. blassgelb. Mai, Jun. ⊙.

136. ***S. Sophia L.*** Sophien-R. ***Blätter 3fach-gefiedert,*** Fiederchen an den untern Blättern schmal-lanzettlich, an den obern linealisch; Blüthenstielchen noch 1mal so lang als der Kelch; Blumenblätter so lang o. kürzer als der Kelch.

An Wegen, Feldern, u. Mauern. — Innsbruck: an Düngerhaufen bei Wiltau (Hfl.), u. am Fischerhäusl der Stadt (Schpf.). Zillerthal: an Mauern bei Zell (Gbh.). Schwaz: gegen den Inn (Schm!). Pusterthal: bei Lienz (Schtz. Rsch!); bei Welsberg (Hll.); Brunecken (F. Naus!). An der Strasse durch ganz Mittelvintschgau; Bozen: an der Talfer Holzlege (Hsm.). Fleims: östlich von Predazzo; bei Vigo in Fassa (Fcch!). Felder nächst der Etsch bei Roveredo (Crist.). Trient: am Doss Trent (Per.). Val di Sol: an Wegen bei Pejo (Bon.).

Obsolet: Herba et Semen Sophiae Chirurgorum.

Bl. gelb. Mai, Aug. ⊙.

III. Rotte. ***Norta De C.*** Schoten stielrund. Samen linealisch, verlängert. Blätter ungetheilt. Bl. gelb.

137. ***S. strictissimum L.*** Steifstenglige R. ***Blätter*** linealisch-lanzettlich, ***ungetheilt,*** zugespitzt, gezähnt, ***flaumig von einfachen Haaren;*** Kelch zuletzt wagrecht-abstehend; Schoten mässig abstehend.

Im Gebüsche u. an Bächen im südlichen Tirol. — Wippthal: im Thale Pfitsch bei Kematen am Abhange gegen den Bach (Hfl!). Pusterthal: in Windisch-Matrei (Fcch.); Lienz (Schtz.), allda im Gebüsche am Ulrichsbüchl, u. dem Grafenbächchen entlang neben der Strasse nach Leisach (Rsch!). Vintschgau: bei Laas (Tpp.); an Wassergräben bei Mals (Hfm.); an der Strasse zwischen Eiers, u. Prad, u. dann jenseits des Wormserjoches bei den Bädern von Bormio (Hsm.). Val di Sol: an der Noce (Bon.), u. bei Dimor (Fcch.).

Bl. gelb. Jun. Jul. ♃.

IV. Rotte. ***Alliaria De C.*** Schoten stielrund. Samen länglich, der Länge nach gestreift. Blätter herzförmig. Bl. weiss. —

138. ***S. Alliaria Scopoli.*** Knoblauch-R. ***Blätter ungetheilt, die untern nierenförmig,*** grob-geschweift-gekerbt, die obern herz-eiformig., spitz-gezähnt; Schoten abstehend, vielmal länger als das Blüthenstielchen.

An Hecken, Wegen, u. Mauern. — Vorarlberg: gemein

um Bregenz (Str!). Innsbruck: bei der Ulfiswiese (Karpe). Bozen: gemein im Gebüsche an der Landstrasse von Moriżing nach Siebenaich, an der Strasse nördlich unter dem Calvarienberge, u. an der Mauer am Pfarrhofe gegen Leifers (Hsm.). Val di Non: bei Castel Brughier, u. bei Denno (Hfl.). Trient (Per.). Valsugana: bei Borgo (Ambr.). Judicarien: an den Zäunen längs der Strasse von Bondo nach Roncone (Bon.).

Erysimum Alliaria L. Alliaria officinalis Andrz.

Obsolet: Herba et Semen Alliariae.

Bl. weiss. Apr. Mai. ⊙.

V. Rotte. ***Arabidopsis De C.*** Schoten linealisch. Samen nicht gestreift. Bl. weiss. Blätter ungetheilt, gegen die Basis verschmälert.

139. ***S. Thalianum Gaud.*** Thal's R. ***Blätter länglich-lanzettlich***, ungetheilt, stumpflich, entfernt-gezähnelt, ***von 2—3gabligen Haaren flaumig***, die wurzelständigen in den Blattstiel verschmälert; Kelch aufrecht; Schoten auf dem abstehenden Blüthenstielchen aufstrebend.

Auf bebautem Boden, Rainen, u. grasigen Hügeln. — Vorarlberg: selten am Riederschloss (Str!). Um Innsbruck gemein, z. B. im Wiltauer Stiftsgarten (Hfl. Prkt.). Kitzbüchl: auf Feldern (Trn.). Pusterthal: bei Welsberg (Hll.); um Lienz u. bei Hopfgarten in Tefereggen (Schtz.). Brixen (Hfm.). Vintschgau: auf Sandplätzen bei Schlanders (Tpp.). Gemein um Bozen, in allen Weinbergen, dann am Wege nach Heilig-Grab u. Runkelstein (Hsm.). Auf Ackerrändern der Hügelregion um Trient (Per.) Valsugana: bei Borgo (Ambr.) Judicarien: um Tione (Bon.) —

Arabis Thaliana L. Conringia Thaliana Reichenb.

Bl. weiss. März, Apr. ⊙.

34. ***Braya Sternb. u. Hopp.*** Braye.

Schote linealisch, stielrund, oder etwas flach, Klappen konvex, mit einem Nerven, Narbe stumpf. Samen in jedem Fache 2reihig. Keimblätter aufeinanderliegend, flach.

140. ***B. alpina Sternb. u. Hopp.*** Alpen-Br. Blätter linealisch-lanzettlich, ungetheilt, ganzrandig, o. entfernt-weniggezähnt, die wurzelständigen langgestielt; die fruchttragende Traube eiförmig, zusammengedrängt.

Höchste Alpen im nördlichen, u. mittlern östlichen Tirol. — Oberinnthal: am Aufstiege zum Solstein auf der südwestlichen Seite von der Schoberwalderalpe aus, ober den Zirler Bergmähdern 1836 (Hfl. u. Giovanelli). Am Glockner (Lösche!). Ausser der Gränze bei Heilig-Blut, in der Gamsgrube, u. Leiter (Hoppe! Pacher); auf der Pasterze (Dolliner).

Bl. weiss, durchs Trocknen mehr oder weniger violett. — Jul. Aug. ♃.

140. b. ***Braya pinnatifida*** (Sisymbrium) ***De C.*** Die stengelständigen Blätter buchtig-fiederspaltig, Zipfel länglich-linealisch, ganzrandig, der endständige grösser, die untern Blätter fast leyerförmig, die wurzelständigen verkehrt-eiförmig, gezähnt; Trauben verlängert ohne Deckblätter; Schoten auf den abstehenden Blüthenstielchen aufstrebend.

Am Braulio in Valtellin (Bergamaschi bei Bertoloni)! Der Branlio (Umbrail) liegt zwar ausser der Gränze, u. scheidet das schweizerische Münsterthal vom Valtellin, ist aber von der Tiroler Gränze, dem Wormserjoche, nur eine halbe geographische Meile entfernt.

Bl. weiss. Jul. Aug. ♃.

35. *Erysimum L.* Hederich.

Schote linealisch, 4kantig, Klappen mit einem starken Mittelnerv. Narbe stumpf, ganz, o. ausgerandet. Samen in jedem Fache 1reihig, saumlos. Keimlappen aufeinander liegend, flach.

141. ***E. cheiranthoides L.*** Lackartiger H. ***Blätter*** länglich-lanzettlich, nach beiden Enden verschmälert, geschweift-gezähnelt, o. gezähnt, ***mit gleichförmigen 3spaltigen Haaren bestreut, u. etwas rauh; Blüthenstielchen*** 2- o. 3mal so lang als der Kelch, u. ***fast halb so lang als die Schote***; Schoten 4kantig, von der Seite etwas zusammengedrückt, mit entfernten Härchen bestreut, fast kahl.

An Feldern, u. Wegen. — Unterinnthal: an der Strasse zwischen Hall u. der Volderer Brücke (Hfl.). Valsugana: auf Aeckern bei Tezze (Ambr.), bei Primolano (Montini!).

Bl. gelb. Jun. Jul. ☉.

142. ***E. odoratum Ehrh.*** Wohlriechender H. ***Blätter*** länglich-lanzettlich, ***geschweift-gezähnt, mit gleichförmigen 3spaltigen Haaren bestreut, u. etwas rauh,*** die untern stumpf, kurz-stachelspitzig, in den Blattstiel verschmälert, die obern sitzend, zugespitzt; Blüthenstielchen halb so lang als der Kelch; ***Schoten 4kantig,*** von der Seite etwas zusammengedrückt, ***grau mit kahleren grünen Kanten***; Platte der Blumenblätter rundlich.

Auf Kalkbergen. Unterinnthal: bei Kufstein (Harasser).

Bl. gelb. Jun. Aug. ⊙.

143. ***E. canescens Roth.*** Weitästiger H. Blätter linealisch-lanzettlich, ganzrandig, o. entfernt-gezähnelt, an der Spitze zurückgebogen, von fast lauter einfachen Haaren etwas rauh, die untern kurz-stachelspitzig, in den Blattstiel verschmälert, die obern linealisch, spitz; ***sterile Aestchen in den Blattwinkeln; Blüthenstielchen so lang als der Kelch;*** Schoten abstehend, ***rechtwinkelig-4kantig, grau mit kahleren grünen Kanten.***

An der Strasse von Bozen nach Meran (Elsmann! Reichenb.

Deutschl. Fl. Viermächtige S. 95.). Nach Moritzi im schweizerischen Antheile des Münsterthals bei Santa Maria! — E. diffusum Ehrh.

Kelch an der Basis nicht höckerig. Bl. hell-schwefelgelb.

Jun. Jul. ⊙.

144. ***E. rhaeticum De C.*** Rhätischer H. Blätter linealisch-lanzettlich, spitz, ganzrandig, o. entfernt-gezähnelt, von einfachen Haaren etwas rauh, die untern in den Blattstiel verschmälert; ***sterile Aestchen in den Blattwinkeln; Blüthenstielchen um das 2- o. 3fache kürzer als der Kelch;*** Schoten rechtwinkelig-4kantig, einfärbig, grüngrau; Narbe ausgerandet.

Steinige Berge im südlichen Tirol (Koch syn.)! Oberinnthal: bei Imst (Lutt.). Meran: bei der Töll u. Zenoberg; Bozen am Eisackdamme an der Kaiserau (Hsm.). Vintschgau: bei Mals (Hfm.); bei Laas (Tpp.). Valsugana: bei Torcegno (Ambr.). Judicarien (Bon.).

E. pallens Koch syn. ed. 1. zum Theil.

Kelch an der Basis mit 2 Höckern.

Bl. gelb. Mai, Jul. ♃.

145. ***E. Cheiranthus Pers.*** Lanzettblättriger H. ***Blätter*** linealisch-lanzettlich, ganzrandig, o. entfernt-gezähnt, ***von einfachen Haaren etwas rauh,*** die untern in den Blattstiel verschmälert; ***die Blattwinkel nackt; Blüthenstielchen um das 2- o. 3fache kürzer als der Kelch; Schoten vierkantig, einfärbig, flaumhaarig, o. grau; Griffel so lang als die Breite der Schote;*** Narbe ausgerandet.

Gebirge, Voralpen bis zu den höchsten Alpen im südlichen Tirol (Koch syn.)! Pusterthal: im Thale Tefereggen (Schtz.); auf der Neunerspitze bei Welsberg (Hll.); Alpe Cisa in Enneberg (M. v. Kern). Teischnitzalpe und am grauen Käs, und am Rauchkogl bei Lienz (Schtz.). Gebirge bei Borgo (Ambr.). — Cheiranthus alpinus Vill. E. lanceolatum R. Br. Auf den Alpen wird die Pflanze oft nur 2—3 Zoll hoch (E. pumilum Gaud.), so auf den Alpen in Tefereggen (Schtz.).

Bl. gelb. Jun. Jul. ♃.

146. ***E. helveticum De C.*** Schweizer-H. ***Blätter*** linealisch-lanzettlich, ganzrandig, o. entfernt-gezähnt, ***etwas rauh von einfachen Haaren,*** die untern in den Blattstiel verschmälert; ***die Blattwinkel nackt; Blüthenstielchen um das 2- o. 3fache kürzer als der Kelch; Schoten rechtwinklig-4kantig, einfarbig, flaumhaarig, o. grau; Griffel 2—3mal so lang als die Breite der Schote;*** Narbe ausgerandet. — E. pallens Koch syn. ed. 1. zum Theil.

Gebirgige Orte in Tirol (Koch Taschenb.)! Pusterthal: in

Kals (Rsch!). Vintschgau: im Taufererthale bei Glurns (Tpp.). Um Meran; Bozen, mit E. rhaeticum am Eisackdamme an der Kaiserau (Hsm.).

Bl. gelb. Jun. Jul. ♃.

Ich halte, gestützt auf Beobachtung im Freien, u. im Garten, vorstehende 3 nur für Formen derselben Art (E. Cheiranthus Persoon syn. tom. 2. pag. 199.). Die Länge der Griffel ist auch an andern Arten sehr veränderlich. Die sterilen Aestchen in den Blattwinkeln deuten nur auf eine entwickeltere Form hin, u. will man die 3 als Arten bestehen lassen, so steht E. helveticum jedenfalls dem E. rhaeticum näher als dem E. Cheiranthus. Die Schoten sind keineswegs immer einfärbig, wie sie Koch angiebt, sondern oft, vorzüglich an E. helveticum und rhaeticum grau mit grünen Kanten, was auch Neilreich in seiner Flora Wiens S. 491 bei E. Cheiranthus bemerkt. E. Cheiranthus ist eine Pflanze der Alpen u. kalter Seitenthäler; E. helveticum u. rhaeticum dagegen kommen in der Ebene u. auf Hügeln der Hauptthäler vor, u. zwar an manchen Orten augenscheinlich durch die Flüsse herabgeschwemmt.

III. Gruppe. **Brassiceae.** Keimblätter aufeinanderliegend, um das Würzelchen rinnig-gefaltet, o. herumgerollt.

36. *Brássica L.* Kohl.

Schoten linealisch, o. länglich, in einen zusammengedrückten Schnabel auslaufend; Klappen konvex, mit einem geraden Längsnerven, ohne Seitennerven, o. mit 2 schwachen aus zusammenfliessenden Aederchen gebildeten Seitennerven. Samen kugelig, in jedem Fache 1reihig. Keimblätter aufeinander liegend, der Länge nach rinnig-gefaltet.

B. oleracea L. Gemüse-K.

Blätter meergrün, die untern leyerförmig, gestielt, die obern länglich, sitzend; ***Trauben schon vor dem Aufblühen verlängert, u. locker; Kelch aufrecht, geschlossen; Staubgefässe sämmtlich aufrecht.*** Blätter u. Stengel ganz kahl.

Gebaut in Gärten, Weinbergen, u. auf Aeckern durch ganz Tirol, auch hie u. da zufällig o. verwildernd auf Schutt, u. bebautem Boden.

I. Spielarten, deren Blätter als Gemüse genossen werden.

α. acephala DeC. Winterkohl, grüner u. blauer Kohl, Braunkohl, Blattkohl, Krauskohl. Stengel verlängert, stielrund; Blätter ausgebreitet, nicht in einen Kopf zusammenschliessend, flach, o. gekräuselt, bald wenig-eingeschnitten, bald buchtig-fiederspaltig, o. fransig-zerschlitzt, von Farbe blass, o. dunkelgrün, röthlich, o. violett-blau. In Gärten. —

β. *gemmifera De C.* Sprossen- o. Rosenkohl. Stengel 2—3 Fuss hoch, mit halbgeschlossenen Endköpfen, u. zahlreichen geschlossenen kleinen seitlichen Köpfchen in den Blattwinkeln. Aus den end- u. seitenständigen Blattköpfen treten die Blüthenstände im nächsten Frühjahre hervor. In Gärten. —

γ. *sabauda L.* Savoyer K. Wirsing. Verzi. Stengel etwas verlängert, stielrund; die jüngern Blätter zu einem lockern, rundlichen, o. länglichen Kopf zusammenschliessend, zuletzt abstehend, blasig o. kraus. In Gärten; im südlichen Tirol auch auf Aeckern u. in Weinbergen gebaut.

δ. *capitata L.* Kopf-Kohl. Kabis. Stengel stielrund, kurz; Blätter gewölbt, meist völlig glatt, vor der Blüthe zu einem mehr o. weniger kugeligen Kopf fest zusammenschliessend. — Gebaut durch ganz Tirol, auf Aeckern vorzüglich auf den Gebirgen. An den drei Grashöfen Ober-, Mittel- u. Unter-Grunwald am Ritten bei Bozen fand ich bei einer Seehöhe von wenigstens 5400′ noch Gärten mit Kopfkohl bepflanzt. — Seine Verwendung zu Sauerkraut ist sattsam bekannt.

II. Spielart, deren verdickte Stengelbasis genossen wird.

ε. *gongylodes L.* Kohlrabi. Kropfkohl. Stengelbasis über der Erde zu einem dicken, runden, fleischigen Knollen verdickt. In Gärten, um Bozen auch in Weinbergen gebaut.

III. Spielart, deren Blüthenknospen als Gemüse genossen wird. —

ζ. *botrytis L.* Blumen-K. Karfiol, u. Broccoli. Blätter ungetheilt, o. eingeschnitten; Blüthenstand ebensträussig, mit mehr oder minder verwachsenen, sehr fleischigen Blüthenstielchen, u. oft fehlschlagenden Blüthen. In Gärten; im südlichen Tirol in Weinbergen, z. B. um Bozen, wo er schon Ende März o. Anf. April als Gemüse zu haben ist.

Bl. gelb. Apr. Mai ⊙.

147. ***B. Rapa L.*** Rüben-K. Die ersten Blätter grasgrün, unbereift, zerstreut-steifhaarig, die folgenden meergrün, die untern leyerförmig, ***die obern eiförmig, zugespitzt, mit tief-herzförmiger Basis stengelumfassend; Trauben während des Aufblühens flach; die geöffneten Blüthen höher als die gedrängten Blüthenknöpfe;*** Kelch zuletzt wagrecht-abstehend; die kürzern Staubgefässe abstehend-aufstrebend.

α. *campestris.* Wurzel 1jährig, o., wenn der Same im Herbste keimt, auch 2jährig, dünn, von der Dicke des Stengels. — B. campestris L. — Gemein auf Aeckern vorzüglich auf Gebirgen, auch in Gegenden, wo wenigstens jetzt nicht mehr Rüben gebaut werden. — Vorarlberg: um Bregenz (Str!). Innsbruck: gegen Amras (Schpf.). Schwaz (Schm!). Kitzbüchl

(Schm.). In Zillerthal (Moll !). Pusterthal: Innervilgraten und Tefereggen (Schtz.). Vintschgau: am Laasermoos (Tpp.). Bozen: auf den Aeckern am Ritten bis 5000', z. B. bis Kematen, Pemmern, Oberinn, u. Gismann; wahres Unkraut in den Weinbergen u. auf Aeckern um Margreid (Hsm.). Judicarien: in Menge bei Tione (Bon.).

β. rapifera. Weisse Rübe. Wurzel rübenförmig, dick, fleischig, essbar, länglich, kugelig, o. plattgedrückt, 2jährig. — B. Rapa rapifera Metzger. — Gebaut auf Aeckern durch ganz Tirol, um Bozen auch in Weinbergen, u. allda verwildert, als Nachfrucht am Ritten bis 4500' (Hsm.).

Bl. gelb. Apr. Mai. ⊙, Jun. Jul. ⊙.

B. Napus L. Reps-K. Blätter meergrün, die untern leyerförmig, die obern länglich, hinten etwas schmäler, aber mit verbreiterter herzförmiger Basis halbstengelumfassend; *Trauben locker, schon während des Aufblühens verlängert;* Kelch zuletzt halboffen; *die kürzern Staubgefässe abstehend, aufstrebend;* Schoten abstehend.

α. oleifera. Wurzel spindelig, so dick als der Stengel. Winter- u. Sommer-Reps. Eine einträgliche Oelpflanze, die nach Dr. Sauter in Vorarlberg gebaut wird! Auch als Gemüse dient die Pflanze unter dem Namen Schnittkohl.

β. esculenta. Steckrübe. Dorschen. Kohlrübe. Wurzel rübenförmig, dick, essbar. — B. napobrassica L. — Hie u. da gebaut auf Aeckern im nördlichen Tirol um Innsbruck, nach Moll im Zillerthale, um Bozen in Weinbergen. Die weisse, gelbliche, o. röthliche Wurzel als Gemüse.

148. *B. nigra Koch.* Schwarzer Senf. Blätter sämmtlich gestielt, die untern leyerförmig, gezähnt, der Endzipfel sehr gross, gelappt, die obern lanzettlich, ganzrandig; Kelch wagrecht-abstehend; *Schoten an die Spindel angedrückt.*

Gebüsche, Kies der Flüsse, auch bebaute Orte. Im südlichen Tirol (Koch syn.)! Am Gardasee (Clementi). — Sinapis nigra L. Melanosinapis communis Spenner.

Bl. gelb. Jun. Jul. ⊙.

37. *Sinapis L.* Senf.

Schoten linealisch, o. länglich, in einen zusammengedrückten Schnabel auslaufend, Klappen konvex, mit 3 o. 5 geraden starken Längsnerven. Samen kugelig, in jedem Fache 2reihig. Keimblätter aufeinander liegend, der Länge nach rinnig-gefaltet. —

149. *S. arvensis L.* Acker-S. Schoten walzlich, holperig, Klappen 3nervig, Nerven hervortretend, Schnabel so lang als die Schote, o. kürzer, 2schneidig; Kelch wagrecht-abstehend; Blätter eiförmig ungleich-gezähnt, die untern an der Basis geöhrelt, o. etwas leyerförmig.

Auf bebautem Boden, an Wegen, Schutt. — Vorarlberg: um Bregenz (Str!). Oberinnthal: bei Imst (Lutt!). Innsbruck (Hfl.). Wippthal: Aecker am Brennersee (Hfl!). Welsberg (Hll.). Lienz (Bsch! Schtz.). Bei Cortina in Ampezzo; in Gröden u. Colfusc; seltener um Bozen (Hsm.). Vintschgau (Tpp.). Bei Serrada in Folgaria (Hfl.). Roveredo (Crist.).

β. hispida. Döll. Schoten von abwärts gerichteten Haaren steifhaarig. S. orientalis Murr. Innsbruck: beim Bierwastl (Hfl.). —

Obsolet: Semen Rapistri arvorum.

Bl. gelb. Jun. Jul. ⊙.

38. ***Erucastrum** Schimper u. Spenner.* Rempe.

Schoten linealisch, ziemlich stielrund, etwas geschnäbelt, Klappen konvex, mit einem Längsnerven; Samen in jedem Fache einreihig, eiförmig, o. länglich, zusammengedrückt. Keimblätter aufeinanderliegend, der Länge nach rinnig-gefaltet.

150. ***E. obtusangulum** Reichenb.* Stumpfeckige Rempe. Blätter tief-fiederspaltig, Zipfel länglich, ungleich eckig-gezähnt, an der Basis durch eine gerundete Bucht gesondert; Trauben ohne Deckblätter; Kelchblätter wagrecht-abstehend; die längern Staubgefässe oberwärts von dem Stempel abgebogen; Schoten abstehend.

Steinige Hügel, Gerölle, u. Sandboden. — Vorarlberg: häufig im Bodenseer Ried (Cust!); am Seeufer bei Bregenz, u. am Rheine gemein (Str!). Im Etschlande: auf Kalkgrus am Fusse des Berges zwischen Margreid u. Kurtinig (Hsm.). Bei Vela nächst Trient (Hfl.). An Felsen am nördlichen Ufer des Gardasees (Fcch. Per!).

Bl. gelb. Mai, Jul. ♃.

39. ***Diplotáxis** De C.* Doppelsame.

Schoten linealisch, o. lanzettlich-linealisch, ungeschnäbelt, Klappen konvex, mit einem Längsnerven. Samen in jedem Fache 2reihig, eiförmig, o. länglich, zusammengedrückt. Keimblätter aufeinanderliegend, der Länge nach rinnig-gefaltet.

151. ***D. tenuifolia** De C.* Aestiger D. *Stengel ästig,* blättrig, *an der Basis halbstrauchig;* Blätter vollig kahl, buchtig-gezähnt, ungetheilt, o. einfach- u. doppelt-fiederspaltig, Zipfel linealisch, entfernt-gezähnt; *Blüthenstielchen noch 1mal so lang als die Blüthen; Blumenblätter rundlich-verkehrt-eiförmig, in den kurzen Nagel zusammengezogen.* —

An Wegen, Schutt, u. Flussufern der Thalebene. — Innsbruck: an der Sill, beim Militärspital u. Weg von der Kaiserstrasse nach Mühlau (Hfl.). Brixen: an Ufern (Hfm.). Gemein um Bozen, z. B. im Eisack- u. Talferbette (Hsm.). Valsugana

(Ambr.). Trient: an der Etsch, bei Oltrecastello, u. am Doss Trento (Per. Hfl!). Fleims: bei Tesero (Fcch!). Am Gardasee (Poll!). Judicarien: bei den Bädern von Comano (Bon.). Roveredo (Crist.).

Sisymbrium tenuifolium L.

Bl. gelb. Mai — Octob. ♃.

152. ***D. muralis De C.*** Mauer-D. Stengel krautig, nur an der Basis beblättert; Blätter zerstreut-behaart, buchtig-gezähnt, u. fiederspaltig, Zipfel eiförmig, o. länglich, gezähnt, der endständige verkehrt-eiförmig, eckig gezähnt; ***Blüthenstielchen so lang als die Blüthen; Blumenblätter rundlich-verkehrt-eiförmig, in den kurzen Nagel zusammengezogen.***

An Wegen, u. Mauern im Thale. — Innsbruck: an der Kirchhofmauer bei Wiltau; bei Eppan im Etschlande in Weinbergen (Hfl.). Bozen: an der Strasse ausser Gries vor Morizing, dann zwischen Claus, u. Siebenaich mit Voriger (Hsm.). An Wegen bei Trient (Per!).

Bl. gelb. Mai—Novemb. ⊙.

40. *Eruca De C.* Runke.

Kelch aufrecht, an der Basis gleich. Schoten linealisch, o. länglich; Klappen konvex mit einem hervortretenden Längsnerven. Samen kugelig, in jedem Fache 2reihig. Blumenblätter netzaderig. Keimblätter aufeinanderliegend, der Länge nach rinnig-gefaltet.

153. ***E. sativa Lam.*** Garten-R. (Rückel um Bozen, aus dem ital. Ruccola). Blätter leyerförmig-fiederspaltig, Zipfel spitz, gezähnt; Stengel rauhhaarig; Blüthenstielchen kürzer als der abfällige Kelch.

Wild in Weinbergen bei Algund, u. dem Dorfe Tirol nächst Meran (Tpp.). An Wegen bei Andrian nächst Bozen (Gundlach).

Ueberdiess in Gärten als Salatpflanze meist unter der Gartenkresse angepflanzt, u. in deren Nähe verwildernd.

Obsolet: Semina Erucae.

Bl. weiss, o. gelblich-weiss, mit braun-violetten Adern. Mai, Jun. ⊙.

II. Unterordnung. LATISEPTAE.

Breitwandige Kreuzblüthler.

Frucht ein Schötchen. Schötchen 2klappig, aufspringend, (gedunsen, länglich, oval, o. kugelig, o. vom Rücken her zusammengedrückt, o. vom Rücken her flach); Scheidewand so breit als der grössere Querdurchmesser des Schötchens, o. an sehr gedunsenen nur ein wenig schmäler. (XV. 1.).

IV. Gruppe. **Alyssineae.** Keimblätter aneinanderliegend, flach; Würzelchen seitlich auf der Spalte des Keimblattes. —

41. *Alyssum L.* Steinkraut.

Schötchen fast rund, o. oval, vom Rücken her zusammengedrückt, o. flach; Fächer 1—4eiig. Staubfäden gezähnt mit einem flügelförmigen Anhängsel, o. an der Basis innen mit einem stumpfen verdickten Zahne, o. die kürzern beiderseits mit einem borstlichen Zähnchen versehen. Keimblätter aneinanderliegend, flach.

III. Rotte. *Alyssum Meyer.* Längere Staubfäden geflügelt o. zahnlos; kürzere mit flügelförmigem Anhängsel, oder durch Zähnchen gestützt. Fächer der Schötchen 2eiig; Nabelstränge mit ihrer Basis an die Scheidewand angewachsen.

154. *A. Wulfenianum Bernhardi.* Wulfen's Steinkraut. Stengel krautig, niedergestreckt, o. aufstrebend, zuletzt an der Basis etwas strauchig; Trauben endständig, einzeln; Blumenblätter ganz, o. gestutzt, die längern Staubfäden geflügelt, die kürzern an der Basis mit geflügeltem Anhängsel; Schötchen oval, mit Sternhärchen besetzt, *zuletzt kahl, Blätter* lanzettlich o.. verkehrt-eiformig, *grün*, mit Sternhärchen besetzt. —

Pusterthal: in Prax (Wulfen)! Vette di Feltre (Parolini! Montini!), allda auf der Feltrinischen Seite (Fcch.).

A. alpestre Wulf. Hieher wahrscheinlich auch das in Pollini's Fl. ver. tom. II. p. 364 in Valsugana angegebene A. alpestre L.? Dürfte überhaupt nur die Alpenform der Folgenden sein. —

Bl. gelb. Jul. Aug. ♃.

154. b. *A. montanum L.* Berg-St. Schötchen oval o. rundlich, von dichtgestellten anliegenden Sternhärchen grau, *Blätter grau*, lanzettlich, die untern verkehrt-eiformig. Sonst wie Vorige.

In Tirol (Laicharding!). An Felsen bei Burgstall nächst Meran (Iss.).

155. *A. calycinum L.* Kelchfrüchtiges St. Stengel aufstrebend, krautig; Trauben endständig; *Kelch bleibend;* Staubfäden sämmtlich zahnlos, die kürzern auf beiden Seiten mit einem borstlichen Zahne gestützt; Schötchen kreisrund, von sehr kurzen angedrückten Sternhärchen grau; Blätter grau, lanzettlich, an der Basis verschmälert, die untersten verkehrteiförmig. —

Auf sonnigen Hügeln, Rainen, Aeckern, u. Flussbetten. — Vorarlberg: bei Bregenz gegen Lindau (Str!). Oberinnthal: Bachufer bei Zirl (Str!). Innsbruck: am Wege nach Hötting über Speck (Schpfr.). Selten an Wegen, u. Mauern um

Kitzbüchl (Unger! Trn.). Pusterthal: bei Oberrasen (Hfl.); bei Welsberg (Hll.); um Lienz (Rsch!); Brunecken (F. Naus!). Brixen (Hfm.). Bei Sprechenstein nächst Sterzing; Eppan (Hfl.). Gemein um Bozen, z. B. im Talferbette bei Runkelstein; am Ritten, z. B. am Wege von Klobenstein nach Lengmoos, und bei Pemmern bis 5000' (Hsm.). Trient (Per!). Fassa u. Fleims (Fcch!). Valsugana: bei Borgo (Ambr.). Judicarien: bei Tione (Bon.). Am Gardasee (Clementi.).

Bl. gelblich, zuletzt weiss. Apr. Jun. ⨀.

42. *Farsetia Brown.* Farsetie.

Schötchen mit 6—mehreiigen Fächern; sonst wie Alyssum.

156. ***F. incana R. Brown.*** Graue F. Stengel krautig, aufrecht, o. aufstrebend; ***Blumenblätter 2spaltig;*** die längern Staubgefässe an der Basis geflügelt, die kürzern gezähnt; ***Schötchen elliptisch, konvex-zusammengedrückt***, flaumhaarig; Blätter lanzettlich, die untern in den Blattstiel verschmälert.

An Wegen, Dämmen, u. Rainen. — Innsbruck: bei Sonnenburg (Hfl.). Welsberg, u. Brunecken (Hll.). Tefereggen (Schtz.). Lienz (Rsch! Schtz.). Brixen: gegen Mühlbach (Hfm.). Meran (Rainer!). Um Bozen gemein, z. B. am Kalkofen, gegen Runkelstein, u. Eisackdamm bis zur Rodlerau (Hsm.).

β. ***viridis.*** Haarüberzug verschwindend, Schötchen länglich, nach beiden Seiten spitzlich, kaum 2mal so lang als der Griffel. — Berteroa viridis Tausch. Reichenb. Icon. Tetradyn. tab. 22. — Bozen am Eisackdamme mit der Species, u. Uebergängen, vorzüglich in feuchten Jahren (Hsm.).

A. incanum L. Berteroa incana De C.

Bl. weiss. Mai, Sept. ⨀.

157. ***F. clypeata R. Brown.*** Schildfrüchtige F. Stengel krautig, aufrecht, o. aufstrebend; ***Blumenblätter abgerundet-stumpf, ungetheilt***; die längern Staubfäden bis zur Mitte geflügelt, die kürzern zahnlos; ***Schötchen elliptisch, flach,*** filzig; Blätter lanzettlich, die untern in den Blattstiel verschmälert.

Auf sonnigen Hügeln im südlichern Tirol. — Trient: alle Laste, u. monte dei Frati (Hfl.); allda alle Laste in der Nähe des Fersinabaches (Fcch.), u. bei Gocciadoro (Per.).

Alyssum clypeatum L.

Bl. blassgelb. Apr. Mai. ⨀.

43. *Lunaria L.* Mondviole. Mondveil.

Schötchen rundlich, o. länglich, vom Rücken flach-zusammengedrückt, an der Basis in einen fadenförmigen Fruchtträger verlängert. Samen hautrandig, an langem Strang. Staubfäden zahnlos. Keimblätter aneinanderliegend, flach.

158. ***L. rediviva L.*** Ausdauernde M. Schötchen elliptisch-lanzettlich, an beiden Enden spitz; Samen nierenförmig, noch einmal so breit als lang.

Bergwälder um Bregenz (Döll!), am Rückenbachtobel allda (Str!). In schattigen Laubwäldern um Kitzbüchl (Trn.); daselbst bei Unterbarm, u. am Fusse des Georgenberges bei Schwaz (Schm.). Lienz: am Ursprung der Amblacher Brunnen (Rsch!). Valsugana: am Monte Prima Zuma (Ambr.), ober Telve (Sartorelli!); bei Pontarso (Fcch!). Am Baldo (Pittoni), allda alla Ferrara al Pizzol (Manganotti!), u. selva d'Avio vorzüglich am Wege zu Pian della Cenere (Poll!).

Obsolet: Semina Violae lunariae vel Lunariae graecae.

Bl. lila. Mai, Jun. ♃.

44. ***Petrocállis R. Brown.*** Steinschmückel.

Schötchen elliptisch, vom Rücken her zusammengedrückt; Klappen etwas konvex, von einer Mittelrippe aus geadert, Fächer 2samig. Stränge von der Spitze des Faches ausgehend, ganz der Scheidewand angewachsen. Staubfäden zahnlos. Fruchtträger keiner. Keimblätter aneinanderliegend.

159. ***P. pyrenaica Brown.*** Pyrenäisches St. Einzige Art. Dichte Polster bildend. Blätter keilförmig, 3spaltig, von den untersten einige auch 5spaltig.

In Ritzen, u. auf Gerölle der Hochalpen. Scheint der Centralkette zu fehlen. — Lavatscherjoch bei Hall (Hfl.). Haller Salzberg (Str.). Alpen von Unterinnthal (Hfm.). Am Kaiser bei St. Johann (Trn.). Vette di Feltre u. Portole (Parolini! Montini!). Auf dem Sasso Maggiore in Primiero (Per.). Alpe Campobruno bei Roveredo (Fcch!). Häufig auf den Gipfeln des Baldo, namentlich auf der Colma di Novesa, u. Mon maor (Poll!). —

Draba pyrenaica L.

B. pfirsichblüthenfarben. Jun. Jul. ♃.

45. ***Draba L.*** Hungerblümchen.

Schötchen oval-länglich zusammengedrückt, flach, o. etwas aufgetrieben, auf dem Fruchtboden sitzend. Staubfäden zahnlos. Samen ohne Saum, Samenstränge frei. Keimblätter aneinanderliegend, flach.

I. Rotte. ***Aïzopsis De C.*** Wurzel stark, vielköpfig. Stämmchen viele, unterwärts mit den vertrockneten Blättern der vorigen Jahre bedeckt, an der Spitze mit einer Blätter-Rosette bekränzt. Blätter starr, mit starren Borsten kammförmig gewimpert. — Bl. gelb.

160. ***D. aïzoides L.*** Immergrünes H. Stengel blattlos, kahl; ***Blätter starr, linealisch,*** spitzlich, ***kahl, mit steifen Borsten kammförmig-bewimpert; Staubgefässe so***

lang als die Blume; Griffel fast so lang als der Querdurchmesser des Schötchens.

Auf steinigen Alpentriften, seltener auf Voralpen. — Vorarlberg: auf der Dornbirneralpe (Str!). Alpen bei Zirl u. Telfs (Str!); Haller Salzberg (Hrg!). Aggstein bei Tannheim (Dobel!). Innsbruck: ober der Höttingeralpe gegen die Seegruben (Schpf.); auf dem Brandjoch (Hfl.). Pusterthal: auf der Neunerspitze bei Welsberg (Hll.); auf dem Kalsertaurn; Laserzer- u. Kerschbaumeralpe bei Lienz (Sebtz. Rsch!), Dorferalpe bei Lienz (Schtz.). Vintschgau: auf der Laaseralpe, u. auf Kalkgerölle bei Graun (Tpp.); Wormserjoch (Hsm.). Ifinger bei Meran; Schlern (Hsm.). Am Bondone, u. Gazza bei Trient (Hfl. Merlo.). Spinale (Bon. Per.). Alpen von Fassa u. Fleims (Fcch!). Valsugana: Alpe Sette Selle (Ambr.). Alpen bei Roveredo, u. Serrada (Crist.). Vette di Feltre (Ambr.). Am Baldo (Hfl!). —

β. ***montana.*** Blüthenstielchen 2—3mal so lang als das Schötchen. D. elongata Host. Judicarien: bei Campiglio in Rendena (Bon.).

Bl. gelb. Jun. Jul. ♃.

161. ***D. Zahlbrucknéri Host.*** Zahlbruckner's H. Stengel blattlos, kahl; ***Blätter starr, linealisch,*** spitzlich, ***kahl, mit steifen Borsten kammförmig-bewimpert; Staubgefässe so lang als die Blume; Griffel kürzer als der Querdurchmesser des Schötchens.***

Auf den höchsten Alpen. — Vintschgau: im Laaserthale (Tpp.). Fassa: auf der Alpe Cirelle (Fcch.). Möllthaler Alpen im angränzenden Kärnthen (Pacher).

Varietät der Vorigen durch den Standort erzeugt?

Bl. gelb. Jul. Aug. ♃.

162. ***D. Sautéri Hoppe.*** Sauter's H. Stengel blattlos, kahl; ***Blätter starr, lanzettlich,*** nach der Basis verschmälert, ***kahl, mit steifen Borsten bewimpert; Staubgefässe halb so lang als die Blume; Griffel kürzer als der Querdurchmesser des Schötchens.***

Höchste Kalkalpen in Tirol (Koch syn.)! Unterinnthal: am Kaiser, grossen Rettenstein, u. Kitzbüchler Horn (Trn.). Alpe Contrin (Fcch!), am Montalon (Beggiato!).

β. ***Spitzelii.*** Schaft von abstehenden Härchen flaumig. Nach von Spitzel auf den Alpen bei Lofer, also jedenfalls hart an der Gränze.

Bl. gelb. Jun. Jul. ♃.

II. Rotte. ***Leucodrába De C.*** Wurzel stark, vielköpfig. Stämmchen viele, unterwärts mit den vertrockneten Blättern der vorigen Jahre bedeckt, an der Spitze mit einer Blätter-Rosette bekränzt. Blätter weicher, sehr oft mit Sternhärchen besetzt. Bl. weiss.

163. ***D. tomentosa* Wahlenb.** Filziges H. ***Stengel*** meist 2blättrig, u. nebst den Blüthenstielchen ***von Sternhärchen flaumig; Blätter*** der Stämmchen elliptisch, nach der Basis verschmälert, von ***Sternhärchen filzig***, hinten mit einfachen Haaren bewimpert; ***Schötchen*** oval, o. länglich, mit einfachen Haaren bewimpert; Griffel sehr kurz.

An Felsen der höbern Alpen. — Alpen bei Zirl (Str!). Innsbruck: auf Dolomit am Widersberg, u. Solstein (Hfl.). Lampsenjoch bei Schwaz (Schm.). Kitzbüchl: am Horn nicht unter 6000′ (Trn.); allda am Geisstein u. Griesalpjoch bis 7000′ (Unger!). Hochalpen bei Welsberg (Hll.). Heiligbluter Taurn am Gross-Glockner (Hoppe!). Schlern (Elsm. Str!).

Bl. weiss. Jun. Jul. ♃.

164. ***D. stellata* Jacq.** Sternhaariges H. ***Stengel*** meist 2blättrig, ***oberwärts nebst den Blüthenstielchen kahl; Blätter*** der Stämmchen lanzettlich, o. elliptisch, nach der Basis verschmälert, ***von Sternhärchen etwas grau***, hinten mit einfachen Härchen bewimpert; Schötchen oval, kahl; ***Griffel fast so lang als der Querdurchmesser des Schötchens.***

Nackte Felsen der Kalkalpen. — Wormserjoch: Anhöhen beim Posthaus (Fk!). Auf dem Wormserjoch, Veltliner Seite (Moritzi Fl. d. Schweiz S. 148)! Messerlingwand im östlichen Pusterthale (Hrnsch!). Passeier: ober Moos im Gerölle des Gletschers (Zc!). Valsugana: am Montalon u. auf Triften des Portole (Montini!). Alpen bei Roveredo (Visiani!).

Durch den langen Griffel leicht von Voriger, u. durch die um die Hälfte grössern Blumen von den 4 Folgenden zu unterscheiden.

Bl. weiss. Jun. Jul. ♃.

165. ***D. frigida* Sauter.** Kaltes H. ***Stengel*** meist 2blättrig, u. ***nebst den Blüthenstielchen mit ästigen Härchen locker bestreut; Blätter*** der Stämmchen lanzettlich, o. elliptisch, nach der Basis verschmälert, ***von Sternhärchen etwas filzig***, hinten mit einfachen Haaren bewimpert; Schötchen länglich, kahl; ***Griffel kurz, o. fast fehlend.***

An Felsen, u. steinigen Orten der höhern Alpen. — Oberinnthal: am Rosskogl (Str!). Kitzbüchler Horn nicht unter 6000′ (Trn.). Am Geisstein, Lämmerbüchl, u. Griesalpjoch (Unger!). In Schmirn (Hfm.). Pusterthal: am Sarl, und an Felsen hinter dem Brunst in Prax (Hll.). Alpe Ködnitz in Kals (Schtz.). Vintschgau: im Suldnerthale (Tpp.). Am Montalon (Montini!); Schlern, Vael, Padon, Larsec, Soial (Fcch!).

Aendert ab: mit gewimperten o. flaumhaarigen Schötchen.

Bl. weiss. Jun. Jul. ♃.

166. ***D. Traunsteinéri* Hoppe.** Traunsteiner's H. ***Stengel*** meist 2blättrig, ***oben nebst den Blüthenstielchen kahl; Blätter*** der Stämmchen lanzettlich, nach der Basis verschmälert, ***von Sternhärchen filzig***, hinten von einfachen

Haaren bewimpert; Schötchen nach beiden Enden gleichförmig-verschmälert; ***Griffel noch 1mal so lang als breit.***

An Felsen der höhern Alpen. — Auf dem Horn bei Kitzbüchl, u. Alpen bei Lofers (Koch syn.)! Selten am Kitzbüchler Horn, zwischen D. tomentosa, u. carinthiaca (Trn.). Padon Fassano (Fcch!).

Der Entdecker der Pflanze, Herr Apotheker Traunsteiner, hält sie für einen Bastard der zwei letztgenannten Arten, unter denen sie vorkömmt (Flora 1844. S. 397.).

Bl. weiss. Jul. ♃.

167. ***D. Johannis Host.*** Johann's H. ***Stengel*** meist 2blättrig, ***oberwärts nebst den Blüthenstielchen kahl; Blätter*** der Stämmchen lanzettlich, nach der Basis verschmälert, ***mit Sternhärchen bestreut, hinten mit einfachen Haaren bewimpert;*** Schötchen lanzettlich, an beiden Enden gleichförmig-verschmälert, kahl; ***Griffel sehr kurz, fast fehlend.***

Höhere Alpen sowohl auf Kalk als auf Urgebirge — Am Kitzbüchler Horn, u. grossen Rettenstein (Unger!). Vintschgau: auf trockenen Alpentriften bei Stilfs, Schlandernaun, am Godria, u. Griánkopf (Tpp.). Im südöstlichen Tirol, vorzüglich in Fleims u. Fassa, in Paneveggio u. Padon Fassano (Fcch.). Auf dem Schlern (Hsm.).

D. nivalis De C. Reichenb. Bertol.

D. carinthiaca Hoppe, eine kleinere Form, auf der Spitze des kleinen Rettensteins bei Kitzbüchl (Trn.) u. auf dem Schlern (Hsm. Str!).

β. ***glabrata.*** Blätter kahl, am Rande hinterwärts mit einfachen, nach vorn mit ästigen Härchen bewimpert. D. Hoppeana Rudolphi. Selten am Geisstein bei Kitzbüchl (Trn.).

Bl. weiss. Jun. Jul. ♃.

168. ***D. Wahlenbergii Hartmann.*** Wahlenberg's H. ***Stengel*** blattlos, o. 1—2blättrig, ***nebst den Blüthenstielchen kahl,*** Blätter der Stämmchen lanzettlich, nach der Basis verschmälert, ***ganz kahl, o. mit längern einfachen, o. gabeligen Haaren bewimpert, u. ausserdem kahl, o. noch mit sternförmigem Flaume bestreut;*** Schötchen länglich-lanzettlich, o. lanzettlich, nach beiden Enden fast gleichförmig-verschmälert, kahl; Griffel sehr kurz, fast fehlend.

Auf steinigen Orten der höbern Alpen bis zur Schneegränze.

Aendert ab:

α. ***homotricha Koch.*** Blätter mit einfachen Börstchen fast kammförmig-bewimpert, übrigens kahl, o. mit einfachen Haaren bestreut. D. fladnizensis Wulf.

Auf Thonschiefer am Geisstein bei Kitzbüchl (Trn.). Am Geisstein, u. Rettenstein (Unger!). Vintschgau: am Fusse des Ortlers im Suldnerthale, dann in Schlinig ober der Wand (Tpp.); Wormserjoch (Fk!). Innsbruck: auf der Neunerspitze, dem Rosskogl, u. Serles (Hfl.). Am Gross-Glockner in der Gemsgrube (Hoppe!). Alpe Ködnitz in Kals (Schtz.). Hochgruben bei Innichen (Bentham!).

β. *heterotricha. Koch.* Blätter mit einfachen, o. mit gabeligen Börstchen bewimpert, die äussern meist kahl, die innern mit kurzem sternformigem Flaume bestreut. D. lapponica Willd.

Auf dem Geisstein (Trn.). Heilig-Blut am Glockner (Hoppe!). Auf der Alpe Padon Fassano (Fcch.).

γ. *glabrata. Koch.* Blätter überall kahl. D. laevigata Hopp. —

Am Rettenstein bei Kitzbüchl (Trn.). Daselbst unter Felsen auf reicher Dammerde (Unger!). Pusterthal: am Kalserthörl, dann am Heilig-Bluter Taurn, u. der Pasterze (Hoppe!).

Bl. weiss. Jun. Jul. ♃.

III. Rotte. ***Holarges De C.*** Wurzel einfach, 1- o. 2jährig, o. wenigstens nicht von langer Dauer. Die unfruchtbaren Blätterbüschel fehlen, o. sind in geringer Zahl vorhanden. Stengel beblättert, an starken Exemplaren ästig. Bl. weiss.

169. ***D. incana L.*** Graues H. *Stengel vielblättrig, an der Spitze ästig, o. einfach;* Wurzeln nicht-bluhende Rosetten tragend; Blätter ganzrandig, o. gezähnt, die wurzelständigen dicht rosettig, lanzettlich, die obern stengelständigen eiförmig; Schötchen länger als das Blüthenstielchen, kahl oder flaumig. —

Steinige Orte in Fassa (Koch Taschenb.)! Aus Tirol von Dr. Facchini erhalten (Maly enum. p. 277.)! — D. contorta Ehrh. D. confusa Ehrh.

Bl. weiss. Mai, Jun. ⊙.

170. ***D. Thomasii Koch.*** Verwechseltes H. *Stengel vielblättrig, von der Basis an ästig, o. einfach;* nichtblühende Rosetten fehlend; Blätter ganzrandig, o. gezähnt, die wurzelständigen rosettig, lanzettlich, die obern stengelständigen länglich-lanzettlich; Schötchen länger als das Blüthenstielchen, flaumhaarig.

Steinige Triften der Alpen, u. Voralpen. — Wormserjoch u. Schlern (Koch syn.)! Vintschgau: im Matscherthale, Voralpen bei Laas, auf Glimmerschiefer bei Tarnell bei 3500′ (Tpp.). Schlern (Hsm.).

D. stylaris Gay. D. confusa Koch syn. ed. 1. — Einzelne nichtblühende Blattrosetten beobachtete ich am Schlern, wiewohl selten auch an dieser Art.

Bl. weiss. Jun. Jul. ⊙.

IV. Rotte. ***Erophila De C.*** Wurzel einfach, jährig. Wurzelblätter rosettig. Schäfte nackt. Blumenblätter weiss, halb-zweispaltig.

171. *D. verna L.* Gemeines H. Schäfte blattlos, nach oben nebst den Blüthenstielchen kahl; Wurzelblätter lanzettlich, spitz, nach der Basis verschmälert; Schötchen lanzettlich, länglich, o. rundlich, kürzer als das Blüthenstielchen; Griffel sehr kurz; ***Platte der Blumenblätter halb zweispaltig.***

Auf bebautem Boden, an Rainen, und grasigen sonnigen Hügeln gemein. — Vorarlberg: selten im Ried bei Bregenz (Str!). Innsbruck: Aecker unter dem Berg Isel (Hfl.). Pusterthal: bei Welsberg (Hll.); in Tefereggen (Schtz.); um Lienz (Rsch! Schtz.). Brixen (Hfm.). Col da Vent bei Bozen (Fcch!). Bozen: in den meisten Weinbergen, auch an Abhängen, und Hügeln, z. B. am Runkelsteiner Schlossberg etc.; bei Margreid, u. Salurn (Hsm.). Trient: ai Masi d'Aria (Hfl.). Valsugana: bei Borgo, wie β. (Ambr.). Judicarien: an Wegmauern bei Tione (Bon.).

β. *praecox.* Schötchen rundlich-oval, fast kreisrund; Schötchen meist nur 15—20samig (bei der Species 30—70samig.) D. praecox Stev. Reichenb. Icon. Tetradyn. tab. XII.

Innsbruck: am Höttingerbüchl, und Amraser Thurmhügel (Hfl.); Wiltau: im Stiftsgarten (Prkt.). Valsugana: bei Borgo (Ambr.). —

Bl. weiss. Anf. März, Apr. ☉.

46. *Cochlearia L.* Löffelkraut.

Schötchen im Umrisse rundlich o. elliptisch. Klappen stark gewölbt. Kelch offen. Blumen weiss. Keimblätter aneinanderliegend, schief, o. aufeinanderliegend.

a. Schötchen mit einem Nerven an der Basis der Klappen. Samen glatt. Die längern Staubfäden in der Mitte rechtwinklig-gebrochen (*Kernera Medik.*).

172. C. *saxatilis Lam.* Stein-L. Wurzelblätter in den Blattstiel verschmälert, länglich, stumpf, ganzrandig, o. gezähnelt, etwas rauh von angedrückten Härchen, Stengelblätter linealisch-länglich, ganzrandig; ***Trauben deckblattlos; längere Staubfäden in der Mitte gebrochen.***

Auf Kalkgerölle, u. an Felsen vom Thale bis in die Alpen. — Vorarlberg: im Aachgries bei Bregenz (Str!), bei Au im Bregenzerwalde (Tir. B!). Oberinnthal: bei Tarrenz (Lutt!), am Solstein (Str.); Lechthal: am Rossberg bei Vils (Frölich!). Innsbruck: an der Martinswand, u. in der Klamm (Hfl.), am Kahlengebirge (Eschl.). In Schmirn (Hfm.). Kitzbüchler Horn (Trn.). Am Schlossberg bei Rattenberg (Wld.). Zillerthal (Gbh.). Pfitsch: bei Kematen (Hfl.). Pusterthal: in Felsritzen im Praxerthale (Hll.). Lienz: auf dem Rauchkofl ober dem Amlacherbrunnen (Rsch!), Laserzeralpe, Innervilgraten (Schtz.), Wormserjoch (Gundlach). Im Etschlande: bei Margreid, Salurn, u. Kaltern (Hsm.). Voralpen um Trient (Per.).

Alpen in Fassa u. Fleims (Fcch!), am Davoi bei Vigo (Parolini!). Val di Non: bei Denno (Hfl.). Valsugana: bei Grigno und Tezze (Ambr.). Am Baldo (Poll! Hfl.). Hügel um Roveredo (Crist.).

Kernera saxatilis Reichenb. Myagrum saxatile L.

Bl. weiss. Jun. Aug. ♃.

b. Schötchen ohne Nerven auf den Klappen; Samen feinknötig-rauh. Staubfäden gleichförmig-aufstrebend, Trauben mit Deckblättern (***Rhizobótrya Tausch***).

173. ***C. brevicaulis Facchini.*** Kurzstengliges L. Blätter in den Blattstiel verschmälert, länglich, stumpf, ganzrandig, o. beiderseits 1—2zähnig, etwas rauh von angedrückten Härchen; ***Trauben deckblättrig; Staubfäden nicht rechtwinklig-gebrochen.***

Auf Gerolle der Kalkalpen im südlichen Tirol. — Im Gebiethe von Bozen in Tiers; in Fleims, Camerloi in Fassa; Alpe la Neva seconda in Primiero (Fcch.). Vette di Feltre (Beggiato 1833 nach Bertoloni)!

Rhizobotrya alpina Tausch. (Ein eigener Aufsatz von Hofr. Koch in Flora 1841. p. 159.).

Bl. weiss. Jul. Aug. ♃.

c. Schötchen ohne Nerven auf den Klappen; Samen glatt; Staubfäden nicht rechtwinklig-gebrochen. Trauben deckblattlos.

174. ***C. Armoracia L.*** Meerrettig. Kreen. Wurzelblätter länglich, herzförmig, o. eiförmig-länglich, gekerbt, ***die untern stengelständigen kämmig-fiederspaltig,*** die obern eiförmig-lanzettlich, gekerbt-gesägt, die obersten linealisch, fast ganz.

An Gräben, Weinbergen, u. Aeckern, wohl nur verwildert. — Bregenz (Str!). Innsbruck, auf Schutt, und Feldern (Hfl.). Pusterthal: in Auen bei Sanct Jacob in Tefereggen; an Ackerrändern bei Innichen, u. auf Wiesen bei Lengberg nächst Lienz (Rsch!). Auf unbebautem Boden in Primiero (Montini!). Bozen: häufig in Weinbergen, auch an Gräben an den Türkäckern bei Sigmundscron (Hsm.). — Armoracia rusticana Koch syn. ed. 1.

Officinell: Radix recens Armoraciae vel Raphani rusticani. Bekanntes Gemüse, daher in allen Gärten angebaut.

Bl. weiss. Ende Mai, Jun. ♃.

V. Gruppe. **Camelineae.** Keimblätter aufeinanderliegend, das Würzelchen auf dem Rücken des einen Keimblattes.

47. ***Camelina Crantz. De C.*** Leindotter.

Schötchen birnförmig, aufgedunsen, Klappen stark gewölbt, mit einem linealischen Fortsatze am Griffel hinanlaufend. Griffel abfallend, selten an einer Klappe hängen bleibend. Fächer vielsamig. Samen länglich, ohne Saum. Keimblätter aufeinanderliegend. —

175. *C. sativa Crantz.* Gemeiner L. Schötchen birnförmig, *die* mittlern *Stengelblätter* länglich-lanzettlich, *ganzrandig, o. gezähnelt,* an der Basis pfeilförmig.

Auf Aeckern bis an die Alpen. — Oberinnthal: Brennbüchl nächst Imst (Lutt!). Innsbruck: ausser der Froschlacke (Hfl.). Stans bei Schwaz (Schm.). Lienz: auf Leinäckern (Rsch!). Brixen (Hfm!). Am Ritten: z. B. bei Rappesbüchl, Pfaffstall, u. Pemmern (Hsm.) Am Aufstieg zur Seiseralpe (Schultz!). Fleims: auf Aeckern, bei Predazzo auch an Wegen (Fcch!). Gebaute Orte der Thäler im Tridentinischen (Per.)

Myagrum sativum L. — Obsolet: Herba et Semen Myagri, vel Sesami vulgaris.

Bl. weisslich-gelb. Jun. Jul. ⊙.

176. *C. dentata Pers.* Gezähnter L. Schötchen birnförmig; die mittleren *Stengelblätter* linealisch-länglich, *buchtig-gezähnt, o. fiederspaltig,* hinten verschmälert, aber an der pfeilförmigen Basis wieder verbreitert.

Im italienischen Tirol: in Fleims bei Predazzo (Fcch!); Valsugana: auf Aeckern von Caineri, u. in Primiero (Montini!).

C. sativa β. Bertoloni. Myagrum pinnatifidum Ehrh.

Bl. weisslich-gelb. Jun. Jul. ⊙.

III. Unterordnung. ANGUSTISEPTAE.

Schmalwandige Kreuzblüthler.

Schötchen 2klappig, aufspringend, von der Seite zusammengedrückt, Klappen kahnförmig, auf dem Rücken gekielt, oder geflügelt. Scheidewand schmal, linealisch, o. lanzettlich, an beiden verschmälert (XV. 1.).

VI. Gruppe. **Thlaspideae.** Die Keimblätter aneinanderliegend, das Würzelchen auf der Spalte der Keimblätter.

48. *Thlaspi L.* Taschelkraut.

Schötchen von der Seite her zusammengedrückt, eiförmig, o. umgekehrt-eiförmig, neben dem Griffel mehr oder weniger ausgerandet; Fächer 2—mehr-eiig; Klappen kahnförmig; auf dem Rücken geflügelt. Staubfäden zahnlos. Blumenblätter gleich, o. fast gleich. Keimblätter aneinanderliegend.

177. *T. arvense L.* Acker-T. Fruchttragende Trauben verlängert, *Stengelblätter länglich mit pfeilförmiger Basis sitzend; Fächer des Fruchtknotens vieleiig;* Stengel oberwärts ästig; Samen bogig-runzlig, meist zu 6 in jedem Fache.

Gemein auf Aeckern, Schutt, u. an Wegen. — Bregenz (Str!). Imst (Lutt!). Innsbruck: Aecker am Inn gegen den Giessen (Hfl.), u. am Sonnenburger Schlosshügel, dann bei Igels, u. Patsch (Schpfr.); bei Vill, u. Lans (Prkt.). Stubai: bei Mieders (Schneller.). Pusterthal: bei Welsberg (Hll.). Hopfgarten (Schtz.); Lienz (Scbtz. Rsch!). Brixen (Hfm!). Bozen: hie u. da in der Ebene, doch etwas selten; aber gemein auf den Gebirgen umher, z. B. am Ritten um Klobenstein, Kematen, u. Pemmern bis 5000′ (Hsm.). Trient: bei Povo (Per.). Fassa u. Fleims (Fcch!). Aecker am Baldo, vorzüglich alla Ferrara (Poll!). Judicarien: bei Tione (Bon.).

Obsolet: Semen Thlaspeos.

Narbe fast sitzend. Bl. weiss. Mai, Aug. ⊙.

178. *T. perfoliatum L.* Durchwachsenes T. Fruchttragende Trauben verlängert; *Stengelblätter ei-herzförmig, sitzend; Fächer des Fruchtknotens 4eiig;* Stengel ästig; Samen glatt, 3—4 in jedem Fache.

Auf bebautem Boden, auch an Rainen, Wegen, u. sonnigen Hügeln. — Oberinnthal: gemein um Imst (Lutt!). Innsbruck: ausser Mariahilf gegen Kranewitten (Hfl.). Bozen: in den Weinbergen bei Gries, z. B. im Gandelhofe; an der Landstrasse von Pranzoll nach Auer; Salurn, u. Margreid (Hsm.). Trient: am Wege nach Sardagna; über Cles gegen Vergondola (Hfl.). Fleims u. um Trient (Fcch!). Valsugana: bei Borgo (Ambr.). Roveredo: an Feldwegen (Crist.). Judicarien: bei Tione (Bon.).

Schötchen umgekehrt-herzförmig. Griffel kurz.

Bl. weiss. März—Mai ⊙.

179. *T. alpestre L.* Felsen-T. Fruchttragende Trauben verlängert; Stengelblätter ei-herzförmig, sitzend; *Wurzel vielköpfig;* Stämmchen kurz, rasenartig-zusammengedrängt; Stengel einfach; Schötchen 3kantig-verkehrt-herzförmig, nach der Basis verschmälert, Fächer 4—8samig. *Flügel der Klappen vorne so breit als die Höhle des Faches; Griffel so lang als die Bucht der Ausrandung;* Samen glatt.

Auf steinigen Triften. — Innsbruck: ober Lans (Hfl.). Am Baldo, in Valsugana, u. Judicarien (Fcch!).

Bl. weiss; Kelchblättchen lilafarben-berandet. — Mai. ♃.

180. *T. alpinum Jacq.* Alpen-T. Fruchttragende Trauben verlängert; Stengelblätter herzförmig, sitzend; *Wurzel vielköpfig;* Stämmchen verlängert, ausläuferartig; Stengel einfach; Schötchen länglich-verkehrt-herzförmig, nach der Basis verschmälert; *der Flügel der Klappen halb so breit als die Höhle des Faches,* Fächer 2—4samig; Samen glatt.

Weiden der Alpen. — Südtirol (Koch Taschenb.). Vette di Feltre (Ambr.). In Tirol schon nach Laicharding! — Das von Rauschenfels auf dem Hochrieb, u. der Campenscharte bei

Lienz angegebene T. montanum L. dürfte hieher zu ziehen sein? Bertoloni zieht in seiner Flora ital. VI. p. 539 T. alpinum Jacq. u. T. praecox Wulf. als Synonyme zu seinem T. montanum β.: silicula superne angustius membranaceo-alata, u. führt dafür folgende Standorte auf: Baldo (Visiani!), Montalon (Parolini!), Vette di Feltre in Vallazza (Contareni!), Malga Agnei di Lamon (Fcch!), Vette di Feltre (Arduin, Parolini, Montini!) etc. Die Bertolonischen Standorte sind demnach mit T. praecox Wulf. zu vergleichen; dieses unterscheidet sich von T. alpinum Jacq. durch länglich-herzförmige Stengelblätter, kurze, rasenartig-zusammengedrängte Stämmchen, verkehrt-herzförmige, nach der Basis verschmälerte Schötchen, u. die Klappenflügel, die vorne so breit als die Höhle des Faches sind, dann von T. alpestre durch den längern Griffel, der über die Bucht der Ausrandung des Schötchens hinausragt.

Bl. weiss, grösser als bei Voriger. Jun. Jul. ♃.

180. ***T. rotundifolium Gaud.*** Rundblättriges T. *Fruchttragende Trauben doldenförmig-verkürzt; die obern Stengelblätter* sitzend *an der Basis mit umfassenden Oehrchen;* Wurzel vielköpfig; Stengel einfach; Schötchen länglich-verkehrt-eiförmig, sehr stumpf, o. seicht-ausgerandet, der Randflügel schmal, Fächer 2samig.

Auf Gerölle, u. kiesigen Orten der Kalkalpen. — Vorarlberg: am Widderstein (Köberlin!). Alpe Tillisun (Cst!). Mädelealpe im Holzgau (Dobel!). Galtberg bei Imst (Lutt!). Innsbruck: auf dem Solstein (Str.); in der Klamm, Brand- und Lafatscherjoch (Hfl.). Unterinnthal: Alpen bei Jenbach (Pfretschner); am Kaiser, u. grossen Rettenstein bei Kitzbüchl (Trn.). Pusterthal: Alpen in Prax, mit weissen Bl. auf der Weisslahne am Herrnstein (Hll.); Tefereggen (Schtz.); Ampezzo (M. v. Kern.); Marenwalder- u. Laserzeralpe, Hochrieb, u. Innstein bei Lienz (Rsch! Schtz.). Peitlerkofl bei Brixen (Hfm.). Schlern, Plattkofel, u. Lattemarjoch bei Bozen (Hsm.) Alpen von Fassa, Fleims, u. Valsugana (Fcch! Sartorelli!). Spinale (Tpp.). Monte Feudo (Scopoli!). Bondone bei Trient, u. auf dem Altissimo des Baldo (Per.). Val larga im Fersinathale (Per!). Vallarseralpen gegen den Campogrosso (Crist.). Monte Baldo (Poll!).

Iberis rotundifolia L.

Bl. hellviolett, selten weiss. Jun, Jul. ♃.

Ibéris L. Bauernsenf. Schötchen von der Seite her zusammengedrückt, oval, o. verkehrt-eiförmig; Fächer 1samig, Klappen nachenförmig, auf dem Rücken geflügelt-gekielt. Staubfäden ohne Zahn. Blumenblätter sehr ungleich, die der äussern Blüthen strahlend. Keimblätter aneinanderliegend.

I. umbellata L. Schirmblüthiger B. Krautartig, kahl. Blätter lanzettlich, spitz, o. zugespitzt, ganzrandig, die untern etwas gezähnt. Fruchttraube eiförmig, gedrängt. Blüthenstiele aufrecht. Schötchen aufrecht, 2spaltig; Lappen eiförmig, in eine pfriemenförmige Spitze von der Länge des Fächerchens ausgehend, gerade vorgestreckt.

Zierpflanze aus dem südlichern Europa (im österreichischen Littorale), häufig in Gärten, u. allda sich selbst aussäend.

Bl. blass-violett, seltener weiss. Jun. Aug. ⊙.

I. semperflorens L. Immerblühender B. Eine beliebte Topfpflanze um Bozen, wo sie in den Kalthäusern den ganzen Winter hindurch blüht. Leicht kenntlich an den stumpfen spateligen, kahlen ganzrandigen dicken, fast fleischigen immergrünen Blättern, u. ausdauernden halbstrauchigen Stengeln. Sie stammt aus Persien u. Sicilien, u. erträgt an warmen Lagen auch bei Bozen die Winter im Freien. — Bl. schneeweiss.

49. *Biscutélla L.* Brillenschötchen.

Schötchen von der Seite her flach gedrückt, an der Basis, u. Spitze ausgerandet, o. an der Spitze in den Griffel zugespitzt, 2fächerig; Fächer 1samig; Klappen kreisrund, ein Doppelschildchen darstellend, zuletzt sich von der Scheidewand lösend, doch den Samen eingeschlossen behaltend. Keimblätter aneinanderliegend. Bl. gelb.

181. *B. laevigata L.* Glattrandiges B. Kelch an der Basis spornlos; Schotchen an der Basis, u. Spitze ausgerandet; Wurzelblätter länglich, in den Blattstiel verschmälert, gezähnt, u. ganzrandig, Stengelblätter länglich, mit abgerundeter, halbstengelumfassender Basis sitzend, die obern linealisch.

Alpen, u. Voralpen, u. durch die Bäche ins Thal herab. — Vorarlberg: auf der Mittagspitze (Str!), am Widderstein (Köberlin!). Oberinnthal: auf der Aschaueralpe (Kink); Imst (Lutt!). Innsbruck: an der Sill, u. in der Klamm (Hfl.); am Solstein (Str.). Am alten Schlosse bei Rattenberg (Wld.), Schwaz (Schm.). Zillerthal: um Zell (Gbh.). Kitzbüchl: gemein auf Kalkboden (Trn.). Pusterthal: Welsberg (Hll.); Hopfgarten u. um Lienz (Schtz.); Innichen (Stapf); Prax (Wlf!), bei Peitelstein in Ampezzo (Hsm.); Hochrieb, u. Zabrot, dann Isel- u. Drauufer bei Lienz (Rsch!), Teischnitzalpe (Schtz.). Brixen: am Eisackufer (Hfm.). Vintschgau: bei Montani, u. im Laaserthale (Tpp.), im Suldnerthale (Hrg!). Bozen: auf allen Alpen umher, als Schlern u. Seiseralpe, Mendel; Sarnthal bei Durnholz etc.; auch im Talferbette im Thale; an den Kalkhügeln bei Margreid (Hsm.). Trient: bei Vela (Hfl.). Monte Gazza (Merlo). Zambana u. Mezzolombardo (Hfl.). Montagna di Povo, u. am Bondone bei Trient (Per.). Valsugana: bei Borgo (Ambr.). Judicarien (Bon.), Val di Rendena (Eschl!).

β. *glabra.* Bl. kahl, o. fast kahl, oft zugleich glänzend. B. lucida De C. Auf der Schlernalpe mit der Species, einmal auch im Eisackbette beim Kalkofen herabgeschwemmt (Hsm.). Teischnitzalpe und grauer Käs bei Lienz (Schtz.). Fassa und Fleims (Fcch!).

γ. *scabra.* Schötchen von feinen Knötchen rauh. B. saxatilis Schleicher. — Sterile Orte am Baldo mit der Species, doch seltener (Poll!). Bei Roveredo (Crist.).

Bl. gelb. — Im Thale Apr. Mai, auf Gebirgen und Alpen: Jun. Jul. ♃.

VII. Gruppe. **Lepidineae.** Die Keimblätter aufeinanderliegend, Würzelchen auf dem Rücken des einen Keimblattes. —

50. *Lepidium L.* Kresse.

Schötchen von der Seite zusammengedrückt, fast kreisrund, länglich, o. oval. Fächer einsamig. Klappen kahnförmig, auf dem Rücken gekielt, o. geflügelt. Staubfäden zahnlos. Blumenblätter gleich, weiss. Keimblätter aufeinanderliegend, flach.

a. *Cardaria.* Schötchen ei-herzförmig, Klappen etwas gedunsen, Griffel fadenförmig.

183. *L. Draba L.* Stengelumfassende K. *Schötchen herzförmig, flügellos,* durch die aufgedunsenen Klappen fast zweiknötig; Griffel so lang als die Scheidewand; Blätter länglich, geschweift-gezähnt, die wurzelständigen in den Blattstiel verschmälert, die stengelständigen mit pfeilförmiger Basis stengelumfassend.

An Wegen im südlichen Tirol. — Bei Neumarkt im Etschlande (Fcch.). Im italienischen Tirol (Rainer!).

Cardaria Draba Desv. Cochlearia Draba L.

Bl. weiss. Mai, Jun. ♃.

b. *Cardamon.* Schötchen fast kreisrund, o. oval, ausgerandet, Griffel sehr kurz. Keimblätter 3theilig.

L. sativum L. Garten-Kresse. *Schötchen rundlich-oval,* geflügelt, stumpf, ausgerandet, *an die Spindel angedrückt;* die untern Blätter gestielt, unregelmässig-eingeschnitten, gelappt, gefiedert, o. doppelt-gefiedert, die obern sitzend, linealisch, ungetheilt.

Eine bekannte Salatpflanze, in allen Gärten gebaut, doch auch an Wegen, Schutt etc. verwildert, z. B. bei Innsbruck, an Ackerrändern zwischen Igels, u. Vill (Hfl.). Lienz (Schtz.). Ebenso um Bozen.

Obsolet: Herba et Semen Nasturtii hortensis.

Bl. weiss. Mai, Jun. ⊙.

c. *Lepia.* Schötchen oval, o. fast kreisrund, geflügelt, ausgerandet, Griffel kurz.

184. *L. campestre. R. Brown.* Brachen-Kr. *Schötchen* länglich-rundlich, drüsig punctirt, eiförmig, von der Mitte an breit geflügelt, am Ende abgerundet, u. ausgerandet;

Blätter grau-flaumig, die wurzelständigen länglich, in den Blattstiel verschmälert, an der Basis buchtig-gezähnt, die stengelständigen gezähnelt, an der Basis pfeilförmig stengelumfassend.

An Wegen, Aeckern, u. Dämmen. — Vorarlberg: im Ried zwischen Dornbirn, u. Höchst (Cst!); im Ried bei Bregenz (Str!). Bozen: am Eisackdamme in der Rodlerau, dann an der Landstrasse zwischen Blumau, u. Atzwang (Hsm.). Fleims: bei Cavalese (Fcch!). Aecker am Baldo, um la Ferrara (Poll!). — Samen, wie die von Thlaspi arvense als Semen Thlaspeos vormals officinell.

Bl. weiss. Mai, Jun. ⊙.

d. ***Dileptium.*** Schötchen oval, o. fast kreisrund, ausgerandet, an der Spitze schmal-geflügelt. Griffel sehr kurz, fast fehlend. Keimblätter ganz.

185. ***L. ruderale L.*** Stink-Kr. Weg-K. ***Schötchen abstehend, rundlich-oval, stumpf,*** an der Spitze schmal-geflügelt, ausgerandet, ***die untern Blätter*** gestielt, ***gefiedert, u. doppelt-gefiedert, die obern sitzend, linealisch, ungetheilt.*** Blüthen 2männig, blumenblattlos.

An Wegen, Mauern, Schutt. In der Stadt Hall (Hfl.), daselbst auf dem Marktplatze gegen Innsbruck (Hsm.). Vintschgau, u. bei Bozen (Fcch!). Bozen: in Menge an der Lorettokapelle, einmal auch am Schiessstande (Hsm.). Trient: Buco di Vela (Fcch!).

Bl. weiss. Mai, Jun. ⊙.

e. ***Lepidiastrum.*** Schötchen oval, oder fast kreisrund, kaum ausgerandet, flügellos. Keimblätter ganz. Griffel sehr kurz, fast fehlend.

186. ***L. graminifolium L.*** Grasblättrige K. ***Schötchen eiförmig, spitz,*** mit dem sehr kurzen Griffel bekrönt; Wurzelblätter länglich, o. spatelig, in den Blattstiel verschmälert, gesägt, o. an der Basis fiederspaltig, ***die obern stengelständigen linealisch, ungetheilt.***

An Wegen u. Mauern im südlichen Tirol. — Bozen: in Menge am St. Antoni-Schlössel, dann am Wege nächst dem Fagnerbache der Leegs-Zeughütte gegenüber, u. ausser Gries an der Strasse am Strasserhofe (Hsm.). Bei Trient (Per!). Am Gardasee (Clementi. Poll!).

Obsolet: Herba Iberidis. L. Iberis Poll. De C.

Blüthen 6männig, weiss. Jun.—Nov. ⊙.

51. ***Hutchinsia R. Brown.*** Felsenkresse.

Schötchen von der Seite her zusammengedrückt, länglich, o. fast kreisrund, ganz, o. etwas ausgerandet; Fächer 2samig; Klappen kahnförmig, ohne Flügel am Rücken. Staubfäden zahnlos. Keimblätter aufeinanderliegend, flach.

187. ***H. alpina R. Brown.*** Alpen-F. Blätter gefiedert; ***Stengel einfach, nackt; Fruchttraube lang, locker;*** Blumenblätter noch einmal so lang als der Kelch; Schötchen länglich, an beiden Enden spitz, mit einem kurzen Griffel endigend. —

Auf Alpen, an kiesigen Plätzen, hie u. da ins Thal herab. — Vorarlberg: auf der Dornbirneralpe (Str!), am Widderstein (Köberlin!). Innsbruck: auf dem Solstein, in der Klamm, am Kahlgebirge, Taureralpe, u. Sillgries bei Pradel (Hfl. Eschl.). Am Gratelkopf bei Rattenberg (Wld.). Am Kaiser bei Kitzbüchl bis ins Thal herab (Trn.). Schwaz (Schm.). Zillerthaleralpen (Gbh.). Pfitscherjöchl (Hfl.). Tefereggen (Schtz.). Am Rudelhorn bei Welsberg (Hll.). Lienz: am Ufer der Drau, dann am Zabrot, Rauchkogel, u. Hochrieb (Rsch!). Villandereralpe bei Bozen (Hsm.). Fassa u. Fleims (Fcch!). Scanuccia, Bondone, u. Castellazzo (Per.). Gebirge um Roveredo, an feuchten Felsen (Crist.). Montalon (Montini!). Auf dem Baldo: Schneeflucht über Aque negre (Hfl.). Judicarien: Alpe Lenzada (Bon.). Am Sella bei Borgo (Ambr.).

Noccaea alpina Reichenb. Lepidium alpinum L.

Bl. weiss. Jun. Jul. ♃.

188. ***H. brevicaulis Hoppe.*** Kurzstenglige F. Blätter gefiedert; ***Stengel einfach, nackt; Fruchttraube gedrungen, doldentraubig;*** Blumenblätter noch einmal so lang als der Kelch; Schötchen länglich-verkehrt-eiförmig, stumpf, Narben sitzend.

Kiesige, sparsam beraste Orte der höhern Alpen. — Oberinnthal: am Rothmoosferner im Gurgelthale (Tpp.). Widersberger Joch bei Innsbruck (Hfl.). Glungezzer bei Hall (Str.). Am Geisstein bei Kitzbüchl über 6000′ (Trn.). Pasterze, Leitner, u. Gamsgrube am Glockner (Hoppe)! Am Möllufer bei Sagritz im angränzenden Kärnthen (Pacher). Schlern u. Wormserjoch (Hsm.). Lesacheralpe an der Grossgössnitz bei Lienz (Schtz.). —

Noccaea brevicaulis Reichenb.

Nach den Diagnosen der H. alpina, u. brevicaulis zu urtheilen, sollte man meinen, es mit zwei scharf getrennten Arten zu thun zu haben; anders jedoch verhält es sich in der Natur, bei einer Menge Exemplare kommt man in Aufliegenheit sie, ob bei der einen oder bei der andern, unterzubringen. Ich betrachte letztere nur als Hochalpenform der ersteren.

Bl. weiss. Jun. Jul. ♃.

189. ***H. petraea R. Brown.*** Gemeine F. Blätter gefiedert; ***Stengel ästig, beblättert;*** Blumenblätter wenig länger als der Kelch; Schötchen elliptisch, stumpf.

An Kalkfelsen, u. Gerölle der Hügelregion im südlichen Tirol. — Im Etschlande; bei Salurn (Hsm.). Trient: bei Vela

(Hfl.), u. am Doss Trento (Per.). Unter Salurn, u. bei Roveredo (Fcch.). Sonnige Orte am Baldo, u. Gardasee (Poll!).

Lepidium petraeum L. Teesdalia petraea Reichenb. fl. exc. Hornungia petraea Reichenb. Fl. v. Sachsen.

Bl. weiss, o. röthlich. Apr. Mai. ⊙.

52. *Capsella Medikus.* Hirtentäschel.

Schötchen von der Seite her zusammengedrückt, umgekehrt-dreieckig, o. länglich, ganz, o. seicht-ausgerandet; Fächer vielsamig, Klappen kahnförmig, auf dem Rücken ungeflügelt. Staubfäden zahnlos, Keimblätter aufeinanderliegend, flach. — Bl. weiss. —

190. ***C. Bursa pastoris Mönch.*** Gemeines H. Blätter schrotsägenförmig-fiederspaltig, Zipfel eiförmig-3eckig, spitz, etwas gezähnt, die obern stengelständigen ungetheilt; *Schötchen 3eckig-verkehrt-herzförmig.*

Gemein auf bebautem Boden, u. Wegen bis in die Alpen. — Bregenz (Str!). Oberinnthal: bei Imst (Lutt!). Innsbruck (Hfl.). Stubai (Hfl!). Rattenberg (Wld!). Kitzbüchl (Trn.). Schwaz (Schm!). Welsberg (Hll.). Lienz, Innervilgraten (Schtz.). Brixen (Hfm!). Meran (Kraft). Wormserjoch, noch am höchsten Punkte der Strasse, kaum Zoll hoch; Bozen, Ritten, Salurn, u. Margreid, vorzüglich in den Weinbergen (Hsm.) Eppan (Hfl.). Fassa u. Fleims (Fcch!). Trient (Per. Hfl!). Borgo (Ambr.). Roveredo und Avio (Hsm.). Tione (Bon.). Val di Non (Hfl!).

β. *integrifolia.* Blätter ganz, o. die untern mit einem oder andern Zähnchen versehen. — Auf sonnigen, trockenen Aeckern. — Bei Welsberg (Hll.). Lienz u. Hopfgarten (Schtz.). Klobenstein am Ritten (Hsm.). Roveredo (Crist.). Judicarien: an der Strasse bei Darè in Rendena (Bon.).

Obsolet: Herba Bursae pastoris.

Bl. weiss. — Blüht in den Weinleiten um Bozen den ganzen Winter hindurch. März — Nov. ⊙.

191. ***C. procumbens Fries.*** Liegendes H. Blätter tieffiederspaltig, Zipfel ganzrandig, lanzettlich, o. elliptisch, der endständige grösser, die obern stengelständigen Blätter, o. alle ganz; *Traube verlängert,* reichblüthig, *Schötchen oval,* länglich, stumpf, o. etwas gestutzt.

Bisher nur im Vintschgau an der Strasse zwischen Eiers, u. Laas, an nassen Rainen (Tpp.).

Lepidium procumbens L.

Bl. weiss. Mai. ⊙.

192. ***C. pauciflora Koch.*** Armblüthiges H. Blätter ganzrandig, länglich, in den Blattstiel verschmälert, die untern 3spaltig, etwas leyerförmig, die obersten lanzettlich; *Trauben 3—4blüthig, fast doldig; Schötchen rundlich,* stumpf, o. etwas gestutzt.

An Felsen, u. steinigen Orten in Südtirol. — Am Udai in Fassa (Elsm!). Trafoi: bei Franzenshöhe, u. den 3 Brunnen; am Schlern, in Tiers nächst Bozen; Fassa; Badia; Campolungo in Livinallongo; Canal di San Bovo; Judicarien, u. bei Bondon am Lago d'Idro am Felsen von Lodron (Fcch.). Trient: am Doss Trent (Per.). An Felsen in Val d'Ampola gegen Val di Ledro (Bon.).

Bl. weiss. Jun. Aug. ⊙.

53. *Aethionéma R. Brown.* Steinkresse.

Schötchen von der Seite her zusammengedrückt, oval, o. fast kreisrund; Fächer 2—mehrsamig, Klappen kahnförmig, auf dem Rücken geflügelt. Staubfäden zahnlos. Blumenblätter gleich, o. fast gleich. Keimblätter aufeinanderliegend, flach.

193. *A. saxatile R. Br.* Gemeine Steinkresse. Blätter linealisch-länglich, sehr kurz-gestielt, die untersten oval; die fruchttragenden Trauben verlängert; Blüthenstielchen so lang als die Schötchen.

Auf Gerölle der Kalkalpen bis ins Thal herab. — Oberinnthal: am Isarufer bei Scharnitz, u. im Hinterauthal (Hfl.). Pusterthal: bei Höllenstein (Hll.) Wormserjoch, auf der italienischen Seite; Bozen, einmal im Eisackbette hereingeschwemmt; bei Salurn auf Kalkgrus (Hsm.). Bei Neumarkt (Meneghini!); in Fleims bei Fiano; in Fassa bei Vigo (Fcch!). Trient: bei Vela (Hfl.), und bei alle Laste (Per.). Valsugana: Felsen bei Grigno (Ambr.). Steinige Hügel bei Roveredo (Crist.). Am Baldo, Vall delle ossa, u. al Sassetto (Poll!). Judicarien: Bastia di Preore (Bon.).

Thlaspi saxatile L.

Bl. rosenroth. Apr. Jul. ♃.

IV. Unterordnung. NUCAMENTACEAE.

Nussartige Kreuzblüthler.

Schötchen nicht aufspringend, durch Schwinden der Scheidewand manchmal einfächerig. (XV. 1.).

VIII. Gruppe. **Isatideae.** Die Keimblätter aufeinander liegend, flach. Würzelchen auf dem Rücken des einen Keimblattes.

54. *Ísatis L.* Waid.

Schötchen von der Seite her flach zusammengedrückt, oval, oder keilig, mit abfälligem Griffel, nicht aufspringend, später durch Schwinden der Scheidewand 1fächerig, 1samig. Keimblätter aufeinanderliegend, der Länge nach etwas rinnig.

194. *I. tinctoria L.* Färber-W. Schötchen länglich, sehr stumpf, o. ausgerandet, nach der Basis verschmälert, kahl,

herabhängend. Obere Stengelblätter länglich, oder linealisch-lanzettlich, spitz, mit tiefpfeilförmiger Basis sitzend.

Wild bei Layen nächst Bozen (Fcch!).

Angebaut auf Aeckern bei Aichholz nächst Salurn im Etschlande (Hsm.).

Obsolet: Herba vel Folia Glasti seu Isatidis. — Das Kraut dient zum Blau- u. Grünfärben (deutscher Indigo). Der Anbau bei Aichholz soll sehr einträglich sein.

Bl. gelb. Mai, Jun. ⊙.

55. *Neslia Desvaux.* Neslie.

Schötchen fast kugelig, flügellos, mit dem bleibenden Griffel gekrönt, nicht aufspringend, einfächerig, einsamig. Keimblätter aufeinanderliegend, flach.

195. *N. paniculata Desv.* Rispige N. Blätter u. Stengel gablig-behaart; Blätter länglich, o. länglich-lanzettlich, ganzrandig, oder schwach-gezähnt, die wurzelständigen in den Blattstiel verschmälert, die stengelständigen mit pfeilförmiger Basis sitzend. Schötchen kahl, netzig-runzelig.

Auf Aeckern. — Oberinnthal: im Oezthal bei Umhausen (Hfl.). Innsbruck: auf den Gluirscheräckern, u. am Thiergarten (Hfl.). Pusterthal: bei Welsberg (Hll.); bei Lienz in der Bürgerau (Rsch!); Brunecken (M. v. Kern!). Im Zillerthal (Schrank!). Vintschgau: am Strimmhof bei Laas; bei Algund nächst Meran (Tpp.). Am Ritten bei Bozen, auf den meisten Aeckern um Klobenstein, u. Kematen (Hsm.). Roveredo (Crist.).

Myagrum paniculatum L.

Bl. gelb. Jun. Jul. ⊙

IX. Gruppe. **Buniadeae.** Keimblätter aufeinanderliegend, zirkelförmig-eingerollt.

56. *Bunias L.* Zackenschote.

Schötchen gedunsen-eiförmig, stielrund oder 4kantig, nicht aufspringend, 2fächerig, mit übereinandergestellten Fächern; oder 4fächerig, mit paarweise übereinandergestellten Fächern. Fächer einsamig. Keimblätter aufeinanderliegend, zirkelförmig-eingerollt. Bl. gelb. (XV. 1.).

196. *B. Erucago L.* Senfblättrige Z. Schötchen 4fächerig, 4kantig, Kanten geflügelt, gezähnt.

Auf Aeckern. — Im italienischen Tirol an der Veronesischen Gränze (Fcch!).

Blätter schrotsägenförmig, oder ganz.

Bl. gelb. Jun. Jul. ⊙.

V. Unterordnung. LOMENTACEAE.

Gliederhülsige Kreuzblüthler.

Schoten, o. Schötchen quer in einsamige Glieder sich trennend, nicht aufspringend.

X. Gruppe. **Raphaneae.** Die Keimblätter um das Würzelchen rinnig-gefaltet.

57. ***Rapistrum* Boerhave.** Repsdotter.

Schötchen 2gliedrig, oberes Glied eiförmig, längs-gefurcht, in den Griffel zugespitzt, unteres stielartig, jedes Glied 1samig, nicht aufspringend. Same im obern Glied aufrecht, im untern hängend. Keimblätter um das Würzelchen rinnig-gefaltet. (XV. 1.).

197. ***R. rugosum* All.** Runzeliger R. Griffel fädlich, so lang o. länger als das obere Glied des Schötchens; Blätter leyerförmig, kurz-gezähnt, der Endzipfel sehr gross, eiförmig.

Auf Aeckern, an Wegen, u. Schutt im südlichen Tirol. — Bozen: einzeln an den Düngerhaufen ober dem Kalkofen, nun hier fast verschwunden; häufiger an der Landstrasse links gleich nach der Auerer Brücke (Hsm.). Aecker um Trient (Per.). Am Gardasee, ausser der Gränze bei Lazise (Brecht); um Verona (Manganotti!).

Myagrum rugosum L. Cakile rugosa Gaud.

Bl. gelb. Ende Mai, Jun. ⊙.

58. ***Raphanus* L.** Rettig.

Schote walzlich, o. walzlich-kegelig, undeutlich 2fächerig, (die dünne Scheidewand später durch die Samen wechselweise auf die Seite gedrückt), mehrsamig, meist zwischen den Samen eingeschnürt, und allda gliederig-abspringend, oder untheilbar, schwammig-aufgetrieben, u. ohne äusserlich sichtbare Gelenke. Keimblätter rinnig-gefaltet (XV. 2.).

***R. sativus* L.** Garten-Rettig. Schoten walzlich, zugespitzt, wenig länger als ihr Stiel, bei der Reife nicht in Glieder zerfallend.

Häufig gebaut in Gärten, der schwarze Rettig um Bozen auch in Weinbergen u. auf den Maisäckern angesäet. Zufällig nicht selten an Wegen, Schutt etc.

Gebaute Varietäten sind:

α. radicula. Radieschen. Monatrettig. Wurzel kleiner, minder scharf, mit zarterem Fleische, von Farbe weiss, roth, o. violett, fast kugelig, o. länglich-kegelig.

β. griseus. Sommerrettig. Wurzel mittelmässig, etwas schärfer, graulich, o. gelblich-braun, sonst wie *α.*

γ. niger. Winterrettig. Schwarzer R. Wurzel gross, scharf, mit härterem Fleische, schwärzlich, selten weiss, länglich-kegelig, o. fast kugelig.

Der schwarze Rettig officinell: Radix Raphani nigri.

Bl. schwach violett, mit dunklern Adern. — Mai, Jun. ⊙.

198. ***R. Raphanistrum* L.** Acker-R. Schoten perl-

schnurförmig, bei der Reife gerieft, länger als ihr Stiel; Blätter einfach, leyerförmig.

Auf Aeckern, und an wüsten Plätzen. — Bregenz (Str!). Innsbruck: beim Militärspital, u. auf den Aeckern am Hügel hinter Mühlau (Schpf. Hfl.), bei Sistrans (Prkt.). Stubai: bei Mieders (Hfl!); Schwaz (Schm!). Oberinnthal: bei Reutte (Kink.). Kitzbüchl (Unger! Trn.). Lienz, Innervilgraten (Rsch! Schtz.). Welsberg (Hll.). Tefereggen (Schtz.). Im Etschlande bei Salurn; am Ritten gemein bei Unterinn, Kematen, u. Pemmern bis 5000′ (Hsm.). Trient: am Doss Trento (Per!).

Obsolet: Semen Rapistri.

Bl. weiss, o. gelblich-weiss, mit violetten Adern.

Mai, Jul. ⊙.

VII. Ordnung. CAPPARIDEAE. Juss.

Kappernstrauchartige.

Kelch 4blättrig. Blumenkrone 4blättrig. Staubgefässe unterweibig, 6- (aber nicht 4mächtig) o. von unbestimmter Anzahl. Fruchtknoten frei, 1fächerig, oft auf einem verlängerten Fruchtträger. Samen eiweisslos. Keim gekrümmt. Gewächse mit wässerigem Safte; unsere Arten Sträucher.

59. *Cápparis L.* Kappernstrauch.

Kelch 4theilig, in der Knospenlage dachig; Blumenblätter 4. Fruchtknoten auf fadenförmigem Stift. Staubgefässe vielzählig. Kapsel beerenartig. Blätter einfach, ganz. (XIII. 1.).

199. *C. spinosa L.* Stumpfblättriger K. Blüthenstiele einzeln, 1blüthig; Blätter gestielt, rundlich, stumpf, o. ausgerandet; Achseldornen gekrümmt.

In Weinbergmauern bei Bozen, z. B. mit β. im Gandelberge bei Gries, und am St. Antoni-Schlössel; überhaupt im südlichern Tirol in Gärten, an Gütermauern, um Trient, Roveredo, Avio etc. (Hsm.).

β. *ovata.* Blätter eiförmig, spitz. C. ovata Desfont. Koch syn. C. spinosa β. L. Koch Taschenb. — Bozen: am Ansitze Hertenberg, naturlich ursprünglich gepflanzt wie die Species (Hsm.).

Obsolet: Cortex Radicis Capparidis.

Bl. ansehnlich, weiss o. röthlich. — Jun. — Anf. Nov. ♄.

VIII. Ordnung. CISTINEAE. Dunal.

Cistrosenartige.

Blüthen zwittrig. Kelch 5blättrig, die äussern 2 kleiner, manchmal ganz fehlend. Blumenkrone 5blättrig, regelmässig, in der Knospenlage gedreht, bald abfallend. Staubgefässe unterweibig, zahlreich. Fruchtknoten frei. Kapsel 1—mehrfächerig, vielsamig. Griffel einfach, in drei o. mehr Narben gespalten, abfallend. Keim gekrümmt o. schraubenförmig. Kräuter, Halbsträucher, o. Sträucher, zuweilen mit Nebenblättern. (XIII. 1.).

60. *Cistus L.* Cistrose.

Kelch 5blättrig, die 2 äussern Blätter ungleich, oder auch fehlend. Blumenblätter 5, hinfällig. Staubgefässe zahlreich. Kapsel 5—10klappig, an den Klappen unvollkommene Scheidewände. Samen mit dünner, lockerer Schalhaut.

200. ***C. albidus L.*** Weissliche C. Blätter sitzend, länglich-elliptisch, weisslich-filzig, 3nervig. Blüthen endständig, zu 3—8 doldig beisammen. Narbe knopfartig-5lappig, auf deutlichem Griffel.

Auf Hügeln am Gardasee (Poll!) Nach Pona, u. Calceolari am tirolischen Baldo im Thale dell' Artillon! Häufig auf Hügeln am Gardasee über Torri, ausser dem Gebiethe (Fontana!).

Ein aufrechter, ästiger Strauch mit rothen Blumen.

Mai, Jun. ♄.

61. *Heliánthemum Tournef.* Sonnenröschen.

Kelch 5blättrig, die 2 äussern ungleich, o. ganz fehlend. Blumenblätter 5, hinfällig. Staubgefässe zahlreich. Kapsel 3-klappig, 1fächerig, o. unvollständig-3fächerig, Klappen in der Mitte auf den Rändern der Scheidewände o. auf 3 vorspringenden Nerven samentragend. (XIII. 1.).

201. ***H. Fumána Mill.*** Heidekrautblättriges S. ***Nebenblattlos,*** halbstrauchig, niederliegend; Aeste aufstrebend; ***Blätter zerstreut, linealisch,*** fein-stachelspitzig, etwas rauh, schwach-wimperig; Blüthenstiele einzeln, seitenständig, die fruchttragenden zurückgekrümmt; Griffel 3mal so lang als der Fruchtknoten.

Auf warmen Hügeln, u. sonnigen, felsigen Abhängen im südlichen Tirol. — Brixen: bei Tschötsch u. Krahkofel (Hfm.). Vintschgau (Tpp.). Gemein um Bozen z. B. im Hertenberg, Griesnerberg, ober dem Tscheipenthurm etc.; am Ritten am südlichen Abhange des Pipperer bei Siffian bis 3500′ gehend (Hsm.). Bei Eppan unter den Buchhöfen (Hfl.). Roveredo: Weg nach Vallarsa (Crist.). Fassa; Fleims: bei Tesero, und Cavalese (Fcch!). Hügel bei Terlago nächst Trient, und bei Arco (Per!). An der Bastion bei Riva (Hfl.). Am Baldo (Sternberg!). Judicarien: an den Felsen unter Tenno (Bon.).

Bl. goldgelb. Ende Mai — Sept. ♄.

202. ***H. alpestre Reichenb.*** Alpen-S. ***Nebenblattlos,*** halbstrauchig, niederliegend; Aeste aufstrebend; ***Blätter*** ge-

genständig, gestielt, länglich, an der Basis verschmälert, *kahl, o. mit büscheligen Haaren;* Trauben deckblättrig, locker; Kelche auf den fruchttragenden weitabstehenden Blüthenstielchen aufstrebend.

Felsige Orte, u. steinige Triften auf Gebirgen u. Alpen.— Vorarlberg: auf der Mittagspitze, und Dornbirneralpe (Str!), dann am Freschen (Cst!). Zirl u. Telfs (Str!). Innsbruck: am Solstein, Seegruben, u. Achselkopf gegen das Brandjoch, Höttingeralpe (Hfl.). Kalkalpen bei Schwaz (Schm!). Zillerthal (Schrank!). Kalkberge, u. Alpen um Kitzbüchl (Trn.). Pusterthal: bei Welsberg (Hll.); Lienzeralpen (Schtz.); Marenwalder-, Laserzer- u. Lavanteralpen bei Lienz (Rsch!), Dorferalpe bei Lienz u. Innervilgraten (Schtz.). Vintschgau: Wormserjoch (Hsm.); im Suldnerthale (Tpp.). Schmirn (Hfm!). Kalkalpen um Bozen als: Mendel, Schlern u. Seiseralpe (Hsm.). Fassa u. Fleims (Fcch!). Trient: bei Vela, und am tirolischen Baldo (Hfl.). Alpe Spinale (Bon.) Val di Rendena (Eschl!). Valsugana: Gebirge um Borgo (Ambr.). Roveredo: an Felsen der neuen Strasse nach Vallarsa (Crist.).

H. oelandicum α. u. β. Koch syn. H. alpestre Reichenb. Bertoloni. —

Bl. gelb. Jun. Aug. ♄.

203. ***H. marifolium Bertoloni.*** Graufilziges S. *Nebenblattlos,* halbstrauchig, niederliegend, Aeste aufstrebend; *Blätter* gegenständig, gestielt, länglich o. eiförmig, nach unten u. oben zu verschmälert, oberseits mattgrün, angedrückt-behaart, *unterseits grau- oder weissfilzig,* oder besonders in der Jugend beiderseits filzig; Trauben locker deckblättrig; Kelche auf den fruchttragenden weitabstehenden Blüthenstielchen aufstrebend; Griffel so lang als der Fruchtknoten.

An Felsen u. sonnigen Abhängen auf Kalk bis auf mittlere Gebirgshöhe, im südlichen Tirol. — Etschland: an den Kalkfelsen bei Margreid, u. der Mendel (Hsm.). Val di Sol (Tpp.). Val di Non: bei Denno (Hfl!). Hügel um Trient (Per.). Bei Borgo in Valsugana (Montini!). Beseno (Hfl!). Felsen um Roveredo (Crist.). Am Baldo (Sternberg!). Abhänge am Gardasee an der Brescianischen Gränze (Fcch!). Judicarien: Bussè bei Tenno (Bon.).

H. marifolium Bertoloni Fl. ital. tom. V. pag. 360. H. oelandicum γ. tomentosum Koch syn. H. canum Dunal. H. vineale Pers.

Bl. gelb. Mai — Aug. ♄.

204. ***H. vulgare Gaertner.*** Gemeines S. *Mit Nebenblättern,* halbstrauchig, aufstrebend; *Blätter oval, o. linealisch-länglich,* wimperig, kurzhaarig, oder unterseits filzig, am Rande etwas umgerollt; Trauben mit Deckblättern, die fruchttragenden Blüthenstielchen gewunden-herabgebogen; Griffel 2—3mal so lang als der Fruchtknoten.

Auf Hügeln, u. trockenen Triften vom Thale bis in die Alpen, gemein.

Cistus Helianthemum L. Aendert ab:

α. concolor. Reichenb. Blätter beiderseits grün, unterseits blässer. Vorarlberg: bei Bregenz gegen Lindau (Str!); am Freschen (Cst!). Oberinnthal: bei Imst (Lutt!), dann bei Tarrenz (Prkt.). Vill nächst Innsbruck (Prkt.). Thaureralpe (Hfl!). Hügel um Kitzbüchl (Trn.). Schwaz (Schm!). Rattenberg, z. B. am Schlossberg (Wld.). Pusterthal: bei Prax (Hll.); in Tefereggen (Schtz.); um Lienz (Scbtz. Rsch!). Teischnitzalpe bei Lienz (Schtz.). Gemein um Bozen; um Klobenstein am Ritten; Seiseralpe (Hsm.). Zenoberg bei Meran (Iss.). Eppan, u. Deutschmetz (Hfl.). Um Trient (Fcch!). Roveredo (Crist.). Am Baldo (Manganotti!). Vette di Feltre, und Portole (Montini!). Judicarien: bei Campiglio in Rendena (Bon.).

β. discolor. Reichenb. Die dunkelgrünen Blätter unterseits grau, o. weissfilzig. Auf der Mendel, dem Schlern, und Ifinger mit α, und H. alpestre (Hsm.). Padon Fassano (Fcch!). Vette di Feltre (Contareni!).

Sowohl α, als β kommt gross- u. kleinblumig vor. H. grandiflorum All. Reichenb. Icon. Cistin. tab. XXXI. liegt mir vorzüglich schön, von Boni auf der Alpe Lenzada in Judicarien gesammelt, vor. Es kommt nach Sauter auch auf der Mittagspitze u. Dornbirneralpe in Vorarlberg, nach Unger auf den Alpen um Kitzbüchl, u. nach Pollini auf den Alpentriften des Baldo und der umliegenden Gebirge vor!

Die Blumenblätter dieser Art unterliegen häufig Verkümmerungen, als eine solche ist das H. surrejanum Mill., das lanzettliche Blumenblätter hat, u. auch hie u. da in Tirol getroffen wird, anzusehen.

Obsolet: Herba Helianthemi vel Chamaecisti vulgaris.

Bl. gelb, o. gelblich-weiss. Apr. — Sept. ♄.

205. *H. polifolium (Cistus) L.* Poleiblättriges S. *Mit Nebenblättern,* halbstrauchig, niedergestreckt, o. aufstrebend; *Blätter linealisch-länglich,* oben etwas grau, unterseits filzig, *am Rande zurückgerollt;* Trauben mit Deckblättern; die fruchttragenden Blüthenstielchen gewunden-herabgebogen; Griffel 2—3mal so lang als der Fruchtknoten; die innern Kelchblätter sehr stumpf.

Im südlichen Tirol, auf sonnigen steinigen Hügeln und Triften auf Kalk bis an die Alpen. — Auf der Mendel bei Bozen, u. an den Kalkfelsen bei Margreid (Hsm.). Val di Non: bei Castell Brughier, über Cles (Hfl.). Bei Terlago nächst Trient (Per.). Levale bei Borgo (Ambr.). Felsen und Hügel bei Roveredo (Crist.). An der Gränze gegen Bassano bei Fastro ober Primolano (Montini!). Roveredo, Trient, u. am Gardasee an der Brescianischen Gränze (Fcch!). Judicarien: am Castello di Preore (Bon.).

H. pulverulentum De C.

Aendert ab: gross- u. kleinblumig; dann mit linealischen stark zurückgerollten Blättern (auf heissen Lagen), u. mit linealisch-länglichen (auf höher gelegenen oder etwas feuchten Orten). —

Bl. weiss o. weiss etwas ins Gelbe ziehend.

Apr. — Jul. ♄.

IX. Ordnung. VIOLARIEAE. De C.
Veilchenartige.

Blüthen zwitterig. Kelch 5blättrig, bleibend. Blumenblätter 5, unregelmässig. Staubgefässe 5, einer unterweibigen Scheibe eingefügt, frei, o. an der Basis verwachsen. Staubbeutel 2fächerig, einwärts- der Länge nach aufspringend, zusammengeneigt, o. zusammenhängend. Fruchtknoten 1, oberständig, 1fächerig, mit 3 wandständigen, fädlichen, meist vieleiigen Samenträgern. Eierchen umgewendet. Griffel 1. Kapsel 3klappig, Klappen auf der Mitte samentragend. Keim rechtläufig, in der Achse des fleischigen Eiweisses. — Sie enthalten einen scharfen, Erbrechen, auch Purgiren erregenden Stoff, das: Violin. — Unsere Arten: Kräuter mit gestielten, mit Nebenblättern versehenen, spiralig stehenden, bei der Knospung von beiden Seiten eingerollten Blättern.

62. *Viola L.* Veilchen.

Kelch 5blättrig, Blätter an der Basis in ein Anhängsel vorgezogen. Blumenblätter 5, ungleich, das untere nach unten in einen hohlen Sporn verlängert. Staubfäden verbreitert, eine Röhre bildend, aber nicht wirklich verwachsen, die zwei untern an der Basis mit einem spornartigen Anhängsel. (V. 1.).

I. Rotte. *Nomimium Gingins.* Die 2 mittleren Blumenblätter seitlich abstehend, sehr oft gegen die Basis hin bärtig, das unpaarige immer bartlos. Griffel gerade, o. wenig geneigt, an der Basis verschmälert. Die spatern Blüthen-blumenblattlos.

§. 1. Narbe in ein schiefes Scheibchen ausgebreitet, o. an der Spitze schief gestutzt. Die fruchttragenden Blüthenstiele aufrecht an der Spitze backig. Blätter nach dem Verblühen viel grösser.

206. *V. pinnata L.* Fiederblättriges V. Stengellos; ***Blätter*** im Umrisse rundlich, *vieltheilig*, Zipfel 2—3-zähnig. —

Alpen, u. Voralpen, auf Gerölle, an Zäunen u. Wäldern. — Lienzeralpen, u. bei Heilig-Blut (Koch syn.)! Bei Hopfgarten in Tefereggen (Schtz.). Bei Höllenstein nächst Niederdorf (Hll.). Lienz: am Rauchkogel (Schtz.), Marenwalderalpe (Rsch!). Bei Heilig-Blut am Glockner (Pacher). Jenseits des Wormserjoches auf Kalkgrus am Steige vom alten zum neuen Bade von Bormio (Hsm.). Vintschgau: in Nadelwäldern der Voralpen, auch am Fusse des Godria bei Laas auf Glimmerschiefer (Tpp.). Im Gebiethe von Bozen, an Hecken bei Seis, u. am Aufstiege zur Seiseralpe am grossen Pflaster (Hsm.). Stilfserjoch; Völs, u. Castelrutt bei Bozen; Fassa bei Mazzin bis Sorago; in Fleims (Fcch.). In Folgaria (Per.). Alpen von Valsugana, u. an Zäunen bei Grigno, und ober Primolano (Montini.); bei Tezze (Ambr.). Vigolo Vattaro nächst Trient (Moretti!). Am Montalon (Zanardini!).

Bl. blassviolett. Jun. Jul. ♃.

207. *V. palustris L.* Sumpf-V. *Stengellos; Blätter sämmtlich nierenförmig-herzförmig*, kahl; Kelchblätter stumpf; Nebenblätter eiförmig, zugespitzt, kurz-fransig-gezähnelt, o. ganzrandig, frei; fruchttragende Blüthenstiele aufrecht mit hängender Kapsel.

Auf Torfwiesen und an deren Gräben vorzüglich auf Gebirgen, und Voralpen. — Vorarlberg: im Moore längs dem Laagsee bei Fussach; Alpe Garnitza (Cst!), und am Freschen (Str!). In Lisens (Hfl.). Feuchte Wälder, und Moorwiesen um Kitzbüchl, z. B. im Bichlach, u. am Schwarzsee (Trn. Schm.). Pusterthal: bei Welsberg (Hll.); in Tefereggen (Schtz.); bei Lienz (Rsch!). Vintschgau: im Langtaufererthale (Tpp.). Gemein am Ritten bei Bozen, z. B. gegen Kematen, und in den Wiesen zwischen der Tann u. Pemmern (Hsm.). Fassa; Alpen von Tesinò a Velciotto, Copolà, u. alle Viese (Fcch!).

Bl. blass-lila. Mai, Jun. ♃.

§. 2. Narbe in ein herabgebogenes Schnäbelchen verschmälert. Fruchttragende Blüthenstiele auf die Erde niedergedrückt. Blätter nach dem Verblühen viel grösser.

208. *V. hirta L.* Rauhhaariges V. *Stengellos; Ausläufer fehlend,* die seitenständigen Stämmchen zuletzt in kurze Ausläufer verwandelt; *Blätter* eiformig, o. länglich-eiförmig, *die innern spätern tiefherzförmig*; untere *Nebenblätter* eiförmig, obere lanzettlich, alle spitz, o. an der Spitze selbst stumpf, *nebst den Fransen am Rande kahl*, die Fransen kürzer als der Querdurchmesser des Nebenblattes; Kelchblätter stumpf; fruchttragende Bluthenstiele niederliegend; *Kapsel flaumig.* —

Auf sandigen Triften, in lichten Wäldern, und Hecken. — Vorarlberg: gemein um Bregenz (Str!). Oberinnthal: bei Imst (Lutt!). Innsbruck: ober Hötting, Mühlau, u. im Villerberg (Hfl.). Laubwälder um Kitzbüchl, z. B. im Buchwald (Trn.). Zillerthal (Schrank!). Schwaz (Schm.). Pusterthal: bei

Welsberg (Hll.); um Lienz (Rsch!). Brixen (Hfm.). Von Meran aufwärts durch Vintschgau bis Mals (Tpp.). Gemein um Bozen auf sandigen Wiesen, dann im Haslacher Walde, u. am Kühbacher Weyer (Hsm.). Trient (Per.), allda am Wege von Buco di Vela nach Sardagna (Hfl.). Fassa, u. Fleims (Fcch!). Judicarien: bei Stelle nächst Tione (Bon.). Valsugana (Poll!).

Bl. heller- oder dunkler-blauviolett, auch oft ganz weiss, geruchlos. März, Apr. ♃.

209. ***V. collina Bess.*** Hügel-V. ***Stengellos; Ausläufer fehlend,*** o. die seitenständigen Stämmchen zuletzt in kurze Ausläufer verwandelt; ***Blätter*** breit-eiförmig, ***tief-herzförmig; Nebenblätter*** lanzettlich, verschmälert-haarspitzig, ***fransig, am Rande nebst den Fransen fein-rauhhaarig;*** die mittlern Fransen von der Länge des Querdurchmessers des Nebenblattes; Kelchblätter stumpf; fruchttragende Blüthenstiele niederliegend; ***Kapsel flaumig.***

Am Freundsberg bei Schwaz (Schm.). Im Gebüsche zwischen Prad, u. Tschengels im Vintschgau (Tpp.). Bei Heilig-Blut im benachbarten Kärnthen (Hoppe!). Im Gebiethe von Bozen: am Ritten bei 4600′ in einem ausgehauenen Walde südöstlich am obern Kemater Weyer selten (Hsm.). Valsugana: bei Borgo (Ambr.).

V. umbrosa Hoppe.

Bl. blassblau, wohlriechend. Apr. Jun. ♃.

V. sciaphila Koch. Schatten-V. ***Stengellos; Ausläufer fehlend; Blätter*** breit-eiförmig, ***durch einen breiten offenen Ausschnitt herzförmig;*** Nebenblätter spitz, fransig, u. nebst den Fransen am Rande kahl, die innern an der Spitze feinwimperig, Fransen kürzer als der Querdurchmesser des Nebenblattes; Kelchblätter stumpf; fruchttragende Blüthenstiele niederliegend; ***Kapsel kahl.***

Schattige Orte der Gebirge u. Voralpen in Tirol (Sauter in Koch syn. ed. 2.)! Nach einer Berichtigung Sauter's (Flora 1844 p. 134, u. 1839 p. 259) nicht in Tirol, wohl aber nicht weit von der Gränze im Salzburgischen am Sonnberge bei Mittersill! — V. umbrosa Saut.

Bl. violett, am Schlunde weiss; wohlriechend. Apr. Mai. ♃.

210. ***V. odorata L.*** Märzen-V. ***Stengellos; Ausläufer verlängert; Blätter*** breit-eiförmig, tief-herzförmig, die ***der Sommer-Ausläufer nieren-herzförmig; Nebenblätter*** ei-lanzettförmig, spitz, ***am Rande nebst den Fransen kahl,*** an der Spitze fein-wimperig, Fransen viel kürzer als der Querdurchmesser des Nebenblattes; Kelchblätter stumpf; fruchttragende Blüthenstiele niederliegend; Kapseln flaumhaarig.

An Zäunen, Hecken, u. Weinbergen. — Innsbruck (Hfl.). Zillerthal (Moll!). An begrasten Plätzen der Bergabhänge um

Kitzbückl nur sparsam (Unger!). Lienz (Schtz.). Bozen hie u. da in Weinbergen, jedoch viel seltener als folgende, u. vielleicht nur verwildert, z. B. in meinem Weingarten in der Stadt. Meran: am Kiechelberg (Iss!). Judicarien: bei Tione (Bon!). Die zwei letztern Standorte dürften mit folgender zu vergleichen sein.

Mit gefüllten Blumen häufig in Gärten, um Bozen auch in Weinbergen gepflanzt. — Officinell: Flores Violarum.

Bl. wohlriechend, violettblau. März, Apr. ♃.

211. ***V. suavis M. B.*** Liebliches V. ***Stengellos; Ausläufer verlängert; Blätter*** breit-eiförmig, tief-herzförmig, ***an den Sommer-Ausläufern nieren-herzförmig; Nebenblätter*** lanzettlich zugespitzt, ***an der Spitze nebst den Fransen flaumig-wimperig,*** Fransen verlängert, von der Länge des halben Querdurchmessers des Nebenblattes; Kelchblätter stumpf; fruchttragende Blüthenstiele niederliegend; Kapseln flaumhaarig.

An Hecken, im Gebüsche an Abhängen, auf Hügeln. — Gemein um Bozen, z. B. am Hertenberge, am Tscheipenthurm, im Gandelhofe bei Gries etc. (Hsm.). Trient: Piè di Castello, und Sardagna (Hfl.). Roveredo (Crist.). — V. suavis Reichenb. Icon. Viol. tab. VIII. — Gebrauch wie bei Voriger.

Blumen wohlriechend, blauviolett, in der Mitte zu einem Drittheil weiss, obere Blumenblätter abgerundet, kaum halb so breit als das untere ausgeschweifte, dunkel-linirte. Kraut bleicher als das der Vorigen, mehr gelbgrün. Um Bozen nicht selten schon Jänner und Febr., allgemein Anf. März. ♃.

§. 3. Narbe in ein herabgebogenes Schnäbelchen verschmälert. Fruchttragende Blüthenstiele unverändert; Kapsel nickend. Die Sommerpflanze der des Frühlings meist unähnlich; diese einfach, Blüthen langgestielt, mit Blumenblättern, die Nebenblätter grösser; die Sommerpflanze ästig, Blüthen blumenblattlos, Bläter an den Aesten kurzgestielt. Nebenblätter klein.

212. ***V. arenaria De C.*** Sand-V. ***Stengel niederliegend,*** aufstrebend, von sehr kurzem Flaum etwas graugrün, o. kahl; ***Blätter herzförmig, stumpf,*** klein-gekerbt, die untern nieren-herzförmig; ***Nebenblätter*** eiförmig-länglich, gefranst-gesägt, ***mehrmal kürzer als der Blattstiel;*** Kelchblätter länglich-lanzettlich, spitz; Kapsel eiförmig, meist stumpf.

Auf sandigen Triften, und Hügeln, auch an Dämmen. — Vorarlberg: am Seeufer bei Bregenz (Str!). Innsbruck: in der Reichenau, u. auf der Gallwiese (Hfl.). Kitzbüchl (Trn.). Welsberg (Hll.). Bei Sagritz im angränzenden Kärnthen (Pacher). Brixen (Hfm.). Vintschgau: von Rabland bis Graun, u. Reschen (Tpp.). Um Bozen nicht gemein z. B. am Wiesendamme in Haslach mit V. hirta, und selten auf der Wiese im Talferbette bei St. Antoni mit V. sylvestris (Hsm.). Hügel in Fassa; in

Val di Non; überhaupt gemein im ganzen italienischen Tirol (Fcch.). Ueber Cles gegen Vergondola (Hfl!). Trient: bei Santa Colomba (Per.).

V. Allionii Pio.

Bl. blassviolett, seltener weisslich. Ende Apr. Mai. ♃.

213. ***V. sylvestris Lam.*** Wald-V. ***Stengel niederliegend, u. aufstrebend,*** kahl, o. etwas flaumhaarig; ***Blätter*** deutlich-***herzförmig, u. eiförmig, o. fast nierenförmig, kurzzugespitzt,*** die untern stumpf; Blattstiele flügellos; die mittlern stengelständigen ***Nebenblätter*** lanzettlich, nach vorne verschmälert, gefranst-gesägt, ***mehrmal kürzer als der Blattstiel;*** Kelchblätter lanzettlich-zugespitzt; Kapsel spitz.

In Wäldern, an Hecken, auch auf Wiesen bis an die Voralpen. — Innsbruck: am Villerberg (Hfl.). Auen um Kitzbüchl (Trn.). Schwaz (Schm.). Welsberg (Hll.). Tefereggen, u. um Lienz (Schtz.). Brixen (Hfm.). Oberinnthal: im Oetzthale bei Fend; Vintschgau: bei Martell u. Prad (Tpp.). Gemein um Bozen, z. B. im Haslacher Wald, u. gegen Runkelstein, dann am Ritten bis 3800′, wo folgende beginnt (Hsm.). Trient (Per. Hfl!). Valsugana: bei Borgo (Ambr.). Judicarien: bei Stelle (Bon.).

β. ***Riviniana.*** Blüthen grösser, blässer, Sporn oft weisslich. — V. Riviniana Reichenb. — Diese Var. ist um Bozen die häufigere, und kommt auch um Innsbruck und bei Welsberg vor.

Bl. blau, mehr oder weniger ins Violette spielend.
Ende Apr. Mai. ♃.

214. ***V. canina L.*** Hunds-V. ***Stengel niederliegend, und aufstrebend,*** kahl, oder etwas flaumhaarig; ***Blätter aus einer herzförmigen Basis länglich-eiförmig, spitzlich*** (nicht zugespitzt), die untern stumpf, Blattstiele flügellos, die mittlern stengelständigen Nebenblätter länglich-lanzettlich, gefranzt-gesägt, ***mehrmal kürzer als der Blattstiel;*** Kelchblätter eiförmig-lanzettlich, verschmälert-spitz; Kapsel gestutztstumpf, bespitzt; Sporn meist doppelt so lang als die Anhängsel des Kelches.

An Rainen, u. lichten Wäldern bis an die Alpen. — Vorarlberg: auf magern Wiesen im Rheinthale (Cst!); gemein um Bregenz (Str!). Innsbruck (Hfl.). Im Längenthal (Prkt.). Kitzbüchl: gemein in Auen (Trn.). Lienz (Schtz.). Brixen viel seltener als die Vorige (Hfm.). Am Ritten: bei Klobenstein von 3600′ im Krotenthale, und am Pipperer, bis Pemmern, und am Glöck der Rittneralpe bei 5300′ überall sparsam (Hsm.). Val di Non: Castell Brughier (Hfl!).

Bl. blau. Sporn gelblich-weiss. Mai, Jun. ♃.

215. ***V. Schultzii Bill.*** Schultz's V. ***Stengel aufrecht,*** kahl; ***Blätter herz-eiförmig,*** vorne etwas zugespitztverschmälert, Blattstiel oberwärts geflügelt; die stengelständi-

gen *Nebenblätter* länglich-lanzettlich, blattig, tief-gezähnt, *die mittleren halb so lang als der Blattstiel*, die oberen so lang als derselbe; Kelchblätter spitz, *der Sporn 2—3mal so lang als die Anhängsel des Kelches, zugespitzt, an der Spitze aufwärtsgekrümmt, zweispitzig.*

Auf Torfwiesen bei Hafling im südlichen Tirol (Koch Taschenb.)! Mit Folgender auf feuchten Wiesen bei Schlanders, und Schluderns (Tpp.).

Bl. bläulich, o. weisslich, Sporn gelblich. Mai, Jun. ♃.

216. *V. stricta Hornem.* Rupp's V. *Die Stengel aufrecht*, kahl; *Blätter herz-eiförmig, vorne etwas zugespitzt-verschmälert;* Blattstiel oberwärts geflügelt; die stengelständigen *Nebenblätter* länglich-lanzettlich, blattig, fransiggezähnt, *die mittlern um die Hälfte kürzer als der Blattstiel, die obern so lang als derselbe;* Kelchblätter spitz; Sporn etwas länger als die Anhängsel der Kelchblätter, stumpf.

In Hainen im Etschlande (Koch Taschenb.)! Vintschgau: auf feuchten Wiesen bei Schlanders und Schluderns mit Voriger (Tpp.).

V. Ruppii Koch syn. ed. 1.

Der kürzere stumpfe Sporn dieser geht durch eine mehr o. weniger tiefe Rinne an der Spitze desselben, allmählig in den längern 2spitzigen Sporn der Vorigen über, u. beide dürften naturgemässer nur eine Art: V. Ruppii All. Reichenb. bilden. —

Bl. blassblau. Jun. Jul. ♃.

217. *V. stagnina Kitaib.* Pfützen-V. *Stengel aufrecht*, kahl; *Blätter aus einer herzförmigen Basis länglich-lanzettlich*, Blattstiel oberwärts etwas geflügelt; die mittlern stengelständigen *Nebenblätter* lanzettlich, zugespitzt, fransig-gesägt, *um die Hälfte kürzer als der Blattstiel, die obern so lang als derselbe;* Kelchblätter spitz; Sporn meist so lang als die Anhängsel der Kelchblätter.

Auf sumpfigen Orten. Vorarlberg: im Fussacher Ried, u. bei Höchst (Cst.).

Bl. blassblau o. lila, getrocknet weiss. Mai, Jun. ♃.

218. *V. elatior Fries.* Pfirsichblättriges V. *Stengel aufrecht, oberwärts nebst den Blättern flaumhaarig;* Blätter aus einer seicht-herzförmigen Basis lanzettlich, Blattstiel geflügelt; *die mittleren stengelständigen Nebenblätter blattig*, länglich-lanzettlich, eingeschnitten-gezähnt, *länger als der Blattstiel;* Kelchblätter spitz; Sporn so lang als die Anhängsel der Kelchblätter, o. ein wenig länger.

Auf mässig feuchten Grasplätzen im Etschlande. — In Menge bei Salurn, auf den sogenannten Wieseln; zerstreut auch bei Margreid, Auer, u. Pranzoll (Hsm.). Auer, u. Salurn (Fcch.).

V. persicifolia Schkuhr. Reichenb.

Bl. blau. Mai, Jun. ♃.

219. ***V. mirabilis L.*** Wunder-V. *Stengel aufrecht, einzeilig-behaart*, die Blattstiele am Kiele haarig; Blätter breit-herzförmig, kurz-zugespitzt, klein-gekerbt, die untern fast nierenförmig; Nebenblätter länglich-lanzettlich, zugespitzt, die obern mit kurzen Börstchen gewimpert, übrigens ganzrandig, o. etwas gezähnelt; die wurzelständigen Blüthen mit Blumenblättern versehen, die stengelständigen blumenblattlos.

Am Gebüsch auf Hügeln, u. in Gebirgswäldern. — Vintschgau: zwischen Prad, u. Tschengels (Tpp.). Bei Bozen (Elsm!). Wälder von St. Pauls bei Bozen; Auer, u. Neumarkt (Fcch!). Trient: am Doss San Rocco gegen Norden (Hfl.). Valsugana: bei Borgo (Ambr.), und Wälder ober Primolano (Montini!). Häufig bei Roveredo (Poll!). In Valsorda (Crist.).

Bl. blau ins Röthliche o. lila. Apr. Mai. ♃.

II. Rotte. ***Dischidium. Ging.*** Die 4 obern Blumenblätter aufwärts gerichtet, und aufwärts dachig. Griffel an der Basis herabgekrümmt, u. dann in einen Winkel gebogen sich erhebend, oberwärts keulig-verdickt; Narbe flach, fast 2lappig.

220. ***V. biflora L.*** Zweiblüthiges V. *Stengel* schwach, *meist 2blättrig, 2blüthig; Blätter nierenförmig*, sehr stumpf, gekerbt; die Nebenblätter eiförmig, ganzrandig; Kelchblätter spitz.

An feuchten schattigen Orten, u. Gebüschen der Gebirgs- u. Alpenthäler. — Vorarlberg: auf den Dornbirneralpen (Str!). Alpen bei Zirl u. Telfs (Str!), u. bei Imst (Lutt!). Rossberg bei Vils (Frl!). Innsbruck: in der Klamm, u. auf der Höttingeralpe (Eschl.), Thaureralpe (Hfl!). Längenthal (Prkt.). Kellerjoch (Hrg!). Auen u. Alpen um Kitzbuchl (Trn.). Hainzenberg im Zillerthal (Moll!), Sonnenwendjoch bei Rattenberg (Wld.). Welsberg (Hll.). Alpe Ködnitz in Kals (Schtz.). Innichen (Stapf.). Hofalpe u. Gössnitz (Schtz.). Lienz: an den Felsen bei Schlossbruck, und auf den Alpen umher (Rsch! Schtz.). Alpen um Brixen (Hfm.). Vintschgau: bei Laas (Tpp.), bei Glurns (Eschl!). Am Wasserfalle bei Partschins ober Meran u. am Schneeberg (Iss.). Josephsberg bei Meran; am Jaufen (Kraft.). Falgamaierjoch (Giov!). Wormserjochstrasse; Ifinger bei Meran; Schlern, u. Seiseralpe; Weg von Leifers nach Weissenstein; auf der Mendel, u. bei Margreid am Kalkofen fast in die Ebene herab; Ritten: im Sallrainerthälchen bei Lengmoos, u. von hier auf die Rittneralpe (Hsm.). Fassa, u. Fleims (Fcch!). Monte Gazza bei Trient (Per.). Valsugana: am Monte Sella bei Borgo (Ambr.). Gebirge um Roveredo (Crist.). Am Baldo, Bondone, u. Spinale (Poll!). Baldo: am Altissimo (Hfl!). Alpen in Judicarien (Bon.).

Bl. gelb, braun-gestreift. Mai, Aug. ♃.

III. Rotte. ***Melánium De C.*** Die 4 obern Blumenblätter aufwärts gerichtet, und aufwärts-dachig. Griffel aufstrebend, oberwärts keulig, Narbe gross, krugförmig, auf beiden Seiten mit einem Haarbüschel, und unterwärts mit einem Lippchen versehen.

221. ***V. tricolor. L.*** Dreifärbiges V. Stiefmütterchen. *Jährig.* Wurzel einfach; Stengel aufstrebend ästig; Blätter gekerbt, die untern ei-herzförmig, eirund, o. länglich, gekerbt. ***Nebenblätter leyerförmig-fiederspaltig, der mittlere Zipfel viel grösser, meist gekerbt.*** Sporn etwas länger als die Anhängsel der Kelchblatter.

Gemein auf Aeckern, in Gärten, an Wegen; im nördlichen Tirol auch auf Wiesen. — Oberinnthal: im Oetzthale (Hfl.); bei Imst (Lutt!). Innsbruck: Aecker bei Wiltau (Prkt.). Im Aachenthale in herrlichem Farbenschmelze ganze Wiesen überziehend (Hsm.). Ebenso um Kitzbüchl (Schm.). Zillerthal (Moll!). Welsberg (Hll.). Tefereggen und bei Lienz (Schtz.). Vintschgau: bei Laas; Meran: am Kiechelberge (Tpp.). Eppan (Hfl.). Gemein um Bozen, u. um Klobenstein am Ritten vorzüglich V. arvensis Murr. (Hsm.). Roveredo (Crist.). Judicarien: um Tione (Bon.). Fassa (Rainer!). Primiero (Petrucci!).

Grösse der Blumenblätter äusserst wandelbar, oft und zwar an Wegen u. trockenen Aeckern nur so gross o. selbst kleiner als die Kelchblätter, auf gutem Boden, in Gärten, u. auf Wiesen grösser als selbe. Eben so mannigfaltig ist die Farbe: gelb, weiss, blau u. violett, ein- o. mehrfärbig, in allen Nüancen, u. zwar sowohl an der klein- als an der grossblumigen Form. Der mittlere Lappen der Nebenblätter ist nicht selten auch ganzrandig, wie auch Döll (Rheinische Flora Seite 653) bemerkt. — Var. ferner:

β. ***hirta.*** Von wagrecht abstehenden kurzen Haaren mehr o. weniger rauh. Oberinnthal: bei Ladis (Gundlach.). Sehr selten bei Klobenstein am Ritten (Hsm.). Blumenblätter dieser Abart an Grösse wandelbar wie die der Species; Farbe schön violett, an der Basis gelblich. Mittlerer Lappen der Nebenblätter ganzrandig o. gekerbt.

Officinell: Herba Jaceae vel Violae tricoloris.

Apr. Oct. ⨀.

222. ***V. lutea Huds.*** Gelbes V. ***Mehrjährig. Wurzel mit fädlichen ausdauernden Trieben;*** Stengel meist einfach, aufstrebend; Blätter gekerbt, die untern eiherzförmig, o. eirundlänglich; ***Nebenblätter handförmig-zerschlitzt, gewimpert, Zipfel linealisch, o. der mittlere breiter.*** Sporn kaum länger als die Anhängsel des Kelches.

Auf steinigen feuchten Alpentriften des südlichen Tirols. — Aendert ab: *a.* mit einfärbigen hochgelben kleinen Bl. V. saxatilis Reichenb. Icon. Viol. tab. XXIII.; *b.* mit einfärbigen doppelt-grössern V. lutea Reichenb. wie oben, und wenn die Blüthen sehr gross sind: V. grandiflora Vill. Reichenb. wie oben; u. *c.* mit grössern zweifärbigen gelb u. violetten Blumenblättern V. [sudetica Reichenb. wie oben. Die Var. *a* auf der Seiseralpe, in Innervilgraten, und Val di Non an der Novellamündung (Hsm. Scbtz. Hfl!), die Var *b* u. *c* im Suldenthale, u. am Wormserjoche (Hrg! Hsm.). — Im Garten habe ich aus Samen der V. sudetica alle obigen Varietäten gezogen. Die ganze Art unterscheidet sich übrigens wohl nur durch die mehrjährige Wurzel von der vorigen, die übrigens manchmal auch 2jährig ist. Jun. Jul. ♃.

223. ***V. heterophylla Bertoloni.*** Verschiedenblättriges V. ***Blätter*** gekerbt, die untern eiförmig, o. länglich, ***die obern lanzettlich-linealisch; Nebenblätter fingerig-vieltheilig,*** Zipfel linealisch, der mittlere nur ein wenig breiter; Sporn länger als die Anhängsel des Kelches, halb so lang als die Blumenkrone; Stämmchen kriechend, fädlich, Stengel einfach.

Südwestliche Gebirge Tirols. — In Felsenspalten auf Tremali in Val di Ledro; Tombèa in Val di Vestino, u. mit Gebirgsbächen bis in die Region des Mais herabgeschwemmt, unter der Pfarre Turano (Fcch.). Alpe Gavardina bei Tione in Judicarien (Bon.).

Bl. violett. Jul. Aug. ♃.

224. ***V. calcarata L.*** Langsporniges V. ***Blätter gekerbt,*** eiförmig, o. die obern länglich, o. lanzettlich; Nebenblätter ganz, o. 3spaltig-gezähnt, u. fast fiederspaltig; ***Sporn so lang als die Blumenblätter;*** Stämmchen kriechend, fädlich; Stengel ganz einfach.

Alpentriften des westlichen Tirols. — Vorarlberg: Weisse Wand, Joch zwischen Montafon u. dem Prättigau der Schweiz (Cst!); am Uebergang von Krumbach ins Illerthal (Tir. B!). Alpen bei Füssen (Schrank!). Auf dem Steinjoch in Pfafflar (Lutt.). In Langtaufers mit β. (Tpp.). Wormserjoch: Weg nach Taufers (Eschl.), unb östlich über Franzenshöhe an der Schafweide (Gundlach).

β. ***flava.*** Bl. gelb. Vintschgau in Langtaufers mit *α* (Tpp.).

Bl. violett, o. gelb. Jul. Aug. ♃.

225. ***V. cenisia L.*** Cenisisches V. ***Blätter ganzrandig,*** die untern eiförmig, die obern öfters länglich; die obern Nebenblätter spatelförmig, an der Basis ganz, o. daselbst auf beiden Seiten 1—2zähnig, o. 2—4theilig mit spatelförmigen Zipfeln; ***Sporn so lang als*** die Kelchblätter; Stämmchen kriechend, fädlich.

Gebirge bei Trident (Host!). Allda auch von Pollini gefunden (Bertoloni fl. ital. tom. II. pag. 711.)!

Bl. violett. Jul. Aug. ♃.

X. Ordnung. RESEDACEAE. De C.

Resedenartige.

Kelch bleibend, 4—6theilig. Blumenkrone unregelmäsig. Staubgefässe 10—24, mit dem Fruchtknoten auf einem, nach einer Seite in eine drüsige Scheibe verbreiterten Fruchtträger eingefügt. Fruchtknoten einfächerig, an der Spitze offen, 3—6-lappig, Lappen in einen kurzen kegelförmigen Griffel ausgehend, Samenträger 3—6 an den Nähten, vieleiig; oder 4—6 getrennte, an der Basis offene, u. daselbst 1—2eiige Früchtchen. Keim gleichläufig-gekrümmt, meist eiweisslos. Einjährige oder ausdauernde Pflanzen mit wässerigem Safte, und zerstreuten Blättern.

63. ***Reséda L.*** Resede.

Kelch 4—7theilig. Blumenblätter 4—7, ganz, o. mannigfaltig-gespalten. Staubgefässe 10—24. Kapsel 3—6eckig, häutig, an der Spitze offen, mit den 3—6 Griffeln endend, einfächerig, Samenträger mit den Griffeln abwechselnd. (XI. 3.).

I. Rotte. ***Reseda Tournef.*** Kelch- und Blumenblätter 5—6. Narben 3—4.

226. ***R. Phyteuma L.*** Grosskelchige R. ***Blätter*** stumpf, ***die mittleren stengelständigen vorne 3spaltig;*** Blüthenstielchen so lang als der Kelch; Kelch 6theilig, Zipfel länglich, bei der Frucht vergrössert; Kapsel länglich-keulig, stumpf-kantig; Stengel ausgebreitet; Narben 3.

In Tirol (Laicharding!). Am Gardasee, doch ausser der Gränze: bei Lazise, Gargnano, u. Salò (Poll!). Im angränzenden Veronesischen bei Chiusa (Pona!).

Bl. weisslich. Jun. Aug. ☉.

R. odorata L. Wohlriechende R. ***Blätter ungetheilt, o. 3lappig;*** Kelch 6theilig, so lang als die Blumenblätter, kürzer als das Blüthenstielchen. Kapsel länglich, oder elliptisch.

Eine wegen ihres Wohlgeruches häufig gepflanzte, in Gärten fast verwildernde Zierpflanze.

Bl. weisslich. Jun. — Sept. ☉.

227. ***R. lutea L.*** Gelbe R. ***Blätter*** im Umrisse 3eckig, ***die mittleren stengelständigen doppelt-fiederspaltig,*** die obern 3spaltig; Blüthenstielchen so lang als der Kelch; Kelch 6theilig, Zipfel linealisch; Stengel ausgebreitet.

An Wegen, Mauern, u. Schutt. — Vorarlberg: selten bei Dornbirn (Str!). Brennbüchl bei Imst (Lutt!). Innsbruck: an der Arche der Sill auf dem Eurat (Schpf.); um Rattenberg z. B. bei Kramsach (Wld.). Pusterthal: bei Hopfgarten in Tefereggen (Schtz.); bei Lienz, unweit der Messingfabrik (Rsch!). Brixen

(Hfm.). Bozen gemein, z. B. am Kalkofen, am kühlen Brünnel unter dem Wege, am hohen Wege bei Rentsch; Auer, Margreid etc. (Hsm.). Castell Brughier (Hfl!). In Fleims bei Predazzo, u. Cavriana (Fcch!). Cavalese (Parolini!). Trient (Per.). Roveredo (Crist.). Judicarien: bei den Bädern von Comano (Bon.). Valsugana: bei Borgo (Ambr.).

β. *gracilis.* Stengel sehr weitästig, aufsteigend, Blätter linealisch-fiederspaltig, und 3spaltig; Fiedern alle einzeln, und linealisch; Kelch 6theilig; Frucht umgekehrt-eiförmig-länglich, in einen Stift verdünnt (die der Species in der Mitte bauchig). R. gracilis Tenor. Reichenb. Icon. Tetradyn. tab. CII. Trauben vielblüthiger als an der Species. An meinen Exemplaren, die ich bei St. Peter nächst Auer an sehr dürren Stellen unter der gewöhnlichen Form fand, hatte die Samenbildung fehlgeschlagen, woher sich wohl die Gestalt der Fruchtkapseln ableiten liesse? — Obsolet: Radix Resedae vulgaris.

Bl. gelblich. Jun. Aug. ⊙.

228. ***R. suffruticulosa L. Bertol.*** Kleinstrauchige R. Stengel aufrecht, o. aufsteigend. Blätter alle gefiedert, die wurzelständigen rasenartig-beisammen, flach, o. mehr o. weniger gewellt. Kelch meist 5theilig. Blumenblätter 5, alle 3spaltig. Blüthen 4narbig.

Aus dem Etschlande erhalten durch Dr. Facchini (Bertoloni)!

Reseda suffruticulosa, undata u. alba Reichenb. Icon. Tetrad. tab. CI. R. suffruticulosa Bertoloni Flor. ital. tom. V. pag. 29.

Bl. weiss. Mai — Sept. ⊙. ♃.

II. Rotte. ***Lutéola Tournef.*** Kelchblätter 4. Narben 3.

229. ***R. Luteola L.*** Färber-R. Wau. ***Blätter*** verlängert-***lanzettlich***, kahl, ***an der Basis 1zähnig;*** Kelch 4theilig; Stengel aufrecht.

An Rainen, und Wegen. — Durch ganz Vintschgau, z. B. bei Eiers, dann jenseits des Wormserjoches bei den Bädern von Bormio (Hsm.); bei Laas (Tpp.).; Meran (Fcch!).

Obsolet: Radix et Herba Luteolae.

Bl. gelblich. Jun. Aug. ⊙.

XI. Ordnung. DROSERACEAE. De C.

Sonnenthauartige.

Blüthen zwitterig, regelmässig. Kelch 5blättrig, frei. Blumenblätter 5, regelmässig, unterweibig, mit den Kelchblättern wechselnd. Staubgefässe unterweibig, von der Zahl der Kelchblätter o. doppelt so viele (selten 3- o. 4mal so viele). Staubfäden frei, fädlich, o. linealisch. Fruchtknoten frei, 1-, selten 2—3fächerig. Samenträger wandständig. Griffel meist mehrere, oft getheilt, o. pinselartig zerschlitzt, o. mehrere Narben, Narben kopfförmig. Keim gerade. (Kräuter ohne Nebenblätter; mit meist grundständigen, spiraligen, seltener gequirlten Blättern.)

64. ***Aldrovánda. Monti.*** Aldrovande.

Kelch 5blättrig, gleich. Blumenblätter 5, ohne Nebenkronenblättchen, von der Länge des Kelches, eiförmig-lanzettlich, zusammenneigend. Staubgefässe 5, mit den Blumenblättern wechselnd. Staubfäden pfriemlich. Griffel 5, kurz-fädlich. Narben stumpf. Kapsel kugelig, einfächerig, 5klappig, Klappen in der Mitte je 2 Samen tragend. (V. 5.).

230. ***A. vesiculosa L.*** Blasige A. Einzige Art. — Kleine schwimmende durchsichtige, blassgrüne, o. schmutzig gelbgrüne Wasserpflanze. Stengel einfach, o. mit einem einfachen kürzern seitlichen, oft zweispaltigen Aste, Zoll — Spannhoch. Blätter gequirlt zu 6 — 9 an den Gliedern des Stengels. Blattstiel keilförmig zellig-gedunsen, in 5 borstenförmige Wimpern ausgehend, die länger sind als die löffelartig gebildete Platte. Die gestielten Blüthen einzeln in den Achseln der Blätter. Blumenblätter weisslichgrün, kaum länger als der Kelch. — Diese nicht nur für Tirol, sondern für ganz Deutschland*) neue, zierliche Pflanze, die bisher nur in Gräben und Teichen Italiens (bei Bologna, dann in Piemont), u. Frankreichs (Montpellier) gefunden wurde, fand im Sommer 1847 Dr. Custer im östreichischen Rheinthale in einem kleinen Tümpel reinen Wassers im Moore nahe am sogenannten Laagsee ungefähr eine halbe Stunde vom Ufer des Bodensees, und etwa 3/4 Stunden von Fussach, Landgerichts Dornbirn, u. theilte mir 3 Exemplare mit. Die Oberfläche des Tümpels war nach einer weitern Mittheilung ganz mit Utricularia minor u. Aldrovanda bedeckt.

Jul. Aug. — Nach Reichenbach ⊙, nach Allioni ♃.

65. ***Drósera L.*** Sonnenthau.

Kelch 5spaltig, o. 5theilig, gleich. Blumenblätter 5, verkehrt-eiförmig, ohne Nebenkronenblättchen. Staubgefässe 5, mit den Blumenblättern wechselnd; Staubfäden linealisch-pfriemlich. Griffel endständig, 3—5theilig, Schenkel einfach, oder 2spaltig. Kapsel 1fächerig, 3—5klappig, Klappen auf der Mitte Samen tragend. Bl. weiss. Sumpfliebende Kräuter, deren Blätter zierlich mit drüsentragenden Haaren bestreut, und gewimpert sind. (V. 5.).

231. ***D. rotundifolia L.*** Rundblättriger S. ***Blätter kreisrund;*** Schaft aufrecht, 3mal so lang als die Blätter.

Auf Mooswiesen u. Sümpfen bis an die Alpen. — Vorarlberg: im Bodenseerried, u. Laagsee (Cst!); im Ried bei Bre-

*) Nach einer spätern Mittheilung des Herrn Hofrathes Koch wurde die Pflanze fast gleichzeitig auch in Schlesien aufgefunden.

genz (Str!). Innsbruck: bei Sistrans (Karpe). Kitzbüchl: am Schwarzsee (Trn.). Pusterthal: in den Gsiessermösern (Hll.); bei Lienz (Schtz.), allda ober dem Taxhofe (Rsch!). Am Kollererberge bei Bozen am sogenannten Todten-Moose (Gundlach.). Gemein am Ritten z. B. in der Sumpfwiese hinter Rappesbüchel in der sogenannten Grube, am Klee ober Kematen, unter Pfaffstall links am Alpenwege, dann rechts unter Pemmern (Hsm.). Voralpen um Trient (Per.). Valsugana: ober Telve gegen Pontarso (Ambr.). Judicarien: bei Dravegon nächst Tione (Bon.).

Officinell: Herba Rorellae, vel Roris Solis.

Bl. weiss. Anf. Jul. ♃.

332. ***D. longifolia L.*** Langblättriger S. *Blätter linealisch-keilig;* Schaft aufrecht, noch 1mal so lang als die Blätter.

In tiefern Sümpfen. — Vorarlberg: im Laagsee, u. Bodenseerried (Cst!); im Ried bei Bregenz (Str!). Innsbruck: bei Sistrans (Karpe.), u. bei Lans (Hfl.). Kitzbüchl: am Schwarzsee (Trn.). Pusterthal: in den Gsiesermösern (Hll.), u. mit Voriger bei Lienz (Rsch! Schtz.), Tristacheralpe (Ortner.). Valsugana: zwischen Pontarso, und Telve (Ambr.). Judicarien: bei Tione mit Voriger (Bon.).

β. *obovata.* Blätter verkehrt-eiförmig, o. verkehrt-eiförmig-keilig.

D. obovata M. u. K. — Am Schwarzsee bei Kitzbüchl (Trn.). Im Lanser Torfmoor bei Innsbruck (Hfl.). Bei Tione, wie oben.

Gebrauch wie bei Voriger.

Bl. weiss. Jul. Aug. ♃.

233. ***D. intermedia Hayne.*** Mittlerer S. *Blätter verkehrt-eiförmig-keilig; Schaft* an der Basis bogig, oder niederliegend, *aufstrebend,* wenig länger als die Blätter.

Tiefe Sümpfe. — Vorarlberg: zwischen Fussach u. Höchst im Bodenseerried, vorzüglich am Laagsee (Cst.). Judicarien: bei Tione (Giornale agrario Trentino. 1844. Nr. 49.)!

Bl. weiss. Jul. Aug. ♃.

66. *Parnassia L.* Parnassie. Sinnblatt.

Kelch 5blättrig. Blumenkrone 5blättrig, mit 5 feingefransten drüsentragenden Nebenkronenblättern. Staubgefässe 5. Griffel keiner; Narben 4, sitzend. Kapsel 1fächerig, an der Spitze 4klappig; Klappen in der Mitte unvollkommene Zwischenwände tragend. Samenträger an die Zwischenwände befestigt. (V. 4.).

234. ***P. palustris L.*** Sumpf-P. (Sumpf-Einblatt. Weiss-Leberkraut.). Nebenkronenblätter mit 9—13 Borsten; Blumenblätter kurzbenagelt. Wurzelblätter herzformig, das stengelständige stengelumfassend.

Auf feuchten Grasplätzen, u. Triften gemein bis in die Alpen. — Bregenz (Str!). Oberinnthal: auf der Aschaueralpe

(Kink), u. bei Loitasch (Zee!); Brennbüchl bei Imst (Lutt!). Innsbruck: bei Egerdach, u. Amras (Karpe), am Villerberg (Prkt.). Schwaz (Schm!). Pusterthal: im Taufererboden (Iss.), Welsberg (Hll.), Innervilgraten, Hopfgarten (Schtz.); um Lienz und am Tristacher See (Rsch! Schtz.). Vintschgau: bei Laas (Tpp.). Bozen: auf den Griesner Gemeindemösern und an den Quellen ausser dem kühlen Brünnel; Salurn, bei den Mühlen; am Ritten: auf den Wiesen gegen Kematen; Rittner u. Seiseralpe, Schlern, Mendel (Hsm.). Monte Gazza (Merlo). Zwischen Primiero, u. Fonzaso (Petrucci!). Bei Borgo in Valsugana (Ambr.). Vallarsa (Meneghini!).

Obsolet: Herba et Flores Hepaticae albae seu Parnassiae.

Bl. weiss. Jun. — Sept. ♃.

XII. Ordnung. POLYGALEAE. Juss.

Kreuzblumenartige.

Kelch 5blättrig, in der Knospenlage dachig, die 2 innern grösser, oft blumenblattartig. Blumenkrone unregelmässig, Blumenblätter 3—4, mit der Röhre der Staubfäden mehr o. weniger verwachsen. Staubgefässe 1brüderig, oben frei, oder in 2 gleiche Bündel getheilt, 8 an der Zahl. Staubkölbchen 1fächerig mit einem Loche aufspringend. Fruchtknoten 1—2fächerig; Fächer 1eiig; Eierchen hängend. Griffel 1. Kapsel am Rande fachspaltig-2klappig. Keim rechtläufig, in der Achse des schleimigen, o. fleischigen Eiweisses, o. Eiweiss fehlend. Keimblätter flach-konvex. Kräuter o. Sträucher mit spiralig stehenden ungetheilten, nebenblattlosen Blättern.

67. *Polýgala L.* Kreuzblume.

Kelch 5blättrig, bleibend, die 2 innern sehr gross, flügelartig. Blumenkrone 3—5blättrig, unregelmässig mit der Staubfädenröhre mehr oder weniger verbunden, das untere Blumenblatt grösser, kahnförmig. Kapsel zusammengedrückt, 2fächerig, 2samig, 2klappig. Samen am Grunde mit einem gezähnten Mantel umgeben. (XVII. 2.).

235. ***P. vulgaris L.*** Gemeine Kreuzblume. Blumenkrone mit vielspaltigem Anhängsel; die Trauben endständig, vielblüthig; die Flügel elliptisch, oder eiförmig, 3nervig, *die Nerven an der Spitze mit einer schiefen Ader verbunden*, die Seitennerven auswendig aderig, *die Adern ästig, netzig-verbunden; der Stiel des Fruchtknotens während des Aufblühens ungefähr von der Länge des Fruchtknotens;* die seitenständigen Deckblätter halb so lang als das Blüthenstielchen; Blätter lanzettlich, die untersten elliptisch, kürzer. —

Waldtriften u. trockene Gebirgswiesen bis in die Alpen. — Vorarlberg: im Bodenseerried (Cst!); bei Bregenz (Str!). Imst (Lutt!). Innsbruck: Hügelwiesen bei Egerdach, und im Höllthal bei Hötting (Hfl.). Längenthal (Prkt.). Schwaz (Schm.). Kitzbüchl (Trn.). Tefereggen (Schtz.). Lienz (Rsch!). Vintschgau: im Münsterthal; Partschinserberg (Iss.). Gebirge um Meran (Kraft). Ritten: gemein um Klobenstein, z. B. in den Wiesen unter Kematen, am Steige von Pemmern zur Rittneralpe, bis wenigstens 5500′ (Hsm.). Val di Non: bei Castell Brughier (Hfl.). Buschige Hügel um Roveredo (Crist.). Val di Rendena (Eschl.).

Officinell: Radix Polygalae vulgaris vel amarae.

Bl. blau o. röthlich. Mai, Jul. ♃.

236. ***P. nicaeensis Riss.*** Nicäische K. Blüthen mit vielspältigem Anhängsel; die endständigen Trauben vielblüthig; die Flügel rundlich-eiförmig, 3nervig, ***die Nerven an der Spitze mit einer schiefen Ader ineinanderfliessend***, die Seitennerven auswendig aderig, ***die Adern ästig, netzigverbunden***; der Stiel des Fruchtknotens während des Aufblühens so lang als der Fruchtknoten; die ***seitenständigen Deckblätter so lang als das Blüthenstielchen;*** die Blätter lanzettlich, die untern elliptisch, kürzer. — Grasige Hügel in Tirol, Krain, Istrien, und im Venezianischen (Maly enum. p. 316.)!

237. ***P. comosa Schk.*** Schopfige Kreuzblume. Blumenkrone mit vielspaltigem Anhängsel; Trauben endständig, vielblüthig; die Flügel elliptisch, 3nervig, ***Nerven an der Spitze durch eine schiefe Ader ineinanderfliessend***, die Seitennerven nach aussen aderig, ***die Adern ästig, netzigverbunden;*** Stiel des Fruchtknotens während des Aufblühens so lang als der Fruchtknoten; ***die seitenständigen Deckblätter so lang als das Blüthenstielchen;*** Blätter linealisch-lanzettlich, die untersten elliptisch, kürzer.

Auf Wiesen, u. Waldtriften, mehr im Thale. — Vorarlberg: im Bodenseerried (Cst!). Oberinnthal: bei Tarrenz (Lutt!). Innsbruck: Wiesen gegen Kematen, u. Grasplätze gegen Hall (Hfl.). Unterinnthal: bei St. Johann (Trn.); bei Zell im Zillerthale (Gbh.). Pusterthal: bei Lienz (Schtz.); Welsberg (Hll.); Innichen (Stapf.). Vintschgau: bei Göflan, u. Tschirland (Tpp.). Bozen: gemein auf den Wiesen gegen St. Jacob, u. den sogenannten Grützen, auch auf lichten Waldstellen in Haslach, und gegen Compil (Hsm.). Val di Non: bei Castell Brughier (Hfl.). Um Trient (Per.). Valsugana: bei Borgo (Ambr.). Judicarien: bei Tione (Bon.)

Officinell: wie Vorige.

Bl. rosenroth, o. eben so häufig blau. Mai, Jun. ♃.

238. ***P. depressa Wenderoth.*** Quendelblättrige K. Blumenkrone mit vielspaltigem Anhängsel; ***Trauben meist***

5blüthig, zuletzt seitenständig; die Flügel elliptisch, 3nervig, *die Nerven an der Spitze durch eine schiefe Ader ineinanderfliessend,* die Seitennerven auswendig aderig, *die Nerven ästig, netzig-verbunden;* die seitenständigen Deckblätter halb so lang als das Blüthenstielchen; Blätter lanzettlich, die untern elliptisch, die mittleren fast gegenständig.

Torfhaltige Wiesen. — Vorarlberg: bei Möggers (Str!).

P. serpyllacea Weihe.

Bl. blau, o. weiss. Mai, Jun. ♃.

239. ***P. amara L.*** Bittere K. Blüthen mit vielspaltigem Anhängsel; die endständigen Trauben vielblüthig; die Flügel länglich-verkehrt-eiförmig, 3nervig, *die Nerven an der Spitze kaum ineinanderfliessend,* die Seitennerven auswendig aderig, *die Adern spärlich ästig, nicht netzig-verbunden; Stämmchen mässig-verlängert; Blätter derselben verkehrt-eiförmig,* stumpf, die obersten davon rosettig, sehr gross, die an den im Sommer getriebenen Stengeln befindlichen länglich-keilig.

Feuchte Wiesen u. Triften vom Thale bis in die Alpen. — Vorarlberg: in mehreren Formen im Bodenseerried (Cst!). Oberinnthal: bei Imst (Lutt!). Geiselberg (Wlf!). Val di Rendena (Eschl!). — Aendert ab:

α. genuina. Blüthen grösser, die Flügel oft länger als die Kapsel, die Wurzelblätter sehr gross, in eine Rosette zusammengedrängt. — P. amara Jacq. P. amarella Crantz. — Wiesen, u. Triften, auch häufig auf Alpen um Kitzbüchl (Trn.). Solstein bei Innsbruck (Str.). Welsberg (Hll.). Schlern (Hsm.).

β. alpestris. Niedriger, die Blätter, auch die oberen elliptisch; Wurzelblätter oft fehlend. — P. alpestris Reichenb. — Weideplätze um Kitzbüchl, vorzüglich auf Kalk, 3—5000′ (Trn.). Pusterthal: auf der Taufereralpe (Iss.).

γ. austriaca. Blüthen kleiner, die Flügel oft kürzer als die Kapsel. Bl. weisslich, oder bläulich, seltener satt blau. — P. austriaca und uliginosa Reichenb. — Feuchte Wiesen um Kitzbüchl (Trn.). Innsbruck: am Lanser Torfmoor, u. Wiesen am Inn gegen Hall; in Stubai am Rutzbach bei Telfes (Hfl.). Brunecken (F. Naus). Tefereggen, u. um Lienz (Schtz.). Vintschgau: am Godria bei Laas, bei der Latscher Brücke, bei Eiers; Nauders (Tpp.). Bozen: gemein auf den feuchten Wiesen bei St. Jacob, in der Compilerau, u. Anschwemmung des Eisacks beim Kalkofen (Hsm.).

Officinell: Herba Polygalae vulgaris.

Bl. blau, weisslich, o. bläulich. Mai, Jun. ♃.

240. ***P. Chamaebuxus L.*** Buxblättrige K. *Kamm der Blumenkrone 4lappig;* Blüthenstiele blattwinkel-, und endständig, meist 2blüthig; die Stengel strauchig, ästig, aufstrebend; Blätter lanzettlich, o. elliptisch, stachelspitzig, die untern kleiner, verkehrt-eiförmig.

Waldige Triften, u. Heiden bis in die Alpen. — Vorarlberg: am Hacken (Str!). Zirl u. Telfs (Str!); bei Imst (Lutt!). Innsbruck: am Villerberg (Prkt.), auf dem Calvarienberge ober Hötting, und auf der Mühlauer Höhe (Schpf.). Waldränder um Kitzbüchl (Trn.). Am Gerlosstein in Zillerthal (Schrank!). Post Brenner (Sternberg!). Tefereggen (Schtz.). Innervilgraten, Welsberg (Hll. Schtz.). Lienz, am Fusse des Rauchkogels (Rsch! Schtz.). Brixen (Hfm.). Meran (Kraft). Lana (Fr. Mayer). Gemein um Bozen, z. B. gegen Runkelstein, u. Haslacher Wald, Terlan, Rittneralpe bei 5400′ ober Pemmern; Margreid, und Salurn (Hsm.). Kastelrutt, u. Eppan bei Bozen (Tpp.). Ueber Cles gegen Vergondola (Hfl!). Trient (Per. Hfl!). Valsugana: bei Borgo (Ambr.). Roveredo (Crist.). Am Baldo (Poll!). Judicarien: bei Stelle, u. Verdesina (Bon.).

Bl. gelb, oder fast eben so häufig purpurn (vorzüglich schön auf Kalk bei Margreid). Apr. Mai. Alpen Jun. Jul. ♄.

XIII. Ordnung. SILENEAE. De C.

Leimkrautartige.

Kelch 1blättrig, an der Spitze 5—6zähnig. Blumenblätter so viel als Kelchzähne, mit den Staubgefässen auf einem mehr o. weniger bemerklichen Fruchtträger unter dem Fruchtknoten eingefügt. Staubgefässe noch einmal so viele als Blumenblätter. Griffel 2—5, getrennt. Kapsel mit 4—6, o. 10 Zähnen aufspringend, seltener beerenartig nicht aufspringend. Keim um das Eiweiss gekrümmt. Blätter gegenständig, nebenblattlos, ungetheilt.

68. ***Gypsóphila L.*** Gypskraut.

Kelch 5zähnig, o. 5spaltig, an der Basis nackt. Blumenblätter 5, gegen die Basis zu allmählig keilförmig-verschmälert. Staubgefässe 10. Griffel 2. Kapsel 1fächerig, an der Spitze 4klappig. Samen nierenförmig-kugelig. (X. 2.).

241. ***G. repens L.*** Kriechendes G. *Stengel* aus niedergestreckter Basis aufrecht, *oberwärts locker-ebensträussig, u. nebst den Aesten kahl;* der Kelch kreiselförmig-glockig, halb 5spaltig, Zipfel eiförmig-länglich, stumpf, gerade; Staubgefässe, und Griffel kürzer als die Blumenblätter; Blätter linealisch, nach beiden Enden verschmälert.

Kiesige Triften der Alpen, und durch die Bäche herabgeschwemmt. — Vorarlberger Alpen, u. im Aachgriese bei Bregenz (Str!). Alpen bei Vils (Frl!), Aggenstein, und Stuiben (Dobel!). Oberinnthal: am Säuling (Kink), Alpen bei Zirl u. Telfs (Str!). Innsbruck: ober Lans, u. Sistrans (Friese!), und auf der Frauhütt (Eschl.). Schmirnerjoch (Hfl.). Brennerstrasse (Griesselich!). Gries der Ziller bei Zell (Gbh.). Kalkalpen um Kitzbüchl (Trn.). Pfitsch (Hfl.). Neunerspitze bei Welsberg (Hll.). Tefereggen u. Innervilgraten (Schtz.). Lienz: auf dem Hochrieb, u. in der Bürgerau (Rsch!), am grauen Käs, Dorfer- u. Teischnitzalpe (Schtz.). Brixen: am Eisack (Hfm.). Vintschgau: bei Laas (Tpp.). Kalkalpen um Bozen, z. B. Schlern, Seiseralpe, Grödner- und Colfuskeralpe, auch nicht selten im Eisackbette im Thale bei Bozen (Hsm.). Fleims u. Fassa (Fcch!). Monte Gazza bei Trient, u. am Spinale (Per.). Col Santo bei Roveredo (Crist.). Val di Breguz in Judicarien (Sternberg!).

Bl. weiss, o. röthlich. Im Thale, Mai; Alpen, Jun. Jul. ♃.

242. *G. muralis L.* Mauer-G. Stengel aufrecht, fast gabelspaltig ästig-rispig, an der Basis etwas rauh; *die Blüthen zerstreut; der Kelch kreiselförmig*, 5zähnig, Zähne abgerundet-stumpf; die Blumenblätter gekerbt, o. ausgerandet; Blätter linealisch, nach beiden Enden verschmälert.

Am Rittnerberge bei Bozen: am östlichen Rande des Wolfgraber Sees, manches Jahr selten (Hsm.). Eppan, im sogenannten Holze auf der Hutweide Grafanon (Hfl.). Lienz: an Felsen bei Schlossbruck, dann auf den Stadt- u. Feldmauern (Rsch!).

Bl. röthlich. Jul. Aug. ☉.

69. *Tunica Scopoli.* Felsnelke.

Kelch 5zähnig, an der Basis mit Schuppen. Blumenblätter 5, mählig gegen die Basis keilförmig-verschmälert. Kapsel 1fächerig, an der Spitze 4klappig. Staubgefässe 10. Griffel 2. Samen schildförmig, unterseits etwas muschelförmig-gehöhlt, auf dem Rücken fein quer-gerunzelt. (X. 2.).

243. *T. saxifraga Scop.* Gemeine Felsnelke. Stengel nach allen Seiten hin gebreitet, oberwärts ästig; der Kelch glockig, stumpf-5zähnig; Blätter linealisch spitz, am Rande rauh, an der Basis häutig-berandet, an den Stengel angedrückt.

An Wegen, sonnigen Hügeln u. Mauern bis an die Voralpen. — Vorarlberg: bei Bludenz (Cst!). Innsbruck: am Rainer Hof (Prkt.). Durch ganz Stubai (Hfl!). Unterinnthal: bei Kropfsberg (Gbh.), um Rattenberg (Wld!). Kitzbüchl (Trn.). Schwaz (Schm!). Welsberg (Hll.). Tefereggen (Schtz.). Lienz (Bsch! Schtz.). Vintschgau: bei Laas (Tpp.). Sterzing (Hfl!). Gemein um Bozen, z. B. auf der Talfermauer, und geht am Ritten um Klobenstein bis 4000′ (Hsm.). Fleims (Fcch!) Zambana, Mezzolombardo, und Castell Brughier (Hfl!) Roveredo (Crist.). Gemein um Borgo (Ambr.)

Bl. blassroth. Anf. Jun. — Aug. ♃.

70. *Dianthus L.* Nelke.

Kelch 5zähnig, an der Basis mit Schuppen. Blumenblätter 5, in einen linealischen Nagel zusammengezogen. Staubgefässe

10. Griffel 2. Kapsel 1fächerig, an der Spitze 4klappig. Samen schildförmig-plan-konvex. Keimling gerade. (X. 2.).

I. Rotte. *Armeriastrum Ser.* Blüthen köpfig, o. etwas gehäuft. Blumenblätter gezähnt, o. fast ganzrandig. Bl. fleischfarben o. purpurn.

244. *D. prolifer L.* Kopf-N. Blüthen gehäuft-köpfig; *die 6 Hüllschuppen durchscheinend-häutig,* rauschend, elliptisch, die 2 äussern um die Hälfte kürzer, stachelspitzig, die innersten sehr stumpf, länger als der Kelch, Kelchschuppen den Hullschuppen gleichgestaltet, den Kelch einwickelnd; Stengel kahl; Samen glatt.

An Wegen, Rainen, u. Weinbergen im südlichen Tirol. — Brixen: sparsam an Weinbergmauern ober Krakogel (Hfm.). Gemein um Bozen, z. B. am Kalkofen, am Weg zur Knoppermühle, Weg von Sigmundscron zur Kaiserau am Etschdamme, an der Rodlerau, bei Morizing, und Siebenaich (Hsm.). Häufig in Eppan bei Girlan u. Montikel (Hfl.). Trient (Fcch!). Ackerränder bei Borgo (Ambr.). Roveredo (Crist.). Am Doss di Santa Agata bei Trient (Per!). Im untern Val di Sol (Bon.).
D. diminutus L. ist eine einblüthige Form.
Bl. blassroth. Ende Jun. — Sept. ⊙.

245. *D. Armeria L.* Rauhe N. *Blüthen gebüschelt; die Kelchschuppen,* und Deckblätter lanzettlich-pfriemlich, krautig, ungefähr so lang als die Rohre, *rauhhaarig;* Blätter linealisch, nach vorne verschmälert, an der Spitze stumpflich, u. nebst dem Stengel rauhhaarig.

Im Gebüsch, und an Vorhölzern selten. — Bei Thal im schweizerischen Rheinthale (Cst!). Meran: gegen Kuens selten (Tpp.). Bozen: mit D. Seguierii sehr selten an einem Waldsteige im Gebüsche am Fusse des Kühbacher Waldes, ich fand ihn hier das erstemal 1845, obwohl ich den angeführten Steig schon früher unzählige Male betreten hatte.
Bl. purpurn. Jul. Aug. ⊙.

246. *D. barbatus L.* Bart-N. Blüthen büschelig-gehäuft, die Kelchschuppen krautig, eiförmig, begrannt; Granne pfriemlich, so lange als die Röhre; *die äussern Deckblätter linealisch-lanzettlich, sehr spitz, zurückgebogen-abstehend;* Blätter kurz-gestielt, lanzettlich.

Auf Waldwiesen, und Triften der Alpen und Voralpen im südöstlichen Tirol. — Am Grossglockner u. der Pasterze (Hoppe! Bischof!). In Prax (Hll.). Zwischen Kals, u. Windischmatrey; Lienz: auf der Zabernizen, u. unter dem Zabernizenkofel, dann am Rabueling hinter dem Rauchkogel (Rsch!), auf den Reschwiesen allda (Schtz.). Innervilgraten, Alpenwiesen südöstlich von Hopfgarten, Hofalpe u. Gössnitz bei Lienz (Schtz.). Auf der Seiseralpe (Elsm!). Fleims: im Walde ober Sadole; Fassa:

ober Alba, Alpe Dalepale in Wäldern bei 5000′; in Primiero ober Copolat (Fcch!).

Auch als Zierpflanze in Gärten.

Bl. purpurn. Jul. Aug. ♃.

247. *D. Carthusianorum L.* Karthäuser-N. ***Blüthen in ein endständiges, meist 6blüthiges Köpfchen gehäuft; Kelchschuppen*** lederig, ***braun, rauschend***, verkehrt-eiförmig, sehr stumpf, begrannt, Granne pfriemlich, länger als die halbe Röhre; Hüllschuppen fast eben so gestaltet; ***Platte der Blumenblätter so lang als ihr Nagel;*** Blätter sämmtlich linealisch; die Scheide länger als die 4fache Breite des Blattes.

An Wiesenrainen bis in die Alpen. — Oberinnthal: bei Imst (Lutt!). Innsbruck: am Villerberg (Prkt.), am Spitzbüchl, u. zwischen Aldrans, u. Sistrans; Stubai: Weiden bei Neder (Hfl.). Schwaz: Weg nach Buch (Schm!). Um Rattenberg: z. B. am alten Schloss (Wld!). Zillerthal (Schrank!). Kitzbüchl: auf Felsenhöhen der Ahornthalalpe (Trn.). Bei Reifenstein nächst Sterzing (Hfl.). Pusterthal: gemein an den Rainen der Strasse von Brunecken bis Vintl (Hsm.); bei Welsberg (Hll.); Innichen, und Lienz (Rsch.). In Ulten, und bei Santa Maria am Wormserjoch (Tpp.). Am Baldo: im Gebiethe von Brentonico (Poll!)

Bl. dunkelroth. Jun. Aug. ♃.

248. *D. atrorubens All.* Schwarzrothe N. ***Blüthen in ein endständiges, 12—30blüthiges Köpfchen dicht zusammengeballt; Kelchschuppen*** lederig, ***braun, rauschend***, verkehrt-eiförmig, sehr stumpf, begrannt, Granne pfriemlich, länger als die halbe Röhre; Hüllschuppen fast eben so gestaltet; ***Platte der Blumenblätter halb so lang als ihr Nagel;*** Blätter sämmtlich linealisch; ***die Scheide länger als die 4fache Breite des Blattes.***

An Rainen, Wegen, und Triften im südlichen Tirol, bis an die Alpen. — Bozen: an den Weinbergmauern bei Morizing, u. Siebenaich, dann bei Haslach etc.; am Ritten: auf den Triften rechts am Wege von Klobenstein zum Kemater Kalkofen in der Höhe von Waidach (Hsm.). Am Kiechlberg bei Meran (Iss.). Val di Non: in Rabbi (Hfl.). Val di Sol: bei Pejo (Bon.). Valsugana: auf dem Sella bei Borgo (Ambr.). Trient: bei Povo; in Vallunga bei Roveredo (Per!). Hügel um Roveredo (Crist. Fleischer!). Am Gardasee (Poll!).

Von voriger nur durch die mehrblüthigen Köpfchen und kleinere Blumenplatte verschieden, ich halte sie für südliche Form. —

Bl. dunkelroth. Jun. Aug. ♃.

249. *D. Seguierii Vill.* Seguier's N. Wald-N. Stengel oberwärts 2spaltig; Blüthen gezweit, o. büschelig-gehäuft, o. rispig; Kelchschuppen eiförmig, begrannt, Granne krautig,

so lang als die Röhre, o. 2—3mal kürzer; Deckblätter lanzettlich; Blätter linealisch-lanzettlich, verschmälert-zugespitzt, meist 5nervig; *die Scheide ungefähr so lang als die Breite des Blattes;* Blumenblätter verkehrt-eiförmig, gezähnt.

Gemein im südlichen Tirol an Gebüschen, Vorhölzern, und lichten Waldstellen vom Thale bis an die Voralpen. — Bozen, z. B. im Haslacher Walde, u. gegen Runkelstein; bei Margreid; am Ritten: bis 3600′ unter Klobenstein (Hsm.). Um Eppan u. auf der Mendel (Hfl.). Val di Non (Tpp.). Fassa und Fleims; bei Borgo in Valsugana (Fcch!). Gebüsche um Trient, z. B. bei Gocciadoro, und am Doss di Santa Agata (Per.). In Vallarsa (Meneghini!). Judicarien: bei Tione (Bon.).

Um Bozen sowohl die Waldform: D. Seguierii Reichenb., als die Hügelform: D. collinus Wk. gemein.

Bl. heller- oder dunklerroth, einfärbig oder mit dunklerem Gürtel. Jul. — Oct. ♃.

II. Rotte. *Caryophyllum Ser.* Die Blüthen einzeln, oder rispig. —

§. 1. Blumenblätter gezähnt, oder fast ganzrandig.

250. *D. neglectus Lois.* Vernachlässigte N. *Der Stengel 1blüthig;* Kelchschuppen eiförmig, mit einer pfriemlichen, straffen Granne, so lang als die Röhre, oder länger; *Blätter linealisch, starr, von der Mitte an verschmälert-spitz, am Rande rauh,* unterseits 3nervig; Blumenblätter gekerbt.

Höchste Alpen der Schweiz, am Umbrail in Graubündten; im südlichen Tirol auf der Alpe la Denna in Val di Non (Koch Taschenb.)! Auf dem Umbrail in der angränzenden Schweiz nach Gaudin, nach Moritzi jedoch (Flor. d. Schweiz pag. 107) weder allda, noch in der übrigen Schweiz, sondern in den piemontesischen Alpen.

Bl. trübroth. Jul. ♃.

251. *D. alpinus L.* Alpen-N. *Stengel einblüthig;* Kelchschuppen lanzettlich, begrannt, Granne linealisch-pfriemlich, krautig, ungefähr so lang als die Röhre; *Blätter* lanzettlich-linealisch, *stumpf,* nach der Basis verschmälert, 1nervig; *Blumenblätter* gekerbt, *noch einmal so lang als der Kelch.* —

Alpen, u. Voralpen. — Kalsertaurn, u. Pregraltneralpen im östlichen Pnsterthale (Rsch!). Wormserjoch (Iss.). Am Ortler (Sauter bei Reichenb.)!

Bl. oberseits blassroth mit dunklerem Ringe, unterseits grünlichweiss. Jun. Aug. ♃.

252. *D. glacialis Haenke.* Gletscher-N. *Stengel 1blüthig;* Kelchschuppen lanzettlich, begrannt, Granne linealisch-pfriemlich, krautig, länger als die Röhre; *Blätter* linea-

lisch, ***stumpf***, 1nervig, nach der Basis verschmälert; ***Blumenblätter*** gekerbt, ***anderthalbmal so lang als der Kelch.***

Höchste Alpen, sowohl auf Kalk, als auf Urgebirge. — Joch vom Burgunerthal nach Senges (Stotter!). Alpen bei Lienz (Ortner. Schlz.). Kalserthal auf der Alpe Teischnitz, auf dem grauen Käs (Rsch!). Dorferalpe in Kals (Sieber). Unter dem Gletscher im Affenthale (Fcch.). Alpe Karrthal, und Frossnitz (Hänke!). Grossglockner (Tpp.). Lesacheralpe am Grossgössnitz (Schlz.). Auf der Pasterze, dem Heiligbluter- u. Mallnizer-Taurn (Hoppe!). Alpen um Brixen (Hfm.). Tierseralpel am Schlern (Elsm!). Pfitscherjoch auf der Zamser Seite (Hfl.). Auf dem Braulio im angränzenden Valtellin (Rainer!). Alpe la Denna in Val di Non (Facch. in Reichenb. Deutschl. Fl. p. 137)!

Bl. rosa, an der Basis und unterseits grünlich.

Jul. Aug. ♃.

253. ***D. deltoides L.*** Deltafleckige N. ***Blüthen einzeln;*** Kelchschuppen meist zu 2, elliptisch, begrannt, mit der pfriemlichen Granne um die Hälfte kürzer als der Kelch; Blätter linealisch-lanzettlich, die untern stumpf, nach der Basis verschmälert; ***Stengel flaumig-rauh;*** Blumenblätter verkehrt-eiförmig, gezähnt.

Auf Hügeln, Triften, u. Ackerrainen bis auf mittlere Gebirgshöhen. — Innsbruck: an Mauern bei Axams (Schm.), und bei Grinzens (Hfl.). Kitzbüchl: am hintern Kogel (Trn.). Am Kaiser, u. um Schwoich (Berndorfer!); Rattenberg: am Fusse des Brandenberger Mahdes (Wld!). Zillerthal: in der Zemm vor Kaserlar (Hfl.). Lienz (Schtz.), allda am Fusse des Grämelebüchl, dann Wiesen, u. Hügel bei der obern Schlossbrücke (Rsch!). Vintschgau: bei Matsch; in Langtaufers von Mallaz zur Alpe; in Schlinig; bei Santa Maria im Münsterthale (Tpp.); bei Marienberg (Hfm.). Valsugana: Gebirge um Borgo (Montini!).

Bl. karminroth mit einem dunkleren Gürtel.

Jun. Aug. ♃.

D. chinensis L. Chinesische N. Kahl. Stengel ästig, armblüthig. Blätter linealisch-lanzettlich, oder lanzettlich, am Rande glatt. Kelchschuppen abstehend, begrannt, von der halben, o. ungefähren Länge des Kelches. Blumenblätter gezähnt.

Zierpflanze aus China. In unsern Gärten nicht häufig.

Bl. heller- o. dunklerroth, o. weiss, u. schwarz gefleckt, mit den mannigfaltigsten Zeichnungen. Jun. Sept. ☉.

254. ***D. sylvestris Wulf.*** Wilde N. Stein-Nelke. Stengel 1—3blüthig; Blüthen einzeln; ***Kelchschuppen angedrückt, breit-eiförmig, abgestutzt-stumpf, kurz-begrannt,*** 4mal kürzer als die Rohre; Blätter gras- o. bläulichgrün, linealisch, spitz, am Rande rauh; Blumenblätter verkehrt-eiförmig, gekerbt, bartlos; ***Stämmchen sehr kurz.***

An Felsen, trockenen Triften bis in die Alpen. — Vorarlberg: am Schloss Hohenems (Cst!); am Freschen (Str!). Innsbruck: auf dem Solstein, den Lanserköpfen, u. an der Schrofenhütte (Hfl.), dann am Wege nach Zirl (Schm.), und in den Sillschluchten (Prkt.). Am Brenner bei Lueg (Griesselich!). Alpen um Welsberg (Hll.). Innervilgraten, Bergabhänge in Tefereggen (Schtz.). Lienz: auf der Lavanter- u. Kerschbaumeralpe (Rsch!). Sterzing (Hfl!). Brixen (Hfm.). Meran (Kraft). Gemein um Bozen: an den Felsen bei Runkelstein, am Oberbozner Wege ober St.-Oswald; am Ritten: um Klobenstein gegen Kematen; Schlern, Ifinger, Seiseralpe, und Colfusk (Hsm.). Am Doss Trent bei Trient (Hfl.). Hügel um Roveredo, u. auf der Scanuccia (Crist.). Judicarien: bei Serano nächst Tione, u. am Monte aprico bei Bolbeno (Bon.). Am Bondone bei Trient (Per!).

Folgende Formen mag man unterscheiden:

α. genuinus. Stengel 1 — 3blüthig, Kelchschuppen sehr kurz, die äussersten eirund-zugespitzt, die innersten abgerundet, kurz-zugespitzt, Blumenblätter kahl, aneinanderliegend, kurz- u. fast gestutzt-abgerundet, gekerbt, Blätter sehr schmal linealisch. Blumenblätter hell-carminroth, oder blass-rosa. — D. sylvestris Wulfen. Reichenb. Icon. Caryoph. tab. CCLXII. Diese vorzüglich im nordlichen Gebiethe um Innsbruck, dann auf Alpen um Bozen, wo sie auch ganz niedrig, u. nur 1blüthig vorkömmt, aber auch hie u. da in der Tiefe um Bozen. Geruchlos, wie sie Reichenbach nennt, finde ich die Bluthen nicht immer, vorzüglich auf den Alpen.

β. Scheuchzeri. Grün, Stengel dünn, aufsteigend, knotig, Blätter sehr schmal linealisch, steif, rinnig, Schuppen 2, noch nicht ¼theil kelchlang (das zweite Schuppenpaar entfernt, tiefer am Stiel, was jedoch auf demselben Individuum nicht immer der Fall ist), sehr breit, abgestutzt-zugespitzt; Platte der Blumenblätter umgekehrt-eirund-länglich, doppeltspitzzähnig. — D. Scheuchzeri Reichenb. Deutschl. Fl. Nelkeng. p. 140, u. Icon. Caryoph. tab. CCLXVII. Diese um Bozen u. am Ritten häufiger als α. Blumenblätter blassrosa, oder hellcarminroth, schmäler als bei α, und nicht aneinanderliegend, an der Basis meist grün-angelaufen. Jun. Aug. ♃.

Von D. caryophylloides Schult. habe ich weder ein lebendes, noch ein getrocknetes Exemplar zu Gesicht bekommen, daher ich mich eines Urtheils enthalte. Koch zieht ihn als Modification zu D. sylvestris. Er kommt nach Sieber u. Sternberg (Reichenb. fl. germ. exc. p. 811) in Val Sugana vor. Hier seine Diagnose:

D. caryophylloides Schult. Bläulichgrün, Stengel 4kantig, wenigblüthig, Blätter schmal-linealisch, 3—5nervig, feinsägerandig; Schuppen 4, kürzer als ein Viertheil des unten bauchigen Kelches, rundlich-abgestutzt, sehr kurz-gespitzt, die beiden äussern entfernt. — Reichenb. Deutschl. Flora Nelkeng. pag. 142.

D. Caryophyllus L. Garten-N. Nagele, Nägele. Blüthen einzeln; ***Kelchschuppen*** angedrückt, ***fast rautenförmig, mit einem Spitzchen,*** 4mal kürzer als die Röhre; ***Blätter*** linealisch, spitz, meergrün, ***am Rande glatt,*** an der Basis etwas rauh; Blumenblätter verkehrt-eiförmig, gekerbt, bartlos; ***Stämmchen verlängert, niederliegend, sehr ästig.***

In allen Gärten zur Zierde, doch nirgends wild o. verwildert. Die angeblichen Tiroler Standorte: Seefeld u. Valsugana gehören ersterer zu D. sylvestris Reichenb., letzterer zu D. caryophylloides Schult.

Obsolet: Flores Tunicae hortensis seu Caryophylli hortensis.

Bl. sehr wohlriechend, an Farbe ins Unendliche abändernd, auch gefüllt. Jun. Aug. ♃.

255. ***D. caesius Smith.*** Bläulichgraue N. Stengel meist einblüthig; ***Kelchschuppen*** angedrückt, eiförmig, ***stumpf, kurz-zugespitzt, o. begrannt,*** 4mal kürzer als die Röhre; ***Blätter*** linealisch, stumpflich, meergrün, ***am Rande rauh;*** Blumenblätter verkehrt-eiformig, gekerbt, bärtig; die Stämmchen niederliegend, wurzelnd, sehr ästig, dicht-rasig.

An Felsen. — Vorarlberg: bei Bregenz, z. B. am Klausberg (Str!).

Bl. rosa. Jun. ♃.

§. 2. Die Blumenblätter tief fingerig- oder fiederspaltig-eingeschnitten.

256. ***D. superbus L.*** Pracht-N. ***Stengel meist einzeln,*** 2—mehrblüthig, Blüthen zerstreut; Kelchschuppen eiförmig, kurz zugespitzt-begrannt, 3—4mal kürzer als die Röhre; Blätter grasgrün, linealisch-lanzettlich, schärflich-gerandet, zugespitzt, die untern stumpflich; ***Blumenblätter fiederspaltig-vieltheilig, mit einem ganzen länglichen Mittelfelde.***

Auf feuchten Wiesen im rdlichen Tirol bis an die Voralpen. — Vorarlberg: bei Hohenems (Str!). Oberinnthal: bei Seefeld gegen die Scharnitz, u. im Hinterauthale (Hfl.). Innsbruck: im Wiltauerberge (Prkt.), u. am heiligen Wasser (Friese).

Bl. schön rosenroth, o. lila. Jun. Aug. ♃.

Weiter zu beobachten:

D. speciosus Reichenb. Ansehnliche N. Stengel steif-aufrecht, 1- o. wenigblüthig; Kelchschuppen oval-lanzettlich, zugespitzt, 2—3mal kürzer als der Kelch, welcher etwa 4mal so lang als dick ist; Blumenblätter mit länglich-rhombischer Platte bis zur Mitte linealisch-gabeltheilig-zerschlitzt. — Auf Gerölle u. grasigen Abhängen in Krain u. Südtirol (Reichenb.)!

Auf den Triften des Schlern, u. der Seiseralpe, am Lattemarjoch bei Bozen (Hsm.). Fassa (Tpp.). Fleims (Iss.).

D. superbus β. speciosus Reichenb. fl. exc. D. speciosus Reichenb. Deutschl. Flor. die Nelkengew. p. 135. D. speciosus β major Reichenb. Icones Caryophyll. tab. CCLX. — Blumen schön rosenroth o. lila, wohlriechend, 2—3mal grösser als an Voriger, mit einer schönen Zeichnung an der Basis der Platte. Kelchröhre dicker, meist braunroth gefärbt, Blätter mehr nelken- u. nicht grasartig (wie bei Voriger u. Folgender), schärflich-gerandet. Einblüthige, kaum handhobe Exemplare sind: D. alpestris Sternberg, welchen Koch als Varietas γ alpicola zu D. monspessulanus zieht, wohin er jedoch der kürzern, steifern, nicht verschmälert- u. nicht sehr spitz-zulaufenden Blätter, dann der Kelchschuppen wegen, die gleichsam die Mitte zwischen denen des D. superbus u. monspessulanus halten, mir nicht zu gehören scheint. D. alpestris kömmt nach Sternberg am Baldo vor; am Spinale und Bondone fand ihn Perini, auf dem Cornetto in Folgaria Heufler, auf Gebirgen in Tessino Ambrosi; von allen diesen Standorten vergleiche ich Exemplare, u. sie stimmen genau mit der Reichenbachischen Abbildung des D. speciosus α minor (Icones wie oben) überein.

257. ***D. monspessulanus L.*** Montpellier'sche N. Blüthen gezweiet, oder fast gehäuft; ***Kelchschuppen*** eiförmig, ***begrannt, mit krautiger, pfriemlicher Granne, halb so lang als die Röhre;*** Blätter linealisch, verschmälert-zulaufend, u. sehr spitz; ***Blumenblätter bis zur Mitte fingerig-vieltheilig, mit einem ganzen verkehrt-eiförmigen Mittelfelde;*** Wurzel mehrstengelig; Stengel aus liegender Basis aufstrebend. —

An Waldrändern, u. buschigen Hügeln im südlichen Tirol, bis in die Alpen. — Vintschgau: im Schnalserthale von Juval bis Ratheis; bei Völlan nächst Meran (Tpp.). Josephsberg, Schönna, u. Fragsburg bei Meran (Iss.). Brixen (Hfm.). Ausgang von Passeyer (Zcc!). Zwischen Bozen u. Blumau (Eschl.). Bozen: am Wege nach Heilig-Grab, u. Capenn, dann am Steige nach Virgel; Ritten: selten am Fusse des Fenn im Krotenthale bei Klobenstein (Hsm.). Sarnthal, am Wege nach Wangen (Hfl.). Voralpen in Primiero, u. alle 3 Croci in Ampezzo (Fcch!). Fassa: am Udai (Meneghini!). Hügel um Trient (Per.). Gebirge um Roveredo (Crist.). Am Baldo: selva di Brentonico (Poll!). Judicarien: Gebüsche bei Corè, u. Alpe Lenzada (Bon.). Am Mauthhause an der Veroneser Gränze (Zcc!).

Bl. fleischfarben, o. weisslich. Jul. — Oct. ♃.

71. *Saponaria L.* Seifenkraut.

Kelch 5zähnig, an der Basis nackt. Blumenblätter 5, in einen linealischen Nagel zusammengezogen. Staubgefässe 10.

Griffel 2. Kapsel 1fächerig, an der Spitze 4zähnig. Samen nierenförmig-kugelig. (X. 2.).

258. *S. Vaccaria L.* Kuh-S. Kuhnelke. Blüthen locker-ebensträussig; *die Kelche geflügelt-kantig;* Blumenblätter klein-gekerbt, nackt; Stengel aufrecht, ganz kahl; Blätter lanzettlich, an der Basis zusammengewachsen.

Auf bebautem Boden im südlichern Tirol. — Trient: ober Sardagna; an den Gränzen sowohl gegen das Brescianische als Veronesische (Fcch!). Aecker um Roveredo (Crist.).

Gypsophila Vaccaria Sm. Vaccaria pyramidata G. M. S.

Bl. fleischfarben. Jun. Jul. ☉.

259. *S. officinalis L.* Gemeines S. *Blüthen büschelig-ebensträussig; Kelch walzlich, kahl;* Blumenblätter gestutzt, bekrönt; Stengel aufrecht; Blätter länglich-elliptisch. Wurzel weitkriechend.

An Bächen, Wegen, Rainen, u. Zäunen. — Vorarlberg: am Klausberg bei Bregenz (Str!). Imst (Lutt.). Innsbruck: Weg von Mühlau nach Weyerburg (Hfl.). Unterinnthal: auf Wiesen an der Aache bei St. Johann (Trn.). Pusterthal: bei Welsberg (Hll.); Tefereggen (Schtz.); Lienz (Schtz.); allda am Grafenbächchen, u. am Ufer der Isel beim Klosterfrauenfelde (Rsch!). Brixen (Hfm!). Lana nächst Meran (Kraft). Bozen: in Menge am Eisackdamme beim Kalkofen etc.; Auer, an der Landstrasse gegen die Brücke; Salurn, u. Margreid; am Ritten einzeln bis 3500′ an einer Mauer am Rösslerhofe bei Klobenstein (Hsm.). Trient (Per.). Valsugana: bei Borgo (Ambr.). An alten Mauern, u. Hügeln um Roveredo (Crist.). Judicarien: an Wegen bei Tione (Bon.). — Wurzel u. Blätter: Radix et Folia Saponariae, vel Saponariae rubrae officinell.

Bl. blassfleischfarben. Jun. — Sept. ♃.

260. *S. ocymoides L.* Niederliegendes S. *Kurzhaarig; Blüthen ebensträussig-rispig; Kelch walzlich, zottig;* Blumenblätter stumpf, o. seicht-ausgerandet, bekrönt; Stengel niedergestreckt; Blätter lanzettlich, o. elliptisch, die untern in den Blattstiel verschmälert, verkehrt-eiförmig.

Gemein an Abhängen, Felsen und steinigen Triften, auch im Kiese der Flüsse, vom Thale bis in die Alpen. — Oberinnthal: am Kalvarienberge bei Imst (Lutt.); am Eingang ins Oetzthal (Zcc!); Hinterauthal, Eingang ins Karwendelthal (Hfl.). Um Innsbruck: z. B. am Pastberg (Precht.), u. ober Mühlau (Eschl.). Am Brenner bei Lueg (Griesselich!). Pusterthal: in Prax (Hll.), Lienz (Schtz.), bei Dölsach, Devant, Nussdorf, u. Kapaun (Rsch!); in Menge an der Strasse von Schabs nach Mühlbach (Hsm.). In Schmirn (Hfm.). Vintschgau: bei Kortsch u. im Trafoierthale (Tpp.), Wormserjochstrasse (Fk!). Hafling bei Meran (Iss.). Bozen: gemein am Fusse der Berge, z. B. Hertenberg, Gandelberg bei Gries, dann im Talfer- und

Eisackbette; sehr selten bei Klobenstein, z. B. am Felsen bei der Behausung Schwarzegg; Seiseralpe (Hsm.). Fassa, und Fleims (Rainer! Fcch!). Trient (Per.), allda gegen Gocciadoro (Hfl!). Hügel um Roveredo (Crist.). Valsugana: bei Borgo (Ambr.). Am Baldo (Poll!). Judicarien: an Felsen bei Sorano, u. alla Pinèra bei Tione (Bon.).

Bl. rosenroth, selten weiss. Apr. Aug. ♃.

72. *Cucúbalus L.* Taubenkropf.

Kelch 5zähnig, nackt. Blumenblätter 5, benagelt. Staubfäden 10. Griffel 3. Frucht eine 1fächerige Beere. Samen nierenförmig. (X. 3.).

261. *C. bacciferus L.* Beerentragender T. Einzige Art. — Stengel 2—4′ hoch, weitausgebreitet. Kelch sehr weitglockig, fast schüsselartig ausgebreitet. Die beerenartige Kapsel kugelrund, schwarz, etwa doppelt so lang als ihr Träger. Samen glänzend schwarz, seicht gekörnelt.

Zwischen Gebüsch an feuchten Orten, u. Ufern der Hauptthäler. — Pusterthal: selten um Lienz (Rsch!). Gemein um Bozen: im Gebüsche am Kalkofen, und von da an längs der Eisackmauer, an der Landstrasse nach Sigmundscron, am Etschufer auf der Eppaner Seite; bei Salurn (Hsm.). Zwischen Neumarkt, u. Trient im Gebüsch an der Strasse (Zcc!).

Obsolet: Herba Cucubali, seu Viscaginis bacciferae.

Bl. gelblichgrün, o. weisslich. Ende Jun. Sept. ♃.

73. *Siléne L.* Leimkraut.

Kelch 5zähnig, am Grunde nackt. Blumenblätter 5, benagelt. Staubgefässe 10. Griffel 3. Kapsel am Grunde 3fächerig, an der Spitze 6klappig. Samen nierenförmig. (X. 3.). Bl. einiger Arten durch Fehlschlagen manchmal 2häusig o. polygamisch.

I. Rotte. *Viscágo.* Blüthenstand traubig, o. ährenförmig; Blüthen abwechselnd in einerseitswändige, o. zweizeilige, meist gezweiete Trauben, o. Aehren geordnet, mit einer einzelnen Blüthe in der Gabelspalte.

262. *S. gallica L.* Französisches L. *Trauben endständig,* meist *gepaart,* klebrig-flaumig; *Blüthen wechselständig;* Kelch röhrig, rauhhaarig, der fruchttragende eiförmig, mit dem Blüthenstielchen abstehend, o. zurückgeschlagen, Zähne des Kelches lanzettlich-pfriemlich; *Blumenblätter verkehrt-eiförmig, ungetheilt,* ganzrandig, gezähnelt, o. ausgerandet; Blätter länglich, die untern verkehrt-eiförmig.

Auf Aeckern. — Vorarlberg: gemein im grossen Riede bei Bregenz (Str!), im Auer-Riede zwischen Dornbirn und Höchst (Cst!).

β. *anglica.* Stengel mehr gabelästig-verzweigt, rauher; Blätter gestreckter, die obersten linealisch. S. anglica L. —

Ausser der Gränze: im nördlichen Bellunesischen ober Dosole in Comelico (Fcch!).

Bl. weisslich. Jun. Jul. ⊙.

II. Rotte. *Otites.* Blüthenstand rispig, o. traubig-rispig. Blüthen in einer pyramidalischen, breitern o. schmälern Rispe, die Aeste gegenständig gabelspaltig, mit einem Blüthenstiel in der Gabelspalte, seltener wiederholt-gabelspaltig. Die Rispe wird zu einer quirligen Traube, wenn die Aeste sich verkürzen, o. ganz fehlen; u. zu einer einfachen Traube, wenn sich die erste Blüthe der Aeste allein entfaltet.

263. ***S. italica* Persoon.** Wälsches L. Flaumig; ***die Rispe aufrecht, locker, die Aeste gegenständig, 3gabelig-verzweigt,*** klebrig-beringelt, 3—vielblüthig; Blüthen gerade-vorgestreckt; Kelch keulig, Zähne stumpf; Blumenblätter 2spaltig, nackt; ***Blätter*** an der Basis gewimpert, ***die untern spatelig-lanzettlich,*** in den Blattstiel hinablaufend.

Steinige sonnige Hügel in Südtirol (Koch Taschenb.)! Valsugana: bei Borgo (Ambr.). — S. italica Pers. bei Bertoloni (d. i. mit Einschluss der Folgenden) bei Girlan nächst Bozen (Fcch!). —

Bl. oben weiss, unterseits mit hellvioletten, grasgrünen, oder bleigrauen Adern. Jun. Jul. ♃.

264. ***S. nemoralis* W. K.** Hain-L. Flaumig; ***Rispe aufrecht, beinahe gehäuft, die Aeste gegenständig, 3gabelig-verzweigt,*** klebrig-beringelt, 3—vielblüthig; Blüthen gerade hervorgestreckt; Kelch keulig, Zähne stumpf; Blumenblätter 2spaltig, nackt; ***Blätter*** an der Basis bärtig-gewimpert, ***die untern rundlich-elliptisch,*** in den Blattstiel herablaufend. —

An steinigen, waldigen Orten und Felsen im südlichern Tirol. — Margreid: beim Schiessstande (Hsm.). Trient: im Gebüsche am Monte dei Zoccolanti (Per.), u. am Doss Trent (Hfl.). Roveredo (Crist.). Bei dem Schlosse Beseno zwischen Trient, u. Roveredo (Fcch.).

Fruchtträger länger als die Kapsel. Bl. wie die der Vorigen. Mai, Jul. ♃.

265. ***S. nutans* L.** Nickendes L. Flaumig; oberwärts drüsig-klebrig; ***Rispe einerseitswändig, während des Aufblühens einwärts-geknickt-überhängend, Aeste gegenständig, 3gabelig-verzweigt, 3—7blüthig;*** Kelch röhrig, etwas keulig, ***Zähne spitz;*** Blumenblätter 2spaltig, bekränzt; die untern Blätter lanzettlich-elliptisch, in den Blattstiel hinablaufend.

Trockene Triften, Abhänge u. Hügel vom Thale bis in die Alpen. — Vorarlberg: bei Bregenz (Str!). Imst (Lutt!). Innsbruck: bei Weyerburg; am Widdersberg bei Oberberg bei 6000′ (Hfl.). Am alten Schloss bei Rattenberg (Wld!). Hügel um Kitzbüchl (Trn.). Schwaz (Schm!). Welsberg (Hll.). Innervilgraten, Hopfgarten, Hügel u. Auen um Lienz (Schtz.). Brixen z. B. ober Krakogel (Hfm.). Am Kiechelberg bei Meran (Iss.). Gemein um Bozen, z. B. im Griesner- Fagner- u. Hertenberg; am Ritten: um Klobenstein (Hsm.). Monte Gazza bei Trient (Merlo). Am Bondone bei Trient; in Vallunga bei Roveredo; dann um Trient (Per.), allda gegen Gocciadoro (Hfl!). Hügel um Roveredo (Crist.). Valsugana: bei Borgo (Ambr.). Judicarien: bei Tione (Bon.).

β. *livida.* Blumenblätter unterseits olivengrün. S. livida Willd. Koch syn. ed. 1. In Südtirol (Koch Taschenb.)! Vallunga bei Roveredo; um Trient (Per.). Bei Borgo (Ambr.).

Auf Gebirgen und Alpen z. B. bei Klobenstein, und auf der Seiseralpe sind die Blumenblätter nicht selten rosenroth, manchmal auch tiefroth (S. rubra Vest.?); letztere Spielart sammelte Wulfen auch in Prax!

Bl. weiss, o. mehr o. weniger roth. Mai, Jul. ♃.

266. *S. Otites Sm.* Ohrlöffel-L. Aeste der Rispe gegenständig, quirlig-traubig, Quirl reichblüthig, Blüthen gerade hervorgestreckt; Kelch röhrig-glockig, nebst der Rispe kahl, Zähne stumpf; ***Blumenblätter linealisch, ungetheilt, nackt;*** Blätter verkehrt-eilanzettförmig.

Auf Hügeln, Abhängen, u. Triften im südlichen Tirol. — Wippthal: am Schlosse Sprechenstein bei Sterzing (Hfl.). Pusterthal: bei Welsberg (Hll.). Brixen (Hfm.). Vintschgau: bei Goldrain (Tpp.). Meran, im Kiese der Etsch (Zcc!). Um Bozen gemein, z. B. am Eisackdamme unter dem Kalkofen, im Eisack- u. Talferbette, u. am Schlosse Runkelstein; seltener auf Gebirgen, z. B. um Klobenstein am Ritten am Abhange des Fenns im Krotenthale, u. bei Waidach (Hsm.). Fassa (Rainer!). Fleims: bei Cavalese (Fcch!). Valsugana: bei Borgo (Ambr.). Buschige Hügel um Roveredo (Crist.). Am Gardasee (Poll!).

Obsolet: Herba Viscaginis.

Bl. grünlich; Kapsel fast sitzend. Mai, Jul. ♃.

III. Rotte. *Atocion.* Stengel gabelspaltig mit einzelnen deckblattlosen Blüthenstielen in der Gabelspalte, und mit zwei deckblättrigen am Ende der Aeste. Blüthenstand eine ebensträussige Rispe, wenn sich die Aeste u. Aestchen verlängern; eine flachbüschelige Rispe bei sehr abgekürzten Aesten u. Aestchen; theilt sich der Stengel nur einmal, so wird er 3blüthig; verschwinden die 2 seitenständigen Blüthenstiele, so entsteht ein 1blüthiger Stengel.

§. 1. Kelch aufgeblasen, nervig-vielstreifig (20-30streifig), und netzig-aderig.

267. *S. inflata Sm.* Blasiges L. (vulgo Schnaeller). Rispe endständig, gabelspaltig; Blüthen gabel- u. endständig; ***Kelch eiförmig, aufgeblasen, vielstreifig, netzig-aderig,***

kahl, Zähne eiförmig, spitz; Platten der Bumenblätter 2theilig, an der Basis 2höckerig; Blätter elliptisch, oder lanzettlich, zugespitzt. —

Auf Wiesen u. Triften gemein vom Thale bis in die Alpen. — Bregenz (Str!). Oetzthal: bei Heilig-Kreuz; Imst (Lutt!). Innsbruck: auf allen Wiesen, auch im Sillgries bei Pradel, Thaureralpe (Hfl.). Längenthal (Prkt.). Schwaz (Schm!). Kitzbüchel: auf steinigen Feldern an der Aache (Unger! Trn!). Pusterthal: bei Welsberg (Hll.); Innervilgraten, Lienz, Hopfgarten (Schtz.); Brunecken (Pfaundler!). Im Etschlande: bei Eppan (Hfl.); allenthalben um Bozen, u. den umliegenden Gebirgen (Hsm.). Val di Nön: Castell Brughier (Hfl!). Fassa, u. Fleims (Fcch!). Trient: auf den Wiesen der Thalebene, u. am Doss San Rocco (Per! Hfl.). Valsugana: bei Borgo (Ambr.). Roveredo (Crist.). Judicarien: bei Tione (Bon.).

Cucubalus Behen L. — *Var.*: mit kahlen oder am Rande gewimperten Blättern, dann:

β. *angustifolia.* Blätter linealisch, o. linealisch-lanzettlich. — In Ampezzo bei Peitelstein, u. ausser der Gränze im Cadoverthale (Hsm.). Region des Knieholzes am Bondone nächst Trient (Per!). Gebirge in Valsugana (Montini!). Im Steingerölle der Schiefergebirge bei Schwaz (Schm.).

γ. *alpina.* Stengel niederliegend, 1—3blüthig; Blätter länglich, oder elliptisch. — Schlern, Seiser- und Villandereralpe (Hsm.).

Bl. weiss. Ende Mai — Aug. ♃.

268. S. *uniflora Bertoloni.* Einblüthiges L. Meerstrands-L. Stengel rasenartig, verkürzt, niederliegend. *Blüthen* endständig, *meist einzeln;* Blätter lanzettlich; *Kelche* der Frucht stark *aufgeblasen,* netz-aderig; *Platte der Blumenblätter 2theilig, mit zwei spitzigen Schlundschuppen versehen.* —

Alpen in Fassa (Fcch!). Vette di Feltre (Montini!).

S. uniflora Bertoloni flor. ital. tom. IV. pag. 632. S. maritima With. Reichenb. flor. excurs. pag. 823. u. Icon. Caryophyll. tab. CCXCIX.

Bl. weiss. Jul. Aug. ♃.

269. *S. Pumilio Wulf.* Zwerg-L. Blüthen endständig, einzeln; *Kelch aufgeblasen, länglich-glockig, vielstreifig, netzaderig, rauhhaarig;* Zähne eiförmig, stumpf; Platten der Blumenblätter ungetheilt, umgekehrt-eirund, kaum ausgekerbt, borstlich-bekränzt; Blätter linealisch, stumpflich, nach der Basis verschmälert.

Felsige Triften der Alpen im südlichen Tirol, auf Kalk u. Urgebirg. — Pusterthal: auf der Schleinizspitze, der Marenwalderalpe, u. dem Zetterfeld bei Lienz (Rsch!); Innervilgraten, Teferegger Alpen, Hofalpe u. Gössnitz (Schtz.); Alpenmähder am Joch zwischen Vilgraten, u. Gsiess (Stapf); Amperspitze bei Welsberg, u. Toblacheralpe (Hll.). Villanderer- und Lazfonseralpe, dann Joch Lattemar nächst Bozen (Hsm.). Fassa, u. Fleims (Fcch!). Valsuganeralpen, z. B. am Montalon (Ambr.). Cima di Giotara (Tpp.). Forcella di Sadole in Fleims (Parolini)! Colbricone in Paneveggio (Per!).

Cucubalus Pumilio L.

1—2 Zoll hoch. Bl. rosenroth. Jul. Aug. ♃.

§. 2. Kelch länglich, o. länglich-keulig, 10nervig.

270. *S. noctiflora L.* Nächtlichblühendes L. ***Stengel oberwärts gabelspaltig, nebst den Blüthenstielen, u. Kelchen klebrig-zottig; Blüthen gabel- u. endständig;*** Kelch etwas bauchig-röhrig, 10streifig, aderig, die fruchttragenden elliptisch, Zähne pfriemlich-fädlich; ***Blumenblätter tief-2spaltig,*** bekränzt; Blätter länglich, spitzig, die obersten aus lanzettlicher Basis schmal-zulaufend, die untersten verkehrt-eiförmig.

Auf Aeckern. — Vorarlberg: zwischen Höchst, u. Dornbirn, dann im Rheinthale auf der Schweizerseite, z. B. bei Altstätten (Cst.). Nach Hinterhuber bei Kühbach nächst Bozen! Bei Trient (Per!). Ausser der Gränze in den Sette Communi bei Assiago (Montini!).

Bl. blass-fleischroth. Fruchtträger vielmal kürzer als die Kapsel. Jul. Aug. ⊙.

271. *S. Armeria L.* Nelken-L. ***Völlig kahl, die obern Glieder des Stengels klebrig-beringelt;*** die Rispe endständig, büschelig-gedrungen, reichblüthig; Kelch röhrig-keulig, 10streifig, Zähne eiformig, stumpf; ***Blumenblätter ungetheilt,*** ausgerandet, spitz-***bekränzt;*** Blätter eiförmig.

An Abhängen, u. steinigen Hügeln zwischen Gebüsch im südlichen Tirol. — Sonnige Hügel um Brixen, z. B. bei Krabkogel (Hfm.). Meran: bei Fragsburg u. am Kiechlberg (Kraft. Hfl.). Von Bozen bis Meran (Zcc!). Bozen: im Griesner- und Fagnerberg, hinter Runkelstein bei Ried u. westlich am Wunderhofe; am Fusse des Berges längs der Landstrasse von Leifers nach Auer; Margreid etc. (Hsm.). Im Pfundererthale bei Clausen; bei Mezzana in Val di Sol (Per!). Judicarien: bei Verdesina in Rendena (Bon.). Im Etschlande, u. den wärmern Seitenthälern ziemlich verbreitet (Fcch!).

Bl. carmin- o. etwas bläulichroth. Fruchtträger wenigstens halb so lang als die Kapsel. Jun. Jul. ⊙.

272. *S. linicola Gmelin.* Flachs-L. ***Stengel*** oberwärts ***gabelspaltig,*** ebensträussig-rispig, ***nebst den Blüthenstielen, u. Kelchen von sehr kurzem Flaume etwas rauh;*** Blüthen gabel- und endständig; Kelch röhrig, 10streifig, die fruchttragenden eiförmig-keulig, zwischen den Streifen aderig, Zähne des Kelches eiförmig, stumpf; ***Blumenblätter unge-***

theilt, ausgerandet, *bekränzt*; Blätter linealisch-lanzettlich, die untersten verkehrt-eiförmig.

Auf Leinäckern. — Bei Brixen (Hfm.). In den benachbarten Sette Communi bei Gallio (Montini!).

Bl. blass-fleischroth. Fruchtträger halb so lang als die Kapsel. Jun. Jul. ⊙.

273. *S. saxifraga L.* Steinbrech-L. *Stengel* rasig, *von sehr kurzem Flaum etwas rauh; Blüthenstiele endständig, einzeln, o. gepaart;* Kelch keulig, 10streifig, aderlos, kahl, Zähne eiförmig, stumpf; *Blumenblätter tief-zweispaltig*, bekränzt; *Blätter linealisch*, nach der Basis verschmälert.

An Kalkfelsen im südlichen Tirol, auf Alpen u. Voralpen, auch hie u. da ins Thal herab. — Pusterthal: am Sarlkofel in Prax (Hll.); Lienz (Schtz.), am Rauchkogel, und Zabrot allda (Rsch!). Roeneralpe auf der Mendel (Hsm.). Schlern, und Joch Lattemar; bei Salurn bis ins Thal herab; ausser der Gränze bei Bormio (Hsm.). Val di Non (Tpp.); Pontalto (Hfl!). In Fleims: bei Fiano (Fcch!); Monte Palenzano bei Predazzo (Parolini!). Trient: am Doss Trent (Hfl.). Spinale (Sternberg!). Valsugana (Ambr.). Nordseite bei Roveredo, an alten Mauern (Crist.). Am Baldo, u. bei Riva (Poll!). Judicarien: auf der Alpe Lenzada (Bon.).

Bl. oberseits weisslich, unterseits röthlich, oder gelblichgrün. Fruchtträger von der Länge der Kapsel. Jun. Jul. ♃.

§. 3. Kelch kreiselförmig-glockig, kurz. Samen am Rande kammförmig bewimpert.

274. *S. quadrifida L.* Vierzähniges L. Stengel rasig, gabelspaltig, die obern Glieder, u. die Blüthenstiele klebrig-beringelt; Blüthen gabel- u. endständig, o. an den einblüthigen Stengeln einzeln; Kelch kreiselförmig, 10streifig, Zähne desselben eiförmig, stumpf; *Blumenblätter* verkehrt-eiförmig, *4zähnig*, bekränzt; Kapsel oval, ungefähr so lang als der Kelch; *Samen kammförmig-bewimpert; Blätter linealisch, die untersten spatelig.*

An feuchten Felsen, u. Bächen der Alpenthäler. — Vorarlberg: auf der Mittagspitze (Str!); bei Au im Bregenzerwald (Tir. B!). Lechthal: neben dem See der Alpe Söben bei Vils (Frl!); Stuiben, Aggenstein u. Gaishorn (Dobel!). Oberinnthal: am Säuling (Kink). Innsbruck: Nasswand in der Klamm, und Haller Salzberg (Hfl.), dann am heiligen Wasser (Prkt.). Kellerjoch (Schm!). Zillerthaler Alpen (Gbh.). Kitzbüchler Alpen (Trn.). Alpen bei Welsberg, und nördlich von Innichen (Hll. Stapf). Innervilgraten, Hofalpe u. Schleiniz (Schtz.). Schleinizspitze, u. Rauchkogel bei Lienz (Rsch!). In Gröden ober Plan (Hfl.). Brixneralpen (Hfm.). Am Schlern zwischen den Wänden (Eschl.). Am Bache beim Bade Ratzes, u. Joch Lattemar bei

Bozen (Hsm.). Val di Flavon im Nonsberg (Tpp.). Fleimser- u. Fassaneralpen (Fcch!). Alpen um Trient (Per.). Fassa: am Odai (Meneghini!), u. bei Vigo (Parolini!). Val di Sella bei Borgo (Ambr.). Am Montalon (Paterno!). Felsschluchten zwischen Primör, u. Fonzaso (Hfl.). Vette di Feltre (Contareni!). Roveretaneralpen (Crist.). Spinale, Bondone, Scanucchia, und Baldo (Poll!). Judicarien: alla Sega bei Bolbeno, u. Alpe Lenzada (Bon.).

Bl. milchweiss, der Kelch oft röthlich-angelaufen, seltener auch die Blumenblätter. Jul. Aug. ♃.

275. ***S. alpestris** Jacq.* Alpen-L. Stengel rasig, gabelspaltig, die obern Gelenke, u. Blüthenstiele klebrig-beringelt; Blüthen gabel- und endständig; Kelch kreiselförmig, 10-streifig, Zähne eiförmig, stumpf; ***Blumenblätter*** verkehrt-eiförmig, ***4zähnig,*** bekränzt; Kapsel länglich, noch 1mal so lang als der Kelch; ***Samen kammförmig-bewimpert; Blätter lanzettlich.***

An Felsen, und Waldrändern der Alpen und Voralpen im südlichen Tirol. — Pusterthal: im Kalserthal, und Teischnizer Alpe (Rsch!). Alpen von Fassa, und häufig am Avisiobache; auf dem Bondone bei Trient; Alpe Cimonego an der Vette di Feltre (Fcch!). Spinale (Sternberg!). Im Mollthale am Glockner (Lösche!).

Bl. weiss. Jul. Aug. ♃.

§. 4. Kelch glockig, o. kreiselförmig-glockig, kurz. Samen am Rande ohne Kamm.

276. ***S. rupestris** L.* Felsen-L. ***Stengel gabelspaltig, völlig kahl; Blüthen gabel- und endständig; Kelch kreiselförmig, 10riefig,*** Zähne eiförmig, stumpf; Blumenblätter verkehrt-herzförmig, bekränzt; ***Blätter eiförmig,*** spitz, sitzend, die untern lanzettlich, an der Basis verschmälert.

An Abhängen u. Hügeln im Thale, lichten Wälder der Gebirge, u. Triften der Alpen.—Oberinnthal: am Ranggen (Str.); Weg von Telfs nach Stams (Zcc!); Oetzthal (Tpp.). Innsbruck: ausser Amras am Berg gegen Aldrans (Schpf.). Längenthal (Prkt.). Stubai: von Neustift bis Ranalt (Hfl!). Alpein in Stubai (Schneller). Rattenberg (Wld!). Zell im Zillerthal (Gbh.). Um Kitzbüchl gemein (Trn.). Kellerjoch bei Schwaz (Hfl.). Welsberg (Hll.). Tefereggen, Innervilgraten (Schtz.). Auf dem Zötterfeld, dem Zabernizkofel, u. der Marenwalderalpe (Rsch!), Hofalpe u. Gössnitz bei Lienz (Schtz.). Wormserjoch bei Franzenshöhe mit weissen, u. rosenrothen Blüthen (Gundlach). Bei Mittewald hinter dem Posthause (Mrts!). Bozen: an den Abhängen ober der Landstrasse gegen Siebenaich; gemein um Klobenstein am Ritten, und am Wolfsgruber See im Sande; Rittner- u. Villandereralpe bis auf die Spitze der Sarnerscharte; Schlern u. Seiseralpe (Hsm.). Fleims, u. Fassa (Fcch!), Alpen um Trient (Per.). Valsugana: bei Borgo (Ambr.); in Primiero (Montini!). Am Baldo (Sternberg!). Judicarien: auf warmen Hügeln ai Finali bei Tione (Bon.).

Bl. weiss, selten rosenroth. Jun. Aug. ♃.

277. ***S. acaulis L.*** Stengelloses L. Stengel einen sehr gedrungenen Rasen bildend, *nebst den Blüthenstielen u. Kelchen kahl; Blüthen* endständig, *einzeln; Kelch glockig, 10riefig,* aderlos, Zähne eiformig, stumpf, oder ausgerandet; Blumenblätter verkehrt-eiförmig, seicht ausgerandet, bekränzt; *Blätter linealisch-pfriemlich.*

Gemein auf allen höhern Alpen, auf steinigen sparsam berasten Triften. — Vorarlberg: Widderstein (Köberlin!); auf der Mittagspitze (Str!). Lechthal: Aggenstein, Gaishorn, und Mädelealpe (Dobel!). Oberinnthal: am Uebergang von Rofen ins Schnalserthal (Hfl.); im Salvösenthal (Lutt!); Bergmähder bei Zirl (Hfl.); am Krahkogel im Oetzthale (Zcc!). Morgenspitze, u. Patscherkofel bei Innsbruck (Eschl.). Sonnenwendjoch bei Rattenberg (Wld!). Kitzbüchl (Trn.). Zillerthal: in der Zemm (Gbh.). Kellerjoch (Schm!). Pfitsch (Precht). Stubai: am Bache in Oberiss (Schneller). In Schmirn, u. auf dem Schneeberge bei Sterzing (Hfl.). Griesbachjoch (Stotter!). Pusterthal: Neunerspitze bei Welsberg (Hll.); Tefereggen, Innervilgraten (Schtz.); Hegedexspitze (F. Naus!); Lienzeralpen (Rsch!); grauer Käs, u. Teischnitzalpe bei Lienz (Schtz.). Wormserjoch; Ifinger bei Meran; Schlern, Seiser-, Rittner- und Villandereralpe (Hsm.). Fleims, u. Fassa (Fcch!). Alpen um Trient; am Altissimo des Baldo (Per.). Cima di Giotara in Valsugana (Tpp.). Alpe Spinale (Bon.). Alpen in Fleims u. Valsugana (Ambr. Sartorelli). Colsanto bei Roveredo (Crist.). Bondone, Scanuccia, Baldo, u. Portole (Poll!).

Bl. heller- o. tiefer-rosenroth, sehr selten weiss. Jun. Aug. ♃.

74. *Lychnis L.* Lichtnelke.

Kelch 5zähnig, an der Basis nackt. Blumenblätter 5, benagelt. Staubfäden 10. Griffel 5. Kapsel an der Basis 5fächerig, o. 1fächerig, mit 5 o. 10 Zähnen aufspringend. (X. 5.).

278. ***L. Viscária L.*** Klebrige L. Pechnelke. Blumenblätter ungetheilt, bekränzt; *Stengel kahl, oberwärts unter den Gelenken klebrig;* Blätter lanzettlich, kahl, an der Basis gewimpert; Blüthen traubig-rispig, fast quirlig.

Grasige Hügel u. buschige Triften bis an die Alpen. — Oberinnthal: bei Imst (Lutt!). Innsbruck: bei Sistrans (Prkt.). Unterinnthal: unweit Bruck (Gbh.), am Lahnbach bei Schwaz (Schm!). Welsberg (Hll.). Lienz, Innervilgraten (Rsch! Schtz.). Brixen (Hfm.). Bozen: im Gebüsche am Sigmundscroner Berg am Steige vom Schlosse nach Frangart, u. bei Kapenn; am Ritten bei 4500′ südlich am Kemater Weyher; mit halbgefüllten Bl. bei Margreid an Felsen etc. (Hsm.). Valsugana bei Borgo (Ambr.). Um Trient (Fcch!).

Bl. schön purpurroth. In Gärten auch mit gefüllten Blumen. — Mai, Jul. ♃.

279. ***L. alpina L.*** Alpen-L. Blumenblätter halb 2spaltig, nackt; ***Stengel kahl, nicht klebrig;*** Blätter lanzettlich, kahl, an der Basis gewimpert; Blüthen dichtdoldig-köpfig.

Auf trockenem Sandboden der höchsten Urgebirgsalpen an der Gränze von Tirol, der Schweiz u. Kärnthen. — In beträchtlicher Menge im Kalsergebirge am Glockner (Sieber). Kalseralpen, und an der Gränze Graubündtens (Koch syn.)! Feldkircheralpe (Heufler in Stafflers Tirol)! Bergeralpe in Kals (Hrnsch!), am Kalserthörl (Schtz.).

Bl. purpurn. Jul. Aug. ♃.

280. ***L. Flos Cuculi L.*** Kukuksnelke. ***Blumenblätter bis über die Mitte 4spaltig,*** Zipfel linealisch, handförmig-auseinanderstehend; Stengelblätter linealisch-lanzettlich.

Gemein auf Wiesen vom Thale bis in die Alpen. — Vorarlberg: um Bregenz (Str!). Imst (Lutt!). Um Innsbruck (Schpf.), allda am Amraser See (Prkt.). Kitzbüchl (Trn.). Pusterthal: bei Welsberg (Hll.); Innervilgraten, Tefereggen, und um Lienz (Schtz.). Vintschgau: Wiesen um Schlanders (Tpp.). Um Meran (Iss.). Thal Ulten (Eschl.). Auf allen Wiesen um Bozen; am Ritten bis ober Kematen; Seiseralpe etc. (Hsm.). In der Ebene um Trient (Per!). Valsugana: bei Borgo (Ambr.). Roveredo (Crist.). Judicarien: um Tione (Bon.).

Bl. fleischroth, selten weiss. Ende Apr. Jul. ♃.

281. ***L. Coronaria Lam.*** Vexir-Nelke. Blumenblätter ungetheilt, bekränzt; ***Blätter nebst dem Stengel dichtfilzig; Blüthenstiele mehrfach länger als der Kelch.***

Im Gebüsche auf Hügeln, u. Abhängen, im südlichen Tirol. Meran: bei Zenoberg; Bozen: südlich am Calvarienberge, im Gandelhofe bei Gries, und ober der Landstrasse zwischen Morizing, und Siebenaich; bei Pranzoll, Margreid und Auer (Hsm.). Meran: beim Schlosse Tirol (Tpp.). Valsugana: bei Pergine (Sternberg!); um Borgo (Ambr.), ai Masetti di Telve (Montini!).

Agrostemma coronaria L.

Bl. dunkel purpurroth, um Meran auch weiss.

Jun. Sept. ♃.

L. chalcedonica L. Brennende L. Stengel aufrecht, rauhhaarig; Blätter eilanzettlich mit fast herzförmigem Grunde sitzend, die untern in die Basis verschmälert; Blumenblätter beiderseits mit einem Zahne, abstehend, 2spaltig, mit abgerundeten Läppchen, an der Basis mit einem Paar angedrückter spitziger Schlundschuppen. Blüthen büschelköpfig.

Eine bekannte, in unsern Gärten fast einheimisch gewordene Zierpflanze, mit scharlachrothen Blumen. Jun. Jul. ♃.

282. ***L. Flos Jovis Lam.*** Zeus-Nelke. Blumenblätter beinahe halbspaltig, bekränzt; ***Stengel und Blätter wollig-filzig; Blüthenstiele kürzer als der Kelch.***

Gebirgstriften im südlichen Tirol. — Vintschgau: auf Wiesen im Suldnerthale (Tpp.), dann bei Mals, u. am Wege nach Schlinig (Hfm.); im Martellthale (Fk.)! Val di Non: in Rabbi (Elsm.). Mendelgebirg (Hsm.). Im Tridentinischen auf dem Berge Maranza (Fcch.), u. Voralpe Marzola (Per.). Am Baldo: im Gebüsche der Bergwiesen auf der Südseite des Jöchels zwischen Vall' Aviana, u. Vall delle Sorne (Hfl.).

Agrostemma Flos Jovis L.

Bl. fleischroth. Jun. Jul. ♃.

283. ***L. vespertina Sibthorp.*** Abend-L. Weisses Marienröschen. Blumenblätter halb-2spaltig, bekränzt; Stengel unterwärts zottig; die obern ***Blätter*** eilanzettförmig, verschmälert-zugespitzt, und ***nebst den Blüthenstielen, und Kelchen drüsig-kurzhaarig; Kapsel*** eikegelförmig, ***mit vorgestreckten Zähnen;*** Blüthen 2hausig.

An Gräben, Zäunen, u. Hecken der Thäler. — Vorarlberg: zwischen Höchst, und Dornbirn im Auerried mit weissen und röthlichen Blumen (Cst!); bei Lustenau (Str!). Innsbruck (Prkt.). Am Inn bei Schwaz (Schm!). Kitzbüchl: nur mit weissen Blumen (Unger)! Lienz (Schtz.). Vintschgau: bei Rabland (Tpp.). Gemein um Bozen, doch nur mit weissen Blumen, z. B. an den Zäunen gegen Sigmundscron, u. Haslach (Hsm.). Pusterthal: bei Welsberg (Hll.). In Fleims: bei Castello (Fcch!). Val di Non: bei Brughier (Hfl!). Trient: im Gebüsche bei Fontana santa (Per!). Judicarien: um Tione (Bon.).

L. dioica β. L. Obsolet: Radix Saponariae albae.

Bl. weiss, selten röthlich. Jun. — Novemb. ⊙.

284. ***L. diurna Sibthorp.*** Tag-L. Rothes Marienröschen. Blumenblätter halb-2spaltig, bekränzt; Stengel nebst den Blättern, ***Blüthenstielen, u. Kelchen zottig, mit einfachen Haaren;*** die obern Blätter eiförmig, plötzlich zugespitzt; ***Kapsel*** rundlich-eiförmig, ***mit zurückgerollten Zähnen.***

Auf Wiesen, u. fetten Triften bis in die Alpen. — Vorarlberg: um Bregenz (Str!). Oberinnthal: bei Ladis (Gundlach). Imst (Lutt!). Innsbruck: auf Bergwiesen am rechten Sillufer bei Sonnenburg (Hfl.). Längenthal (Prkt.). Gemein um Kitzbüchl (Trn.). Welsberg (Hll.). Innervilgraten, Hopfgarten, Lienz (Schtz.). Vintschgau: bei Schlanders (Tpp.). Meran (Iss.). Selten im Thale bei Bozen, z. B. mit Voriger bei St. Antoni am Talferbett an der Mauer beim Stege, dann in der v. Zallingerischen Wiese in Haslach (Hsm.); auf der Seiseralpe; Sarnthal: bei Durnholz; in Menge auf den Wiesen ober der Landstrasse zwischen Kollman, und Brixen (Hsm.). Wormserjoch (Gundlach). Alpentriften in Fassa u. Fleims (Fcch!). Trient (Per!). Valsugana: bei Borgo (Ambr.). Roveredo (Crist.). Judicarien: bei Tione (Bon.).

L. dioica *α*. L.

Bl. schön roth. Blüht neben Voriger um 4 volle Wochen früher. — Anf. Mai, Jul. ♃.

75. ***Agrostemma L.*** Rade.

Kelch 5zähnig, nackt, Zähne blattartig verlängert. Blumenblätter 5, benagelt. Staubfäden 10. Griffel 5. Narben ringsum behaart. Kapsel einfächerig, an der Spitze 5zähnig-aufspringend. (X. 5.).

285. ***A. Githágo L.*** Rade. Blumenblätter gestutzt; Kelchzipfel länger als die Rohre des Kelches, u. die Blumenblätter.

Auf Aeckern, vorzüglich unter Roggen. — Vorarlberg: um Bregenz (Str!). Oberinnthal: bei Reutte (Kink); bei Imst (Lutt!). Um Innsbruck gemein, z. B. bei Egerdach (Prkt.). Kitzbüchl (Trn!). Zillerthal (Moll!); Schwaz (Schm!). Innervilgraten, Tefereggen, u. um Lienz (Schtz.). Welsberg (Hll.). Brixen (Hfm.). Meran (Iss.). Selten im Thale bei Bozen, gemein auf den Gebirgen umher, z. B. um Klobenstein am Ritten, u. Jenesien; Margreid (Hsm.). Im Tridentinischen (Per!). Valsugana: bei Borgo (Ambr.). Roveredo (Crist.). Judicarien: bei Tione (Bon.).

Githago segetum Desf. — Obsolet: Radix et Herba Githaginis seu Nigellastri, Semen Lolii officinarum.

Bl. purpurn. Mai, Jul.. ☉.

XIV. Ordnung. ALSINEAE. De C.

Mierenartige.

Kelch 4—5blättrig, o. tief 4—5theilig, bleibend, in der Knospenlage dachig. Blumenblättter so viele als Theile des Kelches. Staubgefässe 10 oder weniger, auf einem aus Drüsen gebildeten, mehr o. weniger deutlichen Ringe eingefügt. Fruchtknoten frei, 1fächerig, mehr- o. vieleiig. Samenträger mittelpunktständig, frei. Griffel 2—5, getrennt. Kapsel mehr o. minder tief zähnig- o. klappig-aufspringend. Keim um das Eiweiss gekrümmt. Blätter gegenständig, ungetheilt, meist ganz, meist nebenblattlos, selten mit trockenhäutigen Nebenblättern..

76. ***Sagina L.*** Mastkraut.

Kelch 4—5blättrig. Blumenblätter 4—5, ganz. Staubgefässe

4—5—10. Fruchtknoten vieleiig. Griffel 4—5, Kapsel 4—5klappig. Bl. weiss. Blätter nebenblattlos, an der Basis in eine Scheide verwachsen.

I. Rotte. *Saginella.* Kelchblätter 4. Blumenblätter 4. Staubgefässe 4. Griffel 4. Kapsel 4klappig. (IV. 4.).

286. *S. procumbens L.* Liegendes M. Stengel niederliegend, an der Basis wurzelnd; Aeste aufstrebend; ***Blätter*** linealisch, stachelspitzig, ***ganz kahl; Blüthentheile 4zählig; die abgeblühten Blüthenstiele an der Spitze hackig***, die fruchttragenden aufrecht; ***Kelchblätter stumpf, grannenlos.***

Auf feuchten Grasplätzen bis in die Alpen. — Vorarlberg: auf dem Freschen (Cst!); um Bregenz (Str!). Oberinnthal: bei Sölden; Stubai: bei der Schafscheide (Hfl.). Innsbruck: am heiligen Wasser (Prkt.). Kitzbüchl (Unger!). Lienz (Rsch!), Hofalpe u. Gössnitz bei Lienz, Innervilgraten (Schtz.). Gemein in ganz Vintschgau, auch auf Alpen, z. B. bei Laas, überall mit Folgender (Tpp.). Marauner Loch in Ulten (Hfl.). Bozen: hie u. da im Talferbette; gemein um Klobenstein am Ritten, u. Rittneralpe (Hsm.). Colsanto bei Roveredo (Per!). Judicarien: am Wege von Trono nach Rendena (Bon.).

Bl. weiss, 3—4mal kürzer als der Kelch.

Apr. Mai. Gebirge, Jun. Jul. ☉.

287. *S. bryoides Froel.* Moosartiges M. ***Stengel kriechend; Blätter*** linealisch, stachelspitzig, ***schwach-gezähnelt, feingewimpert;*** Blüthentheile 4zählig; Blüthenstiele aufstrebend, ***die abgeblühten an der Spitze hackig,*** die fruchttragenden aufrecht; ***Kelchblätter*** stumpf, ***grannenlos.***

Auf Grasplätzen bis in die Alpen. — Im Thale Syn bei Steeg (Frl!). Südtirol, an mehreren Orten (Koch Taschenb.)! Vintschgau: überall mit Voriger; bei Marling nächst Meran (Tpp.). Pusterthal: bei Welsberg (Hll.). Bozen, u. Klobenstein am Ritten überall mit Voriger (Hsm.). Im Bezirke von Agordo nahe an der Tiroler Gränze (Fcch!).

Ich sehe die S. bryoides für Varietät der Vorigen an; man findet sie allenthalben untereinander, und oft an einem Exemplare ganz kahle, u. schwach gezähnelte, feinbewimperte Blätter. Der Stengel ist niederliegeud u. wurzelnd, oder kriechend sowohl an kahlblättrigen, als an Exemplaren mit gezähnelten und bewimperten Blättern.

Bl. weiss, wenigstens 2mal kürzer als der Kelch.

Apr. Jul. ☉.

II. Rotte. *Spergella. Reichenb.* Kelchblätter 5. Blumenblätter 5. Staubgefässe 10. Griffel 5. Kapsel 5klappig. (X. 5.).

288. *S. saxatilis Wimmer.* Stein-M. ***Blätter*** linealisch, ***kurz-stachelspitzig, nebst dem Stengel, u. den Blüthenstielen kahl;*** Blüthentheile 5zählig, die abgeblühten Blüthenstiele nickend; die fruchttragenden aufrecht; ***Blumenblätter kürzer als der Kelch;*** Stengel niederliegend, aufstrebend.

An felsigen Orten, und Triften der Gebirge und Alpen. — Vorarlberg: am Pfänder, Mittagspitze (Str!). Am Krahkogel im Oetzthale (Zcc!). Innsbruck: auf entblösstem Boden am Brandjoch bei 6000′ (Hfl.). Kitzbüchl: auf berastem trockenen Boden vom Thale bis 5000′, z. B. beim Einsiedel (Unger! Trn.). Pusterthal: Tefereggen, Alpe Ködniz in Kals, Dorfer- u. Hofalpe (Schtz.), in der Bürgerau, und am Wasserdammme bei Lienz (Rsch!), um Innichen (Stapf), Sillian (Bentham)! Alpen um Sterzing (Hfl.). Wormserjochstrasse (Fk.)! Gemein am Ritten z. B. auf dem Grabmairbödele in Klobenstein (Hsm.). Welschtirol von der Thalsohle bis ober die Baumgränze (Fcch!). An den Mineralquellen von Pejo (Bon.). Am Baldo und Bondone (Poll!).

Spergula saginoides L. Spergella saginoides Reichenb. — Spergella macrocarpa Reichenb. Icon. Caryophyll. tab. CCII ist nach meinem Dafürhalten nur eine üppigere Alpenform, sie ist etwas grösser u. gestreckter als die gemeine Form, ihre Kapseln sind fast doppelt so lang als der Kelch, die Blumenblätter fast von der Länge der Kelchblätter. Ich besitze diese Sagina saxatilis β. macrocarpa (mihi) durch Scheitz von den Lienzeralpen; Facchini fand sie an wenig betretenen Wegen der Alpen und Voralpen des südlichen Tirols an vielen Orten, es dürfte auch ein oder anderer der obigen Standorte, von wo mir kein Exemplar vorliegt, mit dieser Varietät zu vergleichen sein. — Bl. weiss. Jun. Aug. ♃.

289. ***S. subulata Wimmer.*** Pfriemenblättriges M. ***Blätter*** linealisch, zugespitzt, ***lang-begrannt, am Rande nebst dem obern Theile des Stengels, u. den Blüthenstielen etwas behaart;*** Blüthentheile 5zählig; die abgeblühten Blüthenstiele ziemlich nickend, die fruchttragenden aufrecht; ***Blumenblätter so lang als der Kelch;*** Stengel niederliegend, aufstrebend.

Auf Sandfeldern. — Valsugana: bei Caldonazzo (Hfl.), und an der Strasse am See von Levico (Fcch.).

Spergella subulata Reichenb. Spergula subulata Sw.

Bl. weiss. Mai, Jul. ♃.

290. ***S. glabra Koch.*** Kahles M. Blätter linealisch-fädlich, kurz-stachelspitzig; Blüthentheile 5zählig; Blüthen vor dem Aufbluhen überhängend, die fruchttragenden aufrecht; ***Blumenblätter noch 1mal so lang als der Kelch; Stengel*** niedergestreckt, ***kriechend.***

Triften der Alpen. — Oestlich von Roveredo, in dem Thale zwischen Terragnuolo, u. Colsanto, etwas ober u. unter der Baumgränze auf Kalk (Fcch!).

Spergula glabra Willd. Spergella glabra Reichenb.

Bl. weiss. Blätter u. Stengel kahl o. behaart. Jul. Aug. ♃.

291. ***S. nodosa E. Meyer.*** Knotiges M. Blätter linealisch-fädlich, kurz-stachelspitzig, die obern in dem Winkel von

kurzen Blättern büschelig; Blüthentheile 5zählig; Blüthen immer aufrecht; ***Blumenblätter noch 1mal so lang als der Kelch; Stengel ausgebreitet***, o. aufstrebend.

Feuchte sandige Triften. — Bei Sterzing im Wippthale (Tpp.).

Spergula nodosa L. Spergella nodosa Reichenb.

Kahl, o. behaart. Bl. weiss. Jun. Jul. ♃.

77. *Spergula* **L.** Sperk. Spark.

Kelch 5blättrig. Blumenblätter 5, ganz. Staubgefässe 5—10. Fruchtknoten vieleiig. Griffel 5. Kapsel 5klappig. Samen kreisrund, mit einem geflügelten Rande umgeben. Bl. weiss. Blätter an der Basis frei, mit hinfälligen trockenhäutigen Nebenblättern. (X. 5.).

292. ***S. arvensis* L.** Acker-Sp. ***Blätter*** linealisch-pfriemlich, gebüschelt-***quirlig***, unbegrannt, oberseits konvex, ***unterseits mit einer Furche durchzogen***; Blüthenstiele nach dem Verblühen herabgeschlagen; Samen kugelig-linsenförmig, von feinen Körnchen etwas rauh, o. von kurzen Härchen feinwarzig, mit einem schmalen, glatten Flügelrande umzogen.

Auf Aeckern gemein. — Bregenz (Str!). Innsbruck: bei Sistrans, u. auf den Grillhöfen (Hfl.). Bei Mieders in Stubai (Schneller). Kitzbüchl (Trn.). Bei Zell im Zillerthale (Gbh.). Innervilgraten (Schtz.). Welsberg (Hll.). Terenten nächst Obervintel (Hfm.). Lienz: am Iselufer bei Schlossbruck nächst der Brücke, u. auf der Kirschbaumeralpe (Spergula laricina Wulf.) (Rsch!). Klobenstein am Ritten in Menge gegen Kematen (Hsm.). Valsugana: bei Tienno (Ambr.). In Pinè (Fcch!).

Bl. weiss. Jun. Jul. ☉.

293. ***S. pentandra* L.** Fünfmänniger Sp. ***Blätter*** linealisch-pfriemlich, gebüschelt-***quirlig***, grannenlos, fast stielrund, ***unterseits glatt (ohne Furche)***; Blüthenstiele nach dem Verblühen zurückgeschlagen; Samen flach-zusammengedrückt, glatt, mit einem verbreiterten strahlig-gerieften Flügelrande umzogen, vor dem Rande mit feinen Blätterchen besetzt.

Auf sandigen Aeckern, um Kitzbüchl (Unger!).

Bl. weiss. Apr. Mai. ☉.

78. ***Lepigonum Wahlberg.*** Schuppenmiere.

Kelch 5blättrig. Blumenblätter 5, ganz. Staubfäden 10, die äussern an der Basis durck 2 kurze Drüsen gestützt. Fruchtknoten vieleiig. Griffel 3. Kapsel 5klappig. Samen 3eckig- o. rundlich-verkehrt-eiförmig, mit oder ohne geflügeltem Rande. Blätter frei mit trockenhäutigen Nebenblättern. (X. 3.).

294. ***L. rubrum Wahlb.*** Rothe Sch. Blätter linealisch-fädlich, stachelspitzig, etwas fleischig, auf beiden Seiten flach; Stengel gestreckt, und aufstrebend, ästig, Aeste traubig; Blüthenstiele nach dem Verblühen herabgeschlagen; Kelchblätter lanzettlich, stumpf, nervenlos, am Rande häutig; Samen keilig, beinahe 3eckig, fein-runzelig, flügellos.

Auf sandigen Plätzen, an Wegen, u. Triften. — Innsbruck: am Wege bei Judenstein, u. ober dem Lemmenhofe gegen Lans (Hfl.). Zillerthal: bei Zell (Gbh.). Weideplätze um Kitzbüchl, z. B. am Schattberg (Trn.). Lienz: in der Bürgerau, und am Grafenbächchen (Rsch!), Innervilgraten (Schtz.). Bozen: im Talferbette, u. an der Eisackholzlege; Ritten, am Wege von Klobenstein nach Waidach etc. (Hsm.). Baselga bei Trient (Fcch!). Primiero: im Bette des Bergstromes Vanoi (Montini)! Val di Sol: bei den Mineralquellen von Pejo (Bon.).

Alsine rubra Wahlenb. Arenaria rubra *α*. L.

Bl. rosenroth. Mai, Aug. ⊙.

79. *Alsine Wahlenb.* Miere.

Kelch 5-, seltener 4spaltig. Blumenblätter 5, seltener 4, ganz o. seicht-ausgerandet. Staubgefässe 10, seltener 8, oder 5. Die äussern Staubfäden an der Basis mit 2 kurzen Drüsen. Fruchtknoten vieleiig. Griffel 3. Kapsel 3klappig. Samen nierenförmig, flügellos. (X. 3.).

§. 1. Blätter elliptisch, lanzettlich, o. länglich.

295. *A. lanceolata M. u. K.* Lanzettblättrige M. ***Blätter aus einer abgerundeten Basis lanzettlich, spitz, flach, unterseits mehrnervig, kurz-gewimpert;*** Stämmchen rasig, gestreckt; Stengel aufstrebend; Blüthenstiele endständig, 1—3blüthig; Kelchblätter lanzettlich, spitz, meist 5nervig, ungefähr so lang als die Blumenblätter. Samen langschuppig.

In Felsritzen, und auf steinigen Triften im südlichen Tirol. In Kals gleich ober der Getreidegränze (Fcch!). Vintschgau: in Schlinig ober der Wand; Seiseralpe (Tpp.). Schlern, und Seiseralpe (Hsm.). Fleims: ober San Pelegrino, und am Cima d'Asta; Fassa: a Vael, im Duronthale, Padon Fassano u. italiano (Fcch!). Valsugana: an Felsen zwischen Snerta, u. Mendana bei Torcegno (Ambr.). Am Davoi (Parolini!). Vette di Feltre (Zanardini!). Alpen um Roveredo (Jan!). Judicarien: Genova in Rendena (Per!).

Sabulina lanceolata Reichenb. flor. excurs. Facchinia lanceolata Reichenb. Deutschl. Flora.

Wuchs gedrungen, fast polsterartig, o. locker mit langen niederliegenden o. herabhängenden Zweiglein.

Bl. weiss Jul. Aug. ♃.

296. *A. aretioides M. u. K.* Aretienartige M. ***Blätter dachig sich deckend, oval-länglich, stumpf, kurz-stachelspitzig,*** oberseits tief-konkav, unterseits konvex, ***3nervig, ganz kahl;*** Stämmchen gedrungen-rasig; ***Blüthen einzeln, endständig, sitzend, 4blättrig, 8männig;*** Samen spreuschuppig. (VIII. 3.).

An Felsen, u. steinigen Orten der höhern Alpen in Südtirol. — Kerschbaumeralpe bei Lienz (Bsch! Sieber 1812). Am Sarlkofel in Prax (Hll.). Schlern (Fleischer!), allda u. Seiseralpe (Hsm.). Fleims: al Castellazzo di Paneveggio (Fech!). Alpen bei Agordo ausser der Gränze (Montini!). Am Castellazzo (Per.). Judicarien: am Frate in Breguzzo (Bon.).

Siebera cherleroides Schrader. Cherleria octandra Sieb. Ch. imbricata Ser. Arenaria aretioides Portenschl. —

Bl. weiss. Jul. Aug. ♃.

§. 2. Blätter schmal, linealisch, o. pfriemlich, 1nervig, o. nervenlos, auch im getrockneten Zustande.

A. stricta Wahlenb. Steife M. ***Blätter fädlich, halbstielrund, nervenlos;*** Stämmchen gestreckt, rasig; die blühenden Stengel aufrecht, oberwärts nackt; ***Blüthenstiele endständig, meist zu 3, sehr lang;*** Kelchblätter ei-lanzettförmig, spitzlich, nervenlos, im trockenen Zustande 3nervig; Blumenblätter länglich-oval, an der Basis verschmälert, ungefähr so lang als der Kelch. Samen ziemlich glatt.

In Tirol selbst noch nicht gefunden, nach Frölich aber im angränzenden Allgau; nach Zuccarini bei Tegernsee!

Bl. weiss. Jun. Aug. ♃.

297. *A. biflora Wahlenb.* Zweiblüthige M. ***Blätter schmal-linealisch, stumpf, 1nervig,*** unterseits etwas konvex; Stämmchen gestreckt-rasig; Stengel 1—2blüthig; ***Kelchblätter linealisch, an der Spitze kappenförmig, sehr stumpf, 3nervig;*** Blumenblätter länglich-keilförmig, so wie die Kapsel anderthalbmal so lang als der Kelch. Samen ziemlich glatt.

Felsenabhänge der höchsten Alpen. — Auf feuchten flachen kurzbegrasten Triften der Kalkalpe Crespeina in Gröden 7000 bis 8600′ (Fech!).

Sabulina biflora Reichenb. Stellaria biflora L.

Bl. weiss. Jul. Aug. ♃.

298. *A. laricifolia Wahlenberg.* Lärchenblättrige M. ***Blätter*** linealisch-pfriemlich, ***nervenlos;*** Stämmchen rasig; die blüthentragenden Stengel aufstrebend, 1 — viel-blüthig; ***Kelchblätter linealisch-länglich, abgerundet-stumpf,*** 3nervig; Blumenblätter keilig, noch 1mal so lang als der Kelch.

Auf Triften der Alpen, u. Voralpen, auch ins Thal herab. — Oberinnthal: bei Huben (Hfl.). Vintschgau: am Matscherberg bei Mals (Hfm.); am Godria bei Laas (Tpp.). Hinterulten: an grasigen Rainen, u. auf Alpenwiesen in Proveis (Hfl.). Ulten (Fech!).

Arenaria laricifolia L. nach Koch. Sabulina macrocarpa Reichenb. Arenaria striata L. nach Reichenb.

Stengel, u. Blüthenstiele oberwärts mit drüsenlosen Haaren besetzt. Aendert ab:

β. glandulosa. Stengel, u. Blüthenstiele oberwärts mit drüsigen Haaren bedeckt. Die drüsige Behaarung erscheint gelbgrün, o. aschgrau. Sabulina laricifolia Reichenb. Arenaria liniflora L. Bertoloni.

In Ulten; Landstrasse über Torbole, u. am Monte Maranza bei Trient (Fcch.). Valsugana (Parolini)! Am Gazza bei Trient (Per.). Folgaria: am Cornetto nahe an der höchsten Spitze; nördlich ober Villa an steinigen Abhängen; Pontara di Nago nächst Torbole (Hfl.).

Bl. weiss. Jul. Sept. ♃.

§. 3. Blätter schmal-lanzettlich, linealisch oder pfriemlich, 3nervig, wenigstens im getrockneten Zustande.

299. ***A. austriaca M. u. K.*** Oestreichische M. ***Blätter*** schmal-linealisch, ***3nervig, aderlos;*** Stämmchen niedergestreckt, sehr ästig; Stengel aufrecht, 2blüthig, oberwärts nackt; ***Blüthenstiele endständig, gepaart, sehr lang***; Kelchblätter lanzettlich, spitz, 3nervig, am Rande häutig, kürzer als die Kapsel; ***Blumenblätter länglich, an der Spitze gezähnelt o. gestutzt, an der Basis keilig, beinahe noch 1mal so lang als der Kelch.***

Auf höhern Alpen. — Kalkalpen um Innsbruck: Solstein, Taureralpe, u. am langen Lähner (Hfl.); Alpe Lizum (Schm.). Pusterthal: auf den Praxeralpen (Hll.); Alpen bei Lienz (Schtz.). Seiseralpe, u. Schlern (Hsm. Tpp.). Fleims: in der Region des Knieholzes (Fcch!). Am Castellazzo in Paneveggio (Per.). Monte Scanuppia (Ambr.). Forcella di Sadole; Vette di Feltre (Montini)! Spinale (Sternberg)! Häufig auf den Gipfeln des Baldo (Poll!).

Arenaria austriaca Jacq. Sabulina austriaca Reichenb.

Bl. weiss. Jul. Aug. ♃.

300. ***A. verna Bartling.*** Frühlings-M. ***Blätter linealisch-pfriemlich, 3nervig;*** Stämmchen rasig; die blühenden Stengel aufstrebend, o. aufrecht, 1—vielblüthig; Kelchblätter eilanzettförmig, spitz, 3nervig, am Rande häutig; ***Blumenblätter länger als der Kelch, eiförmig, kurzbenagelt, an der Basis beinahe herzförmig.***

Steinige Triften der Alpen. — Vorarlberg: am Widderstein (Köberlin!); Weisse Wand in Montafon (Cst!). Stuiben bei Schattwald (Dobel!); Rossberg bei Vils (Frl!). Alpen bei Telfs u. Zirl (Str!). Innsbruck: Patscherkofel, Sattelspitze, u. Gleirscherjöchel (Friese. Hfl.). Solstein (Str!). Zillerthal (Gbh.). Spitze des Sonnenwendjochs bei Rattenberg (Wld!). Stanseralpe (Schm!). Alpen um Kitzbüchl 4—7000′, z. B. am Jufen (Trn.). Welsberg (Hll.). Dorferalpe, Ködnitz in Kals, Innervilgraten und Grossgössnitz (Schtz.), auf der Kerschbaumeralpe (Hrg!). Vintschgau: Sulden (Giov!), im Laaserthale (Tpp.). Alpen um Bozen: Schlern, Seiser- u. Villandereralpe; selten im Talferbette herabgeschwemmt (Hsm.). Fassa, u. Fleims (Fcch!). Bei Vigo (Parolini)! Ai Monzoni (Meneghini)! Folgaria: am Cornetto (Hfl.). Col santo bei Roveredo (Crist.). Portole (Montini)! Baldo (Poll! Hfl!). Judicarien: bei Durone, und in Rendena bei Campiglio (Bon.). Am Bondone bei Trient (Per.).

Arenaria verna L. Sabulina Gerardi Reichenb.

Bl. weiss. Jun. Aug. ♃.

301. ***A. sedoides Froelich.*** Röthliche M. ***Blätter lanzettlich-linealisch, 3nervig, stumpflich, unbegrannt;*** Stengel dichtrasig, aufrecht, und aufstrebend, 1—2blüthig; Kelchblätter eiformig, spitz, 3nervig, am Rande häutig; ***Blumenblätter eiförmig, an der Basis abgerundet, kurzbenagelt, so lang o. ein wenig länger als der Kelch.***

Auf den höchsten Alpen im Allgau in Tirol entdeckt von Dr. Frölich (Reichenb. Deutschl. Fl. die Nelkeng. p. 81)! Das Allgau liegt zwar nicht in Tirol, sondern an der Gränze in Baiern, die höchsten Alpen Allgau's fallen indessen mit denen Vorarlbergs u. des Lechthales in Eins zusammen. Als weiterer Standort für Tirol werden in Maly's enum. p. 295 die Alpen bei Borgo und als Gewährsmann Dav. Pacher angegeben, was jedoch nach einer schriftlichen Mittheilung Pacher's irrig ist.

Sagina decandra Reichenb. A. rubella Wahlenb. Koch Taschenb. — Bl. röthlich o. weiss. Jul. Aug. ♃.

A. (Tryphane) Facchinii Reichenb. Facchini's M. Blätter aus schmaler Basis linealisch, 3nervig, stumpf, ganz abstehend, in den Achseln büschelständig; Blüthen trugdoldigrispig, die eirundlichen Blumenblätter, so wie die Kapsel kaum länger als der Kelch.

In den Alpen des südlichen Tirols (Facchini bei Reichenb.)! Diese Pflanze, von der mir kein Exemplar vorliegt, beschreibt Reichenbach weiter: „Sie hat die Seitentriebe von Cerastium arvense, den Blüthenstand von Sabulina (Alsine) verna, u. die Blüthen von Tryphane (Alsine) recurva.“

Tryphane Facchinii Reichenb. Deutschl. Flora die Nelkeng. Seite 88, u. Icones Caryoph. tab. CCVIII.

Bl. weiss. Jul. Aug. ♃.

302. ***A. recurva Wahlenb.*** Krummblättrige M. ***Blätter linealisch-pfriemlich, 3nervig;*** Stämmchen rasig; die blühenden Stengel aufstrebend, 1—vielblüthig; ***Kelchblätter eilanzettlich, am Rande häutig, die äussern 5—7nervig; Blumenblätter ungefähr so lang als der Kelch, oval, nach der Basis schmäler.***

Felsige Orte der höhern Alpen. — Vorarlberg: am Widderstein (Tir. B.)! Oetzthal (Tpp.). Timpeljoch, Oetzthaler Seite (Zcc!). Innsbruck: häufig am Glungezer (Hfl.). Pfitscher- u. Penserjoch (Hfl.). Pusterthal: Vilgratneralpen (Stapf)! Welsberg (Hll.); Schleiniz (Schwägrichen)! dann Seebacher- und Michelbacheralpe bei Lienz (Rsch!). Alpen um Brixen (Hfm.). Vintschgau: z. B. im Laaserthal (Tpp.), Wormserjoch (Gundlach). Meran: Alpenwiesen ober Vernur (Kraft). Ifinger bei Meran; Schlern, Sarnerscharte, und Villandereralpe (Hsm.). Fleims, u. Fassa (Fcch!). Ai Monzoni (Meneghini)! Am Montalon (Montini)! Giogo di Colem in Rabbi (Hfl.). Paneveggio (Per.). Judicarien: am Frate in Breguzzo, u. am Gletscher von Pelugo (Bon.), Spinale (Per!).

Sabulina recurva Reichenb. flor. exe. Tryphane recurva Reichenb. Deutschl. Flor. Arenaria recurva All.

Blätter gekrümmt. Bl. weiss. Jul. Aug. ♃.

303. *A. rostrata Koch.* Geschnabelte M. Blätter pfriemlich-borstlich, 3nervig; Stämmchen rasig; die blühenden Stengel aufstrebend; Aeste büschelig-ebensträussig; Blüthenstielchen so lang, o. kürzer als der Kelch, das unterste länger; ***Kelchblätter lanzettlich, sehr spitz, weiss mit krautigem 1nervigen Rückenstreifen; Blumenblätter länglich, ungefähr so lang als der Kelch.***

Felsige Orte der Alpen, u. Voralpen im südwestlichen Tirol. — Vintschgau: am Godria bei Laas (Tpp.). Ausser der Gränze bei den Bädern von Bormio (Hsm.).

Arenaria rostrata Pers. Sabulina rostrata Reichenb. flor. exe. Minuartia rostrata Reichenb. Deutschl. Flor.

Bl. weiss. Jun. Jul. ♃.

304. *A. Jacquinii Koch.* Büschelblüthige M. Blätter pfriemlich-borstlich, an der Basis 3nervig; Stengel aus einer aufstrebenden Basis aufrecht, schnurgerade, oberwärts ästig; Blüthen büschelig-ebensträussig; Blüthenstielchen kürzer als das Deckblatt; ***Kelchblätter ungleich, lanzettlich-pfriemlich, sehr spitz, weiss-knorpelig***, mit krautigem 1nervigen Rückenstreifen; ***Blumenblätter 3mal kürzer als der Kelch.***

Auf dürren Hügeln, u. Sandfeldern im südlichen Tirol. — Sonnige Hügel, und Kies der Etsch von der Töll bis Glurns (Tpp.). Bozen: im Sigmundscroner- u. Griesnerberg (Hsm.). In der Gant bei Eppan; Val di Non: alla Rocchetta, beim Strassendamme von Denno, u. auf Heiden bei Tres (Hfl.) Um Trient, u. in Vintschgau (Fcch.). Am Schlossberge von Beseno (Hfl!). Hügel um Roveredo (Crist.). Am Baldo: bei Brentonico (Poll!).

Arenaria fasciculata Jacq. Sabulina fastigiata Reichenb.

Bl. weiss. Jul. Aug. ♃.

305. *A. tenuifolia Wahlenb.* Dünnblättrige M. ***Blätter pfriemlich, 3nervig;*** Stengel gabelspaltig; Blüthen büschelig; Blüthenstielchen mehrmal länger als der Kelch; ***Kelchblätter lanzettlich-pfriemlich, 3nervig, am Rande häutig; Blumenblätter oval, an der Basis schmäler, kürzer als der Kelch.***

Feuchte Dämme der Felder an Hügeln bei Roveredo (Crist.). Bei Povo nächst Trient; um Roveredo (Fcch!). Trient: an einer schattigen Mauer eines wenig betretenen Seitenweges bei Ravina (Hfl.). Am Baldo (Poll!).

Arenaria tenuifolia L. Sabulina tenuifolia Reichenb.

Bl. weiss. Jun. Jul. ⊙.

80. *Cherleria L.* Cherlerie.

Kelch 5blättrig. Blumenblätter keine, seltener 5 sehr kleine. Staubfäden 10, die äussern den Kelchblättern entgegengesetzten an der Basis mit 2 linealisch-länglieben Drüsen. Fruchtknoten vieleiig. Griffel 3. Kapsel 3klappig. Samen glatt, kaum schärflich. (X. 3.).

306. *C. sedoides L.* Polsterartige Cherlerie. Dicht polsterartig-rasig, kahl; Blätter linealisch, stumpflich, pfriemenspitzig, an der Basis verwachsen. Blüthen einzeln unter der Spitze der Zweiglein, achselständig.

An steinigen Triften der höhern Alpen. — Lechthal: auf dem Gimpele bei Steeg (Frl!), u. am Gaishorn bei Tannheim (Dobel!). Im Oetzthal: bei Rofen; Innsbruck: auf dem Serles, u. Sattelspitze (Hfl.). Alpen bei Zirl u. Telfs (Str!). Karrlsjoch (Prkt.). Zillerthal: Pfitschgrundkarr (Gbh.). Stanserjoch (Schm!). Gemein auf dem Horn bei Kitzbüchl (Trn.). Lienz: auf der Marenwalder- Dinzel- u. Michelbacheralpe (Rsch!). Wormserjochstrasse: am höchsten Punkte derselben (Hsm.). Pfitscherjoch (Hfl!). Im Laaserthale (Tpp.). Auf dem Contault bei Mals ober Marienberg (Hfm.). Schlern, u. Seiseralpe (Hsm.). Giogo di Colem in Rabbi (Hfl.). Alpen von Fassa, u. Fleims (Fcch!). Am Davoi (Parolini)! Portole, u. Vette di Feltre (Montini)! Castellazzo und Bondone (Per.). In Folgaria am Cornetto (Hfl.). Monte Baldo: am Altissimo (Sternberg!). Jul. Aug. ♃.

81. ***Moehringia L.*** Möhringie.

Kelch 4- o. 5blättrig. Blumenblätter 4, o. 5, ganz oder seicht ausgerandet. Staubgefässe 8, o. 10. Fruchtknoten vieleiig. Griffel 2, o. 3. Kapsel 4- o. 6klappig. Samen nierenförmig, am Nabel mit einem weissen platten Anhängsel, glatt, glänzend.

§. 1. Kelch, u. Blumenkrone 4blättrig. Staubgefässe 8. Griffel 2. (VIII. 2.). Moehringia L.

307. ***M. muscosa L.*** Moosartige M. ***Blätter fädlich, spitz, halbstielrund, nervenlos, kahl, grasgrün;*** die Stengel rasig, gestreckt; Blüthenstiele endständig, 2—7blüthig; Kelchblätter eilanzettförmig, spitz, 1nervig; ***Blüthen 8männig, 4blättrig;*** Blumenblätter länger als der Kelch.

An feuchten Felsen, u. schattigen Wäldern, bis an die Alpen. — Vorarlberg: im Bregenzerwald (Tir. B.)! Alpe Söben bei Vils (Frl!), Mädelealpe (Dobel)! Oberinnthal: bei Imst (Lutt.), bei Zirl u. Telfs (Str!). Innsbruck: in der Klamm (Hfl.). Kitzbüchl (Trn.). Schmirn (Hfm.). Pusterthal: Innervilgraten, Hopfgarten u. um Lienz (Schtz.); Prax (Wlf!); am Rauchkogel, und Zabrot bei Lienz (Rsch!); Alpe Ködnitz in Kals (Schtz.). Vintschgau: bei Laas (Tpp.). Brixen (Hfm!). Bozen: auf Felstrümmern im Haslacher Walde, auch hie u. da im Talferbette; an Felsen, an der Landstrasse von Leifers nach Auer; Salurn, Margreid, u. Fennberg; Ritten: im Deutschherrnwalde hinter dem Lengmooser Schiessstande (Hsm.). Eislöcher bei Eppan (Hfl.). Am Bondone, u. bei Povo nächst Trient (Per.), bei Vela allda (Hfl!). Valsugana: bei Borgo (Ambr.). Vallarsa

(Meneghini)! Felsen bei Roveredo (Crist.). Judicarien: längs der Strasse von Zuel nach Bondone (Bon.).

Bl. weiss. Mai — Aug. ♃.

§. 2. Kelch u. Bumenkrone 4blättrig, 10männig. Griffel 3. (X. 3.). Arenaria-Arten bei L.

308. ***M. Ponae Fenzl.*** Dickblättrige M. ***Blätter linealisch, stumpf, kurz-stachelspitzig, nervenlos, fleischig, kahl, meergrün,*** alle stielrund, o. die obern auf der Oberseite flach; Stengel rasig, gestreckt; Blüthenstiele endständig, meist 2blüthig; Kelchblätter ei-lanzettförmig, stumpf, 3-nervig; ***Blüthen 10männig, 5blättrig;*** Blumenblätter länger als der Kelch.

An Kalkfelsen im südlichen Tirol. — Bei Peitelstein in Ampezzo (Fcch!). Salurn (Hsm.). Felsenschloss bei Deutschmetz (Hfl.). Valsugana: bei Tezze (Ambr.). Westliche Küste des Gardasees (Fcch.). Am Baldo: Vall' Aviana; bei Riva (Poll!). Judicarien: Val di Vestino (Bon.). Ausser der Gränze bei Chiusa (Bentham). Am Schener an der Gränze gegen Feltre (Fcch!).

Arenaria bavarica L. Sabulina Ponae Reichenb. flor. exe.

Bl. weiss. Apr. Jun. ♃.

309. ***M. polygonoides M. u. K.*** Knöterichartige M. Blätter linealisch-fädlich, nach der Basis verschmälert, etwas fleischig, nervenlos; die Stengel rasig, gestreckt; ***Blüthenstiele seitenständig, 1—mehrblüthig;*** Kelchblätter ei-lanzettförmig, stumpf im getrockneten Zustande 3nervig; Blumenblätter länger als der Kelch.

Steinige Triften, u. Felsen der höhern Alpen. — Vorarlberg: Weisse Wand in Montafon (Cst!); Mittagspitze (Str!). Solstein bei Innsbruck, u. Thaureralpe (Hfl.). Kitzbüchl: auf Schiefergebirg über 6000', z. B. am kleinen Rettenstein, und Tristkogel (Trn.). In Schmirn, dann am Peitlerkofel bei Brixen (Hfm.). Alpen bei Welsberg (Hll.); Kals (Wlf!); Kohlalpel bei Innichen; am Hochrieb bei Lienz (Rsch!), Laserzalpe allda (Schtz.). Vintschgau: Schlinig, Laaserthal, u. Sulden (Tpp.). Schlern (Hsm.). Alpen von Fassa, Fleims u. Gröden (Fcch!). Vette di Feltre (Montini)! Am Baldo (Poll!).

Arenaria polygonoides Wulf. Sabulina polygonoides Reichenb. flor. exe.

An Exemplaren, die Kaplan Scheitz mir von den Alpen am Glockner mittheilte, finde ich die Blumenblätter sehr schmal u. kürzer als den Kelch, ich empfehle diese Form (?), die ich einstweilen als Varietas: stenopetala bezeichne, der weitern Aufmerksamkeit des Finders an ihrem Standorte. Als weitere Form ziehe ich hieher: ***M. sphagnoides Reichenb.***, und füge Reichenbach's Diagnose bei: Dicht polsterförmig; Blätter 3kantig-rundlich, gleichbreit (bei der Species über der Mitte etwas breiter), kielrückig, stumpfspitzlich, ziegelständig; Blüthen ziemlich endständig, paarig, kürzer als die Blätter; Blumenblätter fast doppelt so lang als der Kelch. — Gleichsam eine Zwergform von M. polygonoides, 1—2 Zoll hoch. Tirol: Alpen von Vintschgau (v. Frölich bei Reichenb.)! Joch Lattemar bei Bozen (Hsm.). Arenaria sphagnoides Frölich. M. sphagnoides Reichenb. Deutschl. Fora die Nelkengew, S. 95, und Icones Caryoph. tab. CCXV.

Bl. weiss. Jul. Aug. ♃.

M. thesiifolia Reichenb. Thesiumblättrige M. Schlaff fadenförmig-verzweigt, wurzelnd; Blätter dicklich, linealisch, spitzlich, glatt, häutig-gesäumt; Blüthenstiele 1—2, meist endständig, lang, 1blüthig; Blumenblätter länger als die eirund-zugespitzten 3nervigen Kelchblättchen.

Auf den Alpen im Allgau bei Füssen (v. Frölich bei Reichenbach)!

Diese Pflanze, von der mir kein Exemplar vorliegt, welche jedoch kaum mehr als eine üppigere Form der vorigen Art sein dürfte, beschreibt Reichenbach weiter: Stengel fusslang ausgebreitet, wurzelnd, Zweige aufsteigend bis Spannenlang, Blattpaare etwas entfernt. Der ganze Wuchs wie der einer schlaffen M. polygonoides. Samenwarze gezackt.

Arenaria thesiifolia Frölich. Sabulina thesiifolia Reichenb. flor. exc. Moehringia thesiifolia Reichenb. Deutschl. Flor. die Nelkengew. S. 95. u. Icon Caryoph. tab. CCXIX.

Bl. weiss. Jul. Aug. ♃.

310. *M. trinervia Clairv.* Nervenblättrige M. ***Blätter eiförmig,*** spitz, ***3—5nervig,*** die untern gestielt, Blattstiel so lang als das Blatt; Stengel ästig; Kelchblätter spitz, 3nervig, Nerven genähert, der mittlere stärker kielig; Blumenblätter kürzer als der Kelch.

An Waldwegen, u. schattigen buschigen Orten bis an die Alpen. — Vorarlberg: bei Bregenz (Str!). Innsbruck: im Wiltauerberg, u. im Gehölze unter der Schrofenhütte (Hfl.). Stubai (Schneller). Auen um Kitzbüchl (Trn.). Welsberg (Hll.). An Zäunen bei Lienz (Rsch!). Brixen (Hfm!). Bozen: im Walde am Wege nach Kühbach, gegen Capenn u. Runkelstein; am Ritten: um Klobenstein (Hsm.). Gemein in Thälern im Tridentinischen (Per.). Trient: gegen Gocciadoro (Hfl!). Am Baldo (Hfl.); allda am Pian della Cenere (Poll!). Valsugana; bei Borgo, und in Val di Sella, auf Grasplätzen am Monte Efre (Ambr.). Bei Pinè (Per!).

β. *pubescens.* Stengel u. Blätter mehr o. weniger flaumhaarig. — Bozen: sehr selten im Talferbette (Hsm.). Judicarien: auf der Alpe Gavardina (Bon.).

Arenaria trinervia L.

Bl. weiss. Apr. Jul. ☉.

82. *Arenaria L.* Sandkraut.

Kelch 5blättrig. Blumenblätter 5, ganz, o. seicht ausgerandet. Staubgefässe 10. Fruchtknoten vieleiig. Griffel 3. Kapsel 6klappig. Samen ohne Anhängsel am Nabel. Bl. weiss. (X. 3.).

311. ***A. Marschlinsii Koch.*** Joch-S. ***Blätter eiförmig, zugespitzt, sitzend,*** die untersten in einen kleinen Blattstiel zusammengezogen; Stengel aufsteigend, gabelig-rispig; Blüthen gabel- u. blattwinkelständig; ***Kelchblätter*** eilanzettformig, haarspitzig-verschmälert, 3nervig, ***anderthalbmal so lang als die Blumenblätter, der häutige Rand der innern um die Hälfte schmäler als der krautige Theil des Kelchblattes;*** Blumenblätter eiförmig.

Höchste Alpen der Schweiz, u. Tirol. — Kitzbüchel: auf dem Gipfel des Geisstein 7270′ (Trn.). Wormserjoch (Tpp.). Wormserjoch u. Salendferner (Koch Syn. u. Flora 1841 p. 508)!

A. serpyllifolia β. alpina Gaud. Wohl kaum mehr als Alpenform der Folgenden.

Bl. weiss. Jul. Aug. ⊙.

312. ***A. serpyllifolia L.*** Quendelblättriges S. ***Blätter eiförmig, zugespitzt, sitzend;*** Stengel aufstrebend, gabelspaltig, rispig; Blüthen zerstreut, einzeln in den Gabeln u. Blattwinkeln; ***Kelchblätter*** lanzettlich, zugespitzt, 3nervig, ***anderthalbmal so lang als die Blumenblätter, der trockenhäutige Rand der innern so breit als der krautige Theil;*** Blumenblätter oval, nach der Basis verschmälert.

Gemein auf bebautem Boden, u. an Wegen bis in die Alpen. — Bregenz (Str!). Innsbruck: an der Strasse nach Zirl (Hfl.). Zwischen Hall und Mühlau (Hfl!). Zillerthal: um Zell (Gbh.). Kitzbüchl (Trn.). Welsberg (Hll.). Lienz (Rsch! Schtz.). Vintschgau: bei Schlanders, Glurns, u. Montani (Tpp.). Brixen (Hfm!). Bozen: in allen Weinbergen; Ritten: auf Aeckern z. B. um Klobenstein, u. bis in die Rittneralpe; Mendel; Salurn, und Margreid (Hsm.). Trient: unter der Alpe von Sardagna, u. über Mirabell (Hfl.). Valsugana: um Borgo (Ambr.). Gemein um Trient (Per!). Roveredo (Crist.). Judicarien (Bon.). Baldo (Sternberg)!

β. ***glutinosa.*** Oberwärts mit drüsentragenden Haaren bedeckt. Arenaria viscida Lois. Mendel u. Gries bei Bozen (Hsm.). Hertenberg bei Bozen (Giov.). Bei Vela nächst Trient (Hfl.). — Bl. weiss. Hälfte März — Jul. ⊙.

313. ***A. ciliata L.*** Gewimpertes S. ***Blätter ei- o. lanzettförmig, spitzlich, in den kurzen Blattstiel herablaufend,*** an der Basis borstig-gewimpert; Stengel rasig, aufstrebend; Blüthen endständig, einzeln o. mehrere, fast rispig; Kelchblätter im trockenen Zustande nervig; ***Blumenblätter länger als der Kelch,*** eiförmig, kurz-benagelt.

Kiesige Triften der Alpen. — Alpe bei Zirl u. Telfs, auf dem Grieskogel (Str!). Kitzbüchl: am Geisstein bei 7000′ (Trn.). Tefereggeralpen (Schtz.). Hof- Schleiniz- u. Trelewitscheralpe bei Lienz (Rsch! Schtz.). Vintschgau: im Laaserthal, auf der Hochwart, und in Schlinig (Tpp.). Alpen bei Bozen: Mendel, Schlern, Seiser- u. Villandereralpe (Hsm.). Alpen von Fassa u. Fleims (Fcch!). Am Davoi bei Vigo (Parolini)! Botro di mezzo dei Monzoni (Meneghini)! Passeyreralpen, u. in Paneveggio (Per!). Baldo u. Bondone (Poll!). Am Gletscher in Val di Genova (Per!).

β. frigida. Polsterartig-rasig; Stengel bis spannenlang, Zweige 1—4 Zoll lang, Blätter sitzend, oval-lanzettlich, dicklich, spitzig. Blüthen endständig, einzeln. Ganze Pflanze hellgrün. Blätter im trockenen Zustande weniger nervig. — A. multicaulis Wulf. Reichenb. Deutschl. Flor. S. 98. und Icon. Caryophyll. tab. CCXIX. Marenwalderalpe bei Lienz (Rsch!). Pfitscherjoch; Kellerjoch bei Schwaz (Hfl.). Cornetto am Bondone (Per!). Dorfer- und Teischnitzalpe bei Lienz (Schtz.). Schlern (Hsm.).

Bl. weiss. Jul. Aug. ♃.

314. *A. biflora L.* Zweiblüthiges S. Blätter rundlich, stumpf, kurz-gestielt, an der Basis borstig-gewimpert; Stämmchen gestreckt, ausläuferartig; *die blüthentragenden Aestchen seitenständig, sehr kurz, dicht-beblättert, an der Spitze 1—2blüthig;* Kelchblätter schwach 1nervig; Blumenblätter länger als der Kelch, oval, nach der Basis verschmälert.

Steinige Triften, u. Felsen der höhern Alpen. — Vorarlberg: Weisse Wand in Montafon (Cst!). Krahkogel in Oetzthal (Zcc!). Innsbruck: auf dem Patscherkofel (Giov!). Duxerjoch (Hfl.). Zillerthal: in der Zemm (Gbh.). Kitzbüchl auf Schiefergebirgen 6—7000′, z. B. am Seekahr, u. Geisstein (Trn. Unger!). Alpen um Brixen (Hfm.). Innervilgraten, Tefereggen (Schtz.). Toblacheralpe (Hll.). Hochgruben bei Innichen (Bentham)! Alkaser- Zetterfelder- und Schleinizeralpe bei Lienz (Rsch!). Hofalpe, Gössnitz, u. Dorferalpe (Schtz.). Vintschgau: im Laaserthal, am Griankopf, u. Hochwart (Tpp.). Schlern, Mendel, u. Villandereralpe (Hsm.). Fassa und Fleims (Fcch!). Alla Forcella di Sadole (Petrucci)! Montalon (Montini)! Cima d'Asta u. Montalon (Ambr.). Col Bricon (Per.). Judicarien: Val di Breguzzo (Sternberg!); alla ghiacciaja di Pelugo (Bon.).

Bl. weiss. Jul. Aug. ♃.

315. *A. grandiflora All.* Grossblumiges S. *Blätter lanzettlich-pfriemlich, begrannt, am Rande verdickt,* unterseits 1nervig, mit starkem Nerven; Stämmchen rasig; Stengel aufstrebend, 1—3blüthig; Kelchblätter eilanzettlich, zugespitzt, begrannt, 1nervig; Blumenblätter länglich verkehrteiförmig, noch 1mal so lang als der Kelch.

Alpe von Fassa (Fcch. bei Bertoloni)! Marenwalderalpe bei Lienz (Rsch!). Sonst in der westlichen Schweiz, Krain, bei Wien u. auf den Polauergebirgen in Mähren, woher ich Exemplare besitze. — A. juniperina Vill. — Bl. weiss. — Jul. Aug. ♃.

316. *A. Arduini Visiani.* Arduins-S. Kleinstrauchig, feinbehaart; Stengel aufrecht; ***Blätter starr, lanzettlich-linealisch,*** zugespitzt, ***nervig, gestreift;*** Rispe 3—5blüthig; Samen nierenförmig, fein gekornelt.

Auf den höchsten Felsen der Vette di Feltre (Arduino)! Vette di Feltre ober Aune, u. auf dem Montalon (Zanardini! Montini)!

Sabulina graminifolia Reichenb. fl. exc. Pettera graminifolia Reichenb. Deutschl. Flor. Arenaria graminifolia Arduin.

Wurzel holzig; Stämmchen 2—3 Zoll lang; Blätter grasartig, unterseits so wie die Kelchblättchen mit 5 Haupt- u. 7 Secundär-Nerven.

Bl. weiss. Jul. Sept. ♃.

83. *Holósteum L.* Spurre.

Kelch 5blättrig. Blumenblätter 5, gegen die Spitze sägezähnig. Staubgefässe 3—5. Fruchtknoten vieleiig. Griffel 3. Kapsel an der Spitze 6spaltig aufspringend. Samen schildförmig, konvex-konkav, fein bekörnelt, (III. 3.).

317. ***H. umbellatum L.*** Doldige Spurre. Kraut blaugrün; Stengel aufrecht, 3—10 Zoll hoch; Blätter dicklich, eirund, o. länglich, nur 2 Paare am Stengel; Blüthen einfach-doldig; Blumenblätter so lang, o. etwas länger als der Kelch.

Auf bebautem Boden, u. Rainen. — Pusterthal: bei Welsberg (Hll.). Raine um Brixen (Hfm.). Vintschgau: bei Castellbell (Tpp.). Gemein um Bozen, in den meisten Weinbergen, z. B. im Gandelhofe bei Gries; auf den Türkäckern zwischen Sigmundscron, u. Morizing; Salurn, u. Margreid (Hsm.). Trient: bei Gocciadoro (Per! Hfl!). Saaten im italienischen Tirol (Poll!). Am Gardasee (Clementi).

β. ***Heuffelii Wierzb.*** Eine grössere Form, gegen Fuss hoch; Stengel drüsig-behaart. — H. umbellatum β. Heuffelii Reichenb. Deutschl. Flor. die Nelkeng. S. 100. — Selten um Bozen an feuchten schattigen Orten (Hsm.). — Obsolet: Herba Holostei vel Caryophylli arvensis.

Bl. weiss, selten röthlich. März, Apr. ⊙.

84. *Stellaria L.* Sternkraut.

Kelch 5blättrig. Blumenblätter 5, 2spaltig, oder 2theilig. Staubgefässe 10. Fruchtknoten vieleiig, Griffel 3. Kapsel 6klappig. Bl. weiss. (X. 3.).

§. 1. Der Kelch an der Basis abgerundet.

318. ***S. cerastoides L.*** Hornkrautartiges S. ***Stengel stielrund,*** gestreckt an der Spitze aufstrebend, ***mit einer herabziehenden Haarlinie besetzt,*** 3—vielblüthig; Blüthenstiele flaumig, nach dem Verblühen herabgeschlagen; ***Blätter sitzend, länglich-lanzettlich,*** spitzlich, kahl, die untern stumpf, an der Basis verschmälert, die obersten beinahe eiför-

mig, spitz; Blumenblätter länger als der Kelch; Kapsel 3spaltig, an der Spitze 6zähnig.

Steinige Triften, u. quellige Orte der Alpen. — Vorarlberg: am Freschen, u. Mittagspitze (Str!). Alpe Tillisun in Montafon (Cst!); Bregenzerwald (Tir. B.)! Innsbruck: am Glunggezer u. Patscherkofel (Hfl. Friese). Alpen bei Zirl, u. Telfs (Str!). Kitzbüchleralpen (Trn.). Kellerjoch (Schm!). Pusterthal: bei Welsberg (Hll.); Hochgruben bei Innichen (Bentham)! Vintschgaueralpen (Tpp.). Wormserjoch: bei den hölzernen Gallerien; Rittneralpe, vorzüglich am Horn von der Quelle abwärts; Schlern (Hsm.). Am Ortler (Fleischer)! Alpen um Brixen (Hfm.). Alpentriften in Fleims (Fcch!). Am Montalon (Montini)! Scanucchia (Crist.). Monte Gazza (Per!). Judicarien: Alpe Stracciola in Rendena (Bon.). — C. trigynum Vill.

Bl. weiss. Jul. Aug. ♃.

319. *S. nemorum L.* Hain-S. *Stengel* aufstrebend, *oberwärts zottig; Blätter gestielt, herzförmig, zugespitzt,* die an den Aesten sitzend; Rispe gabelspaltig; Kelchblätter lanzettlich; Blumenblätter tief 2spaltig, noch 1mal so lang als der Kelch; Kapsel länglich, bis zur Mitte klappig-aufspringend, länger als der Kelch.

Wälder, u. Gebüsche an Bächen bis in die Alpenthäler. — Vorarlberg: am Rückenbachtobel (Str!). Schattige Waldschluchten bei Innsbruck: Amras, Hölle hinter der Figgen (Hfl.). Auen, und Wälder um Kitzbüchl (Trn.). Zillerthal: um Zell (Gbh.). Welsberg (Hll.), Innervilgraten, Tefereggen (Schtz.), Lienz: an den Felsen hinter Schlossbruck, und im Walde beim Bade Jungbrunn (Rsch!). Fichtenregion südlich von Innichen (Stapf). Seiseralpe (Tpp.). Schlern, und Rittneralpe, z. B. am Bache ober Pemmern (Hsm.). Wälder bei Lana (Fr. Mayer). Valsugana: bei Borgo (Ambr.), am Montalon (Montini)! Alpen um Trient (Per.). Am Baldo (Poll!). Judicarien: bei Stelle nächst Tione (Bon.), Val di Rendena (Eschl!).

Bl. weiss. Jun. Aug. ♃.

320. *S. media Vill.* Gemeines S. Hühnerdarm. *Stengel* aufstrebend, gabelspaltig, *einzeilig-behaart; Blätter eiförmig, kurz-zugespitzt, gestielt, die obern sitzend;* Blüthen gabel- u. endständig; Blumenblätter so lang als der Kelch, o. kürzer, 2theilig; Kapsel länglich, bis zur Mitte klappig-aufspringend, länger als der Kelch.

Gemein an Wegen, und bebauten Orten durch ganz Tirol bis in die Alpen. — Bregenz (Str!). Durch ganz Stubai bis ins lange Thal (Hfl!). Innsbruck z. B. bei Weyerburg (Hfl.). Kitzbüchl (Unger)! Lienz (Rsch! Schtz.). Hopfgarten (Schtz.). Brixen (Hfm.). Meran (Kraft). Bozen vorzüglich in den Weinbergen; Klobenstein am Ritten, auch an Alpenställen und Städeln der Rittneralpe (Hsm.). Um Eppan, u. Salurn (Hfl.). Trient (Per! Hfl!). Judicarien: bei Tione (Bon.). Roveredo und Avio (Hsm.).

β. major. Grösser; Blüthen 10männig (die der Species 5männig). St. neglecta Weihe. Reichenb. Deutschl. Flora. St. umbrosa Opitz. — Bozen: in Menge ober der Strasse zwischen Sigmundscron, u. Frangart im Gebüsche (Hsm.).

Obsolet: Herba Alsines vel Morsus gallinae.

Bl. weiss. Blüht um Bozen das ganze Jahr hindurch. ⊙.

321. S. ***Holostea L.*** Grossblumiges St. Stengel aufstrebend, 4kantig; ***Blätter*** sitzend, lanzettlich, ***lang-zugespitzt, am Rande u. auf dem Kiele rauh;*** Ebenstrauss gabelig; ***Deckblätter krautig;*** Kelchblätter nervenlos; Blumenblätter halb-2spaltig, noch 1mal so lang als der Kelch; Kapsel kugelig bis zur Mitte klappig-aufspringend, so lang als der Kelch.

In Hecken im östlichen Pusterthale. — Bei Górtschach nächst Lienz (Rsch!). — Obsolet: Herba Graminis floridi.

Bl. weiss. Apr. Mai. ♃.

322. ***S. graminea L.*** Grasblättriges St. ***Stengel*** ausgebreitet, 4eckig, ***kahl; Blätter*** sitzend, lanzettlich, spitz, kahl, ***an der Basis wimperig;*** Ebenstrauss gabelig; ***Deckblätter trockenhäutig, am Rande gewimpert;*** Kelchblätter 3nervig; Blumenblätter 2theilig, so lang als der Kelch; Kapsel länglich, bis zur Mitte klappig aufspringend, länger als der Kelch.

Auf Wiesen, vorzüglich auf Gebirgen, u. bis an die Alpen. — Bregenz (Str!). Innsbruck: bei Lans (Hfl.), und am Nock (Friese). Zillerthal (Schrank)! Kitzbüchl (Trn.). Welsberg (Hll.). Innervilgraten, Lienz, Tefereggen (Schtz.). Vintschgau: bei Schlanders (Tpp.). Bozen: am Waldrande in Haslach am Wege nach Kühbach, und Sigmundscroner Schlosswiese; gemein um Klobenstein am Ritten bis 5000′ z. B. bei Pemmern (Hsm.). Trient: bei Povo, u. Sopramonte (Per!). Valsugana: bei Borgo (Ambr.). Am Baldo (Clementi). Judicarien: längs der Strasse bei Corè (Bon.).

Bl. weiss. Mai, Jul. ♃.

323. ***S. Frieseana Sering.*** Langblättriges St. ***Stengel*** ausgebreitet, 4eckig, ***oberwärts rauh; Blätter sitzend, lanzettlich-linealisch,*** spitz, nach der Basis verschmälert, am Rande u. auf der Mittelrippe rauh; Rispe gabelig, fast ebensträussig; ***Deckblätter trockenhäutig;*** Kelchblätter nervenlos, getrocknet an der Basis 3nervig, der Mittelnerve auslaufend; Blumenblätter 2theilig, so lang als der Kelch; Kapsel eiförmig-länglich, bis zur Mitte klappig-aufspringend, länger als der Kelch.

Lichte Waldstellen der Gebirge. — Oberinnthal: bei 5000′ im Fenderthale, am Zwieselstein (Tpp.). Im ganzen Südtirol zerstreut, an manchen Orten in Menge, z. B. Deutschnofen bei Bozen (Fcch.). An den Ufern der Krimmlerache beim Hinaufsteigen von Krimmel zum Krimmlertaurn (Wendland)!

Bl. weiss. Jul. Aug. ♃.

§. 2. Kelch an der Basis kurz trichterförmig (Larbrea St. Hil.).

324. *S. uliginosa Murray.* Sumpf-St. *Stengel* ausgebreitet, 4eckig, *kahl; Blätter* sitzend, länglich-lanzettlich, *kahl, an der Basis gewimpert;* Rispe gabelig; *Deckblätter trockenhäutig*, am Rande kahl; Kelchblätter 3nervig; Blumenblätter 2theilig, kürzer als der Kelch; Kapsel eiförmig, ungefähr so lang als der Kelch, tief 6theilig.

An Quellen, und feuchten Orten vorzüglich auf Gebirgen, u. bis in die Alpen. — Vorarlberg: bei Bregenz (Str!). Innsbruck: im Walde unter dem heiligen Wasser (Hfl.); Alpe Lizum (Schm.). Kitzbüchl (Trn.). Welsberg: auf feuchtem sandigem Waldboden (Hll.). Lienz (Rsch!). Terenten nächst Brixen (Hfm!). Maraunerloch in Ulten (Hfl.). Bozen selten im Talferbette; Ritten, an Waldwegen zwischen dem Wolfsgruber See, u. dem Waldner Hofe; Rittneralpe: am krummen Lärch, und an Quellen der Villandereralpe gegen die Sarnerscharte (Ilsm.). Fleims: am Wege zum Sadole (Fcch!). Valsugana: am Montalon (Montini)!

Larbrea aquatica St. Hil.

β. apetala. Ohne Blumenblätter. Im untern Vintschgau (Tpp.). — Bl. weiss. Mai, Aug. ⊙.

85. *Moenchia Ehrh.* Mönchie.

Kelch 4—5blättrig. Blumenblätter 4—5, ganz, o. seicht ausgerandet. Staubgefässe 4—8—10. Fruchtknoten vieleiig. Griffel 4—5. Kapsel an der Spitze 8—10klappig. Bl. weiss (X. 4.).

325. *M. mantica Bartling.* Veronesische M. Stengel gabelig, 3—5blüthig; Blumenblätter doppelt so lang als der Kelch; Griffel gerade, während des Blühens doppelt so lang als der Fruchtknoten; Blüthen 8—10männig.

Auf Grasplätzen im südlichen Tirol (Koch syn.). — Ausser dem Gebiethe im angränzenden Vicentinischen bei Valdagno (Naccari)! Auf Grasplätzen im südlichen Tirol (Host)!

Cerastium manticum L. Stellaria mantica De C. Malachium manticum Reichenbach flor. exe. Pentaple mantica Reichenbach Deutschl. Fora.

Bl. weiss. Mai, Jun. ⊙.

86. *Malachium Fries.* Weichmiere.

Kelch 5blättrig; Blumenblätter 5, 2theilig. Staubgefässe 10. Fruchtknoten vieleiig. Griffel 5. Kapsel 5klappig, Klappen 2spaltig. (X. 5.).

326. *M. aquaticum Fries.* Wasser-W. Stengel gestreckt, und kletternd, an der Basis wurzelnd; Blätter herzeiförmig, zugespitzt, sitzend, die der nicht blühenden Stengel gestielt; Blüthenstiel ungefähr so lang als das Blatt; Rispe gabelig, spreitzend, drüsig-haarig; Deckblätter krautig; Blumenblätter 2theilig.

An Ufern, Gräben, auch auf Aeckern. — Vorarlberg: bei Bregenz im Ried (Str!). Innsbruck (Hfl.). Schwaz (Schm.).

Lienz: am Weyer bei Schlossbruck (Rsch!). Gemein im Etschlande: um Eppan an Mühlbächen (Hfl.); um Bozen allenthalben, in Menge auch auf den Türkäckern bei St. Jacob (Hsm.). Fassa (Rainer)! Roveredo (Crist.). Trient: an den Gräben im Campo Trentino (Per!). Judicarien: an feuchten Orten längs der Strasse bei Tione (Bon.).

Cerastium aquaticum L.

Bl. weiss. Jun. — Octob. ♃.

87. *Cerastium L.* Hornkraut.

Kelch 5blättrig. Blumenblätter 5, 2spaltig. Staubgefässe 10. Fruchtknoten vieleiig. Griffel 5. Kapsel an der Spitze 10zähnig-aufspringend. Samen bekörnelt. Bl. weiss. (Kapsel an unsern Arten an der Spitze mehr o. weniger gekrümmt, Zähne gerade am Rande zurückgerollt.) (X. 5.). *)

§. 1. Wurzel einfach, jährig, oder 2jährig; die Stengel aufrecht, oder aufstrebend, seltener an der Basis wurzelnd; perennirende Stämmchen fehlend.

a. Blumenblätter so lang oder kürzer als der Kelch.

327. *C. glomeratum Thuillier.* Knauelblüthiges H. Stengel aufrecht, oder aufstrebend; Blätter rundlich, oder oval, die untern in den Blattstiel verschmälert; Aeste der Rispe geknäuelt; ***Deckblätter sämmtlich krautig, und nebst dem Kelche an der Spitze bärtig; die fruchttragenden Blüthenstielchen so lange als der Kelch, o. kürzer;*** Blumenblätter ungefähr so lang als der Kelch.

Auf Aeckern, u. an feuchten Grasplätzen. — Um Kitzbüchl doch nicht gemein (Trn.).

Bl. weiss. Mai. Jul. ⊙.

328. *C. brachypetalum Desportes.* Kurzblumiges H. Stengel aufrecht, o. aufstrebend; Blätter länglich, u. oval, die untern in den Blattstiel verschmälert; die obern Aestchen der Rispe gehäuft; ***Deckblätter sämmtlich krautig, und nebst dem Kelche an der Spitze bärtig; die fruchttragenden Blüthenstielchen 2- o. 3mal so lang als der Kelch;*** Blumenblätter ungefähr so lang als der Kelch, o. kürzer.

Auf grasigen Hügeln, an felsigen Abhängen, u. in Weinbergen. — Algund nachst Meran (Tpp.). Bozen gemein, z. B. am Kalvarienberge, u. Runkelsteiner Schlosswege, dann in den Weinbergen im Gandelhofe bei Gries (Hsm.). Kohlegg bei Bozen (Fcch.). Trient: am neuen Kapuzinerkloster (Hfl.). An Feldrainen bei Roveredo (Crist.).

Bl. weiss. Ende März — Mai. ⊙.

329. *C. semidecandrum L.* Kleines H. ***Stengel aufrecht, o. aufstrebend;*** Blätter länglich, u. oval, die untern

*) Ein monströses Vergrünen der Blüthen ist an dieser Gattung nicht selten.

in den Blattstiel verschmälert; die obern Aestchen der Rispe gehäuft; *die Deckblätter sämmtlich nebst den Kelchblättern halbtrockenhäutig, an der Spitze kahl, ausgebissen gezähnelt;* die fruchttragenden Blüthenstielchen 2- oder 3mal länger als der Kelch, hinabgeschlagen; Blumenblätter fast so lang, o. kürzer als der Kelch.

Auf Hügeln, Rainen, trockenen Triften, u. bebautem Boden. — Innsbruck: am Judenfreythof, u. bei Mühlau gegen den Breitbüchel (Hfl.). Unterinnthal: im Brixenthale (Trn.). Algund nächst Meran (Tpp.). Bozen in Menge südlich am Kalvarienberge, am Kalkofen etc. (Hsm.). Trient: ai Masi della Aria, u. an der Etschlände bei San Martino (Hfl.), dann bei Gocciadoro (Per.). Val di Non: an der Novellamündung (Hfl!).

Kommt vor: mit oder ohne Drüsenhaare.

Bl. weiss. März, Apr. ⨀.

330. *C. glutinosum Fries.* Zwerg-H. *Stengel aufrecht, o. aufstrebend;* Blätter länglich, u. oval, die untern in den Blattstiel verschmälert; die obern Aestchen der Rispe gehäuft; *die untern Deckblätter krautig, die obern nebst den Kelchblättern am Rande trockenhäutig, an der Spitze kahl, mit einem krautigen beinahe auslaufenden Streifen;* die fruchttragenden Blüthenstielchen 2- o. 3mal länger als der Kelch, wagrecht abstehend; Blumenblätter ungefähr so lang als der Kelch.

Raine, u. trockene Triften. — Trient: ai Masi dell'Aria (Hfl.).

C. pumilum Koch syn. ed. 1. — Bl. weiss. Apr. ⨀.

331. *C. triviale Link.* Grosses H. *Stengel aufstrebend, die seitenständigen an der Basis wurzelnd;* Blätter länglich, o. eiförmig, die untersten in den Blattstiel verschmälert; die obern Aeste der Rispe gehäuft; *Deckblätter nebst den Kelchblättern am Rande trockenhäutig, an der Spitze kahl;* die fruchttragenden Blüthenstielchen 2- o. 3mal so lang als der Kelch; Blumenblätter ungefähr so lang als der Kelch.

Auf Wiesen, Aeckern, u. in Weinbergen, auch häufig bis in die Alpen. — Vorarlberg: bei Bregenz (Str!). Innsbruck: Wiesen am Sillufer, u. bei Hötting (Hfl.). Rosskogel, Serles, u. Solstein (Hfl.). Kitzbüchl, gemein bis in die Alpen (Trn.). Lienz, Innervilgraten (Schtz.); Brunecken (F. Naus!). Vintschgau: Wiesen um Schlanders (Tpp.). Bozen: in Menge auf den Maisäckern bei Sigmundscron, in den Weinbergen bei Gries, u. auf den Haslacher Wiesen (Hsm.). Grasplätze bei Eppan (Hfl.). Fassa, u. Fleims (Fcch!). Valsugana: bei Borgo (Ambr.). Judicarien: bei Tione (Bon.).

β. *glandulosum.* Haare der Blüthenstiele, u. Kelche drüsig-klebrig. Bozen: mit der Species bei Sigmundscron (Hsm.).

γ. *holosteoides.* Stengel mit einer herablaufenden Linie von Haaren, sonst, wie die Blätter, bis zur Rispe kahl o. fast kahl. — Vorarlberg: auf Torfboden bei Lustenau (Cst!). Selten um Klobenstein am Ritten (Hsm.).

δ. *alpinum.* Blätter breiter oval; Blüthen etwas grösser. — Alpen um Kitzbüchl (Unger! Trn.). Rittneralpe bis zur Spitze der Sarnerscharte, doch nicht gemein (Hsm.).

C. vulgatum Wahlenb.

Bl. weiss. — Apr. Mai. Alpen. Jun. Jul. ☉. u. ⊙.

b. Blumenblätter noch 1mal so lang als der Kelch.

332. *C. sylvaticum W. K.* Wald-H. *Stengel aufstrebend, die seitenständigen an der Basis wurzelnd; die untersten Blätter eiförmig, spitz, in einen Blattstiel plötzlich zusammengezogen,* die mittlern länglich, *die obern lanzettlich, verschmälert-zugespitzt;* die Rispe reichblüthig, zuletzt zerstreutblüthig; die untern Deckblätter krautig, die obern schmal-trockenhäutig-berandet; die fruchttragenden Blüthenstielchen verlängert; *Blumenblätter noch 1mal so lang als der Kelch.*

In feuchten Wäldern des südlichen Tirols. — Valsugana: dem Dorfe Ospedaletto gegenüber, u. im benachbarten Bellunesischen bei Agordo (Fcch.). In Val di Sella bei Borgo, und bei Castelnuovo auf der rechten Seite der Brenta (Ambr.).

Bl. weiss. Jun. Jul. ⊙.

§. 2. Die Wurzel vielköpfig, Stämmchen, obgleich schlank, doch perennirend, und jährlich blüthentragende, und nicht blühende Stengel treibend.

333. *C. latifolium L.* Breitblättriges H. *Stämmchen rasig,* gestreckt; Stengel aufstrebend, die nicht blühenden dicht-rasig; die blüthentragenden ziemlich aufrecht, 1—3-blüthig; Blätter elliptisch o. lanzettlich; *Deckblätter krautig;* Blüthenstielchen nach dem Verblühen eingeknickt; Blumenblätter fast noch 1mal so lang als der Kelch.

Steinige Triften der höhern Alpen gemein durch ganz Tirol, in vielen Formen. — Oberinnthal: im Oetzthal; Innsbruck: auf dem Serles, Lavatscherjoch, u. Rosskogel; in Pfitsch, und Alpen um Sterzing (Hfl.), Alpen bei Zirl (Str!). In Lisens, Längenthal (Prkt.). Am Thalferner in Stubai (Eschl.). Kitzbüchl: über 6000′, z. B. am Geisstein, u. Griesalpjoch (Trn.). Zillerthaleralpen (Gbh.). Pusterthal: Alpen in Prax (Hll.), Tefereggen u. Innervilgraten (Schtz.), Marenwalder- Hof- und Schleinizalpe bei Lienz (Bsch!), dann am Grossgössnitz (Schtz.). Vintschgau: am Hochwart (Tpp.); Wormserjoch (Hsm.); im Laaserthal (Tpp.). Schlern, Ifinger, Seiser- Rittner- u. Villandereralpe (Hsm.). Vette dei Monzoni (Meneghini)! Am Sadole (Parolini)! Forcella di Portole, Montalon, u. Vette di Feltre (Montini)! Auf dem Baldo (Sternberg). Judicarien: Genova in Rendena (Bon.).

Bl. weiss. Jul. Aug. ♃.

334. *C. alpinum L.* Alpen-H. *Stämmchen kriechend,*

die nicht blühenden Stengel rosettig, die blühenden aufstrebend, 1—5blüthig; Blätter elliptisch, oder lanzettlich; ***Deckblätter krautig, an der Spitze schmal-trockenhäutig; Blüthenstiele nach dem Verblühen schief-abstehend;*** Blumenblätter fast noch 1mal so lang als der Kelch.

Alpen und Voralpen. — Vorarlberg: auf der Mittagspitze (Str!); am Widderstein (Tir. B.)! Innsbruck: bei 8000′ am Widdersberg (Hfl.). Jöcher des Oberinn- u. Wippthales (Hfm.). Zillerthal (Schrank)! Kitzbüchl: am Geisstein (Trn.). Auf der Ochsenalpe in Pregratten, u. Windischmatreyer Taurn (Hrnsch!). Auf dem Zabernizkofel bei Lienz (Rsch!). Griesbachjoch in Pfitsch (Stotter)! Vintschgau: Alpen bei Laas (Tpp.). Schlern, u. Sarnerscharte (Hsm.). Falgameierjoch in Ulten (Giov!). Alpen von Fleims, u. Fassa (Fcch!). Folgaria (Crist.). Col Bricon in Primiero (Per!).

Aendert ab: Stengel oberwärts nebst den Blüthenstielen mit drüsentragenden Haaren bedeckt; oder allda mit wolligen Haaren dicht besetzt und von weitem grau (C. lanatum Lam.). Die fast kahle Form scheint in Tirol nicht vorzukommen. Eine weitere Form ist C. alpinum glutinoso-lanatum Facchini, sie hat ausser dem gewöhnlichen Ueberzuge noch, und besonders nach oben ausserordentlich lange, feine, wollflockige, gebogene, u. drüsige Haare, u. kommt in Fassa beim Dorfe Mazzin vor (Reichenb. Deutschl. Flor. die Nelkengew. S. 110.).

Bl. weiss. Jun. Aug. ♃.

335. ***C. ovatum Hoppe.*** Kärnthner-H. ***Stämmchen gestreckt, am Grunde wurzelnd;*** Stengel rasig, die blühenden aufstrebend, 6—9blüthig; die untern Blätter lanzettlich, die obern aus eiförmiger Basis verschmälert-spitz; ***Deckblätter mit trockenhäutigem, breitem, kahlem, an der Basis etwas wimperigem Rande; Blüthenstiele kurzhaarig-flaumig, nach dem Verblühen schief-abstehend;*** Blumenblätter noch 1mal so lang als der Kelch.

Kiesige feuchte Orte der Alpen. — Oberinnthaler-Alpen (Andr. Sauter, vergl. Flor. 1833 p. 238)! Pusterthal: auf den Praxer Hochalpen (Hll.); Tefereggeralpen (Schtz.). Alpen in Fassa, u. Fleims (Fcch!). Pusterthal: am Glockner; Alpen in Vintschgau (Fcch!).

C. carinthiacum Vest.

Bl. weiss. Jul. Aug. ♃.

336. ***C. arvense L.*** Acker-H. ***Stämmchen gestreckt, an der Basis wurzelnd;*** Stengel aufstrebend, die nicht blühenden dicht-rasig, die blühenden aufrecht, 7—15blüthig; Blätter linealisch-lanzettlich, o. linealisch; ***Deckblätter breit-trockenhäutig-berandet; Blüthenstiele kurzhaarig-flaumig, nach dem Verblühen aufrecht, mit nickendem Kelche;*** Blumenblätter noch 1mal so lang als der Kelch.

An Felsen, Hügeln, u. steinigen Triften bis in die Alpen. — Innsbruck: am Pastberg, u. hinter Gries im Sellrainer Thale

(Hfl.). Schwazeralpen (Schm!). Am Geisstein bei Kitzbüchl (Trn). Im Gries der Ziller (Gbh!). Oberinnthal: bei Weissenbach (Ehrharter)! Imst (Lutt!). Stubaieralpen (Schneller). Hopfgarten, u. Alpen bei Lienz (Schtz.). Teischnitzalpe bei Lienz (Schtz.). Alpen um Brixen (Hfm.). Vintschgau: bei Trafoi; Seiseralpe, u. Schlern (Hsm.). Valsuganeralpen (Ambr.). Am Bondone bei Trient (Per.). Baldo (Jan!).

β. strictum. Stengel, u. Blätter kahl, letztere an der Basis gewimpert. C. strictum Haenke. — Vorarlberg: Weisse Wand (Cst!). Kitzbüchl: am Geisstein bei 6000′ (Unger!), u. auf der Jochbergeralpe (Trn.). Zillerthal: in der Zemm (Schrank)! Leibnigeralpe bei Lienz (Rsch!), auf allen Alpen um Lienz (Hänke!), Innervilgraten (Schtz.).

γ. suffruticosum. Blätter aufrecht, steifer; Deckblätter mit einem trockenhäutigen, breitern Rande umzogen, u. nur an der Basis gewimpert, o. am Rande fast ganz kahl. — Im südlichen Tirol (Koch syn.)! Bozen: an den Felsen am kühlen Brünnel, u. an der Strasse nördlich unter dem Kalvarienberge (Hsm.). Val di Non: bei der Rochetta u. Denno (Hfl.). Bei Durone in Judicarien; Val di Sol bei den Mineralquellen von Pejo (Bon.).

Obsolet; Flores Auriculae muris albae vel Holostei caryophyllei. —

Bl. weiss. Mai. Gebirge u. Alpen, Jun. Jul. ♃.

337. *C. tomentosum L. Bertoloni.* Filziges H. ***Flockig-filzig, kriechend;*** nichtblühende Stengel niederliegend, blühende aufsteigend; Blätter lanzettlich, o. linealisch; Rispe gabelspaltig; Deckblätter trockenhäutig-berandet; Blumenblätter 2spaltig, noch 1mal so lang als der Kelch; ***Zähne der Kapsel aufrecht.***

Vette di Feltre (Montini bei Bertoloni)! Im Canton Wallis in der Schweiz, vielleicht nur aus Gärten kommend, wo man es kultivirt (Moritzi)!

C. tomentosum Bertoloni flor. ital. tom. IV. pag. 760. C. repens L. nach Koch.

Bl. weiss. Jun. Jul. ♃.

ELATINEAE Cambess.

Tännelartige.

Kelch 3—4—5spaltig- o. theilig, in der Knospenlage dachig. Blumenblatter so viele als Kelchblätter, u. mit denselben wechselnd, unterweibig. Staubgefässe so viele o. doppelt so viele als Blumenblätter, frei, unterweibig. Fruchtknoten frei, 3—4—5fächerig, die Klappen die Zwischenwände tragend; Fächer mehreiig. Griffel so viele als Fächer. Kapselfrucht; Samenträger mittelpunktständig. Samen zahlreich, eiweisslos. Blätter nebenblattlos, gegenständig. Jährige, meist kleine Sumpfpflanzen.

Elatine L. Tännel.

Kelch 3—4theilig. Blumenblätter 3—4. Staubgefässe 6 o. 8, sehr selten 3. Griffel 3—4. Kapsel 3—4fächerig, vielsamig. Samen zahlreich walzlich, gerade oder mehr oder weniger gekrümmt. (VIII. 4.).

E. Hydrópiper L. Pfefferfrüchtiger T. Blätter gegenständig, kürzer als der Blattstiel; ***Blüthen sitzend, 4blättrig,*** 8männig. Samen halbzirkelförmig-gekrümmt.

Nach Döll bei Füssen im angränzenden Bayern, u. bei Lauterach nächst Bregenz. Letzterer Standort beruht nach einer schriftlichen Mittheilung Custers auf Verwechslung.

Jun. Aug. ☉.

E. triandra Schk. Dreimänniger T. Blätter gegenständig, länger als der Blattstiel; ***Blüthen sitzend, 3blättrig,*** 3männig; Samen seicht-gekrümmt.

Angeblich auf der Villandereralpe bei Bozen?? Im Zellersee des benachbarten Pinzgaues (Sauter)! Jun. Aug. ☉.

E. hexandra De C. Sechsmänniger T. Blätter gegenständig, länger als der Blattstiel; ***Blüthen gestielt,*** Blüthenstiel so lang, o. länger als die Frucht; ***Blüthen 3blättrig, 6männig;*** Samen seicht-gekrümmt.

Für den Standort Lauterach gilt das bei E. Hydropiper Angeführte. Jun. Aug. ☉.

E. Alsinastrum L. Wirtelblättriger T. Blätter quirlig. — Ist auch in Tirol bisher kein sicherer Standort für eine o. andere der 4 vorgenannten Arten bekannt geworden, so unterliegt es doch keinem Zweifel, dass eine Gattung, die in keinem auch noch so kleinen Gebiethe Deutschlands fehlt, auch in Tirol einheimisch sei. An Sümpfen u. Gräben haben wir keinen Mangel, aber augenfällig hat man der Sumpfflora in Tirol mit wenigen Ausnahmen bisher zu wenig Aufmerksamkeit geschenkt.

XV. Ordnung. LINEAE De C.

Leinartige.

Blüthen zwitterig. Kelch 4—5blättrig, bleibend, in der Knospenlage dachig. Blumenkrone regelmässig, Blumenblätter so viel als Kelchblätter, in der Knospenlage gedreht, sammt den Staubfäden dem Fruchtboden eingefügt. Staubgefässe 4—5, mit den Blumenblättern wechselnd, an der Basis in einen Ring verwachsen, mit dazwischen liegenden, den Blumenblättern entgegengesetzten. Zähnen (Ansätze zu innern Staubfäden). Fruchtknoten durch vollständige aus einer doppelten Haut gebildete u. eben so viele unvollständige Scheidewände 8—10fächerig; Fächer 1eiig; Eierchen hängend. Samenträger mittelpunktständig. Griffel 4—5. Samen eiweisslos; Keim gerade. Kräuter, o. Halbsträucher, mit einfachen, schmalen, ganzen, aderlosen Blättern, ohne Nebenblätter. — Sie zeichnen sich durch ihre schleimigen, ölreichen Samen, u. ihre feinen zähen Fasern, die zu Gespinnsten benützt werden können, aus.

88. *Linum L.* Lein.

Kelch 5blättrig, bleibend. Blumenkrone 5blättrig. Staubgefässe 5, Kapsel 10fächerig. Griffel 3—5. (V. 5.).

§. 1. Blätter zerstreut, nur die untersten zuweilen gegenständig. — Bl. an unsern Arten blau, rosenroth, o. weisslich.

a. Kelchblätter am Rande drüsig gewimpert.

338. ***L. viscosum L.*** Klebriger L. Kelchblätter lanzettlich, zugespitzt, länger als die Kapsel; Blätter lanzettlich, 3—5nervig, zottig; die obern Deckblätter, und Kelche drüsig-gewimpert, fast kahl; ***Stengel von weit-abstehenden Haaren zottig.***

Trockene Waldtriften der Gebirge, u. Voralpen im südlichen Tirol. — Im Gebiethe von Bozen: auf der Mendel ober Kaltern; bei Margreid gegen Fennberg; Kerschbaum ober Salurn gegen Grameis (Hsm.). Val di Non (Tpp.). Fleims: ober Forno (Fcch!). Valsugana: bei Borgo (Ambr.). Trient: am Monte Zambana, am Gazza, bei Sardagna, und am Doss San Rocco (Hfl. Per.). Am Baldo: um la Ferrara (Poll!). Judicarien: am Monte aprico, u. alla bastia di Preore (Bon.).

Bl. lila mit dunklern Adern. Jun. Aug. ♃.

339. ***L. tenuifolium L.*** Feinblättriger L. ***Kelchblätter*** elliptisch, an der Spitze pfriemlich, ***drüsig-gewimpert, wenig länger als die Kapsel; Blätter*** linealisch, zugespitzt, ***am Rande wimperig-rauh,*** nebst dem Stengel kahl. —

An sonnigen Hügeln, u. steinigen Abhängen im südlichen Tirol. — Pusterthal: bei Lienz (Schtz.). Bozen: im Hertenberg, und am Wege von St. Oswald zum Peter Planer, ober dem Tscheipenthurm am Steige zum Einsiedel; Margreid: am Wege zum Kalkofen (Hsm.). Eppan: am Wege nach Pardonig (Hfl.). Val di Non (Tpp.). Fleims (Fcch!). Fontana Santa bei Trient (Per!). Valsugana: bei Borgo (Ambr.). Roveredo (Crist.). Bei Torbole u. Riva (Gundlach). Am Baldo: im Gebiethe von Brentonico (Poll!). Judicarien: an Kalkfelsen am Gaggio bei Tione (Bon.).

Cathartolinum tenuifolium Reichenb. Deutschl. Flora.

Bl. röthlich-lila. Ende Mai — Jul. ♃.

b. Kelchblätter am Bande drüsenlos.

340. ***L. narbonense L.*** Narbonnesischer L. ***Kelchblätter lanzettlich, zugespitzt, drüsenlos,*** noch 1mal so

lang als die Kapsel; Blätter linealisch-lanzettlich, kahl, am Rande etwas rauh; Stengel zahlreich.

Alpenregion des Baldo, vorzüglich zwischen Steinen in Val Fredda, dann auf dem Bondon, u. Portole (Poll!). Val Fredda am Baldo (Barbieri bei Bertoloni)!

Bl. himmelblau, sehr gross, mehr als doppelt so lang als der Kelch. Jun. ♃.

L. usitatissimum L. Gemeiner L. Flachs. ***Kelchblätter eiförmig***, zugespitzt, klein-gewimpert, ***drüsenlos***, fast so lang als die Kapsel; Blätter lanzettlich, kahl; der Stengel einzeln, aufrecht.

Gebaut durch ganz Tirol, doch mehr auf Gebirgen, und in Seitenthälern. — Häufig in Pusterthal um Lienz u. in Tefereggen (Rsch! Schtz.). Die vorzüglichste Sorte Flachs wird im Oetzthale, u. bei Axams nächst Innsbruck erzeugt. In Zillerthal (Moll!). Im Gebiethe von Bozen seltener am Ritten um Klobenstein bis 4800′ (Hsm.). Im italienischen Tirol: Fleims (Scopoli!); Val di Sole; bei Cavalese, u. in Pinè (Per!). — Verwildernd auf Aeckern um Lienz, u. am Ritten, auch zufällig an Wegen. — Offic.: Semina Lini.

Bl. blau. Jun. Aug. ☉.

341. *L. alpinum Jacq.* Alpen-L. ***Kelchblätter eiförmig, am Rande drüsenlos, u. kahl***, um die Hälfte kürzer als die Kapsel, die innern sehr stumpf; ***Blumenblätter breit-verkehrt-eiförmig, von der Mitte an auseinander-tretend***, der Nagel länglich-3eckig; ***Kapsel oval; die blüthen- und fruchttragenden Blüthenstiele steifaufrecht;*** Blätter linealisch-lanzettlich, kahl; Stengel aufrecht.

Auf hohen Gebirgen des südlichen Tirols. — Pusterthal: auf der Zoch- u. Laserzalpe bei Lienz (Rsch!). Von der Brescianischen bis zur Feltrinischen Gränze; Val di Ledro: auf Wiesen an der obern Gränze des Getreidebaues (Fcch.). Vette di Feltre, u. Portole (Montini)! Am Baldo (Kellner); allda am Coval Santo (Clementi).

L. alpinum β montanum Reichenb. Deutschl. Flora.

Bl. lebhaft blau. Jun. Jul. ♃.

§. 2. Blätter alle gegenständig. Bl. weiss.

342. *L. catharticum L.* Purgier-L. Kelchblätter elliptisch, zugespitzt, drüsig-gewimpert, ungefähr so lang als die Kapsel; ***Blätter*** kahl, am Rande etwas rauh, die untern verkehrt-eiförmig, die obern lanzettlich, ***sämmtlich gegenständig.***

Feuchte magere Triften vom Thale bis in die Alpen. — Vorarlberg: bei Bregenz (Str!). Innsbruck: in der Klamm, u. bei der Martinswand; Thaureralpe (Hfl.). Schmirn (Hfm.). Kitzbüchl (Trn.). Rattenberg (Wld!). Zillerthal: um Zell (Gbh.). Schwaz (Schm!). Welsberg (Hll.). Lienz (Rsch! Schtz.). Teischnizalpe (Schtz.). Bozen: an den Quellen ausser dem kühlen Brünnel, und Mooswiesen bei Siebenaich; gemein um

Klobenstein bis wenigstens 5000′, Pemmern; bei Salurn (Hsm.). Trient: am Gazza, u. bei Povo (Per!). Fleims u. Fassa (Fcch.). Valsugana: bei Borgo (Ambr.). Roveredo (Crist.). Am Baldo: im Gebiethe von Brentonico (Poll!). Judicarien: auf den Wiesen ai Giardini nächst Tione (Bon.).

Cathartolinum pratense Reichenb. Deutschl. Flora.

Ehemals officinell: Herba Lini cathartici.

Bl. weiss. Mai, Jul. ⊙.

XVI. Ordnung. MALVACEAE. Brown.

Malvenartige.

Blüthen zwittrig. Kelch 3—4—5spaltig, in der Knospenlage klappig, oft von einer freien, oder verwachsenblättrigen, einen Aussenkelch darstellenden Hülle umgeben. Blumenblätter so viele als Zipfel des Kelches, u. mit diesen abwechselnd, u. in der Knospenlage gedreht. Staubfäden unterweibig, in eine am Grunde verbreiterte, den Fruchtknoten bedekende Röhre zusammengewachsen. Staubkölbchen 1fächerig, mit einer Querritze aufspringend. Fruchtknoten mehr- u. vielfächerig, bisweilen gelappt. Fächer 1—mehreiig. Samenträger mittelpunktständig. Eiweiss fehlend o. spärlich. Keim mit gefalteten Keimblättern. Kräuter, Halbsträucher o. Sträucher mit abwechselnden Blättern, mit Nebenblättern, u. meist sternförmigem Flaume. Sie zeichnen sich durch eine in allen Theilen verbreitete, oft bedeutende Menge Schleimes aus, wesswegen sie vielfache Anwendung als Heilmittel finden.

89. ***Malva L.*** Malve.

Kelch 5spaltig. Kelchhülle 3blättrig. Blumenkrone 5blättrig. Staubgefässe 1brüderig. Griffel sehr viele, unterhalb untereinander verwachsen. Kapsel kreisförmig, niedergedrückt, zuletzt in mehrere, vom Mittelsäulchen losgelöste 1samige, 2klappige o. nicht aufspringende Früchtchen zerfallend. (XVI. 4.).

343. ***M. Álcea L.*** Eibisch-M. Schlitzblättrige M. Siegmarskraut. Stengel aufrecht; die wurzelständigen ***Blätter*** herzförmig-rundlich, gelappt, ***die stengelständigen handförmig 5theilig, Zipfel fast rhombisch 3spaltig, eingeschnitten-gezähnt, oder fiederspaltig***; Blüthenstielchen, und Kelche filzig-rauhhaarig, Haare büschelig; Klappen kahl; fein quer-runzelig, auf dem Rücken gekielt, am Rande abgerundet.

An Wegen, Hügeln, u. Rainen. — Vorarlberg: bei Altenstadt, u. Feldkirch (Cst! Str!). Unterinnthal: bei Brixen im Brixenthale an der Strasse (Trn.). Oberinnthal: bei Ladis (Gundlach). Pusterthal: in Taufers (Iss.), u. bei Lienz (Schtz.). Raine um Brixen (Hfm.). Vintschgau: bei Mals (Hfm.), Taufers

(Giov!). Bozen: an Wegen gegen Leifers, u. Siebenaich; bei Kaltern, u. Salurn; am Ritten: bei 3300′ östlich von Siffian an einem Ackerraine nächst Spitzeggat (Hsm.). Folgaria: bei Serrada an sonnigen, steinigen Waldrändern (Hfl. Crist.). Trient: bei Sardagna (Per.). Valsugana: bei Borgo (Ambr.). Judicarien: an Wegen bei Tione (Bon.).

M. italica Poll. Reichenb. Icon. Malv. tab. CLXX. M. Alcea β. excisa Reichenb. Icon. tab. CLXX. M. Alcea Koch syn. ed. 1. Obsolet: Radix et Herba Alceae.

Bl. rosa, o. bläulich-rosa. Jul. Aug. ♃.

344. ***M. fastigiata Cavanilles.*** Gipfelblüthige M. Stengel aufrecht, Wurzel*blätter* herzförmig-rundlich, gelappt, *die obern Stengelblätter 3spaltig, die mittleren 5spaltig*, Zipfel länglich ungleich gezähnt, fast 3spaltig; Blüthenstiele u. Kelche filzig-rauhhaarig, Haare büschelig; Klappen kahl, fein quer-runzelig, auf dem Rücken gekielt, am Rande abgerundet. —

An Hügeln, Wegen u. Zäunen, im Etschlande bis zum Veronesischen, z. B. unweit Brentonico (Fcch!). Vintschgau: bei Laas (Tpp.). Bozen: bei Haslach, u. Siebenaich etc. (Hsm.). Am Baldo (Clementi).

M. Morenii Poll. M. Alcea β fastigiata Koch syn. ed. 2. Malva fastigiata Koch syn. ed. 1.

Bl. rosa, oder bläulich-rosa. Jul. Aug. ♃.

345. ***M. sylvestris L.*** Wilde M. Grosse Käsepappel. Stengel aufrecht, o. aufstrebend; Blüthenstiele nebst den Blattstielen rauhhaarig; Blätter 5—7lappig; ***Blüthenstiele gehäuft, nach dem Verblühen aufrecht; Blumenblätter viel länger als der Kelch,*** tief-ausgerandet, am Nagel dicht-gebärtet; Blätter der Kelchhülle elliptisch-länglich; Klappen berandet, grubig-runzelig.

An Wegen, Zäunen, u. Schutt. — Vorarlberg: gemein um Bregenz (Str!), u. bei Bauren (Cst!). Innsbruck: am Röhrweg ober Mühlau, überhaupt an Wegen (Schpf.). Kitzbüchl: selten an Häusern (Trn.). Pusterthal: sparsam um Lienz (Rsch! Schtz.). Partschins nächst Meran (Iss.). Gemein um Bozen z. B. am St. Antoni-Schlössel, am Griesner Gottesacker, Weg nach Morizing, u. Siebenaich, Sigmundscroner Schlossberg; Salurn (Hsm.). Eppan: am Schlosshof bei Freudenstein (Hfl.). Trient (Per!). Judicarien: an der Strasse ai Ragoli, und bei Tenno (Bon.). — Offic.: Herba et Flores Malvae vulgaris.

Bl. rosenroth mit dunklern Adern. Jun. Aug. ♃.

M. crispa L. Krause K. Stengel aufrecht bis Mann hoch; Blätter 5—7lappig, wellenförmig-kraus. Bl. klein, röthlich, fast sitzend, zahlreich, knäuelartig in den Achseln der Blätter. — Hie und da in Gärten der Landleute und in deren Nähe verwildernd. Stammt aus Syrien. ⊙.

346. ***M. rotundifolia L.*** Gemeine M. Käsepappel.

Stengel gestreckt, aufstrebend; Blätter herzförmig-rundlich, 5—7lappig; ***Blüthenstiele gehäuft, nach dem Verblühen abwärts-geneigt,*** mit aufrechtem Kelche; Blumenblätter 2- o. 3mal so lang als der Kelch, tief ausgerandet; die Blätter der Kelchhülle linealisch-lanzettlich; ***Klappen am Rande abgerundet, glatt, o. schwach-runzelig.***

An Wegen, Schutt, u. Häusern bis an die Voralpen. — Bregenz (Str!). Innsbruck (Schpf.). Stubai: gemein an Häusern bei Vulpmes (Hfl!). Kitzbüchl (Trn.). Im Dorfe Welsberg (Hll.), Innervilgraten, Tefereggen, und Lienz (Schtz.). Meran (Kraft). Bozen: gemein z. B. am Eisackdamme; am Ritten an den Häusern um Klobenstein (Hsm.). Im italienischen Tirol (Poll!). Trient (Per!). Borgo (Ambr.). Am Gardasee (Clementi). Judicarien: bei Tione (Bon.). — M. vulgaris Fries.

Officinell: Herba et Flores Malvae vulgaris seu minoris.

Bl. blassrosa. Jun. — Sept. ♃.

90. ***Althaea L.*** Eibisch.

Kelch 5spaltig. Kelchhülle 6—9spaltig. Griffel sehr viele, unten verwachsen. Kapsel wie bei Malva. (XVI. 4.).

347. ***A. officinalis L.*** Gemeiner E. ***Blätter auf beiden Seiten weissfilzig,*** ungleich-gekerbt, herz- o. eiformig, ***die untern 5lappig, die obern 3lappig;*** Blüthenstiele blattwinkelständig, reichblüthig viel kürzer als das Blatt. Hülle 8—9theilig. Kapselfächer (Nüsschen) randlos.

Auf feuchten Wiesen, an Dämmen, u. Gräben im südlichen Tirol. — Pusterthal: an der südlichen Seite der Stadtmauer bei Lienz (Rsch!). Vintschgau: an der Heerstrasse (Hrg!). Am Zentnerwege bei Partschins nächst Meran (Iss.). Feuchte Orte westlich von Meran (Kraft). Bozen: selten an den Gräben bei Sigmundscron, häufiger bei Kaltern; bei Margreid, u. auf den Mösern links an der alten Strasse von Pranzoll nach Auer (Hsm.). Salurn (Sternberg)!

Officinell: Radix et Herba Althaeae.

Bl. rosa. Jul. Aug. ♃.

A. rosea L. Garten-E. Gartenpappel. Stangenrose. Stengel aufrecht, sternfilzig; Blätter herzförmig, 5—7-lappig, runzelig, gekerbt. Kelchhülle 6—7spaltig. Kapselfächer (Nüsschen) scharfrandig. — Eine bekannte Zierpflanze, man findet sie vorzüglich in den Gärten der Landleute, u. auch in deren Nähe verwildernd, um Bozen auch schon hie u. da in Weinbergen. — Officinell: Flores Malvae arboreae.

Bl. gross, dunkelrosa, auch weiss, schwarzroth etc. oft gefüllt. Jun. — Oct. ♃.

91. ***Lavatéra L.*** Lavatere.

Kelch 5spaltig, Kelchhülle 3spaltig. Griffel sehr viele unterwärts zusammengewachsen. Kapsel wie bei Malva. (XVI. 4.).

348. *L. trimestris L.* Dreimonatliche L. Krautartig, oben steifhaarig-scharf; unterste Blätter herzförmig-rundlich, obere eckig, oberste 3lappig, Mittellappen lanzettlich; Blüthenstiele einzeln, kürzer als das Blatt; Mittelsäulchen der Frucht nach oben in eine Scheibe erweitert, die die Kapselfächer deckt.

Vintschgau: an der Strasse (Hrg!), bei Laas am Loretzhofe (Tpp.). Bei Partschins, wild (Iss.). Wohl nur verwildert, wie nach Reichenbach an mehreren Orten im Gebiethe Deutschlands. — 1—2 Fuss hoch. Blumenblätter 3—4mal so lang als der Kelch, hellrosa, Aug. Sept. ☉.

92. *Hibiscus L.* Ibisch.

Kelch 5spaltig. Kelchhülle vieltheilig. Griffel 5, unten verwachsen. Kapsel 5fächerig, Klappen in der Mitte mit Scheidewand; Fächer vielsamig. (XVI. 4.).

349. *H. Triónum L.* Stundenblume. *Einjährig*. Untere Blätter fast unzertheilt, obere 5- u. 3theilig, Theilstücke rhombisch-lanzettlich, das mittlere länger, alle eingeschnitten-fiederspaltig, u. gezähnt; Kelch blasig, häutig, nervig-aderig.

An Wegen, u. cultivirten Orten im südlichen Tirol (Koch Taschenb.)! — Bozen: hie u. da an Wegen u. Schutt, doch selten, aber in vielen Gärten wie Unkraut (Hsm.); in Menge auf einer Sumpfwiese am Wege von der Paulsnerhöhle nach Unterrain nächst Bozen (Hfl!). Pusterthal: Lienz bei der Harpfe im Mohrenfelde (Rsch!). Meran: in Gärten bei Partschins (Iss.). Kaltern (Fk!). Weinberge bei Val Floriana in Fleims (Fcch!).

Bl. ochergelb, mit grossen schwarzvioletten Flecken am Grunde. Jun. Aug. ☉.

H. syriacus L. Syrischer I. *Strauchig;* Blätter keilförmig-eirund, auch rhombisch, u. 3spaltig, ungleich gezähnt, kahl, fast lederartig. Samen mit behaartem Gürtel.

In Südtirol häufig in Gartenanlagen, u. Lustgebüschen, u. allda auch verwildernd, um Roveredo, Trient, Meran, Bozen z. B. im Zanne an der Strasse bei Haslach (Hsm.).

Bl. gross, lila, rosa, o. weiss, Grund dunkelkarminroth. Jul. Aug. ♄.

Abútilon. Gaertner. Sammetpappel.

Kelch hüllenlos, 5spaltig, Abschnitte kielartig-zusammengelegt. Griffel viele, an der Basis verwachsen. Kapselfächer 5—20, quirlständig, 3samig. (XVI. 4.).

A. Avicennae Dill. Avicenna's S. Gemeine S. Blätter herzförmig-rundlich, zugespitzt, sägeartig-gezähnt, filzig; Blüthenstiele einzeln, gelenkt; Kapselfächer gestutzt, zweischnabelig, rauhhaarig, ungefähr 15.

Bozen ganz verwildert in Gärten u. deren Nähe, auch hie u. da in Weinbergen, einzeln fand ich sie schon auch an Wegen. Wirklich wild kommt sie nach Reichenbach in Veltlin, im Friaul, u. an der Gränze von Treviso vor!

Sida Abutilon L. — Wird in China statt des Hanfes gebaut.

Bl. kaum länger als der Kelch, gelb. Jul. Sept. ☉.

XVII. Ordnung. TILIACEAE. Juss.

Lindenartige.

Blüthen zwittrig, Kelch 4—5blättrig, abfällig, in der Knospenlage klappig. Blumenkrone regelmässig, Blumenblätter so viele als Kelchblätter, und mit diesen wechselnd. Staubgefässe unterweibig, zahlreich, frei oder vielbrüderig. Staubkölbchen 2fächerig, mit Längsritzen aufspringend. Fruchtknoten 4—10fächerig, Fächer 2- o. mehreiig. Samenträger mittelpunktständig. Griffel 1, Narben so viele als Fächer. Frucht nussartig o. kapselig, mehrfächerig, o. durch Verkümmerung 1—wenigfächerig. Keim in der Achse des fleischigen Eiweisses rechtläufig. Bäume o. Sträucher mit abwechselnden, einfachen, ganzen o. gelappten Blättern, u. Nebenblättern.

93. *Tilia L.* Linde.

Blüthen zwitterig. Kelch 5blättrig, abfällig. Blumenblätter 5. Staubgefässe zahlreich, frei, oder in 5 Bündel verwachsen, jeder Bündel ein dem Blumenblatte gegenständiges Nebenblumenblatt einschliessend. Fruchtknoten 5fächerig, Fächer 2eiig. Griffel 1. Frucht eine durch Fehlschlagen 1fächerige, 1—2samige Nuss. (XIII. 1.).

350. ***T. grandifolia** Ehrh.* Grossblättrige L. Sommerlinde. ***Blätter*** schief-rundlich-herzförmig, zugespitzt, *unterseits kurzhaarig*, u. in den Achseln der Adern gebärtet; Ebensträusse 2—3blüthig; Nebenkrone fehlend; Lappen der Narbe aufrecht; Kapsel 5rippig.

Gebirgswälder. Vorarlberg: selten um Bregenz (Str!). Unterinnthal: bei St. Johann, u. sparsam bei Kitzbüchl, z. B. am Grugebüchl (Trn.). Bozen: in Menge im Leuchtenburger Wald; bei Kaltern, u. von daher ein Baum in der Lorettoallee gepflanzt; Gebirge ober Salurn z. B. bei Unterstein (Hsm.). Val di Non (Tpp.). Im Tridentinischen; am Baldo: selva d'Avio, u. alla madonna della Corona (Poll!).

Blätter, Blattstiele, u. jüngern Aeste kommen auch, namentlich um Bozen, fast ganz kahl vor, wie auch Bertoloni (Flor. ital. tom. V. pag. 336) bemerkt. Blüht, u. belaubt sich neben folgender gepflanzt, um volle 2 Wochen früher.

Officinell: Flores Tiliae.

Bl. weissgelb. Blätter unterseits bleicher grün.

Ende Mai, Jun. ♄.

351. *T. parvifolia Ehrh.* Kleinblättrige L. Winter-L. *Blätter* schief-rundlich-herzförmig, zugespitzt, *auf beiden Seiten kahl, unterseits meergrün,* u. in den Achseln der Adern gebärtet; Ebensträusse 5—7blüthig; Nebenkrone fehlend; Lappen der Narbe zuletzt wagrecht-auseinanderfahrend; Kapsel undeutlich 4—5kantig.

Laubwälder bis an die Voralpen. — Oberinnthal: Gunggelgrün bei Imst (Lutt!). Innsbruck: an der Sill (Hfl.). Pusterthal: bei Sand in Taufers (Iss.); Tefereggen u. bei Lienz (Schtz.); Brunecken (F. Naus). Vintschgau: bei Schnals in Ratheis (Tpp.). Im Etschlande: bei Kaltern, um Bozen; Gebirge bei Salurn; Ritten: um Klobenstein u. Siffian bis 3800′ (Hsm.). Valsugana: bei Borgo (Ambr.). Am Baldo: alla madonna della Corona (Poll!). Judicarien: an der Strasse von Tione nach Rendena (Bon.). — Officinell: Flores Tiliae.

Die innere Rinde (Bast) dient zu Matten, Stricken.

Bl. weissgelb. Hälfte Jun. Jul. ♄.

Córchorus L. Corchorus.

Kelch 5blättrig, Blättchen lanzettlich, abfällig. Blumenkrone 5blättrig, Blätter verkehrt-eiförmig, in einen Nagel verschmälert, von der Länge des Kelches o. kürzer. Griffel einfach, Narbe trichterförmig-ausgehöhlt, am Rande gekerbt. Kapsel schotenförmig, eiformig o. kugelig, 2—5klappig, vielsamig. (XIII. 1.).

C. japonicus Thunberg. Japanischer C. Blätter lanzettlich, langzugespitzt, doppeltgesägt. Kapsel kahl, kugelig. — Zierstrauch aus Japan. Leicht kenntlich an den grünen glatten, wie beim Hollunder mit Mark gefüllten, ruthenförmigen Aesten, u. den gefalteten Blättern. Bl. schön gelb, meist gefüllt, einzeln in den Winkeln der Blätter. Man findet ihn häufig in Gärten u. Anlagen, wo er sehr wuchert, u. Ende März, Apr. blüht. ♃.

Zur aussereuropäischen Ordnung der Ternströmiaceen (*Ternstroemiaceae De C.*):

Camellia L. Camellie.

Kelchblätter 5—9, dachziegelartig in 2—3 Reihen, abfällig. Blumenblätter 5—7. Staubgefässe zahlreich an der Basis mehr o. weniger verwachsen. Griffel 3—5spaltig. (XVI. 4.).

C. japonica L. Japanische C. Blätter eiförmig, zugespitzt, sägezähnig, lederig, schimmernd, immergrün. Zierstrauch aus Japan, den man häufig in Töpfen zieht. Bl. roth o. weiss, oft gefüllt. Blüht im Glashause Jänner — März. ♄.

AURANTIACEAE Correa.

Pomeranzenartige.

Blüthen meist zwitterig, regelmässig. Kelch frei, kurz napf- o. glockenförmig, 3—5spaltig. Blumenblätter gleich, von der Anzahl der Kelchzipfel, frei, manchmal unten zusammenhängend, abfällig. Staubgefässe doppelt- o. mehrmal so viele als Blumenblätter. Staubfäden frei, o. an der Basis o. bis zur Mitte in eine Röhre verwachsen o. vielbrüderig. Fruchtknoten frei, oft auf einem stielförmigen Fruchtboden. Griffel endständig, dick, walzlich o. kegelförmig. Narbe mehr o. weniger kopfförmig, ungetheilt, o. undeutlich lappig. Beere trocken, o. fleischig mit dicker Schale; Schale klappenlos, 2—vielfächerig, durch Verkümmerung manchmal 1fächerig, Fächer 1—mehrsamig, mit Schleim o. mit saftreichen, schlauchartigen Zellen erfüllt. Keim eiweisslos, rechtläufig. Bäume o. Sträucher, meist kahl, oft mit Stacheln bewaffnet. Blätter lederartig mit durchsichtigen Punkten. Sie enthalten ein ätherisches Oel, das unter der Oberhaut der krautigen Theile in eigenen Drüsen abgesondert wird, u. stammen aus dem tropischen Asien. Einige davon werden seit den ältesten Zeiten im südlichen Europa ihrer köstlichen Früchte u. ihres Wohlgeruches wegen angepflanzt.

Citrus L. Citrone.

Kelch napfförmig, 3—5spaltig. Blumenblätter 5—8 dem Fruchtboden eingefügt. Staubgefässe 20—60, Staubfäden am Grunde breiter in mehrere Bündel verwachsen. Fruchtknoten vielfächerig. Griffel stielrund mit halbkugelförmiger Narbe. Frucht eine fleischige mehrfächerige Beere mit häutiger Schale; Fächer mit unregelmässigen in der Quere liegenden Saftschläuchen erfüllt, 1—wenigsamig. Keim eiweisslos, Keimblätter fleischig, mandelartig. (XVIII. 1.).

Die nachbeschriebenen Arten findet man im südlichen Tirol, namentlich am Gardasee, um Bozen, Trient u. Meran in zahlreichen Spielarten häufig als mittelmässige Bäume in Orangerien*) angepflanzt, wo sie das ganze Jahr hindurch mit reifen Früchten prangen.

C. aurantium L. Pomeranze. Blattstiel mehr o. weniger geflügelt; Blätter eirund-elliptisch o. eirund-länglich, zugespitzt. Staubgefässe 20—25. Früchte meist rundlich, ungenabelt.

C. Aurantium Endlicher (die Medicinalpfl. p. 487.).

Durch Cultur ausdauernde Spielarten sind:

α. Blätter eiförmig-länglich, spitz. Schale dünn, fast glatt. Saft süss. — C. Aurantium Risso (Süsse Pomeranze). Die gemeinste Spielart bei uns, die man auch, doch seltener mit rothem Fleische findet.

---

*) Die Orangerien um Bozen werden Ende October eingedeckt und Anfangs April wieder abgedeckt, und nur in sehr kalten Wintern bedürfen sie einer Heizung. Bozen zieht nicht nur seinen eigenen Bedarf an Limonien u. Pomeranzen, sondern macht noch nicht unbedeutende Versendungen ins nördliche Tirol, nach München u. bis nach Prag.

β. Blätter ei-lanzettlich, zugespitzt, schwach-gekerbt. Schale dünn, runzelig. Saft bitter, scharf. — C. vulgaris Risso. (Bittere Pomeranze.).

Die Früchte (Pomeranzen) sind ein köstliches Obst. Aus den Fruchtschalen wird das Bergamotoel (Oleum de Bergamo) bereitet, aus den Blüthen das Neroli-Oel. Officinell: Folia, flores recentes, fructus, cortex fructuum Aurantiorum.

Frucht meist orangegelb., Blüht wie die folgende fast das ganze Jahr hindurch. ♄.

C. medica L. Citrone. Blattstiel ungeflügelt o. schwach geflügelt. Blätter eirund o. eirund-länglich, spitzlich o. stumpflich. Staubgefässe 30—40. Früchte meist eiförmig länglich, zitzenförmig-genabelt.

C. medica Endlicher (wie oben). — Spielarten:

α. Blattstiel ungeflügelt; Blätter eirund, zugespitzt; Staubgefässe 40; Früchte länglich; Schale dick, runzelig; Saft säuerlich.

C. medica Risso. (Cedrat, Citrone). Seltener.

β. Blattstiel schmal-geflügelt, länglich, zugespitzt, gesägt; Staubgefässe 30—36; Frucht länglich; Schale dünn, runzelig; Saft sehr sauer.

C. Limonium Risso. (Limonie). — Die gemeinste Spielart bei uns.

γ. Blattstiel ungeflügelt, Blätter eirund, abgerundet, gesägt; Staubgefässe 30; Früchte fast kugelig; Schale fest, Saft süss. — C. Limetta Risso (Limette, Perette).

Offic: Fructus recens et cortex fructuum Citri vel Limoniorum.

Frucht citronengelb, warzig-höckerig. ♄.

XVIII. Ordnung. HYPERICINEAE. De C.
Hartheuartige.

Blüthen zwitterig. Kelch 4—5theilig, bleibend. Blumenkrone regelmässig, 4—5blättrig, in der Knospenlage zusammengerollt. Staubgefässe vielbrüderig, in 3—5 Bündel zusammengewachsen, unterweibig. Fruchtknoten vieleiig, mehrfächerig; die Eierchen im innern Winkel der Fächer o. durch verkürzte Scheidewände 1fächerig; die Eierchen am Rande der Klappen. Frucht eine Kapsel o. Beere. Samen eiweisslos. Keim gerade. Kräuter o. Sträucher mit einfachen, nebenblattlosen Blättern. Sie zeichnen sich durch ölige u. harzige, oft färbende Substanzen aus.

94. *Androsæmum L.* Blutheil.

Kelch 5theilig. Blumenkrone 5blättrig. Staubgefässe zahlreich, 5brüderig. Griffel 3. Kapsel 1fächerig, beerenartig. Samenträger wandständig. (XVIII. 2.).

352. *A. officinale All.* Officinelles B. Blumenblätter kaum länger als der Kelch, länger als die Staubgefässe. Beere kugelig.

Am Baldo: in via della Corona u. um Roveredo, dann im benachbarten Vicentinischen bei Recoaro u. Schio (Poll!). Um Verona (Dolliner). Im Canton Tessin in der Schweiz nur an ein paar Orten (Morizi)!

Dass Pollini Hypericum montanum für A. officinale genommen habe, wie man in einer Anmerkung zu H. montanum in Reichenbach's: Deutschl. Flor. die Hartheugewächse liest, widerlegt sich durch Pollini's eigene Werke. Uebrigens habe ich dieses strauchartige Gewächs im südlichen Tirol auch schon in Gartenanlagen, wiewohl selten, gefunden.

2—3 Fuss hoch. Bl. gelb. Beere schwarzblau. Jun. Jul. ♄.

95. ***Hypericum L.*** Hartheu. Johanniskraut.

Kelch 5blättrig o. 5theilig, Blumenkrone 5blättrig. Staubgefässe zahlreich, 3—5brüderig. Griffel 3—5 (an unsern Arten 3). Kapsel lederartig, 3—5fächerig. Samenträger in der Mitte, o. an den Nähten. Bl. gelb. Blätter einiger Arten mit durchsichtigen Oeldrüsen. (XVIII. 2.).

§. 1. Kelchblätter ganzrandig, am Rande weder fransig noch drüsig-gewimpert.

353. ***H. perforatum L.*** Siebblättriges H. Gemeines Johanniskraut. ***Stengel aufrecht, 2schneidig;*** Blätter oval-länglich, durchscheinend, punktirt; Blüthen ebensträussig o. rispig; ***Kelchblätter lanzettlich, sehr spitz, ganzrandig.*** Griffel so lang als die Kapsel. Staubgefässe 50 bis 60, an der Basis in 3 Bündel verwachsen; Kapsel 3fächerig.

Auf Hügeln, Wiesenrändern u. trockenen Triften bis an die Alpen. — Bregenz (Str!). Innsbruck: bei Sparberegg an lichten Waldstellen u. am Sarntheinhof (Hfl.). Stubai: zwischen Medraz u. Neustift (Hfl!). Längenthal (Prkt.). Schwaz (Schm!). Zillerthal: um Zell (Gbh.). Kitzbüchl (Trn.). Welsberg (Hll.). Innichen (Stapf). Tefereggen, Innervilgraten u. Lienz (Schtz.). Vintschgau: bei Laas (Tpp.). Partschins nächst Meran (Iss.). Gemein um Bozen, vorzüglich auf Gebirgen, z. B. um Klobenstein am Ritten bis 4800′ (Hsm.). Val di Non: Castell Brughier (Hfl!). Valsugana: bei Borgo (Ambr.). Folgaria bei Serrada (Crist.). Judicarien: an Wegen bei Tione (Bon.).

β. veronense Schrk. Die schmalblättrige Form, wie sie an den sonnigsten Felsen u. Mauern wächst, u. im Süden noch häufiger vorkömmt (Reichenb. Deutschl. Flor. Hartheugew. S. 27.). Blätter linealisch-länglich; Blüthen in einer eiförmigen Rispe u. kleiner als die der Species. — H. veronense Koch. Taschenb. — Gemein an den heissen Abhängen um Bozen, vorzüglich in warmen Jahren u. mit Uebergängen zur Species (Hsm.). Roveredo (Crist.). Im südlichen Tirol (Koch Taschenb.)!

Officinell: Herba seu Summitates et Flores Hyperici.

Bl. gelb. Jun. Jul. ♃.

354. ***H. humifusum L.*** Niedergestrecktes H. ***Stengel gestreckt, fast 2schneidig,*** fädlich; Blätter oval-länglich, durchscheinend-punktirt; ***Kelchblätter länglich, stumpf, stachelspitzig, ganzrandig;*** Staubgefässe 15—20, an der Basis in 3 Bündel verwachsen; Kapsel 3fächerig.

An Wegen, Rainen u. in Auen. — Vorarlberg: selten bei Bregenz (Str!). Kitzbüchl (Trn.). Valsugana: Berg Tervagola in Tesino (Ambr.). Ausser dem Gebiethe am Gardasee bei Garda (Poll!).

Bl. gelb. Jun. — Sept. ♃.

355. ***H. quadrangulum L.*** Vierkantiges H. ***Stengel aufrecht, 4kantig;*** Blätter oval, zerstreut-durschscheinend-punktirt o. unpunktirt; ***Kelchblätter elliptisch, stumpf, ganzrandig, ungefähr so lang als der Fruchtknoten;*** Staubgefässe an der Basis in 3 Bündel verwachsen; Kapsel 3fächerig.

Bergwälder u. Triften der Alpen u. Voralpen. — Vorarlberg: bei Röthis (Str!); Weisse Wand in Montafon (Cst!). Innsbruck: im Höttingerberg, am Rosskogel, im Gluirscherthal; in Gschnitz (Hfl.). Proxeralpe bei Schwaz (Schm!). Um Kitzbüchl sehr gemein (Trn.). Bei Ebbs (Harasser)! Pfitsch (Precht). Welsberg (Hll.). Lienz (Schtz.), Hofalpe u. Gössnitz bei Lienz (Rsch!). Vintschgau: auf Wiesen in Schlinig (Tpp.). Ritten: bei 4800′ unter Pemmern an der Wiesenmauer rechts u. links vom Alpenwege bei der sogenannten Tann, Rittneralpe (Hsm.). Wälder der Mendel, Monte Roën (Hfl.). Fassa (Eschl.). Judicarien: auf der Alpe Lenzada (Bon.).

H. dubium Leers.

Bl. gelb. Jul. Aug. ♃.

356. ***H. tetrapterum Fries.*** Flügelstengliges H. ***Stengel aufrecht, 4kantig,*** Kanten etwas geflügelt; Blätter oval, dicht-durchscheinend-punktirt; ***Kelchblätter lanzettlich, zugespitzt, ganzrandig.*** Staubgefässe an der Basis in 3 Bündel verwachsen; Kapsel 3fächerig.

An Gräben u. feuchten Orten, mehr im Thale. — Vorarlberg: gemein um Bregenz (Str!). Innsbruck: an den Giessen (Hfl.). Schwaz (Schm.). Lienz (Schtz.). Brixen (Hfm.). Vintschgau: bei Goldrain (Tpp.). Meran: im Naiferthale (Iss.). Bozen gemein, z. B. an der Strasse nach Sigmundscron; einzeln am Ritten bis 3000′ nächst Unterinn (Hsm.).

Bl. gelb. Ende Jun. Sept. ♃.

§. 2. Kelchblätter am Rande drüsig-klein-gesägt o. gefranst. —

357. ***H. montanum L.*** Berg-H. Stengel aufrecht, stielrund, kahl; Blätter herz-eiförmig, sitzend, die obern durchscheinend-punktirt, unterseits etwas rauh; ***Kelchblätter lan-***

zettlich, spitz, drüsig-gewimpert; die Drüsen kugelig, gestielt; Samen fein-punktirt; Staubfäden an der Basis in 3 Bündel verwachsen; Kapsel 3fächerig.

In lichten Gebirgswäldern, an buschigen Hügeln. — Vorarlberg: selten um Bregenz (Str!). Innsbruck: am Berg Isel (Hfl.). Stubai: Wälder von Unternberg nach Telfes (Hfl!). Zillerthal (Schrank)! Schwaz: bei Georgenberg u. gegen Buch (Schm.). Lienz: auf der Kranzenleite u. am Grämelebüchl (Rsch!). Um Bozen sehr zerstreut, doch nicht selten, z. B. am Wege nach Heilig-Grab u. zum Wasserfall, bei Kollern; Ritten: am Fusse des Fenns im Krotenthale; Kaltern u. Salurn (Hsm.). Hügel um Trient (Per.). Am Baldo: al prato di Brentonico (Poll!). Valsugana: bei Borgo (Ambr.). Judicarien: waldige Orte um Tione (Bon.).

Bl. gelb. Jun. Aug. ♃.

358. ***H. hirsutum L.*** Haariges H. Stengel aufrecht stielrund; *Blätter* eiförmig o. länglich, kurzgestielt, durchscheinend-punktirt u. *nebst dem Stengel rauhhaarig;* Kelchblätter lanzettlich, drüsig-gewimpert, die Drüsen sehr kurz gestielt; *Samen sammetig.* Staubfäden an der Basis in 3 Bündel verwachsen. Kapsel 3fächerig.

In Wäldern u. an buschigen Hügeln. — Vorarlberg: gemein um Bregenz (Str!). Um Innsbruck (Hfm.), am Höttingerbüchl (Hfl.). Georgenberg (Schm.). Vintschgau: (Tpp.). Roveredo: ai boschi della Giazzera (Crist.). Am Baldo: prato di Brentonico (Poll!).

Bl. gelb. Jun. Aug. ♃.

359. ***H. Coris L.*** Coris-H. Stengel halbstrauchig; *Blätter zu 3 u. 4, linealisch,* stumpf, durchscheinend-punktirt, am Rande zurückgerollt; Kelchblätter drüsig-gewimpert. Staubfäden an der Basis in 3 Bündel verwachsen; Kapsel 3fächerig.

An felsigen gebirgigen Orten im südlichen Tirol. — Im Tridentinischen: bei Garniga (Per.). Gebirge bei Roveredo: la Becca di Zei (Crist.). Auf u. über mittlerer Gebirgshöhe um Roveredo (Fcch.). Am nicht tirolischen Baldo: Valle Vaccaria (Calceolari)!

Bl. gelb. Jul. Aug. ♄.

XIX. Ordnung. ACERINEAE. De C.

Ahornartige.

Kelch 4—5—9spaltig, an der Basis mit einer drüsigen Scheibe bedeckt, in der Knospenlage dachig. Blumenblätter 4—5—9, am Rande der Scheibe eingefügt. Staubgefässe 8, selten 5—12. Fruchtknoten 2—3flügelig, 2—3fächerig, Fächer 2eiig. Griffel 1. Narben 2. Frucht in 2—3 geflügelte Nüsse zerfallend. Eiweiss fehlend: Keim gekrümmt, Keimblätter zusammengerollt. Bäume mit wässerigem, zuckerhaltigem Safte (Succus Aceris), mit gegenständigen gestielten, meist einfachen, gelappten, nebenblattlosen Blättern.

96. ***Acer L.*** Ahorn.

Blüthen vielehig. Kelch 5theilig. Blumenblätter 5. Staubgefässe meist 8. Frucht in 2 zusammengedrückte 1samige, geflügelte Nüsschen zerfallend. (VIII 2.).

360. ***A. Pseudoplátanus L.*** Weisser A. Berg-A. ***Blätter*** handförmig-5lappig, ***unterseits matt u. meergrün,*** Lappen zugespitzt, ungleich-gekerbt-gesägt; ***Blüthentrauben überhängend,*** verlängert, an der Basis zusammengesetzt; die Fruchtknoten zottig; Flügel der Frucht etwas abstehend; Staubgefässe der männlichen Blüthen noch einmal so lang als die Blumenkrone.

Gebirgswälder u. Voralpen. — Vorarlberg: sélten um Bregenz (Str!). Innsbruck: in der Klamm u. im Berge ober Rum (Schpf.); dann im Villerberge (Prkt.). Der gemeinste u. schönste Feldbaum um Kitzbüchl (Trn.). Pusterthal: in Prax (Hll.); bei Lavant u. im Birka bei Lienz (Rsch.). Wälder der Mendel u. ober Margreid gegen Fennberg; am Ritten an Häusern gepflanzt, doch selten (Hsm.). Hafling bei Meran (Iss.). Fassa u. Fleims (Fcch!). Grigno u. Borgo (Ambr.). Am Baldo: Selva d'Avio (Poll!). Judicarien: Val di San Valentino (Bon.).

Bl. grün. Mai, Jun. ♄.

361. ***A. Platanoides L.*** Spitz-A. ***Blätter handförmig-5lappig, buchtig 3—5zähnig, Zähne verschmälert-haarspitzig;*** Blüthen in aufrechten Ebensträussen, die an der Basis, so wie die jüngern Blätter, mit zerstreuten Drüsen besetzt sind. Fruchtknoten kahl; Flügel der Frucht weitauseinanderfahrend; Staubgefässe der männlichen Blüthen von der Länge des Kelches.

Gebirgswälder. — Vorarlberg: selten bei Bregenz (Str!). In Menge im Leuchtenburger Walde nächst Kaltern u. von hier auf die Eisackallee in Bozen verpflanzt (Hsm.). Im Tridentinischen; am Baldo: alla Corona u. selva d'Avio (Poll!).

Bl. gelb-grün. Apr. Mai. ♄.

362. ***A. campestre L.*** Feldahorn. ***Blätter handförmig-5lappig, Zipfel ganzrandig,*** länglich, der mittlere stumpf-3lappig; Blüthen in aufrechten Ebensträussen; Kelchblätter nebst den Blumenblättern linealisch, zottig; Staubgefässe der männlichen Blüthen so lang als die Blumenkrone; ***die Flügel der Frucht wagerecht-auseinanderfahrend.***

An Zäunen u. Vorhölzern, mehr im Thale. — Vorarlberg: gemein um Bregenz (Str!). Brunecken (F. Naus!). Vintschgau: (Tpp.). Gemein um Bozen z. B. bei Sigmundscron, Cardaun; überhaupt im ganzen Etschlande an den Zäunen der Landstrassen u. Feldwege von Meran bis Trient (Hsm.). Val di Non:

Castell Brughier (Hfl!). Wälder zwischen Bozen u. Trient (Fcch!). Trient: z. B. gegen Gocciadoro (Hfl!). Valsugana: bei Borgo (Ambr.). Judicarien: bei Tione (Bon.).

Bl. grün. Mai. ♄.

363. *A. monspessulanum L.* Dreilappiger A. *Blätter handförmig-3lappig, Lappen stumpf, ganzrandig* o. etwas geschweift; Blüthen in hangenden Ebensträussen; Kelchblätter nebst den Blumenblättern verkehrt-eiförmig, kahl; Staubgefässe der männlichen Blüthen noch einmal so lang als die Blumenblätter; *Flügel der Frucht vorwärts gerichtet, etwas abstehend.*

In den Wäldern ober dem Dorfe Avio am Baldo (Poll!). Auf Hügeln im Veronesischen (Pollini bei Bertoloni)! Bekanntlich nimmt Bertoloni Standorte nur nach Einsicht darauf bezüglicher Exemplare in seine Flora italica auf, daher an der richtigen Angabe Pollini's nicht zu zweifeln.

Bl. gelb-grün. April. ♄.

XX. Ordnung. HIPPOCASTANEAE. De C.

Rosskastanienartige.

Kelch 1blättrig, 5zähnig, in der Knospenlage dachig. Blumenkrone unregelmässig 4—5blättrig, Blumenblätter lang-benagelt, unter einer unterweibigen Scheibe eingefügt. Staubgefässe 7—8, frei, ungleich, auf der Scheibe eingefügt. Fruchtknoten frei, 3fächerig, Fächer 2eiig, Eierchen aufrecht. Kapsel 1—4samig. Samen mit einem breiten Nabel, eiweisslos. Keim gekrümmt, Keimblätter zusammengewachsen, mit einer Spalte an der Basis, aus welcher das Federchen hervortritt. Bäume o. Sträucher mit gestielten, gegenständigen, handförmig-getheilten, nebenblattlosen Blättern.

Aesculus L. Rosskastanie.

Kelch glockenförmig, 5spaltig o. 5zähnig. Blumenkrone unregelmässig. Blumenblätter 4—5, ausgebreitet. Staubgefässe 7—8, frei, abwärts gebogen u. aufsteigend. Kapsel fachspaltig aufspringend 1—4samig. (VII. 1.).

A. Hippocástanum L. Gemeine Rosskastanie. Blätter fingerig-7zählig, Blättchen keilig-verkehrt-eiförmig, zugespitzt. Blüthen in pyramidenförmigen Sträussen. Blumenkrone 5blättrig. Staubgefässe 7. Kapseln kugelig, stachelig.

Ein aus dem Oriente stammender, häufig angepflanzter Zierbaum. Am Josepsberge bei Meran fast verwildernd (Iss.), am Ritten bei 3800' um Klobenstein noch gut gedeihend u. Früchte tragend; Bozen nächst der Talferbrücke, wo einer der hier stehenden Bäume merkwürdiger Weise immer schon vollkommen belaubt dasteht, während die übrigen erst ihre Frondescenz beginnen, er erinnert an den Baum des 20. März in den Tuillerien in Paris.

Officinell: Cortex Hippocastani.

Bl. weiss, roth u. gelb-gefleckt. Um Bozen Ende Apr. ♄.

XXI. Ordnung. AMPELIDEAE Humb.

Rebenartige.

Kelch klein, am Rande ganz o. 5zähnig. Blumenblätter 4—5, mit den Kelchzähnen abwechselnd, vor einer drüsigen Scheibe eingefügt, in der Knospenlage klappig. Staubgefässe so viele als Blumenblätter u. vor diese gestellt. Fruchtknoten frei, 4eiig, Eierchen aufrecht. Griffel 1, mit einer einfachen kopfigen Narbe. Frucht eine Beere. Samen eiweisslos. Keim gerade. Holzige Pflanzen mit wässerigem Safte u. meist kletternden Aesten.

97. *Ampelopsis Michaux.* Epheu-Rebe.

Kelch geschweift-5zähnig. Blumenblätter 5, ausgebreitet. Staubgefässe 5. Fruchtknoten mit kurzem Griffel u. kopfiger Narbe. Beere 2—4samig. Blüthen in Scheindolden. (V. 1.).

364. *A. hederacea Mich.* Gemeine Epheurebe. Blätter 3—5zählig, kahl, Blättchen gestielt, eiförmig o. länglich, zugespitzt, stachelspitzig-gesägt.

Verwildert bei Fontana Santa nächst Trient u. ober Mori bei Roveredo (Fcch.). Um Bozen häufig angepflanzt zur Bekleidung von Lauben u. Mauern, z. B. im gräflich Sarntheinischen Garten etc. (Hsm.).

An Mauern u. Bäumen bis 40 Fuss hoch kletternd. Blätter im Herbste schön roth. Bl. grün. Beeren schwarz-blau.

Ende Mai ♄.

98. *Vitis L.* Weinrebe.

Kelch geschweift-5zähnig. Blumenblätter 5, sich nicht ausbreitend, an der Spitze zusammenhängend u. mützenartig sich ablösend. Staubgefässe 5. Griffel sehr kurz, Narbe kopfig. Frucht eine 2—4samige Beere. (V. 1.).

365. *V. vinifera L.* Gemeine W. Blätter herzförmig-rundlich, 5lappig, grob-gezähnt.

Wild kommt die Rebe im ganzen Etschlande allenthalben im Thale an Zäunen, in Hecken u. Auen vor, um Bozen z. B. in der Rodlerau, bei Sigmundscron, an der Strasse vor Siebenaich etc.

Gebaut wird der Weinstock in den Haupt- u. grössern Seitenthälern des südlichen Tirols, nördlich bis Brixen u. Schlanders, dann bei Feldkirch in Vorarlberg. In Val di Sol bis Caldes (Per.), in Val di Non bis Castell Brughier (Hfl.).

In frühern Zeiten auch noch bei Innsbruck, jetzt allda u. um Telfs nur mehr hie u. da an Häusern. Im Pusterthale nach Rauschenfels früher am Schlossberge bei Lienz, jetzt auch hier nur mehr einzeln an Häusern. Um Bozen geht der Weinbau u. mit ihm der Mais an den südlichen Abdachungen bei Siffian, Unterinn u. Glaning bis 2500′, über 2200′ aber reift die Traube hier nur mehr in guten Jahrgängen ab, an Häusern findet man jedoch häufig noch schöne Reben bis 3300′, z. B. am Köbelhofe ober Lengstein u. am Laimeggerhofe in Siffian, ja selbst einzeln bei 3900′ ober Saal. — Die ersten reifen Trauben im heissen Porphyrkessel um Bozen: Ende Juli, die Vorlese allda Anfangs September, die allgemeine Lese allda Hälfte — bis Ende September, während selbe tiefer unten im Etschlande, z. B. bei Salurn u. Margreid u. eben so um Trient erst in der ersten Woche Octobers beginnt.

Obsolet: Folia, Pampini, Lacrymae Vitis, dann der Saft der unreifen Trauben: Omphacium vel Succus Agrestae.

Bl. wohlriechend, grünlich. Beere der wilden Rebe immer schwarzviolett, die der cultivirten auch roth, gelblich, weisslichgrün, gelblich-braun.

Blüht im Thale bei Bozen Ende Mai, Anf. Jun. ♄.

XXII. Ordnung. GERANIACEAE. De C.

Storchschnabelartige.

Blüthen zwitterig. Kelch 5blättrig, bleibend, in der Knospenlage dachig. Blumenblätter 5, an der Basis einer mittelständigen Fruchtsäule eingefügt, mit den Kelchblättern wechselnd. Staubgefässe 10, mit den Blumenblättern eingefügt, an der Basis mehr o. weniger verwachsen, theilweise fehlschlagend. Fruchtknoten 5, in einen Quirl um die Basis der Fruchtsäule gestellt u. mit der Bauchnaht an diese angewachsen, 1fächerig, mit je einem das Fruchtsäulchen überragenden u. diesem angeklebten Griffel. Die bei der Reife 1samigen Früchtchen lösen sich sammt dem Griffel von der Basis zur Spitze vom Fruchtsäulchen ab. Samen eiweisslos. Keim gekrümmt, mit gerollten o. gefalteten Keimblättern. Unsere Arten: Kräuter mit gestielten, handförmig-gelappten, seltener gefiederten o. fiederspaltigen Blättern, die mit Nebenblättern versehen sind.

99. ***Gerànium L.*** Storchschnabel.

Kelch 5blättrig, ohne Röhrchen an der Basis. Blumenkrone 5blättrig. Staubgefässe 10, an der Basis kurz-1brüderig, alle 10 mit Staubkölbchen (mit Ausnahme des G. pusillum.). Früchtchen 5, 1samig, zuletzt sammt den zirkelförmig zurückgerollten, inwendig kahlen Griffeln (Schnäbeln) elastisch-abspringend. (XVI. 3.).

I. Rotte. *Batrachium.* Die Wurzel ein abgebissenes, schiefes o. wagerechtes, mit langen Fasern in der Erde befestigtes, vielköpfiges Rhizom; Köpfe mit den Ueberbleibseln der Blattstiele u. Nebenblätter der vorigen Jahre bedeckt.

a. Klappen (Bälge der Früchtchen) querrunzelig, o. querfaltig. —

366. ***G. macrorrhizum L.*** Grosswurzliger S. Blüthenstiele 2blüthig; Blüthenstielchen nach dem Verblühen aufrecht; ***Blumenblätter spatelig, benagelt, Nagel so lang als der Kelch; Staubgefässe abwärtsgeneigt;*** Klappen kahl, querrunzelig; Blätter handförmig-7spaltig, eingeschnitten-gezähnt; Stengel aufrecht, gabelspaltig.

Felsige Orte der Alpen u. Voralpen im südlichen Tirol (Koch syn.)! Valsugana: auf der Alpe Sette Selle an der obersten Baumgränze auf Glimmerschiefer (Fcch!), auf dem Berge Suerta (Ambr.). Am Baldo (Clementi). Häufig am Baldo: Val della Ossa u. selva d'Avio (Poll!).

Bl. lebhaft purpurroth. Mai, Jun. ♃.

367. ***G. phaeum L.*** Braunblumiger St. Blüthenstiele 2blüthig; ***Blumenkrone flach, etwas zurückgebogen;*** Blumenblätter rundlich-verkehrt-eiförmig, ungleich-gekerbt, kurzbenagelt, an der Basis bärtig, ein wenig länger als der stachelspitzige Kelch; Staubgefässe bis zur Mitte steifhaarig-gewimpert; Klappen haarig, vorne querfaltig; Blätter handförmig-7spaltig, eingeschnitten-gezähnt.

Auf Waldwiesen der Gebirge u. Voralpen. — Im Wippthale bei Mattrei; bei Vahrn nächst Brixen (Hfm.). Stubai: bei Mieders (Schneller). Nach einer mündlichen Mittheilung Dr. Facchini's auf Wiesen im Reggelthale nächst Bozen! Voralpen um Trient (Per.). Roveredo (Crist.). Am Baldo (Poll!). Judicarien: Wiesen u. Hügel bei Tione (Bon.).

β. ***lividum.*** Blumenblätter schmutzig-lila, oft mit einem schmutzig-gelbvioletten Flecken an der Basis. G. lividum L'Her.

Vorarlberg: am Wellenstein in Obstgärten bei Bregenz gegen Lindau (Cst. Str!). Judicarien: Wiesen bei Prada nächst Tione (Bon.).

Bl. schwarz-violett o. schmutzig-lila. Mai, Jul. ♃.

b. Klappen glatt, weder runzelig noch faltig, übrigens kahl o. haarig.

368. ***G. nodosum L.*** Knotiger St. Blüthenstiele 2blüthig; ***Blüthenstielchen nach dem Verblühen aufrecht;*** Blumenblätter verkehrt-herzförmig, noch 1mal so lang als der langbegrannte Kelch; Klappen glatt, flaumig; die wurzelständigen Blätter handförmig-5spaltig, die stengelständigen 3spaltig, ***Zipfel eiförmig, zugespitzt, gesägt.***

Rauhe waldige Orte im südlichen Tirol (Koch Taschenb.)! Am Monte Zambana bei Trient (Hfl.). Im südwestlichen Judicarien: bei Riccomassimo (Fcch.).

Bl. hellrosenroth. Jun. Jul. ♃.

369. ***G. sylvaticum L.*** Wald-St. Blüthenstiele 2blüthig; ***Blüthenstielchen nach dem Verblühen aufrecht; Blumenblätter verkehrt-eiförmig, noch 1mal so lang als der begrannte Kelch***; ***Klappen glatt u. nebst dem Schnabel haarig, Haare weit abstehend, drüsentragend;*** Samen sehr fein-punktirt; Blätter handförmig-7spaltig, eingeschnitten-gezähnt; Stengel aufrecht, oberwärts drüsig-haarig.

Gemein auf Waldwiesen der Gebirge bis in die Alpen. — Vorarlberg: bei Bregenz (Str!). Oberinnthal: am Säuling(Kink). Innsbruck: im Sulz- u. Pletschenthale, am Solstein (Hfl.). Stubai: nächst dem Thalferner (Eschl.). Von Breitläner nach Kaserlar (Moll)! Kitzbüchel (Trn.). Schwaderalpe bei Schwaz (Schm!). Zillerthal: um Zell (Gbh.). Alpen um Rattenberg (Wld!). Pusterthal: Innervilgraten (Schtz.), in Taufers (Iss.), um Welsberg (Hll.). Vintschgau: bei Laas (Tpp.). Gebirge um Meran (Kraft). Gemein am Ritten, um Klobenstein, Pemmern, Rittner- u. Seiseralpe, Schlern, Mendel; Gebirge ober Salurn (Hsm.). Cavalese (Iss.), Monte gazza bei Trient (Merlo). Am Portole (Poll!). Trient: Gebirge ober Povo, am Bondone (Per.). Roveredo (Crist.).

Bl. purpurn-violett. Jun. Aug. ♃.

370. ***G. pratense L.*** Wiesen-St. Blüthenstiele 2blüthig, ***Blüthenstielchen nach dem Verblühen mit dem nach der Erde gerichteten Kelche zurückgeschlagen;*** Blumenblätter verkehrt-eiförmig, noch 1mal so lang als der langbegrannte Kelch; Klappen glatt u. nebst dem Schnabel haarig, Haare weitabstehend, drüsentragend; Samen sehr fein-punktirt; Blätter handförmig-7theilig, eingeschnitten; Stengel aufrecht, oberwärts drüsig-haarig.

Auf Wiesen bis an die Voralpen. — Pusterthal: bei Hopfgarten in Tefereggen u. bei Lienz (Schtz.). Bozen: einzeln auf den Wiesen bei St. Jacob, gemein um Klobenstein am Ritten u. um Lengmoos bis 3900′ (Hsm.). Baldo: Vall dell' Artillon u. um la Ferrara (Poll!).

Obsolet: Herba Geranii batrachioides.

Bl. hellblau. Ende Jun. Aug. ♃.

G. aconitifolium Her. Wächst wohl im Innthale, aber nicht in Tirol, sondern bei St. Moritz in Graubündten.

371. ***G. palustre L.*** Sumpf-St. Blüthenstiele 2blüthig; ***Blüthenstielchen nach dem Verblühen abwärtsgeneigt, mit aufgerichtetem Kelche; Blumenblätter verkehrt-eiförmig, noch 1mal so lang als der begrannte Kelch***; Klappen glatt, mit abstehenden, drüsenlosen Haaren bestreut; Samen sehr fein-punktirt; Blätter handförmig-5spaltig, eingeschnitten-gezähnt; ***Stengel ausgebreitet, oberwärts nebst den Blüthenstielchen rauhhaarig, Haare drüsenlos, rückwärtsgekehrt.***

An Wiesengebüsch. — Vorarlberg: gemein um Bregenz (Str!). Innsbruck: am Bache bei Egerdach (Schm.). Schwaz:

am Wege nach Vill (Schm!). Zillerthal (Schrank)! Um Kitzbüchl selten an Quellen u. Sümpfen (Unger! Trn.). Pusterthal: in Tefereggen u. bei Lienz (Schtz.), um Welsberg (Hll.). Ritten: selten bei Lengmoos, z. B. an den Weidenstämmen im Mösel hinter dem Amtmannsladel (Hsm.). Vintschgau: am Piller (Tpp.).

Bl. purpurn. Jul. Aug. ♃.

372. *G. sanguineum L.* Blutrother St. ***Blüthenstiele 1—2blüthig, nach dem Verblühen etwas abwärtsgeneigt; Blumenblätter verkehrt-eiförmig, ausgerandet, noch 1mal so lang als der begrannte Kelch; Klappen glatt, oberwärts haarig, Haare zerstreut, borstlich;*** Samen sehr fein-punktirt; Blätter im Umriss nierenförmig, 7theilig, Zipfel 3—vielspaltig, Zipfelchen linealisch; ***Stengel ausgebreitet u. nebst den Blüthenstielen rauhhaarig, Haare wagerecht-abstehend, drüsenlos.***

An steinigen Waldtriften, Hügeln u. Gebüschen bis an die Voralpen. — Oberinnthal: an der Strasse bei Zirl nach Seefeld (Schm.). Gemein um Bozen: z. B. am Wege nach Runkelstein u. Compil; seltener am Ritten, östlich von Siffian bei 3600′; Margreid (Hsm.). Am Fusse der Mendel, in der Gant bei Eppan (Hfl.). Meran: auf den Triften zwischen Dorf u. Schloss Tirol (Kraft). Val di Non (Hfl.). Hügel um Trient: z. B. bei Povo (Per.), u. gegen Gocciadoro (Hfl!). Valsugana: bei Borgo (Ambr.). Roveredo (Crist.). Judicarien: bei Tione (Bon.).

Obsolet: Herba et Radix Sanguinariae..

Bl. purpurn. Ende Mai—Jul., einzeln bis in den Herbst ♃.

II. Rotte. ***Batrachioides.*** Die Wurzel spindelformig, hinabsteigend, im Alter vielköpfig, Köpfe von den Rückbleibseln der Blattstiele u. Nebenblätter der vergangenen Jahre bedeckt. —

373. *G. argenteum L.* Silberblättriger St. ***Grauseidenhaarig,*** stengellos o. stengeltreibend; Blüthenstiele 2-blüthig; Blumenblätter verkehrt-eiförmig, seicht-ausgerandet, länger als der stachelspitzige Kelch; ***Klappen glatt, seidenhaarig;*** Blätter 5—7theilig, Zipfel tief-3spaltig, Zipfelchen linealisch. —

Höhere Alpen des südlichern Tirol. — Auf der Mendel bei Bozen (Elsm!). Alpen von Valsugana u. Vallarsa, dann am Col santo (Crist.). Monte Agoro in Tesino u. Alpe Lenzada in Judicarien (Fcch.). Gebirge in Tesino, vorzüglich auf dem Berge Agro u. auf der Spitze des Col delle Tenne (Ambr.). Col Santo bei Roveredo (Fleischer)! Höchste Jöcher des Baldo, vorzüglich auf Costa bella, Mon maor u. Coval santo (Poll!). Baldo (Precht), allda am Monte maggiore u. Val delle Ossa (Per!).

Bl. fleischroth. Jul. Aug. ♃.

374. *G. pyrenaicum L.* Pyrenäischer St. Blüthenstiele 2blüthig; Blüthenstielchen nach dem Verblühen abwärtsgeneigt; ***Blumenblätter verkehrt-herzförmig, 2spaltig,***

noch 1mal so lang als der stachelspitzige Kelch, oberhalb des Nagels beiderseits dicht-bärtig; Klappen glatt, angedrückt-flaumhaarig; Samen glatt, Blätter im Umrisse nierenförmig, 7—9spaltig, Zipfel der untern vorne eingeschnitten, stumpf-gekerbt; Stengel aufrecht, nebst den Blättern flaumig u. etwas zottig.

Wälder u. Waldwiesen, auch an Zäunen bis in die Voralpen. — Benachbarte Schweiz: bei Rheineck (Cst.); Bregenzerwald: am Schrecken in der Nähe des Pfarrhauses (Tir. B.)! Innsbruck: am Rennweg an der Gartenmauer (Schm.), dann bei Taur an Zäunen (Hfl.). Südtirol: bei Segno (Hfl.). Judicarien: an Strassen bei Tione (Bon.).

Bl. purpurn-violett. Jun. Jul. ♃.

III. Rotte. *Columbinum.* Wurzel jährig, spindelförmig, aber schlank, hinabsteigend, meist vielstengelig, ohne Schuppen auf der Wurzelkrone.

§. 1. Klappen glatt, aber dabei oft haarig; Samen glatt.

375. ***G. pusillum L.*** Kleiner St. Blüthenstiele 2blüthig; Blüthenstielchen nach dem Verbluhen abwärts-geneigt; ***Blumenblätter länglich-verkehrt-herzförmig, so lang als der kurzbegrannte Kelch o. etwas länger; Nägel feingewimpert; Klappen glatt, angedrückt-flaumig.***

An Wegen, Zäunen u. Hecken, mehr im Thale. — Gemein um Bregenz (Str!). Innsbruck: bei Mühlau an der Kirche etc. (Hfl.). Kitzbüchl (Trn.). Pusterthal: um Lienz u. in Innervilgraten (Schtz.), um Welsberg (Hll.). Gemein um Bozen: z. B. am Wege nach Maretsch u. von Sigmundscron nach St. Pauls; seltener auf Gebirgen z. B. in Grasgärten um Klobenstein am Ritten (Hsm.). Trient: bei Oltre Castello (Per!) Auf Hügeln am Baldo (Poll!). Judicarien: an Wegen bei Tione (Bon.).

Bl. bläulich-roth. Jun. Aug. ⊙.

376. ***G. bohemicum L.*** Böhmischer St. Bluthenstiele 2blüthig; ***Blüthenstielchen nach dem Verblühen aufrecht,*** etwas abstehend; ***Blumenblätter verkehrt-herzförmig, an der Basis u. am vordern Rande gewimpert; Klappen glatt, haarig,*** Haare abstehend, drüsentragend; Blätter handformig-5spaltig, Zipfel spitz, eingeschnitten-gezähnt; Stengel ausgebreitet, nebst den Blüthenstielen drüsig-haarig u. zottig.

Bozen: im Landgerichtsbezirke Carneid (nach einer schriftlichen Mittheilung Dr. Facchini's)! Im Zillerthale (Braune)!

Bl. blau mit violetten Adern. Jun. Jul. ⊙.

§. 2. Klappen glatt, aber oft haarig. Samen wabenartig-punktirt.

377. ***G. dissectum L.*** Schlitzblättriger St. Blüthen-
gele 2blüthig; Blüthenstielchen nach dem Verblühen abwärts-
der begra. ***Blumenblätter verkehrt-herzförmig,*** so lang als
haarig, Haare Kelch; ***Klappen glatt,*** nebst dem Schnabel
punktirt; Blätter stehend, drüsentragend; ***Samen wabenartig-***
7theilig, Zipfel der untern vielspaltig,

der obern 3spaltig, Zipfelchen linealisch; Stengel ausgebreitet, kurzhaarig.

Auf Aeckern, an Hecken u. Rainen. — Bregenz (Str!). Innsbruck: am Inn beim Bierwastel (Hfl.). Kitzbüchl: auf Aeckern am Sonnberg (Unger!), u. ebenda auf Gartenland (Trn.). Klobenstein am Ritten mit folgender am Oberbozner-steige vor Rappesbüchel u. rechts ober dem Kemater Kalkofen auf Aeckern (Hsm.). Trient: Aecker bei Oltrecastello (Per!). Am Gardasee (Precht).

Bl. purpurn. Jun. Aug. ⊙.

378. ***G. columbinum L.*** Feinblättriger St. Blüthenstiele 2blüthig; Blüthenstielchen nach dem Verblühen abwärts-geneigt; Blumenblätter verkehrt-herzförmig, so lang als der langbegrannte Kelch; ***Klappen kahl; Samen wabenartig-punktirt;*** Blätter 5—7theilig, Zipfel der untern vielspaltig, der obern 3spaltig, Zipfelchen linealisch; Stengel ausgebreitet, nebst den Blüthenstielen flaumhaarig, Haare abwärts-angedrückt.

Auf Aeckern, an Rainen, steinigen Grasplätzen u. Hecken. Bregenz (Str!). Innsbruck (Schm.). Zillerthal (Schrank)! Kitzbüchl: auf Feldern am Sonnberg (Trn.). Lienz (Schtz.). Brixen (Hfm.). Bozen: an der Landstrasse von Morizing nach Siebenaich u. an der Strasse unter dem Calvarienberge; Klobenstein am Ritten: auf Aeckern bis 4500′ (Hsm.). Vintschgau: bei Schlanders (Tpp.). Valsugana: bei Borgo (Ambr.). An Feldwegen bei Roveredo (Crist.). Judicarien: an Wegen bei Tione u. in Rendena (Bon.). Trient (Per!).

Bl. purpurn. Mai — Aug. ⊙.

379. ***G. rotundifolium L.*** Rundblättriger St. Blüthenstiele 2blüthig; Blüthenstielchen nach dem Verblühen abwärts-geneigt; ***Blumenblätter*** länglich-keilig, ***ungetheilt***, ein wenig länger als der kurzbegrannte Kelch; Klappen glatt, flaumhaarig, Haare abstehend; ***Samen wabenartig-punktirt;*** Blätter im Umrisse nierenförmig, die untern 7spaltig, vorne stumpf-eingeschnitten-gekerbt; Stengel ausgebreitet, weich-flaumig. —

An Rainen u. Wegen, auch an Weinbergen, an steinigen Orten. — Innsbruck (Hfl.). Pusterthal: in Tefereggen, um Lienz (Schtz.). Brixen (Hfm.). Gemein um Bozen: z. B. am Runkelsteiner Schlosswege, dann am Wege von Gries nach Schloss Raffenstein etc.; Margreid u. Salurn (Hsm.). Zwischen Salurn u. Welschmichel (Mrts!). Val di Vezzano (Per!). Am Baldo (Poll!). Am Gardasee (Clementi). Judicarien: längs der Strasse ai Ragoli bei Tione (Bon.).

Bl. fleischroth. Ende Apr. Jun. ⊙.

§. 3. Klappen runzelig. [illegible]thig;

380. ***G. molle L.*** Weicher St. Blüthenstie[illegible]eigt; ***Blu-***
Blüthenstielchen nach dem Verblühen abwärts ***als der kurz-***
menblätter verkehrt-herzförmig, läp[illegible]-gewimpert; ***Klap-***
stachelspitzige Kelch, an der Basis

pen querrunzelig, ***kahl;*** Samen glatt; Blätter 7—9spaltig, im Umriss nierenformig, Zipfel der untern vorne eingeschnitten, stumpf-gekerbt; Stengel ausgebreitet, weich-flaumig u. zottig. —

An Wegen, Rainen u. grasigen Hügeln. — Bregenz (Str!). Innsbruck (Schm.). Rattenberg (Wld!); Schwaz gegen Viecht (Schm!). Bozen: südlich am Calvarienberge, jenseits der Talfer am Wege vom Tscheipenthurm zum Kellermannhof, dann am Strassenrande ausser Sigmundscron gegen Frangart u. bei Unterain (Hsm.). Trient (Per!). Valsugana: bei Borgo (Ambr.). Judicarien: an der Strasse bei Tione (Bon.). Am Gardasee (Precht). —

Bl. purpurn. Mai, Jun. ⊙.

381. ***G. lucidum L.*** Glänzender St. Blüthenstiele 2blüthig; Blüthenstielchen nach dem Verblühen abwärts-geneigt; Blumenblätter verkehrt-eiförmig, ungetheilt, länger als der *querrunzelige*, pyramidenförmige ***Kelch; Klappen netzig-runzelig*** u. klein-gekerbt-gestreift, oberwärts flaumig; Samen glatt; Blätter im Umrisse nierenförmig, 5—7spaltig, eingeschnitten-stumpf-gekerbt; Stengel aufrecht.

Mit Voriger zwischen Bozen u. der Mendel (Sternberg)! Trient: bei Vela (Hfl!).

Bl. purpurn. Mai — Aug. ⊙.

382. ***G. divaricatum Ehrh.*** Ausgespreizter St. Blüthenstiele 2blüthig; Blüthenstielchen nach dem Verblühen abwärts-geneigt; Blumenblätter verkehrt-herzförmig, so lang als der begrannte Kelch; ***Klappen*** *querrunzelig*, ***kurzhaarig;*** Samen glatt; Blätter handförmig-5spaltig, ***Zipfel*** rhombisch, grob-eingeschnitten-gezähnt, ***die obersten 3spaltig, der eine Seitenlappen länger.***

An Zäunen in Vintschgau bei Laas u. Loretz bis Schlanders, dann jenseits des Joches ausser der Gränze um Bormio (Tpp.), bei Glurns (Moritzi)! Nach einer schriftlichen Mittheilung Dr. Facchini's sehr selten am Hohlwege zwischen der Paulsnerhöhle u. Frangart bei Bozen!

Bl. hellrosenroth, dunkler geadert. Jun. Jul. ⊙.

383. ***G. robertianum. L.*** Ruprechts St. Blüthenstiele 2blüthig; Blüthenstielchen nach dem Verblühen etwas abwärts-geneigt; Blumenblätter verkehrt-eiförmig, ungetheilt, länger als der begrannte Kelch; ***Klappen netzig-runzelig;*** Samen glatt; ***Blätter 3- o. 5zählig, Blättchen gestielt, 3spaltig, fiederspaltig-eingeschnitten;*** Stengel aufrecht.

An alten Mauern, schattigen Zäunen u. Felsen bis an die Voralpen. — Bregenz (Str!). Innsbruck: gemein z. B. auf der Arche an der Sill am Neurat (Schpf.). Kitzbüchl (Trn.). Schwaz (Schm!). Hopfgarten, Innervilgraten u. um Lienz (Schtz.). Welsberg (Hll.). Allenthalben um Bozen; auch am Ritten: z. B. um Klobenstein bis 4000′ (Hsm.). An Mauern bei Eppan (Hfl.). Meran (Kraft). Val di Non: Castell Brughier (Hfl.). Trient: an Zäunen bei Oltrecastello (Per.), bei Vela (Hfl!). Roveredo (Crist.). Judicarien: in Wäldern bei Tione (Bon.).

Obsolet: Herba Ruperti vel Geranii robertiani.

Bl. rosenroth. Ende Mai — Herbst. ⊙.

100. ***Eródium Heritier.*** Reiherschnabel.

Kelch 5blättrig, ohne Röhrchen an der Basis, Blumenkrone 5blättrig. Staubgefässe 10, kurz-einbrüderig, 5 davon ohne Staubkölbchen. Früchtchen 5, 1samig, zuletzt sammt den schraubenförmig-gewundenen, inwendig bärtigen Griffeln elastisch-abspringend. (XVI. 3.).

384. ***E. cicutarium Her.*** Schierlingsblättriger R. Blüthenstiele vielblüthig; Blumenblätter ungleich; Blätter gefiedert, Blättchen fast bis zum Mittelnerven fiederspaltig, Zipfel gezähnt; ***Staubgefässe kahl, die staubkölbchen-tragenden an der Basis rundlich-verbreitert.***

Auf bebautem Boden, an Rainen. — Bregenz (Str!). Innsbruck: auf den Aeckern um Wiltau (Hfl.). Schwaz (Schm!). Kitzbüchel (Trn.). Tefereggen, Lienz (Schtz.). Lienz (Hohenwarth)! Bozen: in Menge in den Weinleiten bei Gries u. in Hertenberg u. den ganzen Winter hindurch blühend; am Ritten: auf Aeckern um Klobenstein bis wenigstens 4000′ (Hsm.). Cavalese (Scopoli)! Val di Non: Castell Brughier (Hfl!). Trient (Per.). Roveredo (Crist.). Judicarien: am Wege bei Sorano (Bon.). — Geranium cicutarium L.

Bl. purpurn. März — Nov. ⊙.

385. ***E. moschatum Her.*** Bisamduftender R. Blüthenstiele vielblüthig; Blumenblätter ungleich; Blätter gefiedert, Blättchen ungleich-doppelt-gesägt, fast kleingelappt; ***Staubgefässe kahl, die staubkölbchen-tragenden an der Basis verbreitert 2zähnig.***

Unterinnthal: bei Kirchberg nächst der Kirche (Trn.). Stubai: bei Mieders in Gärten als Unkraut (Schneller), ebenso bei Schönberg (Hsm.). — Geranium moschatum L.

Obsolet: Acus muscata vel Herba Geranii moschati.

Kraut wohlriechend, nach Bisam duftend.

Bl. purpurn. Mai, Jul. ⊙.

Pelargonium Herit. Pelargonie.

Kelch 5blättrig, das hintere Blatt an der Basis in eine hohle dem Blüthenstielchen angewachsene Röhre verlängert. Blumenkrone 5blättrig. Früchtchen 5, 1samig, zuletzt sammt den schraubenförmig-gewundenen, inwendig bärtigen Griffeln elastisch-abspringend. (Staubgefässe 10, 3 davon seltener 5 ohne Staubkölbchen XVI. 3). Von den vielen Arten dieser afrikanischen u. neuholländischen Gattung, die bei uns in Töpfen gezogen werden, folgen nur die gewöhnlichsten:

P. odoratissimum Ait. Melissenblatt. Blätter ganz,

kreis-herzförmig, sammtartig-weich, feingekerbt. Dolden 4-5-blüthig. — Kleinbuschig, stark aromatisch-riechend. Bl. klein, weiss. —

P. Radula Ait. Rosenblatt. Blätter handförmig-doppelt-fiederspaltig, rauhhaarig, am Rande zurückgerollt, Zipfel linealisch. Dolden wenig-blüthig. — Eine Varietät mit kürzern lanzettlichen Blattabschnitten ist P. roseum Willd. — Angenehm nach Rosen riechend. Stengel 2—4 Fuss hoch. Blüthen rosenroth mit dunkleren Linien.

P. zonale Ait. Blätter herzförmig-kreisrund, schwach-gelappt, gezähnt, auf der Scheibe oberhalb meist mit einem bräunlichen o. schwärzlichen Gürtel bemalt, seltener mit einem gelblichen Saume o. auch einfärbig. Dolden vielblüthig. Bl. roth in allen Abstufungen, meist scharlachroth. Stengel 2—4 Fuss hoch. — Häufig in Töpfen u. Gärten, bei uns unter dem Namen: brennende Liebe bekannt.

Den Geraniaceen u. Balsamineen nahe verwandt ist die südamerikanische Ordnung der *Tropaeoleen (Tropaeoleae Juss.)*. Es sind kahle, zarte, niederliegende o. windende Kräuter mit wässerigem, scharf-säuerlichem Safte u. gestielten, schildförmigen, einfachen, ganzen, geschweiften o. gelappten Blättern. Hieher die Gattung:

Tropaeolum L. Kapuzinerkresse. Blüthen zwitterig, Kelch gefärbt, 5spaltig, 2lappig; Oberlippe 3spaltig, gespornt, Unterlippe 2spaltig. Blumenkrone 5blättrig, dem Kelchgrunde eingefügt, Blätter ungleich, mehr o. weniger benagelt, ganz o. eingeschnitten, mit den Kelchtheilen wechselnd. Staubgefässe 8. Fruchtknoten sitzend, 3lappig, 3fächerig. Griffel endständig, 3kantig; Narbe 3zähnig. Frucht 3knöpfig, 3samig. Keim eiweisslos. (VIII. 1.).

T. majus L. Grosse K. Blätter fast kreisrund, eckig schwach 5lappig, der Blattrand am Ende der Nerven oft schwach-ausgerandet. Blumenblätter stumpf, die 3 vordern am Grunde bewimpert. — Zierpflanze aus Peru wie folgende u. häufig in unsern Gärten. Bl. gelb mit saffranfarben Streifen, seltener braun. Sie haben einen kressartigen Geschmack u. werden zu Salat verspeist. Jul. — Sept. im Garten nur ⊙.

T. minus L. Kleine K. Blätter fast kreisrund, geschweift, der Mittelnerv u. zuweilen auch die seitlichen über den Blattrand hinaus in ein pfriemliches Spitzchen ausgehend. Blumenblätter spitz, die 3 vordern bis zur Mitte bewimpert. Bl. blass-pomeranzenfarben. Blüthezeit u. Gebrauch wie bei voriger.

XXIII. Ordnung. BALSAMINEAE. A. Rich.

Springkrautartige.

Kelch u. Blumenkrone unregelmässig, abfällig, das untere Kelchblatt gespornt. Staubgefässe 5, unterweibig, oberwärts mehr o. weniger zusammenhängend. Fruchtknoten 5fächerig, vielsamig. Narbe sitzend, Griffel fehlend. Kapsel 5klappig, elastisch-aufspringend. Eiweiss fehlend. Keim gerade. Kräuter mit wässerigem Safte, meist jährig, mit einfachen, nebenblattlosen Blättern.

101. *Impatiens L.* Springkraut.

Kelch 5blättrig, abfällig, Kelchblätter ungleich, das untere blumenartig, gespornt, die 2 seitenständigen kleiner, die 2 obern sehr klein o. ganz fehlend. Blumenblätter unterweibig, 5, das obere rundlich, ausgerandet, sehr gross, die hintern mit den 2 seitenständigen paarweise verwachsen. Kapsel 5klappig; Klappen von der Basis gegen die Spitze sich elastisch-einwärtsrollend, die eine o. andere spiralig gedreht. (V. 1.).

386. ***I. noli tangere L.*** Wildes Sp. Blüthenstiele 3—4-blüthig, kürzer als das Blatt, abstehend; Blüthen hangend, Sporn an der Spitze zurückgebogen; Blätter eiförmig, grobgezähnt; Gelenke des durchscheinenden Stengels angeschwollen. Kapseln kahl.

In Auen, Hainen u. buschigen feuchten Orten. — Vorarlberg: bei Bregenz (Str!), am Wege von Feldkirch nach Balzers (Hiller!). Oberinnthal: bei Ladis (Gundlach); Imst: am Wege nach Brennbüchl (Lutt!). Innsbruck: nicht weit vom Schlosse Amras u. an einem Zaune bei Vill (Schpf. Eschl. Prkt.); in Stubai bei Neder (Hfl!). Zillerthal (Braune!), allda am Hainzenberge (Moll)! Kitzbüchl (Trn.). Pusterthal: bei Welsberg (Hll.), Hopfgarten in Tefereggen (Schtz.), am Schlossweiher bei Lienz (Rsch! Schtz.). Vintschgau: bei St. Martin (Tpp.). Ulten (Giov!). Bozen: in der Rodlerau, bei St. Isidor am Bade; Sarnthal: zwischen dem Dorfe u. dem Bade; Salurn: bei den Mühlen (Hsm.). Meran: am Zentnerwege bei Partschins (Iss.). Valsugana: am Montalon, im Thale des Baches bei Grigno u. in Val di Sella bei Borgo (Ambr.). Pieve di Canale gegen die Cima d'Asta (Petrucci)! Baldo: Val dell' Artillon (Poll!). Judicarien: bei Tione (Bon.).

Obsolet: Herba Balsaminae luteae.

Bl. gelb. Jul. Aug. ⊙.

I. Balsamina L. Balsamine. Garten-Sp. Blüthenstiele 1blüthig, gehäuft. Blätter lanzettlich, die obern wechselständig. Sporn kürzer als die Blume. Kapseln rauhhaarig. — Zierpflanze aus Ostindien, häufig in Gärten.

Bl. rosenroth o. weiss, o. weiss u. roth gesprenkelt, oft gefüllt. Jul. Sept. ⊙.

XXIV. Ordnung. OXALIDEAE. A. Rich.

Sauerkleeartige.

Blüthen zwittrig. Kelch 5theilig, bleibend. Blumenblätter 5, regelmässig, unterweibig, bisweilen mit der Basis zusammenhängend, in der Knospenlage zusammengerollt. Staubgefässe 10, an der Basis oft 1brüderig. Griffel 5. Kapsel 5- o. 10klappig, 5fächerig, Fächer mehreiig. Samenträger mittelpunktständig. Samen mit einem fleischigen, elastisch-aufspringenden Mantel. Keim im Eiweisse, rechtläufig. Kräuter mit gestielten, meist fingerig-getheilten Blättern u. saurem wässerigem Safte, der von mehreren Arten zur Darstellung der Kleesäure benützt wird.

102. *Óxalis L.* Sauerklee.

Kelch 5blättrig. Blumenblätter 5. Staubgefässe 10, Staubfäden an der Basis kurz 1brüderig, die 5 äussern kürzer. Griffel 5. Kapsel länglich, 5klappig, 5fächerig. (X. 5.).

387. ***O. Acetosélla L.*** Gemeiner S. ***Stengellos;*** Wurzelstock kriechend, gezähnt, Blätter 3zählig, Blättchen verkehrt-herzformig, flaumig; Schaft länger als die Blätter, über der Mitte mit 2 Deckblättern; Blumenblätter länglich-verkehrt-eiförmig, seicht-ausgerandet.

In Auen, an schattigen feuchten Orten, an Zäunen. — Bregenz (Str!). Imst (Lutt!). Innsbruck: um Amras (Karpe), am Wege nach Völs (Schpf.), im Wiltauer Stiftsgarten u. im Villerberg (Prkt.). Kitzbüchl (Trn.). Zillerthal (Moll!); bei Rattenberg (Wld!). Welsberg (Hll.). Tefereggen, Innervilgraten, Lienz (Schtz.). Meran: z. B. am Josepsberg (Iss.). Bozen: gemein in der Kaiser- u. Rodlerau, auch am Wege von St. Antoni nach Runkelstein; am Ritten: um Klobenstein; Salurn (Hsm.). Val di Non: bei Cles (Hfl!). Valsugana: bei Borgo (Ambr.). Trient: bei Buco di Vela (Per.). Roveredo: in Gebüschen bei Serrada (Crist.). Baldo: Vall dell' Artillon (Poll!).

Officinell: Herba Acetosellae vel Lujulae.

Bl. weiss o. röthlich, mit dunklern Adern. Apr. Mai. ♃.

388. ***O. corniculata L.*** Gehörnter S. Stengel ausgebreitet, flaumig, an der Basis wurzelnd; Blätter 3zählig, Blättchen verkehrt-herzförmig, ***Nebenblätter länglich, an den Blattstiel angewachsen;*** Blüthenstiele 2—5blüthig, kürzer als das Blatt; die fruchttragenden Blüthenstielchen zurückgeschlagen; Wurzel ästig-faserig; Ausläufer fehlend.

An Mauern, sonnigen Abhängen u. Gebüschen im südlichen Tirol. — In Weinbergen um Meran, z. B. im Kiechelberg (Tpp.). Gemein auf der Südseite bei Bozen, z. B. am Wege von Gries nach Guntschna, am Wege vom Reichriegler- zum Strecker-Hof, ober der Landstrasse von Morizing nach Siebenaich, im Gandelhofe bei Gries östlich an den Leitenmauern etc. (Hsm.).

Bl. gelb. Blüht um Bozen in wärmern Lagen schon Febr., März; allgemein Apr. — Nov. ⨀.

389. *O. stricta L.* Steifaufrechter S. Stengel einzeln, aufrecht, zerstreut-flaumig; *Blätter* 3zählig, *nebenblattlos,* Blättchen verkehrt-herzförmig; Blüthenstiele 2—5blüthig, ungefähr so lang als das Blatt; die fruchttragenden Blüthenstielchen aufrecht-abstehend; Wurzelläufer etwas fleischig.

Auf bebautem Boden im südlichsten Tirol. — Auf Aeckern bei Volano u. hie u. da in Gärten bei Roveredo (Crist.). Im benachbarten Vicentinischen bei Recoaro (Fcch!).

Bl. gelb. Jun. Sept. ⨀. u. ⊖.

XXV. Ordnung. RUTACEAE. Juss.

Rautenartige.

Blüthen zwitterig. Kelch 4—5theilig. Blumenblätter 4—5, mit den Kelchzipfeln wechselnd o. doppelt so viele als Kelchzipfel. Staubgefässe so viele o. doppelt so viele als Kelchzipfel, einer unterweibigen Scheibe eingefügt. Fruchtknoten lappig, Lappen u. Fächer so viele als Kelchzipfel. Fächer 2—4eiig. Samenträger mittelständig. Griffel 1. Narbe einfach. Kräuter o. Halbsträucher mit abwechselnden, meist zusammengesetzten u. nebenblattlosen Blättern, die häufig durchscheinend punktirt sind.

103. *Ruta L.* Raute.

Kelch bleibend, 4-, seltener 3—5theilig. Blumenblätter benagelt, muschelförmig, so viele als Kelchzipfel. Staubgefässe doppelt so viele als Blumenblätter, gerade, unter der den Fruchtknoten tragenden Scheibe eingefügt. Nektarientragende Grübchen in der Scheibe so viele als Staubgefässe. Narbe 3—5lappig. Kapsel 3—5fächerig, 3—5spaltig. Blüthen gelb. (VIII. 1.).

390. *R. graveolens L.* Gemeine R. (Weinraute um Bozen). Lappen der Kapsel stumpf; Blumenblätter gezähnelt o. ganzrandig, plötzlich in den Nagel zusammengezogen; Blätter beinahe 3fach-gefiedert, gestielt, im Umrisse fast 3eckig, Fieder nach der Spitze des Blattes an Grösse abnehmend; Blättchen oval-länglich, die endständigen verkehrt-eiförmig.

An Abhängen, in Weinbergen u. an steinigen Hügeln im südlichen Tirol. — Meran: am Schlosse Zenoberg (Tpp.). Bozen: selten im Gandelberge bei Gries u. am Schlosse Runkelstein, dann am Talferbette St. Antoni gegenüber unter dem Wege zwischen dem Hofmann u. Kellermann, häufiger im Hertenberge am Fuss des Berges zwischen St. Oswald u. dem Streiterischen Weingute, in den Weinleiten zwischen Waldgries u. Kleinstein etc. (Hsm.). Trient: am Doss Trent (Hfl.). Um Trient u. Roveredo (Poll!). Valsugana: an Weinbergen bei Borgo

(Ambr.). Am Gardasee (Eschl!). Im Gebiethe von Riva bei Torbole (Fcch!). Judicarien: bei Tione in Gärten (Bon.).

Officinell: Herba Rutae hortensis.

Bl. gelb. Jun. Sept. ♃.

104. ***Dictámnus L.*** Diptam.

Kelch abfällig, 5theilig. Blumenblätter 5, benagelt, etwas ungleich. Staubgefässe 10, abwärts gebogen-aufsteigend, unter der Spitze drüsig. Griffel einfach. Fruchtknoten auf einem kurzen Fruchtträger. Kapselfächer 5, unten zusammenhängend. (X. 1.). —

391. ***D. Fraxinélla Pers.*** Eschenblättriger D. Wurzel walzlich, schief o. wagrecht, ästig. Stengel aufrecht, einfach, stielrund u. von den Blättern etwas kantig, oben sammt den Kelchen u. der Aussenseite der Blumenblätter drüsig-klebrig; Blätter gefiedert, Blättchen 7—11, sitzend, eirund-länglich o. elliptisch, am Rande fein-gesägt o. doppelt-gesägt, durchscheinend-drüsig-punktirt. Blüthen in einer grossen lockeren Endtraube. —

Auf Hügeln u. Abhängen im Gebüsche im südlichen Tirol. Gemein um Bozen z. B. im Hertenberg, im Fagnerberg bei Gries, bei Runkelstein, am nördlichen Abhange des Kalvarienberges; Margreid am Wege zu dem Kalkofen (Hsm.). Sonnige Abhänge zwischen Salurn u. Neumarkt (Mrts!). Trient: bei Vela u. am Doss San Rocco (Hfl.), dann am Doss Trent (Per.). Roveredo (Crist.). Am Baldo: im Gebiethe von Brentonico (Poll!).

Offic.: Radix Dictamni vel Fraxinellae. D. tusiflorus Koch syn. ed. 1. Die ganze Pflanze verbreitet während der Blüthezeit einen sehr starken, fast betäubenden, doch nicht unangenehmen Geruch. — Bl. rosenroth mit violetten Adern o., jedoch sehr selten (Hertenberg bei Bozen) schneeweiss. Mai. ♃.

II. Unterklasse. CALYCIFLORAE.

Kelchblüthige.

Kelchblätter mehr o. weniger unter sich verwachsen. Blumenblätter u. Staubgefässe einer auf die Basis des Kelches aufgewachsenen Scheibe eingefügt; o. der an den Fruchtknoten angewachsene Kelch die Blumenblätter u. Staubgefässe o. eine 1blättrige Blumenkrone tragend.

XXVI. Ordnung. CELASTRINEAE. R. Brown.

Celasterartige.

Kelch 4—5spaltig o. 4—5theilig, in der Knospenlage dachig. Blumenkrone regelmässig, Blumenblätter so viele als

Kelchabschnitte, dem Rande einer unterweibigen Scheibe eingefügt, in der Knospenlage dachig. Staubgefässe so viele als Blumenblätter u. mit denselben abwechselnd, dem Rande der Scheibe o. der Scheibe selbst eingefügt. Fruchtknoten frei, 2—4fächerig, Fächer 1—mehreiig. Eierchen aufrecht. Samenträger mittelpunktständig. Keim rechtläufig. Bäume o. Sträucher mit meist gegenständigen Blättern u. abfälligen Nebenblättern.

I. Gruppe. **Staphyleaceae De C.** Samen knöchern, gestutzt, ohne Samenmantel. Keimblätter dick. Blätter zusammengesetzt.

105. *Staphyléa L.* Pimpernuss.

Kelch 5theilig, gefärbt, an der Basis inwendig mit einer Scheibe. Blumenblätter 5. Staubgefässe 5, um die Scheibe eingefügt. Fruchtknoten 2—3lappig. Kapsel 2—3fächerig einwärts nach der Spitze aufspringend. Fächer armsamig. Samen rundlich, glänzend, beinhart. (V. 3.).

392. *St. pinnata L.* Gemeine P. Blätter gefiedert, Blättchen 5—7, länglich-lanzettlich, ganz kahl, gezähnt; Blüthen in Trauben. Kapseln häutig, aufgeblasen.

Gebirgswälder in Tirol (Koch syn.)! Nach Elsmann am Wege von Bozen nach Sarnthal u. auf der Mendel! Gepflanzt hie u. da in Anlagen, doch selten.

Bl. weisslich. Mai, Jun. ♄.

II. Gruppe. **Evonymeae De C.** Samen mit einem Mantel, nicht gestutzt. Keim in der Achse des fleischigen Eiweisses. Blätter einfach.

106. *Evónymus L.* Spindelbaum.

Kelch flach, 4—5spaltig, an der Basis mit einer schildförmigen Scheibe. Blumenblätter 4—5, am Rande der Scheibe eingefügt. Staubgefässe 4—5, der Scheibe selbst eingefügt. Griffel 1. Kapsel 3—5fächerig, 3—5kantig, 3—5klappig. Scheidewände in der Mitte der Klappen, welche an der Naht aufspringen. Samen in jedem Fache 1—4, mit einem breiartigen Mantel. Zweige u. Blätter gegenüber. (V. 1.).

393. *E. europaeus L.* Gemeiner Spindelbaum. Pfaffenhütchen. Pfaffenkäppchen. Blumenblätter länglich, meist 4; Aeste 4kantig, glatt; Blätter elliptisch-lanzettlich, kahl, gezähnt; *Kapseln stumpf-4eckig,* 4fächerig; der Mantel bedeckt den ganzen Samen.

In Wäldern, in Auen u. Hecken. — Bregenz (Str!). Imst (Lutt!). Innsbruck: an der Sill u. am Wege von Amras zum Wasserfall (Schpf.). Zillerthal: um Zell (Gbh.). Schwaz (Schm!). Selten um Kitzbüchl, häufiger bei Kufstein (Unger)! Pusterthal: am Aachufer in Taufers (Iss.); bei Lienz (Schtz. Rsch!). Gemein um Bozen z. B. im Haslacher Wald am Fuss des Berges; in den Hecken der Landstrasse bis Margreid u. Salurn; Ritten: einzeln bei Siffian u. im Krotenthale bei Klobenstein bis 3500′

(Hsm.). Brixen (Hfm.). Val di Non: bei Castell Brughier (Hfl.). Trient u. Arco (Fcch!).

Obsolet: Fructus Evonymi.

Bl. gelbgrün. Früchte rosenroth, Samenmantel orange. Mai, Jun. ♄.

393. b. ***E. verrucosus Scop.*** Warziger Sp. ***Blumenblätter rundlich; Aeste*** stielrund, ***warzig;*** Blätter elliptisch, kleingesägt, kahl; Kapseln meist 4lappig, stumpfkantig, glatt, flügellos; Mantel den halben Samen bedeckend.

Gebirgswälder u. Gebüsche. — Pusterthal: bei Lienz (Schtz.). Judicarien: bei Tione (Bon.).

Bl. grünlich mit vielen feinen rothen Punkten. Mai, Jun. ♄.

394. ***E. latifolius L.*** Breitblättriger Sp. Blumenblätter rundlich, meist 5; Aeste stielrund, etwas zusammengedrückt, glatt; Blätter länglich-elliptisch, klein-gesägt, kahl; ***Kapseln meist 5eckig, geflügelt-kantig.*** Samen ganz mit dem orangegelben Mantel uberzogen.

Gebirgswälder. — Bregenz (Str!). Bregenzerwald: bei Au (Tir. B.)! Innsbruck: in der Klamm (Schpf.). Zillerthal: (Schrank)! Schwaz: gegen Buch (Schm!). In der Gegend von Schwoich u. Lofers (Unger)! Waldränder bei Ebbs (Harasser). Vinschgau u. bei Meran (Tpp.). Valsugana: bei Borgo (Ambr.). Levico (Per!). Im Tridentinischen; am Baldo: im Gebiethe von Brentonico, dann um la Corona u. Malcesine (Poll!).

Bl. grünlich. Kapseln hellkarminroth, Samenmantel orange. Mai Jun. ♄.

XXVII. Ordnung. RHAMNEAE. R. Brown.

Wegdornartige.

Kelch an den Fruchtknoten angewachsen, Saum 4—5spaltig, in der Knospenlage klappig, abfällig. Blumenblätter mit den Zipfeln des Kelches wechselnd, im Schlunde eingefügt. Staubgefässe so viele als Blumenblätter u. selben gegenständig. Fruchtknoten von einer drüsigen Scheibe umzogen, 2—4fächerig, Fächer 1eiig. Griffel 1, Narben 2—4 o. bis zur Basis gespalten. Keim aufrecht, im Eiweisse. Bäume o. Sträucher mit oft dornigen Aestchen, einfachen Blättern u. kleinen Nebenblättern. Die Früchte von vielen geben Farbstoffe.

107. ***Zizyphus Tournef.*** Judendorn.

Kelch flach, 5spaltig, abfällig, nur die kreisrunde Basis bleibend u. der Frucht anhängend. Blumenblätter 5, vor der fleischigen Scheibe eingefügt. Griffel 2—3, saftig, fleischig. Eine fleischige, saftige Steinfrucht. Stein 2—3fächerig o. durch Fehlschlagen 1fächerig, Fächer 1samig. Samen ohne Furche. (V. 2.).

395. *Z. vulgaris Lam.* Gemeiner Judendorn. Brustbeere. Blätter eiförmig, gezähnelt, so wie die Aeste kahl. Stacheln zu zwei, der eine zurückgebogen o. fehlend; Steinfrucht eiförmig-länglich.

Stammt aus dem Oriente u. kam unter Kaiser Augustus nach Italien u. nun allda verwildert.

Im südlichen Tirol gepflanzt u. in Hecken fast verwildert (Koch syn.)! Bozen: z. B. im Streiterischen Weingute u. am Ansitze Hertenberg, bei St. Antoni, im Aufschnaiterischen u. Loferer'schen Weingute in Gries, im Franciscaner Garten; bei Kaltern etc. (Hsm.). Hertenberg bei Bozen (Giov.). Meran: bei Obermais (Iss.). Am Gardasee (Poll! Eschl!). — Rhamnus Zizyphus L. — Früchte roth, süss-schmeckend, als Obst, auch als Arznei bei Brustkranken: Baccae Jujubae vel Zizyphi, bei uns unrichtig Datteln genannt.

Bl. gelbgrün. Jun. ♄.

108. ***Paliúrus Tournef.*** Stechdorn.

Frucht trocken, mit einem kreisrunden Flügel umgeben. Das Uebrige wie bei Zizyphus. (V. 2.).

396. ***P. aculeatus Lam.*** Gemeiner St. Aestchen flaumig; Blätter eiförmig, kurz-zugespitzt, 3nervig; Flügel der Frucht klein-gekerbt.

Uncultivirte felsige Orte. — Im südlichen Tirol (Koch syn.)! Am Gardasee (Eschl!). Bei Arco (Crist!). San Martino ober Arco (Fcch.). Ausser der Gränze, an Hecken gegen Bassano u. Verona (Hsm.). — Rhamnus aculeatus L. — Obsolet: Radix, Folia, Fructus et Semina Paliuri. — In Oberitalien, vorzüglich um Bassano, wird der Strauch zu schönen lebenden Zäunen gepflanzt. Bl. grünlich-gelb. Mai, Jun. ♄.

109. ***Rhamnus L.*** Wegdorn.

Kelch 4—5spaltig, Zipfel abfällig, rundum-abspringend, die kreisrunde Basis bleibend. Blumenkrone 4—5blättrig o. fehlend. Blüthen zwitterig o. zweihäusig-vielehig. Staubgefässe 4—5. Fruchtknoten frei, mit 3—4 Narben. Steinfrucht saftig o. fast trocken, 2—4steinig. Samen mit einer tiefen Furche. (V. 1. u. IV. 2. 3. 4.).

I. Rotte. ***Cervispina Dill.*** Aeste gegenständig; ein Dorn an den diesjährigen Aestchen endständig, später gabelständig. Blätter gegenständig. Bl. grünlich o. grünlich-gelb. (IV. 2. u. IV. 4.).

397. ***R. cathartica L.*** Gemeiner Wegdorn. Kreuzdorn. ***Dornen end- u. gabelständig;*** Blätter rundlich-oval, kleingesägt, an der Basis fast herzförmig; ***Blattstiel 2- o. 3-mal so lang als die hinfälligen Nebenblätter;*** Steinfrucht auf der bleibenden, ziemlich konvexen Basis des Kelches sitzend; Ritze der Samen geschlossen, erst nach Wegnahme der den

Samen umgebenden Schale bemerkbar, an der Basis u. Spitze knorpelig-berandet. Griffel meist 4spaltig.

Vorhölzer, Gebüsche u. Auen bis an die Alpen. — Vorarlberg: im Bodenseerried (Cst!). Imst (Lutt!). Innsbruck: im Wiesengebüsch zwischen Mutters u. Natters (Hfl.), dann an der Sill u. am Wege von Amras zum Wasserfall (Schpf.). Kitzbüchl (Trn.). Schwaz (Schm!). Zillerthal (Schrank)! Gemein um Lienz (Rsch!). Welsberg (Hll.). Bei Lana nächst Meran (Tpp.). Bozen: am Fusse des Haslacher Waldes; am Ritten bei Waidach u. Klobenstein, einzeln bei Pfaffstall bis 4500′ ansteigend (Hsm.). Judicarien: an Hecken u. Zäunen bei Tione (Bon.). Baldo: im Gebiethe von Brentonico (Poll!).

Offic.: Baccae Rhamni cathartici vel spinae cervinae.

Bl. grünlich. Mai, Jun. ♄.

398. ***R. saxatilis L.*** Stein-Wegdorn. ***Dornen end- u. gabelständig;*** Blätter elliptisch o. lanzettlich, kleingesägt, ***Blattstiel von der Länge der Nebenblätter;*** Steinfrucht auf der bleibenden, flachen, ziemlich konvexen Basis des Kelches sitzend; Ritze der Samen klaffend, überall knorpelig-berandet. Griffel meist 2spaltig.

An steinigen, buschigen Hügeln u. Vorhölzern. — Zirl u. Telfs (Str!); bei Imst (Lutt!). Innsbruck: auf kiesigem Boden im Gebüsche zwischen Taur u. Absam (Hfl.). Unterinnthal: auf Kalk bei Kössen (Trn.). Bozen: selten am u. ober dem Wege ausser dem kühlen Brünnel, häufiger am Steige u. Fahrwege nach Virgel, einzeln auch im Haslacher Walde am Fusse des Berges u. ausser Sigmundscron ober der Strasse gegen Frangart (Hsm.). Wälder zwischen Bozen u. Trient (Fcch!). Ueber Cles gegen Vergondola (Hfl!). Zwischen Zambana u. Mezzolombardo (Hfl!). Am Monte Gazza bei Trient (Per.). Roveredo: ai Slavini di San Marco (Crist.). Auf Hügeln im Tridentinischen, am Gardasee u. im Gebiethe von Brentonico (Poll!). Judicarien: Wälder von Stelle bei Tione (Bon.).

Bl. gelblich-grün. Mai. ♄.

II. Rotte. ***Rhamnus.*** Aeste wechselständig. Blätter abfällig. Griffel 2—3spaltig. (IV. 3.).

399. ***R. alpina L.*** Alpen-W. ***Wehrlos;*** Blüthen 2-hänsig, 4männig; Blätter elliptisch, zugespitzt, an der Basis stumpf o. fast herzförmig, klein-gesägt, ***am Mittelnerven beiderseits 12 gerade laufende, schiefe Adern; Griffel 3-spaltig;*** Stengel ausgebreitet o. aufrecht.

Voralpen in Tirol, Krain, Kärnthen u. der Schweiz (Koch syn.)! Im Canton Tessin in der Schweiz nach Moritzi!

Bl. grünlich, oberwärts braun. Jun. ♄.

400. ***R. pumila L.*** Zwerg-W. ***Wehrlos;*** Blüthen 2-hänsig, 4männig; Blätter elliptisch o. rundlich, klein-gesägt, ***am Mittelnerven beiderseits 6 etwas bogige, schiefe Adern; Griffel 3spaltig;*** Stengel nebst den Aesten gestreckt.

Felsen der Kalkalpen, selten ins Thal herab. — Vorarlberg: am Freschen (Str! Cst!). Oberinnthal: im Leutascher Klammberg (Zcc!). Innsbruck: an der Martinswand u. Höttingeralpe (Hfl.). Unterinnthal: am Kaiser (Trn.). In Pfitsch (Hfl.). Pusterthal: in Prax (Hll.), Innervilgraten (Schtz.). Wormserjoch, italienische Seite (Hsm.). Vintschgau: in den Leiten bei Laas (Tpp.). Schlern, Seiseralpe u. Rosszähne bei Bozen; in Colfusk; bei Salurn an den Kalkfelsen ganz ins Thal herab (Hsm.). Dolomitfelsen in Fassa u. Fleims (Fcch!). Alpen um Trient (Per.). Col Santo (Fleischer)! Am Baldo, Bondone, Spinale u. Portole (Poll!). Am Baldo (Jan)! Judicarien: auf der Alpe Lenzada (Bon.).

Bl. weisslich. Apr. Jun. ♄.

III. Rotte. ***Frángula De C.*** Aeste wechselständig. Blätter abfällig. Griffel ungetheilt, Narbe köpfig. Kelch an der innern Oberfläche nebst den Blumenblättern weiss. (V. 1.).

401. ***R. Frangula L.*** Glatter W. Faulbaum. ***Wehrlos; Blätter elliptisch***, zugespitzt, ***ganzrandig;*** Blüthen zwitterig, 5männig; Blüthenstiele u. Kelche kahl o. angedrücktflaumig; ***Narbe ungetheilt;*** Stengel aufrecht.

In Auen, Gebüschen u. Vorhölzern bis an die Alpen. — Vorarlberg: im Bodenseerried (Cst!), u. bei Bregenz (Str!). Innsbruck: an den Ulfiswiesen, der Martinswand u. bei Kranewitten (Hfl.). Schwaz (Schm!). Zillerthal: um Zell (Gbh.). Um Kitzbüchl z. B. im Bichlach (Unger! Trn.). Lienz (Rsch!). Welsberg (Hll.). Brixen (Hfm.). Lana nächst Meran (Tpp.). Gemein um Bozen: z. B. in der Kaiser- Rodler- u. Stadtau; überhaupt im ganzen Etschlande längs der Etsch bis Trient; Salurn, Margreid; am Ritten häufig zwischen Wolfsgruben u. Rappesbüchl u. von Klobenstein nach Kematen bis 4400′ (Hsm.). Valsugana: bei Borgo (Ambr.). Roveredo (Crist.). Am Gardasee (Poll!). Judicarien: Wälder bei Prada u. Stelle nächst Tione (Bon.). — Frangula vulgaris Reichenb.

Obsolet: Cortex Frangulae vel Alni nigrae.

Bl. weisslich. Mai, Jun. ♄.

XXVIII. Ordnung.

TEREBINTHACEAE. De C.

Terpentinbaumartige.

Blüthen meist eingeschlechtig, 1- o. 2häusig, seltener zwitterig. Kelch 1blättrig, gespalten, die Zipfel in der Knospenlage dachig. Blumenblätter so viele als Kelchzipfel. Staubgefässe in bestimmter o. unbestimmter Zahl, frei u. vor einer in der Basis des Kelches befindlichen, unterweibigen Scheibe eingefügt o. an der Basis zusammengewachsen bei fehlender Scheibe. Der Fruchtknoten 1fächerig, 1eiig, oberständig. Frucht nicht aufspringend. Keim eiweisslos. Bäume o. Sträucher mit balsamischem o. gummiartigem Safte, mit wechselnden, nebenblattlosen Blättern.

110. *Pistacia L.* Pistacie.

Blüthen 2häusig, ohne Blumenkrone. Kelch der männlichen Blüthen 5spaltig. Staubgefässe 5, mit fast sitzenden 4eckigen Staubkölbchen. Kelch der weiblichen Blüthe 3—4spaltig. Fruchtknoten 1fächerig. Narben 3, dicklich. Steinfrucht 1samig. Keimblätter dick. (XXII. 5.).

402. ***P. Terebinthus L.*** Terpentin-P. Terpentinbaum. Blätter unpaarig-gefiedert; Blättchen meist zu 7, eiförmig-länglich o. lanzettlich, spitz, stachelspitzig.

Steinige, sonnige Abhänge im südlichen Tirol. — Gemein um Bozen, z. B. im Fagner- Herten- u. Griesnerberge (Hsm.). Zwischen Neumarkt und Salurn und hier am Wasserfalle (Mrts)! Trient: am Doss Trent (Per. Hfl!). Im Tridentinischen (Matthioli!), u. am Gardasee (Poll!). Judicarien: an Felsen bei Tenno (Bon.). Roveredo (Sartorelli)! — Bei uns nur strauchartig, höchstens 12 Fuss hoch, in südlichern Ländern ein mittelmässiger Baum. An den Spitzen der Zweige entstehen oft durch Insektenstiche hülsenartige Auswüchse, die gewissermassen den Früchten des Johannesbrotbaumes ähneln, daher mag die Verwechslung kommen, dass (Staffler's Tirol) der Johannesbrotbaum (Ceratonia Siliqua) um Bozen als wildwachsend angegeben wurde. Angestellte Versuche ergaben, dass letzterer das Klima um Bozen auch an den günstigsten Lagen nur in wärmern Wintern erträgt.

Bl. grüngelb. Apr. Mai. ♄.

111. *Rhus L.* Sumach.

Blüthen zwitterig, 2häusig o. vielehig. Kelch 5spaltig. Blumenblätter 5. Staubfäden vor der perigynischen Scheibe eingefügt. Fruchtknoten 1fächerig. 3 kurze Griffel o. 3 sitzende Narben. Eine meist 1samige Steinfrucht. Samen ohne Eiweiss. Keimblätter blattartig. (V. 3.).

403. ***R. Cótinus L.*** Färber-S. Perücken-Baum. (Fogliarolo, Scotano ital.). *Blätter einfach, verkehrt-eiförmig.* Blüthen zwitterig. Der ganze Strauch kahl.

Im südlichen Tirol gemein auf steinigen Hügeln u. Abhängen. — Bozen: im Hertenberge, am Wege ausser dem kühlen Brünnel, Griesnerberg; am Ritten beim Schlosse Stein bis 2460'; überhaupt im ganzen Etschlande bis Trient (Hsm.). Trient: bei Vela u. am Doss Trent (Hfl.). Valsugana: bei Borgo (Ambr.). Roveredo (Crist.). Häufig im Tridentinischen u. Veronesischen (Matthioli)! Am Baldo: bei Brentonico (Poll!). Judicarien: bei Stenico, dann al Bleggio u. ai Ragoli bei Tione (Bon.). — Das Laub dieses Strauches kommt unter dem Namen: Schmack (Sumaco) als Färbe- u. Gerbematerial in den Handel u. bildet für die ärmere Volksklasse einen nicht unbedeutenden Erwerbszweig.*) Eine bereits merkbare Abnahme des Strauches ist eine Folge des allzuschonungslosen Sammelns. Bl. grünlich-gelb. Mai. ♄.

R. typhina L. Virginischer S. *Blätter gefiedert*, Fiederpaare 8—10. Blattstiele zottig; Aestchen dicht-sammtig. *Blättchen* ei-lanzettlich, spitzig-gesägt, *unterseits grau.* Zierstrauch aus Virginien u. Pensylvanien, 10—20′ hoch.

In Anlagen im südlichen Tirol, hie u. da auch verwildernd. Ich fand diesen Strauch vor vielen Jahren im Talferbette nordwestlich am Schlosse Ried bei Bozen; er kommt auch am Ritten bei 3800′ um Klobenstein in den Anlagen noch sehr gut fort. — Bl. gelblich. Früchte in dichter, eiförmiger Rispe, roth, rauh. — Jun. Jul. ♄.

Den Terebinthaceen verwandt: *Ailanthus Desf.* Götterbaum. Blüthen vielehig. Kelch kurz 5spaltig, Zipfel eiförmig, gleich. Blumenkrone 5blättrig, länger als der Kelch. Männliche Bl.: 10 Staubgefässe. Weibliche Bl.: Fruchtknoten 2—5, 1fächerig, 1eiig, zusammengedrückt. An den Zwitterblüthen durch Fehlschlagen oft 2—3 Staubgefässe. Früchte 3—5 o. durch Fehlschlagen weniger, länglich, flachgedrückt, häutig, netzig, in der Mitte aufgetrieben, 1samig, nicht aufspringend. *A. glandulosa W.* Drüsiger G. Blätter unpaarig-gefiedert, Blättchen an der Basis drüsig-gezähnt. — Aus China. Blätter stinkend, bei Ellen lang, Blättchen meist 12paarig mit einem unpaarigen, an der Basis mit einigen sehr stumpfen Zähnen, Zähne mit einer Drüse vor dem Rande. Man findet diesen Baum seit etwa 16 Jahren um Bozen häufig angepflanzt in Gärten, Anlagen etc., auch in Wäldern, z. B. im Sigmundscroner u. Kühbacher Berg, am Etschdamme bei Sigmundscron auf der Bozner Seite, auch bei Lana nächst Meran, u. nach Heufler um Eppan. Bei Trient fand ich schon vor 18 Jahren hohe Bäume z. B im Capelettischen Garten. Er erträgt selbst das Klima von Klobenstein am Ritten sehr gut, wie an meinem Hause gepflanzte Bäume zeigen. Wo einmal gepflanzt, schwer mehr zu vertilgen; ein äusserst schnellwüchsiger hoher Baum. Die gelblich-grünen, sehr unscheinlichen Blüthen in dichten, endständigen Rispen. Ende Jun. ♄.

XXIX. Ordnung. PAPILIONACEAE. L.

Schmetterlingsblüthler.

Blüthen zwitterig. Kelch frei, abfällig o. verwelkend, 5-zähnig o. 2lippig. Blumenkrone unregelmässig, schmetterlings-

---

*) Die jährliche Ausfuhr wurde im Jahre 1839 auf 30,000 Centner, u. der Erlös daraus auf 85,000 Gulden geschätzt. (Giornale agrario 1840 pag. 10).

förmig, dem Grunde des Kelches eingefügt, 5blättrig. Die 2 vordersten Blumenblätter meist in eins (Kiel, Schiffchen) verwachsen, das hinterste (die Fahne) meist grösser, die 2 seitlichen (die Flügel) unter sich gleich. Staubgefässe 10, mit den Blumenblättern eingefügt, 1brüderig, o. eines frei u. die 9 übrigen verwachsen, seltener (bei ausländischen) alle frei. Fruchtknoten frei, mit einem seitenständigen Samenträger. Griffel 1, mit ungetheilter Narbe. Frucht eine Hülse. Samen eiweisslos. Keim gerade o. gekrümmt, seitenständig. Keimblätter blattartig o. fleischig u. unterirdisch. Kräuter, Bäume o. Sträucher mit wechselnden, oft zusammengesetzten Blättern u. mit Nebenblättern. (XVII. 3.).

I. Gruppe. **Loteae De C.** Hülse 1fächerig oder mit Einwärtsbiegung einer der Nähte 2fächerig. Keimblätter ziemlich flach, blattartig über die Erde hervortretend.

I. Untergruppe. *Genisteae.* Staubgefässe 1brüderig. Flügel der Blumenkrone am obern Rande zierlich-faltig-runzelig. Kelch ungleich-lippig.

112. *Spartium L.* Pfriemen.

Kelch oberwärts gespalten, 1lippig; Lippe an der Spitze trockenhäutig u. klein-5zähnig. Staubgefässe 1brüderig; Griffel pfriemig, bartlos; Narbe länglich, schwammig, unter der Spitze des Griffels der innern Seite desselben der Länge nach angewachsen. Kiel 2blättrig. Hülse 1fächerig.

404. *S. junceum L.* Binsen-Pfrieme. Ein 4—6 Fuss hoher, kahler Strauch mit binsenartigen Aesten u. sparsamen lanzettlichen Blättern. Blüthen gross, schön gelb, in einer lockern Traube. Hülse verlängert, haarig.

Auf Hügeln u. steinigen Abhängen im südlichsten Tirol. Torbole (Fleischer)! An Felsen nördlich am Gardasee (Fcch.). In Menge bei Torbole (Hsm.). Ober den Leiten in Hertenberg bei Bozen (gepflanzt?).

Spartianthus junceus Link.

Obsolet: Herba, et Semen Genistae hispanicae vel junceae.

Bl. gelb. Ende Mai, Jun. ♄.

113. *Genista L.* Ginster.

Kelch 2lippig; Staubgefässe 1brüderig. Griffel pfriemenförmig, aufsteigend. Narbe endständig, schief, einwärts gewendet. Kiel stumpf. Hülse 1fächerig. An unsern Arten die obere Kelchlippe bis auf die Basis 2theilig u. die Blätter einfach, ungetheilt. —

405. *G. tinctoria L.* Färber-G. ***Stämme kurz, niederliegend, Aeste aufrecht, tief- fast kantig-gefurcht,*** wehrlos, kahl, oberwärts flaumig; ***Blätter lanzettlich oder elliptisch, am Rande flaumig;*** Nebenblätter pfriemlich, sehr klein; Blüthen traubig; ***Blumenblätter und Hülsen kahl;*** Schiffchen von der Länge der Fahne.

Auf Triften u. waldigen Orten bis in die Voralpen. — Unterinnthal: bei Eichelwang (Harasser)! Brunecken (F. Naus)! Sparsam um Brixen (Hfm.). Am Josephsberg bei Meran (Kraft). Bei Layen nächst Colmann (Hfm!). Gemein um Bozen: z. B. im Talferbette vor Runkelstein; im Leuchtenburger Walde bei Kaltern; Klobenstein am Ritten bis 4500′ (Hsm.). Am Aufstieg zur Seiseralpe (Schultz)! Bei Marling nächst Meran (Tpp.). Trient (Per!). Roveredo (Crist.). Judicarien: Wälder bei Stelle nächst Tione u. längs der Sarca (Bon.).

Um Bozen u. vorzüglich im Leuchtenburger Walde wird der Färberginster gesammelt als Färbematerial, u. nach Dr. Rauschenfels ist es diese Pflanze, womit die grünen Tirolerhüte gefärbt werden. — Obsolet: Herba et Semen Genistae.

Bl. gelb. Stengel wehrlos. Anf. Jun. Jul. ♄.

406. ***G. elatior Koch.*** Hoher G. ***Stämme aufrecht, oberwärts ästig, Aeste stielrund, gleichförmig - gerieft,*** an dem obern Ende etwas kantig, wehrlos, kahl, oberwärts flaumig; ***Blätter lanzettlich o. elliptisch, am Rande flaumig;*** Nebenblätter pfriemlich, sehr klein; Blüthen traubig; ***Blumenblätter u. Hülsen kahl;*** Schiffchen von der Länge der Fahne.

Im südlichen Tirol auf trockenen Wiesen (Koch Taschenb.)! G. sibirica Reichenb. G. mantica Poll.

Bl. gelb. Stengel wehrlos. Jun. Jul. ♄.

407. ***G. ovata W. u. K.*** Eiblättriger G. ***Stengel*** wehrlos, stielrund, erhöht - gestreift u. ***nebst den Blättern rauhhaarig, Haare abstehend;*** Blätter lanzettlich, elliptisch o. eiförmig; Nebenblätter pfriemlich, sehr klein; Blüthen traubig; ***Blumenblätter kahl;*** Schiffchen von der Länge der Fahne; ***Hülsen dicht-rauhhaarig.***

Auf Hügeln im Tridentinischen (Poll!). Gebüsche in Vallunga bei Roveredo (Per!).

Bl. gelb. Stengel wehrlos. Jun. Jul. ♄.

408. ***G. germanica L.*** Deutscher G. ***Stengel dornig,*** unterwärts blattlos, oberwärts ästig; ***Aestchen*** beblättert, ***rauhhaarig,*** die blüthentragenden wehrlos; Blätter lanzettlich o. elliptisch; Blüthen traubig; Deckblätter pfriemlich, halb so lang als das Blüthenstielchen.

Auf Waldtriften bis in die Alpen. — Marling bei Meran (Tpp.). Gemein um Bozen: z. B. gegen Runkelstein u. am Fuss des Berges in Haslach; Klobenstein am Ritten auf dem Fenn mit G. tinctoria, dann ober Pemmern bei 5400′ auf den Sulznerwiesen der Rittneralpe (Hsm.). Bei Layen nächst Colmann (Hfm.). Am Aufstieg zur Seiseralpe (Schultz)! Val di Non: bei Castell Brughier (Hfl.). Trient: bei Povo (Per.). Valsugana: bei Borgo (Ambr.). Roveredo (Crist.). Judicarien: bei Tione al Doss u. alla Pinera (Bon.).

β. inermis. Wehrlos, niedrig, 3—4 Zoll hoch. Val di Non (Tpp.). Mendel bei Bozen (Hsm.). Bei Roveredo (Crist.).
Bl. gelb. Mai, Jul. ♄.

114. *Cýtisus L.* Bohnenbaum. Geissklee.

Kelch 2lippig. Staubgefässe 1brüderig. Griffel pfriemig, aufsteigend. Narbe schief, auswärts abschüssig. Kiel stumpf. Hülse 1fächerig. Blätter 3zählig.

I. Rotte. Untere Kelchlippe kurz-3zähnig. Blüthen gelb, in einer blattlosen Traube.

409. ***C. Laburnum L.*** Gemeiner B. ***Trauben*** seitenständig, reichblüthig, hängend, ***angedrückt-haarig;*** Blättchen elliptisch, oberseits kahl; Hülsen seidenhaarig, ***obere Naht mit einer rechtwinkeligen Kante bekielt.***

Gebirgswälder des südlichern Tirol. — Am Baldo vorzüglich um la Corona, dann im Roveretanischen u. Tridentinischen, aber viel seltener als folgende (Poll!). Am Baldo: gegen Prà longo u. San Colombano (Crist.).

Obsolet: Folia et Semen Laburni.

Bl. gelb. Ein mittelmässiger Baum. Apr. Mai. ♄.

410. ***C. alpinus Mill.*** Alpen-B. (Uehle im Etschlande). ***Trauben*** seitenständig, reichblüthig, hängend, ***kahl;*** Blättchen elliptisch, am Rande nebst den Trauben etwas flaumhaarig, Haare abstehend; ***Hülsen*** kahl, ***an der obern Naht geflügelt-bekielt.***

Gebirgswälder u. Voralpen im südlichen Tirol. — Im Gebiethe von Bozen am Wege von Leifers nach Weissenstein u. auf der Mendel; gepflanzt um Klobenstein am Ritten; gemein bei Margreid im Walde gegen Fennberg u. bei Salurn gegen Kerschbaum (Hsm.). Trient: ober Povo; auf der Scanucchia (Per!). Im Tridentinischen (Poll!). Am Baldo: Valle Aviana u. Tret de spin (Hfl.). Gebirgswälder bei Tione in Judicarien (Bon.), Val di Rendena (Eschl!). Valsugana: bei Borgo (Ambr.).

Mittelmässiger Baum. Liefert äusserst dauerhafte Rebpfähle u. ein schön gemasertes, braungelbes Holz.

Bl. gelb. Mai, Jun. ♄.

411. ***C. nigricans L.*** Schwarzwerdender B. ***Trauben endständig, reichblüthig, verlängert, aufrecht;*** Blüthenstielchen u. Kelch angedrückt-flaumig; ***Kelch kurz-glockig,*** obere Lippe klein-2zähnig, Zähne spitz. Blätter kahl, Blättchen verkehrt-eiförmig o. länglich, unserseits so wie die ***Hülsen angedrückt-behaart.***

Steinige Triften u. waldige Orte bis an die Alpen. — Innsbruck (Eschl.). Marling bei Meran (Tpp.). Gemein um Bozen, z. B. gegen Runkelstein; Ritten: noch in Menge bei 4000′ am Fenn nächst Klobenstein, ja einzeln unter Ritzfeld bei 4300′ (Hsm.). Im Thale Ulten (Tpp.). Hügel u. Gebüsche bei Trient (Per.).

Am Baldo: Selva d'Avio (Poll!). Judicarien: Wälder von Prada u. Pinera di Corè (Bon.).

Eine Varietät mit breit verkehrt-eiförmigen, fast rundlichen, wenigstens erwachsen ganz kahlen Blättern, fand ich am Wege von Siffian nach Steg bei Bozen.

Bl. gelb. Anf. Jun. Jul. ♄.

411. *C. sessilifolius L.* Blattstielloser B. ***Trauben endständig, 4—8blüthig;*** Blüthenstielchen u. Kelche kahl; ***Kelch kurz-glockig,*** obere Lippe ungetheilt; Blätter kahl, Blättchen verkehrt-eiförmig, die der obern Blätter fast rautenförmig, so wie die ***Hülsen kahl.***

Gebüsche u. Hügel im südlichen Tirol. — Trient (Zcc!), allda in schattigen Gebüschen der Bergregion (Per.), am Doss San Rocco (Hfl.). Am Schlossberge von Beseno (Hfl!); in der Nähe der Stadt Roveredo (Fleischer)! Am Baldo: Selva d'Avio; am Gardasee (Poll!). Judicarien: bei Durone u. Balino (Bon.).

Bl. gelb. Mai, Jun. ♄.

II. Rotte. Untere Kelchlippe kurz-3zähnig. Kelch länglich-röhrig. Blüthen in endständigen mit Blättern umgebenen Köpfchen o. in seitenständigen Buscheln u. beblätterte Trauben darstellend.

413. *C. capitatus Jacq.* Kopfblüthiger B. ***Blüthen endständig, doldig-köpfig,*** zahlreich, die äussern Blüthenstiele mit Deckblättern; ***Aeste steif, aufrecht-abstehend,*** gleich hoch; Aestchen nebst den Blättern u. Kelchen rauhhaarig, Haare abstehend; Kelch länglich.

In Wäldern u. zwischen Gebüsch an sonnigen Bergabhängen in Tirol (Koch Deutschl. Flora)! Angeblich im Leuchtenburger Walde bei Kaltern? Im italienischen Tirol (Joh. Sartorelli)! Am Baldo: im Gebiethe von Brentonico (Poll!).

Bl. gelb. Jun. ♄.

414. *C. prostratus Scop.* Niederliegender B. ***Blüthen an den jährigen Aestchen seitenständig,*** zu 2 o. 3, Blüthenstielchen ohne Deckblättchen, um die Hälfte kürzer als der Kelch, ***an den heurigen Aestchen endständig, doldig,*** später; die äussern Blüthenstiele derselben unter dem Kelche mit Deckblättern; Stengel nebst den Aesten liegend; Aestchen aufstrebend, nebst den Blättern u. Kelchen rauhhaarig; Haare abstehend; Kelch länglich.

Gebirgige steinige Orte in Südtirol (Koch syn.)!

Bl. gelb, die seitenständigen erscheinen im Mai, die endständigen nach 4 Wochen im Jun. ♄.

415. *C. hirsutus Scop.* Zottiger B. ***Blüthen sämmtlich seitenständig,*** zu 2 o. 3, ziemlich kurz-gestielt; Blüthenstielchen ohne Deckblättchen; Stengel aufrecht u. aufstrebend; ***Aestchen nebst den Blättern u. Kelchen rauhhaarig, Haare abstehend;*** Kelch länglich.

Gemein im ganzen südlichen Tirol, auf Waldtriften u. steinigen Orten an Gebüsch vom Thale bis an die Alpen. — Hafling u. Vöran bei Meran (Tpp.). Bozen (Elsmann bei Reichenb.)! Bozen: z. B. gegen Runkelstein am Talferbette u. im Haslacher Wald am Fuss des Berges; Weg von Leifers nach Weissenstein; auf der Mendel; seltener um Klobenstein am Ritten bis 4800′ (Hsm.). Trient: z. B. ober Sardagna (Hfl.), Doss Trento u. Belvedere (Sartorelli)! Valsugana: bei Borgo (Ambr.). Am Baldo: selva d'Avio (Poll!). Judicarien: al ponte di Stelle (Bon.). Val di Rendena (Eschl!). — Der Stengel ist oft sehr verkürzt, vorzüglich auf magern Triften, wo die Pflanze oft auch vom Viehe abgebissen wird, dann liegen die Aeste; bis 4 Fuss hoch u. aufrecht fand ich ihn nur im Schutze von Gebüschen. —

Bl. gelb, rothbraun unterlaufen. — Im Thale: Mai, auf Gebirgen: Jun. ♄.

415. b. *C. ratisbonensis Schaeff.* Regensburger B. *Blüthen* meist gezweiet, kurz-gestielt, *sämmtlich seitenständig;* die Stengel nebst den Aesten gestreckt; *Aestchen nebst den Blättern u. den länglichen Kelchen seidenhaarig, Haare angedrückt.* — Hieber ziehe ich nach Vergleich mit Exemplaren aus Oestreich u. Bayern 2 mir aus der Gegend von Trient als C. supinus u. biflorus mitgetheilte, aber unvollständige Exemplare.

C. supinus Jacq. C. biflorus L'Herit.

Bl. gelb. Apr. Mai. ♄.

416. *C. purpureus Scop.* Rothblühender B. Blüthen meist gezweiet, seitenständig; Blüthenstielchen kürzer als der längliche Kelch; Stengel aufstrebend, Aestchen nebst den Blättern u. Kelchen kahl o. zerstreut-haarig; Rand des Kelches nebst den Nägeln der Blumenblätter gewimpert; *Hülsen kahl.*

Gebüsche n. lichte Waldstellen im südlichen Tirol. — Bei Andrian nächst Bozen (Gundlach). Leuchtenburger Wald bei Kaltern; gemein an der Landstrasse von Pranzoll bis Salurn, vorzüglich am Anerer Wäldchen; bei Margreid an den Leiten (Hsm.), St. Jacob unter Bozen (Hinterhuber!). Val di Non (Tpp.); über Cles; Zambana (Hfl!). Um Trient (Per.). Roveredo: im Gebüsche am Leno (Crist.). Baldo: Selva d'Avio u. am Gardasee (Poll!). Judicarien: Hügel bei Sorano nächst Tione (Bon.), Val di Rendena (Eschl!).

Bl. purpurn. Hälfte Apr. Mai. ♄.

III. Rotte. Untere Kelchlippe 3zähnig. Nebenblätter fehlend. Blätter gegenständig. Blattstiele bleibend.

417. *C. radiatus Koch.* Strahlblättriger B. Angedrückt-behaart; Köpfchen endständig, gestielt, meist 4blüthig; Deckblättchen eiförmig; *Fahne schwach behaart, tief-ausgerandet,* Kiel dicht-seidig; Flügel kürzer als der Kiel; *Blätter gegenständig,* kurz-gestielt; Blättchen linealisch. —

Gebirgige Orte im südlichen Tirol bis in die Alpen. — Auf der Mendel bei Bozen u. im Walde ober Margreid gegen

Fennberg (Hsm.). Val di Non: bei Castell Brughier u. bei Tres; am Baldo die südlichen Abhänge des Altissimo ganz überziehend (Hfl.). Marzola bei Trient (Per.). Valsugana: waldige Orte bei Centa (Ambr.). Roveredo: ober Terragnuolo (Crist.). Baldo, Campogrosso u. Scanucchia; am Gardasee: bei Limone u. Campione (Poll!). Auf den Bergen am Gardasee innerhalb Tirol (Fleischer)! Judicarien: am Ussol der Alpe Gavardina (Bon.). Val di Rendena (Eschl!).

Spartium radiatum L. Genista radiata Scop.

Bl. schwefelgelb. Mai, Jun. ♄.

IV. Rotte. *Salzwedelia Fl. Wett.* Untere Kelchlippe bis zur Mitte 3spaltig. Nebenblätter fehlend. Blätter wechselständig, mit den Battstielen abfällig.

418. C. *sagittalis Koch.* Geflügelter B. *Die Stengel geflügelt-2schneidig, gegliedert;* Trauben endständig, fast köpfig; Blätter einfach.

Nach Joh. Sartorelli häufig im Tridentinischen an unfruchtbaren, sandigen Orten der Gebirge, z. B. bei Molveno u. Vigolo etc.! Angeblich auch bei Bozen, wo ich ihn jedoch bisher nicht auffinden konnte.

Genista sagittalis L. — Bl. gelb. Mai, Jun. ♄.

V. Rotte. Untere Kelchlippe bis zur Mitte 3spaltig. Nebenblätter krautig.

419. *C. argenteus L.* Silberfarbiger B. Seidenartig; *Köpfchen gestielt,* meist 3blüthig, endlich seitenständig; Blätter 3zählig, wechselständig.

Felsige, gebirgige Orte im südlichern Tirol. — Roveredo: an Felsen hinter dem Leno (Crist.). Bei Roveredo u. im Sarcathale (Fcch.). An der neuen Strasse in Vallarsa (Per!). Am Baldo um la Corona; bei Gargnano am Gardasee (Poll!). Am Gardasee (Precht). Am Col santo bei Roveredo u. am Baldo (Hinterhuber)! Am Fusse des Baldo im Gebiethe von Torbole (Fleischer!).

Bl. gelb. Apr. Mai. ♄.

II. Untergruppe. *Anthyllideae.* Staubgefässe 1brüderig. Die Flügel der Blumenkrone nicht runzelig-gefaltet.

115. *Onónis L.* Hauchechel.

Kelch 5spaltig, bleibend, der fruchttragende offen stehend. Staubgefässe 1brüderig. Kiel in einen pfriemlichen Schnabel zugespitzt. Hülse gedunsen. Blätter 3theilig.

I. Rotte. Hülse nebst dem Blüthenstiele aufrecht, eiförmig.

420. *O. spinosa L.* Dornige H. (Heudorn um Bozen.). *Stengel aufrecht u. aufstrebend,* 1reihig-zottig u. zerstreutdrüsig; *Aeste* unterbrochen-traubig, *dornig,* Dornen meist zu 2; *Blüthen blattwinkelständig, einzeln;* Blüthenstiele kürzer als der Kelch; Blättchen oval, länglich o. lanzettlich u. nebst den Nebenblättern gezähnelt, ziemlich kahl; *Hülsen*

eiförmig, aufrecht, von der Länge des Kelches u. länger; Samen knötig-rauh.

Auf Triften u. an Rainen gemein bis an die Voralpen. — Gemein um Bregenz (Str!). Innsbruck (Hfl.). Schwaz (Schm!). Unterinnthal: bei St. Johann (Trn.). Welsberg (Hll.). Lienz (Rsch!). Brixen (Hfm.). Sterzing (Hfl!). Meran: bei St. Valentin (Iss.). Um Bozen, auch um Klobenstein am Ritten z. B. am Ameiser (Hsm.). Aufstieg zur Seiseralpe (Schultz)! Trockene Wiesen u. Dämme um Roveredo (Crist.). Trient (Per!). Valsugana: bei Borgo (Ambr.). Am Gardasee (Eschl!).

Aendert ab:

β. angustifolia (Wallroth). Blättchen klein, schmal-lanzettlich, 1''' breit. Klobenstein am Ritten mit der Species am Oberboznersteige nächst dem Moosbacher (Hsm.).

Ferner mit weissen Bl. (O spinosa *γ.* albiflora Neilr.), so bei Imst (Lutt.), am Haller Salzberg u. Innsbruck (Hfl. Schm.), bei Klobenstein am Ameiser (Hsm.), auch bei Schwaz (Schm.).

Wurzel officinell: Radix Ononidis vel Restae bovis.

Bl. rosenroth, selten weiss. Jun. Jul. ♃.

421. ***O. repens L.*** Kriechende H. ***Stengel liegend, an der Basis wurzelnd,*** zottig; Aeste aufstrebend, lockertraubig, an der Spitze dornig; ***Blüthen blattwinkelständig, einzeln;*** Blüthenstiele kürzer als der Kelch; Blättchen oval u. nebst den Nebenblättchen gezähnelt, drüsig-haarig; ***Hülsen aufrecht, eiförmig, kürzer als der Kelch;*** Samen knötig-rauh. —

Auf Wiesen und Triften bis in die Voralpen. — Innsbruck: am Amraser See (Prkt.). Bergwiesen um Kitzbüchl (Trn.). Pusterthal: bei Welsberg (Hll.), bei Lienz (Schtz.), allda auf den Wiesen gegen Amblach (Rsch!). Am Fusse der Berge zwischen Mittewald u. Sterzing (Host!). Brixen (Hfm.). Vintschgau: bis Schlanders (Tpp.). Bozen: Wiesen bei St. Jacob; Pranzoll, Margreid; Ritten: auf den Triften von Klobenstein bis Kematen, hier auch, doch selten, mit weissen Bl. (Hsm.). Trient (Per.). Roveredo (Crist.). Judicarien (Bon.).

Wehrlos o. auf magerm Boden auch dornig.

Officinell: wie Vorige.

Bl. rosenroth, selten weiss. Ende Mai, Jul. ♃.

422. ***O. hircina Jacq.*** Stinkende H. ***Stengel aufrecht u. aufstrebend, wehrlos,*** zottig; ***Blüthen blattwinkelständig, gezweiet,*** an der Spitze der Aeste dicht-ährig; Blüthenstiele kürzer als der Kelch; Blättchen oval u. nebst den Nebenblättchen gezähnelt, drüsig-haarig; ***Hülsen aufrecht, eiförmig, kürzer als der Kelch;*** Samen knötig-rauh.

Auf Wiesen u. an Wegen. — In Tirol (Host!). Eine der gemeinsten Pflanzen im südlichen Tirol von der Thalebene bis zur obersten Gränze des Mais (Fcch!). Am Geiselsberg in Pusterthal (Hll.). Lienz (Wlf!). Um Bozen neben Voriger an fettern Stellen; Ritten: in der Köhlenwiese ober Sallrain am Steige zwischen dem Pfos u. Ritzfeld an stark gedüngten Stellen. — Die echte Pflanze seltener, meistens schwankende Formen zwischen O. repens u. hircina, welche letztere ich nur für üppigere Form der erstern halte. Blättchen u. Nebenblättchen grösser als die der Vorigen. Die Blüthen keineswegs immer gezweiet, sondern oft auch einzeln, besonders die obern (vergleiche auch Neilreich Flora von Wien p. 643), an vielen Exemplaren finde ich auch die Zahl der einzelnen Blüthen vor der der paarweisen die bei weitem vorherrschende.

Bl. rosenroth. Jun. Jul. ♃.

423. *O. Columnae All.* Kleinblüthige H. Stengel aufstrebend, flaumig; ***Blüthen blattwinkelständig, sitzend;*** Blüthen kürzer als der Kelch; Blättchen verkehrt-eiförmig, gezähnelt, drüsig-haarig; ***Nebenblättchen lanzettlich, zugespitzt,*** scharf-gezähnelt; Hülsen aufrecht, eiförmig, beinahe so lang als der zottige Kelch.

An sonnigen Abhängen in Südtirol. — Bozen: an einer Stelle links am Wege ober St. Oswald in Menge, jedoch schwer zu finden (Hsm.). Bei Trient (Zcc!). Roveredo: an den Felsen am Leno u. am Wege nach Vallarsa (Crist.). Judicarien: bei den Bädern von Comano (Bon.). Am Gardasee (Precht). Am Schlossberg von Beseno (Hfl!).

O. minutissima Jacq., nicht L.

Bl. sehr klein, gelb. Mai, Jun. ♃.

II. Rotte. Hülse auf einem aufrechten o. abstehenden Blüthenstiel hängend, linealisch, gedunsen.

424. *O. Natrix L.* Gelbe H. Drüsig-zottig; Stengel aufstrebend; ***Blüthenstiele 1blüthig, begrannt,*** in eine Traube zusammengestellt, ***länger als das Blatt;*** Blüthen länger als der Kelch; Blättchen länglich, gezähnelt; Nebenblättchen zugespitzt, ganzrandig; ***Hülsen linealisch,*** gedunsen, ***hängend.***

Uncultivirte Orte u. Sandfelder im südlichen Tirol. — Zwischen Sterzing u. Mittewald (Sternberg)! Brixen: am Eisack-Ufer (Hfm.). Vintschgau: bei Laas (Tpp.). Gemein um Bozen: z. B. am Kalkofen u. Eisackdamm bis in die Rodlerau, in der Kaiserau, am Rittner Wege ober Waldgries; bei Völs u. Castelrutt (Hsm.). Clausen: im Kiesbett der Eisack (Griesselich!), Weg von Seis zur Seiseralpe (Str!). Valsugana: bei Borgo (Ambr.). Trient (Per!). Roveredo (Crist.). Judicarien: an der Sarca, bei Stenico, bei den Bädern von Comano (Bon.).

Eine üppigere Form mit deutlich rothgestreiften Bl. ist: O. pinguis De C. u. überall gemein.

Bl. gelb, mit mehr o. weniger deutlichen, blutrothen, oft auch fast ganz verschwindenden Streifen. Jun. Jul. ♃.

425. *O. rotundifolia L.* Rundblättrige H. Drüsig-zottig; Stengel aufrecht u. aufstrebend; Blüthen blattwinkelständig, begrannt, Blüthenstiele 2—3blüthig, zuletzt länger als

das Blatt; Blättchen fast kreisrund, gezähnt; ***Hülsen linealisch-länglich***, gedunsen, ***hängend.***

An Gerölle u. Felsen der Gebirge u. Voralpen. — Oberinnthal: bei Mils nächst Imst (Lutt.). Selten an den steilen Felsen der Finstermünz (Griesselich)! Vintschgau: bei Reschen, Göflau u. Stilfs, auch am Fusse der Berge bei Schlandersberg u. Schluderns (Tpp.); bei Churburg u. Lichtenberg (Eschl.); Sulden (Giov!). Pusterthal: Schleinizalpe (Hohenwarth!), auf der Kerschbaumeralpe, dem Hochrieb, Ranch- u. Scherbenkoflel bei Lienz (Scbtz. Rsch!). In Fleims bei Predazzo u. Trient am Doss Trent (Fcch.). Am Doss Trent (Per.).

Bl. rosenroth. Mai, Jun. ♃.

116. *Anthyllis L.* Wundklee.

Kelch 5zähnig, der fruchttragende bauchig, geschlossen, trockenhäutig. Staubgefässe 1brüderig. Kiel stumpf o. kurzzugespitzt. Die 1fächerige Hülse im Kelche eingeschlossen.

426. ***A. Vulneraria L.*** Gemeiner W. Krautig; Blätter gefiedert, Blättchen ungleich; Köpfchen behüllt, Hülle fingeriggetheilt; ***Kelch bauchig mit schiefer Mündung, Kelchzähne viel kürzer als die Röhre***, die obern eiförmig; Fahne halb so lang als ihr Nagel.

Gemein durch ganz Tirol auf Triften vom Thale bis in die Alpen. — Bregenz (Str!). Oberinnthal: Stuiben bei Schattwald (Dobel!); Imst (Lutt!); Telfs u. Zirl (Str!). Innsbruck (Eschl.); Lisens (Prkt.). Zillerthal (Moll)! Rattenberg (Wld!). Kitzbüchl (Trn.). Am Brenner (Stapf). In Pfitsch (Precht). Lienz, Innervilgraten (Schtz.), Welsberg (Hll.). Vintschgau: bei Laas u. Schlanders (Tpp.), in Sulden (Giov!). Meran (Iss.). Um Bozen gemein z. B. im Talferbette; Schlern u. Seiseralpe (Hsm.). Val di Non: bei Castell Brughier (Hfl.). Monte Gazza bei Trient (Merlo). Valsugana: bei Borgo (Ambr.). Roveredo (Crist.). Monte Baldo (Hfl.). Judicarien: Alpe Lenzada u. bei Tione (Bon.).

Die Farbe der Blumenkrone sehr veränderlich und zwar: *α.* gelblichweiss, meist einfärbig. Gemein auf allen Alpen. — *β.* gelb, Schiffchen meist blutroth. Gemein u. mit *α* im Talferbette bei Bozen. — *γ.* Mehr o. weniger blutroth. Trient u. auf Hügeln um Roveredo (Per. Crist.), dann an der Gränze gegen Verona am Mauthhause (Zcc!). — Uebergänge zu letzterer Spielart in heissen Jahren auch bei Bozen mit *α* u. *β.*

Obsolet: Herba Anthyllidis vel Vulnerariae.

Ende Apr. — Aug. ♃.

427. ***A. montana L.*** Berg-W. Krautig; Blätter gefiedert, Blättchen gleich; Köpfchen behüllt, Hülle fingerig-getheilt; ***Kelch röhrig, die Zähne linealisch-pfriemlich, gleichlang, so lang als die Kelchröhre;*** Fahne noch einmal so lang als ihr Nagel.

Gebirgige, felsige Orte im südlichern Tirol. — Am Baldo: Valle Vaccaria (Poll!). Im Tridentinischen auf dem Berge Maranza (Fcch.).

Bl. blass-purpurn. Mai, Jun. ♃.

III. Untergruppe. ***Trifolieae.*** Staubgefässe 2brüderig. Blätter 3zählig. Hülse 1fächerig.

117. *Medicágo L.* Schneckenklee.

Kelch 5spaltig o. 5zähnig. Kiel stumpf. Staubgefässe 2brüderig, Staubfäden nicht den Blumenblättern angewachsen u. gegen die Spitze nicht verbreitert. Flügel gleichmässig convex. Fruchtknoten nach dem Verblühen der Fahne angedrückt. Griffel kahl. Hülse 1fächerig, sichel- o. schneckenförmig-gewunden, 1—vielsamig.

I. Rotte. ***Falcágo Reichenb.*** Hülsen zusammengedrückt, sichel- o. schneckenförmig-gewunden, im Mittelpunkte jedoch offen, an unsern Arten wehrlos.

428. ***M. sativa L.*** Gemeiner Sch. Luzerne. ***Trauben reichblüthig, länglich; Hülsen wehrlos, schneckenförmig***-gewunden, meist ***mit 3 Windungen***, schwach-netzigaderig, ***angedrückt-flaumig;*** Blüthenstielchen kürzer als der Kelch, nach dem Verblühen aufrecht; die Nebenblätter eilanzettförmig, pfriemlich-zugespitzt, die untern gezähnt; Blättchen ausgerandet, stachelspitzig, an der Spitze gezähnt, die der untern Blätter länglich-verkehrt-eiförmig, die der obern linealisch-keilig.

Auf Triften, an Dämmen u. Ufern. — Vorarlberg: bei Bregenz gebaut (Str!). Brennbüchl nächst Imst (Lutt!). Innsbruck (Friese). Rattenberg (Wld!). Tefereggen (Schtz.). Brixen (Hfm.). Eppan (Hfl.). Bozen: z. B, am Eisackdamme vom Kalkofen bis zur Rodlerau, im Talferbette etc.; um Klobenstein am Ritten (Hsm.). Trient (Per!). Roveredo (Crist.). Judicarien: bei Tione (Bon.).

β. ***versicolor.*** Blüthen anfangs gelblich, dann grünlich, zuletzt blassviolett. Seltener bei Klobenstein am Ritten (Hsm.).

Obsolet: Herba Medica.

Wird auch häufig als Futterkraut angebaut.

Bl. bläulich o. violett. Jun. Aug. ♃.

M. media Pers. Der M. sativa ähnlich, aber der Gestalt der Hülsen (sichelförmig u. am obern Ende etwas gewunden) nach der Folgenden näher, ist ein Bastard von beiden u. kommt unter seinen Stammältern nicht selten um Bozen vor, z. B. auf der Aufschwemmung des Eisacks unter dem Kalkofen u. am Eisackdamme an der Rodlerau. Die Blüthen sind anfangs gelb, dann grünlich, zuletzt schmutzig-violett. M. media Pers. syn. tom. II. pag. 356. M. falcato-sativa Reichenb. fl. exc. p. 504.

429. ***M. falcata L.*** Sichelklee. Steinklee. ***Trauben reichblüthig, kurz, oft fast köpfig; Hülsen wehrlos, sichelförmig-gebogen,*** netzig-aderig, ***flaumig o. abstehend-***

oder auch drüsig - behaart; Blüthenstielchen kürzer als der Kelch, nach dem Verblühen aufrecht; Nebenblätter eilanzettförmig, pfriemlich - zugespitzt, die untern gezähnt; Blättchen stachelspitzig, nach der Spitze zu gezähnt, die der untern Blätter länglich, die der obern linealisch-keilig.

Auf grasigen Hügeln, Triften u. Rainen. — Vorarlberg: um Bregenz (Str!). Arzel nächst Imst (Lutt!). Innsbruck: am Sonnenburger Hügel (Hfl.). Schwaz (Schm!). Zillerthal: um Zell (Gbh.). Um Kitzbüchl selten (Unger)! Rattenberg gemein (Wld!). Stubai: bei Mieders (Schneller). Welsberg (Hll.). Lienz (Schtz. Rsch!). Reifenstein bei Sterzing (Hfl!). Gemein um Bozen z. B. am Eisackdamme; gemein um Klobenstein am Ritten z. B. auf dem Ameiser u. Kematen; Margreid u. Salurn (Hsm.). Trient: am Doss degli Zoccolanti (Per.). Borgo (Ambr.). Roveredo (Crist.). Judicarien: bei Tione (Bon.).

Bl. gelb. Jun. Jul. ♃.

II. Rotte. *Spirocarpus De C.* Hülsen schneckenförmig-gewunden, mit einer o. mehreren Windungen, im Mittelpunkte geschlossen.

§. 1. Hülsen wehrlos.

430. *M. lupulina L.* Hopfenklee. *Aehren reichblüthig, gedrungen;* Blüthenstiele ungefähr so lang als das Blatt; *Hülsen wehrlos,* nierenförmig, gedunsen, an der Spitze gewunden, der Länge nach bogig - aderig, kahl o. angedrückt-flaumig o. zerstreut drüsig-haarig, mit gegliederten abstehenden Haaren; Nebenblätter eiförmig, fast ganzrandig; Blättchen verkehrt-eiförmig, seicht-ausgerandet, vorne gezähnelt.

Auf Wiesen, Grasplatzen u. Aeckern. — Bregenz (Str!). Arzel bei Imst (Lutt!). Innsbruck (Hfl.). Schwaz (Schm!). Welsberg (Hll.). Hopfgarten (Schtz.). Lienz (Rsch!). Brunecken (F. Naus)! Vintschgau: bei Schlanders (Tpp.). Gemein um Bozen (Hsm.). Eppan; Val di Non: bei Brughier u. an der Novellamündung; Trient: am Doss Trent (Hfl.). Trient u. in Pinè (Per.). Roveredo (Crist.). Judicarien: bei Tione (Bon.).

β. *Willdenowiana.* Hülsen drüsig-haarig, Haare gegliedert. — Wiesen um Kitzbüchl (Trn.). Haslacher Wiesen bei Bozen u. Aecker um Klobenstein mit der Species (Hsm.). Lienz (Schtz.).

Bl. gelb. Anf. Apr. — Oct. ⊙.

431. *M. orbicularis L.* Teller-Sch. *Blüthenstiele 1—3blüthig,* kürzer als das Blatt; *Hülsen wehrlos,* kreisrund, schneckenförmig, *linsenförmig - plattgedrückt, beiderseits etwas konvex,* die Windungen meist zu 6, etwas häutig, ganzrandig, mit dem einwärtsgebogenen Rande dicht - aufliegend, quer-aderig, die Adern nach dem Rande dicker; Nebenblätter tief-borstlich-fiederspaltig; Blättchen geschärft-kleingesägt u. nebst dem Stengel kahl, die obern verkehrt-eiförmig, die untern verkehrt-herzförmig.

Kultivirte Orte u. an Wegen in Südtirol (Koch Taschenb.)! Bl. gelb. Mai, Jun. ☉.

§. 2. Hülsen dornig, Dornen an der Basis fast stielrund u. nicht mit einer merklichen Furche bezeichnet, auf den Rand der Windungen selbst aufgesetzt; die Windungen meist dicht aufeinanderliegend.

432. ***M. Gerardi W. K.*** Gerards-Schn. Blüthenstiele 2—3blüthig, ungefähr so lang als das Blatt; ***Hülsen dornig,*** schneckenförmig, eiförmig-walzlich, ***filzig-flaumig, aderlos, Windungen*** meist zu 6, ***dick, aufliegend,*** mit abgerundetem, stumpfen, kiellosen, dornentragenden Rande, Dornen ziemlich entfernt, aus stielrunder, beiderseits mit einer schwachen Furche bezeichneten Basis kegelförmig-pfriemlich, abstehend, an der Spitze etwas hackig; Nebenblätter eiförmig, borstlich-gezähnt; Blättchen verkehrt-herzförmig, vorne gezähnelt, nebst den Blüthenstielen u. dem Stengel flaumhaarig, Haare ziemlich abstehend. —

Aecker u. kultivirte Orte im südl. Tirol (Koch Taschenb.)! Bl. gelb. Mai, Jun. ☉.

§. 3. Hülsen dornig, Dornen an der Basis zusammengedrückt u. beiderseits mit einer deutlichen Furche durchzogen, daher gleichsam 2schenkelig, Windungen meist locker-aufliegend o. abstehend.

433. ***M. minima L.*** Kleinster Schn. Blüthenstiele 1—4blüthig, länger o. kürzer als das Blatt; ***Hülsen dornig,*** schneckenförmig, fast kugelig, spärlich-haarig, ***Windungen zu 5,*** locker aufliegend, ***aderlos,*** der Rand schmal, stumpf, 2zeilig-dornentragend, Dornen abstehend, pfriemlich, gerade, an der Spitze hackig, auf beiden Seiten durch eine Furche ausgehöhlt; ***Nebenblätter eiförmig, kurz-gezähnelt, die obern fast ganzrandig;*** Blättchen vorne gezähnelt, nebst den Blattstielen, Blüthenstielen u. dem Stengel flaumig.

Auf sonnigen Hügeln, an Wegen, Rainen u. Mauern im südlichen Tirol. — Vintschgau: bei Castelbell u. Laas (Tpp.). Brixen (Hfm.). Gemein um Bozen, auch auf der Talfermauer (Hsm.). Im Tridentinischen (Per.). Roveredo (Crist.). Valsugana: bei Borgo (Ambr.).

*β. **mollissima.*** Stengel u. Blätter grau-zottig, Haare einfach. — Warme trockene Hügel bei Bozen (Hsm.).

Bl. gelb. Apr. Jun. ☉.

118. *Trigonella L.* Hornklee.

Kelch 5zähnig o. 5spaltig. Kiel stumpf. Staubgefässe 2brüderig, frei, nicht den Blumenblättern angewachsen. Flügel gleichmässig, konvex. Fruchtknoten nach dem Verblühen von der Fahne entfernt, Griffel kahl. Hülse 1fächerig, linealisch o. länglich-linealisch, gerade oder gekrümmt, zusammengedrückt, 4—vielsamig.

434. ***T. monspeliaca L.*** Doldenblüthiger H. Blü-

then 6 o. mehrere, doldig-gehäuft u. nebst den Dolden sitzend, der gemeinschaftliche Blüthenstiel sehr kurz, stachelspitzig; Hülsen abwärts-geneigt, linealisch, gebogen, schief-aderig, flaumig; Blättchen rauten-verkehrt-eiförmig, spitz-gezähnelt; Stengel liegend.

An sonnigen Orten u. Triften in Vintschgau, von Goldrain bis Laas, häufig am Hofe Loretz (Tpp.). — Bl. gelb. Jun. Jul. ⊙.

119. ***Melilotus* Tournef.** Honigklee.

Kelch 5zähnig. Kiel stumpf. Staubgefässe 2brüderig; Staubfäden nicht den Blumenblättern angewachsen. Flügel gleichmässig, konvex. Fruchtknoten bis zum Griffel gerade. Griffel kahl. Hülse elliptisch o. länglich, 1—4samig, etwas gedunsen.

435. ***M. macrorrhiza* Pers.** Grosswurzliger H. Trauben ziemlich locker, zuletzt verlängert; Blüthenstielchen halb so lang als der Kelch, Flügel und der Kiel so lang als die Fahne; ***Hülsen eiförmig, kurz-zugespitzt, netzig-runzelig, an der obern Naht zusammengedrückt, flaumig; Nebenblätter pfriemlich-borstlich, ganzrandig;*** Blättchen geschärft-gesägt, etwas gestutzt, die der untern Blätter verkehrt-eiförmig, der obern länglich-linealisch.

Auf feuchten Wiesen, an Ufern. — Vorarlberg: um Bregenz (Str!). Auf Wiesen um Kitzbüchl nicht selten (Unger)!

M. officinalis Willd. Koch syn. ed. 1.

Bl. gelb. Hülsen schwarz. Jul. Sept. ⊙.

436. ***M. alba* Desrouss.** Weisser H. Trauben locker, zuletzt verlängert; Blüthenstielchen halb so lang als der Kelch; ***Flügel ungefähr so lang als der Kiel,*** kürzer als die Fahne; ***Hülsen eiförmig, stumpf, stachelspitzig, netzig-runzelig,*** an der obern Naht stumpf-gekielt, ***kahl;*** Nebenblätter pfriemlich-borstlich, ganzrandig; Blättchen gesägt, stumpf, die der untern Blätter verkehrt-eiförmig, der obern länglich-lanzettlich.

An Wegen, Gräben u. ungebauten Orten bis an die Voralpen. — Um Bregenz (Str!). Brennbüchl bei Imst (Lutt!). Innsbruck: am Sillgries bei Pradel u. bei Hall (Hfl.); am Amraser See (Prkt.). Rattenberg (Wld!). Kitzbüchl: z. B. in der Langau (Trn.). Schwaz (Schm!). Welsberg (Hll.), Hopfgarten u. um Lienz (Schtz.). Brixen (Hfm.). Vintschgau: bei Glurns (Iss.). Meran (Kraft). Gemein um Bozen: an Wegen, auch im Eisack- u. Talferbette, dann an den Gräben bei Sigmundscron; am Ritten selten bei 4200′ östlich am Kemater Kalkofen am Wege nach Lengmoos (Hsm.). Val di Non: bei Castell Brughier (Hfl!). Roveredo an der Etsch (Crist.). Valsugana: bei Borgo (Ambr.). Judicarien: an Wegen bei Tione (Bon.).

M. vulgaris Willd. Koch syn. ed 1.

Bl. weiss. Hülsen schwarzbraun. Jun. Sept. ⊙.

437. ***M. officinalis* Desrouss.** Gebräuchlicher H. Trauben locker, verlängert; Blüthenstielchen kürzer als der

Kelch; ***Flügel ungefähr so lang als die Fahne***, länger als der Kiel; ***Hülsen eiförmig, stumpf, stachelspitzig, quer-runzelig-faltig, etwas netzig***, an der obern Naht stumpf-gekielt, ***kahl;*** Nebenblätter pfriemlich-borstlich, ganzrandig; Blättchen gesägt, stumpf, die der untern Blätter verkehrt-eiförmig, der obern lanzettlich.

An Wegen, öden Plätzen u. an Flussufern. — Innsbruck: beim Bierstinl (Hfl.). Schwaz (Schm!). Unterinnthal: sandige Felder bei Kitzbüchl (Trn.), bei Rattenberg (Wld.). Brixen (Hfm.). Meran (Iss.). Bozen: an Wegen, dann im Eisack- u. Talferbette; bei Margreid (Hsm.). Valsugana: bei Borgo (Ambr.). Vallunga bei Roveredo (Crist.). Judicarien: an den Strassen bei Tione (Bon.).

M. Petitpierrana Reichenb. Koch syn. ed. 1.

Officinell: Herba et Flores seu Summitates Meliloti.

Bl. gelb. Hülsen hellbraun. Jun. Jul. ⊙.

438. ***M. parviflora Desf.*** Kleinblumiger H. ***Trauben gedrungen***, zuletzt verlängert; Blüthenstielchen halb so lang als der Kelch, Flügel von der Länge des Kieles; kürzer als die Fahne; ***Hülsen fast kugelig, sehr stumpf, netzig-runzelig;*** Nebenblätter an der Basis schwach-gezähnelt; Blättchen etwas gestutzt, vorne gezähnt, die der untern Blätter verkehrt-eiförmig, der obern länglich-keilig.

Südkrain u. Südtirol (Kittel Linnéisch. Taschenb. p. 338)!

Bl. gelb. Jun. Jul. ⊙.

439. ***M. caerulea Lam.*** Blauer H. Blüthen u. fruchttragende ***Trauben gedrungen, rundlich o. oval;*** Flügel länger als der Kiel, kürzer als die Fahne; Hülsen länglich-eiförmig, geschnäbelt, der Länge nach aderig-gestreift; Nebenblätter eiförmig-pfriemlich, die der untern Blätter an der Basis verbreitert; Blättchen länglich-lanzettlich, geschärft-gesägt.

In den Gärten der Landleute zum Unkraute verwildert, auch an Häusern, Wegen u. auf Aeckern. — An Dörfern in Tirol (Host)! Innsbruck: im Wiltauer Stiftsgarten (Prkt.). In Stubai: bei Mieders (Schneller). Um Lienz (Rsch!). Vintschgau: auf Aeckern bei Glurns (Tpp.), Felder bei Mals (Fk!). Bozen: hie u. da an Wegen u. Häusern; Ritten in allen Gärten als Unkraut u. an Häusern, z. B. um Klobenstein (Hsm.). Valsugana (Crist.).

Trifolium Melilotus caerulea L. Trigonella caerulea De C.

Unsere Landleute mengen das gedörrte wohlriechende Kraut beim Backen dem Brodteige bei, daher der Provinzialname: Brodklee.

Bl. blau. Jun. Jul. ⊙.

120. *Trifolium L.* Klee.

Kelch 5spaltig o. 5zähnig. Blumenkrone verwelkend, bleibend. Kiel stumpf. Staubgefässe 2brüderig, Staubfäden mit den Blumenblättern mehr o. weniger verwachsen, nach oben etwas verbreitert. Griffel kahl. Hülse eiförmig, 1—2samig, seltener länglich u. 3—4samig, im Kelche o. in der welkenden Blumenkrone eingeschlossen, balgartig, seltener aufspringend. Blätter an unsern Arten 3theilig.

I. Rotte. ***Lagopus.*** Blüthen sitzend, in eine rundliche o. längliche Aehre zusammengestellt. Der Schlund des Kelches innen mit einer erhöhten, schwieligen u. oft behaarten Linie o. mit einem Ringe von Haaren besetzt.

440. ***T. pratense L.*** Wiesen-K. ***Aehren kugelig, zuletzt eiförmig, meist gezweiet, an der Basis behüllt; Kelch 10nervig, flaumig, kürzer als die Hälfte der Blumenkrone, Zähne fädlich-gewimpert, die des fruchttragenden Kelches aufrecht,*** die 4 obern so lang als ihre Rohre, Schlund durch einen schwüligen Ring susammengeschnürt; ***Nebenblätter eiförmig, abgebrochen-begrannt;*** Blättchen oval, fast ganzrandig, flaumig, ***Haare anliegend;*** Stengel aufstrebend.

Gemein auf Wiesen u. Triften von der Ebene bis in die Alpen. — Um Bregenz (Str!). Innsbruck: z. B. am Militärspital u. ober Hötting (Hfl.). Durch ganz Stubai (Hfl!). Zillerthal (Schrank)! Kitzbüchl (Trn.). Brixen (Hfm.). Brunecken (Pfaundler)! Hopfgarten (Schtz.). Lienz (Rsch! Schtz.). Bozen: auf den meisten Thalwiesen, auch im Talferbette; auch um Klobenstein am Ritten (Hsm.). Eppan (Hfl.), Val di Non: Castell Brughier (Hfl!). Um Trient (Per.). Roveredo (Crist.).

β. ***nivale.*** Niedriger, Köpfchen dicker, Bl. schmutzigweiss o. gelblich-weiss, auch röthlich. — T. nivale Sieb. — Gemein auf fetten Triften der höhern Alpen. — Vorarlberg: Alpe Tillisun in Montafon (Cst!). Oetzthal (Lbd.). Alpen bei Welsberg (Hll.). Teischnizalpe u. Innervilgraten (Schtz.). Längenthaler Ferner (Prkt.). Vintschgau: im Laaserthal (Tpp.). Passeyer (Per!). Wormserjoch: Ifinger bei Meran; Seiseralpe u. Schlern (Hsm.). Ufer der Falschauer in Hinterulten (Hfl.). Judicarien: Val di Breguzzo u. Campiglio di Rendena (Bon.).

Obsolet: Herba, Flores et Semen Trifolii purpurei.

Bl. rosenroth, gelblich o. weisslich. Mai — Sept. ♃.

441. ***T. medium L.*** Mittlerer K. ***Aehren kugelig, einzeln, an der Basis nackt; Kelch 10nervig, kahl, kürzer als die Hälfte der Blumenkrone, Zähne fädlich, gewimpert, die des fruchttragenden Kelches aufrecht,*** die obern 4 ungefähr so lang als ihre Röhre, Schlund durch einen schwieligen Ring zusammengeschnürt; ***der freie Theil der Nebenblätter lanzettlich,*** verschmälert-spitz; Blättchen elliptisch, sehr fein-gezähnelt; Stengel ästig, aufstrebend.

In Auen, lichten Wäldern u. an Gebüsch auf Triften bis an die Voralpen. — Bregenz (Str!). Bregenzerwald: bei Au (Tir. B.)! Imst (Lutt!). Innsbruck: bei Sonnenburg u. ober Hötting (Hfl.). Kitzbüchl (Trn.). Zillerthal: bei Finkenberg (Flörke)! Pusterthal: bei Welsberg (Hll.); in Tefereggen, um

Lienz (Schtz.). Bozen: in der Rodlerau, zwischen Campil u. Cardaun am Waldrande; gemein um Klobenstein am Ritten (Hsm.). Hügel um Trient (Per!). Roveredo (Crist.). Am Gardasee (Poll!). Judicarien: Wälder bei Stelle (Bon.).

T. flexuosum Jacq.

Bl. purpurn. Jun. Jul. ♃.

442. ***T. alpestre L.*** Waldklee. Rother Bergklee. ***Aehren kugelig, gezweiet, an der Basis behüllt; Kelch 20nervig, zottig, Zähne fädlich,*** gewimpert, die des fruchttragenden Kelches aufrecht, ***die 4 obern ungefähr so lang als ihre Röhre o. kürzer,*** der unterste die Basis der Flügel der Blumenkrone erreichend, Schlund durch einen schwieligen Ring zusammengeschnürt; der freie Theil der Nebenblätter lanzettlich-pfriemlich; Blättchen länglich-lanzettlich, sehr fein-gezähnelt; Stengel aufrecht, ganz einfach, flaumig.

Gebirgige Orte u. Waldtriften, auch auf grasigen Hügeln bis an die Voralpen. — Innsbruck (Precht). Brixen an Waldsäumen (Hfm.). Welsberg (Hll.). Bozen: mit Voriger zwischen Campil u. Cardaun, gegen Runkelstein, am Morizinger Wäldchen; Klobenstein am Ritten bis 4400′ (Hsm.). Trient: auf der Kuppe des Doss Trent (Hfl.); am Bondone u. ober Povo (Per!). Gebirge um Trient u. am Baldo (Poll!).

Bl. purpurn. Jun. Jul. ♃.

443. ***T. rubens L.*** Röthlicher K. Aehren länglich-walzlich, meist gezweiet, an der Basis oft behüllt; ***Kelch 20nervig, kahl, Zähne pfriemlich, gewimpert, die 4 obern 2—3mal kürzer als ihre Röhre,*** der unterste die Basis der Flügel der Blumenkrone erreichend, Schlund durch einen schwieligen Ring zusammengeschnürt; der freie Theil der Nebenblätter lanzettlich, zugespitzt, entfernt-kleingesägt; ***Blättchen*** länglich-lanzettlich, dörnig-gesägt u. ***nebst dem aufrechten Stengel ganz kahl.***

Gebirgige Orte u. sonnige Hügel. — Innsbruck: auf der Südseite des Buchberges u. ober dem Sarntheinhofe (Hfl.). Brunecken (F. Naus). Bergwiesen nördlich von Innichen (Stapf). Lienz (Schtz.). Brixen (Hfm.). Meran (Tpp.). Bozen: am Wege ober St. Oswald u. von Heilig-Grab nach Haslach; Ritten am Wege von Steg nach Schloss Stein (Hsm.). Trient (Per.). Am Baldo u. Gardasee (Poll!). Judicarien: Val di San Giovanni u. Monte aprico bei Bolbeno (Bon.).

Bl. purpurn. Jun. Jul. ♃.

444. ***T. noricum Wulf.*** Norischer K. ***Aehre kugelig, einzeln, nickend, an der Basis behüllt; Kelch 10nervig, rauhharig, kürzer als die Hälfte der Blumenkrone, Zähne fast gleich, linealisch-pfriemlich, ungefähr so lang als ihre Röhre,*** Schlund durch einen schwieligen Ring zusammengeschnürt; der freie Theil der Nebenblätter 3eckig-eiförmig, zugespitzt, kürzer als der angewachsene Theil; Nebenblätter,

Blattstiele, Blätter u. der einfache aufrechte Stengel von abstehenden Haaren zottig; Blättchen länglich-lanzettlich, ganzrandig.

Auf den höchsten Alpen. — Auf dem Feudo in Südtirol (Frl!). Im obern Kärnthen auf der Kühwegeralpe im Gailthale (Rainer! Hohenwarth!).

Bl. weisslich. Jul. ♃.

445. ***T. ochroleucum L.*** Weissgelber K. ***Aehren kugelig, zuletzt oval,*** oft behüllt; ***Kelch 10nervig, von abstehenden Haaren rauhhaarig, die Zähne lanzettlich-pfriemlich, 3nervig, der untere so lang als die Kelchröhre, die 4 obern halb so lang,*** der Fruchtkelch-länglich, die Zähne hervorgestreckt, ***der untere hinabgebogen;*** Schlund durch einen schwieligen Ring verengert; Blumenkrone noch 1mal so lang als der Kelch; der freie Theil der Nebenblätter lanzettlich-pfriemlich, zugespitzt; Blättchen elliptisch-länglich, ganzrandig, behaart, die der untern Blätter ausgerandet; Stengel von aufstrebender Basis aufrecht, rauhhaarig, oberwärts fast blattlos.

An lichten Waldstellen u. Waldtriften. — Vorarlberg: bei Mererau (Str!), u. im Bodenseerried (Cst!). Seiseralpe (Elsm.). Weg von Meran nach Bozen (Zcc!). Bozen: im Deutschordenswalde bei Siebenaich (Fr. Mayer), sehr selten ober dem Wege gegen Runkelstein; am Ritten zwischen Kleinstein u. Unterinn am Beginne der sogenannten stillen Reisten, dann einzeln am Abhange des Fenns im Krotenthale nächst Klobenstein (Hsm.). Monte Baldo: Val di Novesa (Poll!).

Bl. gelblich-weiss. Jun. Jul. ♃.

446. ***T. incarnatum L.*** Fleischrother K. ***Aehren eiförmig, zuletzt walzlich, einzeln, an der Basis nackt;*** Kelch 10nervig, rauhhaarig, ***Zähne fast gleich, lanzettlich-pfriemlich, sehr spitz,*** ein wenig länger als ihre Röhre, ***kürzer als die Blumenkrone, die des fruchttragenden Kelches abstehend, meist 3nervig,*** Schlund offen, am Rande behaart; der freie Theil der Nebenblätter eiförmig, stumpf o. spitzlich, gezähnelt; Blättchen verkehrt-eiförmig, gestutzt u. nebst dem Stengel zottig; Stengel aufrecht.

Auf trockenen Triften. — Innsbruck: am Rennweg nächst der Hofgartenmauer, hier wohl nur angebaut? (Schm.). Valsugana: im Landgerichtsbezirke von Strigno auf trockenen Triften (Fcch.); bei Borgo auf einer Wiese alla Ronera (Ambr.).

Bl. purpurn o. fleischroth. Jun. Jul. ☉.

447. ***T. arvense L.*** Feld-K. ***Aehren einzeln, sehr zottig, zuletzt walzlich, an der Basis nackt; Kelch 10nervig, Zähne pfriemlich-borstlich, länger als die Blumenkrone, etwas abstehend, nervenlos,*** Schlund schwachhaarig, mit der verwelkenden Blumenkrone geschlossen; der freie Theil der obern Nebenblätter eiförmig, zugespitzt, der untern pfriemlich; Stengel ausgebreitet, ästig, nebst den Blättern zottig; Blättchen linealisch-länglich, schwach-gezähnelt.

Auf Aeckern, sonnigen grasigen Abhängen u. Hügeln gemein. — Vorarlberg: selten um Bregenz (Str!). Innsbruck: Aecker zwischen Igels u. Patsch (Hfl.). Kitzbüchl: bisher nur in einem Garten als Unkraut (Unger). Lienz (Rsch! Schtz.). Welsberg (Hll.). Brixen (Hfm.). Bozen: in Menge im Sigmundscronerberg u. Hertenberg, dann am Wege nach Ceslar etc.; am Ritten, auf den meisten Aeckern um Klobenstein bis wenigstens 4600′ (Hsm.). Meran (Iss.). Trient: am Doss Trent (Per!). Valsugana: bei Borgo (Ambr.). Roveredo: auch in Weinbergen (Crist.). Judicarien: bei Tione (Bon.).

Bl. weisslich, zuletzt röthlich. Jun. Aug. ☉.

448. ***T. striatum L.*** Gestreifter K. ***Aehren eiförmig, zuletzt fast walzlich,*** an der Basis behüllt, ***endständig*** u. an der Spitze von kurzen Aestchen ***seitenständig;*** Kelch rauhhaarig, ***Zähne*** lanzettlich-pfriemlich, stachelspitzig, ***abstehend, gerade, Röhre des fruchttragenden bauchig-angeschwollen,*** Schlund durch einen knorpeligen Ring zusammengeschnürt; der freie Theil der Nebenblätter eiförmig, haarspitzig; Blättchen vorne klein-gesägt, an den untern Blättern verkehrt-eiförmig o. verkehrt-herzförmig, an den obern länglich-keilig, Aederchen gleich dick, am Rande ziemlich gerade.

An Wegen u. grasigen Plätzen auf warmen Hügeln in Südtirol. — Bozen: südlich am Sigmundscroner Schlossberge, dann mit folgender, doch nicht so häufig, ober dem Tscheipenthurm, wo sich der Weg zwischen St. Georg u. Ceslar trennt, auch in Menge an der Strasse rechts vor Siebenaich (Hsm.). Weg nach Sarnthal am Schlosse Rafenstein; in Valsugana bei Levico (Fcch!).

Bl. blass-rosenroth. Mai, Jun. ☉.

449. ***T. scabrum L.*** Rauher K. ***Aehren eiförmig, seitenständig u. endständig,*** einzeln, ***an der Basis behüllt; Kelch*** länger als die Blumenkrone, flaumig, ***der fruchttragende walzlich, Zähne lanzettlich, starr, zuletzt bogigabstehend, 1nervig, Nerven verdickt,*** Schlund zusammengeschnürt; der freie Theil der Nebenblätter eiförmig, haarspitzig, Blättchen länglich-keilig u. verkehrt-eiförmig, klein-gesägt, Aederchen an dem Rande verdickt, bogig.

Warme gebirgige Orte u. Wege an sonnigen Hügeln im südlichen Tirol. — Bozen: in Menge ober dem Tscheipenthurm mit voriger, da wo sich der Weg zwischen Ceslar u. St. Georg trennt, dann an der Landstrasse rechts vor Siebenaich (Hsm.). Um Trient u. am Gardasee bei San Vigilio (Poll!). Im Sarcathale; im Bezirke von Arco (Fcch.). Valsugana: an Ackerrändern bei Telve (Ambr.).

Bl. blass-rosenroth. Mai, Jun. ☉.

II. Rotte. ***Fragifera.*** Blüthen in einem Köpfchen o. in einer rundlichen Aehre, sitzend. Schlund des Kelches inwendig kahl u. offen; Rücken des Kelches mit den 2 obern Zähnen nach dem Verblühen sehr vergrössert, aufgeblasen, häutig, mit einem Adernetze geziert.

450. ***T. fragiferum* L.** Blasen-K. Die Köpfchen zuletzt kugelig; Blüthenstiele blattwinkelständig, länger als das Blatt; ***Hülle vieltheilig, so lang als der Kelch; die fruchttragenden Kelche auf dem Rücken kugelig-aufgeblasen,*** netzig, haarig, die 2 obern Zähne gerade hervorgestreckt; Stengel kriechend.

Auf Grasplätzen u. etwas feuchten Orten an Wegen, Gräben u. Rainen. — Vorarlberg: bei Hochst (Str!), bei Lustenau u. Gaissau (Cst!). Innsbruck: am Sparberegg u. ober dem Mühlauer Badhaus (Hfl.). Unterinnthal: bei Ebbs (Trn.); Schwaz gegen Stans (Schm!). Vintschgau: bei Mals u. häufig von Goldrain bis Latsch (Hfm. Tpp.). Meran (Hrg!). Bozen: an der Strasse nach Sigmundscron u. Siebenaich, an den Gräben u. Wiesen bei St. Jacob; Margreid; sehr selten am Zauberbachel bei Waidach nächst Klobenstein (Hsm.). Eppan (Hfl.). Val di Non: an der Strasse bei Tenno (Hfl.) Trient: im Campo Trentino (Per!). Am Gardasee (Clementi).

Bl. fleischfarben. Jun. — Octob. ♃.

III. Rotte. ***Lupinaster* De C.** Blüthen in einem Köpfchen, länger o. kürzer gestielt, Schlund des Kelches inwendig nackt. Der unterste Kelchzahn merklich länger als die übrigen. Blumenkrone nach der Blüthezeit rauschend. Hülse mehreiig.

451. ***T. alpinum* L.** Alpen-K. Stengellos; ***Blüthenstiele wurzelständig; Blüthen gestielt, locker-doldig,*** nach dem Verblühen abwärtsgebogen; Kelch kürzer als die Blumenkrone, kahl, im Schlunde nackt, Zähne lanzettlich-pfriemlich, der unterste länger; der freie Theil der Nebenblätter lanzettlich, pfriemlich-zugespitzt, nebst den Blättern u. Bluthenstielen kahl; ***Blättchen linealisch-lanzettlich,*** schwach-kleingesägt.

Gemein auf den Triften der Alpen u. Voralpen. — Oberinnthal: im Oetz- u. Pitzthale (Tpp.), Karres bei Imst (Lutt.); Timmeljoch (Zcc!). Krahkogel (Zcc!), u. Windaualpe bei Sölden (Hilsenberg)! In Gschnitz u. am Längenthaler Ferner (Prkt.). Neustift in Stubai (Host)! Auf dem Jaufen (Eschl.). Geiselsberg bei Brunecken u. Alpen bei Welsberg (Hll.). Alpen in Windischmatrey (Gbh!). Bergmähder um Brixen (Hfm.). Wormserjochstrasse (Iss.). Alpen bei Laas, z. B. am Godria (Tpp.). Jaufen (Fk!). Penserjoch; Provais im Nonsberg (Hfl.). Ifinger bei Meran; Seiseralpe u. Schlern; am Ritten gleich ober Klobenstein bei 3900′ beginnend u. von hier bis auf die Spitze des Rittner Horn gemein (Hsm.). Auf dem Bondone, Baldo u. Spinale (Per.). Alpe Duron (Fcch!), Gebirgswiesen bei Roveredo (Crist.). Auf der Scanucchia; am Altissimo u. Col santo des Monte Baldo (Poll!). Judicarien: Alpe Cengledino bei Tione (Bon.). — Var.: mit weissen Bl. jedoch selten, z. B. Val di Non: am Uebergange von Rabbi nach Pejo (Tpp.).

Bl. purpurn, selten weiss. Jun. Jun. ♃.

IV. Rotte. ***Trifoliastrum* De C.** Blüthen länger- oder kürzer-gestielt. Schlund des Kelches inwendig nackt, Zähne gleich o. die 2 obern länger. Blumenkrone nach der Blüthezeit bleibend, rauschend. .

452. ***T. montanum* L.** Berg-K. Aehren rundlich, zuletzt oval, an der Basis nackt; ***Blüthenstielchen sehr kurz, 2—3-mal kürzer als die Röhre des Kelches,*** nach dem Verblühen herabgebogen; Kelch halb so lang als die Blumenkrone, etwas zottig, im Schlunde nackt, Zähne fast gleich, lanzettlich-pfriemlich, gerade; der freie Theil der Nebenblätter eiförmig, zugespitzt; ***Blättchen*** elliptisch, geschärft-kleingesägt, unterseits nebst dem Stengel haarig, ***am Rande dicht-aderig, Aederchen verdickt; Stengel aufrecht o. aufstrebend.***

Auf Waldtriften, sonnigen Hügeln u. Bergmähdern. — Vorarlberg: bei Bregenz (Str!). Oberinnthal: bei Imst (Lutt!). Innsbruck (Schpf.), am Villerberg allda (Prkt.). Zillerthal (Schrank)! Kitzbüchl (Trn.). In Pfitsch (Precht). Welsberg (Hll.). Innervilgraten, Hopfgarten u. um Lienz (Schtz.). Josephsberg bei Meran (Iss.). Bozen: am Wege nach Runkelstein u. Rafenstein, im Haslacherwald; um Klobenstein am Ritten bis wenigstens 4500′ (Hsm.). Am Gardasee (Poll!). Gebirge um Trient u. in Pinè (Per!). Valsugana: bei Borgo (Ambr.). Judicarien: bei Stelle u. Corè (Bon.).

Bl. weiss. Mai, Jul. ♃.

453. ***T. repens* L.** Kriechender K. Weisser K. Köpfchen rundlich; Blüthenstiele blattwinkelständig, länger als das Blatt; ***Blüthenstielchen nach dem Verblühen herabgebogen,*** die innern so lang als die Röhre des Kelches; Kelch kahl, im Schlunde nackt, halb so lang als die Blumenkrone, Zähne lanzettlich, die 2 obern länger; Rand der Hülsen gleich; ***die Stengel gestreckt, wurzelnd;*** die Nebenblätter rauschend, abgebrochen-haarspitzig; Blättchen verkehrt-eiförmig, kleingesägt. —

Auf Wiesen u. feuchten Grasplätzen bis an die Alpen. — Bregenz (Str!). Oberinnthal: bei Imst (Lutt!). Innsbruck (Schpf.). Stubai: bis Volderau; Thaureralpe (Hfl!). Kitzbüchl (Trn.). Innervilgraten, Tefereggen u. Lienz (Schtz.). Vintschgau: im Laaserthale (Tpp.). Gemein um Bozen, auch im Talferbette; um Klobenstein am Ritten (Hsm.). Eislöcher bei Eppan (Hfl!). Trient: im Campo Trentino (Per!). Judicarien: bei Tione (Bon.).

Obsolet: Flores Trifolii albi.

Bl. weiss. Mai — Octob. ♃.

454. ***T. pallescens* Schreb.** Weisslicher K. Köpfchen rundlich; Blüthenstiele blattwinkelständig, länger als das Blatt; ***Blüthenstielchen nach dem Verblühen herabgebogen, die innern so lang als die Röhre des Kelches;*** Kelch kahl, im Schlunde nackt, 3mal kürzer als die Blumenkrone, Zähne eilanzettförmig, die 2 obern länger, ***die Stengel rasig, liegend,***

aufstrebend; der freie Theil der Nebenblätter eilanzettförmig, allmählig-gespitzt; Blättchen verkehrt-eiformig, kleingesägt u. nebst dem Stengel kahl.

Auf Triften u. Gerolle der Alpen. — Vorarlberg: am Freschen (Cst!). Timmeljoch, Oetzthaler Seite (Zcc!). Im Gleirscherthale; auf der Südseite des Pfitscherjöchels; über Lisens gegen das Hornthal (Hfl.). Im Achenthal (Str!). Am Geisstein bei Kitzbüchl (Trn.). Dorferalpe bei Lienz (Schtz.). Messerlingwand, Pregratten (Hrnsch!). Fuscher- u. Heilig-Bluter Taurn (Hoppe)! Vintschgau: Laaserthal u. Alpe 5—7000′ (Tpp.). Seiseralpe u. Schlern (Hsm.). Judicarien: am Gletscher der Genova in Rendena u. Val di Breguzzo (Bon.).

T. glareosum Schleich.

Bl. gelblich-weiss. Jul. Aug. ♃.

455. ***T. caespitosum Reyn.*** Rasiger K. Köpfchen rundlich; Blüthenstiele blattwinkelständig, länger als das Blatt, ***Blüthenstielchen viel kürzer als der Kelch, so lang als die Deckblättchen, nach dem Verblühen nicht herabgebogen;*** Kelch kahl, im Schlunde nackt, länger als die halbe Blumenkrone, Zähne lanzettlich, zugespitzt, die 2 obern ein wenig länger; ***Stengel rasig, aufstrebend;*** die Nebenblätter eilanzettförmig, zugespitzt; Blättchen verkehrt-eiförmig, kleingesägt u. nebst dem Stengel kahl.

Steinige Triften u. kiesige Orte der Alpen u. Voralpen. — Vorarlberg: am Freschen u. häufig auf der Alpe Tillisun in Montafon (Cst!). Am Bockbache im Lechthale (Frl!). Fuscher- u. Heilig-Bluter Taurn (Hoppe!). Auf der Seiseralpe seltener als Vorige (Elsm. Hsm.). Vintschgau: im Martellthale, im Kiese des Gramsenfernerbaches (Tpp.).

Bl. weiss. Jul. Aug. ♃.

456. ***T. hybridum L.*** Bastard-K. Köpfchen rundlich, gedrungen; Blüthenstiele blattwinkelständig, zuletzt noch 1mal so lang als das Blatt; ***Blüthenstielchen nach dem Verblühen herabgebogen, die innern 2- oder 3mal so lang als die Röhre des Kelches;*** Kelch kahl, im Schlunde nackt, halb so lang als die Blumenkrone, Zähne pfriemlich, die 2 obern länger; ***die Stengel aufrecht o. aufstrebend, ganz kahl, röhrig, weich;*** die Nebenblätter eiförmig, in eine sehr feine Spitze verschmälert; Blättchen rautenförmig-elliptisch, stumpf, kleingesägt, am Rande ungefähr mit 20 Adern.

Auf nassen Wiesen vom Thale bis an die Alpen. — Vorarlberg: gemein um Bregenz (Str!). Innsbruck: am Pradler Sillgries u. an der Froschlache (Hfl.). Kitzbüchl (Trn.). Schwaz (Schm!). Pusterthal: bei Lienz (Rsch! Schtz.), u. auf den Taistner Mösern (Hll.). Bozen: auf den Mösern jenseits der Etsch bei Sigmundscron; um Klobenstein am Ritten bis Pemmern, z. B. in der Waidacher Sumpfwiese (Hsm.). Am Gardasee (Precht).

Bl. zuerst weiss, dann schön rosenroth. Mai — Sept. ♃.

V. Rotte. *Chronosemium De C.* Blüthen länger o. kürzer gestielt. Schlund des Kelches inwendig nackt, die 2 obern Kelchzähne merklich kürzer. Blumenkrone nach dem Verblühen bleibend, rauschend. Hülse 2eiig.

a. Fahne von der Basis an eiförmig-gewölbt, gefurcht, Flügel gerade hervorgestreckt. Hülse halb so lang als die Fahne.

457. ***T. spadiceum L.*** Rotbbrauner K. ***Köpfchen endständig,*** einzeln u. gezweiet, gestielt, gedrungen, zuletzt ***walzlich;*** Bluthenstielchen nach dem Verblühen herabgebogen; Kelch kahl, im Schlunde nackt, Zähne haarig, die 2 obern kürzer; die ***Fahne von der Basis an gewölbt, gefurcht, die Flügel gerade-hervorgestreckt;*** Griffel 4mal kürzer als die Hülse; die Nebenblätter sämmtlich länglich-lanzettlich; Blättchen gleichlang-gestielt.

Auf nassen Wiesen im nordöstlichen Tirol. — Im Zillerthal (Schrank)! Kitzbüchl: im Bichlach (Trn.). Zillerthal: Schlucht des Duxerbacher, eine Viertelstunde ober Finkenberg (Flörke)!

Bl. anfänglich gelb, dann kastanienbraun. Jul. Aug. ⊙.

458. ***T. badium Schreb.*** Kastanienbrauner K. ***Köpfchen endständig,*** einzeln o. gezweiet, gedrungen, ***kugelig, zuletzt oval-rundlich;*** die untern Blüthenstielchen hinabgebogen; Kelch kahl, im Schlunde nackt, die 2 obern Zähne kürzer; ***die Fahne von der Basis an gewölbt, gefurcht; die Flügel gerade-hervorgestreckt;*** Griffel 4mal kürzer als die Hülse; die Nebenblätter länglich-lanzettlich, die obern beinahe eiformig; Blättchen sämmtlich fast sitzend.

Mässig feuchte Triften der Alpen u. Voralpen. — Vorarlberg: auf der Dornbirneralpe (Str!). Alpe Söben bei Vils (Frl!), am Aggenstein bei Tannheim (Dobel)! Innsbruck: auf den Bergwiesen zwischen Sistrans u. Tulfes (Hfl.). Längenthal (Prkt.). Pfitsch (Precht). Pusterthal: bei Hopfgarten u. Innervilgraten (Schtz.), Welsberg (Hll.), am Spitzhörnle u. Kresswasser bei Brunecken (M. v. Kern), Dorferalpe bei Lienz (Schtz.). Kerschbaumeralpe bei Lienz (Hrg!). Vintschgau: im Laaserthal (Tpp.), u. Wormserjoch (Fk!). Meran: gegen die Spronsersee (Iss.). Schlern u. Seiseralpe; am Ritten um Pemmern u. am Bache allda gegen die Rittneralpe (Hsm.). Alpen um Trient; Vallarga im Fersinathale (Per.).

Bl. anfänglich gelb, dann hellbraun. Jul. Aug. ⊙.

b. Fahne hinten zusammengedrückt, vorne löffelformig-erweitert, gefurcht. Flügel auseinander tretend. Hülse halb so lang als die Fahne.

459. ***T. agrarium L.*** Goldfarbener K. ***Köpfchen seitenständig,*** gestielt, gedrungen, rundlich u. oval; Blüthen zuletzt herabgebogen; Kelch kahl, am Schlunde nackt, die 2 obern Zähne kürzer; ***die Fahne löffelförmig, gefurcht, die Flügel auseinander tretend; Griffel ungefähr so lang als die Hülse;*** ***die Nebenblätter länglich-lanzettlich, an der Basis gleich breit;*** Blättchen sämmtlich fast sitzend.

An Waldsäumen u. Bergtriften. — Vorarlberg: bei Bregenz (Str!). Innsbruck: Ostseite des Buchberges (Hfl.), u. am Stikelesteig (Prkt.). Kitzbüchl (Trn.). Schwaz (Schm.). Welsberg (Hll.). Lienz (Schtz.). Brixen (Hfm.). Aufstieg zur Seiseralpe (Schultz)! Bozen: etwas selten, z. B. am Wege nach Runkelstein, rechts ober der Schwimmschule; Klobenstein am Ritten auf dem Fenn am Waldrande (Hsm.). Judicarien: bei Lodrone (Per.), u. bei Sorano (Bon.).

T. aureum Pollich.

Bl. goldgelb. Jun. Jul. ♃.

460. ***T. procumbens L.*** Niederliegender K. ***Köpfchen seitenständig,*** gestielt, gedrungen, rundlich u. oval, meist 40blüthig; Bluthen zuletzt herabgezogen, Kelch kahl, im Schlunde nackt, Zähne an der Spitze etwas haarig, die 2 obern kürzer; ***Fahne löffelförmig, gefurcht; die Flügel auseinander tretend; Griffel 4mal kürzer als die Hülse; Nebenblätter eiförmig***; das mittlere Blättchen länger-gestielt.

Auf Aeckern, Hügeln u. Feldern gemein.

Aendert ab:

α. majus. Hauptstengel aufrecht, Aeste abstehend, Köpfchen grösser. Blüthenstiele fast so lang als die Blätter. — T. campestre Schreb. — Innsbruck: Aecker zwischen Vill u. Igels (Hfl.). Brixen (Hfm.). Welsberg (Hll.). Bozen: in Menge auf grasigen Hügeln, z. B. im Sigmundscroner Berge, am Wege nach Ceslar etc.; Klobenstein am Ritten auf Aeckern, z. B. auf dem Fenn u. im Krotenthale (Hsm.). Meran: Aecker bei Partschins (Iss.). Trient (Per!). Roveredo (Crist.).

β. minus. Stengel niederliegend, Köpfchen kleiner. Blüthenstiele länger als die Blätter. — T. procumbens Schreb. — Um Bregenz (Str!). Dölsach bei Lienz (Schtz.). Bozen: auf den Sumpfwiesen u. Kaisermösern bei Frangart u. St. Jacob (Hsm.). — Bl. gelb. Mai — Aug. ⊙.

461. ***T. patens Schreb.*** Ausgebreiteter K. ***Köpfchen seitenständig,*** gestielt, locker, während der Blüthezeit halbkugelig; Blüthen zuletzt herabgebogen; Kelch kahl, im Schlunde nackt, Zähne an der Spitze etwas haarig, die 2 obern kürzer; ***die Fahne löffelförmig, gefurcht; die Flügel auseinander tretend;*** Griffel von der Länge der Hülse; die ***Nebenblätter eiförmig, an der Basis deutlich herzförmig;*** Blättchen fast gleich-gestielt.

Um Bozen gemein auf etwas feuchten Grasplätzen u. Wiesen, z. B. am Uebergange bei St. Antoni in Menge auf den Wiesen allda, auch an Gräben gegen Leifers u. Sigmundscron etc. (Hsm.).

Bl. gelb. Anf. Jun. Sept. ⊙.

c. Fahne fast glatt, kaum bemerklich gefurcht, zusammengefaltet, Hülse nur ein wenig kürzer als die Fahne.

462. ***T. filiforme L.*** Fadenförmiger K. ***Köpfchen***

seitenständig, gestielt, locker, meist 10blüthig; Blüthen zuletzt herabgebogen; Kelch kahl, im Schlunde nackt, Zähne an der Spitze etwas haarig, die 2 obern kürzer; ***die Fahne zusammengefaltet, fast glatt; die Flügel gerade hervorgestreckt;*** Griffel 4mal kürzer als die Hülse; die Nebenblätter eiformig.

Auf Triften u. Feldern. — Vorarlberg: im Aachgries bei Bregenz (Str!). Selten auf Triften um Kitzbüchl (Unger)!

Bl. gelb. Jun. Aug. ⊙.

121. ***Dorycnium Tournef.*** Backenklee.

Kelch 5zähnig, fast 2lippig, die 2 obern Zähne breiter. Die Flügel vorne zusammenhängend, in der Mitte mit einem länglichen Bausch querüber durchzogen. Kiel stumpf. Staubgefässe 2brüderig, Staubfadensäule frei, nicht mit den Blumenblättern verwachsen. Staubfäden abwechselnd gegen die Spitze verbreitert. Griffel kahl, Narbe kopfförmig. Hülse 1fächerig, 2klappig, gedunsen, kugelig, 1—2samig, länger als der Kelch.

463. ***D. suffruticosum Vill.*** Halbstrauchiger B. ***Blättchen*** linealisch-keilig, ***fast seidenhaarig-zottig,*** Haare anliegend; ***Köpfchen meist 12blüthig;*** Hülsen kugelig.

Auf Hügeln im nördlichen Tirol. — Oberinnthal: bei Imst (Lutt!); bei Zirl u. Telfs (Str!). Innsbruck: ober Mühlau (Friese), am Findelalpel (Hfl.), dann bei der Martinswand (Tpp. Schm.).

Obsolet: Herba Dorycnii, unter demselben Namen auch folgende.

Bl. weiss, Spitze des Kieles schwarz-violett.

Jul. Aug. ♃.

464. ***D. herbaceum Vill.*** Krautartiger B. ***Blättchen*** länglich-keilig, ***zerstreut-haarig,*** Haare abstehend; ***Köpfchen meist 20blüthig;*** Hülsen kugelig.

An sonnigen steinigen Hügeln u. Halden im südlichen Tirol. Gemein um Bozen z. B. ober dem Tscheipenthurm u. vor Runkelstein am Talferbette, in Hertenberg etc.; am Rittnerwege bis 2300' bei Signat und Kleinstein (Hsm.). Bei Castellrutt (Griesselich)! Val di Non (Tpp.), Castell Brughier gegen Denno (Hfl.). Ober Povo bei Trient (Per!). Valsugana: bei Borgo (Ambr.). Roveredo (Crist.). Am Gardasee (Clementi). Judicarien: längs der Strasse bei Stenico (Bon.).

Bl. wie bei der Vorigen, nur kleiner. Ende Mai—Jul. ♃.

122. ***Bonjeania Reichenb.*** Bonjeanie.

Kelch 5zähnig, Zähne ungleich, aufsteigend. Flügel unter sich frei, fast länger als der gerade-vorgestreckte nicht geschnabelte Kiel. Staubfadensäule frei, nicht den Blumenblättern angewachsen. Griffel kahl, Narbe kopfförmig. Hülse vielsamig, 2klappig, länglich o. linealisch, lederartig, querüber mit häutigen Scheidewändchen. Blätter 3theilig mit blattartigen Nebenblättern. —

465. *B. hirsuta Reichenb.* Rauhhaarige B. Dichtbeblättert, aufsteigend, filzig-zottig. Blättchen verkehrt-eiförmig o. lanzettlich. Nebenblätter eiförmig, spitzig. Blüthen 2—5, fast sitzend. Hülsen länglich, gedunsen.

An Wegen u. steinigen rauhen Orten in Südtirol. — Auf der Höhe der Mendel bei Bozen (Elsm.). In Ulten (Iss.). Val di Non: bei Revò, Castell Brughier u. Castell Fondo; dann bei Cles (Hfl. Per. Tpp.). Gebirge bei Covelo (Per!).

Lotus hirsutus L. Dorycnium hirsutum De C.

Bl. rosenroth, Spitze des Schiffchens schwarz-violett. Mai — Jul. ♃.

123. *Lotus L.* Schotenklee. Hornklee.

Kelch 5spaltig, Zähne des Kelches fast gleich. Flügel am obern Rande zusammenneigend. Kiel aufsteigend, geschnäbelt. Staubgefässe 2brüderig. Staubfädensäule frei, nicht den Blumenblättern angewachsen. Griffel gerade, pfriemlich, kahl. Narbe kopfförmig, Hulse verlängert, linealisch, flügellos, 1fächerig, vieleiig, in 2 wechselwendig-gedrehte Klappen aufspringend. Blätter 3theilig. Bl. gelb.

466. *L. corniculatus L.* Gemeiner Sch. Liegend, kahl o. rauhhaarig, Haare abstehend; Blüthenstiele 4—5mal länger als das Blatt; Köpfchen meist 5blüthig; *Zähne des Kelches* aus 3eckiger Basis pfriemlich, fast gleich, so lang als die Röhre, *vor dem Aufblühen zusammenschliessend;* der Flügel breit verkehrt-eiförmig; *Kiel fast rautenförmig, rechtwinkelig-aufstrebend;* Hülsen linealisch, stielrund, gerade.

Auf Triften, Grasplätzen u. an Waldsäumen bis in die Alpen. — Bregenz (Str!) Imst (Lutt!). Innsbruck: auf den Lanserköpfen u. in der Kammerau (Hfl. Prkt.). Thaureralpe (Hfl!). Schwaz (Schm!). Lienz, Innervilgraten (Schtz.). Vintschgau: bei Glurns u. Schlanders (Iss. Tpp.). Brixen (Iss.). Gemein um Bozen bis in die Alpen, z. B. Schlern, Seiseralpe etc.; Margreid (Hsm.). Trient (Per!). Judicarien: bei Tione (Bon.). Val di Non: Castell Brughier (Hfl!). Monte Baldo (Hfl!).

β. *ciliatus.* Blättchen kahl o. zerstreut-haarig wie die der Species, aber am Rande so wie die Kelche mit langen Haaren bewimpert. — Anhöhen um Innsbruck (Eschl.). Hopfgarten (Schtz.). Bozen u. Klobenstein am Ritten (Hsm.). Val di Sol bei den Mineralquellen von Pejo (Bon.). Roveredo (Crist.).

γ. *hirsutus.* Ganz rauhhaarig. — L. villosus Thuill. — Auf warmen Hügeln u. Abhängen. — Bozen z. B. ober dem Tscheipenthurm; Ritten, um Klobenstein (Hsm.). Innsbruck: bei Kematen (Hfl.). Judicarien: bei Lodrone (Bon.).

Obsolet: Herba et Flores Loti sylvestris, seu Trifolii corniculati. —

Bl. gelb, auswendig häufig blutroth. Anf. Mai — Aug. ♃.

467. *L. uliginosus Schkuhr.* Sumpf-Sch. Ziemlich auf-

recht, kahl o. etwas haarig, Haare abstehend; Köpfchen meist 12blüthig, langgestielt; *Zähne des Kelches* aus 3eckiger Basis pfriemlich, fast gleich, halb so lang als die Blumenkrone, ***vor dem Aufblühen zurückgebogen; Kiel aus einer eiförmigen Basis allmälig in einen Schnabel verschmälert;*** Hülsen linealisch, stielrund, gerade.

An Gräben u. feuchten Wiesen. — Vorarlberg: bei Mererau nächst Bregenz (Str!), dann häufig im Bodenseerried zwischen Höchst, Dornbirn u. Fussach (Cst.).

L. major Sm.

Bl. gelb, auswendig oft röthlich. Jun. Jul. ♃.

124. *Tetragonólobus Scopoli.* Spargelerbse.

Kelch 5spaltig. Flügel am obern Rande zusammenneigend. Kiel geschnäbelt, aufsteigend. Staubgefässe 2brüderig, Staubfäden nicht der Blumenkrone angewachsen, frei, abwechselnd gegen die Spitze breiter. Griffel kahl, nach oben verdickt. Hülse linealisch, 4kantig, Kanten geflügelt.

465. ***T. siliquosus Roth.*** Wilde Sp. Blüthen einzeln; Blüthenstiele 2—3mal so lang als das Blatt; die Flügel der Hülsen gerade, 4mal schmäler als die Hülse.

Auf feuchten Wiesen u. Grasplätzen, auch an Wegen bis an die Voralpen. — Vorarlberg: bei Mererau (Str!). Oberinnthal: bei Imst (Lutt!). Innsbruck: bei Mühlau (Friese). Brixen: Wiesen am Eisack (Hfm.). Vintschgau: bei Glurns und Laas (Iss. Tpp.). Bozen: am Wege bei der Stampfmühle im Fagen, dann auf den Wiesen bei St. Jacob; Ritten: bei Klobenstein am Wege unter dem Kalkofen (Hsm.). Eppan: bei Englar (Hfl.). Fleims (Scopoli)! Im Tridentinischen (Per.). Judicarien: al Bleggio u. ai Ragoli bei Tione (Bon.).

Lotus siliquosus L.

Bl. blassgelb, oft etwas röthlich. Mai — Jul. ♃.

IV. Untergruppe. *Galegeae.* Staubgefässe 2brüderig. Blätter unpaarig-gefiedert. Hülse 1fächerig, ohne eingedrückte Naht. —

125. *Galéga L.* Geisraute.

Kelch glockenförmig, 5zähnig, vertrocknend. Kiel stumpf, 1blättrig. Von den 10 Staubgefässen sind 9 bis über ⅔, das 10te bis zur Mitte verwachsen, Staubfäden pfriemenförmig. Griffel kahl, fadenförmig, Narbe punktförmig. Hülse linealisch, 2klappig, stielrund, Klappen schief-gestreift.

469. ***G. officinalis L.*** Gemeine G. Blättchen lanzettlich, stachelspitzig, kahl; Nebenblätter breit-lanzettlich; Blüthentrauben länger als das Blatt.

Auf feuchten Wiesen, an Gräben u. Dämmen der Thalebene im südlichen Tirol. — Meran (Elsm.). Bozen: an den Mösern ausser Sigmundscron u. Wiesen bei St. Jacob, dann an der Landstrasse nach Terlan; um Margreid u. Salurn (Hsm.). Ueberetsch: am Girlaner Weyher (Hfl.). Valsugana: bei Borgo (Ambr.). Im Tridentinischen (Per.).

Officinell: Herba Galegae, vel Rutae Caprariae.

Bl. lila. Jun. Sept. ♃.

Robinia L. Robinie.

Kelch 5zähnig, die 2 hintern Zähne kleiner, fast bis zur Mitte verwachsen. Fahne kreisrundlich, abstehend o. zurückgebogen, benagelt. Griffel vorne bärtig. Hülse vielsamig, flach-zusammengedrückt, linealisch-länglich. Samen zusammengedrückt, Blätter unpaarig gefiedert.

R. Pseudacacia L. Akacienartige Robinie. Unächte Akacie. Ein dorniger Baum. Blüthen in achselständigen, hängenden, reichblüthigen Trauben. Aeste u. Hülsen kahl.

Häufig angepflanzt u. verwildert an Zäunen, Häusern u. Hecken. — Innsbruck: ober Wiltau an den Zäunen des Linsinghofes (Schpf.). Brixen: an den Zäunen ober dem Friedhofe u. ein ganzes Wäldchen am Krahkogler Hügel (Hfm.). Meran: wie verwildert bei St. Valentin (Iss.). Bozen: ganz verwildert um den Klosterstadel bei Gries (hier aber 1846 fast ausgerottet), an den Hecken bei St. Jacob u. in der Kaiserau, kommt auch bei 3800′ um Klobenstein sehr gut fort (Hsm.). Valsugana: um Borgo gepflanzt (Ambr.).

In neuester Zeit (1845) hat man bei Bozen, wie diess in Italien schon lange üblich war, angefangen, die Robinie zu lebenden Hecken zu benützen, so z. B. an der neuen Strasse bei Cardaun.

Die sogenannte Kugelacacie, auch Schattenacacie, ist eine Varietät der obigen mit verkürzten u. dichter-belaubten Aesten, sie ist stets unfruchtbar. Man findet sie um Bozen u. Trient z. B. alla Fersina als Alleebaum angepflanzt.

Bl. weiss, wohlriechend. — Blüht um Bozen Anfangs Mai, am Ritten bei Klobenstein Anfangs Juli. ♄.

R. hispida L. (R. rosea Duh.). Ein Zierbaum aus Nordamerica, mit schönen rosenrothen Blüthen, ohne Dornen, aber mit vielen röthlichen Borsten an den Zweigen, bleibt viel niedriger als Vorige u. wird, wiewohl selten, angepflanzt, z. B. Bozen am Schiessstandplatze.

Amorpha L. Amorphe.

Kelch keilig-glockig, 5spaltig o. 5zähnig. Fahne ausgehöhlt, benagelt, gerade. Flügel u. Kiel fehlen. Griffel gerade, kahl. Hülse zusammengedrückt, spät aufspringend, 1—2samig.

A. fruticosa L. Strauchartige A. Ein Zierstrauch aus Nordamerika, mit aufrechten, verlängerten, dichten Blüthentrauben u. unpaarig-gefiederten Blattern. Blättchen 11 — 19, elliptisch. Bl. braunviolett, Staubgefässe fuchsroth. — Bozen: im Zaune an der Strasse bei Haslach an der von Hepperger'schen Wiese verwildert (Hsm.). Jun. ♄.

126. *Colútea L.* Blasenstrauch.

Kelch 5zähnig, die 2 obern kürzer. Fahne ausgebreitet, mit 2 Schwielen. Kiel in einen kurzen gestutzten Schnabel ausgehend. Staubgefässe 2brüderig. Staubfäden fadenförmig. Griffel halbstielrund, auf der innern Seite flach, von der Basis bis zur Spitze beiderseits der Länge nach dicht bewimpert, an der Spitze backig-gebogen. Narbe eiförmig, in der Biegung des Hackens. Hülse gestielt, halb-eiförmig, aufgeblasen, zuletzt trockenhäutig.

470. ***C. arborescens L.*** Baumartiger Bl. Blättchen elliptisch, gestutzt. Fahne mit 2 Schwielen, Schwielen abgekürzt. Hülsen geschlossen.

Auf Hügeln, an Flussbetten u. in Auen. — Meilbrunn u. Martinswand bei Innsbruck (Hfl.). Brixen (Hfm.). Vintschgau: bei Glurns, Lichtenberg u. Göflan (Iss. Tpp.). Meran (Kraft). Bozen: gemein z. B. im Talferbette vor Runkelstein, in der Rodler- u. Kaiserau, dann am Rittnerwege ober Waldgries (Hsm.). Zwischen Salurn u. Neumarkt (Mrts!). Um Trient (Per.). Val di Non: Castell Brughier; Doss Trent (Hfl!). Valsugana: bei Borgo (Ambr.). Häufig in Val di Non u. im Tridentinischen (Matthioli)! Am Gardasee (Poll!). Judicarien: bei Agrone (Bon.). Castell Beseno (Hfl!).

Obsolet: Folia Coluteae vesicariae vel Sennae germanicae.

Bl. pomeranzenfarben. Mai — Jul. ♄.

V. Untergruppe. *Astragaleae De C.* Staubgefässe 2brüderig. Blätter unpaarig-gefiedert. Hülse durch die untere (nicht samentragende) einwärts gebogene Naht 2fächerig o. halb 2fächerig, o. an der obern Naht eingedrückt.

127. *Phaca L.* Berglinse.

Kelch 5zähnig, die 2 obern Zähne entfernter. Kiel stumpf, grannenlos. Staubgefässe 2brüderig, Staubfäden fadenförmig. Griffel pfriemenförmig, kahl, Narbe stumpf. Die aufgeblasene, 1fächerige, an der samentragenden Naht eingedrückte Hülse im Kelche kürzer o. länger gestielt.

I. Rotte. *Cenantrum.* Hülsen vollkommen 1fächerig, nämlich ohne Scheidewand, sowohl auf der untern als obern Naht. —

471. ***P. frigida L.*** Kalte B. ***Stengel aufrecht, sehr einfach; Nebenblätter oval, blattig; Blätter 4—5paarig;*** Blättchen eiförmig-länglich; Kiel etwas kürzer als die Fahne; Hülsen länglich, kurzhaarig-flaumig; Fruchtträger länger als der Kelch.

Triften der höhern Alpen. — Vorarlberg: am Axberg u. Freschen (Cst.), dann auf der Dornbirneralpe u. dem Freschen (Str!). Am Schröcken im Lechthale (Frl!). Mädelealpe (Dobel)! Timpeljoch über dem Dorfe Moos in Passeyer (Zcc!). Im östlichen Pusterthale: auf dem Kalsertaurn u. der Dorferalpe (Rsch!), dann auf der Teischnizalpe u. am grauen Käs (Schtz.). Auf der Pasterze (Pacher); in Kals (Wlf!). Seiseralpe (Zcc!). Bergeralpe in Kals u. Messerlingwand (Hrnsch!).

Bl. gelblichweiss. Jul. Aug. ♃.

472. ***P. alpina** Jacq.* Alpen-B. ***Stengel aufrecht, ästig; Nebenblätter linealisch-lanzettlich; Blätter 9-paarig;*** Blättchen oval-länglich; Kiel etwas kürzer als die Fahne; Hülsen halb-eiförmig, die jüngern kurzhaarig, die ältern ziemlich kahl; Fruchtträger länger als der Kelch.

Triften u. kiesige Plätze der Alpen. — Vorarlberg: am Freschen (Cst!). Am Schröcken im Lechthale (Frl!). Kitzbüchl: am kleinen Rettenstein (Trn.). Auf Kalkalpen bei Lofers (Unger)! Zillerthal: auf den Waxegger Bergmähdern in der Zemm (Schrank)! Pusterthal: in Prax (Hll.), in Tefereggen (Schtz.), Schleinizalpe (Hohenwarth!), Marenwalderalpe u. Zabernizen, auch am griesigen Ufer der Isel bei Lienz (Rsch!). Ueber der Pregattner Dorferalpe u. Messerlingwand (Hrnsch!). Vintschgau: auf Alpenwiesen im Matscherthale u. am Fusse der Godriaspitze bei Laas (Tpp.). Seiseralpe u. Schlern (Hsm.). Seiseralpe über Ratzes (Zcc!). Fassa: auf der Spitze des Duron (Per!). Gipfel des Col santo in Vallarsa bei Roveredo (Crist.). Judicarien: Alpe Lenzada u. am Frate in Breguzzo (Bon.).

Bl. gelb. Jul. Aug. ♃.

II. Rotte. ***Hemiphragmium.*** Hülse auf der untern, nicht samentragenden Naht inwendig mit einem schmalen, der Länge nach durchziehenden Flugel versehen, welcher eine unvollkommene Scheidewand darstellt.

473. ***P. australis** L.* Südliche B. Stengel ausgebreitet; Nebenblätter eiförmig; Blätter meist 5paarig, Blättchen länglich-lanzettlich u. oval; ***Flügel ausgerandet o. 2spaltig; Kiel viel kürzer als die Fahne;*** Hulsen elliptisch-länglich, kahl; Fruchtträger länger als der Kelch.

Steinige Triften der Alpen. — Oberinnthal: im Oetzthale. Kitzbüchl: am Geisstein u. kleinen Rettenstein (Trn. Schm.). Zillerthal: Waxegger Bergmähder in der Zemm (Schrank)! Pusterthal: Neunerspitze bei Welsberg u. in Prax (Hll.), Tefereggeralpen (Schtz.), Marenwalderalpe u. am Iselufer bei Lienz (Rsch!), Teischnizalpe u. am grauen Käs (Schtz.). Vintschgau: in den Laaserleiten, Wormserjoch (Tpp.), Sulden (Giov!). Schlern u. Seiseralpe (Hsm.). An der Strasse bei Glurns (Fk!). Ober Moos im Gerölle eines Gletschers (Zcc!).

Bl. weiss o. gelblichweiss, der Kiel violett.
Jul. Aug. ♃.

128. *Oxytropis De C.* Spitzkiel.

Kelch 5zähnig. Kiel an dem stumpfen Ende mit einer grannenartigen Spitze. Staubgefässe 2brüderig, Staubfäden fadenförmig. Griffel pfriemenformig, kahl; Narbe stumpf. Hülse aufgeblasen o. walzlich, durch Einwärtsbiegung der obern Naht 2fächerig o. halb-2fächerig.

I. Rotte. Die obere u. untere Naht der Hülse inwendig in einen Flügel verbreitert; beide sich berührende Flügel scheinbar eine vollständige Scheidewand bildend.

474. ***O. uralensis De C.*** Haller's Spitzkiel. Stengellos, zottig-seidenhaarig; ***Blüthenstiele*** aufrecht, länger als das Blatt u. ***nebst den Kelchen rauhhaarig-wollig;*** Aehren kopfig, eiförmig; die Deckblätter ungefähr so lang als der Kelch; ***Hülsen aufrecht, im Kelche sitzend, eiförmig, aufgeblasen,*** zugespitzt, ***2fächerig.***

Steinige Grasplätze der Alpen, auch auf Bergwiesen. — Kitzbüchl: am Geisstein bei 7000′ (Trn.). In Ausserpfitsch (Hfl.). Pusterthal: auf der Pregrattneralpe u. am Drauufer bei Lienz (Rsch!). Alpe Ködnitz in Kals, Teischnizalpe u. am grauen Käs (Schtz.). Vintschgau: im Laaserthale u. auf trockenen Wiesen bei Tschengels, Glurns, Laas u. Schlanders bei 3—4000′ (Tpp.), Glurns, Lichtenberg (Eschl! Sieber). Wormserjoch, die Form mit fast kahlen Blättern (Muret bei Moritzi!), am Ortler (Sieber)! Timmeljoch Passeyrerseite (Zcc!).

Astragalus uralensis Jacq. O. Halleri Bunge. Koch syn. ed. 2. u. Taschenb.

Aendert ab: Zottig-seidenhaarig, wollig-zottig (Astragalus velutinus Sieb.) o. im Alter fast kahl. Letztere Form ist am Geisstein bei Kitzbüchel die gewöhnlichere, die grauhaarige nur auf der Südseite desselben. Im südlichen Tirol dagegen ist die grauhaarige Form die vorherrschende. — In Russland soll die Pflanze (laut Anmerkung in Reichenbach's Fl. germ. exsicc. Nr. 1714 zu O. velutinus Sieb. von Vintschgau) nur grün vorkommen; die in Traunsteiner's Herbar befindlichen 2 russischen Exemplare, so wie eines aus der Songarei im Herbar des Museums in Innsbruck sind genau so grauhaarig wie die Exemplare aus Vintschgau.

Bl. blauviolett o. lila. Jun. Aug. ♃.

II. Rotte. Die obere Naht der Hülse inwendig in einen Flügel verbreitert, die untere flügellos.

475. ***O. campestris De C.*** Feld-Sp. Stengellos, zerstreut-haarig o. etwas zottig; Blätter meist 12paarig, Blättchen lanzettlich spitz; ***Blüthenstiele*** niederliegend, länger als das Blatt u. ***nebst dem Kelche haarig, Haare aufrecht, beinahe angedrückt;*** Aehren kopfig, eiformig; Deckblätter so lang als der Kelch o. kürzer; ***Hülsen aufrecht, in dem Kelche sitzend, eiförmig, aufgeblasen,*** zugespitzt, ***halb-2fächerig.***

Kiesige Orte der Alpen u. Voralpen, durch die Flusse hie u. da ins Thal herabgeschwemmt. — Pusterthal: Alpe Karrthal u. Frossnitz (Hänke!), Tristacheralpe bei Lienz (Ortner!), Neunerspitze bei Welsberg u. in Prax (Hll.), Marenwalder-Dinzel- u. Michelbacheralpe bei Lienz (Rsch!), herabgeschwemmt an der Kärnthner Strasse eine Stunde vor Lienz mit Folgender

u. Voriger (Hohenwarth)! Tefereggeralpen, Alpe Ködnitz in Kals, Teischnitzalpe u. am grauen Käs (Schtz.). Im Gerölle eines Gletschers ober Moos in Passeyer (Zcc!). Schlern u. Seiseralpe (Schtz.). Oberinnthal: Wiesen bei Nauders (Tpp.). Alpen in Valsugana (Ambr.).

Astragalus campestris L.

Bl. gelblichweiss o. hellgelblich, mit dunkelvioletten Flecken vor der Spitze des Kieles. — Aendert ab:

β. sordida. Bl. schmutzig-gelblich, Fahne bis zur Mitte grün u. violett überlaufen, Kiel beiderseits mit schwarzvioletten Flecken. O. sordida Gaud. Astragalus sordidus Willd. A. tirolensis Sieber. Auf dem weissen Berge bei Zirl (Str!). Nassdux; Innsbruck: im Sillgries bei Pradel u. am Militärspital; auf dem Serles u. Pfitscherjöchel (Hfl.). In Schmirn (Hfm.). Auf dem Jaufen u. auf den an die Schweiz gränzenden Alpen (Sieber). Vintschgau: in Schlinig (Tpp.). Seiseralpe u. Schlern mit *α*, aber seltener (Hsm.).

γ. caerulea. Blumenkrone blau, Fahne in der Mitte mit einem grünlichgelben, blaugestreiften Flecken. — Schmirnerjoch (Hfl.). Auf den Naudererwiesen (Tpp.). Gemein nach v. Spitzel im angränzenden Salzburgischen am Fuscher Taurn!

Jun. Aug. ♃.

476. *O. pilosa DeC.* Haariger Sp. *Stengel aufrecht*, zottig; Blättchen der untern Blätter länglich, der obern lanzettlich; Blüthenstiele blattwinkelständig, länger als das Blatt; Aehren eiförmig-länglich; *Hülsen aufrecht, linealisch*, fast stielrund, zottig.

Auf Sandfeldern, im Kiese der Flüsse, auch an Felsen. — Innsbruck: am Berg Isel u. an der Sill (Schm. Friese). Lienz: auf der Nasswand (Ortner), dann in der Bügerau u. auf dem Gruse der Drau (Rsch!). Im Kiese der Etsch bei Meran (Zcc!). Bozen: gemein im Eisackbette unter dem Kalkofen u. allda am Damme, in der Kaiser- u. Rodlerau, am Wege von Waldgries nach Kleinstein etc. (Hsm.). Trient: Ischia im Campo Trentino (Per!).

Astragalus pilosus L.

Bl. gelblich. Mai — Jul. ♃.

III. Rotte. Beide Nähte der Hülse inwendig flügellos.

477. *O. lapponica Gaud.* Lappländischer Sp. Beinahe stengelig, aufstrebend, haarig; Blättchen fast lanzettlich, spitz; *Blüthenstiele zuletzt noch einmal so lang als das Blatt; Trauben* abgekürzt, *6—12blüthig;* Fahne anderthalbmal so lang als der Kiel; *Hülsen hängend*, linealisch-walzlich; Fruchtträger halbmal so lang als die Rohre des Kelches.

Auf Triften im obern Vintschgau. Gemein von Reschen bis Nauders; dann im Laaserthale; ausser der Gränze am Braulio bei Bormio (Tpp.).

Bl. röthlich, trocken blau. Jul. ♃.

478. *O. montana De C.* Berg-Sp. Kurzstengelig oder stengellos, *haarig o. ziemlich kahl;* Blättchen eiförmig oder länglich, spitz; *Blüthenstiele von der Länge der Blätter; Trauben* abgekürzt, *6—12blüthig;* Fahne anderthalbmal so lang als der Kiel; Hülsen aufrecht, oval-länglich; *Fruchtträger so läng als die Röhre des Kelches.*

Alpentriften durch ganz Tirol. — Vorarlberg: auf der Mittagspitze (Str!). Bregenzerwald: Weg von Krummbach zum Widderstein (Tir. B!), dann auf dem Freschen (Cst!). Aggenstein bei Tannheim (Dobel)! Innbruck: Solstein u. Frauhütt (Hfl. Schm.). Alpen bei Zirl u. Telfs (Str.). Kitzbüchl: am Kaiser (Trn.). Zillerthal: Waxegger Mähder (Schrank)! Pusterthal: Pregrattneralpen (Rsch!), Spitzhörnle bei Brunecken (Pfaundler!), Prax (Wlf!). Passeyer: im Gerölle ober Moos (Zcc!). Im Gebiethe von Bozen nur auf Kalk: Seiseralpe, Schlern, Joch Lattemar, Grödner- u. Kolfuskeralpe. alpen (Per.). Gipfel des Baldo (Poll! Precht). Judicarien: Val maggiore der Alpe Lenzada (Bon.), Val de Breguzzo (Sternberg)! Monte Spinale (Tpp.).

Astragalus montanus L.

Bl. blau o. röthlichblau. Jul. Aug. ♃.

478. b. *O. cyanea Bieberst.* Blaue Sp. Meist stengellos, *grauhaarig;* Blättchen eiförmig o. länglich, spitz; *Blüthenstiele von der Länge der Blätter; Trauben* abgekürzt, *6—12blüthig;* Fahne 2mal länger als das Schiffchen; Hülsen aufrecht, länglich, *Fruchtträger halb so lang als die Röhre des Kelches.*

Am südlichen Abhange der 3Herrenspitze im obern Theile des Umbalthales in Virgen (Wendland)! Nach Andreas Sauter auf der Seiseralpe gegen den Schlern! Nach einer brieflichen Mittheilung des Dr. Anton Sauter besitzt er ein von seinem Bruder auf dem Hochederer bei Telfs gesammeltes Exemplar, das mit Schweizerexemplaren vollkommen übereinstimmt! Bekanntlich wird diese Art, die sich von O. montana durch die aschgrauen Blätter, durch die etwas längere Fahne u. den kürzern Fruchtträger unterscheidet, von Koch nur im Nicolaithale der Schweiz angegeben.

Farbe der Bl. wie bei Voriger. Jul. Aug. ♃.

O. triflora Hoppe. Dreiblüthiger Sp. Stengellos, etwas haarig; Blättchen eiförmig o. länglich, spitz; *Blüthenstiele von der Länge des Blattes;* Trauben 3blüthig; Fahne 2mal länger als der Kiel; Hülsen aufrecht, länglich; Fruchtträger halb so lang als die Röhre des Kelches.

Auf dem Taurn u. in der Fleiss bei Heilig-Blut (Hoppe)! Alpen bei Sagritz im Möllthale (Pacher). Eine Viertelstunde über Kaseneck am Weg zum Heilig-Bluter Thor (v. Spitzel)! Die angegebenen Standorte liegen zwar ausser, doch hart an der Gränze Tirols; auch ist kaum zu zweifeln, dass die Pflanze auch auf tirolischem Boden an der Gränze von Kärnthen u. von Salzburg zu finden sei. — Wohl nur Varietät von Nr. 478.

Bl. wie bei Voriger. Jul. Aug. ♃.

129. *Astrágalus L.* Tragant. Stragel.

Kelch 5zähnig. Kiel stumpf, ohne Spitze. Staubgefässe 2-brüderig; Staubfäden fadenförmig, Hülse der Länge nach 2fächerig o. halb-2fächerig, an der innern Naht inwendig in eine vollständige o. unvollständige Scheidewand verbreitert. Griffel kahl. —

I. Rotte. ***Glycyrrhizi.*** Nebenblätter ganz frei o. nur mit der Basis an den Blattstiel hängend.

a. Blumenkrone violett, lila o. roth. Nebenblätter unter sich zusammengewachsen u. so ein einzelnes, den Blättern gegenständiges Nebenblatt darstellend.

479. ***A. leontinus Wulf.*** Lienzer-Tr. ***Hingebreitet, behaart, die Haare angedrückt,*** mit ihrer Mitte angeheftet; die Nebenblätter zusammengewachsen, blattgegenständig; Blätter 6—9paarig, Blättchen länglich-eiförmig, stumpf o. schwach-ausgerandet; ***Aehren kopfig, eiförmig o. länglich;*** Blüthenstiele länger als das Blatt; Fahne eiförmig, ausgerandet, anderthalbmal so lang als die Flügel; ***Hülsen aufrecht, oval-länglich, in dem Kelche sitzend, rauhhaarig.***

An felsigen, grusigen Orten vom Thale bis in die Alpen. Oberinnthal: häufig an der Strasse bei der Feste Finstermünz (Tpp.). Windaualpe bei Sölden u. Lienzeralpen (Hilsenberg! Hrg!). Bei Sölden im Oetzthale (Sieber). Lienz: auf dem Gruse der Isel u. auf der Tristacher Tratte (Rsch! Schtz.).

Hieher ist zweifelsohne A. arenarius zu ziehen, den Baron Hohenwarth eine Stunde vor Lienz an der Kärnthnerstrasse angiebt. — Bl. lila o. blau. Jun. Aug. ♃.

480. ***A. purpureus Lamarck.*** Purpurblüthiger Tr. Liegend, aufstrebend, behaart von einfachen o. 2theiligen Haaren; Nebenblätter zusammengewachsen, blattgegenständig; Blätter 10—12paarig, ***Blättchen*** eiförmig-lanzettlich, ***an der Spitze 2zähnig-ausgerandet,*** Zähne spitzlich; Aehren kopfig; Blüthenstiele länger als das Blatt; Fahne eiförmig, tief-ausgerandet, anderthalbmal so lang als die Flügel; Fruchtknoten kurzgestielt, ***der Stiel von der Länge des sechsten Theiles des Fruchtknotens; Hülsen aufrecht, rundlich, eiförmig, an der Basis herzförmig,*** rauhhaarig.

Steinige Orte im südlichen Tirol sehr zerstreut. — Am Wege von der Seiseralpe zum Schlern von Andreas Sauter zuerst entdeckt! Am Eisackdamme bei Bozen unter dem Kalkofen fand ich 1843 ein einziges, wahrscheinlich hereingeschwemmtes Exemplar unter A. Onobrychis, welcher hier gemein (Hsm.). Bei Predazzo in Fleims, oberste Höhe des Mais u. in gleicher Höhe in Livinalongo, dann ausser der Gränze bei Agordo (Fcch.).

Der von Dr. Griesselich (1837) auf der Seiseralpe am Wege

in der Nähe der ersten Sennhütten mit Oxytropis montana angegebene A. Hypoglottis gehört wahrscheinlich hieher, da er ausdrücklich bemerkt, dass sich die gefundenen Exemplare von solchen vom Rheine nur durch die viel stärker ausgerandeten Blätter unterscheiden.

A. bidentatus Sauter.

Bl. violettroth. Jun. Jul. ♃.

481. ***A. Onobrychis L.*** Langfahniger Tr. ***Hingebreitet*** o. aufrecht, ***haarig, Haare anliegend;*** die obern Nebenblätter zusammengewachsen, blattgegenständig; Blätter 8—12paarig, Blättchen lanzettlich, die der untersten Blätter eiförmig, ausgerandet; ***Aehren kopfig, länglich-eiförmig;*** Blüthenstiele länger als das Blatt; Fahne linealisch-länglich, gestutzt, 3mal so lang als die Flügel; ***der Fruchtknoten u. die Hülsen sitzend; Hülsen aufrecht, eiförmig, zugespitzt, rauhhaarig.*** —

Auf Sandfeldern, Hügeln u. grasigen Orten. — Oberinnthal: am Wege von Silz nach Brennbüchl (Schm.). Weg von Telfs nach Stams (Zcc!). Innsbruck: am Berg Isel (Hfl.). Lienz: an der weissen Wand (Ortner), allda in der Bürgerau, auf dem Grus der Drau u. von Amblach zu dem Rauchkogel (Rsch!); Prax (Wlf!). Auf Anhöhen um Brixen (Hfm.). Vintschgau: bei Laas (Tpp.). Im angränzenden Münsterthale des Cantons Graubündten (Moritzi)! Gemein um Bozen z. B. auf der Anschwemmung des Eisacks unter dem Kalkofen, in der Rodler- u. Kaiserau, in der Paulsnerhöhle, Weg von Waldgries nach Kleinstein; am Ritten bei 3600′ am Hügel südöstlich vom Rössler Hofe unter Klobenstein, hier auch mit schneeweissen Bl., Weg von Steg nach Schloss Stein (Hsm.). Roveredo (Crist.).

Bl. bläulich-roth, selten weiss. Jun. Jul. ♃.

482. ***A. alpinus L.*** Alpen-Tr. Niederliegend, etwas flaumhaarig; Nebenblätter eiformig, die obern schmal-vereinigt; Blätter 8—10paarig, Blättchen länglich-lanzettlich o. oval; Trauben ungefähr 10bluthig. Blüthenstiele ungefähr so lang als das Blatt; ***Flügel kürzer als der Kiel;*** Kiel fast so lang als die Fahne; Hülsen hängend, länglich, rauhhaarig, der Stiel von der Länge des Kelches.

Triften der Alpen. — Vorarlberg: am Freschen u. Alpe Tillisun in Montafon (Cst!). Lechthal: am Rossberg bei Vils (Frl!), Mädelealpe in Holzgau (Dobel)! Joch über Nassdux, am Hennensteigel u. hinter Kasern gegen das Scheurerjoch (Hfl.). Zemmeralpe in Zillerthal (Schrank)! u. beim Laimacher Steg allda (Gbh.). Auf Schiefergebirgen bei Kitzbüchl: am Geisstein (Trn.), am kleinen Rettenstein allda (Schm.). Alpen in Tefereggen, dann Teischnizeralpe u. am grauen Käs (Schtz.). Lienz: auf der Tristacheralpe (Ortner), am Wasserdamm in der Bürgerau, Zabernizen u. Marenwalderalpe (Rsch!). Wiesen bei Nauders (Tpp.). Schlern u. Seiseralpe (Hsm.). Ober Moos in Passeyer (Zcc!). Auf der Scanuccia (Crist.).

Phaca astragalina De C.
Fahne bläulich mit dunklern Adern, Flügel weiss, Kiel vorne violett. Jul. Aug. ♃.

b. Bl. roth o. violett, selten weisslich. Nebenblätter frei.

483. ***A. vesicarius L.*** Blasen-Tr. ***Ausgebreitet, grau, mit angedrückten im Mittelpunkte angehefteten Haaren;*** die Nebenblätter lanzettlich-pfriemlich, frei; Blätter 5—7paarig, Blättchen länglich o. elliptisch; Aehren fast kopfig; Blüthenstiele länger als das Blatt; ***Kelch*** von schwarzem angedrückten Flaume u. weissen etwas abstehenden Haaren rauhhaarig, ***die fruchttragenden aufgeblasen; Hülsen länglich, ein wenig länger als der Kelch, rauhhaarig, in dem Kelche sitzend,*** halb-2fächerig.

Auf sonnigen steinigen Orten in Südtirol. — Vintschgau: bei Eyers u. ober Laas in den Laaserleiten z. B. bei Loretz u. von hier bis Schluderns (Tpp.); zwischen Glurns u. Prad (Koch syn. ed. 2)! Gebirge von Valsugana (Poll!).

Bl. bei uns weisslich (A. albidus W. K.), sonst auch violett. Mai, Jun. ♃.

c. Bl. gelblichweiss. Nebenblätter in ein einziges blattgegenständiges zusammengewachsen.

484. ***A. Cicer L.*** Kichernartiger Tr. Ausgebreitet, haarig, Haare anliegend; die obern Nebenblätter zusammengewachsen, blattgegenständig; Blätter 8—12paarig, Blättchen länglich-lanzettlich o. oval; Aehren kopfig-eiförmig; Blüthenstiele länger o. kürzer als das Blatt; Fahne eiförmig, ausgerandet, anderthalbmal länger als die Flügel; ***der Stiel des Fruchtknotens 6mal kürzer als dieser; Hülsen aufrecht, rundlich, aufgeblasen, in dem Kelche fast sitzend, rauhhaarig.***

Auf Triften, grasigen Hügeln u. Rainen. — Innsbruck: an Aeckern ausser Pradel gegen Amras (Hfl.). Iselau bei Lienz (Reiner u. Hohenwarth)! Bozen am Eisackdamme in der Rodlerau mit folgender, an der Landstrasse bei Haslach am Zaune links nach der Allee; am Ritten: bei Lengmoos am Wege zum Fenn u. gegen die Finsterbrücke, auch im Tribischerthälchen allda (Hsm.). Weg von Steg nach Völs (Elsm.). Valsugana: auf Triften bei Borgo (Ambr.). Judicarien: al ponte dell' Arnò (Bon.). Fleims (Scopoli)! Castell Brughier (Hfl!).

Bl. gelblichweiss. Jun. Jul. ♃.

d. Bl. gelb o. gelblichweiss. Nebenblätter frei.

485. ***A. glycyphyllos L.*** Süssblättriger Tr. ***Liegend, fast kahl;*** die Nebenblätter oval, stachelspitzig o. zugespitzt; Blätter 5—6paarig, Blättchen eiförmig; Blüthenstiele kürzer als das Blatt; ***Aehren eiförmig-länglich; Hülsen linealisch,*** fast 3kantig, an der untern Naht tief-eingedrückt, ***gebogen, kahl, aufrecht, zuletzt zusammenschliessend.***

An Rainen u. Waldwiesen bis an die Voralpen. — Bregenz (Str!). Innsbruck: am Sonnenburger Schlossberg u. am Villerberg (Hfl. Prkt.). Schwaz (Schm!). Kitzbüchl: im Buchwalde

(Unger)! Pusterthal: um Lienz (Schtz.), bei Taisten u. Welsberg (Hll.); Lienz (Hohenwarth)! Vintschgau: auf Egarten bei Schlanders (Tpp.). Brixen (Hfm!). Bozen: am Eisackdamme an der Rodlerau, bei der Stampfmühle am Wege vom Badel zum Fagen; Ritten: am Pipperer bei Klobenstein u. am Wege von Lengmoos zur Finsterbrücke (Hsm.). Trient: an Weinbergrainen am Doss Trent (Hfl.), dann bei Gocciadoro u. Sopramonte (Per.). Valsugana: bei Borgo (Ambr.). Judicarien: an Zäunen bei Prada u. Corè (Bon.).

Obsolet: Herba et Semen Glycirrhizae sylvestris.

Bl. gelblichweiss. Jun. Jul. ♃.

486. ***A. depressus* L.** Niedergedrückter Tr. Liegend o. fast stengellos; ***die Nebenblätter eiförmig, häutig, 3mal so breit als der Stengel, lang-gewimpert;*** Blätter 9—11paarig, Blättchen rundlich-verkehrt-eiförmig, sehr stumpf o. ausgerandet, oberseits kahl, unterseits angedrückt-flaumig, etwas grau; Blüthenstiele kürzer als das Blatt; ***Hülsen linealisch,*** fast stielrund, gerade, ***abstehend, etwas herabgebogen,*** endlich kahl.

Sonnige steinige Orte der Alpen u. Voralpen im südlichen Tirol. — In Fassa, bei Fucchiada; in Primiero alla neve; in Livinalongo (Fcch.).

Bl. gelblichweiss, Kiel an der Spitze mit einem violetten Flecken. Mai, Jun. ♃.

II. Rotte. ***Podochreati.*** Die Nebenblätter fast bis zu ihrer Mitte an den Blattstiel angewachsen.

487. ***A. exscapus* L.** Schaftloser Tr. Stengellos, sehr zottig; die Nebenblätter an den Blattstiel angewachsen; Blätter 12—15paarig; Blättchen eiförmig; ***Blüthen auf der Wurzel gehäuft,*** der gemeinschaftliche Blüthenstiel sehr kurz; Blüthenstielchen ungefähr so lang als die Röhre des Kelches; Zähne des Kelches pfriemlich; Blumenkrone kahl; ***Hülsen eiförmig,*** zugespitzt-stachelspitzig, ***zottig.***

An sonnigen Orten u. trockenen Triften im Vintschgau. — Auf kleinen Anhöben um Glurns u. Schluderns (Eschl.). In Sulden (Giov!). In den Leiten von Laas bei Schluderns (Tpp.).

Obsolet: Radix Astragali exscapi.

Bl. schwefelgelb. Mai, Jun. ♃.

488. ***A. monspessulanus* L.** Montpellier'scher Tr. ***Fast stengellos,*** grau-flaumig o. beinahe kahl; ***die Nebenblätter an den Blattstiel angewachsen;*** Blätter 12—20paarig, Blättchen eilanzettförmig; Blüthenstiele länger als das Blatt; Zähne des Kelches linealisch; ***Hülsen linealisch, fast stielrund, mit der Spitze aufwärtsgerichtet, gebogen, 12-20-eiig, ausgewachsen fast kahl.***

Grasige gebirgige Orte in Südtirol. — Val di Non; Val di Sarca bei Santa Massenza u. bei Comano im Bezirke von Stenico; am Gardasee (Fcch.). Val di Non: unweit der Rocchetta (Angelis); in der Umgebung von Cles u. bei Limarò längs der Strasse (Bon.). Monte Peller bei Stenico (Per.).

Obsolet: Radix Astragali monspessulani.

Bl. purpurn. Apr. Mai. ♃.

II. Gruppe. **Hedysareae De C.** Hülse quer in Fächer o. Glieder abgetheilt u. oft in Glieder zerfallend. Keimblätter ziemlich flach, beim Keimen blattartig über die Erde hervortretend.

VI. Untergruppe. *Coronilleae De C.* Blüthen doldig. Hülsen stielrund o. zusammengedrückt.

130. *Coronilla L.* Kronwicke.

Kelch kurz, glockig, 5zähnig (die obern Zähne bis über die Mitte verwachsen), fast 2lippig. Kiel in einen Schnabel zugespitzt. Staubgefässe 2brüderig, die längern Staubfäden nach oben verbreitert. Griffel kahl. Hülse verlängert, gerade o. bogig, stielrund o. 4kantig, gegliedert, an den Gelenken eingeschnürt, bei der Reife in 1samige Glieder quer-zerfallend.

I. Rotte. *Emerus Tournef.* Nägel der Blumenblätter 3mal länger als der Kelch. Hülse ziemlich stielrund, gestreift, schwer in Glieder zerfallend.

489. *C. Émerus L.* Strauchartige Kr. Strauchig, aufrecht; die Nebenblätter frei, lanzettlich; Blättchen 7—9, verkehrt-eiformig; Bluthenstiele meist 3blüthig; ***Nägel der Blumenblätter 3mal so lang als der Kelch;*** Hulsen ziemlich stielrund. —

In Vorhölzern u. auf buschigen Hügeln. — Vorarlberg: bei Ems (Str!), bei Hohenems (Cst!). Imst (Lutt!). Innsbruck: an den Felsen rechts an der Strasse nach Zirl u. ober Kranewitten (Eschl. Hfl.). Rattenberg (Wld.). Pusterthal: bei Innichen (Stapf). Vintschgau: bei Castellbell u. bis Schluderns gehend (Tpp.). Meran: Weg nach Schloss Tirol (Zcc!), Josephsberg (Iss.). Bozen: gemein auf allen Abhängen u. Hügeln, z. B. am Weg zum Wasserfall u. ober dem Tscheipenthurm (Hsm.). Zwischen Salurn u. Neumarkt (Mrts!). Schattige Hügel um Trient (Per. Hfl!). Castell Brughier (Hfl!). Am Gardasee (Poll!). Judicarien: bei Sorano nächst Tione (Bon.).

Obsolet: Folia Coluteae scorpioides.

Bl. gelb. Ende Apr. Mai. ♄.

II. Rotte. *Coronilla Tournef.* Nägel der Blumenblätter ziemlich von der Länge des Kelches. Hülse 4kantig o. fast 4-flügelig, leicht in Glieder zerfallend.

490. *C. vaginalis Lam.* Scheidenblättrige Kr. Halbstrauchig, gestreckt; die ***Nebenblätter*** eiförmig, ***in ein einziges eiförmiges, blattgegenständiges zusammengewachsen, von der Grösse der Blättchen;*** Blätter 3—6paarig, Blättchen verkehrt-eiförmig, das unterste Paar von der Basis

des Blattstieles entfernt; Dolden 6—10blüthig; Blüthenstielchen so lang als die Röhre des Kelches; Hülsen 4flügelig.

Gebirgstriften vorzüglich auf Kalk. — Vorarlberg: am Axberg bei Dornbirn (Cst!). Zirl u. Telfs (Str!). Innsbruck: am Mühlauer Steinbruch (Hfl!). Kitzbüchl: am Kaiser (Trn.). Innervilgraten (Schtz.). Hochgebirge um Brixen (Hfm.). Lienz: am Rauchkogel u. auf den Tristacher Bergwiesen (Rsch!). Ausser der Gränze bei den Bädern von Bormio; auf der Mendel bei Bozen (Hsm.). Cles: gegen Vergondola (Hfl!). Tridentineralpen (Per.). Judicarien: Triften bei Preore u. Prada (Bon.).

C. minima Jacq.

Bl. gelb. Jun. Jul. ♄.

491. *C. montana Scop.* Berg-Kr. Krautig, aufrecht; die untern ***Nebenblätter klein, in ein einziges blattgegenständiges ausgerandetes zusammengewachsen, die obern getrennt;*** Blätter meist 5paarig, Blättchen oval u. verkehrt-eiförmig, das unterste Paar die Basis des Blattstieles einnehmend; ***Dolden 15—20blüthig; Blüthenstielchen 3mal so lang als die Röhre des Kelches;*** Hülsen zusammengedrückt-4kantig, gerade.

Auf niedern Bergen um Trient u. Valle Lagarina bei Roveredo (Poll!). Gebüsche bei Albaredo nächst Roveredo (Crist.). Trient: am Doss San Rocco (Per.).

C. coronata L.

Bl. gelb. Jun. ♃.

492. ***C. scorpioides Koch.*** Jährige Kr. Krautig; die Nebenblätter klein, in ein einziges blattgegenständiges zusammengewachsen, ***Blätter 3zählig, sitzend, das unpaarige sehr gross;*** Hülsen gebogen, 4kantig, gestreift.

Unter der Saat, häufig auf Hügeln um Roveredo (Poll!). Im Veronesischen nach Reichenbach! Wird übrigens schon von Laicharding als Tiroler Pflanze aufgeführt.

Ornithopus scorpioides L.

Bl. gelb. Mai, Jun. ⊙.

493. ***C. varia L.*** Bunte Kr. Krautig, liegend; die ***Nebenblätter*** lanzettlich, ***frei;*** Blätter meist 10paarig, Blättchen länglich-verkehrt-eiförmig, stumpf; Blüthenstiele länger als das Blatt; ***Dolden meist 20blüthig; Blüthenstielchen 3mal so lang als die Röhre des Kelches;*** Hülsen 4kantig.

An Rainen, Hügeln u. trockenen sonnigen Triften. — Oberinnthal: bei Imst (Lutt!), bei Zirl u. Telfs (Str!). Innsbruck: am Sonnenburger Schlossberg u. im Wiltauer Klostergarten (Hfl. Prkt.). Rattenberg (Wld!). Pusterthal: bei Welsberg (Hll.), Toblach (Stapf), Tefereggen u. um Lienz (Schtz.); Lienz: auf dem Gamberge u. an den Weinleiten (Rsch!). Meran (Kraft). Am Aufstiege zur Seiseralpe (Schultz!). Bozen: gemein z. B. am Kalkofen u. Eisackdamme; Ritten: um Klobenstein bis 4000′ z. B. am Ameisersteige (Hsm.). An Feldrainen um Trient (Per!).

Trockene Feldmauern u. Hügel um Roveredo (Crist.). Judicarien: längs der Strasse in Breguzzo (Bon.).

Fahne rosenroth, Flügel u. Kiel weiss, letzterer an der Spitze schwarzpurpurn. Jun. Jul. ♃.

131. ***Hippocrepis L.*** Hufeisenklee.

Kelch kurz, glockig, 5zähnig (die obern Zähne bis über die Mitte verwachsen), fast 2lippig. Kiel in einen Schnabel zugespitzt. Staubgefässe 2brüderig, die Staubfäden abwechselnd gegen die Spitze verbreitert. Griffel kahl. Hülsen verlängert, linealisch, zusammengedrückt, gegliedert, an den Gelenken nicht eingeschnürt, an der obern Naht buchtig-ausgeschnitten u. gelappt. Samen gekrümmt. Blätter gefiedert.

494. ***H. comosa L.*** Gemeiner H. Schopfiger H. Die Stengel krautig, ausgebreitet; Blüthenstiele länger als das Blatt, an der Spitze doldentragend; Hülsen etwas gebogen, Glieder gekrümmt, rauh, Gelenke eingedrückt, kahl.

Sonnige, steinige Triften bis in die Alpen. — Vorarlberg: auf der Dornbirneralpe (Str!), u. am Axberg (Cst!). Oberinnthal: bei Prutz u. Nauders (Tpp.). Zirl (Schm.). Am Solstein (Str.). Innsbruck (Friese), Taureralpe (Hfl!). Zillerthal (Schrank)! Bei Ebbs (Harasser)! Kitzbüchl: auf Kalkboden (Trn.). Rattenberg (Wld.). Pusterthal: bei Innichen (Stapf), Welsberg (Hll.); Lienz (Schtz.), allda in der Bürgerau u. am Toldenhofe am Drauufer (Rsch!); bei Peitelstein in Ampezzo (Hsm.). Bergmähder um Brixen (Hfm.). Vintschgau: in Schlinig, Wormserjoch (Tpp.). Bozen: am Wege ober Leifers nach Weissenstein; am Ritten: um Klobenstein und Kematen; Schlern und Seiseralpe (Hsm.). Val di Non: Castell Brughier, Cles (Hfl!). Hügel um Trient (Per!). Im Tridentinischen u. am Baldo (Poll!). Am Gardasee (Clementi). Judicarien: auf Hügeln bei Sorano nächst Tione (Bon.).

Bl. gelb. Jun. Jul. ♃.

VII. Untergruppe. ***Euhedysareae De C.*** Blüthen traubig. Hülsen zusammengedrückt.

132. ***Hedýsarum L.*** Süssklee.

Kelch 5spaltig, Zipfel ziemlich gleich. Kiel stumpf, schiefgestutzt, länger als die Flügel. Staubgefässe 2brüderig, Staubfaden pfriemenförmig. Griffel kahl. Hulse gegliedert, zusammengedrückt, zwischen den Gelenken beiderseits ausgerandet. Gelenke fast kreisrund, einsamig.

495. ***H. obscurum L.*** Alpen-S. Stengel aufrecht; Blätter 5—9paarig, Blättchen eiförmig-länglich o. elliptisch; Nebenblätter in ein blattgegenständiges 2spaltiges zusammengewachsen; Deckblätter länger als die Blüthenstielchen, Hülsen hängend.

Auf Alpentriften. — Vorarlberg: auf der Dornbirneralpe (Str!). Söbenspitze bei Vils (Frl!). Oberinnthal: Alpen bei

Imst (Lutt!). Pfitscherjöchel u. Nassdux (Hfl.). Lisens (Prkt.). Zillerthal: in der Zemm (Schrank!), u. auf der Gerloswand (Gbh.). Markspitz bei Rattenberg (Wld!). Kitzbuchl: am Tristkogel (Trn.). Lampsenjoch (Schm.). Tefereggen; Teischnizalpe u. am grauen Käs (Schtz.). Kalsertaurn, Pregratter- Leibniger- u. Marenwalderalpe bei Lienz (Rsch!). Kerschbaumeralpe (Ortner.). Neunerspitze bei Welsberg (Hll.). Pfitscherjöchel (Hfl!). Kolfuskeralpen; Schlern, Joch Lattemar u. Seiseralpe (Hsm.). Zielalpe bei Meran (Elsm!). Alpen um Trient (Per.).
Bl. purpurn. Jul. Aug. ♃.

133. *Onobrýchis Tournef.* Esparsette.

Kelch 5spaltig, Zipfel ziemlich gleich. Kiel schief-gestutzt, länger als die Flügel. Staubgefässe 2brüderig, Staubfäden pfriemenförmig. Griffel kahl. Hülse 1gliederig, nicht aufspringend, zusammengedrückt, 1samig, netzig-aderig, am obern samentragenden Rande dicker, gerade, am untern abgerundet, gezähnt, dornig o. lappig.

496. *O. sativa Lam.* Gemeine E. Stengel aufstrebend; Flügel kürzer als der Kelch; Kiel länger als die Fahne o. ein wenig kürzer als diese; Hülsen am vordern Rande gekielt, auf dem Mittelfelde erhaben-netzig, am Rande u. auf dem Mittelfelde dornig-gezähnt, Zähne halb so lang als der Kamm der Hülse, die mittlern Maschen des Netzes grösser.

Auf Triften, Hügeln u. im Grus der Flüsse vom Thale bis in die Alpen. — Vorarlberg: um Bregenz (Str!). Imst (Lutt!). Innsbruck: auf Wiesen ober der Mühlauer Höhe (Schpf.), bei Vill u. auf den Thalwiesen zwischen Amras, der Sill u. dem Inn, hier auch mit schneeweissen Bl. (Hfl.). Schwaz (Schm!). Rattenberg: am alten Schlosse (Wld!). Tefereggen: steile Wiesen bei Hopfgarten; Lienz (Schtz.). Prax (Wlf!). Welsberg (Hll.). Innichen; in der Bürgerau bei Lienz (Rsch!), Schleinizalpe (Hohenwarth)! Laas u. Nauders, dann bei Tschirland, auch mit weissen Bl. (Tpp.). Zielalpe bei Meran u. Seiseralpe (Elsm!). Bergmähder um Meran (Kraft). Bozen: im Talfer- u. Eisackbette, auch auf Wiesen; am Ritten auf den Triften zwischen Klobenstein u. Kematen; Seiseralpe u. Schlern (Hsm.). Fleims (Scopoli)! Trient (Per!). Roveredo (Crist.). Valsugana: Wiesen bei Borgo (Ambr.). Monte Baldo: am Aufstiege zum Altissimo (Hfl.).

Hedysarum Onobrychis L.

β. *montana.* Stengel mehr ausgebreitet, Blättchen kürzer u. breiter, Farbe der Bl. dunkler. O. montana De C. Diese Varietät ist in Tirol die vorherrschende u. alle höher gelegenen, vorhin aufgeführten Standorte gehören hieher. Das Längenverhältniss zwischen der Fahne u. dem Kiele, wodurch man O. montana u. sativa als Arten unterscheiden wollte, ist nicht standhaft u. ändert, wie schon Koch bemerkt, oft an einer u. derselben Bluthentraube ab.

Bl. blasser oder dunkler rosenroth, selten weiss.

Mai — Jul. ♃.

III. Gruppe. **Vicieae Brown.** Hülse 1fächerig o. durch weiche, aus lockerm schaumigem Zellgewebe gebildete Querwände in unvollständige Fächer getheilt. Keimblätter dick, nicht über die Erde hervortretend. Blätter gefiedert, der gemeinschaftliche Blattstiel in eine Wickelranke o. Stachelspitze auslaufend. Wurzelblätter keine o. schuppenförmig.

134. *Cicer L.* Kicher.

Kelch 5spaltig, Zipfel zugespitzt, die 2—4 obern der Fahne anliegend. Staubgefässe 2brüderig, die Staubfäden an der Spitze verbreitert. Griffel kahl. Hülse aufgeblasen, häutig, 1fächerig, 2klappig, 2samig. Samen mit einer Spitze.

497. *C. arietinum L.* Gemeine Kicher. Spizóle. Blätter sämmtlich unpaarig-gefiedert, Blättchen oval. Blüthenstiele einzeln in den Blattwinkeln, nach dem Verblühen abwärtsgebogen. Hülse kurz-rhombisch, mit gegliederten Haaren.

Unter der Saat in Südtirol (Host)! Gebaut auf Aeckern im Etschlande, bei Kaltern u. Salurn (Hsm.).

Officinell: Semina Cicerum.

Bl. röthlich o. bläulich, klein. Jun. Jul. ⊙.

135. *Vicia L.* Wicke.

Kelch 5zähnig o. 5spaltig. Staubgefässe 2brüderig, Staubfäden pfriemenförmig. Griffel fädlich, entweder oberwärts ringsum behaart o. auf der untern (äussern) Seite bärtig, übrigens kahl o. gleichzeitig noch kürzer-behaart. Hülse 2klappig, 1fächerig, 2—vielsamig. Samen mit einem ovalen o. linealischen Nabel, kugelig o. länglich. Blätter paarig-gefiedert, Blättchen in der Jugend einfach zusammengelegt.

I. Rotte. Der Griffel rundum gleichförmig behaart und nicht auf der untern Seite bärtig. (Den Gattungsmerkmalen nach von Ervum nicht verschieden.)

498. *V. pisiformis L.* Erbsen-W. Trauben reichblüthig, kürzer als das Blatt; Blätter meist 5paarig; ***Blättchen eiförmig,*** stumpf, aderig, ***die untersten an dem Stengel anstehend, die halbpfeilförmigen gezähnten Nebenblätter verbergend; Griffel von der Mitte an gleichförmig-behaart.***

Im Gebüsche an Abhängen im südlichen Tirol. — Bozen: ober der Landstrasse von Morizing nach Siebenaich selten, eben so am Steindamme im Gandelhofe bei Gries, dann ein einziges Exemplar gegen Runkelstein ober der Schwimmschule im Gebüsche (Hsm.).

Ervum pisiforme Peterm.

Bl. gelblichweiss. Mai, Jun. einzeln Sept. Oct. ♃.

499. *V. sylvatica L.* Wald-W. Trauben reichblüthig,

länger als das Blatt; Blätter meist 8paarig, Blättchen eiförmig, stumpf, aderig; die *Nebenblätter* halbmondförmig, *eingeschnitten-vielzähnig,* Zähne borstlich-haarspitzig; *Griffel von der Mitte an gleichförmig-behaart;* Hulsen linealisch-länglich.

In Gebirgswäldern sehr zerstreut. — Vorarlberg: am Freschen (Cst!), im Dornbirner Wald (Str!). Obere Alpe neben der Söbenspitze bei Vils (Frl!). Kitzbüchl: am Buchwald u. in der Zephyrau in der Nähe des Wasserfalles (Unger! Trn.). Oberinnthal: bei Ladis (Gundlach). Pusterthal: bei Taisten (Hll.), Innichen (Stapf), in Prax u. bei Lienz (Wlf!), bei Hopfgarten u. Lienz (Schtz.). Bergabhänge im Naudererthale (Tpp.). Im Gebiethe von Bozen bisher nur am Ritten, hinter Lengmoos, nördlich am Einsiedelbrünnel gegen das Thälchen (Hsm.). Schattige Orte auf Voralpen um Trient (Per.).

Ervum sylvaticum Peterm.

Bl. weisslich, Fahne mit bläulichen Adern. Jul. Aug. ♃.

500. *V. cassubica L.* Cassubische W. Trauben reichblüthig, kürzer als das Blatt; Blüthenstielchen so lang als die Röhre des Kelches; Blätter vielpaarig, mit einer 3spaltigen, zusammengerollten Wickelranke endigend; *Blättchen* eiförmig-länglich u. lanzettlich, stumpf, *aderig; Nebenblätter* halbspiessförmig, *ganzrandig; Griffel oberwärts überall flaumig;* Hülsen fast rautenförmig; Wurzel kriechend.

Waldige Orte im südlichen Tirol bis an die Voralpen. — Pusterthal: bei Hopfgarten (Schtz.). Gemein um Bozen z. B. gegen Runkelstein ober der Schwimmanstalt mit V. Gerardi, dann am Waldrande zwischen Cardann u. Campil; am Ritten in Menge auf dem Fenn u. im Eyerlwäldchen bei Klobenstein bis gegen 4000′ (Hsm.). Am Aufstiege zur Seiseralpe (Schultz!).

Ervum cassubicum Peterm.

Wickelranke 2—3spaltig o. seltener einfach. Bl. violett. Mai — Jul. ♃.

II. Rotte. *Viciae.* Aechte Wicke. Griffel an der untern Seite gegen die Spitze hin bärtig u. ausserdem kahl o. zugleich oberwärts überall zottig.

§. 1. Blüthenstiele verlängert, reichblüthig, länger o. auch kürzer als das stützende Blatt.

501. *V. dumetorum L.* Hecken-W. Trauben meist 6-blüthig, ungefähr so lang als das Blatt; Blätter meist 5paarig, Blättchen eiförmig, stumpf, aderig, die untersten vom Stengel entfernt; *Nebenblätter* halbmondförmig, *eingeschnitten-vielzähnig,* Zähne haarspitzig; *Griffel rundum-behaart,* hinten aber mit längern Haaren bärtig.

Waldige Orte. — Valsugana: bei Borgo (Ambr.).

Bl. rothviolett mit dunklern Adern. Jul. Aug. ♃.

502. *V. Cracca L.* Vogel-W. Trauben reichblüthig, gedrungen, so lang als das Blatt u. länger; Blätter meist 10-paarig, *Blättchen* länglich u. lanzettlich, *nervig-aderig,* an-

gedrückt-flaumig; Nebenblätter halbspiessförmig, ganzrandig; die ***Platte der Fahne von der Länge des Nagels***; die obern Zähne des Kelches aus breiter Basis plötzlich pfriemlich, sehr kurz; Hülsen linealisch-länglich; ***Stielchen der Hülse kürzer als die Röhre des Kelches.***

An Ufern u. Gebüschen bis an die Voralpen. — Bregenz (Str!). Oberinnthal: bei Imst (Lutt!). Innsbruck: im Gebüsche bei Maria-Hilf u. bei Egerdach (Hfl. Prkt.). Schwaz (Schm!). Kitzbüchl (Unger)! Welsberg (Hll.). Hopfgarten, Innervilgraten, Lienz (Schtz.). Brixen (Hfm.). Vintschgau: bei Glurns u. Matsch (Tpp.). Gemein um Bozen: z. B. auf der Anschwemmung des Eisacks unter dem Kalkofen, im Gebüsche ausser dem kühlen Brünnel u. im Walde am Wege gegen Runkelstein seltener als folgende; Klobenstein am Ritten bis Kematen (Hsm.). Trient: an Gräben im Campo Trentino (Per.). Roveredo: bei San Niccolò u. an der Etsch (Crist.). Judicarien: an der Strasse bei Corè (Bon.).

Bl. violett. Ende Mai — Jul. ♃.

503. ***V. Gerardi De C.*** Gerards-W. Trauben reichblüthig, gedrungen, so lang o. kürzer als das Blatt; obere Blätter meist 15paarig; ***Blättchen*** länglich o. lanzettlich, ***nervig-aderig, abstehend-behaart;*** Nebenblätter halbspiessförmig, ganzrandig; ***Platte der Fahne von der Länge des Nagels;*** obere Zähne des Kelches aus breiter Basis plötzlich pfriemlich, sehr kurz; Hülsen linealisch-länglich; ***Stiel der Hülsen länger als die Röhre des Kelches.***

An Gebüsch auf Hügeln, auf Aeckern und an Waldrändern. Innsbruck: ober dem Gluirschhof (Hfl.). Vintschgau: Waldwiesen ober Rabland u. auf Weiden bei Laas (Tpp.). Lienz (Schtz.). Gemein um Bozen: z. B. bei Haslach u. gegen Runkelstein; um Klobenstein am Ritten z. B. auf dem Fenn u. Ameiser, Kematen (Hsm.). Roveredo: auf den Feldern am Leno (Crist.). Val di Non (Tpp.).

V. Cracca β. Koch syn. ed. 1.

Bl. violett. Ende Mai — Jul. ♃.

504. ***V. tenuifolia Roth.*** Dünnblättrige W. Trauben reichbluthig, gedrungen, länger als das Blatt; Blätter meist 10paarig; ***Blättchen*** lanzettlich, ***nervig-aderig,*** unterseits abstehend-behaart; Nebenblätter halbspiessformig, ganzrandig; die ***Platte der Fahne noch 1mal so lang als ihr Nagel;*** die obern Zähne des Kelches aus breiter Basis plötzlich-pfriemlich, sehr kurz; Hülsen linealisch-länglich; Stiel der Hülse kürzer als die Röhre des Kelches.

Vintschgau: am Wege von Mals nach Matsch (Tpp.).

Bl. violett, die Flügel gewöhnlich bleicher. Jun. Aug. ♃.

505. ***V. villosa Roth.*** Zottige W. Trauben reichbluthig, gedrungen, von der Länge des Blattes u. länger; Blüthenstielchen so lang als die halbe Röhre des Kelches; Blätter meist

8paarig; ***Blättchen*** lanzettlich, ***nervig-aderig***, abstehend-flaumig o. zottig; Nebenblätter halbspiessförmig, ganzrandig; die ***Platte der Fahne halb so lang als ihr Nagel;*** Hülsen elliptisch, fast rautenförmig.

β. ***glabrescens.*** Stengel fast kahl; Blättchen weniger haarig, Haare mehr angedrückt. — Vicia varia Host.

Auf grasigen Hügeln, Abhängen u. Feldern. — Vintschgau: bei Laas (Tpp.). Bozen: in Menge im Guntschnáerberge bei Gries zwischen dem Reichriegler- u. Strecker-Hofe am Wege u. am Abhange darunter, ausserdem sehr zerstreut (Hsm.). Auf Aeckern bei Trient (Per.). Matarello (Hfl.). Roveredo: Felder in Vallunga (Crist.).

Nabel des Samens 8mal kürzer als dessen Umriss.

Bl. schön violett, Flügel blässer oder weisslich.

Hälfte Mai, Jun. ⊙.

§. 2. Blüthenstiele 1—2blüthig o. 4—6blüthig u. kurztraubig; Blüthenstiele kürzer als die Blüthen.

V. Faba L. Bohne. ***Trauben blattwinkelständig, 2—4blüthig, sehr kurz; Blätter mit einer Stachelspitze endend,*** die obern 2—3paarig; Blättchen elliptisch, ***stumpf;*** Fahne kahl; Zähne des Kelches ungleich, die 3 untern lanzettlich, die 2 obern kürzer, zusammenneigend; Hülsen fast stielrund, lederig, fläumlich.

Häufig gebaut, doch mehr auf Gebirgen u. in den Seitenthälern. Aecker um Innsbruck (Hfl.). Um Zell im Zillerthal (Moll!). Pusterthal: um Welsberg u. Lienz (Hll. Rsch! Schtz.). Gebirge um Bozen: um Klobenstein u. bei Kematen, doch selten (Hsm.). Im Tridentinischen (Per!). Val di Sol; in Fassa bis Campitello (Per!).

Officinell: Semen, Stipites et Flores Fabarum.

Bl. weisslich mit schwarzem Flecke auf den Flügeln.

Jun. Jul. ⊙.

506. ***V. oroboides Wulf.*** Breitblättrige W. ***Trauben 3—6blüthig, sehr kurz; Blätter mit einer Stachelspitze endend, 2paarig; Blättchen*** eiförmig, ***zugespitzt;*** Fahne kahl; Zähne des Kelches lanzettlich-pfriemlich, abstehend-zurückgekrümmt; Hülsen linealisch, kahl.

Gebirgs- u. Voralpen-Wälder im südlichen Tirol. — In der Buchenregion bei Trient, Montagna di Povo (Per.), u. im Gesträuche ober Sardagna (Hfl.). In Tesino u. vorzüglich häufig auf dem tirolischen Baldo (Fcch!).

Orobus Clusii Sprengel. Orobus vicioides De C.

Bl. bleichgelb. Anf. Jul. ♃.

507. ***V. sepium L.*** Zaun-W. ***Trauben blattwinkelständig, meist 5blüthig, sehr kurz;*** Blätter mit einer Wickelranke endend, meist 3paarig; Blättchen oval u. länglich, stumpf; ***Fahne kahl;*** Kelchzähne aus breiterer Basis pfriemlich, ungleich, die 2 obern zusammenneigend; Hülsen linealisch-länglich, kahl.

Auf Wiesen u. an Gebüschen gemein bis an die Voralpen. Bregenz (Str!). Innsbruck (Hfl.). Zillerthal (Schrank)! Kitzbüchl (Trn.). Welsberg (Hll.), Innervilgraten, Lienz, Hopfgarten (Schtz.); Innichen (Stapf). Laas u. Schlanders (Tpp.). Am Aufstieg zur Seiseralpe (Schultz)! Um Bozen allenthalben; um Klobenstein am Ritten bis wenigstens 4000′ (Hsm.). Trient (Per.). Roveredo (Crist.). Am Baldo (Clementi). Judicarien: in Rendena u. bei Stelle nächst Tione (Bon.). Gebirge in Tirol u. Buchenregion des Baldo (Poll!).

Aendert ab: mit eiförmigen, o. eilanzettlichen Blättern, dann doch selten mit gelblich-weissen Blüthen, letztere Spielart fand ich einmal an einem Ackerrande jenseits der Etsch an den sogenannten Kaisermösern bei Sigmundscron.

Bl. schmutzig-violett, selten weisslich-gelb. Apr. Jul. ♃.

508. ***V. lutea L.*** Gelbe W. ***Blüthen blattwinkelständig, einzeln u. gezweiet,*** kurzgestielt; Blätter 5—8paarig, Blättchen linealisch u. länglich, stumpf; ***Fahne kahl;*** Kelchzähne lanzettlich, zugespitzt, ungleich, die 2 obern um die Hälfte kürzer, zusammenneigend, der unterste länger als die Kelchröhre; ***Hülsen*** abwärtsgebogen, elliptisch-länglich, ***rauhhaarig, Haare auf einem grossen Knötchen sitzend.***

An grasigen sonnigen Abhängen um Bozen z.B. im Guntschnaerberge (Tpp.), im Gandelhofe bei Gries am Fuss des Berges östlich u. ober dem Tscheipenthurm an einer Stelle am Abhange gegen den Wasserfall ziemlich haufig (Hsm.). Am Gardasee (Poll!).

Bl. blassgelb, Fahne meist schmutzig-grün o. schmutzig-rosenroth. Apr. Mai. ⊙.

509. ***V. angustifolia Roth.*** Schmalblättrige W. ***Blüthen blattwinkelständig, meist gezweiet,*** kurz-gestielt; Blätter meist 5paarig, Blättchen der untern Blätter verkehrt-eiförmig, ausgerandet-gestutzt o. abgeschnitten; Fahne kahl; ***Kelchzähne*** lanzettlich-pfriemlich, ***ungefähr so lang als ihre Röhre, gerade hervorgestreckt; Hülsen abstehend, linealisch, bei der Reife kahl.***

Auf Aeckern, an Rainen u. grasigen Hügeln gemein. — Um Bregenz (Str!). Kitzbüchl (Trn.). Welsberg (Hll.). Brixen (Hfm.). Meran (Iss.). Bozen: z. B. an den Runkelsteiner Schlossfelsen, am Wege jenseits der Talfer zwischen dem Hofmann u. Kellermann etc.; am Ritten selten auf einem Acker im Krotenthale nächst Klobenstein; bei Kaltern u. Margreid auf Aeckern (Hsm.). Vintschgau: bei Vezzan (Tpp.). Valsugana: am See von Caldonazzo; Trient: am Doss Trent (Hfl.). Roveredo (Crist.).

Die Blättchen der obern Blätter kommen vor: lanzettlich-linealisch (V. segetalis Thuill.) oder linealisch (V. angustifolia Roth.). Beide Formen kommen bei Bregenz, Bozen und Kitzbüchl vor.

Bl. purpurn. Hülsen schwarz. Samen kugelig. Apr. Jun. ⊙.

510. ***V. cordata Wulf.*** Herzblättrige W. ***Blüthen blattwinkelständig, meist gezweiet,*** kurz-gestielt; Blätter

meist 7paarig; *Blättchen* der untern Blätter verkehrt-herzförmig, die der obern linealisch-keilig, *2lappig-ausgerandet; Fahne kahl; Kelchzähne lanzettlich-pfriemlich, gerade-hervorgestreckt;* Hülsen linealisch.

Auf Feldern um Roveredo (Crist.). Bei Matarello (Hfl.). Trient: im Campo Trentino (Per.).

Varietät der Vorigen, wie mich wiederholte Aussaat belehrte.

Bl. purpurn. Apr. Mai. ⊙.

511. *V. lathyroides L.* Platterbsen-W. *Blüthen blattwinkelständig, einzeln, fast sitzend; Blätter 2—3-paarig, mit einer Stachelspitze, die obern mit einer Ranke endend;* Blättchen verkehrt-eiförmig, gestutzt; Kelchzähne pfriemlich, gerade, fast gleich; Hülsen linealisch, kahl; *Samen kubisch, körnig-rauh.*

Auf sonnigen Hügeln u. grasigen Abhängen. — Bozen: bei St. Georg, bei Runkelstein, am Calvarienberge am nördlichen Abhange unter der Kapelle an einer alten Mauer, am Wege ober Haslach gegen Heilig-Grab.

Bl. klein, purpurn. Apr. Mai. ⊙.

136. *Ervum L.* Linse.

Kelch 5zähnig o. 5spaltig. Staubgefässe 2brüderig, Staubfäden pfriemenförmig. Griffel fädlich, oberwärts rundum gleichformig-behaart. Hülse 1fächerig, 1—vielsamig. Samen kugelig-zusammengedrückt, der Nabel wie bei Vicia. Blätter paarig-gefiedert, Blättchen in der Jugend einfach zusammengelegt.

I. Rotte. Griffel oberwärts überall gleichförmig-behaart. (Hieber gehört die erste Rotte der Gattung Vicia.)

512. *E. hirsutum L.* Haarige L. *Blüthenstiele 2—6-blüthig, ungefähr so lang als das Blatt;* die obern Blätter mit einer Wickelranke endigend, *meist 6paarig*; Blättchen linealisch, stumpf o. gestutzt; die untern Nebenblätter lanzettlich, halbspiessformig; Kelchzähne so lang als die Kelchröhre; *Hülsen länglich, 2samig, flaumig.*

Auf bebautem Boden, auch an Hecken u. sonnigen buschigen Hügeln. — Bregenz (Str!). Innsbruck: im Wiltauer Stiftsgarten (Prkt.). Felder um Kitzbüchl (Trn.). Welsberg (Hll.). Lienz (Rsch!). Brixen (Hfm.). Vintschgau: Aecker bei Vezzan (Tpp.). Gemein um Bozen: z. B. in den Weinleiten von Gries bis zum Tscheipenthurm, dann an den Abhängen u. Felsen bei Runkelstein u. im Hertenberge; am Ritten: bei Klobenstein auf den Aeckern des Fenns bis 4000′ (Hsm.). Trient (Per.). Roveredo (Crist.). Judicarien: längs der Strasse bei Corè (Bon.).

Vicia hirsuta Koch syn. ed. 1.

Bl. bläulich-weiss. Ende März — Jun. ⊙.

513. *E. tetraspermum L.* Viersamige L. *Blüthenstiele 1blüthig, grannenlos, ungefähr so lang als das Blatt;* die obern Blätter mit einer Wickelranke endigend, 3—4paarig; Blättchen linealisch, stumpf; Nebenblätter halb-

spiessförmig; Kelchzähne kürzer als die Kelchröhre; ***Hülsen linealisch, 4samig, kahl.***

Bebaute Orte u. an Gebüschen. — Vorarlberg: gemein um Bregenz (Str!). Pusterthal: auf Aeckern bei Lienz (Rsch!). Bei Brixen selten an Hecken (Späth).

Vicia tetrasperma Mönch. Koch syn. ed. 1.

Bl. weisslich, Fahne bläulich. Mai, Jun. ⨀.

514. ***E. Ervilia L.*** Wicken-Linse. Blüthenstiele 2-blüthig, kürzer als das Blatt; Blätter meist 10paarig, mit einer Stachelspitze endigend; Blättchen länglich, gestutzt; die Nebenblätter gleich, halbspiessförmig, borstlich-gezähnt; Zähne des Kelches pfriemlich, länger als ihre Röhre; ***Hülsen linealisch-länglich, buchtig-holperig, fast perlschnurförmig.***

Unter der Saat in Südtirol, Krain etc. (Kittel Linn. Tschb. p. 352)! Auf Aeckern bei Roveredo (Crist.).

Vicia Ervilia Willd. Koch syn. ed. 1.

Obsolet: Semina Ervi vel Orobi.

Bl. weisslich, Fahne violett-gestreift. Jun. Jul. ⨀.

II. Rotte. Griffel auf seiner obern Fläche u. gegen die Spitze hin der Länge nach behaart, auf der untern Seite kahl.

E. Lens L. Gemeine L. Blüthenstiele 1—2blüthig, ungefähr so lang als das Blatt, begrannt; die obern ***Blätter*** mit einer Wickelranke endigend, ***meist 6paarig; die Nebenblätter*** lanzettlich, ***ganzrandig;*** Kelch so lang als die Blumenkrone; ***Hülsen*** fast rautenförmig, 2samig, ***kahl.*** — Gebaut.

Obsolet. Semina Lentis. — Lathyrus Lens Kittel.

Bl. weiss, Fahne mit lilafarbenen Adern. Jun. Jul. ⨀.

137. ***Pisum L.*** Erbse.

Kelch 5spaltig. Staubgefässe 2brüderig, Staubfäden pfriemenförmig. Griffel auf der untern Seite rinnig, auf der obern (innern) am Grunde gekielt u. nach oben gebärtet, sonst kahl. Hülse 1fächerig, vielsamig. Blätter paarig-gefiedert, mit verzweigten Wickelranken. Blättchen in der Jugend einfach zusammengelegt.

515. ***P. arvense L.*** Acker-E. Zucker-E. Nebenblätter ei-halbherzförmig, an der Basis ungleich-gezähnt, so lang als die 1blüthigen Blüthenstiele o. etwas länger als die untere Blüthe des 2blüthigen Blüthenstieles; Blätter 2—3paarig; Blättchen eiförmig; ***Samen kantig-eingedrückt.***

Unter der Saat um Kitzbüchl gemein (Trn.), daselbst bis in die höchsten Bergfelder (Unger)! Um Bregenz (Str!). Innsbruck (Hfl.). Aecker um Lienz (Rsch!). Innervilgraten (Schtz.). Vintschgau: bei Laas (Tpp.). Gebaut am Ritten z. B. um Klobenstein, Kematen u. Pfaffstall bis 4800′ (Hsm.).

Bl. purpurn, Fahne hell-violett. Samen graugrün mit braunen Punkten. Mai — Jul. ⨀.

P. sativum L. Gemeine E. Nebenblätter ei-halbherzförmig, an der Basis ungleich-gezähnt, so lang als die 1blüthigen

Blüthenstiele o. etwas länger als die untere Blüthe des 2blüthigen Blüthenstieles; Blätter 3paarig; Blättchen eiförmig; ***Samen kugelig.***

Gebaut durch ganz Tirol auf Aeckern. Um Lienz (Rsch!). Am Ritten mit Voriger bis gegen 5000′ (Hsm.).

Obsolet: Semina Pisi sativi.

Bl. weiss. Samen kugelig einfärbig, gelblichweiss. Mai — Jul. ⊙.

138. *Láthyrus L.* Platterbse.

Kelch 5spaltig o. 5zähnig. Staubgefässe 2brüderig, Staubfäden pfriemenförmig. Griffel linealisch o. nach oben zu verbreitert, auf der obern Seite flach u. von der Narbe abwärts der Länge nach haarig, auf der untern kahl. Narbe gerade o. zurückgebogen. Hülse 2klappig, 1fächerig, 2—vielsamig. Nabel der Samen wie bei Vicia. Blätter paarig-gefiedert, der gemeinschaftliche Blattstiel in eine Wickelranke ausgehend. Blättchen in der Jugend eingerollt.

I. Rotte. ***Nissolia. Blätter fehlend, Blattstiel wickelrankenförmig o. blattförmig.***

516. ***L. Áphaca L.*** Acker-Pl. Blüthenstiele 1blüthig; ***Blattstiele*** fädlich, ***blattlos,*** mit einer Wickelranke endigend; ***Nebenblätter sehr gross,*** verkehrt-eiförmig, an der Basis geöhrt-pfeilförmig.

Auf bebautem Boden in Südtirol. — Bei Matarello unter Trient (Hfl.). Aecker der Hügelregion um Trient (Per!). Roveredo: unter der Saat (Crist.).

In der Campileran bei Bozen fand ich einmal 2 Exemplare, wahrscheinlich durch den Eisack hereingeschwemmt.

Bl. gelb. Mai, Jun. ⊙.

II. Rotte. ***Eulathyrus De C. Alle Blattstiele blättertragend.***

§. 1. ***Blätter 1—2paarig; Blüthenstiele 1—2blüthig; Wurzel jährig.***

517. ***L. sphaericus Retz.*** Kugelfrüchtige Pl. ***Blüthenstiele 1blüthig,*** kürzer als der Blattstiel, an der Basis gegliedert u. ***begrannt;*** Blätter 1paarig; ***Fruchtknoten kahl;*** Hülsen verlängert, linealisch, 8—10samig, gedunsen, kahl, aderig-gestreift, Adern hervorspringend; ***Samen kugelig, glatt,*** Nabel länglich-oval.

Im südlichen Tirol. An sonnigen Rainen, auf Hügeln u. grasigen warmen Abhängen, auch auf Aeckern. — Um Bozen gemein, z. B. beim Einsiedel, an den Runkelsteiner Schlossfelsen, am Fuss des Berges im Gandelhofe bei Gries, am Kalvarienberge südlich, bei St. Jacob etc. (Hsm.). Guntschnáerberg bei Bozen (Tpp.). Aecker um Trient (Per.). Matarello (Hfl.). Roveredo (Crist.).

Bl. ziegelroth. Apr. Mai. ⊙.

518. ***L. setifolius L.*** Borstenblättrige Pl. ***Blüthenstiele 1blüthig,*** kürzer als das Blatt, oberwärts gegliedert, mit kleinen Deckblättchen; Blätter 1paarig; ***Hülsen*** länglich, flach-zusammengedrückt, netzig-aderig, kahl, ***2—3samig; Samen kugelig, knotig-rauh.***

Auf steinigen Hügeln am Gebüsch im südlichern Tirol. — Tirol gegen den Baldo hin (Reichenb. flor. exc. pag. 534)! Trient: selten im Gebüsche am Doss Trento (Hfl.). Am Fusse des Baldo: im Gebiethe von Torbole (Fleischer)!

Blätter linealisch o. lineal-lanzettlich, daher der Name unpassend. Bl. purpurn. Apr. Mai. ⊙.

519. ***L. hirsutus L.*** Rauhhaarige Pl. ***Blüthenstiele 2blüthig,*** länger als das Blatt; Blätter 1paarig; ***Hülsen*** linealisch-länglich, ***rauhhaarig, Haare an der Basis zwiebelig;*** Samen kugelig, knötig-rauh.

Auf Aeckern im südlichen Tirol. — Bei Salurn (Fcch!). Trient: im Campo Trentino (Per.).

Bl. rosenroth o. bläulich-roth. Jun. ⊙.

§. 2. ***Blätter 1—mehrpaarig. Blüthenstiele reichblüthig. Wurzel perennirend.***

a. ***Stengel kantig, flügellos.***

520. ***L. tuberosus L.*** Knollige Pl. Blüthenstiele reichblüthig, länger als das Blatt; Blätter 1paarig; Hülsen linealisch-länglich, kahl, netzig-aderig; Samen schwach-knötig; ***die obern Kelchzähne kurz-3eckig; Stengel kantig, flügellos.***

Auf Aeckern im südlichen Tirol. — Vintschgau: bei Mals (Tpp.), u. in Sulden (Hrg!). Im Etschlande: in Menge auf den Aeckern im sogenannten Steige bei Margreid (Hsm.).

Obsolet: Glandes terrestres.

Bl. purpurn. Jun. Jul. ♃.

521. ***L. pratensis L.*** Wiesen-Pl. Blüthenstiele reichblüthig, länger als das Blatt; Blüthen nach allen Seiten abstehend; Blätter 1paarig; Nebenblätter pfeilförmig; Hülsen linealisch-länglich, schief-aderig, Adern hervorspringend; Samen kugelig, glatt; ***Kelchzähne kürzer als der Fruchtknoten, sämmtlich lanzettlich-pfriemlich; Stengel kantig, flügellos.*** —

Gemein auf Wiesen, Waldtriften u. an Hecken bis in die Alpen. — Vorarlberg: am Freschen (Cst!); bei Bregenz (Str!). Oberinnthal: bei Imst (Lutt!). Innsbruck (Prkt.). Schwaz (Schm!). Zillerthal: um Zell (Gbh.). Kitzbüchl (Trn.). Pusterthal: bei Welsberg (Hll.), bei Lienz, in Hopfgarten u. Innervilgraten (Schtz.), um Innichen (Stapf). Bozen: auf den Mösern bei Sigmundscron u. an den Wiesen am Fusse des Haslacher Berges; Klobenstein am Ritten z. B. am Kemater Kalkofen; Seiseralpe (Hsm.). Nauders (Tpp.). Vintschgau: bei Lichtenberg (Iss.). Valsugana: bei Borgo u. in Tesino (Ambr.). Trient (Per!). Roveredo (Crist.). Judicarien: bei Tione (Bon.).

Var.: grauzottig. Diese Varietät fand ich am Aufstieg zur Seiseralpe.

Bl. gelb. Ende Mai, Aug. ♃.

b. *Stengel augenfällig geflügelt.*

522. *L. sylvestris L.* Wald-Pl. Blüthenstiele reichblüthig, länger als das Blatt; Blätter 1paarig; Hülsen länglich-linealisch, kahl; Samen knötig-runzelig; ***Nabel die Hälfte des Samens umgebend;*** Stengel breit-geflügelt, seine ***Flügel noch einmal so breit als die der Blattstiele.***

In Hecken u. Gebüschen, auf gebirgigen Orten bis an die Voralpen. — Bregenz (Str!). Innsbruck: am Buchberg; Hall: am Wege nach Taur (Hfl.). Zillerthal (Schrank)! Welsberg (Hll.). Lienz (Schtz.), allda am Grämelebüchl u. jenseits der Drau am Toldenfeld (Rsch!). Brixen (Hfm!). Vintschgau: bei Laas (Tpp.). Bozen: an den Zäunen rechts an der Strasse nach Sigmundscron u. Siebenaich; Sarnthal: bei Durnholz; Ritten: häufig am südlichen Abhange des Fenns bei Klobenstein (Hsm.). Am Aufstieg zur Seiseralpe (Schultz)! Valsugana: bei Borgo (Ambr.). Judicarien: bei Tione (Bon.).

Bl. fleischroth mit dunklern Adern. Hälfte Jun. Jul. ♃.

523. *L. heterophyllus L.* Verschiedenblättrige Pl. Blüthenstiele reichblüthig, länger als das Blatt; ***die obern Blätter 2—3paarig;*** Hülsen länglich-linealisch, kahl; ***Samen knötig-rauh, Nabel kaum ein Drittel des Samens umgebend;*** Stengel nebst den Blattstielen breit-geflügelt.

Auf trockenen Voralpen in Vintschgau selten. Bei Graun, Laas u. am Fusse der Godriaspitze (Tpp.). Pusterthal: nördlich von Toblach (Stapf), Innervilgraten (Schtz.).

Bl. purpurn. Jun. Jul. ♃.

524. *L. latifolius L.* Breitblättrige Pl. Blüthenstiele reichblüthig, länger als das Blatt; ***Blätter 1paarig;*** Hülsen länglich-linealisch, kahl; ***Samen knötig-runzelig, Nabel kaum ein Drittel des Samens umgebend;*** Stengel nebst den Blattstielen breit-geflügelt.

Im südlichen Tirol an Gebüschen. — Am Baldo (Per.). Bei Avio u. in Val die Vestino (Fcch.). Angeblich auch bei Lienz mit L. sylvestris!

Bl. rosenroth. Jun. Jul. ♃.

525. *L. palustris L.* Sumpf-Pl. Blüthenstiele reichblüthig, länger als das Blatt; ***Blätter 2—3paarig;*** Oehrchen der Nebenblätter lanzettlich, zugespitzt; Hülsen linealisch-länglich, gerade, kahl; Samen glatt, Nabel den vierten Theil des Samens umgebend; ***Stengel geflügelt; Blattstiele flügellos,*** schmal-berandet.

Auf sumpfigen Wiesen im Etschlande. — An der Etsch bei Unterrain nächst Bozen (Hfl.). Häufig auf den sogenannten Kaisermösern u. bei Frangart nächst Bozen, vorzüglich dem alten Etschgraben entlang (Hsm.).

Bl. purpurn ins Blaue ziehend. Ende Jun. Jul. ♃.

139. *Órobus L.* Walderbse.

Blätter paarig-gefiedert, der Blattstiel in eine krautige Spitze auslaufend. Sonst wie Lathyrus.

526. *O. vernus L.* Frühlings-W. Stengel kantig; Blätter 2—3paarig; ***Blättchen eiförmig, länglich-eiförmig, lanzettlich o. linealisch, langzugespitzt, gewimpert, unterseits glänzend;*** Blüthenstiele blattwinkelständig, gerade, meist 4blüthig, ungefähr so lang als das Blatt; Hülsen kahl.

Gebusche u. Vorhölzer bis an die Voralpen. — Vorarlberg: bei Feldkirch (Cst!). Oberinnthal: im Arzler Wald bei Imst (Lutt!). Welsberg (Hll.). Um Lienz (Schtz.), allda u. am Dorfe Thurn (Rsch!). Vintschgau: bei Lichtenberg (Iss.), bei Prad, Schluderns, Martell u. Tschengels (Tpp.). Algund bei Meran (Tpp.). Gemein um Bozen, z. B. am Fusse des Haslacher Berges, an der Strasse ausser Sigmundscron, am Weg zum Wasserfall etc. (Hsm.). Steinegg nächst Bozen (Gundlach). Trient: ober Sardagna; auf der Hochebene von Andolo (Hfl.). Celva im Tridentinischen (Per.). Valsugana: bei Borgo (Ambr.). Roveredo (Crist.). Judicarien: bei Tione (Bon.).

Lathyrus vernus Kittel.

An allen vorgenannten Standorten kommt nur die breitblättrige Form vor. — Obsolet: Semen Galegae nemorensis.

Bl. zuerst purpurn, dann blau, zuletzt ins Grüne ziehend. Apr. ♃.

527. *O. variegatus Tenore.* Bunte W. Stengel kantig; Blätter 2—3paarig; ***Blättchen breit-eiförmig, zugespitzt, an der Basis schief-abgerundet, gewimpert, unterseits glänzend;*** Blüthenstiele blattwinkelständig, einwärtsgekrümmt, reichblüthig, ungefähr so lang als das Blatt; ***die jüngern Hülsen fein drüsig-rauhhaarig.***

Im Gebüsche u. in Vorhölzern im südlichen Tirol. — Bei Meran u. beim Schlosse Brandis nächst Lana (Tpp.). Gemein um Bozen u. da zuerst von Sieber am Wege nach Sarnthal entdeckt, meist mit Voriger, z. B. an der Quelle vor Runkelstein, am Fagnerbache u. am Weg zum Wasserfall, zwischen Cardann u. Campil etc. (Hsm.).

O. venetus Mill. Reichenb. fl. exc. O. multiflorus Sieb. — Bl. um die Hälfte kleiner als bei Voriger, fleischroth mit dunklern Adern. — Der vorigen Art ähnlich, doch leicht durch die angegebenen Merkmale unterscheidbar, ausserdem in ihrer ganzen Lebensart verschieden. O. vernus ist eine wahre Frühlingspflanze, sie entwickelt in ziemlich raschem Verlaufe ihre Blüthentrauben, so wie die einzelnen Blüthen derselben alle gleichzeitig u. mit den Blättern. O. variegatus beginnt neben Voriger wachsend erst nachdem selbe schon einige Zeit verblüht u. nach vollständiger Blattausbildung die Blüthezeit u. entwickelt die Trauben u. einzelnen Blüthen derselben in langsamem Verlaufe nur allmählig u. zwar ununterbrochen von Ende April bis Anfangs Juli. ♃.

528. **O. tuberosus L.** Knollige W. ***Stengel geflügelt;*** Blätter 2—3paarig; Blättchen lanzettlich-länglich o. linealisch, unterseits meergrün, glanzlos; Griffel linealisch; Wurzelstock kriechend, an den Gliedern knollig.

Gebirgige waldige Orte. — In der angränzenden Schweiz bei Rheineck (Cst!). Im Etschlande: bei Lana an buschigen Abhängen bei der Ruine Laan u. Stein, im Plateider Walde (Fr. Mayer). Meran: in Buchenwäldern am Hofe Gruns (Tpp.). Gebirge um Roveredo (Crist.).

Lathyrus montanus Kittel.

β. ***tenuifolius.*** Blättchen linealisch. Hafling nächst Meran (Tpp. Mayer).

Bl. hellpurpurn. Mai, Jun. ♃.

529. **O. luteus L.** Gelbe W. ***Stengel kantig, meist einfach;*** Blätter meist 4paarig; ***Blättchen elliptisch, ziemlich spitz, unterseits meergrün, glanzlos;*** Griffel linealisch, an der Spitze bärtig; Wurzelstock wagrecht, Fasern fädlich, die heurigen einfach, die ältern feinfaserig; Nabel den vierten Theil des Samens umgebend.

Wälder höherer Gebirge u. Alpen in Tirol (Koch syn.)! Vorarlberg: am Freschen (Cst.), Uebergang von Krumbach ins Illerthal (Tir. B.)! Waldregion der Seiseralpe (Elsm.). Pusterthal: in Prax (Hll.). Nach Pollini auf den Voralpen des Baldo, vorzüglich Val di Novesa, Val fredda u. dell' Artillon; Dr. Facchini fand jedoch an den genannten Orten nur Vicia oroboides Wulf. — Lathyrus ochraceus Kittel.

Bl. gelblich-weiss, zuletzt gelbbraun. Jun. Jul. ♃.

530. **O. niger L.** Schwarze W. ***Stengel kantig ästig;*** Blätter meist 6paarig; ***Blättchen eiförmig-länglich, stumpf, unterseits meergrün, glanzlos; Griffel linealisch von der Mitte bis zur Spitze bärtig;*** Wurzel ästig.

An waldigen sonnigen Abhängen u. Vorhölzern im südlichen Tirol bis an die Voralpen. — Lienz: hinter Schlossbruck, dann Wälder ober Dölsach u. Nussdorf (Rsch!), Lienz (Schtz.). Sparsam um Brixen (Hfm.). Aufstieg zur Seiseralpe (Schultz)! Gemein um Bozen, z. B. gegen Runkelstein, im Haslacher Wald u. Hertenberg; Ritten biss 4000′ z. B. am Fennabhange u. im Eyrlwäldchen bei Klobenstein (Hsm.). Gocciadoro bei Trient; in Vallunga (Per!). Hügel im Tridentinischen; am Baldo bei Brentónico (Poll!). — Lathyrus niger Kittel.

Bl. purpurn. Ende Mai, Jul. ♃.

IV. Gruppe. **Phaseoleae Bronn.** Hülse 1fächerig; Blätter 3zählig, die Blättchen mit Nebenblättern. Keimblätter dick. Wurzelblätter gegenständig.

Pháseolus L. Bohne.

Kelch 2lippig, obere Lippe 2- untere 3zähnig. Griffel oberwärts bärtig, sammt den Staubfäden u. dem Kiele schraubenförmig gewunden. Hülse 2klappig, durch locker-zellige Scheidewände fast querfächerig. Blätter 3zählig, also rankenlos.

P. multiflorus* Willd.** Feuerbohne. Türkische Fisole. Blättchen eiförmig, zugespitzt; ***Trauben gestielt, ***länger als das Blatt;*** Blüthenstielchen gezweiet; Hülsen hängend, etwas sichelförmig.

Zur Zierde in Gärten, vorzüglich der Landleute, z. B. um Bregenz (Str!), um Klobenstein am Ritten (Hsm.).

Bl. weiss o. hochroth. Jul. Aug. ⊙.

P. vulgaris* L.** Gemeine B. Fisole. Blättchen eiförmig, zugespitzt; ***Trauben gestielt, ***kürzer als das Blatt;*** Blüthenstielchen gezweiet; Hülsen hängend, ziemlich gerade.

Häufig gebaut, vorzüglich im südlichen Tirol auf den Maisäckern, um Bozen auch in Weinbergen.

β. nanus. Stengel niedrig, sich nicht windend. P. nanus L. — Gebaut, z. B. um Bregenz (Str!), um Innsbruck (Hfl.), um Bozen (Hsm.).

Officinell: Semina Phaseoli, vel Fabae albae.

Bl. weiss, röthlich o. lila. Jun. Aug. ⊙.

***Sophora japonica* L.** — Schmetterlingsblüthe; Staubfäden 10, frei; Hülse nicht aufspringend, eingeschnürt. Blätter unpaarig-gefiedert, Blättchen eiförmig-länglich, ganzrandig, zugespitzt. Die gelblichweissen Blüthen in Rispen. Mittelmässiger Baum aus Japan. Gepflanzt: Bozen an der Talferallee 2 Bäume. Ende Jun. Anf. Jul. blühend. (X. 1.).

XXX. Ordnung. CAESALPINEAE. R. Br.

Caesalpineen.

Kelch 5zähnig o. 2lippig, abfällig o. verwelkend. Blumenkrone unregelmässig, schmetterlingsförmig o. fast rosenartig, tief unten im Kelche eingefügt, 5blättrig, Blumenblätter frei. Staubgefässe frei, bei ausländischen auch zusammengewachsen. Fruchtknoten mit einem seitenständigen Samenträger. Samen eiweisslos. Keim gerade. Blätter abwechselnd, mit Nebenblättern.

140. *Cercis* L. Judasbaum.

Kelch 5zähnig, unten höckerig. Blumenkrone 5blättrig, schmetterlingsförmig. Staubgefässe 10, frei, ungleich, abwärtsgebogen. Hulse 1fächerig; flach-gedrückt, vielsamig. (X. 1.).

531. ***C. Siliquastrum* L.** Gemeiner J. Blätter herznierenförmig, kahl, sehr stumpf.

Im südlichen Tirol, auf steinigen Hügeln u. Abhängen. — Auf allen Hügeln im Tridentinischen (Poll!). Im Gebiethe von Riva auf dem Hügel Brion (Fcch.). Pontara di Nago bei Torbole (Hfl.). Am Gardasee (Eschl!). Am Baldo (Barbieri!). Gepflanzt in Bozen z. B. im Sarntheinischen Garten u. im Gandelhofe bei Gries (Hsm.).

Häufig am tirolischen und veronesischen Baldo (Bielz). — Ein schöner mittelmässiger Baum mit gebüschelten pfirsichblüthenfarbenen Blüthen. Hälfte Apr. Anf. Mai. ♄.

Gleditschia L. Gleditschie.

Blüthen zwitterig o. durch Fehlschlagen vielehig. Kelchblätter 3—5, an der Basis in ein Becherchen verwachsen. Blumenblätter 3—5, ungleich, ein o. das andere manchmal mit einander verwachsen. Staubgefässe so viele als Blumenblätter. Hülsen flach, 1—vielsamig. Samen zusammengedrückt.

G. triacanthos L. Dreistachlige G. Blätter doppeltgefiedert, Blättchen klein, länglich, am Rande fein-kerbiggezähnt. Aeste dornig, Dornen dick, ästig. Hülsen vielsamig, herabhängend, schwertförmig, Fusslang u. darüber. Bl. gelblich-grün. — Ein schöner Baum aus Virginien. Zur Zierde u. auch zu Hecken angepflanzt. Bozen in meinem Weinberge in der Stadt, wo er sich von selbst aussäet; auch in Hecken mit Robinia pseudacacia in der Kaiserau an der Strasse bei St. Jacob u. rechts im Zaune an der Strasse nach Sigmundscron. Blüht Ende Mai, Anf. Juni. ♄.

Aus der verwandten Ordnung der: ***Mimoseen*** findet man im südlichen Tirol bei Trient u. Roveredo etc. hie u. da, einzeln auch bei Bozen, als Zierbäume angepflanzt: ***Acacia Farnesiana W.*** u. ***Acacia Julibrissin W.***

XXXI. Ordnung. AMYGDALEAE. Juss.
Mandelbaumartige.

Blüthen meist zwitterig. Kelch 5zähnig, frei, Zipfel in der Knospenlage dachig. Blumenblätter 5, nebst den zahlreichen Staubgefässen einem die Kelchröhre auskleidenden, oft undeutlichen Ringe eingefügt. Fruchtknoten 1, frei, 1fächerig, mit 2 Eierchen. Griffel 1, Narbe einfach. Steinfrucht mit saftigem o. lederartigem Fleische u. meistens 1samiger Steinschale. Keim eiweisslos, rechtläufig. Bäume o. Sträucher mit wechselständigen Blättern, abfälligen Nebenblättern u. oft dornigen Aesten. Sie enthalten als charakteristische Substanz mehr o. weniger Blausäure. Die Früchte von vielen geniessbar u. als Steinobst bekannt.

Amygdalus L. Mandelbaum.

Blüthen zwitterig. Kelch 5spaltig. Blumenkrone 5blättrig. Griffel 1, mit einfacher Narbe. Steinfrucht saftlos, das trockene Fleisch bei der Reife unregelmässig zerreissend. Steinschale (Nussschale) glatt o. schwach-gefurcht, mit o. ohne Löchelchen. (XII. 1.).

A. communis L. Gemeiner M. ***Blätter*** lanzettlich, ***drüsig-gesägt;*** Blattstiel oberwärts drüsig, so lang als der Querdurchmesser des Blattes o. länger; Röhre des Kelches glockig; Nussschale mit Löchelchen durchstochen.

Im südlichen Tirol häufig angepflanzt in Weinbergen u. am Fuss der Berge z. B. um Meran, Bozen, Margreid, Trient, Borgo u. am Gardasee etc., an sehr guten Lagen gedeiht er noch bei Pergine (1485′). — Aendert ab: mit grössern oder kleinern Früchten, hart- o. weichschaligen Früchten (A. fragilis Brkh. Krachmandel), mit süsslichen o. bittern Samen (A. amara Hayne. Bittere Mandel).

Officinell: Amygdalae dulces et amarae.

Bl. weiss, röthlich-weiss o. hell-rosenroth. Blüht bei Bozen durchschnittlich Anfangs der zweiten Woche März. ♄.

A. nana L. Zwerg-M. *Blätter* lanzettlich, in den kurzen Blattstiel verschmälert, *drüsenlos-gesägt,* an der Basis ganzrandig, gänzlich kahl; Röhre des Kelches walzlich; Nussschale fast glatt ohne Löchelchen.

Man findet diesen kleinen Strauch häufig zur Zierde in Gärten u. Lustgebüschen.

Bl. meist gefüllt, hell-rosenroth. März, Apr. ♄.

Pérsica Tournef. Pfirsichbaum.

Steinfrucht saftig, Fleisch nicht aufspringend. Steinschale runzelig-gefurcht, mit punktförmigen Löchelchen. Sonst wie Amygdalus. (XII. 1.).

P. vulgaris De C. Gemeiner Pf. Blätter lanzettlich, spitz-gesägt. Blattstiel kürzer als der halbe Querdurchmesser des Blattes. Frucht filzig. Im Etschlande häufig angepflanzt in Weinbergen, z. B. um Meran, Bozen, Salurn, Trient, Roveredo, Borgo, Arco, Mori etc. In Gärten nach Rauschenfels auch bei Lienz. Auch verwildert findet man den Pfirsichbaum um Bozen, an Hecken, Wegen etc.; er kommt selbst um Klobenstein am Ritten, also bei 3800′ an etwas geschützten Lagen noch ziemlich gut fort. — Amygdalus persica L.

Aendert ab: *α. Aganocarpa.* Das Fleisch löst sich von der Steinschale (Muscateller um Bozen).

β. ***Duracina.*** Das Fleisch lässt sich von der Steinschale nicht trennen. (Nager um Bozen). Beide Varietäten kommen ferner mit weissem, gelbem (Quitten-Pfirsich) u. rothem (Blutpfirsich) Fleische vor.

Officinell: Folia, Flores et Nuclei Persicorum.

Bl. blasser- o. dunkler rosenroth. Die ersten Pfirsiche um Bozen durchschnittlich Anfangs der 3ten Woche Juli.

Ende März, Anf. Apr. ♄.

P. laevis De C. Kahler Pf. Nusspfirsich. Blätter lanzettlich, einfach-spitz-gezähnt; Blattstiel kürzer als der halbe Querdurchmesser des Blattes. Frucht kahl.

Gepflänzt um Bozen, doch nicht so häufig als Vorige. Frucht kleiner als die der Vorigen, ganz kahl; ist wohl nur Abart derselben?

Amygdalus Nucipersica Reichenb. flor. exc.
Bl. rosenroth. Ende März, Anf. Apr. ♄.

141. ***Prunus L.*** Pflaume und Kirsche.

Kelch 5spaltig. Blumenkrone 5blättrig. Steinfrucht saftig, nicht aufspringend. Steinschale glatt, seltener runzelig-gefurcht, ohne Löchelchen. Bl. weiss. (XII. 1.).

I. Rotte. ***Armeniaca Tournef.*** Steinfrucht sammetig. Blüthen einzeln o. zu zweien aus eigenen Knospen, vor den in der Jugend zusammengerollten Blättern hervorbrechend.

P. Armeniaca L. Aprikose. Marille. ***Blüthen*** seitenständig, ***einzeln u. gezweiet,*** kurzgestielt; ***Blüthenstielchen eingeschlossen; Blätter eiförmig, etwas herzförmig,*** zugespitzt, doppelt-gesägt, kahl; Blattstiel drüsig.

Im Etschlande häufig an Häusern, Mauern u. Weinbergen gepflanzt. Bei Lienz in Gärten (Rsch!). Bei Klobenstein am Ritten, also bei 3800′ noch sehr gut gedeihend an warmen Mauern, allda reifen die Früchte jedoch um fast 2 Monate später als im Thale bei Bozen. Verwildernd selten, z. B. einzeln am Runkelsteiner Schlossfelsen westlich.

Armeniaca vulgaris Pers.

Bl. röthlich-weiss. Blüht bei Bozen durchschnittlich an warmen Lagen die zweite Woche im März, u. die ersten Früchte reifen Ende Juni. ♄.

II. Rotte. ***Pruni.*** Eigentliche Pflaumen. Steinfrucht kahl, mit einem bläulichen o. weisslichen, leicht zu verwischenden Reife. Blüthen einzeln o. zu zweien aus eigenen Knospen, vor den in der Jugend zusammengerollten Blättern hervorbrechend.

532. ***P. spinosa L.*** Schlehen-Pflaume. Schlehendorn. ***Blüthenknospen 1blüthig,*** einzeln, gezweiet oder zu dreien; ***Blüthenstiele kahl;*** Aestchen flaumig; Blätter elliptisch o. breit-lanzettlich; ***Früchte*** kugelig, ***aufrecht.***

Gemein an Zäunen, Hecken u. Gehölzen vom Thale bis in die Voralpen. — Bregenz (Str!). Innsbruck (Schpf.). Zillerthal: um Zell (Moll)! Kitzbüchl: hie u. da z. B. bei Griessnern (Unger)! Welsberg (Hll.). Lienz (Scbtz. Rsch!). Schmirn (Hfm!); Schwaz (Schm!). Allenthalben um Bozen; Salurn, Margreid; am Ritten häufig um Siffian u. Klobenstein u. etwa bis 4300′ gehend (Hsm.). Val di Non: Castell Brughier (Hfl!). Trient (Per!). Judicarien: bei Tione (Bon.).

Officinell: Cortex, Folia et Fructus Acaciae nostratis vel germanicae.

Bl. schneeweiss. Ende März, Apr. ♄.

533. ***P. insititia L.*** Haberschlehe. Spilling. Kriechen-Pfl. ***Blüthenknospen meist 2blüthig; Blüthenstiele sehr fein-flaumig; Aestchen sammtig;*** Blätter elliptisch; Früchte kugelig, hängend.

In Hecken u. Zäunen. — Um Bozen nicht selten u. überall

mit Voriger, z. B. an der Strasse gegen Sigmundscron, am Wege zum Wasserfalle, gegen Runkelstein links unter dem Wege gleich nach Rendelstein etc. (Hsm.). In Obstgärten bei Lienz (Rsch!). — Durch Cultur sind daraus die runden Pflaumen, z. B. die Mirabelle u. Reine Claude entstanden, die auch häufig gepflanzt werden,

Bl. schneeweiss. Blüht neben Voriger um 2 Wochen später. Früchte purpurschwarz hellblau bereift, bei cultivirten Spielarten auch roth o. gelb-grün. Apr. ♄.

534. ***P. domestica L.*** Gemeine Pflaume. Zwetsche. ***Blüthenknospen meist 2blüthig; Blüthenstiele flaumig; Aestchen kahl;*** Blätter elliptisch; Früchte länglich.

Häufig gepflanzt u. an mehreren Orten gänzlich verwildert. An Dörfern u. Gärten um Lienz (Rsch!). In Stubai gepflanzt bis Neder (Hfl!). In Menge um Bozen z. B. auf den Wiesenabhängen bei Ceslar, Jenesien etc.; am Ritten an Häusern u. in deren Nähe vorzüglich um Siffian, dann um Klobenstein bis 3900′ (Hsm.).

Bl. weiss, ins Grünliche ziehend. — Die ersten Pflaumen reifen um Bozen: Anf. Juli. Früchte purpurschwarz blau-bereift, hie u. da zieht man auch Spielarten mit gelben, gelb- u. rothgesprenkelten o. purpurrothen Früchten. Blüht im Thale bei Bozen Ende März, Anf. Apr., um Klobenstein Anf. Mai. ♄.

III. Rotte. ***Cérasi.*** Kirschen. Steinfrucht kahl, unbereift. Blüthen zu zwei o. doldig, gleichzeitig o. etwas später als die in der Jugend zusammengelegten Blätter hervortretend.

535. ***P. avium L.*** Wald-K. Süsse K. ***Dolden gehäuft u. zerstreut, sitzend;*** Schuppen der Blüthenknospen blattlos; ***Blätter*** elliptisch, zugespitzt, ***etwas runzelig, unterseits flaumig;*** Blattstiel 2drüsig; Wurzel nicht Ausläufer treibend. —

Gebirgswälder bis an die Voralpen. — Vorarlberg: bei Bregenz (Str!). Lienz: am Gamberge, bei Dölsach u. Nussdorf, (Rsch! Schtz.). Kitzbüchl: in Bergwäldern (Unger! Trn!). Meran: bei Dornsberg (Tpp.). Gemein auf den Gebirgen um Bozen z. B. am Ritten u. allda bei Kematen u. Ritzfeld bis 4500′ gehend; *) bei Weissenstein nächst der Kirche steht ein cultivirter Baum noch bei einer Höhe von 4722′ (Hsm.). Am Baldo: Selva d'Avio (Poll!). Judicarien: Wälder bei Stelle nächst Tione (Bon.). — Gepflanzt in vielen Varietäten. — Die Kirsche blüht im Thale bei Bozen: Ende März, Anf. April, u. reift Ende — in wärmern Jahren auch schon Hälfte Mai, an ihrer obersten Gränze bei Kematen 3½ Stunden Weges von Bozen reift sie gegen Ende Aug. Um Kitzbüchl u. um Klobenstein am Ritten ist die mittlere Blüthezeit Anfangs Mai.

---

*) L. v. Buch gibt als Gränze des Kirschbaumes in den Alpen unter einer Breite von 45°, 25′—46°, 5′ eine Höhe von 4164′ Pariser Mass an.

Bl. weiss. Früchte schwarz o. roth, an cultivirten Spielarten auch weissgelb o. rothgelb. Die Aeste der wilden Pflanze abstehend, cultivirt findet man auch Abarten mit aufstrebenden Aesten. Auch Bastarde zwischen der Süss- u. Sauerkirsche zieht man hie u. da. Apr. Jun. ♄.

P. Cerasus L. Saure Kirsche. Weichsel. ***Dolden gehäuft u. zerstreut, sitzend;*** die innern Schuppen der Blüthenknospen blättertragend; ***Blätter flach, kahl, glänzend,*** etwas lederig, elliptisch, ***sämmtlich zugespitzt;*** Blüthenstiel drüsenlos; Wurzel ausläufertreibend.

Gebaut. — Bl. weiss. Apr. Mai. ♄.

IV. Rotte. ***Padi.*** Traubenkirschen. Steinfrucht kahl, ohne Reif. Blüthen traubig, nach den in der Jugend zusammengelegten Blättern erscheinend.

536. ***P. Padus L.*** Gemeine Traubenkirsche. Elzbeere. Elsen. ***Blüthen in überhängenden Trauben;*** Blätter abfällig, elliptisch, fast doppelt-gesägt, etwas runzelig; Blattstiel 2drüsig.

An Aeckern, Zäunen u. Vorhölzern bis an die Voralpen. Vorarlberg: selten um Bregenz (Str!). Oberinnthal: in den Auen bei Imst (Lutt!). Innsbruck: gemein z. B. am Inn gegen Mühlau (Schpf.). Stubai: am Rutzbache bis Neustift (Hfl!). In Auen um Kitzbüchl (Trn.). Zillerthal: um Zell (Gbh.). Lienz (Rsch! Schtz.). Welsberg (Hll.). Hopfgarten in Tefereggen (Schtz.). In Menge an der Landstrasse von Brunecken bis zur Vintl (Hsm.). In Taufers (Iss.). Brixen (Hfm.). Vintschgau: in Taufers, bei Agums, Prad u. Schluderns (Tpp.). Bozen: sehr selten im Thale, doch häufiger auf den Gebirgen umher z. B. um Klobenstein, Lengmos, dann unter Unterkematen an der Wiesenmauer (Hsm.). Judicarien: Wälder in Val di Rendena u. Genova (Bon. Per!).

β. ***leucocarpa.*** Früchte weiss. Unterinnthal: häufig bei Kössen (Unger)!

Officinell: Cortex Pruni Padi.

Früchte klein, kugelig, glänzend schwarz, selten weiss, etwas herbe. — Bl. weiss. Mai. ♄.

537. ***P. Mahaleb. L.*** Mahalebkirsche. ***Blüthen in gestielten, konvexen, einfachen Ebensträussen;*** Blätter abfällig, rundlich-eiförmig, etwas herzförmig, stumpf-gesägt.

An Abhängen u. buschigen Hügeln. — Oberinnthal: bei Imst am Calvarienberge (Lutt.). Kitzbüchl: selten an Felsen (Unger)! Brixen (Hfm.). Vintschgau (Tpp.). Meran (Iss.). Gemein um Bozen: an allen Abhängen u. Hügeln bis Meran u. Salurn; geht am Ritten bei Siffian bis etwa 3000′ (Hsm.). Trient: am Wege von Piè di Castello nach Sardagna (Hfl.). Roveredo: in Vallunga (Crist.). Judicarien: an Zäunen bei Prada (Bon.).

Bl. weiss. Früchte klein, glänzend schwarz.

Ende März, Apr. ♄.

P. Laurocerasus L. Kirschlorbeer. (Padus Laurocerasus Mill.). Im südlichen Tirol, doch selten, in Gartenanlagen angepflanzt, z. B. Bozen: im Haasischen Weingute bei Gries, wo er alljährig blüht u. reife Früchte trägt.

Officinell: Folia Laurocerasi. Unterscheidet sich von den beiden vorhergehenden Arten dieser Rotte durch die lederigen, immergrünen, hellgrünen, stark schimmernden Blätter u. stammt aus dem Oriente. Die Früchte sind klein, erbsengross, zuletzt schwarz.

XXXII. Ordnung. ROSACEAE. Juss.

Rosenartige.

Blüthen meist zwitterig. Kelch bleibend, 5spaltig, selten 4- o. 6—9spaltig, mit einer die Röhre auskleidenden oder den Schlund umgebenden Scheibe. Blumenblätter 5, selten 4, kelchständig, gleich. Staubgefässe 20 u. mehrere, dem Kelche vor den Blumenblättern eingefügt, in der Knospenlage einwärtsgekrümmt. Fruchtknoten viele, frei, 1fächerig. Eierchen 1—2 o. mehrere. Griffel seitlich. Kräuter, Sträucher o. Bäume mit abwechselnden Blättern u. Nebenblättern.

I. Gruppe. **Spiraeaceae De C.** Früchtchen viele, 2—4eiig, bei der Reife kapselig, einwärts aufspringend.

142. *Spiraea L.* Spierstaude.

Kelch 5spaltig. Blumenblätter 5, Staubgefässe 20 u. mehr. Fruchtknoten 5, seltener 3—12, auf dem Grunde des Kelches sitzend o. kurz-gestielt, frei, 1fächerig. Früchtchen kapselartig, 3—12, meist frei, an der Spitze 2klappig, 2—4samig. (XII. 2.).

I. Rotte. *Chamaedryon Ser.* Blätter nebenblattlos, ungetheilt. Blüthen zwitterig.

S. decumbens Koch. Niederliegende Sp. *Blätter verkehrt-eiförmig o. länglich, stumpf*, ungleich - fast doppelt-gesägt, an der Basis ganzrandig, in den Blattstiel verschmälert, ganz kahl; Aestchen stielrund, glatt; Ebensträusse endständig, zusammengesetzt; Staubgefässe so lang als die Blumenblätter.

Im benachbarten Bellunesischen: am Monte Cerva (Montini!), Gebirge von Agordo (Parolini)! Zwischen Perarolo u. Longarone (Bartling!), bei Longarone (Hfl!), ebenda u. in Val di Zoldo, dann gegen Val di Fassa zwischen Titer u. Primiero (Facch. bei Bertoloni)! Der letzte Standort liegt also hart an der Gränze, da Titer von der Gränze gegen Primiero nur $^3/_4$ geographische Meilen entfernt ist. Die Pflanze dürfte vielleicht auch in dem nahen, zum gleichen Flussgebiethe gehörenden tirolischen Buchenstein u. Ampezzo zu suchen sein?

S. flexuosa Fisch. Reichenb. flor. exc.

Kommt nach Dr. Pöch (Flora 1844 pag. 510) bei Longarone auch mit graufilzigen Blättern vor.

Bl. weiss. Mai, Jun. ♃.

II. Rotte. *Aruncus Ser.* Blätter nebenblattlos, mehrfach-zusammengesetzt. Blüthen vielehig-2häusig.

538. *S. Aruncus L.* Geisbart. *Blätter mehrfach-zusammengesetzt, Blättchen* eiförmig o. herzförmig, *langzugespitzt,* doppelt-gesägt. Blüthen 2häusig, in dichten rispigen Aehren. Früchte abwärtsgebogen.

In Wäldern, an feuchten Orten u. in Bergthälern. — Bregenz (Str!). Innsbruck: z. B. am Bache hinter dem Amraser Schlosse (Schpf.). Kitzbüchl (Trn.). Pusterthal: in Tefereggen (Schtz.), in Taufers (Iss.), Lienz (Schtz.), allda bei Schlossbruck (Rsch!). Weg von Lana nach Ulten (Franz Mayer). Bozen: in der Rodlerau, am Fusse des Haslacher Waldes am Damme; selten am Ritten z. B. einzeln im Thälchen nördlich vom Einsiedelbrünnel hinter Lengmoos (Hsm.). Fassa u. Fleims (Fcch!). Gebirge um Roveredo (Crist.). Am Baldo (Poll!). Valsugana: bei Borgo auf Voralpen (Ambr.) Am Bondone u. ober Povo bei Trient (Per.).

Obsolet: Radix, Flores et Folia Barbae Caprae.

Bl. weiss. Jun. Jul. ♃.

III. Rotte. *Ulmaria Cambass.* Blätter gefiedert, mit an den Blattstiel angewachsenen Nebenblättern. Blüthen zwitterig.

539. *S. Ulmaria L.* Sumpf-Sp. *Blätter unterbrochen-gefiedert, Blättchen* eilanzettlich (gefaltet), sägezähnig, *das endständige grösser, handförmig-3—5spaltig.* Blüthen in rispigen Ebensträussen; Kapseln kahl, zusammengedreht.

An Gräben u. Gebüsch an feuchten Wiesen vom Thale bis an die Voralpen.

α. concolor. Blätter unterseits kahl, bleicher grün. S. denudata Prsl. Hayne. — Oberinnthal: bei Hinterbreitenwang (Kink). Innsbruck: an Gräben am Amraser See (Hfl.). Kitzbüchl (Trn.). Meran (Kraft). Bozen: gemein z. B. auf den Griesner Gemeindemösern u. gegen Sigmundscron etc.; am Ritten bei Waidach u. hinter Rappesbüchel nächst Klobenstein (Hsm.). In Pinè (Fcch!). Bei Trient (Per!).

β. discolor. Blätter unterseits grau- oder weissfilzig. — Innsbruck: am Villerberg (Prkt.). Pusterthal: bei Welsberg (Hll.), bei Hopfgarten u. Lienz (Schtz.). Um Bozen meist mit α, ebenso um Waidach u. Rappesbüchel am Ritten (Hsm.). Bozen: bei Kühbach (Elsm.). Fleims (Fcch!). Judicarien: Wälder bei Bolbeno (Bon.). Valsugana: bei Borgo (Ambr.).

Obsolet: Radix, Folia et Flores Ulmariae vel Reginae prati.

Bl. weiss. Jun. Jul. ♃.

540. *S. Filipendula L.* Knollige Sp. *Blätter unterbrochen-gefiedert, Blättchen* ziemlich gleichförmig, lanzett-

lich, *fiederspaltig-eingeschnitten.* Blüthen in rispigen Ebensträussen. Kapseln flaumhaarig, aufrecht, aneinandergedrückt.

Auf grasigen Hügeln u. Gebirgstriften. — Innsbruck: auf Wiesen gegen die Sill, am Pastberg u. am Lanser See (Hfl.). Rattenberg: in der Hagau (Wld!). Pusterthal: bei Lienz (Rsch! Schtz.), bei Taisten (Hll.), in Prax (Wlf!), um Innichen (Stapf). Vintschgau: bei Göflan (Tpp.). Meran (Kraft). Bozen: auf einer grasigen Waldblösse am Fusse des Berges zwischen Haslach u. Kühbach, am Sigmundscroner Schlossberg; gemein auf den Bergwiesen am Ritten von Klobenstein bis Oberbozen u. Pfaffstall (Hsm.). Fassa u. Fleims (Fcch!). Val di Non (Hfl!). Trient: auf der Höhe des Doss Trent (Hfl.), bei Terlago (Per!). Roveredo (Crist.). Am Baldo (Poll!). Judicarien: bei Tione (Bon.).

Obsolet: Radix, Herba et Flores Filipendulae.

Wurzelfasern gegen die Spitze in längliche Knollen verdickt. Bl. weiss, aussen röthlich. Jun. Jul. ♃.

II. Gruppe. **Dryadeae.** Früchtchen 2—viele, 1eiig, nuss- o. steinfruchtartig, nicht aufspringend, auf einem trockenen o. fleischigen Fruchtboden sitzend. Der fruchttragende Kelch krautig o. verhärtet.

143. *Dryas L.* Dryade.

Kelch 8—9spaltig, flach, Zipfel einreihig, gleich. Blumenblätter 8—9. Früchtchen in den bleibenden federigen Griffel ausgehend. (XII. 3.).

541. *D. octopetala L.* Gemeine Dryade. Blätter gekerbt-gesägt, stumpf.

Auf Triften u. felsigen Orten der Alpen, hie u. da auch in die Thäler herab. — Vorarlberg: auf der Mittagspitze u. Dornbirneralpe (Str!). Bregenzerwald: am Widderstein (Köberlin)! Rossberg, Gaishorn, Stuiben (Frl! Dobel)! Oberinnthal: am Säuling (Kink), am Solstein (Str.); Imst (Lutt!). Bei Zirl u. Telfs (Str.). Innsbruck: in der Klamm (Eschl.), am Steinbruch bei Sistrans (Karpe). Bei Tarrenz (Prkt.). Stubai: bei Vulpmes (Hfl.). Haller Salzberg (Hrg!). Rattenberg: am alten Schlosse (Wld.). Zillerthal: am Gerlosstein (Schrank)! Gemein auf Kalkalpen Unterinnthals bis in die Thäler, z. B. bei Erpfendorf, St. Ulrich u. Schwaz (Unger! Schm.). Am Kaiser (Str!). Kitzbüchler Horn (Trn.). Pfitsch (Precht). Pusterthal: in Prax (Hll.), Alpen um Innichen (Stapf), Tristacheralpe bei Lienz (Ortner); am Kalsertaurn; Zabrot u. Rauchkogel bei Lienz, Innervilgraten (Rsch! Schtz.). Kerschbaumeralpe bei Lienz (Bischof)! Suldnerthal (Eschl!). Naturnserjoch bei Meran (Iss.). Kalkalpen um Bozen: Schlern u. Mendel, Seiseralpe; geht bei Margreid am Kalkofen ganz bis ins Thal herab (Hsm.). Alpen von Fassa u. Fleims (Fcch!). Monte gazza u. Marzola bei Trient (Merlo. Per.). Auf der Rocchetta bei Borgo (Ambr.). Portole u. Vette di Feltre (Montini)! Berggipfel um Roveredo (Crist.). Am Baldo, Bondone u. Spinale (Poll!). Am Altissimo des Baldo (Hfl!). Judicarien: auf der Alpe Lenzada und am Spinale (Bon.).

Obsolet: Herba Chamaedryos alpinae.

Bl. weiss. Mai — Jul. ♄.

144. *Geum L.* Benediktenkraut.

Kelch 10spaltig, Zipfel 2reihig, die 5 äussern kleiner, Blumenblätter 5. Früchtchen in den bleibenden zottigen o. kahlen Griffel ausgehend. Fruchtboden saftlos, walzlich. (XII. 3.).

I. Rotte. *Caryophyllata.* Stengel mehrblüthig. Griffel in der Mitte backig-gegliedert, das obere Glied abfällig.

542. ***G. urbanum L.*** Gemeines B. Nelkenwurz. Wurzelblätter unterbrochen-leyerförmig-gefiedert. Blüthen aufrecht. Blumenblätter eiförmig, unbenagelt. ***Fruchtkelch zurückgeschlagen.*** Fruchtköpfchen ungestielt. Früchtchen behaart, Grannen derselben 2gliederig, das untere Glied kahl, 4mal länger als das obere an der Basis flaumhaarige.

In Auen u. an feuchten Gebüschen. — Bregenz (Str!). Innsbruck: an Zäunen bei Igels u. an Hecken im Sonnenburger Schlossberge (Schpf.). Kitzbüchl (Trn.). Schwaz (Schm!). Zillerthal (Schrank)! Pusterthal: bei Welsberg (Hll.), in Tefereggen bei Hopfgarten (Schtz.), in Hecken u. Obstgärten bei Lienz (Rsch! Schtz.). Meran (Kraft). Bozen: in der Kaiserau u. am Thälchen am Gandelhofe bei Gries; selten am Ritten u. einzeln bei Lengmoos (Hsm.). Missian nächst Bozen (Giov!). Bei Vigo in Fassa; Fleims (Fcch!). Valsugana: bei Borgo (Ambr.). Roveredo (Crist.). Judicarien: längs der Strasse bei Tione (Bon.). — Officinell: Radix Caryophyllatae.

Bl. gelb. Jun. Jul. ♃.

543. ***G. intermedium Ehrh.*** Mittleres B. Wurzelblätter unterbrochen-leyerförmig-gefiedert. Blüthen aufrecht oder nickend. Blumenblätter rundlich, an der Basis keilig. ***Fruchtkelch abstehend.*** Fruchtköpfchen ungestielt. Früchtchen behaart, Grannen derselben 2gliederig, das untere Glied kahl, 4mal so lang als das obere behaarte an der Spitze kahle.

In feuchten Gebüschen bei Bregenz, dann jenseits des Rheines bei Rheinek u. St. Gallen in der angränzenden Schweiz (Döll rhein. Fl.)!

Wahrscheinlich Bastard der Vorigen u. Folgenden.

Bl. gelb, auch rothgelb. Jun. Aug. ♃.

544. ***G. rivale L.*** Bach-B. Wurzelblätter unterbrochen-leyerförmig-gefiedert. ***Blüthen nickend. Blumenblätter langbenagelt, breit-eiförmig,*** deutlich ausgerandet, ***von der Länge des allzeit aufrechten Kelches.*** Fruchtköpfchen langgestielt (Stielchen fast so lang als der Kelch). Früchtchen behaart, Grannen derselben 2gliederig, das obere Glied fast so lang als das untere, zottig.

An Wiesengräben u. Bächchen vorzüglich auf Gebirgen u. bis in die Alpen. — Bregenz (Str!). Rothwandgarten bei Imst

(Lutt!). Innsbruck: hinter Sonnenburg u. am Amraser See (Hfl. Eschl.). Zillerthal (Schrank)! Stubai: bei Mieders (Schneller). Kitzbüchl (Trn.). Alpen um Innichen (Stapf). Innervilgraten, Tefereggen (Schtz.). Welsberg (Hll.). Lienz (Schtz.), allda hinter Schlossbruck; bei Lavant u. Kapaun (Rsch!). Enneberger-alpen; Naturnseralpe (Iss.). Meran: bei Vernur u. am Hofe Grunes (Kraft. Tpp.). Gebirge u. Alpen um Bozen: Schlern u. Seiseralpe, Mendel, Geierberg bei Salurn; Ritten: in der Wiese vor Rappesbüchl u. bei Pemmern, Rittneralpe (Hsm.). Am Bondone u. Gazza bei Trient (Per!). Valsugana: Gebirge bei Borgo (Ambr.). Roveredo (Crist.). Am Baldo: Tret de Spin (Hfl.), dann bei Aque negre, Campion u. Vall dell' Artillon (Poll!). Judicarien: Val di Breguzzo u. Alpe Lenzada (Bon.), Val di Rendena (Eschl!).

G. hybridum Wulfen (Jacq. misc. 2 p. 33) sind Exemplare, an denen die Kelchblätter monströs in Blätter verwandelt sind, solche fand Wulfen auf den Alpen bei Lienz.

Bl. rothgelb, selten weisslich. Jun. Jul. ♃.

545. ***G. inclinatum Schleich.*** Pyrenäisches B. Wurzelblätter unterbrochen-leyerförmig-gefiedert. Blüthen nickend. ***Blumenblätter rundlich, sehr kurz-benagelt, von der Länge der aufrechten Kelchblätter.*** Fruchtköpfchen fast sitzend. Früchtchen behaart, Grannen derselben zottig, 2gliederig, das untere Glied doppelt länger als das obere.

Sehr selten u. bisher nur am Monte gazza bei Trient (Merlo). Stengelblätter 3zählig wie bei G. rivale.

Ob Bastard der Vorigen u. Folgenden?

G. pyrenaicum Koch syn. ed. 1. G. sudeticum Tausch.

Bl. gelb. Jun. Jul. ♃.

II. Rotte. ***Oreogeum Ser.*** Der Stengel 1blüthig. Griffel nicht gegliedert. (Sieversia Willd.).

546. ***G. reptans L.*** Kriechendes B. Blätter unterbrochen-gefiedert. Blättchen eingeschnitten, spitzig-gesägt, das Endblättchen 3—5spaltig. ***Stengel 1blüthig, mit niederliegenden Ausläufern.*** Blüthen aufrecht. Früchtchen sammt den ungegliederten Grannen zottig.

Auf steinigen kiesigen Orten der höhern Alpen. — Oberinnthal: am Rosskogel (Str!), am Lisnerferner, Längenthal (Prkt.). Unterinnthal: auf dem Kellerjoch (Hfl.). Kitzbüchl: auf dem Geisstein (Trn.), u. auf dem Tristkogel (Unger)! Schmirn (Hfm.). Pusterthal: auf den Gsieseralpen (Hll.). Lienzeralpen (Ortner), am grauen Käs, Hof- u. Teischnitzalpe, dann Lesachalpe am Gross-Gössnitz (Schtz.). Schleiniz bei Lienz (Hoppe!); Hochgruben bei Innichen (Bentham)! Wormserjoch bei den hölzernen Gallerien (Hsm.). Vintschgaueralpen (Tpp.). Ifinger bei Meran; Schlern u. Joch Lattemar (Hsm.). Am Feudo in Fassa (Fcch!). Am Monzoni u. Col Bricon (Per.). Gebirge in Valsugana, z. B. Montalon (Ambr.). Montalon und Vette di Feltre (Montini)! — Bl. gelb, gross. Jun. Jul. ♃.

547. *G. montanum L.* Berg-B. Wurzelblätter unterbrochen-leyerförmig-gefiedert, Blättchen ungleich-gekerbt, das endständige sehr gross, fast herzförmig, stumpf-gelappt. *Stengel 1blüthig, ohne Ausläufer.* Blüthen aufrecht. Früchtchen sammt den ungegliederten Grannen zottig.

Gemein auf Alpentriften. — Vorarlberg: auf der Dornbirneralpe (Str!), Bregenzerwald, Weg von Krummbach zum Widderstein (Tir. B.)! Alpen bei Zirl u. Telfs (Str!) und Imst (Lutt!). Am Krahkogel im Oetzthal (Zcc!). Am Patscherkofel bei Innsbruck (Eschl.). Am Siminger Ferner u. Duxerjoch (Hfl.). Kellerjoch (Schm!); Sonnenwendjoch (Wld.). Zillerthal (Gbh.); Kitzbüchleralpen (Trn.). Schmirn (Hfm.). Innichen (Stapf). Ampezzo (M. v. Kern). Taistneralpe (Hll.). Innervilgraten, Tefereggen (Schtz.). Alpen um Lienz (Ortner. Schtz.). Am Schneeberg auf der Passeyrer Seite (Senger)! Wormserjoch (Iss.). Laaserthal (Tpp.). Ober Josephsberg bei Meran (Kraft), Kirnerberg bei Thal (Iss.). Zielalpe bei Meran (Elsm!). Alpen um Bozen: Mendel, Schlern, Seiseralpe, Rittner- u. Villandereralpe; Ifinger bei Meran (Hsm.). Am Bondon (Hfl.). Monte gazza (Per.) Valsuganeralpen (Ambr.). Fassa (Fcch!). Am Sadole (Parolini)! Ai Monzoni (Meneghini)! Am Baldo, Portole, Spinale u. Scanuccia (Poll!). Judicarien: Alpe Lenzada u. del Cengledino (Bon.), Alpen in Rendena (Eschl!).

Obsolet: Radix Caryophyllatae montanae.

Bl. gelb, gross. Jun. Jul. ♃.

145. *Rubus L.* Brombeerstrauch.

Kelch 5spaltig, bleibend. Blumenkrone 5blättrig. Staubgefässe 20 u. mehr, sammt den Blumenblättern dem Kelche eingefügt. Fruchtknoten sehr viele, dem halbkugeligen o. konischen Fruchtboden eingefügt; Griffel mit einer einfachen Narbe. Frucht oben konvex u. unten ausgehöhlt, abfällig, aus Steinfrüchtchen bestehend, die in eine falsche Beere zusammengewachsen sind. (XII. 3.).

I. Rotte. Krautartige Brombeersträucher. Stengel krautartig, astlos, alljährig bis an die Wurzel absterbend.

548. *R. saxatilis L.* Felsen-Br. Fruchttragender Stengel aufrecht, die unfruchtbaren gestreckt, ausläuferartig; Blätter 3zählig; *Ebenstrauss endständig, 3—6blüthig.*

An waldigen gebirgigen Orten bis an die Alpen. — Bregenzerwald (Str!). Innsbruck: am Spitzbüchel bei Mühlau (Hfl.). Rattenberg (Wld!). Kitzbüchl: z. B. im Buchwald (Trn.). Pusterthal: auf den Sarlwiesen in Prax (Hll.); Lienz (Schtz.), allda am Zabrot u. Rauchkogel (Rsch!). Vintschgau: bei Laas (Tpp.). Im Gebiethe von Bozen: bei Weissenstein (Hinterhuber!), bei Steineck (Gundlach); häufig am Ritten z. B. bei Klobenstein an der Rösslermühle, im Kematerthale u. am Wege von Wolfsgruben nach Signat; auf der Seiseralpe (Hsm.). Monte

Roen bei Bozen (Hfl!). Valsugana (Ambr.). Monte Baldo: Val dell' Artillon (Poll!). Judicarien: bei Stelle (Bon.).

Schale der Steinfrüchtchen grubig-runzelig wie bei den Folgenden. *)

Bl. weiss. Beeren roth. Mai, Jun. ♃.

II. Rotte. Strauchartige Brombeersträucher. Stengel strauchig, ästig, ausdauernd.

§. 1. ***Palmatifolii.*** Blätter handförmig-gelappt.

R. odoratus L. Wohlriechender Br. Stengel aufrecht; ***Blätter 5lappig;*** Blüthenstand fast ebensträussig; Blattstiele, Blüthenstiele u. Kelche mit Drüsenhaaren besetzt.

Ein bis 5 Fuss hoher Zierstrauch aus Amerika, den man in Lustgebüschen u. Gartenanlagen, wo er sich sehr stark vermehrt, nicht selten findet.

Bl. gross, schön roth. Jun. Jul. ♃

§. 2. ***Digitatifolii.*** Blätter gefingert, gefiedert o. 3theilig.

a. Blumenblätter aufrecht, kaum so lang als der Kelch; Kelch abstehend, Blätter gefiedert.

549. ***R. Idaeus L.*** Himbeerstrauch. Stengel aufrecht, ästig, strauchig, stielrund, bereift u. borstig-stachelig. ***Blätter gefiedert,*** mit 5—7 Blättchen, die obern 3zählig, Blättchen rückwärts weiss-filzig. ***Blumenblätter verkehrt-eiförmig-keilig, aufrecht,*** kaum so lang als der Kelch.

An Hecken, Wäldern u. Holzschlägen bis an die Alpen.— Vorarlberg: bei Bregenz (Str!). Innsbruck: bei Sonnenburg, Mutters u. Götzens (Hfl.). Kitzbüchl (Trn.). Pusterthal: bei Welsberg (Hll.), in Taufers (Iss.), bei Hopfgarten (Schtz.); Brunecken (F. Naus), Lienz (Bsch!). Brixen (Hfm.). Vintschgau: im Trafoierthale (Tpp.). Gemein auf den Gebirgen um Bozen, z. B. am Kollererberg ober St. Isidor, um Klobenstein am Ritten bis 5000' bei Pemmern (Hsm.). Monte Roen ober Tramin (Hfl.). Fassa u. Fleims (Fcch!). Cima d'Asta (Petrucci)! In der Buchenregion um Trient (Per!). Baldo: Val dell' Artillon (Calceolari! Poll!). Judicarien: bei Tione (Bon.).

Bastarde von R. Idaeus u. R. fruticosus L. will Traunsteiner bei Kitzbüchl beobachtet haben.

Officinell: Baccae Rubi.

Bl. weiss. Früchte roth (in Gärten auch gelblich) sammtig-bereift. Mai, Jun. ♄.

b. Blumenblätter nebst dem Kelche abstehend, letzterer an der Frucht zurückgeschlagen, abstehend o. derselben angedrückt.

---

*) Koch in seiner Synopsis ed. 2 u. Taschenbuch gibt die Schale der Steinfrüchtchen glatt an, die der Folgenden grubig-runzelig; ich finde sie auch an R. saxatilis grubig-runzelig u. zwar an allen meinen zahlreichen Exemplaren aus Tirol u. andern Provinzen. Auch Bertoloni beschreibt sie ausdrücklich grubig-runzelig.

550. ***R. fruticosus L.*** Gemeiner Brombeerstrauch. Stengel bogig-zurückgekrümmt (seltener fast aufrecht) o. gestreckt, ästig, strauchig; ***Blätter 5- u. 3zählig; Blumenblätter oval u. nebst dem Kelche abstehend;*** Früchte glänzend; Fruchtkelch oft zurückgeschlagen.

Gemein durch ganz Tirol, an Zäunen, Hecken u. Waldrändern vom Thale bis an die Voralpen. — Der Brombeerstrauch ist im Thale im südlichen Tirol immer grün, er verliert die Blätter erst, wenn im Frühjahre die neuen getrieben haben.

Eine sehr formreiche Art. Folgende von einigen als Arten angesehene Formen wurden bisher in Tirol aufgefunden:

„α. ***R. plicatus Weihe.****) (R. fruticosus Reichenbach.). ***Schösslinge******) (unfruchtbare Stengel) ***kahl*** (nicht drusig u. nicht behaart), 5kantig; Stacheln krumm, zerstreut; ***Blättchen*** eiförmig-rundlich, ***längs der Nerven gefaltet,*** oberseits kahl, ***unterseits fein-behaart;*** Blüthen in weitläufigen Doldentrauben; Fruchtkelch zurückgeschlagen. Bl. weiss o. rosenroth. Beeren schwarz. — Vorarlberg: bei Fussach (Str!), auf trockenem Moorgrunde des Bodenseer Riedes (Cst!). Kitzbüchl: am Gaussbache gegen den Schattberg (Trn.). Klobenstein am Ritten selten bis 3850′ z. B. an einer Wiesenmauer am Wege nach Waidach nächst dem Köhlenhofe, dann am Wege nach Lengmoos mit R. caesius (Hsm.).

„β. ***R. fastigiatus Weihe.*** (R. suberectus Anders.). ***Schösslinge kahl,*** 5kantig, aufrecht, dann niedergebogen. Stacheln wenige, etwas gekrümmt; ***Blättchen*** herz-eiförmig, kurz-zugespitzt, ***langspitzig, flach, beiderseits grün.*** Bluthenstengel stielrund. Blüthen in ziemlich einfachen gegipfelten Doldentrauben. Bl. weiss. Fruchtkelch zurückgeschlagen. Beeren schwarzroth o. blutroth. — Vorarlberg: im Fussacher Ried (Str!). Innsbruck: am Berg Isel (Hfl.). Kitzbüchel: gemein an Zäunen am Saume der Wälder (Unger!).

„γ. ***R. nitidus Weihe.*** (R. corylifolius Hayne nicht Sm.). ***Schösslinge kahl,*** bogig, 5kantig; ***Blättchen*** eiförmig, spitz, ***flach, oben glänzend, beiderseits grün.*** Blüthenrispe ziemlich zusammengesetzt, dicht-bestachelt wie die Kelchbasis. Bl. röthlich. Beeren schwarzroth.

Vorarlberg: im Fussacher Ried (Str!).

---

*) Weihe et Nees: Rubi germanici. Elberfeld 1822—1827, eine Monographie der deutschen Brombeersträucher mit Abbildungen. Ein Auszug davon auch in: Deutschlands Flora von Mertens u. Koch. Nach demselben Werke sind auch die Brombeersträucher in Reichenbach Fl. exe. grösstentheils angeordnet.

**) Zu einem bestimmbaren Exemplare gehört nebst einem Blüthen- u. Fruchtzweige auch ein Stück Schössling (aus der Mitte desselben genommen) mit einem Blatte daran. Die Beschreibung der Blättchen ist nach dem unpaarigen desselben entworfen.

„δ. *R. cordifolius Weihe. Schösslinge kahl,* niedergebogen, 5kantig; *Blättchen herzförmig-kreisrund, unterseits weissfilzig.* Blüthenrispe verlängert. — Bl. weiss o. blass-rosenroth. Beeren schwarz.

Im Thale um Bozen mehr auf der Schattenseite, an Waldrändern gegen Capenn etc.; Klobenstein am Ritten am Wege vom Weber im Moos zur Rösslerbrücke u. am Steige von Lengmoos zum Astner Hof (Hsm.). Es liegt ausser Zweifel, dass die Folgende zu dieser wird, wenn sie auf feuchterem o. schattigerem Boden wächst o. in höhere Gegenden steigt. In starkem Schatten werden die Blätter unterseits graufilzig o. der Filz verschwindet theilweise.

„ε. *R. fruticosus Weihe.* (R. candicans Weih. Reichenb.). *Schösslinge kahl,* niedergebogen, 5kantig, rinnig; Stacheln derb; *Blättchen eiförmig,* eiförmig-länglich, lanzettlich oder verkehrt-eiförmig, *unterseits schneeweiss-angedrückt-filzig.* Blüthenrispen verlängert. Fruchtkelch zurückgeschlagen. Bl. röthlich, rosenroth, oft schön roth. Beeren schwarz.

Die gemeinste Form im Thale um Bozen u. geht am Ritten bis 3500′ z. B. bei Siffian (Hsm.). Vintschgau: bei Laas (Tpp.). Judicarien (Bon.).

Man hat zum Unterschiede von R. caesius angeführt, dass die Formen des R. fruticosus L. nie mit bereiften Stengeln vorkommen. Diess ist unrichtig. Die Stengel von R. fruticosus, cordifolius u. discolor Weihe kommen um Bozen z. B. am Wege nach Runkelstein u. zum Wasserfalle häufig bläulich-bereift vor. Schon Bertoloni sagt in seiner Fl. ital. dasselbe, da er den Stengel von im Schatten wachsenden Exemplaren seines R. fruticosus als bläulichgrün (glauco-virens) beschreibt. Die Form der Blättchen geht allmählig in die der Folgenden über, oberseits sind sie gewöhnlich ganz kahl; ich habe jedoch nicht selten am Wege nach Ritten u. hie u. da um Bozen in sehr warmen Sommern Schösslinge gefunden, deren untere Blätter oberseits kahl, deren obere aber oberseits grau-sternfilzig waren.

„ζ. *R. tomentosus Borkh. Schösslinge* 5kantig, herabgebogen, *zerstreut-drüsenborstig,* meist peitschenförmig u. gelblich-grün, *oft* auch *zerstreut-behaart,* mit gelblichen, dünnen, kurzen, geraden oder fast geraden Stacheln besetzt; *Blättchen* umgekehrt-eiförmig, auch rautenformig, feinzugespitzt, mit oft keiliger Basis, oberseits grau-sternfilzig, *unterseits weissfilzig.* Blüthenrispe verlängert. Fruchtkelch zurückgeschlagen. Beeren schwarz. Bl. gelblich-weiss (an sehr trockenen Abhängen) o. weiss.

Vorarlberg: selten um Bregenz (Str!). Innsbruck: Abhänge über Hötting (Hfl.). An warmen Lagen um Brixen (Hfm.). Ritten: gemein am ganzen südlichen Abhange des Fenns bei Klobenstein bis 4000′ (Hsm.). Am Baldo: Weg von Brentonico zum Altissimo (Hfl.). — Blättchen grob-gesägt, manchmal eingeschnitten-gezähnt o. schwach-lappig. In sehr nassen Jahren o. auf fetterem Boden (an Ackerrändern auf dem Fenn am Ritten), werden die Blättchen oberseits kahl oder fast kahl, wie auch Bertoloni (Fl. ital. tom. V. p. 223) bemerkt.

„η. **R. vulgaris Weihe.** *Schösslinge* 5kantig, herabgebogen, *spärlich behaart*; Stacheln stark, etwas gekrümmt. *Blättchen* eiförmig-kreisrund o. etwas herzförmig, zugespitzt, oberseits kahl, *unterseits behaart, grün o. grauzottig,* stachelspitzig-gezähnt. Rispe wenigblüthig, ausgebreitet. Bl. weiss o. schwach-rosenroth. Beeren schwarz.

Bozen: selten im Kühbacher Walde im dichten Gebüsche; sehr selten bei Klobenstein, ein einziger Busch im Krotenthale (Hsm.). — Wird auf sonnigen freien trockenen Plätzen zu Folgender.

„ϑ. **R. pubescens Weihe.** *Schösslinge* 5kantig, herabgebogen, *flaumhaarig* (oft auch fast kahl), Stacheln stark, gekrümmt (an der Basis behaart). *Blättchen fast herz-eiförmig,* doppelt-gesägt, lang-zugespitzt, *unterseits dicht-weissgrauhaarig o. filzig. Rispe* vielblüthig, zusammengezogen, *doldentraubig-ästig.* Bl. weiss o. röthlich. Beeren schwarz.

Bozen: selten im Griesnerberge gegen Morizing; Klobenstein: selten an einer Ackermauer am Aufstiege des Fenns (Hsm.).

„ι. **R. argenteus Weihe.** *Schösslinge* 5kantig, herabgebogen, *behaart;* Stacheln gross, kahl; *Blättchen verkehrt-eiförmig-kreisrund,* zugespitzt, *unterseits graulich o. silberweiss; Rispe* zusammengezogen, *wenigblüthig.* Bl. blassrosenroth. Beeren schwarz.

Bozen: selten im Gebüsche auf der Sonnenseite (Hsm.). — An den Schösslingen finden sich nicht selten einzelne Drüsen.

„κ. **R. discolor Weihe.** *Schösslinge* herabgebogen, 5kantig, *behaart;* Stacheln stark, zerstreut. *Blättchen rundlich, unterseits weissfilzig. Rispe vielblüthig,* traubig, zusammengezogen. Bl. rosenroth. Beeren schwarzblau.

Innsbruck: am Wege von Völs nach Vellenberg u. unter der Schrofenhütte (Hfl.). Bozen: an der Mauer am Wege vom Mauracher nach Ceslar u. am Wege nnter dem Reichriegler Hofe bei Gries, mit Uebergängen zu R. cordifolius u. fruticosus am Wege nach Runkelstein, überall seltener als die beiden letztgenannten (Hsm.). — R. amoenus Portenschlag ist nach Exemplaren, die mir von Triest u. Dalmatien vorliegen, eine Varietät, deren Stengel von mehr o. weniger dichtem angedrücktem, weissgrauem Filze überzogen ist; diese: am Wege zur Seiseralpe (Schultz!), bei Eppan (Hfl.), um Bozen hie u. da z. B. am Wege nach Runkelstein rechts am Felsen gerade ober dem Schwimmgebäude etc. (Hsm.). Die Blattform ist auch an der Varietät veränderlich, ebenso habe ich auf demselben Wurzelstocke ganz kahle n. filzige Schösslinge beobachtet, ja oft fand ich den untern Theil des Schösslinges kahl, den obern behaart o. filzig.

„λ. *R. Menkei Weihe. Schösslinge* etwas kantig, *mit zerstreuten ungleichen,* geraden, etwas zurückgebogenen *Stacheln, drüsentragenden kurzen Borsten u. Haaren besetzt; Blättchen* eiformig, *beiderseits grün,* mehr o. weniger behaart; Fruchtkelch zurückgeschlagen. — Bl. weiss oder röthlich. Beeren schwarz.

Vorarlberg: am Schlossberg bei Bregenz (Str!).

„μ. *R. Schleicheri Weihe. Schösslinge* aufsteigend, *dichthaarig, ungleichstachelig;* Stacheln häufig, die grössern krumm, nach oben zu kleinere, dünnere, gerade, zurückgebogene Borsten mit (rothen) Drüsen; *Blättchen* verkehrt-eiförmig, zugespitzt, die seitlichen meist 2lappig, *beiderseits grün, flaumhaarig.* Rispe aufsteigend, an der Spitze traubig. Blüthenstiele zerstreut-stachelig. Fruchtkelch zurückgeschlagen. Bl. weiss ins Grüne ziehend. Beeren schwarz.

Bozen: sehr selten im dichten Gebüsche im Kühbacher Walde (Hsm.).

„ν. *R. glandulosus Bell.* (R. hybridus Vill.). *Stengel* stielrund, sammt der vielblüthigen dicht-pyramidenförmigen Rispe *violett-drüsenhaarig u. borstig;* Stacheln gerade, dünn; *Blättchen breit-oval.* — Schösslinge violettroth, liegend, stielrund, zerstreut-stachelig u. drüsenborstig mit eingemischten häufigen Haaren. Fruchtkelch aufrecht. Bl. weiss ins Grüne ziehend. Beeren schwarz.

Vorarlberg: selten um Bregenz (Str!).

„ξ. *R. hirtus Waldst. u. Kit.* (R. Bellardi Weihe u. N.). *Stengel* stielrund, *rauhbehaart, bestachelt, borstig u. rosafarben-drüsig,* so wie die schlaffe, doldentraubige Rispe. *Blättchen elliptisch oder herz-eiförmig.* Schösslinge niederliegend, *grün.* Stacheln borstig, länger als die drüsentragenden Borsten. Fruchtkelch aufrecht. Bl. weisslich. Beeren schwarz.

Innsbruck: Ostseite des Buchberges (Hfl.). Kitzbüchl: in schattigen Nadelwäldern (Unger! Trn. Schm.). Mit Einschluss der Vorigen in Fleims bei Tesero u. Val di Ronchi bei Ala (Fcch. bei Bertol.)! Judicarien: Val di Rendena (Eschl!).

„ο. *R. nemorosus Hayne.* (R. corylifolius Sm. bei Reichenb. R. dumetorum Weihe). *Schösslinge* stumpf-5kantig, liegend o. aufsteigend, *mit zerstreuten fast gleichartigen, kleinern u. schwächern, meist geraden Stacheln besetzt, oft* blaubereift u. *zerstreut-drüsig; Blättchen* breit-eiförmig o. ei-rautenförmig, auch eingeschnitten, oberseits blassgrün, kurz-weichhaarig, seltener kahl, *unterseits sammetartig bleichgrün oder bläulichgrün.* Rispe einfach, doldentraubig. Fruchtkelch anliegend. Bl. weisslich o. blass-rosenroth. Beeren schwarz o. schwarzblau, glänzend.

Vorarlberg: im Fussacher Ried (Str!). Bozen: selten im Griesnerberg gegen Morizing; Klobenstein am Ritten selten am Pipperer u. Fenn (Hsm.). — Diese Varietät bildet gleichsam den Uebergang zu R. caesius.

Obsolet: Mora vel Baccae Rubi.

Ende Mai — Jul. einzeln — Oct. ♄.

551. ***R. caesius L.*** Acker-Brombeerstrauch. Stengel bogig - zurückgekrümmt oder gestreckt, ästig, strauchig; ***Blätter 3- u. 5zählig; Blumenblätter oval u. nebst dem Kelche abstehend. Fruchtkelch*** der glanzlosen, blaubereiften Frucht ***anliegend.***

In Auen, an Hecken u. Ufern gemein. — Bregenz (Str!). Innsbruck: im Gebüsch am Sillufer (Hfl.). Kitzbüchl (Trn.). Brixen (Hfm.). Lienz (Rsch!). Vintschgau: bei Laas u. in Erlenwäldern bei Latsch (Tpp.). Bozen: in Menge in den Auen längs der Etsch u. am Eisackdamme unter dem Kalkofen etc.; Ritten: um Klobenstein bis 3850′ (Hsm.). Val di Non: Castell Brughier (Hfl.). Fleims u. Fassa (Fcch!). Trient (Per!). Roveredo (Crist.). Judicarien: am Bache Arnò (Bon.).

Blättchen beiderseits kahl, grün o. flaumhaarig, o. unterseits dicht-flaumig-sammtig, fast filzig (so am Zaune zwischen der Paulsnerhöhle u. Frangart bei Bozen). Blätterstengel kahl o. behaart, bläulich-bereift, stielrund, mehr o. weniger stachelig; Stacheln schwach, fast gerade. Rispe doldentraubig, wenigblüthig. — Bl. weiss o. röthlich. Mai — Oct. ♄.

146. ***Fragaria L.*** Erdbeere.

Kelch 10spaltig, Zipfel in 2 Reihen, die 5 äussern kleiner, mehr abstehend. Blumenblätter 5. Staubgefässe 20 u. mehr. Fruchtknoten sehr viele. Fruchtboden nach dem Verblühen vergrössert, zuletzt fleischig-saftig, eine falsche, oft abfällige Beere darstellend. Griffel seitlich, abfällig. Blätter 3theilig. Bl. weiss. (XII. 3.).

552. ***F. vesca L.*** Wald-E. ***Kelch bei der Frucht weitabstehend*** o. zurückgekrümmt; Staubgefässe kaum so lang als das Köpfchen der Fruchtknoten; ***Haare*** der Blattstiele u. Stengel wagrechtabstehend, die der seitenständigen o. sämmtlicher ***Blüthenstielchen aufrecht*** o. angedrückt.

Gemein in Gebüschen u. Wäldern bis an die Alpen. — Bregenz (Str!). Imst (Lutt.). Innsbruck (Prkt.). Kitzbüchl (Unger)! Pusterthal: bei Lienz (Rsch! Schtz.), bei Hopfgarten in Tefereggen (Schtz.). Brixen (Hfm.). Vintschgau: bei Zapferbad (Tpp.). Meran (Kraft). Bozen: z. B. im Haslacher Wald und gegen Runkelstein mit den 2 folgenden; am Ritten z. B. um Klobenstein u. Pemmern, auch noch höher hinauf allda am Bache, dann gegen den Rosswagen bis etwa 5300′ (Hsm.). Eppan (Hfl.). Val di Non: bei Cles u. Castell Brughier (Hfl.). Judicarien: bei Tione (Bon.).

Obsolet: Radix et Herba Fragariae.

Die ersten wilden reifen Erdbeeren im Thale um Bozen gegen Ende Mai, um Klobenstein Anfangs Juli, an der obersten Gränze unter dem Rosswagen nächst Pemmern Ende August.

Bl. weiss. Mai — Jul. ♃.

553. ***F. elatior* Ehrh.** Hochstengelige E. ***Kelch bei der Frucht weitabstehend*** o. zurückgekrümmt; Staubgefässe an der fruchttragenden Pflanze so lang als das Köpfchen der Fruchtknoten, an der nicht fruchttragenden noch 1mal so lang als das Köpfchen; ***Haare*** der Blattstiele, des Stengels u. ***sämmtlicher Blüthenstiele wagrechtabstehend.***

An sonnigen Hügeln u. in Vorhölzern. — Innsbruck: am Kratzerbrünnel u. am Villerberg (Precht. Prkt.). Welsberg (Hll.). Hopfgarten u. Lienz (Schtz.). Meran (Iss.), allda bei Obermais (Tpp.). Bozen gegen Runkelstein mit Folgender, am Einsiedel, Haslacherwald am Wege nach Kühbach, im Sigmundscronerberg etc. (Hsm.). Fleims: bei Castello u. Capriana (Fcch!).

Bl. weiss. Anf. Mai. ♃.

554. ***F. collina* Ehrh.** Hügel-E. Knackbeere. ***Kelch an die Frucht angedrückt;*** Staubgefässe der nicht fruchttragenden Pflanze noch 1mal so lang als das Köpfchen der Fruchtknoten; die Haare des Blattstieles u. Stengels wagrechtabstehend, die der seitenständigen o. sämmtlicher Blüthenstiele aufrecht o. angedrückt. Bl. beiderseits behaart.

An grasigen Hügeln, an Gebüsch u. lichten Wäldern. — Innsbruck: am Sonnenburger Hügel (Hfl.). Brixen (Hfm.). Meran: am Hofe Grunes ober Mais (Tpp.). Bozen: gegen Runkelstein am Wege links gerade ober der Schwimmschule, ober dem Einsiedel u. Haslacher Wald am Wege nach Kühbach, überall mit Voriger; selten am Ritten, einzeln hinter Lengmoos im Walde nördlich am Einsiedelbrünnel (Hsm.). Trient: im Gebüsche am Doss Trent (Hfl.). Borgo (Ambr.).

Der Kelch schliesst sich gleich nach dem Verblühen zusammen, die Frucht trennt sich schwer vom Kelche.

Bl. weiss. Anf. Mai, Jun. ♃.

***F. virginiana* Ehrh.** Virginische E. Fruchtkelch abstehend; die Haare der Blattstiele aufrecht, die der Stengel angedrückt; die Blätter oberseits ziemlich kahl.

***F. grandiflora* Ehrh.** Ananas-Erdbeere. Kelch der Frucht angedrückt; Haare der Blattstiele u. Stengel aufrecht; Blätter oberseits ziemlich kahl.

Häufig cultivirt, wie Vorige.

147. *Cómarum* L. Blutauge. Siebenfingerkraut.

Kelch, Blumenkrone, Staubgefässe u. Griffel wie bei Fragaria. Fruchtboden nach dem Verblühen vergrössert; schwammig-fleischig, nicht saftig. Blätter fingerartig-getheilt. Bl. rothbraun. (XII. 3.).

555. ***C. palustre* L.** Sumpf-Bl. Auf Moorwiesen bis in die Alpen. — Vorarlberg: im Moore am Laagsee bei Fuss-

ach (Cst!); Bregenz (Str!). Am See der Alpe Söben bei Vils (Frl!). Innsbruck: im Lanser Torfmoor u. Waldsümpfe ober Igels (Hfl.). Sellrainerthal (Host)! Kitzbüchl: am Schwarzsee (Trn.). Pusterthal: auf den Gsiesermösern (Hll.), Dölsacher Wacht bei Lienz (Schtz.). Am Ritten: Klobenstein in der Sumpfwiese bei Waidach, Wolfsgruben, bei Pemmern, Rittneralpe am Hornwasserle (Hsm.). Fleims: Alpen von Paneveggio u. an den Seen von Pinè (Fcch!).

Potentilla palustris Scop.

Obsolet: Radix et Herba Pentaphylli aquatici.

Aufsteigend, bis Fuss hoch, kahl, an der Basis kriechend. Blätter 7zählig-gefingert; Blättchen unterseits graugrün, lanzettlich, sägezähnig. Kelche gross, schwarzroth, Blumenblätter klein, rothbraun. Mai — Jul. ♃.

148. ***Potentilla L.*** Fingerkraut.

Kelch, Blumenkrone, Staubgefässe u. Griffel wie bei Fragaria. Fruchtboden konvex o. konisch u. nicht beerenartig wie bei Fragaria u. Comarum. (XII. 3.).

I. Rotte. ***Potentillae genuinae.*** Früchtchen kahl. Fruchtboden haarig, Haare kaum so lang als die Früchtchen.

§. 1. ***Acephalae.*** Wurzel einfach, jährig o. 2jährig, treibt einen einzigen Stengel o. einen von der Basis in mehrere getheilten, aber keine blos blättertragende, erst im folgenden Jahre einen blühenden Stengel hervortreibende Wurzelköpfe. Bl. gelb.

556. ***P. supina L.*** Liegendes F. Stengel gabelspaltig; ***Blätter gefiedert;*** Blättchen länglich, eingeschnitten-gesägt, die obern herablaufend; Blüthen einzeln; ***Blüthenstiele nach dem Verblühen zurückgekrümmt.***

An Wegen u. feuchten Grasplätzen. — Innsbruck: an der Kaiserstrasse (Hfl.). Im Etschlande: bei Salurn (Fcch!). — Als Tiroler Pflanze schon von Laicharding angeführt.

Bl. gelb. Jun. — Sept. ⊙.

557. ***P. norvegica L.*** Norwegisches F. Stengel gabelspaltig, reichblüthig, nebst den Blättern rauhhaarig, Haare abstehend, an der Basis zwiebelig; ***Blätter 3zählig,*** Blättchen länglich-verkehrt-eiförmig o. lanzettlich, grobgesägt, ***die wurzelständigen 2—3paarig-gefiedert;*** die untern Blüthen gabelständig, die obern zuletzt traubig; Nüsschen kahl, schwachrunzelig.

Sandige feuchte Orte. — Oestlich von Primiero (Fcch!).

Bl. gelb. Jun. Jul. ⊙. u. ⊙.

§. 2. ***Multicipites.*** Wurzel perennirend, holzig, vielköpfig, treibt blühende Stengel u. zugleich Blätterbüschel, nämlich nicht blühende Wurzelköpfe, welche erst in den folgenden Jahren blüthentragende Stengel erzeugen.

* Blätter gefiedert. Bl. weiss.

558. ***P. rupestris L.*** Felsen-F. Stengel aufrecht, oberwärts gabelspaltig; ***die untern Blätter gefiedert, die obern***

3zählig; Blättchen eiförmig-rundlich, ungleich-eingeschnitten-gesägt, flaumig; Nebenblätter ganz; Blumenblätter verkehrt-eiformig, länger als der Kelch.

Auf grasigen Hügeln, steinigen waldigen Orten, an Rainen u. Feldmauern. — Zirl (Str!); Imst (Lutt!). Innsbruck: bei Sonnenburg (Hfl.). Pusterthal: bei Welsberg (Hll.), bei Hopfgarten (Schtz.), um Lienz (Rsch! Schtz.). Vintschgau: bei den Brandhöfen in Martell (Tpp.). Bozen: am Wege nach Jenesien (Zcc!), auf Waldblössen im Haslacher- u. Kühbacher Walde u. am Wege nach Kapenn; Ritten: bei 3900′ am Steige von Waidach nächst Klobenstein gegen Rappesbüchel (Hsm.). Bei Lana nächst Meran (Fr. Mayer). Fleims: östlich von Predazzo; Fassa: zwischen Soraga u. Möena (Fcchl). Am Montalon (Montini)! Borgo: gegen Sette Selle (Mrts!). Valsugana: an Wegen u. Mauern (Ambr.). Val di Pinè; bei Sardagna nächst Trient (Per!). Pergine (Sternberg)! Judicarien: längs der Sarca u. an Wegen bei Tione (Bon.), Val di Rendena (Eschl!).

Obsolet: Radix Quinquefolii fragiferi.

Bl. weiss. Mai — Jul. ♃.

** Blätter gefiedert. Bl. gelb.

559. **P.** *anserina L.* Gänse-F. Gänserich. Stengel rankenartig, kriechend; *Blätter unterbrochen-gefiedert, vielpaarig;* Blättchen länglich, geschärft-gesägt; Blüthenstiele einzeln; die stengelständigen Nebenblätter scheidig, vielspaltig.

An Wegen u. Triften bis in die Voralpen. — Bregenz (Str!). Imst (Lutt!). Mieders in Stubai (Schneller). Innsbruck (Schpf.), allda z. B. bei Amras (Prkt.). Kitzbüchl (Trn.). Schwaz (Schm!). Welsberg (Hll.). Hopfgarten, Innervilgraten u. Lienz (Schtz.). Bozen: am Wege rechts vom kühlen Brünnel; gemein am Ritten: z. B. um Klobenstein u. Kematen bis wenigstens 4500′ (Hsm.). Neumarkt (Meneghini)! Fleims u. Fassa (Fcch!). Primiero (Montini)! Val di Vezzano (Per!). Valsugana: um Borgo (Ambr.). Am Baldo (Poll!).

Die Blätter unterseits meist weiss-seidenhaarig, seltener grün u. nur spärlich behaart; oberseits weiss-seidenhaarig o. grün, spärlich behaart o. ganz kahl.

Obsolet: Radix et Herba Anserinae.

Bl. gelb. Mai — Aug. ♃.

*** Blätter gefingert. Bl. gelb.

560. **P.** *recta L.* Aufrechtes F. *Stengel aufrecht,* nebst den Blättern *rauhhaarig, Haare* verlängert, auf Knötchen sitzend, *mit kurzen drüsentragenden untermischt;* Blätter 5—7zählig; Blättchen länglich, nach der Basis keilig-verschmälert, grob-eingeschnitten-gesägt; *Nüsschen* erhaben-runzelig, *mit einem flügelförmigen* bleichern *Kiele umgeben.*

Waldige sonnige Hügel, steinige Abhänge. — Zillerthal (Schrank)! Brunecken (M. v. Kern). Lienz: in dem Wäldchen ober Nussdorf u. im Gebüsche ober der Galena (Rsch!). Sehr zerstreut um Bozen: selten am Runkelsteiner Schlosswege u.

im Gandelberge bei Gries, stellenweise häufig am Fusse des Kühbacher Berges; bei Salurn (Hsm.). Im Guntschnaerberg u. Haslach, dann ober Völs bei Bozen (Elsm!). Trockene Triften in Südtirol (Poll!). Alla Rocca bei Arco (Per!).

Bl. schwefelgelb. Jun. Jul. ♃.

561. ***P. argentea L.*** Silberweisses F. ***Stengel aufstrebend, filzig, an der Spitze ebensträussig; Blätter 5zählig; Blättchen*** aus einer ganzrandigen, verschmälerten Basis verkehrt-eiförmig, tief-eingeschnitten-gesägt o. fiederspaltig-zerfetzt, ***am Rande umgerollt, unterseits filzig; Blüthenstielchen nach dem Verblühen gerade;*** Nüsschen runzelig, unberandet.

An Rainen, Mauern u. trockenen Triften bis an die Voralpen. — Oberinnthal: bei Imst (Lutt!). Innsbruck: bei Sistrans (Precht). Stubai: Weg von Medraz nach Neustift (Hfl!). Kitzbüchl: auf Triften im Jochberg (Trn.). Bei Zell im Zillerthale (Gbh.). Schwaz (Schm.). Pusterthal: Innervilgraten, Hopfgarten u. Lienz (Schtz.). Welsberg (Hll.). Schmirn (Hfm!). Gemein um Bozen: am Kalkofen, auf den Mauern in Haslach, am Fagnerbache gegen den Wasserfall etc.; um Klobenstein und Siffian am Ritten bis 4000′ (Hsm.). Vintschgau: bei Spondinig (Tpp.) Meran: beim Schlosse Tirol (Kraft). Fleims: bei Cavalese (Fcch!). Trient (Per!). Roveredo (Crist.) Valsugana: bei Borgo (Ambr.). Val di Rabbi (Merlo). Am Baldo u. auf trockenen Triften in Tirol (Poll!). Judicarien: bei Tione (Bon.).

Obsolet: Herba Argentinae.

Bl. gelb. Ende Mai — Jul. ♃.

562. ***P. collina Wib.*** Hügel-F. ***Stengel nach allen Seiten niedergelegt,*** zottig-filzig, von der Mitte an ausgebreitet-rispig, an der Spitze aufstrebend; ***Blätter 5zählig,*** die wurzelständigen in einen mittelpunktständigen dichten Rasen zusammengestellt; ***Blättchen*** verkehrt-eiförmig-keilig, ***flach, unterseits auf den Adern zottig,*** ausserdem daselbst ***dünngraufilzig,*** eingeschnitten-gesägt; ***Blüthenstielchen nach dem Verblühen zurückgebogen;*** Nüsschen runzelig, unberandet. —

An ähnlichen Orten wie Vorige u. meist mit derselben. — Vintschgau: bei Spondinig (Tpp.). Gemein um Bozen z. B. am Kalkofen u. am Fagnerbache gegen den Wasserfall; am Ritten um Klobenstein u. Siffian bis 3900′ (Hsm.).

Bl. gelb. Ende Apr. — Jul. ♃.

563. ***P. reptans L.*** Kriechendes F. ***Stengel rankenförmig, gestreckt, einfach, an den Gelenken wurzelnd; Blätter 5zählig mit eingemischten 3zähligen;*** Blättchen länglich-verkehrt-eiförmig, fast von der Basis an gesägt, kahl o. unterseits angedrückt-behaart, Sägezähne eiförmig, stumpflich; Blüthen einzeln; ***Blüthentheile 5zählig; Früchtchen körnig-rauh.***

An Wegen, Gräben u. feuchten Rainen. — Bregenz (Str!).

Imst (Lutt!). Innsbruck (Schpf.). Kitzbüchl (Trn.). Schwaz (Schm!). Welsberg (Hll.). Brunecken (M. v. Kern)! Hopfgarten (Schtz.). Lienz (Rsch! Schtz.). Gemein um Bozen: z. B. an der Strasse nach Siebenaich etc.; Klobenstein am Ritten, am Wege nach Lengmoos (Hsm.). Vintschgau: bei Schlanders; Val di Non (Tpp.); Castell Brughier (Hfl!). Fleims (Fcch!). Trient (Per!). Roveredo: an Dämmen u. Feldern (Crist.). Valsugana: bei Borgo (Ambr.). Judicarien: bei Tione (Bon.).

Obsolet: Radix et Herba Pentaphylli.

Bl. gelb. Jun. Aug. ♃.

564. ***P. procumbens Sibthorp.*** Niederliegendes F. ***Stengel rankenförmig, gestreckt, oberwärts ästig***; die fruchttragenden an den Gelenken wurzelnd; ***Blätter gestielt, 3zählig o. die untersten 5zählig;*** Blättchen verkehrt-eiförmig, eingeschnitten-gesägt, unter der Mitte keilförmig u. ganzrandig, Sägezähne abstehend, eiförmig-lanzettlich, zugespitzt; Nebenblätter ganzrandig o. 2—3zähnig; ***Blüthentheile meist 4zählig;*** Früchtchen fein-runzelig.

In Wäldern. — Unterinnthal: bei Achenrain am Fusse des Sonnenwendjoches bei Rattenberg (Wld.).

Eine im südlichern Deutschland nur noch bei Belp im Canton Bern aufgefundene Pflanze. Das mir vorliegende Exemplar von Achenrain hat 3 Blüthen, wovon eine 5zählig, die 2 übrigen 4zählig sind.

Tormentilla reptans L. P. nemoralis Nestler.

Bl. gelb. Jun. Jul. ♃.

565. ***P. Tormentilla Sibthorp.*** Tormentille. Blutwurz. Ruhrwurz. ***Stengel*** niederliegend o. aufrecht, ***oberwärts ästig, nicht wurzelnd; Blätter 3theilig, sitzend o. kurz-gestielt;*** Wurzelblätter länger-gestielt, 3—5zählig; Blättchen länglich-lanzettlich, eingeschnitten-gesägt, an der Basis ganzrandig, die der untern Blätter verkehrt-eiförmig; Sägezähne etwas abstehend, ei-lanzettförmig, spitz; Nebenblätter 3—vielspaltig; ***Blüthentheile meist 4zählig;*** Früchtchen schwachrunzelig. —

Gemein in Wäldern u. auf feuchten Triften bis in die Alpen. Oberinnthal: bei Imst (Lutt.). Innsbruck: bei Sonnenburg u. Gräben bei Kranewitten (Hfl.), dann im Wiltauerberge (Prkt.); Thaureralpe (Hfl!). Kitzbuchl (Trn.). Welsberg (Hll.). Hopfgarten, Innervilgraten (Schtz.). Lienz: Wälder hinter Schlossbruck (Rsch! Schtz.). Bozen: auf den feuchten Wiesen bei St. Jacob; gemein um Klobenstein am Ritten, Rittneralpe, Mendel etc. (Hsm.). Vintschgau: bei Laas (Tpp.). Fleims und Fassa (Fcch!). Cles: gegen Vergondola (Hfl!). Trient (Per!). Am Baldo (Poll!). Valsugana: bei Borgo (Ambr.). Judicarien: bei Tione (Bon.).

Tormentilla erecta L. T. officinalis Sm.

Officinell: Radix Tormentillae.

Bl. gelb. In der Ebene Mai. Gebirge Jun. Jul. ♃.

566. ***P. aurea L.*** Goldfarbenes F. Stämmchen niedergestreckt, auch wurzelnd; Stengel aus gebogener Basis aufrecht u. nebst den Blattstielen behaart, Haare aufrecht, etwas angedrückt; Wurzelblätter 5zählig; ***Blättchen*** länglich, kahl, ***am Rande u. auf den Adern unterseits silberglänzend, seidenhaarig, an der Spitze spitz-gesägt, Sägezähne auf jeder Seite meist 3,*** der letzte kleiner; Nüsschen schwach-runzelig, kahl.

Gemein auf Triften der Alpen u. Voralpen. — Dornbirneralpe in Vorarlberg (Str!), allda am Wege von Krumbach zum Widderstein (Tir. B.)! Alpen bei Imst (Lutt!). Alpen bei Zirl u. Telfs (Str!). Innsbruck: am Rosskogel u. Issee (Hfl.). Schwaderalpe bei Schwaz (Schm!), Kellerjoch (Hrg!). Zillerthaleralpen (Gbh.). Rattenberger Alpen (Wld.). Kitzbüchl: z. B. am Schattberg (Trn.). In Alpein (Schneller). Schmirn (Hfm.). In der Fichtenregion um Innichen (Stapf). Welsberg (Hll.). Hopfgarten u. Innervilgraten (Schtz.). Lienz: auf der Hofalpe und dem Rabueling (Rsch!), dann auf der Dorferalpe (Schtz.). Kirschbaumeralpe (Bischof!), Ochsenalpe in Pregratten (Hrnsch.)! Hochgebirge um Brixen (Hfm.), z. B. am Blosachberge (Iss.). Vintschgau: im Laaserthal (Tpp.). Wormserjoch (Eschweiler.)! Zielalpe bei Meran (Elsm!). Josephsberg bei Meran (Kraft). Auf allen Alpen um Bozen, als: Mendel, Schlern u. Seiseralpe; am Ritten unter Pemmern bei 4800′ beginnend, Rittner- u. Villandereralpe (Hsm.). Penserjoch (Hfl!). Fassa: am Giumello u. Duron (Fcch!). Trient: am Gazza u. Bondone (Per!). Cima d'Asta (Petrucci)! Am Sadole (Parolini)! Valsuganer-Alpen (Ambr.). Gebirgswiesen um Roveredo (Crist.). Am Baldo (Poll! Hfl!). Val di San Valentino in Rendena (Bon.).

Bl. schön gelb mit orangefarbenen Flecken am Grunde.
Jun. Jul. ♃.

567. ***P. salisburgensis Haenke.*** Alpen-F. ***Stämmchen niedergestreckt, zuweilen wurzelnd;*** die Stengel aus aufstrebender Basis aufrecht, flaumig; Wurzelblätter 5zählig; ***Blättchen*** verkehrt-eiförmig, ***kahl, am Rande u. auf den Adern unterseits abstehend-haarig,*** vorne eingeschnitten-gesägt, Zähne hervorgestreckt, auf jeder Seite meist 3, der letzte fast gleich; ***Nebenblätter sämmtlich eiförmig;*** Nüsschen schwach-runzelig.

Steinige Triften der Alpen. — Oberinnthal: am Krähkogel (Zcc!). Längenthal in der Fernerau (Prkt.). Kitzbüchl: am Geisstein 6—7000′ (Trn.). Pusterthal: Messerlingwand (Hrnsch!), Kirschbaumeralpe (Sieber), in Kals (Rsch!), Alpe Frossnitz u. Karrthal (Hänke!), Alpentriften um Welsberg (Hll.). Vintschgau: im Laaserthale (Tpp.). Zielalpe bei Meran (Elsm!). Schlern, Lattemar u. Seiseralpe (Hsm.). Am Montalon (Beggiato)! Am Manasso bei Borgo (Ambr.). Am Portole (Montini)! In Folgaria: am Bec della Filadonna (Hfl.).

P. alpestris Hall. fil. Koch syn. ed. 2. P. crocea Schleich.
Bl. gelb. Jun. Aug. ♃.

568. ***P. verna L.*** Frühlings-F. ***Stämmchen gestreckt, oft wurzelnd;*** die Stengel aufstrebend u. nebst den Blattstielen von aufrechten etwas abstehenden Haaren rauhhaarig; die untern Blätter 5- u. 7zählig; ***Blättchen*** länglich-verkehrt-eiformig, gestutzt, ***kahl u. am Rande o. unterseits o. unterseits u. oberseits haarig,*** tief-gesägt, Sägezähne meist 4 auf jeder Seite, der Endzahn kürzer; ***die untersten Nebenblätter schmal-linealisch;*** Nüsschen schwach-runzelig.

Auf Hügeln, Abhängen u. Rainen bis in die Alpen. — Vorarlberg: selten im Ried (Str!). Imst (Lutt!). Innsbruck (Prkt.). Kitzbüchl (Trn. Unger!). Welsberg (Hll.), Lienz, Hopfgarten u. Innervilgraten (Schtz.). Brixen (Hfm.). Vintschgau: allenthalben an sonnigen Orten z. B. bei Laas (Tpp.). Zenoberg bei Meran (Iss.). Eppan (Hfl.). Gemein um Bozen, auch um Klobenstein am Ritten (Hsm.). Bozen u. Fassa bis in die Alpen (Fcch!). Cles: gegen Vergondola; Trient: am Wege nach Sardagna (Hfl.). Roveredo: an Felsen u. Hügeln (Crist.). Am Montalon (Montini)! Am Baldo (Poll!). Judicarien: bei Corè (Bon.).

Die kahlere Form (P. verna α genuina Döll) mehr auf Gebirgen z. B. um Klobenstein am Ritten, um Bozen nur auf Waldblössen im Kühbacher. Walde; die behaarte Form: mit fast zottigem Stengel (P. verna β pilosa Döll), die gemeine um Bozen, auch an dieser findet man am Stengel verlängerte Haare u. es gibt somit kein schneidendes Merkmal zwischen P. verna u. P. opaca.

Bl. gelb. Ende Febr.—Apr. Auf Gebirgen: Mai—Jun. ♃.

569. ***P. opaca L.*** Mattgrünes F. ***Die Stämmchen gestreckt, oft wurzelnd;*** die Stengel aufstrebend u. nebst den Blattstielen rauhhaarig, ***Haare verlängert, wagrecht-abstehend;*** Blätter 5- u. 7zählig; Blättchen länglich-keilig, tief-gesägt, gestutzt, der Endzahn kürzer.

Hügel u. felsige Orte. — Im Zillerthal (Braune)! Um Kitzbüchl: selten auf Anhöhen (Unger)! Um Brixen (Hfl. bei Bertoloni)! — P. verna δ. opaca Doll.

Was ich von Tiroler Standorten als P. opaca erhielt, waren behaartere Exemplare der Vorigen u. Uebergänge in letztere, wie sie auch um Bozen häufig vorkommen. Die echte P. opaca besitze ich durch die Güte des Hrn. Hofrathes Koch u. aus der Gegend von München durch Baron Gundlach.

Bl. gelb. Apr. Mai. ♃.

570. ***P. cinerea Chaix.*** Aschgraues F. ***Stämmchen gestreckt, oft wurzelnd; Stengel*** aufstrebend, ***nebst den Blattstielen u. Blättchen graufilzig u. behaart,*** mit aufrechten etwas abstehenden Haaren; die untern Blätter 5zählig; Blättchen länglich-verkehrt-eiförmig u. verkehrt-eiförmig, gestutzt, tief-gesägt, Sägezähne auf jeder Seite meist 4, der Endzahn kürzer; die untersten Nebenblätter schmal-linealisch; Nüsschen schwach-runzelig.

Sonnige felsige Orte u. an Wegen im mittleren Vintschgau (Tpp.). Selten bei Innsbruck (Schpf.).

P. verna γ. cinerea Döll. Varietät von P. verna?

Bl. gelb. Apr. Mai. ♃.

571. ***P. grandiflora L.*** Grossblumiges F. ***Stengel*** aus aufstrebender Basis ***aufrecht*** u. nebst den Blattstielen von kurzen wagrecht-abstehenden Haaren zottig; ***Blätter 3zählig; Blättchen*** verkehrt-eiförmig, ***tiefgesägt,*** oberseits flaumig, ***unterseits zottig;*** Nüsschen kahl.

Auf steinigen Grasplätzen der Alpen u. Voralpen. — Am Krähkogel u. Timpeljoch im Oetzthal (Zcc!). Zillerthaleralpen (Braune)! Stubaierferner; Jaufen (Eschl.). Wormserjochstrasse bei Franzenshöhe; am Ifinger bei Meran; Schlern (Hsm.). Alpen von ganz Vintschgau: von 4—6000′, z. B. bei Laas u. Trafoi (Tpp.), Matscherjoch (Eschl!). Zielalpe bei Meran (Elsm!). Alpentriften in Fassa, vorzüglich am Padon u. Duron (Fcch!). Am Montalon (Beggiato)! Valsugana: Alpen ober Borgo (Montini)! Judicarien: am Frate in Breguzzo (Bon.). Baldo: am Altissimo (Hfl!).

Bl. gelb. Jun. Jul. ♃.

572. ***P. nivea L.*** Schneeweisses F. ***Stengel aufrecht,*** armblüthig; Wurzelblätter 3zählig; ***Blättchen*** länglich, eingeschnitten-gesägt, oberseits kahl o. rauhhaarig, ***unterseits schneeweiss-filzig, glanzlos,*** am Rande flach; Nüsschen kahl.

Felsen der Alpen. — Kitzbüchl: an steilen Wänden am Geisstein u. kleinen Rettenstein (Trn.). Vintschgau: häufig am Zefall in Martell bei 7—8000′, in Schlinig ober der Wand, am Saurüssel bei Laas (Tpp.).

Bl. gelb. Jul. Aug. ♃.

573. ***P. minima Hall. fil.*** Kleinstes F. ***Stengel*** aufstrebend, flaumig, ***meist 1blüthig; Blätter 3zählig;*** Blättchen verkehrt-eiförmig, abgerundet-stumpf, kaum gestutzt, ***kahl, am Rande u. unterseits auf den Adern behaart,*** mit etwas abstehenden Haaren, ***vorne eingeschnitten-gesägt,*** Zähne auf jeder Seite meist 4, der endständige fast gleich.

Triften der Alpen. — Vorarlberg: Alpe Tillisun in Montafon (Cst!). Oberinnthal: auf dem Brandjoch (Hfl.). Kitzbüchl: am Horn bei 6000′ gleich nach dem Schmelzen des Schnees (Trn.). Ausser der Gränze im Möllthale am Glockner (Lösche)! Alpen im Möllthale (Pacher). Wormserjoch: am Steige von Franzenshöhe zu den Gallerien (Hsm.). Alpen in Fassa (Fcch!).

P. brauniana Hoppe.

Bl. gelb. Ende Jun. Jul. ♃.

574. ***P. frigida Vill. Ueberall sehr zottig;*** Stengel aufstrebend, meist 1blüthig; ***Blätter 3zählig, Blättchen*** verkehrt-eiförmig, ***stumpf-gezähnt, Zähne am Rande sich deckend;*** Nüsschen etwas runzelig, unbehaart.

Auf Alpenjöchern. — Windaualpe bei Sölden (Hilsenberg!

Sieber). Alpen bei Zirl u. Telfs, am Rosskogel 7—9000′ (Str.). Spitze des Glunggezer bei Innsbruck (Str!), dann auf der Neunerspitze u. auf dem Rosskogel bei 7000′ (Hfl.). Wormserjoch auf der Tiroler Seite (Gundlach), allda auf den Anhöhen beim Posthaus, Monte Braulio (Fk!). Höhere Alpen Vintschgau's, z. B. bei Laas (Tpp.) u. Matscherjoch bei Glurns (Eschl.). Alpen in Fassa: a Vaël u. Monzoni (Fcch!).

P. glacialis Hall. fil. P. helvetica Schleich.

Bl. blassgelb. Jul. Aug. ♃.

II. Rotte. ***Fragariastrum L.*** Nüsschen auf der ganzen Oberfläche o. wenigstens am Nabel mit Haaren besetzt.

a. ***Bl. weiss.***

575. ***P. alba L.*** Weisses F. Stengel schwach, aufstrebend, meist 3blüthig; ***Wurzelblätter 5zählig, Blättchen*** länglich-lanzettlich, nach der Basis verschmälert, oberseits kahl, ***unterseits u. am Rande seidenhaarig, vorne gesägt, Sägezähne*** spitz, ***zusammenneigend,*** der endständige schmäler; ***Staubfäden*** nebst den Nüsschen ***kahl,*** letztere am Nabel behaart. —

Waldtriften u. grasige Hügel bis an die Voralpen. — Innsbruck: am Hottinger Wasserfall am Föhrenwäldchen (Hfl.). Meran: auf trockenen Wiesen bei Hafling u. am Hofe Grunes ober Mais (Tpp.). Bozen: auf Waldblossen am Fusse des Haslacher u. Kühbacher Berges, dann im Sigmundscroner Berge gegen Frangart; auf der Mendel; Ritten: bei Signat, bei Kematen unter der Kapelle u. am Wege von Lengmoos zur Finsterbrücke (Hsm.). Bozen: in Guntschna (Hinterhuber!), u. am Wege nach Kapenn u. Seit (Elsm!), bei Missian (Giov!). Brixen (Hfm.). Valsugana: bei Borgo (Ambr.). Cles: gegen Vergondola; Trient: westlich am Doss San Rocco (Hfl. Per.). Roveredo: auf Hügeln im Gebüsche (Crist.). Am Baldo (Rainer)!

Obsolet: Herba Potentillae albae.

Bl. weiss. Mai, Jul. ♃.

576. ***P. Fragariastrum Ehrh.*** Erdbeerblättriges F. Stengel schwach, niederliegend, meist 1blüthig; ***Wurzelblätter 3zählig, Blättchen rundlich-eiförmig,*** gesägt, gestutzt, ***oberseits ziemlich kahl,*** unterseits zottig, die jüngern seidenhaarig, das mittlere vorne, ***die seitenständigen an der äussern Seite fast von der Basis an gesägt, das stengelständige Blatt 3zählig;*** Nüsschen an dem Nabel behaart; Stämmchen kriechend.

An buschigen Hügeln. — Vorarlberg: gemein bei Bregenz (Str!). — Bl. weiss. Apr. Mai. ♃.

577. ***P. micrantha Ram.*** Kleinblumiges F. Stengel schwach, niederliegend, meist 2blüthig; ***Wurzelblätter 3zählig; Blättchen oval,*** gesägt, ***etwas gestutzt, oberseits ziemlich kahl,*** unterseits zottig, die jungern seidenhaarig, ***das mittlere vorne, die seitenständigen an der äussern Seite fast von der Basis an gesägt, das stengelständige Blatt***

einfach; Nüsschen an dem Nabel behaart; die kriechenden Stämmchen fehlend.

Gebirgige steinige Orte in Südtirol (Koch Taschenb.)! Judicarien: bei Darè in Rendena (Bon.). Bei Centa (Tecilla). Auf dem tirolischen Baldo u. unter Turano in Val di Vestino (Fcch.).

Wohl nur Varietät der Vorigen, zu der sie auch Bertoloni zieht.

Bl. weiss. Apr. Mai. ♃.

578. ***P. caulescens.*** Stengliges F. Stengel aufstrebend, reichblüthig; Wurzelblätter 5zählig; ***Blättchen fast sitzend, länglich-lanzettlich,*** an der Basis keilig, nach vorne hin spitz-gesägt, etwas zottig, am Rande fast seidenhaarig-gewimpert; ***Staubfäden rauhhaarig;*** Nüsschen überall zottig.

An Kalkfelsen vom Thale bis in die Alpen. — Vorarlberg: bei Ems (Str!), im Bregenzerwald bei Au (Tir. B.)! Aggenstein u. auf der Gacht (Dobel)! Oberinnthal: bei Ehrenberg (Kink); bei Imst (Lutt!). Bei Zirl u. Telfs (Str.). Innsbruck: an der Martinswand u. in der Klamm (Hfl.). Zillerthal (Schrank)! Rattenberg: am Schlosse u. bei der Zillerbrücke (Wld.). Kitzbüchl: am Kaiser (Trn.). Schwaz (Schm!). Schmirn (Hfm.). Pusterthal: auf den Gsieseralpen (Hll.), auf der weissen Wand, am Rauchkogel u. Zabrot bei Lienz (Rsch! Schtz.). Bei Kematen in Pfitsch (Hfl!). Wormserjoch: italienische Seite; Seiseralpe am Aufstiege von Ratzes aus; gemein an den Felsen im Etschlande bei Margreid, Salurn u. Cadin, auch auf der Mendel (Hsm.). Mendel (Hfl.). Nonsberg: in Val di Flavon (Tpp.). Kalkalpen in Fassa u. Fleims (Fcch!). Valsugana (Ambr.). Trient: bei Buco di Vela (Per! Hfl!). Castell Beseno (Hfl!). Cima d'Asta (Petrucci). Vallarsa (Meneghini)! Roveredo (Crist.). Baldo: Val Aviana; Bondone, Scanucchia, dann um Chiusa u. Riva (Poll!). Judicarien: bei Stelle u. Bondo (Bon.).

Bl. weiss. Mai, Jun. Alpen Jul. ♃.

579. ***P. Clusiana Jacq.*** Clusisches F. Stengel aufstrebend, meist 3blüthig; Wurzelblätter 5zählig; ***Blättchen*** länglich-lanzettlich, an der Basis keilig, ***oberseits ziemlich kahl,*** unterseits zottig, am Rande fast seidenhaarig-gewimpert, ***an der Spitze 3zähnig; Zähne gerade-vorgestreckt; Staubfäden kahl;*** Nüsschen überall zottig.

Felsenspalten der höchsten Alpen in Tirol (Koch syn.)! Im Zillerthal (Braune! Schrank)! Schon von Laicharding in Tirol angegeben!

Bl. weiss. Jul. Aug. ♃.

b. ***Bl. rosenroth.***

580. ***P. nitida L.*** Schönes F. Stengel meist 1blüthig; Blätter 3zählig; ***Blättchen*** elliptisch, ***beiderseits seidenhaarig-filzig, an der Spitze 3zähnig,*** Zähne gerade vorgestreckt; Staubfäden kahl; Nüsschen überall zottig.

Auf steinigen Triften der Kalkalpen in Südtirol. — Pusterthal: auf der Neunerspitze bei Brunecken (Hll.), auf dem Kohlalbel bei Innichen, auf der Laserzer- u Lavanteralpe bei Lienz (Rsch!). Kirschbaumeralpe (Schtz. Hoppe! Bischof)! Tristacheralpe bei Lienz (Ortner), u. am Peitlerkofel bei Brixen (Hfm.). Gemein auf dem Schlern, z. B. gleich nach der Schlucht links u. am Abstieg zur Seiseralpe (Hsm.). Gipfel des Schlern (Str!). Schlern u. Vaëler Joch in Fassa (Eschl.). Alpen von Fassa u. Fleims Fcch!). Am Davoi (Parolini)! Portole (Parolini)! Vette di Feltre (Visiani)! Spinale, Bondone u. Scanucchia (Per.). Roveredo: am Cornetto auf der Scanuppia (Crist). Ober San Martino di Castrozza ganz oben auf dem Joche gegen Paneveggio; Baldo: Monte maggiore; Monte Castellazzo in Folgaria (Hfl.). Baldo: Zinne des Altissimo (Sternberg!), ebenda (Per!). Alpen von Vallarsa u. Valsugana (Poll!).

Bl. schön rosenroth, selten weiss. Jul. Aug. ♃.

149. *Sibbaldia L.* Sibbaldie.

Kelch u. Blumenkrone wie bei Potentilla. Staubgefässe u. Griffel 5, selten 10. (V. 5.).

581. *S. procumbens L.* Liegende S. Blätter 3zählig, Blättchen oberseits fast kahl, unterseits behaart; Bluthen ebensträussig; Blumenblätter lanzettlich.

Felsige Triften u. Abhange der Alpen. — Gleirscherjoch auf der Oetzthaler Seite (Hfl.). Im Längenthal (Prkt.). Alpen um Kitzbüchl, meist über 6000′ (Trn.). Pusterthal: Alpen um Welsberg (Hll.), Kalsertaurn (Rsch!), Dorferalpe bei Lienz (Schtz.); Hochgruben bei Innichen (Bentham)! Wormserjochstrasse zu oberst einige Schritte ausser der Gränze; Rittner Horn in Menge abwärts von der Spitze nordwestlich gegen das Hornwasserle (Hsm.). Penserjoch (Hfl!). Vintschgau: auf dem Saurüssel bei Laas (Tpp.); am Ortler (Fleischer)! Zielalpe bei Meran (Elsm.)! Paneveggio in Fleims; ai Monzoni in Fassa (Fcch.)! Am Montalon in Valsugana (Montini)! Judicarien: Ghiacciaja di Pelugo (Bon.).

Bl. klein, gelb. Jul. Aug. ♃.

150. *Agrimonia L.* Odermennig.

Kelch kreiselförmig, mit 5spaltigem nach dem Verblühen aufwärts-zusammengeneigtem Saume, an der Röhre mit hackigen zahlreichen, an der Frucht vergrösserten u. verhärteten Dornen besetzt. Blumenblätter 5, Staubgefässe 15, sammt den Blumenblättern dem innern Rande eines kelchständigen, den Kelchschlund verengenden Ringes eingefügt. Fruchtknoten 2, mit je einem endständigen Griffel. Früchtchen 2 o. durch Fehlschlagen 1, im verhärteten Kelche eingeschlossen. (Bl. gelb. Blüthenstiel kurz, an der Spitze mit einem Gelenke u. allda beiderseits mit einem Deckblättchen versehen). (XI. 2.).

582. *A. Eupatoria L.* Gemeiner O. Die entwickelten Aehren verlängert, ruthenförmig; ***Fruchtkelche*** entfernt-gestellt, *verkehrt-kegelförmig*, ***bis zur Basis tief-gefurcht;***

die äussern Dornen weitabstehend; Blätter unterbrochen-gefiedert; Blättchen länglich-lanzettlich, gesägt, unterseits graukurzhaarig, die dazwischen gestellten kleinern eiförmig, gezähnt, das unpaarige gestielt.

An Rainen, Hügeln u. Gebüschen. — Bregenz (Str!). Oberinnthal: bei Imst (Lutt!). Innsbruck: auf dem Breit- u. Spitzbüchel bei Mühlau, dann hinter Egerdach (Schpf.). Schwaz (Schm!). Kitzbüchl (Unger)! Hopfgarten u. Ebbs (Trn.). Sparsam um Lienz (Schtz.), allda am Grübelebüchel u. am Gamberge (Rsch!). Brixen: im Gebüsche bei Sarns (Hfm.). Vintschgau: bei Laas (Tpp.). Meran (Kraft). Bozen: am Wege nach Heilig-Grab u. gegen Sigmundscron rechts; Margreid: Wälder gegen Fennberg; am Fusse des Schlern (Hsm.). Eppan (Hfl.). Val di Non: Castell Brughier (Hfl!). Valsugana: bei Borgo (Ambr.). Roveredo (Crist.). Judicarien: bei Tione (Bon.).

Officinell: Herba Agrimoniae.

Bl. gelb. Jun. — Sept. ♃.

583. *A. odorata Ait.* Wohlriechender O. Die entwickelten Trauben verlängert, ruthenförmig; ***Fruchtkelche*** entfernt-gestellt, ***halbkugelig-glockig, bis zur Mitte seicht-gefurcht;*** die äussern Dornen zurückgeschlagen; Blätter unterbrochen-gefiedert; Blättchen länglich-lanzettlich, gesägt, unterseits kurzhaarig u. mit kleinen Drüsen bestreut, die dazwischen gestellten kleinern eiförmig, gezähnt, das unpaarige gestielt.

In Laubwäldern. — Kitzbüchl: auf Kalkboden am Buchwald (Trn.).

Ist wohl nur Varietät der Vorigen. Uebergänge habe ich sowohl vom Bozner Gebiete als von der Kitzbüchler Gegend vor mir. — Bl. gelb. Jul. Aug. ♃.

151. ***Aremonia Necker.*** Aremonie.

Kelch länglich, mit 5spaltigem nach dem Verblühen aufwärts zusammenneigendem Saume. Unter dem Saume 5 kleine mit den Saumzipfeln wechselnde Zähnchen. Zähnchen an der Frucht verlängert, pfriemig, verhärtet, aufrecht, den Zipfeln des Kelchsaumes anliegend. Blumenblätter 5, Staubgefässe 5 o. 10, sammt den Blumenblättern vor dem drüsigen den Kelchschlund verengenden Ringe eingefügt. Fruchtknoten mit je einem endständigen Griffel. Fruchtchen 2, o. durch Fehlschlagen 1, im fast kugeligen verhärteten Kelche eingeschlossen. (Bl. gelb. Jede einzelne Blüthe mit einer 6—10spaltigen, aus 2 verwachsenen Deckblättern gebildeten Hülle versehen. (XI. 2.).

584. ***A. Agrimonioides Neck.*** Gemeine A. Stengelblätter 3zählig, Blattchen rundlich-eiförmig.

Gebirgige waldige Orte im südlichen Tirol. — Bei Trient über Sardagna im Kastanienwalde (Hfl.). Buchenregion des Baldo; im Tridentinischen u. in Judicarien (Poll!). Auf dem tirolischen Baldo; auf den Bergen nördlich vom Gardasee; Monte Tremali in Val di Ledro u. bei Mis in Primiero (Fcch.).

Bl. klein, gelb. Mai, Jun. ♃.

III. Gruppe. **Roseae De C.** Früchtchen mehrere, 1eiig, nussartig, nicht aufspringend, von der fleischigen u. bei der Reife saftigen Röhre des Kelches eingeschlossen.

152. ***Rosa L.*** Rose.

Kelch bleibend, mit 5spaltigem Saume u. bauchiger am Schlunde zusammengezogener Röhre. Blumenblätter 5; Staubgefässe 20 u. mehr, sammt den Blumenblättern dem Kelchschlunde eingefügt. Fruchtknoten zahlreich, in der Kelchröhre eingeschlossen, Griffel hervorragend. Kelchröhre bei der Fruchtreife eine falsche Beere darstellend. (XII. 3.).

I. Rotte. ***Pimpinellifoliae.*** Die Fruchtknoten im Mittelpunkte des Kelches kurzgestielt, mit einem Stiele nicht von der halben Länge des Fruchtknotens o. fast sitzend. Blüthen einzeln, deckblattlos o. mit einem einzigen Deckblatte gestützt, das aus einem auf ein Nebenblatt zurückgeführten Blatte entstanden. Die Nebenblätter fast gleich gestaltet. Die jungen Stämme sehr stachelig. —

R. lutea Mill. Gelbe R. Die Stacheln der diesjährigen Wurzeltriebe gerade, gedrungen, ungleich, die grössern pfriemlich, die kleinern borstlich, an den Zweigen zerstreut, stärker, etwas gekrümmt; Blättchen 5—9, rundlich o. elliptisch, gleichfarbig, doppelt-gesägt; die Nebenblätter sämmtlich gleich gestaltet, flach, am Rande umgebogen, linealisch-keilig, die Oehrchen lanzettlich, zugespitzt, auseinanderfahrend; Zipfel des Kelches mit Anhängseln, kürzer als die Blumenkrone; Früchte aufrecht, plattkugelig, mit einem bleibenden weitabstehenden o. zurückgebogenen Kelche bekrönt.

Häufig in Gärten, sammt der Abart, auch in Anlagen um Bozen z. B. am Kinselehof nächst dem Wasserfalle, doch nirgends verwildert.

β. punicea. Bl. oberseits scharlachroth, unterseits bräunlichgelb. — R. lutea β bicolor Willd. R. punica Mill.

Bl. dottergelb. Ende Mai, Jun. ♄.

585. ***R. pimpinellifolia De C.*** Bibernellblättrige R. ***Die Stacheln ungleich, pfriemlich u. borstlich, gerade,*** an den jährigen Wurzeltrieben gedrungen, an den Aesten zerstreut; Blättchen 5—9, rundlich o. oval, einfach- o. doppeltgesägt, Sägezähne etwas abstehend; die Nebenblätter linealisch-keilig; Oehrchen lanzettlich, zugespitzt, etwas spreizend, die der blühenden Aestchen breiter; ***Zipfel des Kelches ganz, halb so lang als die Blumenkrone; linealisch-zugespitzt;*** Blüthenstiele 1blüthig, die fruchttragenden gerade; ***Früchte plattkugelig, lederig, mit dem bleibenden zusammenschliessenden Kelche bekrönt.***

Auf Hügeln u. Gebirgen an Hecken u. Zäunen im südlichen Tirol. — Lienz: gegen Lavant u. Dölsach (Rsch!). Im Gebiethe von Bozen bei Sanct Isidor u. Kollern an den Sommerfrischhäusern (Hsm.), dann bei Weissenstein u. Kollern (Hinterhuber)! Gebirge um Trient u. Roveredo (Poll!). An Feldzäunen auf den Gebirgen um Roveredo (Crist.).

Kommt vor: mit kahlen u. steifhaarigen Blüthenstielen neben einander. — R. spinosissima L. — Die Wurzel mit Wasser gekocht soll ein erprobtes Mittel gegen Gicht sein.

Bl. weiss. Früchte schwarz. Jun. ♄.

586. ***R. alpina L.*** Alpenrose. ***Die erwachsenen Stämme meist wehrlos,*** die jährigen gedrungen-stachelig, Stacheln borstlich, gerade, drüsenlos; Blättchen 7—11, länglich-elliptisch, doppelt- o. einfach-gesägt; die Nebenblätter an den bluhenden Aestchen verbreitert u. an der Basis keilig, die übrigen linealisch u. an der Basis breiter, ***die freien Oehrchen eiförmig-zugespitzt, auseinanderfahrend; Zipfel des Kelches ganz, mit einer lanzettlichen Spitze, länger als die Blumenkrone; die fruchttragenden Blüthenstiele zurückgekrümmt; Früchte hängend,*** elliptisch o. länglich, mit dem bleibenden, zusammenschliessenden Kelche gekrönt.

Gemein auf Gebirgen u. Alpen durch ganz Tirol. — Vorarlberg: am Pfänder bei Bregenz (Str!), am Schröcken (Tir. B.)! Oberinnthal: Gebirge bei Imst (Lutt!). Innsbruck: auf der Frauhütt (Eschl.), u. in der Klamm (Friese). Längenthal (Prkt.). Schmirn (Hfm.). Kitzbüchl (Trn.). Sonnenwendjoch (Wld!). Zillerthal (Braune)! Leutascher Klammberg in Oberinnthal (Zcc!). Waxegg in Zillerthal (Moll)! Welsberg (Hll.). Hofalpe und Gössnitz bei Lienz (Schtz.). Taufers (Iss.). Prax (Wlf!). Alpen um Lienz u. Innichen (Rsch!). Brunecken (M. v. Kern)! Von Kals über's Thörl nach Windischmatrey (Bischof)! Meransen u. Burgstall bei Brixen (Hfm.). Vintschgau: im Trafoierthale (Tpp.). Auf allen Alpen u. Gebirgen um Bozen; am Ritten von 3800′ aufwärts, z. B. am Fenn bei Klobenstein, Rittner- u. Seiseralpe; auf der Schattenseite z. B. bei Kollern schon bei 2500′ (Hsm.). Auf der Mendel (Hfl.). Alpen von Fassa u. Fleims (Fcch!). Trient: am Gazza, bei Sardagna u. ober Povo (Per!). Voralpen in Valsugana (Ambr.). Monte gazza (Merlo). Am Montalon (Montini)! Spinale; am Baldo: Val dell' Artillon (Poll!).

β. ***pyrenaica.*** Blüthenstiele u. Kelchröhre drüsig-steifhaarig. — R. pyrenaica Gouan. — Fast überall neben der Species, z. B. um Klobenstein am Ritten u. bei Kollern (Hsm.). Vintschgau: in Martell; Val di Non (Tpp.).

Bl. satt-rosenroth. Jun. Jul. ♄.

II. Rotte. ***Cinnamomeae.*** Die Fruchtknoten im Mittelpunkte des Kelches kurz-gestielt, Stiel halb so lang als der Fruchtknoten. Blüthen an der Spitze der Aestchen 3—5 und mehrere, ebensträussig, sämmtlich mit einem Deckblatte gestützt. Die Nebenblätter an den blühenden Aesten deutlich breiter.

587. ***R. cinnamomea L.*** Zimmtrose. Die Stacheln der diesjährigen Stämme gerade, gedrungen, ungleich, die grössern pfriemlich, die kleinern borstlich, drüsig, die der Zweige zu

zweien an die Basis der Nebenblätter gestellt, stärker, gekrümmt, Blättchen 5 o. 7, oval-länglich, einfach-gesägt, unterseits aschgrau, flaumig; ***die Nebenblätter der nicht blühenden Aestchen linealisch-länglich, mit röhrig-zusammenschliessenden Rändern,*** die der blühenden oberwärts verbreitert; Oehrchen eiförmig, zugespitzt, abstehend; Zipfel des Kelches so lang als die Blnmenkrone, ganz, mit einer lanzettlichen Spitze; die fruchttragenden Blüthenstiele gerade; ***Früchte*** kugelig, ***mit dem bleibenden zusammenschliessenden Kelche gekrönt, frühreif, markig.***

Vorarlberg: bei Bregenz gegen Hard (Cst!), und an der Brcgenzer Aache (Str.).

β. *flore pleno.* Blumen gefüllt. — Ganz verwildert und förmliche Hecken bildend in der Nähe der Häuser auf den Gebirgen um Bozen, z. B. an Mauern bei St. Isidor u. an der v. Ingramischen Behausung bei Klobenstein am Ritten (Hsm.).

Bl. rosenroth. Jun. Anf. Jul. ♄.

R. turbinata Ait. Kreiselfrüchtige R. Frankfurter R. Die Stacheln der jährigen Stämme gedrungen, ungleich, die grössern aus verbreiterter Basis pfriemlich, fast sichelförmig, die kleinern borstlich, mit drüsentragenden Borsten untermischt, sämmtlich im Alter verschwindend; ***Zweige wehrlos;*** Blättchen eiförmig, grob-gesägt; ***die Nebenblätter der blüthenständigen Blätter elliptisch-verbreitert,*** die übrigen länglich, ziemlich flach, ***Oehrchen*** eiförmig, zugespitzt, ***gerade-hervorgestreckt;*** Kelchzipfel so lang als die Blumenkrone, Anhängsel wenige o. fehlend; ***die fruchttragenden Blüthenstiele gerade; Früchte*** elliptisch o. länglich, ***mit dem weit abstehenden Kelche gekrönt.***

Verwildert wie vorige um Klobenstein am Ritten, dann bei Pfaffstall an den Gärten ganze Gebüsche bildend (Hsm.).

Bl. rosenroth, gefüllt. — Blüht um Bozen im Thale Ende Mai, bei 4600′ am Ritten Ende Jul. ♄.

588. ***R. rubrifolia Vill.*** Rothblättrige R. Hechtblau angelaufen; die Stacheln der Stämme ungleich, die grössern etwas sichelförmig, an der Basis zusammengedrückt, die kleinern schlank; Blättchen 5—7, elliptisch, einfach-geschärft-gesägt, unterseits kahl, die Sägezähne zusammenneigend; die ***Nebenblätter flach, die der blüthenständigen Blätter elliptisch-verbreitert,*** die übrigen länglich, an der Basis keilig, ***Oehrchen*** eiförmig, zugespitzt, ***auseinanderfahrend; Kelchzipfel ganz o. mit schmalen Anhängseln,*** mit einer lanzettlichen Spitze, länger als die Blumenkrone, nach dem Verblühen zusammenschliessend, von der reifen Frucht abfallend; die fruchttragenden Blüthenstiele gerade; ***Früchte*** kugelig, ***bei der Reife markig.***

Gebirge u. Voralpen. — Oberinnthal: im Oetzthale bei Hueben u. Sölden (Hfl. Tpp.). Im Wippthale am Wege von

Steinach nach Trins; auf der Mendel bei Bozen (Hfl.). Bozen: am Wege von St. Isidor nach Kollern (Gundlach. Hsm.). Bei Kollern u. Petersberg (Hinterhuber)! Im östlichen u. westlichen Südtirol (Fcch!). Am Monte Varone bei Trient (Joh. Sartorelli)! — Manchmal sind die Blumenblätter auch so lang als die Kelchzipfel. — Bl. rosenroth. Jun. Jul. ♄.

589. ***R. glandulosa Bellardi.*** Drüsenborstige R. Die Stacheln an den Stämmen in geringer Zahl, etwas sichelförmig, an der Basis zusammengedrückt, an den Aestchen schlanker, meist paarweise unter die Nebenblätter gestellt; Blättchen 7, rundlich, doppelt-geschärft-gesägt, unterseits kahl, die obern Sägezähne zusammenneigend; ***die Nebenblätter der blüthenständigen Blätter elliptisch-verbreitert,*** die übrigen länglich, an der Basis keilig, ***Oehrchen eiförmig,*** zugespitzt, ***auseinanderfahrend; Kelchzipfel fiederspaltig,*** mit einer lanzettlichen Spitze, so lang o. etwas länger als die Blumenkrone; die fruchttragenden Blüthenstiele aufrecht; Früchte fast kugelig.

Berge u. Voralpen im südlichen Tirol (Koch Taschenb.)! Vintschgau (Tpp.). Sehr selten (2 einzige Stöcke) bei 4900′ am Ritten etwas unter Pemmern (Hsm.).

Bl. rosenroth. Jun. Jul. ♄.

III. Rotte. ***Caninae.*** Die Fruchtknoten im Mittelpunkte des Kelches gestielt, Stiel so lang als der Fruchtknoten. Blüthen an der Spitze der Aestchen 3—5 u. mehrere, ebensträussig, sämmtlich mit einem Deckblatte gestützt. Die Nebenblätter wie bei der vorhergehenden Rotte, die an den obern Blättern der blühenden Aestchen verbreitert. Die grössern Stacheln derb.

590. ***R. canina L.*** Hundsrose. ***Stacheln derb, sichelförmig, an der Basis verbreitert, zusammengedrückt, ziemlich gleich,*** an den Stämmen zerstreut, an den Zweigen meist paarweise unter die Nebenblätter gestellt; ***Blättchen*** 5—7, elliptisch o. eiförmig, geschärft-gesägt, ***die obern Sägezähne zusammenneigend;*** die Nebenblätter der blüthenständigen Blätter elliptisch, verbreitert, die übrigen länglich, ziemlich flach, Oehrchen eiförmig, zugespitzt, gerade hervorgestreckt; ***Kelchzipfel fiederspaltig,*** fast von der Länge der Blumenkrone, zurückgeschlagen, von der reifenden Frucht abfallend; die fruchttragenden Blüthenstiele gerade; ***Früchte*** elliptisch oder rundlich, ***knorpelig;*** Nüsschen in der Frucht gestielt. —

Gemein durch das ganze Land vom Thale bis an die Alpen. Kommt vor: mit grasgrünen spiegelnden (R. canina nitida Fries), dann mit meergrünen glanzlosen, von einem bläulichen, abwischbaren Dufte angehauchten (R. canina opaca Fries) u. mit einfach- o. doppelt-gesägten Blättchen. — Ferner:

a. ***vulgaris.*** Blattstiele, Blättchen, Blüthenstiele u. Röhre des Kelches kahl; Blattstiele öfters mit entfernten Drüsen bestreut u. manchmal an der Basis etwas behaart. — Bregenz (Str!). Innsbruck (Hfl.). Kitzbüchl (Trn.), Schwaz (Schm.),

Welsberg (Hll.), Innervilgraten (Schtz.). Gemein um Bozen u. um Klobenstein am Ritten bis 5000′ bei Pemmern u. zwar die Formen: R. vulgaris Rau. R. glandulosa Rau. u. R. squarrosa Rau. (Hsm.). Val di Non (Hfl!). Um Trient (Per.). Valsugana: bei Borgo (Ambr.). Am Montalon (Beggiato)! Fassa u. Fleims bei Soraga (Fcch!). Monte Baldo: miniere di ferro (Hfl.), u. Val dell' Artillon (Manganotti)! Roveredo (Crist.).

b. *dumetorum.* Blattstiele überall behaart; Blättchen unterseits auf den Hauptadern o. auf der ganzen Blattfläche o. auch auf der obern Fläche mit Haaren bedeckt, Blüthenstiele nicht borstig-steifhaarig. — Hecken um Kitzbüchel (Trn.). Brixen (Hfm!). Vintschgau: bei Laas u. Schlanders (Tpp.). Um Bozen u. Klobenstein am Ritten bis 4200′, aber viel seltener als a. u. zwar die Formen: R. sylvestris Tabern., u. R. dumetorum Thuill. Reichenb. fl. exc. (Hsm.).

c. *collina.* Blüthenstiele drüsig-steifhaarig; Blätter kahl o. behaart; Röhre des Kelches kahl o. drüsig-steifhaarig; Blattstiele entfernter o. dichter mit Drüsen bestreut u. zugleich haarig o. unbehaart. — Kommt vor: 1) mit einfach-gesägten ganz kahlen oberseits glänzenden Blättchen. R. sempervirens Rau. Diese bei Pfelders in Passeyer (Tpp.). — 2) Blättchen einfach-gesägt, oben kahl, unterhalb behaart. R. collina Jacq. Innsbruck: bei Mühlau (Hfl.) Bozen viel seltener als a. u. b., z. B. einzeln gegen Runkelstein u. Ceslar (Hsm.). — 3) Blättchen 3fach-gesägt, kahl, unterseits mit Drüsen auf den Adern. R. trachyphylla Rau. Bozen: selten am Wege in Guntschna am Reichriegler Hofe (Hsm.). — 4) Die Blättchen 2—3fach-gesägt, unterseits behaart u. mit Drüsen. R. flexuosa Rau. Selten um Bozen, einzeln am Wege nach St. Georg (Hsm.). — Hieher gehört nach Koch Rosa alba L., welche man mit ihren schönen gefüllten, weissen oder hellrosenrothen Blüthen häufig in den Gärten trifft.

d. *sepium.* Blattstiele u. Blättchen unterseits o. auch beiderseits mit klebrigen Drüsen; Blüthenstiele u. Kelchröhre kahl. Vorhölzer um Kitzbüchl (Trn.). Waldränder bei Brixen (Hfm.). Vintschgau: bei Göflan u. Leiten bei Goldrain (Tpp.). Bozen: an den Abhängen am Steige von Gries nach Glanig, auch hie u. da um Klobenstein, doch sehr selten (Hsm.). Eppan (Hfl.). Um Bozen meist nur die kleinblättrige u. kleinblumige Varietät (R. sepium Thuill. u. R. myrtifolia Hall. nach Koch). Drüsen oft fast dornig gestielt.

Obsolet: Cortex radicis et Flores Rosae sylvestris, Fructus et Semen Cynosbati. Die monströsen durch den Stich der Rosengallwespe entstandenen moosartigen Auswüchse an den Zweigen, die sogenannten Schlafapfel o. Rosenschwämme: Fungus Rosarum vel Spongia Cynosbati.

Bl. blass- o. dunkler-rosenroth o. weiss.

Ende Mai — Jul. ♄.

591. ***R. rubiginosa L.*** Rost-R. Wein-R. ***Stacheln***

derb, sichelförmig, an der Basis verbreitert, zusammengedrückt, an den Stämmen zerstreut, ungleich, die kleinern gerader u. schlanker, auf den Zweigen meist unter die Nebenblätter gestellt; ***Blättchen*** 5—7, elliptisch, spitz-doppelt-gesägt, ***Sägezähne etwas abstehend;*** die Nebenblätter der blüthenständigen Blätter elliptisch, verbreitert, die übrigen länglich, ziemlich flach, Oehrchen eiförmig, zugespitzt, gerade hervorgestreckt; ***Kelchzipfel fiederspaltig,*** fast von der Länge der Blumenkrone, zurückgeschlagen, von der reifenden Frucht abfallend; die fruchttragenden Blüthenstiele gerade; ***Früchte*** rundlich, ***knorpelig.***

An Wegen u. Hecken bis an die Voralpen. — Vorarlberg: am Buchberg (Str!). Innsbruck: an der Kirche bei Rothenbrunn (Hfl.). Achenrain (Wld!). Kitzbüchl (Unger!). Viecht (Schm.). Sparsam um Brixen (Hfm.). Bozen: einzeln am Wege ausser dem kühlen Brünnel; Ritten: selten um Klobenstein z. B. am Fennabhange, am Wege zum Kemater Kalkofen rechts am Zaune vor Waidach u. am Wege nach Pfaffstall (Hsm.).

Blüthen dunkel-rosenroth. Jun. Jul. ♄.

Ob R. agrestis Savi als eine Varietät mit kahlen Blüthenstielen hieher gehöre, darüber enthalte ich mich eines Urtheils; Bertoloni (Fl. ital. tom. V. pag. 197) ist allerdings dieser Ansicht, ihm ist aber auch R. canina *d.* sepium eine Varietät der R. rubiginosa. Ich füge hier die Beschreibung derselben aus Reichenb. fl. exc. pag. 618 bei:

R. agrestis Savi: Frucht kreisel-spindelförmig; Blüthenstiele zu 2—3, so wie die Frucht kahl; Kelchzipfel kürzer als die Blumenblätter, fiederspaltig, Fiedern aufwärts gerichtet; Blättchen oval, hell-grün, doppelt-gesägt, unterhalb und am Rande so wie der stachlige Blattstiel drüsig. Stacheln des Stengels derbe, zurükgekrümmt. — In Hecken vorzüglich auf Hügeln in Tirol (Poll!). In Fleims (Fcch. in Reichenb. fl. germ. exsiccata Nr. 1898.). Klobenstein am Ritten: am Thalabhange westlich vom Kemater Kalkofen (Hsm.).

R. rubiginosa flore albo Poll. viagg. R. agrestis Poll. Fl. veron. tom. II. pag. 144. — Ich finde die Kelchzipfel manchmal so lang o. fast so lang als die Blumenblätter.

Blättchen glänzend. Bl. gross, weiss o. schwach ins Rosenrothe ziehend. Mai, Jun. ♄.

592. ***R. tomentosa Smith.*** Filzige R. ***Stacheln derb, gerade, an der Basis zusammengedrückt, verbreitert, auf den Stämmen zerstreut, ungleich,*** die kleinern schlanker, auf den Zweigen etwas sichelförmig, unter die Nebenblätter gestellt; Blättchen elliptisch o. eiförmig, grau-grün, spitz-doppelt-gesägt, Sägezähne etwas abstehend; ***die Nebenblätter der blüthenständigen Blätter elliptisch, verbreitert,*** die übrigen länglich, ziemlich flach, ***Oehrchen*** eiförmig, zugespitzt, ***gerade hervorgestreckt;*** Kelchzipfel fiederspaltig, so lang

als die Blumenkrone, meist bleibend; *Früchte* rundlich, *knorpelig;* Blumenblätter am Rande kahl.

An Hecken u. Waldrändern bis an die Voralpen. — Kitzbüchl (Trn.). Brixen (Hfm.). Hopfgarten (Schtz.). Vinschgau: bei Glurns u. Graun (Tpp.). Ritten: am Wege zum Kemater Kalkofen u. beim Köhl, dann auf dem Fenn nächst Klobenstein (Hsm.). In Rabbi (Hfl.). Bei Fondo im Nonsberge; in Primiero, Tesino u. Fassa (Fcch!). Bei Trient (Joh. Sartorelli)! Valsugana: bei Borgo (Ambr.). Am Montalon (Beggiato)! Roveredo (Crist.). Baldo: Vall' Aviana (Hfl.).

Blätter zottig u. drüsenlos o. zottig-drüsig, beim Anfühlen ziemlich rauh o. endlich ziemlich kahl; ihre aschgraue Farbe ist weder verwischbar, noch rührt sie von der Behaarung her. Kelchröhre u. Blüthenstiele kahl o. borstig.

Bl. schön rosenroth. Jun. Jul. ♄.

593. ***R. pomifera** Herrm.* Apfel - R. *Die Stacheln derb, aus verbreiterter zusammengedrückter Basis pfriemlich, gerade,* an den jährigen Stämmen zerstreut, ungleich, die kleinern borstlich, an den Zweigen wenige etwas gebogene; *Blättchen* 5—7, *länglich-lanzettlich* o. elliptisch, grau-grün, doppelt-gesägt, Sägezähne etwas abstehend; die Nebenblätter der blüthenständigen Blätter elliptisch-verbreitert, die übrigen länglich, ziemlich flach, *Oehrchen* eiförmig, *gerade hervorgestreckt;* Zipfel des Kelches fiederspaltig, so lang als die drüsig-gewimperte Blumenkrone; *Früchte* kugelig, *frühreif, nickend, mit dem bleibenden zusammenschliessenden Kelche gekrönt.*

Gebirge u. Voralpen. — Im Fassathale (Elsm!). Vintschgau: häufig bei Mals u. im Trafoierthale; bei Nauders u. im Naudererthale (Tpp.). Val di Sol: bei Pejo; in Prà Calder in Rendena (Bon.). Rabbi (Hfl.). Ausser der Gränze im angränzenden Möllthale bei Sagriz u. Döllach (Wlf!).

R. villosa Wulf. De C.

Bl. rosenroth. Jun. Jul. ♄.

594. ***R. resinosa** Sternberg.* Harzigdrüsige R. *Stacheln etwas derb, aus verbreiterter zusammengedrückter Basis pfriemlich, gerade, sparsam; Blättchen* 5—7, *eiförmig-elliptisch,* flaumhaarig, unterseits grau-grün, mehr oder weniger mit Drüsen bestreut, doppelt-drüsig-gesägt, Sägezähne etwas abstehend; Nebenblättchen der blüthenständigen Blätter elliptisch-verbreitert, die übrigen länglich; *Oehrchen eiförmig, gerade hervorgestreckt;* Zipfel des Kelches meist ganz, so lang als die Blumenblätter; *Früchte frühreif, kugelig, mit dem bleibenden zusammenschliessenden Kelche gekrönt.*

An Waldwiesen u. Waldrändern der Voralpen u. niedern Alpen. — Alpen Tirols bei Lofer (Spitzel)! Ritten: zwischen 4100′ u. 4800′ ober dem Kemater Kalkofen selten am Waldrande, in der Wiese allda rechts vom Wege, nordöstlich von da am Waldsaume an einer alten Brunnenleitung am Steige von Oberkematen nach Lengmoos, dann bei Oberkematen im Thale am Abhange bei der ehemaligen Mühle eine ganze Strecke überziehend, endlich ober dem obern Kemater Weiher an der Sumpfwiese am sogenannten Klee am Waldabhange (Hsm.). Auf der Mendel bei Bozen (Hfl.). Judicarien (Bon.).

R. resinosa Reichenb. fl. exc. p. 616.

Meist nur 1—2 Fuss hoch, stark kriechend u. an günstigen Plätzen ganze Strecken überziehend, wird jedoch an den meisten Orten abgemähet o. vom Viehe abgebissen, daher schwer blühend zu finden u. meist nur im Schutze von andern Sträuchern. Stacheln lang, dünn, oft ganz fehlend o. nur wenige. Blätter oberseits grün o. etwas grau-grün, unterseits, am Rande, so wie die Nebenblätter u. Blattstiele mehr oder weniger mit kürzer oder länger gestielten Drüsen besetzt. Früchte ganz o. nur an der Basis, sowie die Fruchtstiele u. Kelchzipfel drüsig-borstig, aufrecht o. etwas nickend. Blumenblätter am Rande kahl o. mehr o. weniger drüsig-gewimpert (R. ciliato-petala Koch syn. ed. 2. u. Taschenb.). Am Ritten sind sie meist kahl o. nur selten mit einer o. andern Drüse gewimpert, zum Beweise, dass diess ein unbeständiges Merkmal ist. Die Früchte reifen am Ritten im Garten bei 3800′ Ende Juli, bei 4800′ Ende August.

Bl. rosenroth. Ende Juni — Mitte Jul. ♄.

IV. Rotte. *Rosae nobiles.* Fruchtknoten sämmtlich völlig stiellos. Nebenblätter gleich-gestaltet, an den blühenden Aestchen kaum breiter; daher die aus verkleinerten, blattlosen Nebenblättern gebildeten Deckblätter schmäler.

595. ***R. arvensis Huds.*** Feld-R. Die Stacheln zerstreut, derb, sichelförmig, an der Basis zusammengedrückt; Aeste verlängert, peitschenförmig, niederliegend; Blättchen 5—7, rundlich-elliptisch, gekerbt-gesägt, verschiedenfarbig, unterseits glanzlos, abfällig, die Nebenblätter sämmtlich gleich-gestaltet, länglich-linealisch, flach, Oehrchen eiförmig, zugespitzt, gerade hervorgestreckt; Kelchzipfel schwach-fiederspaltig, die Spitze derselben kürzer als die Blüthenknospe, von der reifenden Frucht abfallend; *Griffel zusammengewachsen, so lang als die Staubgefässe;* Früchte aufrecht, elliptisch o. fast kugelig.

Waldränder, Gebüsche auf Hügeln, in Hecken. — Gemein um Bregenz (Str!). Innsbruck: ober Mühlau (Hfl.). Kitzbüchl: an Feldrändern bei Griessnern (Trn.). Hügel um Trient (Per!). Bei Villazzano nächst Trient (Hfl.). Trient, Roveredo u. gegen den Gardasee (Fcch!). Roveredo: an den Bächen nächst der Etsch (Crist.). Im Gebiethe von Brentonico (Poll!). Judicarien: Gebüsche von Corè u. Stelle bei Tione (Bon.).

Bl. weiss. Jun. Jul. ♄.

596. ***R. gallica L.*** Französische R. Die Stacheln der jährigen Stämme gedrungen, ungleich, die grössern aus verbreiterter zusammengedrückter Basis pfriemlich, etwas sichelförmig, die kleinern borstlich, *die eingemischten drüsentra-*

genden Borsten zahlreich; Blättchen elliptisch o. rundlich, etwas starr, lederig, einfach-gesägt; *die Nebenblätter linealisch-länglich, flach, Oehrchen* eilanzettförmig, spitz, *auseinanderfahrend,* an den blüthenständigen Blättern *gleichgestaltet; Kelchzipfel fiederspaltig,* kürzer als die Blumenkrone, *zurückgebogen, endlich abfällig; Nüsschen sämmtlich stiellos;* Früchte aufrecht, kugelig, knorpelig.

An warmen Abhängen u. Rainen im südlichen Tirol. — Brixen: selten an Weinbergen u. Feldrainen (Hfm.). Bozen: im Berge ober Gries (Fcch!), im Hertenberge ober den Giovanellischen Leiten u. im Streiterberge, auch einzeln im Gandelberge bei Gries, überall einzeln u. ziemlich schwer aufzufinden (Hsm.). Eppan: am Güterwege von Kreuzweg nach der Gant (Hfl.). — R. pnmila Bertol. fl. ital. R. austriaca Crtz.

Officinell: Flores rosarum rubrarum. — Auch in Gärten in vielen Varietäten gepflanzt u. unter den Namen: Essigrose, Zuckerrose u. Sammtrose bekannt. — Bl. gross, satt purpurn; in den Gärten auch rosenroth o. purpurn mit bläulichem Schimmer, o. bunt-gestreift u. meist gefüllt. Mai. ♄.

R. centifolia L. Hundertblättrige R. Centifolie. Früchte eiförmig, sammt den Blüthenstielen borstig. Blätter mit 5—7 eiförmigen o. elliptischen stumpfen, weichen, beiderseits etwas behaarten, einfach-gesägten am Rande drüsigen Blättchen. Stämme mit Drüsen, Borsten u. Stacheln besetzt, aufrecht. — Gemein in den Gärten vorzüglich der Landleute u. in deren Nähe an Mauern u. Zäunen fast verwildernd, z. B. bei Klobenstein am Ritten, auch in einer Mauer im Gandelhofe bei Gries (Hsm.). Das bei uns seltener gepflanzte Provencer-Röschen (R. provincialis Ait.) ist eine Varietät mit kleinern Blättern u. Blüthen, deren Blumenblätter kurz, oft breiter als lang sind. Noch seltener gepflanzt findet sich eine weitere Varietät: die Moosrose (R. muscosa Ser.), deren Blüthenstiele u. Kelche mit ästigen, moosartigen Drüsenhaaren besetzt sind.

Officinell: Flores rosarum pallidarum.

Wurzel weniger kriechend als die der vorigen Art, Stamm höher, Stacheln stärker, Blättchen weicher (an Voriger steiflederig). —

Bl. fleischfarben, gefüllt. Ende Mai, auf Gebirgen Jul. ♄.

Von aussereuropäischen Arten werden im südlichen Tirol häufiger angepflanzt:

R. indica L. Monatrose. R. chinensis Jacq. Aeste schlank, aufrecht, mit wenigen starken sichelformigen Stacheln besetzt; Blättchen 3—5, eiförmig o. länglich-eiformig, zugespitzt, ganz kahl, oberseits glänzend, unterseits matt u. graugrün, klein-gesägt. Nebenblätter alle gleich-gestaltet, sehr schmal, fransig-drüsig-gesägt. Bl. einzeln o. rispig, Blüthenstiele u. Kelche rauh-punktirt (erstere oft auch zerstreut drüsenborstig), seltener kahl. — Aus China stammend, bei Bozen;

überhaupt im Etschlande sehr häufig, vorzüglich die grössern Varietäten in Gärten u. Anlagen gepflanzt, wo sie von Ende April ununterbrochen bis Ende November blühen. Bl. gefüllt. Varietäten sind:

a. ***R. semperflorens Curt.*** R. bengalensis Pers. Stämme u. Aeste zärter. Bl. dunkel- o. hellroth.

b. ***R. Noisettiana Red.*** Bl. grösser, rispig, blassroth.

c. ***R. fragrans Red.*** Theerose. Bl. gross, blassroth, weiss o. gelblich-weiss, stark nach Thee riechend. Diese Varietät (?) ist viel empfindlicher als Vorige u. büsst in kalten Wintern öfter die jüngern Aeste ein.

R. multiflora Thunb. Bouquetrose, Rampicante. Schosse sehr lang, peitschenförmig, Stacheln derbe, sichelförmig. Blättchen zu 5—7, eilanzettlich, weich behaart, unterseits graugrün, Nebenblätter kammförmig. Blüthenstiele u. Kelche zottig. Bl. klein, gefüllt, rosenroth, sehr zahlreich in Sträussen. Seltener als die Monatrose u. viel zärtlicher, daher in strengen Wintern meist die jungen Schosse erfrieren. Blüht Anfangs Jun. ♄.

R. sulphurea Ait. Schwefelrose. Stacheln zahlreich, ungleich, gekrümmt, an den jungen Trieben oft fehlend. Blättchen 5—7, oval o. verkehrt-eiförmig, unterseits grau-grün. Früchte kugelig, plattgedrückt, mit Drüsen besetzt. Bl. schwefelgelb, meist gefüllt. Jun. ♄.

XXXIII. Ordnung.

SANGUISORBEAE. Lindl.

Wiesenknopfartige.

Kelch 3—4—5spaltig, Zipfel in der Knospenlage klappig, Röhre mit einem Ringe geschlossen. Blumenkrone keine. Staubgefässe 4 o. durch Fehlschlagen weniger o. von unbestimmter Anzahl, vor dem Ringe des Kelchschlundes eingefügt. Fruchtknoten 1—4, 1eiig, mit einem seitlichen o. endständigen Griffel. Narbe kopfförmig, pinselartig o. bärtig. Frucht in dem oft verhärteten Kelche eingeschlossen. Samen eiweisslos. Blätter mit Nebenblättern. Blüthen zwittrig o. eingeschlechtig.

153. ***Alchemilla L.*** Frauenmantel. Sinau.

Kelchröhre fast glockig, Saum 8theilig, Zipfel abwechselnd kleiner. Staubgefässe 1—4, dem Ringe des Kelchschlundes eingefügt. Griffel seitlich am Fruchtknoten, Narbe kopfig. Nüsschen 2—4, in der bleibenden Kelchröhre eingeschlossen. Blüthen zwitterig, grünlich-gelb. Blumenkrone fehlend. (IV. 1.).

§. 1. ***Blüthen in endständigen Sträussen. Staubfäden 4.***

597. ***A. vulgaris L.*** Gemeiner Fr. ***Wurzelblätter*** nierenförmig, ***bis zum dritten Theile 7—9lappig, Lappen*** halb-kreisrund, ***ringsum-gesägt.***

Auf Wiesen u. Triften der Gebirge u. Alpen. — Bregenz (Str!). Oberinnthal bei Imst (Lutt!). Innsbruck: Wiesen an der kleinen Sill u. bei Sistrans, dann im Längenthal und am Gleirscherjöchl (Hfl. Prkt.). Thaureralpe (Hfl!). Kitzbüchl (Unger)! Innervilgraten, Lienz (Schtz.). Alpen bei Sterzing (Hfl.). Vintschgau: auf Wiesen bei Montani (Tpp.). Bozen: hie u. da im Talferbette; gemein um Klobenstein, Kematen u. Pemmern am Ritten, Rittner- u. Seiseralpe; Schlern; Gebirge ober Salurn (Hsm.). Eislöcher bei Eppan (Hfl!). Gebirge um Borgo (Ambr.). In Pinè (Per!). Alpen um Roveredo (Crist.). Judicarien (Bon.).

Aendert allenthalben ab: kahl o. behaart, mit kürzern abgerundeten oder längern eiförmigen Blattlappen u. mit an der Basis minder herzförmigen, gestutzten Blättern. Letztere Form ist A. truncata Tausch u. kommt am kleinen Rettenstein bei Kitzbüchl 7000′ vor (Trn.). — Ferner:

β. *subsericea*. Blätter etwas rauhhaarig, schwach seidig-glänzend. — A. montana Willd. — Auf trockenen Triften um Klobenstein am Ritten (Hsm.). Schwaz (Schm!). Welsberg (Hll.). Hopfgarten (Schtz.). Am Hacken bei Bregenz (Str!).

Obsolet: Herba et Radix Alchemillae.

Bl. grünlich. Mai, Jul. ♃.

598. ***A. pubescens M. B.*** Flaumhaariger Fr. ***Wurzelblätter*** nierenförmig, ***bis zum dritten Theile 7—9lappig, Lappen*** kurz-verkehrt-eiförmig, ***abgeschnitten, vorne spitzgezähnt, am Grunde ganzrandig.***

Triften der Alpen und Voralpen. — Innsbruck: in der Schlucht ober Allerheiligen, dann bei Arzel und Rum (Hfl. Eschl.). Kitzbüchleralpen bis 7000′ z. B. am Geisstein, Jufen u. kleinen Rettenstein (Trn. Str!). Alpen im Möllthale im angränzenden Kärnthen (Pacher). Alpenwiesen um Brixen (Hfm.). Auf allen Alpen Vintschgau's, namentlich bei Laas u. im Laaserthale (Tpp.). Alpen bei Meran (Kraft). Bei Peitelstein in Ampezzo; Rittneralpe bis auf die Spitze der Sarnerscharte (Hsm.). Schlern (Elsm!). Seiseralpe (Zcc!). Am Aufstiege zum Plattkofel (Schultz)! Am Sella bei Borgo (Ambr.). Monte gazza (Per!). Baldo: Altissimo di Nago; in Folgaria auf der Spitze des Cornetto (Hfl.).

Bl. grünlich-gelb. Jun. Aug. ♃.

599. ***A. fissa Schummel.*** Spaltblättriger Fr. ***Wurzelblätter*** nierenförmig, ***bis zur Mitte 7—9spaltig, Lappen*** verkehrt-eiförmig, vorne eingeschnitten-gezähnt, ***am Grunde ganzrandig.*** —

Auf Alpentriften. — Vorarlberg: am Freschen (Cst!). Unterinnthal: auf dem Kellerjoch (Hfl.). Am Schrammkogel über Lengenfeld (Hrg!). Geisstein bei Kitzbüchl (Trn.). Pfitscherjoch auf der Pfitscher Seite (Hfl!). Wormserjoch (Gundlach). Alpentriften durch ganz Vintschgau 5 — 7000′ (Tpp.). Alpen in Gsiess u. in Prax (Hll.).

Bl. grünlich-gelb. Jun. Aug. ♃.

600. *A. alpina L.* Alpen-Fr. *Wurzelblätter fingerig-5—7theilig*, Zipfel lanzettlich-keilig, stumpf, an der Spitze angedrückt-gesägt, unterseits seidenhaarig.

Steinige Orte der Alpen u. Voralpen. — Vorarlberg: auf der Dornbirneralpe (Str!), am Widderstein (Köberlin)! Oberinnthal: Imsteralpe (Lutt!); Rossberg bei Vils (Frl!). Innsbruck: am Glunggezer u. Patscherkofel (Hfl. Karpe). Oberiss in Stubai (Schneller). Kellerjoch u. Salzberg (Hrg!), Stanserjoch (Schm!), Kitzbüchler Horn (Trn.). Zillerthal: in der Zemm (Gbh.). In Kals (Rsch!). Dorferalpe in Kals (Schtz.). Wormserjoch; Ifinger bei Meran; Sarnthal: selten am Wege von Durnholz nach Reinswald; am Aufstiege zur Sarnerscharte von der Villandereralpe aus (Hsm.). Sarnthal: von Oberstückel nach Passeier (Eschl!). Schlern (Elsm!). Valsugana, Alpen bei Borgo: Sette Selle (Ambr.), Cima di Giotara (Tpp.). Monte Baldo u. Col santo (Per!). Am Sadole in Fleims (Fcch!). Jöcher des Baldo u. des italienischen Tirols (Poll!). Judicarien: am Frate in Breguzzo (Bon.).

Bl. grünlich-gelb. Ende Jun. Aug. ♃.

601. *A. pentaphyllea L.* Fünfblättriger Fr. *Wurzelblätter bis zur Basis 5theilig*, die 3 mittleren Zipfel verkehrt-eiförmig-keilig, *vorne eingeschnitten 4—6zähnig*, die seitenständigen 2spaltig, 1—mehrzähnig, Zähne gerade hervorgestreckt.

Höchste Alpen im südwestlichen Tirol. — Wormserjochstrasse in Menge vom höchsten Punkte der Strasse bis zum Posthause St. Maria, wo sie schon Funk angibt (Hsm.). Am Ortler (Fleischer)! Wormserjoch u. im Martellthale bei 8000′ (Tpp.). Um den ganzen Gebirgsstock des Ortlers (Fcch.). Zwischen Rabbi u. Martell (Fk!). Am Salendferner, auch am Fusse des Madritschferners auf der Seite des Martellthales (Eschweiler)! Genova in Rendena auf Granit (Per!).

Bl. grünlich-gelb. Jul. Aug. ♃.

§. 2. ***Blüthen in achselständigen Knäueln. Staubfäden 1 — 2.***

602. *A. arvensis Scop.* Acker-Fr. *Blätter handförmig-3spaltig, an der Basis keilig*, Zipfel vorne eingeschnitten-3—5zähnig.

Auf Aeckern u. gebauten Orten im Thale, sehr zerstreut. Innsbruck: auf Aeckern bei Götzens (Hfl.). Bozen: im Gandelhofe bei Gries an der obersten Weinbergel links unter der Leite in Menge, dann auf einem Acker am Steige vom Sigmundscroner Schlosse nach Frangart (Hsm.). Bei Caldonazzo u. Matarello (Hfl.). Valsugana: bei Tezze (Ambr.). Am Gardasee (Clementi). — Aphanes arvensis L. Alchemilla Aphanes Leers.

Bl. grünlich-gelb. Apr. Mai. ⨀.

154. *Sanguisorba L.* Wiesenknopf.

Kelchröhre an der Basis mit 2—3 Deckblättern umgeben, an der Spitze verengert, Kelchsaum 4theilig. Blumenkrone fehlt. Staubgefässe 4. Fruchtknoten 1. Griffel endständig, fadenförmig. Narbe kopfförmig, fransig. Frucht von der verhärteten Kelchröhre überzogen. Blüthen zwitterig, in Köpfchen oder Aehren. Blätter gefiedert. (IV. 1.).

603. *S. officinalis L.* Gemeiner W. Aehren eiförmig-länglich; Staubgefässe ungefähr von der Länge der Kelchzipfel; Blättchen herzförmig-länglich.

Auf Gebirgswiesen u. fetten Alpentriften. — Vorarlberg: selten um Bregenz (Str!). Oberinnthal: bei Arzel nächst Imst (Lutt!). Innsbruck: auf Sumpfwiesen vor Afling (Hfl.). Ebbs (Harasser)! Kitzbüchl (Trn.). Welsberg (Hll.). Hopfgarten u. am Bade Innichen (Schtz.). In Menge auf den Kreuzwiesen bei Innichen, dann bei Lavant u. Capaun nächst Lienz (Rsch!). Seiseralpe (Hfm. Fcch!). Seiseralpe u. Kolfusk (Hsm.).

Obsolet: Radix Pimpinellae italicae.

Bl. purpurn-braun. Jun. Jul. ♃.

155. *Poterium L.* Becherblume.

Kelchröhre an der Basis von 2—3 Deckblättern umgeben, an der Spitze verengert, Kelchsaum 4theilig. Blumenkrone fehlt. Staubgefässe 20—30. Fruchtknoten 2—3. Griffel endständig, fadenförmig; Narbe pinselförmig vieltheilig, aus fadenförmigen verlängerten Zipfeln zusammengesetzt. Nüsschen 2—3, von der bleibenden, verhärteten o. fast beerenförmigen Kelchröhre überzogen. Blüthen einhäusig o. vielehig, in Köpfchen, Blätter gefiedert. (XXI. 5.).

604. *P. Sanguisorba L.* Gemeine B. Krautig; die Stengel kantig; die fruchttragenden Kelche knöchern - verhärtet, netzig-runzelig, 4kantig, Kanten stumpf.

Auf Hügeln u. trockenen Triften bis an die Voralpen. — Bregenz (Str!). Innsbruck: z. B. im Berge ober dem Rechenhof (Schpf.). Ebbs (Harasser)! Kitzbüchl: im Buchwalde auf Kalkboden (Trn.). Brixen (Hfm.). Welsberg (Hll.). Lienz: auf dem Grämele- u. Grübelebüchl (Rsch!). Vintschgau: bei Schlanders (Tpp.). Gemein um Bozen, z. B. ober dem Tscheipenthurm; am Ritten bei Klobenstein bis 4200′ am Kemater Kalkofen gehend (Hsm.). Castell Brughier (Hfl!). Am Bondone bei Trient (Hfl.). Hügel um Trient (Per!). Valsugana: bei Borgo (Ambr.). Judicarien: bei Tione (Bon.).

Kömmt vor: kahl oder unterwärts kurzhaarig; Blättchen rundlich o. oval, an der Basis gestutzt o. herzförmig, grün o. grau-grün.

Provincialname: Wiesenkölbchen. — Obsolet: Herba Pimpinellae italicae minoris. — Bl. grün. Mai, Jul. ♃.

XXXIV. Ordnung. POMACEAE. Lindl.

Apfelfrüchtige.

Blüthen meist zwitterig. Kelchsaum 5zähnig o. 5spaltig, Zipfel in der Knospenlage dachig. Blumenblätter 5. Staubgefässe zahlreich, mit den Blumenblättern dem den Kelchschlund umgebenden Ringe eingefügt, in der Knospenlage einwärtsgekrümmt. Fruchtknoten 1—5fächerig, Fächer 2—mehreiig. Eierchen aufrecht. Samenträger mittelpunktständig. Griffel so viele als Fächer des Fruchtknotens. Frucht fleischig, beeren-, apfel- oder steinfruchtartig. Samen eiweisslos. Keim gerade, aufrecht. Bäume o. Sträucher mit abwechselnden gestielten Blättern u. Nebenblättern. Ausgezeichnet durch ihre fleischigen Früchte, die häufig als Kernobst benützt werden.

156. *Crataegus L.* Hagedorn. Weissdorn.

Kelch 5spaltig. Blumenblätter 5. Griffel so viele als Fächer des Fruchtknotens. Fruchtknoten 2—5fächerig, Fächer 2eiig. Steinapfel an der Spitze von einer zusammengezogenen Scheibe, die schmäler als der Durchmesser der Frucht ist, geschlossen, 1—5fächerig, Fächer 1—2samig, knöchern-verhärtet. Blüthen in Dolden. (XII. 2.).

605. *C. Oxycantha L.* Gemeiner W. Blätter verkehrteiförmig, 3—5lappig, eingeschnitten u. gesägt, an der Basis keilig, nebst den Aestchen u. ***Blüthenstielen kahl;*** Zipfel des Kelches aus eiförmiger Basis zugespitzt, drüsenlos; Früchte oval, 1—3steinig.

In Hecken, Gebüschen u. Auen bis in die Voralpen. — Bregenz (Str!). Oberinnthal: bei Imst (Lutt!); Oetzthal; Innsbruck: bei Amras u. Egerdach (Hfl.). Schwaz (Schm!). Kitzbüchl (Trn. Unger!). Lienz u. Sillian (Schtz.). Vintschgau: bei Montani (Tpp.). Gemein um Bozen, überhaupt im Etschlande; am Ritten gemein bis 3800′ z. B. um Klobenstein, einzeln jedoch nur verkrüppelt bis 4600′ unter Pemmern (Hsm.). Zambana (Hfl!). Trient (Per! Hfl!). Hügel um Trient; Baldo: Selva d'Avio (Poll!). Judicarien: Hecken bei Prada nächst Tione (Bon.). — Obsolet: Folia, Flores et Baccae Spinae albae vel Oxyacanthae.

Griffel 1—3. Bl. weiss, manchmal röthlich angelaufen. Früchte roth. Hälfte Apr. Mai. ♃.

606. *C. monogyna Jacq.* Einsamiger W. Blätter verkehrt-eiförmig, tief 3—5spaltig, eingeschnitten u. gesägt, an der Basis keilig; Aestchen kahl; ***Blüthenstiele zottig;*** Kelchzipfel lanzettlich, zugespitzt, drüsenlos; Früchte fast kugelig, 1steinig. —

Hecken u. Auen. — Vorarlberg: um Bregenz gemein (Str!). Kitzbüchl (Trn. Unger)! Zillerthal: um Zell (Gbh.). Bozen: nicht so gemein wie Vorige, z. B. vor Runkelstein einzeln am

Schlosswege etc. (Hsm.). Hecken bei Borgo (Ambr.). Am Gardasee (Poll !). — Ich theile die Ansicht Bertoloni's, Neilreich's etc. u. halte den C. monogyna Jacq. für Varietät der vorigen Art. Er blüht zwar oft (doch nicht immer) um 8—14 Tage später als der Vorige. Auch ist die Zahl der Griffel, die Blattform u. der Ueberzug der Blüthenstiele sehr wandelbar.

Bl. weiss, seltener röthlich, Früchte roth. Ende Apr. Mai. ♄.

C. Azarolus L. Lazarolbaum. Blätter verkehrt-eiförmig, 3—5spaltig, an der Basis keilig, Zipfel ganz o. 1—3zähnig; ***die jüngern Aestchen filzig; Blüthenstiele nebst den Kelchen kraus-zottig;*** Kelchzipfel 3eckig, spitz, drüsenlos.

Gepflanzt im südlichen Tirol z. B. um Bozen u. Eppan, doch nirgends verwildert.

Bl. weiss. Früchte roth o. weisslich. Ende Apr. ♄.

157. *Cotoneaster Medikus.* Steinmispel.

Steinapfel 3—5fächerig, Fächer unter sich zusammenhängend, nur mit der Basis u. dem Rücken dem fleischigen Kelche angewachsen, an der Spitze frei. Blüthenstand seitlich, armblüthig. Sonst wie Craetaegus. (XII. 2.).

607. ***C. vulgaris Lindl.*** Gemeine St. ***Blätter*** rundlich-eiförmig, an der Basis abgerundet, ***spitz o. ausgerandet; Kelch kahl,*** am Rande nebst den Blüthenstielen etwas flaumig.

Auf Hügeln, an Felsen u. Gebuschen bis in die Alpen. — Kalkgebirge um Kitzbüchl (Trn.), allda am Lämmerbüchl (Str!). Pusterthal: in Prax (Hll.). Brixen: an schattigen Felsen der Kellerburg (Hfm.). Vintschgau: bei Laas (Tpp.). Bozen: im Gebüsche am Fusse des Haslacher- u. Kühbacher-Berges u. am Sigmundscroner Schlossberg; Ritten: selten im Krotenthale am Wege links gleich nach den letzten Häusern, dann gegen Kematen an der Wiesenmauer links ober dem Kalkofen; Villandereralpe (Hsm.). Am Fuss der Mendel bei den Eislöchern bei Eppan (Hfl.). Val di Non: bei Cles (Hfl !). Folgaria: Wälder der Scanuppia; Andolo: in der Nähe des See's (Hfl.). In der Buchenregion bei Trient, z. B. Montagna di Povo (Per !). Roveredo; Wälder um Avio u. um la Madonna della Corona am Baldo (Poll !).

Mespilus Cotoneaster L.

Blumenblätter aufrecht, rosenroth o. weisslich. Früchte nickend, blutroth. Apr. Mai. Gebirge Jun. ♄.

608. ***C. tomentosa Lindl.*** Filzige St. ***Blätter*** oval, ***abgerundet-stumpf; Kelch*** nebst den Blüthenstielen ***filzig.***

An Felsen u. Abhängen bis in die Voralpen. — Oberinnthal: im Hinterauthale (Hfl.). Innsbruck (Schpfr.). Kitzbüchl: an Kalkfelsen im Buchwalde (Trn.). Vintschgau: bei Laas (Tpp.). Bozen: an den schwer zugänglichen Felsen ober- und ausser dem kühlen Brünnel, auch ober Hertenberg (Hsm.). Mendel bei Bozen (Elsm !), allda beim Kreuz am Matschatscherkopf (Hfl!).

Voralpenwälder bei Roveredo (Crist.). Baldo: Val delle Sorne (Hfl.). Judicarien: Gebüsche bei Stelle nächst Tione (Bon.).

Bl. rosenroth. Früchte scharlachroth, meist aufrecht.

Mai, Jun. ♄.

158. ***Mespilus L.*** Mispel.

Steinapfel an der Spitze mit einer verbreiterten Scheibe, die fast so breit ist als der Querdurchmesser der Frucht. Blüthen einzeln. Sonst wie Crataegus. (XII. 2.).

609. ***M. germanica L.*** Gemeine Mispel. (Nespele um Bozen). Blätter lanzettlich, ganz, unterhalb filzig. Blüthen einzeln.

Wirklich wild u. in Menge an den südlichen Abhängen um Bozen: z. B. im Gandelberge u. Fagen bei Gries, am Wege zum Wasserfall, dann ober dem Tscheipenthurm etc. (Hsm.). Bozen: im Hertenberg u. im Guntschnaerberge (Hinterhuber.! Elsm!). Ueberdiess häufig angepflanzt, auch um Meran, Lienz und Borgo etc.

M. vulgaris Reichenb. — Früchte u. Samen: Fructus et Semen Mespili, vormals bei Ruhren u. Diarrhoeen gebräuchlich.

Die wilde Pflanze hat kleinere Früchte u. in Dornen endigende Zweige, durch Kultur verlieren sich die Dornen u. die Früchte werden grösser. Eine grossfrüchtige Spielart (macrocarpa), deren Früchte an 2 Zoll im Durchmesser haben, findet man hie u. da um Bozen angepflanzt.

Bl. weiss, ziemlich gross. Früchte zimmtfarben. Mai. ♄.

Cydonia Tournef. Quitte.

Frucht ein Kernapfel, Fächer vielsamig. Sonst wie Pyrus. (XII. 2.).

C. vulgaris Pers. Gemeine Q. ***Blätter*** eiförmig, an der Basis stumpf, ganzrandig, ***unterseits*** nebt den Kelchen ***filzig***. —

Gepflanzt im ganzen Etschlande, aber auch ganz verwildert z. B.: Bozen in einer Hecke links am Wege nach Sigmundscron, dann bei Leifers am Steige vom Wirthshause zur Kirche (Hsm.). Gepflanzt auch um Meran, Lienz, Trient, Borgo, Roveredo etc. — P. Cydonia L.

Aendert ab: mit länglichen o. birnförmigen (Birn-Quitte) u. fast kugeligen Früchten (Apfel-Quitte).

Officinell: Semina Cydoniorum.

Früchte reifen Hälfte September. Bl. rosenroth.

Ende April, Mai. ♄.

C. japonica Pers. Japanesische Q. (Pyrus japonica Thunberg). ***Blätter*** kurz-gestielt, ***erwachsen fast ganz kahl***, lanzettlich, lanzettlich-elliptisch o. lanzettlich-verkehrt-eiförmig, gezähnelt, Zähnchen sehr genähert, fast gleich, spitz, sehr fein; die der jährigen Triebe mit halb-herzförmigen o. nierenförmigen, blattartigen, kurzgestielten Nebenblättern. Blüthen in sitzenden 2—6blüthigen Dolden vor den Blättern sich entwickelnd.

Zierstrauch aus Japan. Um Bozen in Gärten, doch nicht häufig, wo er seine schönen hochrothen, rosenfarbenen o. weissen Bl. schon Ende März entwickelt. Früchte viel kleiner als an der Vorigen.

159. *Pyrus L.* Birn- u. Apfelbaum.

Kelch 5spaltig. Blumenblätter 5, Griffel so viele als Fächer des Fruchtknotens. Frucht ein 2—5fächeriger Kernapfel; Fächer 2samig o. durch Fehlschlagen 1samig, mit einer papierartig-knorpeligen (bei Crataegus knöchernen) Haut bekleidet (XII. 2.).

I. Rotte. *Pyrus.* Griffel frei. Frucht rundlich o. kreiselförmig, an der Basis ohne Nabel. Bl. weiss.

610. ***P. communis L.*** Gemeiner Birnbaum. ***Blätter*** eiförmig, ***ungefähr so lang als der Blattstiel,*** kleingesägt, im Alter nebst den Zweigen u. Knospen kahl; Ebensträusse einfach; die ***Griffel frei.***

An Abhängen u. in Bergwäldern wild. — Selten um Bregenz (Str!). Um Kitzbüchl selten wild (Unger)! Um Lienz in Hainen u. an Dörfern (Schtz. Rsch!). Bei Unterrain nächst Welsberg (Hll.). Gemein um Bozen, z. B. auf den Abhängen gegen Ceslar u. St. Georg, dann im Griesner- u. im Fagnerberge etc.; auch am Ritten vorzüglich um Siffian u. Klobenstein, bei 4000′ auf dem Ameiser u. Fenn noch schöne Bäume, geht am Alpenwege einzeln bis 4800′, doch sichtlich verkümmert z. B. bei der Tann unter Pemmern (Hsm.). Val di Non: Castell Brughier (Hfl!).

Gepflanzt in vielen Spielarten durch ganz Tirol. — Die Weissbirne, die im Thale bei Bozen Ende Juli reift, reift am Ritten bei Klobenstein erst um Michaeli (29. Septbr.). Frühbirnen um Bozen schon Ende Jun. Anf. Jul. — Die Holzbirnen: Fructus Pyri sylvestris, Volksmittel gegen Diarrhoeen. Most aus Birnen u. Aepfeln wird im Grossen nur in Vorarlberg bereitet, wo beide zu diesem Zwecke gepflanzt werden. — Bl. weiss. Staubbeutel roth. Bluht um Bozen durchschnittlich die zweite Woche Aprils. ♄.

II. Rotte. *Malus.* Griffel an der Basis zusammengewachsen. Frucht an der Insertion des Blüthenstieles benabelt. Bl. röthlich.

611. ***P. Malus L.*** Apfelbaum. ***Blätter eiförmig, stumpf-gesägt,*** kurz-zugespitzt, kahl oder unterseits filzig; ***Blattstiele halb so lang als das Blatt;*** Ebensträusse einfach; die ***Griffel an der Basis zusammengewachsen.***

Gebirgswälder bis an die Voralpen. — Selten bei Bregenz (Str!). Waldränder um Kitzbüchl (Trn.). Zillerthal (Schrank)! Lienz (Rsch!). Um Bozen selten wild; am Ritten: hie u. da z. B. auf dem Fenn bei Klobenstein u. verkrüppelt noch bei 4300′ doch selten gegen Kematen (Hsm.). Monte Baldo: Selva d'Avio (Poll!). Judicarien: Gebüsche bei Stelle (Bon.).

Gepflanzt in vielen Abarten, die vorzüglichsten Sorten gedeihen um Bozen u. Meran; am Ritten cultivirt bis 3900′, in dieser Höhe ober Sallrain bei Lengmoos noch ein kräftiger Baum von 1½ Fuss Durchmesser. (Nach Kämtz steigen in der Schweiz zwischen dem 45° u. 47° N. Br. die Aepfel- u. Birnbäume nur bis 2700′ P. M.).

Obsolet: Cortex Mali sylvestris.

Bl. rosenroth, an cultivirten Sorten auch weisslich. Blüht um Bozen Ende April. ♄.

160. ***Aronia Pers.*** Felsenbirne.

Kelch 5spaltig, Blumenblätter 5. Fruchtknoten 5fächerig, Fächer dünnhäutig, durch eine unvollkommene Scheidewand unvollständig 2kammerig, 2eiig. Frucht ein durch Fehlschlagen 3—5samiger, beerenartiger Kernapfel. — Durch die zweispaltigen Fächer, mit einer dünnen weichen, an der reifen Frucht kaum bemerkbaren u. nicht papierartig knorpeligen Haut von Pyrus verschieden. Blüthen in Trauben. (XII. 2.).

612. ***A. rotundifolia Pers.*** Gemeine Felsenbirne. Kesselbeere. Blätter oval, stumpf, unterseits filzig, im Alter kahl; Blumenblätter lanzettlich-keilig.

Buschige Hügel, Abhänge u. Gebirgswälder. — Oberinnthal: bei Imst (Lutt!). Innsbruck: bei Hötting (Hfl.). Zillerthal: bei Zell (Gbh.). Bei Zirl u. Telfs im Oberinnthal (Str.). Am Kaiser u. um Schwoich (Berndorfer)! Kitzbüchl: am Kaiser (Trn.). Pusterthal: in Prax (Hll.), in Taufers am Aachufer (Iss.), an den Wänden des Rauchkogels und bei Amblach nächst Lienz (Rsch! Schtz.). Brixen: bei Mühland (Hfm.). Vintschgau: bei Goldrain; Meran: bei Algund (Tpp.). Gemein um Bozen, z. B. gegen den Wasserfall, Compil u. Haslach etc.; Klobenstein am Ritten bis 4000′, z. B. auf dem Fenn u. zuoberst im Eyrlwäldchen (Hsm.). Schloss Greifenstein u. Steineck bei Bozen (Tpp. Gundlach). Salurn; Cles, Castell Brughier (Hfl!). Fassa und Fleims (Fcch!). Hügel um Trient (Per. Hfl!). Borgo (Ambr.). Roveredo (Crist.). Baldo: Selva d'Avio (Poll!). Judicarien: bei Tione (Bon.).

Mespilus Amelanchier L. Pyrus Amelanchier Willd.

Bl. weiss, Früchte erbsengross, blau-schwarz, essbar. April, Mai. ♄.

161. ***Sorbus L.*** Eberesche.

Kelch 5spaltig. Blumenblätter 5. Fruchtknoten 5fächerig, Fächer ganz, 2eiig. Frucht ein durch Fehlschlagen 1—5samiger beerenartiger Kernapfel. Unterscheidet sich also von Pyrus durch die dünne weiche Fächerwand, von Aronia durch die ganzen (nicht mit einer unvollständigen Scheidewand versehenen) Fächer. Blüthen in Ebensträussen. (XII. 2.).

§. 1. ***Blumenblätter abstehend, weiss.***

613. ***S. domestica L.*** Zahme E. (Grivellbirne um Bozen). Die jüngern Blätter zottig, die ältern kahl, ***gefiedert;***

Blättchen spitz-gesägt; ***Knospen kahl,*** klebrig; Früchte birnformig. —

An Abhängen in der Hügelregion. — Vorarlberg: am Pfänder bei Bregenz (Str!). Um Bozen häufig wild an allen sonnigen Abhängen, aber meist nur strauchartig z. B. im Gandelberge bei Gries, am Weg zum Wasserfall, ober dem Tscheipenthurm, Weg von St. Oswald zum Peter Planer; Abhänge ober Haslach gegen Virgl etc., auch angepflanzt u. dann ein schöner Baum, z. B. am Wege vor Campil (Hsm.). Zenoberg bei Meran (Iss.).

Pyrus domestica Sm. Pyrus Sorbus Gaertner.

Bl. weiss. Früchte gelb, an der Sonnenseite roth, werden teig geniessbar u. sind dann braun- u. weiss-punktirt.

Anf. Mai. ♄.

614. ***S. aucuparia L.*** Gemeine Eberesche. Vogelbeerbaum. Die jüngern Blätter zottig, die ältern kahl, ***gefiedert;*** Blättchen spitz-gesägt; ***Knospen filzig;*** Früchte kugelig.

Gebirgswälder bis in die Alpen. — Bregenz (Str!). Gunggelgrün bei Imst (Lutt!). Götzens bei Innsbruck; Falbeson in Stubai (Hfl.). Schwaz: gegen Viecht u. Georgenberg (Schm!). Kitzbüchl (Trn.). Innervilgraten, Lienz (Schtz.). Welsberg (Hll.). Hafling bei Meran (Tpp.). Auf allen Gebirgen um Bozen: Klobenstein, Oberinn, Seiseralpe u. Schlern (Hsm.), sehr selten bei den Eislochern nächst Eppan (Hfl.). Monte Röen (Hfl.) Region des Knieholzes in Fassa u. Fleims (Fcch!). Voralpen um Trient (Per.). Gebirge bei Borgo (Ambr.). Roveredo (Crist.). Am Baldo (Poll!). Judicarien (Bon.).

Pyrus aucuparia Gaertn. — Die scharlachrothen Beeren sind getrocknet ein Volksmittel bei Diarrhoeen, auch werden sie unter dem Namen Mostbeeren gesammelt u. zum Branntweinbrennen u. Vogelfange verwendet.

Bl. weiss. Mai, Jun., auf den Alpen Jul. ♄.

615. ***S. Aria Crantz.*** Weissfilzige E. Mehlbeerbaum. Blätter eiformig-länglich o. eiförmig, doppelt-gesägt o. am Rande klein-gelappt, ***unterseits filzig;*** Sägezähne und Läppchen von der Mitte des Blattes nach der Basis abnehmend; Blumenblätter abstehend.

Gebirgswälder u. buschige Hügel. — Vorarlberg: am Hacken (Str!). Imst (Lutt!). Innsbruck: am Spitzbüchl bei Mühlau (Hfl.). Unterinnthal: bei Kössen, Waidring u. am Kaiser (Unger)! Lienz: auf den Wänden des Rauchkogels (Rsch!). Vintschgau: bei Trafoi (Tpp.). Bozen sehr selten u. nur verkrüppelt im Haslacher Wald; eben so am Ritten hinter Lengmoos, z. B. im Deutschherrnwald; nicht selten u. mittelmässige Bäume ober Margreid gegen Fennberg (Hsm.). Auf der Mendel: an den Buchhöfen ober Eppan (Hfl.). Fassa u. Fleims (Fcch!). Valsugana: bei Borgo (Ambr.). Ober Povo bei Trient (Per!). Gebirge um Trient u. am Baldo (Poll!). Roveredo: im Gebüsche am Wege nach Vallarsa (Crist.). — Crataegus Aria L.

Obsolet: Baccae Sorbi alpini.

Bl. weiss, Früchte roth o. roth-gelb, mehlig. Mai, Jun. ♄.

616. *S. torminalis Crantz.* Elsbeerbaum. Blätter eiförmig, *lappig, im Alter kahl,* Lappen zugespitzt, ungleichgesägt, die untern grösser, abstehend.

An buschigen Hügeln u. Waldrändern sehr zerstreut. — Vintschgau (Tpp.). Bozen: im Gandelberge bei Gries, einzeln am Wege ober St. Oswald gegen den Peter Planer doch nur verkrüppelt, Haslacher Wald, am Wege links zwischen Rendelstein u. Runkelstein, überall sparsam u. nur strauchig, bei Sigmundscron und Kaltern mittelmässige Bäume (Hsm.). Eppan (Hfl.). Roveredo (Crist.). Am Gardasee (Poll!).

Crataegus torminalis L. Pyrus torminalis Ehrh.

Bl. weiss. Früchte oval, lederbraun u. weiss punktirt, im teigen Zustande geniessbar. Mai. ♄.

§. 2. *Blumenblätter aufrecht, rosenroth.*

617. *S. Chamaemespilus Crantz.* Zwerg-E. Zwergmispel. Blätter elliptisch o. lanzettlich, doppelt-gesägt, kahl o. unterseits filzig; Blumenblätter aufrecht.

Alpen u. Voralpen. — Vorarlberg: am Freschen u. Axberg (Cst!), Dornbirner Alpe (Str!). Lechthal: am Stuiben bei Schattwald u. Aggenstein (Dobel)! Oetzthal: am Schramkogel über Lengenfeld (Hrg!). Innsbruck: am Solstein (Hfl.). Unterinnthal: auf der Platten bei Waidring (Trn.), u. am Kaiser von den Alphütten zu dem Wildanger (Str!). Pusterthal: in Prax (Hll.), Auerling bei Lienz (Schtz.), auf dem Kohlalbl bei Innichen, am Rauchkogel u. Tristacher Bergwiesen bei Lienz (Rsch!). Vintschgau: bei den 3 Brunnen nächst Trafoi (Tpp.). Gebirge um Bozen: Fennberg ober Margreid; am Schlern z. B. gleich nach der Schlucht rechts; Ritten häufig bei Pemmern u. von da zum Zach; auf der Mendel (Hsm.). Gantkofel (Lbd.). Fassa u. Fleims (Fcch!). Monte Gazza bei Trient (Merlo). Am Davoi bei Vigo (Parolini)! Am Portole (Montini)! Alpenregion um Roveredo, z. B. auf der Parisa (Crist.). Baldo, Spinale u. Bondone (Poll!). Judicarien: Alpe Lenzada u. in Val di Bolbeno (Bon.).

Pyrus Chamaemespilus De C. Mespilus Chamaemespilus L.

β. *tomentosa.* Blätter unterseits filzig. Alpen Vorarlbergs (Koch syn. ed. 1.)!

Bl. rosenroth. Früchte roth, zuletzt schwarz-roth. Jun. Jul. ♄.

XXXV. Ordnung. GRANATEAE. Don.

Granatäpfel.

Blüthen zwitterig. Kelchröhre dem Fruchtknoten angewachsen. Kelchsaum 4—5spaltig, Zipfel in der Knospenlage klappig.

Blumenblätter 5—7, in der Knospenlage dachig. Staubgefässe 20 u. mehr, sammt den Blumenblattern dem Kelchschlunde eingefügt. Fruchtknoten vielfächerig, Fächer vieleiig in 2 Reihen übereinander. Griffel 1, Narbe kopfförmig. Frucht eine grosse kugelförmige, mit einer lederartigen Rinde umzogene und dem bleibenden Kelchsaume gekrönte vielsamige Beere. Samen mit einem saftigen durchsichtigen Fleische umgeben, eiweisslos, Keim gerade, aufrecht.

162. ***Púnica L.*** Granate.

Gattungs-Kennzeichen die der Ordnung. (XII. 1.)

618. ***P. Granatum L.*** Gemeine Granate. Einzige Art. Ein aus Mauritanien stammendes Bäumchen mit ganzen, lanzettlichen, kahlen, nebenblattlosen, unpunktirten Blättern.

Im südlichen Tirol (wahrscheinlich gleichzeitig mit der Rebe eingefuhrt) nun als einheimisch zu betrachten. — Meran: am Schlosse Neuberg (Iss.). Um Bozen in Menge auf allen südlichen Abhängen u. Felsen, z. B. im Gandelberge u. ober dem Hofmann bei Gries, am Abhange unter dem Reichriegler Hofe allda u. im Guntschnáerberge, am Streckerhofe, am Wege von Heilig-Grab nach Virgl gleich unter dem Messnerhause, an den südlichen Felsgehängen bei Runkelstein etc.; überdiess auch in Weinbergen (Hsm.). Roveredo: alla Segha (Crist.). Auf Hügeln im Tridentinischen u. am Gardasee (Poll!). Im Gebiethe von Riva; in Hecken bei Cologna (Bon.). Im Sarcathale u. am Gardasee (Eschl!).

Officinell: Cortex Radicis Granati, Cortex Granatorum vel Malicorii, Flores Balaustiorum.

Bl. scharlachroth. Blüht Anfangs Juni, Früchte reifen im September. ♄.

XXXVI. Ordnung.

OENOTHEREAE. Endlicher.

Nachtkerzenartige.

Blüthen zwitterig. Kelchröhre krautig o. gefärbt, mit dem Fruchtknoten verwachsen u. oft über denselben hinaus verlängert, Saum oberständig, 2—5- meist aber 4spaltig, Zipfel in der Knospenlage klappig. Blumenblätter so viele als Kelchzipfel u. mit diesen abwechselnd, in der Knospenlage dachig o. gedreht, im Kelchschlunde eingefügt. Staubgefässe bald so viele, bald doppelt so viele, bald durch Fehlschlagen um die Hälfte weniger als Blumenblätter, mit diesen eingefugt. Fruchtknoten 1, 2—4fächerig, Samenträger mittelständig. Griffel 1, mit einer kopfigen oder gespaltenen Narbe. Samen eiweisslos. Keim gerade. Kräuter (unsere Arten) o. Sträucher, mit einfachen unpunktirten nebenblattlosen Blättern. (Onagrariae Juss.).

I. Gruppe. **Onagreae De C.** Kelchröhre länger als der Fruchtknoten, der freie Theil mit dem Saume abfällig.

163. *Epilobium L.* Weidenröschen.

Kelchsaum 4theilig, sammt der Röhre abfällig. Blumenblätter 4. Staubgefässe 8. Griffel fadenformig, Narben 4, kreuzförmig-abstehend o. in eine Keule vereint. Kapsel linealisch, 4fächerig, 4klappig, vielsamig. Samen mit einem wollhaarigen Schopfe. (VIII. 1.).

I. Rotte. *Chamaenerion Tausch.* Blätter zerstreut. Blumenblätter ausgebreitet. Staubgefässe aus einer zusammenschliessenden Basis zurückgebogen, abwärts-geneigt. Griffel zuletzt backig-zurückgekrümmt. Bl. schön purpurn.

619. *E. angustifolium L.* Schmalblättriges W. Blätter zerstreut, *lanzettlich*, ganzrandig o. schwach drüsig-gezähnelt, *aderig;* Blumenblätter benagelt, verkehrt-eiförmig; Griffel zuletzt abwärts-gebogen.

In Holzschlägen vorzüglich auf Gebirgen, an Gebüschen bis in die Alpen. — Vorarlberg: bei Bregenz (Str!). Oberinnthal: bei Reutte (Kink); Rofenbach u. Arzler Weg bei Imst (Lutt!). Innsbruck: am Sonnenburger Schlossweg (Precht). St. Sigmund an kiesigen Orten (Hfl.). In Lisens (Prkt.). Kitzbüchl (Unger)! Welsberg (Hll.). Innervilgraten, Hopfgarten u. Lienz (Schtz.). Lienz: in der Bürgerau u. beim Bade Jungbrunn (Rsch!), dann auf der Tristacheralpe (Ortner). Am Eingange ins Ahrnthal an der Taufererache (Iss.). Vintschgau: in Trafoi (Eschweiler!), u. bei Laas (Tpp.). Passeier (Iss.). Gebirge um Bozen: am Ritten auf dem Fenn u. westlich von Waidach nächst Klobenstein in Menge, auch im Walde hinter Lengmoos und beim Lobis nächst Oberbozen, gemein um Pemmern, Rittneralpe selten u. einzeln bis 7000′; am Schlern (Hsm.). Eislöcher bei Eppan (Hfl!). Joch Grimm u. Schwarzhorn (Giov!). Val di Rabbi am Rabbies (Hfl.). In Fassa (Rainer)! Monte gazza (Merlo). Alpen u. Voralpen bei Trient (Per.). Am Baldo, Campogrosso u. Bondone (Poll!). Judiearien: am Bache Arnò bei Tione (Bon.).

Obsolet: Radix et Herba Lysimachiae Chamaenerion.

Bl. schön purpurn. Jul. Aug. ♃.

620. *E. Dodonaei Vill.* Rosmarinblättriges W. Blätter zerstreut, *linealisch,* nach beiden Enden verschmälert, ganzrandig oder schwach-gezähnelt, *aderlos;* Blumenblätter sitzend, elliptisch-länglich, nach der Basis verschmälert; *Griffel an der Basis flaumig, so lang als die Staubgefässe,* zuletzt zurückgekrümmt.

Im Kiese der Bäche u. Flüsse. — Oberinnthal: bei Starkenberg (Lutt!). Innsbruck: auf dem Sillgries ausser Pradel (Hfl.). Um Lienz (Rsch!). Meran: hinter dem Bade bei der Töll u. am Ufer der Passer (Iss. Tpp.). Bozen: in Menge im Eisack- u. Talferbette, dann am Rentschner Bach; selten am

Ritten bei Waidach nächst Klobenstein neben Voriger (Hsm.). Bei Eppan (Hfl!). Fleims (Fcch!). Hügelregion um Trient: z. B. bei Oltrecastello (Per.). Valsugana: bei Borgo (Ambr.). Roveredo (Crist.). Monte Baldo: am Altissimo di Nago (Hfl.). Judicarien: am Bache Arnò bei Tione (Bon.).

E. rosmarinifolium Haenke. E. angustissimum Ait.

Bl. purpurn o. rosenroth, selten weiss. Anf. Jun. Jul. ♃.

621. ***E. Fleischeri Hochstetter.*** Fleischers-W. Blätter zerstreut, ***linealisch*** o. linealisch-lanzettlich, nach beiden Enden verschmälert, ganzrandig o. schwach-gezähnelt, ***aderlos;*** Blumenblätter sitzend, elliptisch-länglich, nach der Basis verschmälert; ***Griffel bis über die Mitte flaumig, halb so lang als die Staubgefässe,*** zuletzt zurückgekrümmt.

Im Kiese der Gebirgs- u. Alpenbäche. — Bregenz: im Aachgries (Str!). Zillerthal: in der Zemm bei Kaserlar (Hfl.). In der Reichenau bei Innsbruck (Schm.). Im Suldnerthal; Kies des Rayenbaches u. bei Reschen; Rabbi am Sauerbrunnen (Tpp.). Val di Non u. Thal Ulten an der Schneegränze (Fcch!).

Bl. purpurn. Jul. Aug. ♃.

II. Rotte. ***Lysimachion Tausch.*** Die untern Blätter gegenständig, die obern wechselständig. Blumenblätter trichterförmig-gestellt. Staubgefässe aufrecht. Alle haben eine gross- u. eine kleinblumige Form.

§. 1. Blüthen u. Spitze des Stengels zu jeder Zeit aufrecht.

a. ***Der Stengel nicht mit erhabenen Linien belegt u. nicht zweizeilig-behaart.***

622. ***E. hirsutum L.*** Zottiges W. Blätter gegenständig, ***stengelumfassend, mit blattiger Basis etwas herablaufend,*** lanzettlich-länglich, ***haarspitzig, gezähnelt-kleingesägt,*** die obern wechselständig, ***Sägezähne einwärtsgebogen;*** der Stengel sehr ästig, stielrund, von einfachen längern u. drüsigen kürzern Haaren zottig; die Narben abstehend; Wurzel ausläufertreibend.

An Gräben, Ufern u. sumpfigen Wiesen. — Bregenz (Str!). Vintschgau: bei Laas (Tpp.). Bozen: einzeln rechts an der Strasse gegen Sigmundscron; bei Kaltern, Pranzoll u. Salurn (Hsm.). In Fleims bei Predazzo (Fcch!). Val di Sol (Per!). An Dämmen bei Roveredo (Crist.). Am Baldo al Campion u. Aque negre (Poll!). — E. grandiflorum All.

Bl. ansehnlich, purpurn. Jun. — Sept. ♃.

623. ***E. parviflorum Schreb.*** Kleinblumiges W. Blätter ***sitzend, lanzettlich, spitz, gezähnelt,*** die untern gegenständig, kurzgestielt; der Stengel stielrund, meist einfach, von einfachen Haaren zottig o. flaumig; die ***Narben abstehend;*** Ausläufer fehlend.

An Ufern, Gräben u. Sumpfwiesen der Thäler. — Vorarlberg: am Laagsee im Bodenseerried (Cst!), gemein um Bregenz (Str!). Innsbruck: an der Kaiserstrasse (Hfl.). Vintschgau: im Tarscher Moos u. bei Laas (Tpp.). Bozen: gemein auf den an die Leiferer Gründe stossenden Sumpfwiesen südlich am Rande der Rodlerau etc. (Hsm.). Gräben um Bozen u. bei Pergine (Fcch!). Englar bei Eppan; Val di Non: bei Arz (Hfl.). Roveredo (Crist.). Judicarien: bei Tione (Bon.). Am Gardasee (Clementi).

β. rivulare. Fast kahl. E. rivulare Wahlenb. — Bozen: an Gräben u. am Talferbette (Hsm.).

Bl. hellviolett o. weisslich. Jun. Sept. ♃.

b. ***Der Stengel mit 2 o. 4 erhabenen Linien belegt.***

624. ***E. tetragonum L.*** Vierkantiges W. Blätter ***lanzettlich,*** von der Basis bis zur Spitze allmählig verschmälert, gezähnelt-gesägt, die mittlern mit ***blattiger Basis herablaufend-angewachsen,*** die untern etwas gestielt; der Stengel sehr ästig, fast kahl, mit 2—4 erhabenen herablaufenden Linien; die Narben in eine Keule zusammengewachsen.

An Sümpfen u. Gräben. — Vorarlberg: gemein bei Bregenz (Str!). Am Gardasee: ausser dem Gebiethe bei Tusculano (Poll!). Am Gardasee (Clementi).

Bl. rosenroth. Jun. Jul. ♃.

§. 2. Die Blüthen mit der Spitze des Stengels vor dem Aufblühen nickend o. überhängend, während des Aufblühens sich allmählig aufrichtend.

a. ***Der Stengel nicht mit erhabenen Linien belegt u. nicht zweizeilig-behaart.***

625. ***E. montanum L.*** Berg-W. Blätter ***eiförmig o. eiförmig-länglich, ungleich-gezähnt-gesägt,*** am Rande u. auf den Adern flaumig, die untern gegenständig, gestielt; der Stengel stielrund, flaumig; die Narben abstehend; Ausläufer fehlend. —

Wälder u. Gebüsche auf Gebirgen u. Voralpen. — Bregenz (Str!). Stuiben bei Schattwald (Dobel)! Innsbruck (Schpf.). Kitzbüchl (Trn.) Zillerthal (Gbh.). Welsberg (Hll.). Hopfgarten (Schtz.). Lienz: im Walde hinter Schlossbruck (Rsch! Schtz.). St. Martin in Vintschgau (Tpp.). Gemein auf dem Ritten um Klobenstein, bei Lengmoos gegen die Finsterbrücke, Wiesengräben auf dem Pipperer, bei Oberinn und Gisman (Hsm.). Valsugana (Ambr.). Gebirge in Fleims u. Canal di San Bovo in Primiero (Fcch!). Am Baldo: al Campion u. aque negre (Poll!). Judicarien: bei Tione (Bon).

β. collinum. Klein; Blätter 4mal kleiner. — E. collinum Gmel. — Auf trockenen Abhängen am Ritten, z. B. am Steige von Lengmoos zum sogenannten Magenwasser u. am Thale unter der Finsterbrücke (Hsm.). Innsbruck: bei Axams; in der Gant bei Eppan (Hfl.). Auf Steinen beim Lanbach nächst Schwaz (Schm.). Diese Abart oft sehr ästig (E. collinum β. ramosissimum De C.). — Bl. rosenroth. Jul. Aug. ♃.

626. ***E. palustre L.*** Sumpf-W. Blätter ***lanzettlich,*** nach der Spitze allmählig verschmälert, ***ganzrandig o. gezäh-***

nelt, mit keilförmiger Basis sitzend, die untern gegenständig; der Stengel stielrund, etwas flaumig; die *Narben in eine Keule zusammengewachsen;* Ausläufer fädlich.

Auf Torfmooren u. Gräben bis an die Alpen. — Vorarlberg: am Laagsee im Bodenseerried (Cst!), bei Bregenz (Str!). Innsbruck: auf der Ulfiswiese (Hfl.). Kitzbüchl (Trn.). Sterzing (Precht). Sillian, Lienz (Schtz.), auf der Kranzenleite und im Schustergraben allda (Rsch!). Gemein um Klobenstein am Ritten, z. B. bei Waidach, Wolfsgruben u. Kematen (Hsm.). Vintschgau: bei Laas (Tpp.). Um Bozen u. in Livinalongo (Fcch!). Gebirge ober Povo bei Trient (Per.).

Bl. bleichroth o. weiss. Jul. Aug. ♃.

b. *Der Stengel mit 2 erhabenen behaarten Linien belegt o. zweizeilig-behaart.*

627. *E. roseum Schreb.* Rosenrothes W. Blätter *ziemlich lang-gestielt, länglich,* an beiden Seiten *spitz, dicht-ungleich-gezähnelt-gesägt,* am Rande u. auf den Adern flaumlich, die untern gegenständig; der Stengel sehr ästig, reichblüthig, mit 2—4 erhabenen, herablaufenden Linien, oberwärts flaumig; die Narben in eine Keule zusammengewachsen o. zuletzt etwas abstehend.

An Gräben u. feuchten Orten. — Bregenz (Str!). Innsbruck: in der Höttingergasse (Hfl.). Kitzbuchl (Trn.). Stubai: bei Mieders (Schneller). Sterzing (Precht). An Ufern bei Welsberg (Hll.), feuchte Bergwiesen um Brixen (Hfm.). Vintschgau: bei Mals (Hfm!). Klobenstein am Ritten, z. B. am Wege nach Lengmoos u. ins Krotenthal (Hsm.). Bozen; Fleims: al Castello; Pergine u. Livinalongo (Fcch!).

Bl. rosenroth. Jul. Aug. ♃.

628. *E. trigonum Schrank.* Dreikantiges W. Bätter *gegenständig, zu 3—4 quirlig, sitzend, fast stengelumfassend,* länglich-eiförmig, zugespitzt, ungleich-gezähnelt-gesägt, kahl, auf den Adern und am Rande flaumig, die obern wechselständig; der Stengel meist einfach, oberwärts nebst den 2—3—4 erhabenen, herablaufenden Linien flaumig; die Narben in eine Keule zusammengewachsen,

An Quellen u. Bächen der Alpen u. Voralpen. — Vorarlberg: Alpe Tillisun in Montafon (Cst!), Dornbirner Alpen (Str!). Bergwälder um Kitzbüchl, z. B. am Schattberg (Trn.). Elsalpe in Zillerthal (Flörke)! Vintschgau: in Schlinig (Tpp.). Villanderer- u. Seiseralpe (Hsm.). Subalpine Wälder in Fleims; San Martino di Primiero u. Vette di Feltre (Fcch!). Monte Baldo: am Tret de Spin (Hfl.). Judicarien: Alpe Lenzada (Bon.).

E. alpestre Reichenb.

Bl. rosenroth. Jul. Aug. ♃.

629. *E. origanifolium Lam.* Dostenblättriges W. Blätter *gegenständig, etwas gestielt, eiförmig, zugeschweift u. etwas entfernt-gezähnelt, kahl,* die untersten stumpf, die obern wechselständig; der Stengel einfach, armblüthig, mit

2 erhabenen flaumigen Linien; die Narben in eine Keule zusammengewachsen.

An quelligen Orten u. Bächchen der Alpen. — Vorarlberg: auf den Dornbirneralpen (Str!), u. Alpe Tillisun in Montafon (Cst!). Bergwiesen u. Alpen um Kitzbüchl (Trn.). Alpe Blaufeld (Str!). Schwaderalpe bei Schwaz (Schm.). In der Lizum; Thaureralpe (Hfl.). Pusterthal: Ködnitzalpe in Kals, Innervilgraten, Hofalpe u. Gössnitz bei Lienz (Schtz.), Alpen bei Welsberg (Hll.). Alpen um Brixen (Hfm.). Falgamaier Joch in Ulten (Giov!). Gemein auf der Rittner- Seiser- u. Villandereralpe (Hsm.). Fassa (Fcch!). Alpe Bondone (Per!). Am Portole (Mayer)! Am Baldo (Jan!).

E. alpestre Schmidt. E. alsinefolium Vill.

Bl. rosenroth. Jul. Aug. ♃.

630. ***E. alpinum L.*** Alpen-W. Blätter *gegenständig, etwas gestielt, länglich o. länglich-lanzettlich, stumpf, ganzrandig oder schwach-gezähnelt, an der Basis verschmälert,* die obern lanzettlich, wechselständig, die der nicht blühenden Rosetten verkehrt - eiförmig; der Stengel einfach, armblüthig, mit 2 erhabenen flaumigen Linien; die Narben in eine Keule zusammengewachsen.

An quelligen Orten u. Bächchen der Alpen. — Vorarlberg: auf der Mittagspitze (Str!), u. Alpe Tillisun (Cst!). Gaishorn bei Tannheim (Dobel)! Alpen bei Zirl u. Telfs u. am Rosskogel bei Innsbruck (Str.). Thaureralpe (Hfl!). Am Thalferner in Stubai (Eschl.). Kitzbüchler Alpen, z. B. Alpe Blaufeld (Trn. Str!). Am Jaufen bei Sterzing (Hfl.). Pusterthal: Alpe Ködnitz in Kals, Hofalpe, Gössnitz u. Dorferalpe bei Lienz (Schtz.), allda auf der Trelewitschalpe (Rsch!), Schleinitzalpe (Hohenwarth)! Rittner- Villanderer- und Seiseralpe gemein (Hsm.). Vintschgau: am Wormserjoch (Gundlach), u. im Laaserthal (Tpp.). Voralpen in Fleims (Fcch!). Am Montalon in Valsugana (Montini)! Judicarien: am Frate in Breguzzo (Bon.).

Bl. rosenroth. Jul. Aug. ♃.

164. *Oenothèra L.* Nachtkerze.

Samen an der Spitze kahl (ohne wollhaarigen Schopf), sonst wie Epilobium. (VIII. 4.).

631. ***O. biennis L.*** Zweijährige N. Die Blätter gezähnelt, etwas geschweift, flaumig, die wurzelständigen des ersten Jahres elliptisch o. länglich-verkehrt-eiförmig, meist stumpf, mit einem Spitzchen, in den Blatstiel hinablaufend, die untern stengelständigen elliptisch, länglich o. lanzettlich; Stengel flaumig u. mit längern auf einem Knötchen sitzenden Haaren bestreut. —

Auf kiesigen Orten u. an Ufern. — Innsbruck: in der Innau gegen den Pulverthurm (Hfl.). Brunecken (F. Naus)! Bozen: gemein im Talfer- u. Eisackbette, auch am Rentschnerbache u.

am Damme in Haslach (Hsm.). Trient: Ischia im Campo Trentino (Per!). Valsugana: auf den Triften bei Borgo (Ambr.).

Blumenblätter länger als die Staubgefässe. Wurzelblätter auch manchmal buchtig-eingeschnitten o. mit einzelnen grossen Zähnen. Kommt auch mit nur halb so grossen Bl. vor.

Stammt aus Amerika u. soll um das Jahr 1614 nach Furopa gekommen sein.

Bl. gross, schwefelgelb. Jun. — Aug. ☉.

II. Gruppe. **Jussieae De C.** Röhre des Kelches nicht über den Fruchtknoten hervortretend, Saum 4—6spaltig, bleibend. Frucht kapselig, aufspringend.

165. *Isnardia L.* Isnardie.

Kelchsaum 4theilig, bleibend. Blumenblätter 4 o. fehlend. Staubgefässe 4. Griffel fädlich, abfällig. Narbe kopfförmig. Kapsel 4klappig, 4fächerig, vielsamig, durch Randtheilung aufspringend. (IV. 1.).

632. *I. palustris L.* Sumpf-I. Der Stengel an der Basis wurzelnd, kahl; Blätter gegenständig, eiförmig, spitz, in den Blattstiel verschmälert; Bluthen blattwinkelständig, einzeln, sitzend, blumenblattlos.

In Gräben. — Vorarlberg: in einem alten Graben am Fusswege von Lauterach nach Lustenau ehemals häufig, jetzt mit dem Graben verschwunden (Cst.), bei Lauterach (Str!). Ausser dem Gebiethe am Gardasee bei Brandolino (Poll!). Wird schon von Laicharding als Tiroler Pflanze angeführt.

Blüht nur ausser dem Wasser. Bl. grün. Jul. Aug. ♃.

III. Gruppe. **Circaeeae De C.** Röhre des Kelches nicht über den Fruchtknoten hervortretend, Saum 2—4spaltig, abfällig. —

166. *Circaea L.* Hexenkraut.

Kelchsaum 2theilig. Blumenblätter 2, verkehrt-herzförmig. Staubgefässe 2, mit den Blumenblättern wechselnd. Frucht nüsschenartig, birnförmig, nicht aufspringend, mit hackigen Borsten besetzt, 2fächerig, Fächer 1samig. (II. 1.).

633. *C. lutetiana L.* Gemeines H. Blätter eiförmig, etwas herzförmig, geschweift-gezähnelt; ***Deckblättchen fehlend.***

In Auen u. an feuchten schattigen Gebüschen. — Vorarlberg: bei Bregenz (Str!). Oberinnthal: bei Gunggelgrün nächst Imst (Lutt!). Innsbruck: in der Klamm (Hfl.), am Amrasersee (Eschl.), am Sonnenburger Hügel (Schneller), u. bei Aldrans (Prkt.). Kitzbüchl (Trn.). Lienz: im Gebüsche an der Drau gegen Amblach (Rsch!). Bozen: gemein in der Kaiser- und Rodlerau (Hsm.). Valsugana: bei Borgo (Ambr.). Roveredo (Crist.). Trient: im Campo Trentino (Per!). Baldo: im Val dell' Artillon (Poll!). Judicarien: bei Tione u. in Rendena (Bon.). — Obsolet: Herba Circaeae.

Bl. weiss o. schwach rosenroth. Jul. Aug. ♃.

634. ***C. intermedia Ehrh.*** Mittleres H. Blätter eiförmig, an der Basis abgerundet o. fast herzförmig, geschweiftgezähnt; die ***Deckblättchen borstlich; Früchte fast kugelig-verkehrt-eiförmig.***

In feuchten schattigen Hainen u. an Gebirgsbächen. — Bregenz (Döll rheinische Flora pag. 746.)! Angeblich in Menge zwischen Bauern u. Pfaffenschwendt im Unterinnthale! In der Gegend von Kufstein (Hrg!).

C. alpina β sterilis Döll. C. alpina β intermedia De C.

Bl. weiss o. blass-rosenroth. Jul. Aug. ♃.

635. ***C. alpina L.*** Alpen-H. Blätter breit-eiförmig, tief-herzförmig, geschweift-gezähnt; ***Deckblättchen borstlich; Früchte länglich-keulig.***

Schattige Gebirgswälder u. Voralpen. — Vorarlberg: am Pfänder bei Bregenz u. auf der Mittagspitze (Str!). In Stubai an Felsen bei Falbeson (Hfl!). Bei Reith nächst Rattenberg (Wld!). Zillerthal: auf dem Zellberg im Walde am Wege zur Alpe Sidan (Gbh.). Schattige Orte um Kitzbüchl (Trn.). In Tefereggen (Schtz.). Lienz: unter den Wänden des Rauchkogels (Rsch!). Vintschgau: im Laaserthal (Tpp.). Im Gebiethe von Bozen: bei Wangen gleich nach den letzten Häusern rechts am Wege nach Sarnthal; beim Bade Ratzes im Walde an der Promenade (Hsm.). Fleims u. Fassa (Fcch!). Voralpen um Trient (Per.). Gebirge um Roveredo (Crist.). Am Baldo: Val di Novesa u. dell' Artillon (Poll!).

Bl. weiss o. blass-rosenroth. Jul. Aug. ♃.

XXXVII. Ordnung. HALORAGEAE. R. Br.

Haloragisartige.

Röhre des Kelches an den Fruchtknoten angewachsen, Saum 3—4theilig. Blumenblätter so viele als Kelchzipfel u. mit denselben wechselnd, dem Kelchschlunde eingefügt. Staubgefässe so viele als Blumenblätter o. doppelt so viele. Fruchtknoten 1—4fächerig, Fächer 1eiig. Griffel fehlend. Narben so viele als Fächer des Fruchtknotens, sitzend. Samen mit wenig Eiweiss. Keim gerade.

167. *Myriophyllum L.* Tausendblatt.

Bl. einhäusig. Männliche Blüthe: Kelchsaum 4theilig. Blumenblätter 4, hinfällig. Staubgefässe 8. — Weibliche Blüthe: Kelchröhre 4kantig, Saum 4theilig, kleiner als bei der männlichen Bl. Blumenblätter sehr klein, zahnartig, an der Spitze der Kanten des Fruchtknotens eingefügt, zurückgebogen. Narben 4, zottig. Eine trockene in 4 Stücke zerfallende Steinfrucht. Wasserkräuter. Blüthen in Quirlen, die obern männlich, die untern weiblich, selten zwittrige Blüthen eingemischt. (XXI. 5.).

636. ***M. verticillatum L.*** Quirliges T. Blätter quirlig, fiedertheilig, Zipfel borstlich; ***Blüthen quirlig,*** Quirl blattwinkelständig oder ährenförmig; die ***Deckblätter sämmtlich kammförmig-fiederspaltig.***

In Gräben u. Sümpfen. — Vorarlberg: gemein bei Bregenz (Str!). Am Gardasee (Poll! Clementi).

Aendert ab: Deckblätter 3- u. mehrmal länger als die Blüthen, Fieder entfernt o. genähert u. β. *pectinatum.* Deckblätter ungefähr so lang als die Blüthen, Fieder fast sich berührend. M. pectinatum De C. — Vorarlberg: bei Fussach (Str!).

Blumenblätter grünlich-weiss o. röthlich, sehr hinfällig. Jul. Aug. ♃.

637. ***M. spicatum L.*** Aehriges T. Blätter quirlig, fiedertheilig, Zipfel borstlich; ***Blüthen quirlig,*** Quirl ährenförmig, die ***jungen Aehren aufrecht,*** die ***untern Deckblätter eingeschnitten,*** so lang als der Quirl o. ein wenig länger, die ***übrigen sämmtlich ganz*** u. kürzer als der Quirl.

Gräben u. Teiche, auch auf Gebirgen. — Bregenz (Str!). Kitzbüchl: häufig im Schwarzsee (Unger)! Bozen: gemein in den Gräben längs der Etsch bei Sigmundscron u. im alten Etschgraben auf den Eppaner Mösern; Salurn, Margreid; am Ritten häufig im Wolfsgruber See (Hsm.). Im italienischen Tirol (Per.).

Bl. wie bei Voriger. Jun. Aug. ♃.

XXXVIII. Ordnung. HIPPURIDEAE. Link.

Tannenwedelartige.

Blüthen zwitterig oder durch Fehlschlagen eingeschlechtig. Kelchsaum ganz, schwach 2lappig, sehr klein, Kelchröhre mit dem Fruchtknoten verwachsen. Blumenkrone fehlt. Staubgefäss 1, dem Kelchsaume an der Basis des vordern Lappen eingefugt, Staubfaden kurz, Staubbeutel mit 2 Längsritzen. Fruchtknoten 1fächerig, 1eiig. Griffel fadenförmig, der Furche des Staubbeutels anliegend. Steinfrucht etwas fleischig, mit knorpeliger Schale, 1samig, mit dem Saume des Kelches gekrönt. Samen eiweisslos, Keim gerade.

168. ***Hippúris L.*** Tannenwedel.

Gattungs-Kennzeichen die der Ordnung. (I. 1.).

638. ***H. vulgaris L.*** Gemeiner Tannenwedel. Stengel ganz einfach, Blätter linealisch, gequirlt, Quirl vielblättrig.

In Gräben, Teichen u. Bächchen. — Vorarlberg: gemein um Bregenz (Str!), u. bei Lustenau (Cst!). Innsbruck: in dem Giessen in und an dem Thiergarten (Hfl. Schpf.). Oberinnthal: im Sumpfe hinter Breitenwang (Kink). Kitzbüchl im östlichen Theile des Gebiethes (Unger)! Bei Ebbs (Harasser)! Bozen: in Menge im alten Etschgraben an den Eppaner Mösern, jetzt jedoch ist der Graben gereiniget worden u. die Pflanze vielleicht verschwunden, bei Terlan im Sumpfe an der Strasse unter dem Schlosse Maultasch (Hsm.). Trient: Gräben im Campo Trentino (Per!). — Blüthen grün, sehr klein. Ende Mai, Jun. ♃.

XXXIX. Ordnung.
CALLITRICHINEAE. Link.
Wassersternartige.

Blüthen zwitterig o. häufiger eingeschlechtig, an der Basis mit 2 gegenständigen blumenblattartigen, durchsichtigen Deckblättern. Blumenkrone fehlt. Staubgefäss 1, Staubbeutel nierenförmig, 1fächerig, mit einer Quernaht aufspringend. Fruchtknoten 1, 4kantig (von den 4 Kanten sind je zwei sich mehr genähert), 4fächerig, Fächer 1eiig. Griffel 2, pfriemenförmig, Narbe ungetheilt. Eine saftlose Steinfrucht, die zuletzt in 4 nicht aufspringende Früchtchen zerfällt. Keim gerade, in der Achse des fleischigen Eiweisses. Jährige schwimmende Kräuter, mit sitzenden, ganzen, gegenständigen, nebenblattlosen Blättern.

169. *Callitriche L.* Wasserstern.

Gattungs-Kennzeichen die der Ordnung. (XXI. 1.).

639. *C. stagnalis Scop.* Breitblättriger W. ***Blätter sämmtlich verkehrt-eiförmig;*** die Deckblätter sichelformig, an der Spitze zusammenneigend; die Griffel bleibend, zuletzt zurückgekrümmt; Kanten der Frucht flügelig-gekielt.

In Gräben. — Vorarlberg: um Bregenz (Str!). Vintschgau: bei Mals (Hfm.), u. bei Laas (Tpp.). Rabland (Iss.). Meran: bei Fragsburg (Hfl.). Gemein um Bozen z. B. in den Gräben gegen St. Jacob u. Sigmundscron, überhaupt im ganzen Etschlande (Hsm.).

Leicht von den Folgenden unterscheidbar durch die Blätter, die alle, auch die untern, umgekehrt-eiförmig sind.

Mai — September. ♃.

640. *C. vernalis Kützing.* Frühlings-W. ***Die untern Blätter der Aeste linealisch,*** die obern verkehrt-eiformig; die Deckblätter etwas gebogen, die ***Griffel aufrecht, bald verschwindend;*** Kanten der Frucht spitz-gekielt.

In Gräben u. Teichen bis in die Alpen. — Vorarlberg: bei Bregenz (Str!). In stehendem Wasser um Kitzbüchl bis in die Alpen, z. B. im Bichlach etc. (Trn. Unger)! Innsbruck: Gräben an der Innau unter der Gallwiese; auf der Waldrast in Mooren gegen Stubai (Hfl.). Bei Ebbs im Unnterinnthal (Harasser). Brixen (Hfm.). Ritten: am Wolfsgruber See, im Teiche hinter Sallrain u. beim Weber im Moos gegen Unterinn, auch auf der Rittneralpe in den Viehtränken; Alpenteiche am Ifinger bei Meran (Hsm.). Am Gardasee (Per.).

β. *terrestris.* Stengel u. Blätter verkürzt, Pflanze gedrungener, flache Rasen bildend. — C. minima Hoppe u. caespitosa Schultz. Reichenb. Icon. Rutaceae tab. CXXIX. In ausgetrockneten Pfützen um Klobenstein am Ritten (Hsm.).
Mai — Sept. ♃.

641. *C. autumnalis L.* Herbst-W. ***Blätter sämmtlich linealisch, an der Basis breiter,*** nach der Spitze schmäler; Kanten der Frucht flügelig-gekielt.

In Gräben u. langsam fliessendem Wasser. — Wiesengräben um Kitzbüchl (Trn.). In stagnirenden Wässern bei Kossen (Unger!), u. bei Ebbs Harasser). Bei Trient u. in Gräben von Pinè (Fcch!). Jul. Oct. ♃.

XL. Ordnung. CERATOPHYLLEAE. Gray.

Hornblattartige.

Blüthen einhäusig. Männliche Bl.: Blüthenhülle 10—12blättrig, Blätter linealisch, gestutzt, mit 2—3 feinspitzigen Zähnchen besetzt. Staubbeutel 12—16, sehr kurz-gestielt, etwas länger als die Hülle, länglich-verkehrt-eiförmig, zweifächerig, oben 2—3spitzig. Weibliche Bl.: Blüthenhülle 9—11blättrig, Blättchen feinspitzig, Fruchtknoten frei, eiformig, 1fächerig, 1eiig, Eierchen hängend. Griffel 1, zugespitzt, bleibend. Frucht nussartig. Keim gerade, mit 4 quirligen Keimblättern. Untergetauchte, sehr ästige Kräuter, mit nebenblattlosen, quirlformigen, gabelspaltigen Blättern mit fadenförmigen Zipfeln.

170. ***Ceratophyllum L.*** Hornblatt. Wasserzinken.

Gattungs-Kennzeichen die der Ordnung. (XXI. 5.).

642. *C. submersum L.* Untergetauchtes H. Blätter 3mal gabelspaltig, in ***5—8 borstliche Zipfel*** getheilt; Früchte oval, flügellos, an der Basis nackt, an der Spitze mit einem Dorne, der mehrmal kürzer ist als die Frucht.

In Gräben u. Teichen. — Vorarlberg: bei Bregenz (Str!). Eppan: im Girlaner Weiher (Hfl.). Salurn (Hsm.). Trient: Gräben im Campo Trentino (Per!). Gardasee (Precht).

Blätter freudig-grün mit haarfeinen Zipfeln. Jul. Aug. ♃.

643. *C. demersum L.* Versenktes H. Blätter gabelspaltig, in ***2—4 linealisch-fädliche Zipfel*** getheilt; Früchte oval, flügellos, 3dornig, 2 Dornen an der Basis zurückgekrümmt, der endständige so lang als die Frucht o. länger.

In tiefen Gräbén, Sümpfen u. Teichen. — Vorarlberg: bei Bregenz (Str!). Bei Salurn (Hsm.). See von Terlago nächst Trient (Per!).

Blätter dunkelgrün, um die Hälfte dicker als die der Vorigen (vorzüglich die obern), u. einem Hirschgeweihe ähnlich.
Jul. Aug. ♃.

XLI. Ordnung. LYTHRARIEAE. Juss.

Weiderichartige.

Blüthen zwitterig. Kelch 1blättrig, gezähnt, Zähne in der Knospenlage klappig o. auseinanderstehend, die Buchten zuweilen in äussere Zähne hervortretend. Blumenblätter am obern Rande des Kelches, die Staubgefässe in die Röhre eingesetzt. Fruchtknoten frei, 2—4fächerig, vieleiig. Samenträger mittelpunktständig. Griffel 1, Narbe einfach. Kapsel häutig. Samen eiweisslos. Keim gerade. Unsere Arten: Kräuter mit gegenständigen, ungetheilten, nebenblattlosen Blättern.

171. *Lythrum L.* Weiderich. Blutkraut.

Kelch röhrig, walzlich, 8—12zähnig. Von diesen Zähnen sind 4—6 aufrecht u. wechseln mit den Blumenblättern, die übrigen 4—6 stehen etwas ab u. sind den Blumenblättern entgegengesetzt. Blumenblätter 4—6, der Spitze der Röhre eingefügt. Staubgefässe so viele o. doppelt so viele als Blumenblätter, der Basis o. der Mitte der Kelchröhre eingefügt. Griffel fadenförmig, mit kopfförmiger Narbe. Kapsel 2fächerig, vielsamig, unregelmässig-zerreissend, seltener durch Mitteltheilung aufspringend. (XI. 1.).

644. ***L. Salicaria L.*** Gemeiner W. ***Blätter herzlanzettförmig,*** die untern gegenständig o. quirlig; Blüthen ***12männig, quirlig-ährig;*** Kelch an der Basis ohne Deckblättchen, die innern Zähne pfriemlich, noch einmal so lang als die äussern.

An Gräben, Ufern u. feuchten Wiesen. — Vorarlberg: bei Bregenz (Str!). Oberinnthal: bei Imst (Lutt!), dann bei Breitenwang (Kink), Innsbruck: bei Aich (Schneller), u. im Villerberg (Prkt.). Schwaz (Schm!). Nasse Wiesen um Kitzbüchl (Trn.). Pusterthal: in Taufers (Iss.), Lienz (Schtz), am Tristacher See, bei Lavant, Kapaun u. im Sillianermoos (Rsch!). Brixen: z. B. in der Mühlanderau (Hfm.). Gemein um Bozen z. B. gegen Sigmundscron, dann bei Leifers, Pranzoll, Salurn etc., überhaupt auf allen Mooswiesen im Etschlande; selten am Ritten u. nur einzeln z. B. im Amtmannmösel bei Lengmoos (Hsm.). Trient (Per.). Fleims: al Castello (Fcch!). Roveredo (Crist.). Am Baldo (Jan!). Feuchte Orte bei Tione (Bon.). Valsugana: bei Borgo (Ambr.).

Officinell: Radix et Herba Salicariae vel Lysimachiae purpureae. — Bl. purpurn. Jul. Sept. ♃.

172. *Peplis L.* Afterquendel. Bachburgel.

Kelch glockig, etwas zusammengedrückt, von seinen 12 Zähnen sind 6 kürzer u. zurückgebogen. Blumenblätter 6, dem Kelchschlunde eingefügt, sehr hinfällig o. auch ganz fehlend. Staubgefässe 6, vor den breitern Kelchzähnen eingefügt. Griffel sehr kurz, Narbe kreisförmig. Kapsel 2fächerig, vielsamig, unregelmässig zerreissend. (VI. 1.).

645. ***P. Pórtula L.*** Gemeiner A. Blätter gegenständig, verkehrt-eiförmig, gestielt. Blüthen blattwinkelständig, einzeln, fast sitzend.

An zeitweise überschwemmten Orten, an Wegen u. Teichen bis an die Alpen. — Kitzbüchl: am Schwarzsee und im Bichlach (Trn.). Gemein am Ritten: am Wolfsgruber See vorzüglich am östlichen Rande, an Wegen im Krotenthale u. gegen Kematen, dann an den Tümpeln am Alpenwege ober der Tann gegen Pemmern bis etwa 4800′ (Hsm.). Monte Baldo: in den Viehtränken der Vall Fredda (Poll!). Am Baldo (Per!).

Bl. klein, blassröthlich. Jun. Jul. ⊙.

XLII. Ordnung. TAMARISCINEAE. Desv.

Tamariskenartige.

Blüthen zwitterig. Kelch 4—5theilig, Blättchen in der Knospenlage dachig. Blumenblätter 4—5, im Grunde des Kelches eingefügt, welkend. Staubgefässe so viele o. doppelt so viele als Blumenblätter, frei o. an der Basis einbrüderig. Fruchtknoten frei, 3kantig, 1fächerig, vieleiig. Samenträger auf der mittlern Linie o. an der Basis der Klappen. Kapsel 3klappig. Samen geschopft, eiweisslos. Keim gerade, aufrecht. — Sträucher mit kleinen, wechselständigen, sitzenden, ganzen, etwas fleischigen, meist graugrünen, nebenblattlosen Blättern.

173. ***Myricaria Desv.*** Myrikarie.

Kelch 5theilig, Blumenblätter 5. Staubgefässe 10, bis über die Mitte 1brüderig, 5 abwechselnd kürzer. Narbe sitzend, kopfförmig, fast 3lappig. Die Samenträger der Länge nach in der Mitte der Klappe angewachsen. Samen mit einem gestielten Schopfe. (XVI. 3.).

646. ***M. germanica Desv.*** Gemeine M. Deutsche Tamariske. Strauchig, kahl; Blätter linealisch - lanzettlich, sitzend; Aehren endständig, einzeln, die Deckblätter länger als die Blüthenstielchen; Kapseln aufrecht, etwas abstehend.

An Ufern bis an die Voralpen. — Vorarlberg: im Aachgries bei Bregenz (Str!). Oberinnthal: am Lechufer (Kink), in den Innauen bei Telfs (Hsm.), u. bei Imst (Lutt!). Innsbruck: an der Sill u. Rutz (Hfl. Schneller). Stubai (Hfl!). Am Inn bei Breitenbach (Wld!). Auen um Kitzbüchl (Trn.). Zillerthal: Gries der Ziller am Einödberg (Gbh.). Pusterthal: Innervilgraten, Hopfgarten u. Lienz (Schtz.). Sterzing (Hfl!). Brixen (Hfm.). Naudererthal; bei Zapferbad in Vintschgau (Tpp.). Sulden u. Martelthal (Giov!). Bozen: im Talferbette vorzüglich hinter Runkelstein; selten am Ritten: einzeln am Bache bei

Waidach nächst Klobenstein (Hsm.), im Eggenthale (Giov!). An der Strasse in Vintschgau (Hrg!). Val di Sol: an der Noce (Bon.). Fassa (Per!). Fleims (Meneghini)! Valsugana: bei Grigno (Ambr.). Am Davoi (Parolini)! Roveredo (Crist.). An der Etsch bei Trient u. Roveredo (Poll!).

Myricaria squammosa Reichenb.

Obsolet: Cortex Tamarisci, vel Tamaricis.

Bl. rosenroth. Mai — Jul. ♄.

XLIII. Ordnung. PHILADELPHEAE. Don.

Pfeifenstrauchartige.

Blüthen zwitterig, regelmässig. Kelchröhre kreiselförmig, mit dem Fruchtknoten verwachsen, Kelchsaum 4—10theilig, bleibend. Blumenblätter mit den Kelchzipfeln abwechselnd, von gleicher Anzahl derselben. Staubgefässe 20 u. mehr, sammt den Blumenblättern dem Kelchschlunde eingefügt. Narben viele. Kapsel halb mit dem Kelche verwachsen, 4—10fächerig, vielsamig. Samen auf Samenträgern, welche aus dem innern Winkel der Fächer hervortreten. Samenhaut locker, häutig, viel weiter als der Kern. Eiweiss fleischig. Keim gerade, mit kurzen Keimblättern. Sträucher mit einfachen, gestielten gegenständigen, unpunktirten nebenblattlosen Blättern.

174. ***Philadelphus L.*** Pfeifenstrauch.

Kelchröhre kreiselförmig, Saum 4—5theilig. Blumenblätter 4—5. Griffel 1 o. mehrere u. an der Basis verwachsen. Narben viele. Kapsel 4—5klappig, 4—5fächerig. Samenmantel am Nabel gefranst. (XII. 2.).

647. ***P. coronarius L.*** Gemeiner Pf. Deutscher Jasmin. Blätter elliptisch, zugespitzt, gesägt-gezähnelt, oberseits kahl, unterseits kurzhaarig; Blüthen traubig; Kelchzipfel zugespitzt; Griffel tief-4spaltig; kürzer als die Staubgefässe.

In Hecken u. Wäldern im südlichen Tirol. — Meran: am Zenoberg (Iss.). Bozen: angeblich bei Andrian u. bei Montan nächst Neumarkt! Zimmers: an der Brücke des Avisio unter Cembra. (Hfl.). Valsugana: bei Borgo (Ambr.). Roveredo: an Klippen unter dem Cengialto (Crist.). Val dei Ronchi bei Ala u. am Baldo alla Madonna (Poll!). Buco di Vela bei Trient (Joh. Sartorelli)! Corna calda bei Botte im Kreise Roveredo (Per!). Roveredo: Val dei Corvi u. am Schener an der Feltrinischen Gränze (Fcch.). Judicarien: an den Zäunen längs der Strasse bei Balino (Bon.).

Man findet diesen Strauch mit den wohlriechenden weissen Blüthen auch häufig in Gärten unter dem Namen wilder Jasmin.

Obsolet: Flores Philadelphi vel Jasmini sylvestris, vel Syringae albae. Ende Mai, Jun. ♄.

XLIV. Ordnung. MYRTACEAE. R. Brown.

Myrtenartige.

Bäume o. Sträucher mit zwitterigen Blüthen u. einfachen, ganzen, nebenblattlosen, drüsig-punktirten, meist lederigen u. in einen Blattstiel verschmälerten gegenständigen Blättern. Sie zeichnen sich durch ätherische Oehle aus. Diese Ordnung liefert uns mehrere Gewürzarten, z. B. die Gewürznelken (Caryophyllus aromaticus), das Neugewürz (Eugenia Pimenta) etc. Einheimisch ist bei uns wie im ganzen eigentlichen Deutschland aus dieser Ordnung keine Gattung. Der in Istrien an warmen Felsen bei Triest u. Duino vorkommende gemeine Myrtenstrauch (Myrtus communis L. XII. 1.) verträgt jedoch das Klima von Bozen im Freien sehr gut, man findet ihn z. B. in Hertenberg, dann im Gandelhofe bei Gries gepflanzt, wo er Anf. Jul. blüht.

XLV. Ordnung. CUCURBITACEAE. Juss.

Kürbisartige.

Blüthen meist 1- seltener 2häusig. Kelch 5zähnig, bei der männlichen Bl. glockig, bei der weiblichen röhrig, mit dem Fruchtknoten verwachsen. Blumenkrone regelmässig, 5theilig o. 5spaltig, an die Basis des Kelches inwendig angewachsen, mit dem Kelche abfällig. Staubgefässe 5, dem Grunde des Kelches eingefugt, meist 3brüderig, nämlich 4 paarweise verwachsen, das fünfte frei, seltener frei o. 1brüderig mit verwachsenen Staubbeuteln. Griffel endständig, kurz, 3theilig o. 3spaltig, Narben dick, gelappt oder gewimpert. Beere fleischig, gross, 3—5fächerig o. wenn sich die Scheidewände in die breiartige Substanz auflösen scheinbar 1fächerig, meist vielsamig u. nicht aufspringend (Kürbisfrucht). Keim gerade, eiweisslos. Meist 1jährige, kletternde Kräuter mit wässerigem Safte u. spiraligen Ranken. Viele enthalten brechenerregende o. purgirende Substanzen, viele dagegen sind essbar. Die Samen enthalten viel Oehl.

Cucúrbita L. Kürbis.

Blüthen 1häusig. Kelch 5zähnig. Blumenkrone 5spaltig. Männliche Bl.: Staubgefässe 5, 3brüderig. Staubbeutel 5, in einen Cylinder verwachsen. Weibliche Bl.: 3 nicht ausgebildete zu einem Ring verwachsene Staubfäden. Griffel 3spaltig, Narben 2spaltig. Fruchtknoten 3fächerig, Fächer 2theilig, Eierchen in jedem Fache 2reihig. Beere mit einer Rinde überzogen, geschlossen, nicht aufspringend. Samen verkehrt-eiförmig, zusammengedrückt, mit einem wulstigen Rande umgeben. (XXI. 7.).

C. Pepo L. Gemeiner K. (Facken-K. im Etschlande). Stengel steifhaarig, kletternd, Wickelranken ästig; Blätter herzförmig, 5lappig, rauh; ***Früchte*** rundlich o. oval, ***glatt***.

Im ganzen Etschlande häufig gebaut auf den Maisäckern der Ebene u. in Weinbergen auf Gebirgen, um Bozen bis 2800′ am Ritten bei Siffian u. Unterinn. — Aus Mittelasien stammend. — Die Samen: Semina Cucurbitae dienen wie die der folgenden zu Emulsionen.

Blumenkrone gelb oder gelbroth, an der Basis verengert. Samen weiss-gelb. Jul. Sept. ⊙.

Als Varietäten gelten Einigen die 5 folgenden:

***C. maxima** Duch.* Riesenkürbis. Zentnerkürbis. Früchte sehr gross (bis 1 Centner schwer), niedergedrückt-kugelig, mit netzartiger Oberfläche. Von C. Pepo durch die grössern am Grunde glockig-erweiterten Bl. verschieden. Cultivirt, doch sehr selten.

***C. Melópepo** L.* Turban-K. Türkenbund. *Früchte* hartfleischig, plattkugelig, über der Mitte ringsum mit einem *knotigen Wulste u. Längsfurchen.* — Zur Zierde in Gärten wie Folgende.

***C. verrucosa** L.* Warzen-K. Früchte klein, hartschalig, warzig, rundlich-elliptisch. — Gebaut, doch sehr selten.

***C. aurantia** Willd.* Pomeranzen-K. Früchte klein, kugelig, glatt, von der ungefähren Grösse einer Pomeranze u. derselben Farbe. — Zur Zierde in Gärten.

***C. ovifera** L.* Eier-K. Birn-K. Frucht ei- o. birnförmig, klein, hartschalig, 1färbig, gelblich o. dunkelgrün; oder 2färbig, gelb- u. grün-gestreift. Zur Zierde in Gärten.

***C. Citrullus** L.* Wassermelone. Anguria ital. Im Veronesischen im Grossen auf Aeckern gebaut, hie u. da auch im südlichsten Tirol mehr zur Zierde gepflanzt, kommt auch bei Bozen sehr gut im Freien ohne Mistbeet vor und bringt schon Anfangs August reife Früchte. Die Angurie ist leicht kenntlich an ihren glatten, grossen, fast kugeligen, dunkelgrünen Früchten, den schwärzlichen, röthlichen oder braunen Samen u. den buchtig-fiederspaltigen Blattlappen.

Cúcumis L. Gurke.

Blüthen 1häusig. Kelch 5zähnig. Blumenkrone 5theilig. Männliche Bl.: Staubgefässe 5, Staubfäden 3brüderig, Staubbeutel zusammenneigend. Weibliche Bl.: drei unausgebildete Staubfäden. Griffel kurz, 3spaltig, Narben 2spaltig. Fruchtknoten 3fächerig, Fächer 2theilig. Eierchen in jedem Fache 2reihig. Beere mit einer Rinde umzogen, geschlossen, nicht aufspringend. Samen verkehrt-eiförmig, zusammengedrückt, mit scharfem Rande. (XXI. 7.).

***C. sativus** L.* Gemeine G. Stengel steifhaarig, kletternd; Wickelranken einfach; Blätter herzförmig, 5eckig, *Ecken spitz;* Früchte länglich, knötig.

Um Bozen häufig in Weinbergen angebaut. Der Provinzialname ist: Gümmerle. — Bl. gelb. Die reifen Früchte hellbraun. Samen weissgelb. Jul. Sept. ⊙.

C. Melo L. Melone (Melaun im Volke). Stengel steifhaarig, kletternd; Wickelranken einfach; Blätter herzförmig, 5eckig, gezähnelt, *Ecken rund;* Früchte kugelig und oval, glatt, knötig u. netzig.

Um Bozen, überhaupt im Etschlande u. im italienischen Tirol häufig angebaut in Weinbergen u. auf Aeckern. Die ersten im Freien ohne Mistbeet gezogenen reifen Früchte um Bozen Anfangs August.

Bl. gelb. Samen weissgelb. Jul. — Sept. ☉.

Lagenaria Ser. Flaschenkürbis.

Blüthen 1häusig. Kelch mit kurzem 5theiligem Saume. Blumenkrone radförmig mit getrennten o. fast getrennten Blumenblättern, der Kelchröhre zuoberst eingefügt. Männliche Bl.: Staubgefässe 5, 3brüderig. Weibliche Bl.: Fruchtknoten 3fächerig, Fächer vieleiig. Griffel fast fehlend. Narben 3, dick, 2lappig, gekörnelt. Samen länglich-verkehrt-eiförmig, zusammengedrückt, mit einem wulstigen, an der Spitze gestutzt-2lappigen Rande. (XXI. 7.).

L. vulgaris Seringe. Gemeiner Flaschen-K. Blätter herzförmig, abgerundet-stumpf, behaart, gezähnt. Früchte mit holzartiger Rinde, glatt, bei ihrer Reife kahl, in der Mitte zusammengeschnürt, gegen die Spitze verschmälert, auch keulenförmig o. birnförmig. — Cucurbita Lagenaria L.

Der Flaschenkürbis (bei uns Weinkurbis) wird im Etschlande, vorzüglich um Bozen häufig in Weinbergen angepflanzt. Der Landmann bedient sich der ausgehöhlten Früchte, doch nicht mehr so allgemein wie noch vor wenigen Jahren, zu Weinflaschen, daher der Name.

Bl. weiss, etwas nach Moschus duftend. Samen graubraun. Jul. — Sept. ☉.

175. *Bryonia L.* Zaunrübe.

Blüthen 1- o. 2häusig. Kelch 5zähnig. Blumenkrone 5theilig. Männliche Bl.: Staubgefässe 5, Staubfäden kurz, 3brüderig. Weibliche Bl.: Griffel 3spaltig, Narben fast kopfförmig. Beere kugelig, kleiner als die Blüthe, 3fächerig, wenigsamig, unberindet, saftig. (XXI. 7.).

648. *B. alba L.* Schwarzbeerige Z. (auch Gichtrübe wie die Folgende). Blätter herzförmig, 5lappig, gezähnt, schwielig-rauh; *Kelch des Weibchens so lang wie die Blumenkrone; Narben kahl.*

An Zäunen u. Gebüschen. — Pusterthal: Lienz (Schtz.), allda in Zäunen gegen Tristach u. Lavant (Rsch!). In einem Dorngehecke zwischen Schwaz u. Viecht (Schm.). — Wurzel sehr gross, rübenförmig.

Officinell: Radix Bryoniae.

Blüthen klein, grünlich-weiss. Früchte schwarz. Jun. Jul. ♃.

649. *B. dioica Jacq.* Rothbeerige Z. Blätter herzförmig, 5lappig, gezähnt, schwielig-rauh; *Kelch des Weibchens halb so lang als die Blumenkrone; Narben rauhhaarig.*

In Hecken u. Zäunen des südlichen Tirols ziemlich gemein. Vintschgau: bei Laatsch (Morizi!), bei Mals (Hfm.). Zenoberg bei Meran (Iss.). Bozen: im Gebüsche an der Strasse gegen Siebenaich, Sigmundscron u. Frangart; bei Auer, Neumarkt, Salurn u. Margreid (Hsm.). Val di Non: Castell Brughier (Hfl!). Terlago nächst Trient (Per!). Valsugana: bei Borgo (Ambr.) Judicarien: an Zäunen am Bleggio nächst Tione (Bon.).

Officinell: Radix Bryoniae.

Blüthen etwas grösser, grünlich-weiss, Beeren erbsengross, roth. Jun. — Aug. ♃.

Ecbállion Richard. Springgurke. Eselsgurke.

Blüthen einhäusig. Kelch 5zähnig. Blumenkrone 5theilig. Männliche Bl.: Staubgefässe 5. Staubfäden 3brüderig. Weibliche Bl.: Griffel 3spaltig. Narben 2spaltig. Fruchtknoten 3fächerig, Fächer vieleiig. Die ovale, grüne, borstige Beere spritzt bei ihrer Reife, wenn man sie vom Blüthenstiele nimmt, mit Heftigkeit aus einer Oeffnung an der Basis den enthaltenden Saft u. die Samen heraus. (XXI. 7.). (Ecbalium bei Endlicher u. Reichenb.).

E. Elaterium Rich. Gemeine Sp. Fusshoch, aufrecht o. ästig u. niederliegend, ohne Ranken.

Bei Oltrecastello u. Gocciadoro nächst Trient in der Nähe von Gärten, vielleicht nur zufällig? (Per.); wohl möglich, indessen kann auch das Gegentheil stattfinden u. die Pflanze, die in Oberitalien, namentlich um Verona, an Wegen u. Dörfern nicht selten, hier ihre nördlichste Verbreitung gefunden haben.

Momordica Elaterium L. Ecbalium agreste Reichenb.

Frucht von der Grösse einer Pflaume, grün. Bl. grünlich-weiss. Jul. Sept. ☉.

Die gemeine Passionsblume: *Passiflora caerulea Juss.* aus der den Cucurbitaceen nahe verwandten tropischen Ordnung der *Passifloreen* findet man im südlichen Tirol ihrer schönen grosen violett- u. weissen Bl. wegen in Töpfen und im Grunde der Orangerieen zur Bekleidung der Wände angepflanzt. Ein kletternder Strauch mit fächerförmig-5theiligen Blättern, der nach einem 5jährigen Versuche bei Bozen an passenden u. sehr warmen Lagen auch im Freien überwintert.

XLVI. Ordnung. PORTULACEAE. Juss.

Portulakartige.

Blüthen zwitterig. Kelch 2blättrig oder 2spaltig, seltener 3—5blättrig, in der Knospenlage dachig. Blumenblätter 5, dem

Grunde des Kelches eingefügt o. getrennt, o. mehr o. weniger in eine 1blättrige Blumenkrone verwachsen. Staubgefässe unsymmetrisch, so viel als Blumenblätter o. weniger u. den Blumenblättern o. Zipfeln gegenuber, o. zahlreich u. im Grunde des Kelches. Fruchtknoten frei o. mit der Basis des Kelches verwachsen, 1fächerig, 3—vieleiig. Samenträger mittelpunktständig, frei. Griffel 1 o. fehlend. Narben mehrere. Kapsel rundumaufspringend o. 3klappig. Unsere Arten jährige Kräuter mit ausgebreiteten Stengeln u. Aesten, meist gegenständigen u. meist gestielten Blättern.

176. *Portuláca L.* Portulak. Purzelkraut.

Kelch 2spaltig, abfällig, rundum-abspringend, mit bleibender Basis. Blumenblätter 4 — 6, dem Kelche eingefügt, frei o. an der Basis verwachsen. Staubgefässe 8—15, dem Grunde des Kelches eingefugt; Staubfäden frei o. den an der Basis verwachsenen Blumenblättern anhängend. Fruchtknoten rundlich. Griffel an der Spitze in 3 — 6 Narben gespalten oder getheilt. Kapsel rundum-aufspringend, vielsamig. (XI. 1.).

650. ***P. oleracea L.*** Gemeiner P. Der Stengel nebst den Aesten gestreckt; Blätter länglich-keilig, fleischig; Blüthen gabelständig, einzeln, zu 2 o. 3, sitzend; Zipfel des Kelches stumpf-gekielt.

An Wegen, Hügeln u. bebautem Boden. — Oberinnthal: an Wegen u. Ackerrainen bei Silz (Hfl.). Brixen (Hfm.). Bozen: allenthalben in Menge, in Weinbergen, Gärten, dann an grasigen Abhängen z. B. südlich am Calvarienberge; am Ritten um Klobenstein an den Häusern; im ganzen Etschlande u. Lägerthale bis an die Veronesische Gränze (Hsm.). Fleims: in Val Floriana u. um Trient (Fcch!). Oltrecastello bei Trient (Per!). Roveredo (Crist.). Judicarien: bei Tione (Bon.).

Obsolet: Herba Portulacae.

Bl. gelb, nur bei Sonnenschein geöffnet. Jun. — Sept. ☉.

177. *Montia L.* Montie.

Kelch 2blättrig, bleibend. Blumenkrone trichterförmig, mit geschlitzter Röhre u. einem 5theiligen Saume, an dem 3 Zipfel kleiner sind. Staubgefässe 3, dem Schlunde der Blumenkrone an der Basis der kleinern Zipfel eingefügt. Fruchtknoten kreiselformig. Griffel sehr kurz. Narben 3, flaumig. Kapsel 3klappig, vom bleibenden Kelche umgeben. (III. 3.).

651. ***M. fontana L.*** Quell-M. Glatt, ästig; Blätter gegenständig, länglich-eiförmig, ganzrandig.

An Quellen u. feuchten Orten bis in die Alpen. — Oberinnthal: auf zeitweise überschwemmtem Boden bei Sölden und Oetz, Sautens gegenüber; in klaren Bächen bei Innsbruck, grosse Rasen mit verlängerten fluthenden Stengeln bildend; am Nock u. auf der Schafscheide in Alpein (Hfl.). Stubai: hinter Neustift gemein an Quellen (Hfl!). Kitzbüchl vom Thale bis in die Alpen (Trn.). Pusterthal: Wassergräben bei Sillian, in Gsiess und Antholz (Hll.). Bergquellen um Brixen (Hfm.). Vintschgau: auf der Tarscheralpe (Fcch!), im Suldnerthale (Tpp.), am Eishof in Schnals (Hfl.). Alpenquellen um Bozen: auf Moospolstern am sogenannten Hornwasserle der Rittneralpe, dann am Ifinger bei Meran (Hsm.). Val di Sol: bei Pejo (Bon.). Valsugana: bei Torcegno nächst Borgo (Ambr.).

Im Thale wird die Pflanze im fliessenden Wasser bis Fusslang, ausser dem Wasser u. auf den Alpen oft kaum mehr als Zoll hoch. Die Samen finde ich an allen fruchttragenden Exemplaren der vorgenannten Standorte: glänzend, fein punktirt (M. rivularis Gmel. Koch Taschenb.).

Bl. weiss o. schwach röthlich. Jun. Aug. ⊙.

XLVII. Ordnung. PARONYCHIEAE. St. Hil.

Blüthen zwitterig. Kelch 5theilig, in der Knospenlage dachig, bleibend. Blumenblätter 5, oft klein und unfruchtbaren Staubfäden ähnelnd, dem Kelche eingefügt u. mit seinen Zipfeln wechselnd. Staubgefässe frei, so viele als Zipfel o. weniger u. mit den Blumenblättern wechselnd, auf einer oft schwachen, unterweibigen Scheibe eingefügt. Fruchtknoten frei, 1fächerig, Eierchen zahlreich auf einem freien Mittelsäulchen o. nur Eins, an einer vom Grunde des Fruchtknotens entspringenden Nabelschnur. Griffel 2—3, getrennt o. unterwärts zusammengewachsen. Frucht trocken, 3klappig o. nicht aufspringend. Keim an der Seite des Eiweisses. Kräuter mit trockenhäutigen Nebenblättern. —

I. Gruppe. **Telephieae De C.** Blätter wechsel- selten gegenständig; Blumenblätter von der Grösse der Kelchblätter.

178. *Telĕphium L.* Telephie.

Kelch 5theilig. Blumenblätter 5, dem Grunde des Kelches eingefügt, von der Grösse der Kelchzipfel. Staubgefässe 5. Griffel 3, abstehend-zurückgekrümmt. Kapsel 3klappig, an der Basis 3fächerig, an der Spitze 1fächerig. Samen viele, dem mittelpunktständigen Samenträger angeheftet. (V. 3.).

652. ***T. Imperăti L.*** Blätter wechselständig; Blüthen traubig-ebensträussig, etwas gedrungen.

Auf dürren Anhöhen u. sonnigen felsigen Abhängen im mittlern Vintschgau. Am Wege bei Castelbell (Frl!). Von Castelbell bis Schluderns, 2500′—4000′ z. B. bei Schleiss, Tanaas u. Galzaun (Tpp.).

Blätter verkehrt-eiförmig-rhombisch. Wurzel dick, vielköpfig; Stengel niederliegend, spannenlang.

Bl. weiss. Jun. — Aug. ♃.

II. Gruppe. **Illecebreae De C.** Blätter gegenständig. Blumenblätter sehr klein, pfriemig, unfruchtbaren Staubfäden ähnelnd. Staubgefässe an unsern Arten 5. Frucht 1samig.

179. ***Herniaria L.*** Bruchkraut.

Kelch 5theilig, Zipfel flach-conkav, inwendig etwas gefärbt. Staubgefässe 10, davon 5 unfruchtbar (diese 5 unfruchtbaren Staubfäden sehen einige für Blumenblätter an). Blumenkrone fehlend. Fruchtknoten kugelig. Griffel sehr kurz oder fehlend, Narben 2, stumpf. Kapsel vom Kelche bedeckt, häutig, nicht aufspringend, 1samig. (V. 2.).

653. ***H. glabra L.*** Kahles Br. Die Stengel niedergestreckt; Blätter elliptisch o. länglich, nach der Basis verschmälert, *kahl;* Knäuelchen blattwinkelständig, meist 10blüthig; Kelch kahl.

Auf sonnigen Hügeln, Triften u. Sandfeldern. — Oberinnthal: bei Imst (Lutt!), bei Sölden (Hfl.). Innsbruck: bei Grinzens; in Stubai (Hfl.). Am Innufer bei Ebbs (Harasser)! Kitzbüchl (Trn.). Schwaz (Schm!). Zillerthal: um Zell (Gbh.). Innervilgraten, Lienz u. Grafendorf, am Ufer der Drau u. Isel (Rsch! Schtz.). Bozen: im Talfer- u. Eisackbette, dann am südlichen Gehänge des Calvarienberges; am Ritten um Klobenstein an Wegen u. sandigen Triften (Hsm.). Trient (Per.). Trient: alle Laste; Fleims: bei Mezza Valle (Fcch.).

Obsolet: Herba Herniariae.

Bl. grünlich. Jun. — Aug. ♃.

654. ***H. hirsuta L.*** Rauhhaariges Br. Stengel niedergestreckt, nebst den Blättern u. Kelchen *kurzhaarig;* Blätter elliptisch o. länglich, nach der Basis verschmälert; Knäuelchen blattwinkelständig, meist 10blüthig; Kelchzipfel von einer längern Borste stachelspitzig.

Pusterthal: in der Bürgerau bei Lienz u. auf dem Leisachgries allda (Rsch!). Am Ufer der Drau eine Stunde vor Lienz (von Kärnthen her) mit Voriger (Hohenwarth!).

Bl. grünlich. Jun. — Aug. ♃.

655. ***H. alpina Vill.*** Alpen-Br. Die Stengel niedergestreckt; Blätter verkehrt-eiförmig o. länglich, *gewimpert;* Knäuelchen blattwinkelständig, 1—3blüthig, an der Spitze der Aestchen gehäuft; Kelch kurzhaarig, Haare gleich.

Sandige Stellen der Alpen. — In Tirol bisher nur in Schmirn im Wippthale gefunden von Ritter v. Heufler. Im anstossenden Graubündten in der Schweiz (Moritzi)!

Bl. grünlich. Jul. Aug. ♃.

XLVIII. Ordnung. SCLERANTHEAE. Link.

Knäuelartige.

Blüthen zwitterig. Kelch bleibend, sammt der eingeschlossenen Frucht abfallend, am Schlunde von einem drüsigen Ringe verengert, mit 4—5theiligem in der Knospenlage dachigem Saume. Blumenblätter fehlend. Staubgefässe vor dem Ringe des Schlundes eingefügt, meist 10 an der Zahl, wovon 5 fruchtbar u. den Kelchzipfeln gegenständig. Fruchtknoten frei, 1fächerig, 2eiig, Eierchen an einem von der Basis der Frucht aufsteigenden Nabelstrang hängend, das eine meist fehlschlagend. Griffel 2. Keim um das Eiweiss gekrümmt. Kräuter mit gegenständigen nebenblattlosen Blättern.

180. ***Scleranthus* L.** Knauel. Knorpelkelch.

Kelch 5spaltig. Blumenkrone fehlend. Staubgefässe 10 o. durch Fehlschlagen 5 o. 2. Frucht einsamig, sammt dem verhärteten Kelche abfallend. Griffel 2. (X. 2.).

656. ***S. annuus* L.** Jähriger Knauel. Blüthen meist 10männig; *Kelchzipfel* eiförmig, ziemlich spitz, *sehr schmalhäutig-berandet,* so lange als die Röhre, die fruchttragenden etwas abstehend.

Auf Aeckern, Hügeln u. Triften bis an die Alpen. — Bregenz (Str!). Innsbruck: Grillhofaecker am Pastberg (Hfl.). Zillerthal (Gbh.). Kitzbüchl (Trn.). Am Jaufen (Tpp.). Welsberg (Hll.), Innervilgraten, Lienz u. Hopfgarten (Schtz.). Brixen (Hfm!). Bozen: am südlichen Gehänge des Calvarienberges; am Ritten: gemein auf den meisten Aeckern u. auf Triften bis an die Rittneralpe (Hsm.). Vintschgau: bei Laas (Tpp.). Aecker in Fleims u. Fassa, im Bette des Avisio zwischen Predazzo u. Mezzavalle (Fcch!). Valsugana: bei Torcegno (Ambr.). Gebirge um Roveredo (Crist.). Am Baldo: letzte Getreidefelder über Brentonico (Hfl.). Aecker bei Serrada nächst Roveredo (Per.). — Keimt die Pflanze im Spätherbste, wie diess an Hügeln meist der Fall ist, so wird die ganze Pflanze gedrungen, meist einen Rasen bildend, vielstengelig, Stengel liegend, fast ihrer ganzen Länge nach mit kleinen wechsel- o. gegenständigen, fast sitzenden geknauelten Trugdolden bedeckt. S. annuus α. verticillatus Fenzl. Neilreich Fl. von Wien S. 533. — Keimt sie hingegen erst im Frühlinge, wie es auf Aeckern fast immer der Fall ist, so wird sie viel höher, meist aufrecht, lockerstengelig, Stengel gabelspaltig, mit einzelnen Blüthen in der Gabelspalte u. lockern rispenförmigen Trugdolden. S. annuus β. cymosus Fenzl. Neilreich. Fl. v. Wien.

Bl. grünlich; Kelchzipfel sehr schmal weiss-berandet. Blüht um Bozen Ende März. Apr., auf Gebirgen Jun. Aug. ⊙.

657. ***S. perennis* L.** Ausdauernder Kn. Blüthen 10männig; *Kelchzipfel* länglich, abgerundet-stumpf, *mit einem breiten häutigen Rande umgeben,* die fruchttragenden geschlossen.

Sehr zerstreut u. immer nur einzeln auftretend. — Bozen: hie u. da auf grasigen Anhöhen, einmal auch am Talferbette bei Runkelstein; am Wolfsgruber See am Ritten u. am Wege von Wangen nach Sarnthal fand ich ihn auch, doch an beiden

Orten nur ein einziges Exemplar, am letztgenannten Orte auch von Herrn v. Heufler beobachtet.

Rücksichtlich des Wuchses u. Blüthenstandes wie Vorige abändernd.— Obsolet: Herba Polygoni cocciferi.

Bl. grün, Kelchzipfel breiter weiss-berandet. Jun. Aug. ♃.

XLIX. Ordnung. CRASSULACEAE. De C.

Dickblättrige.

Blüthen regelmässig, meist zwitterig. Kelch frei, 4—20-theilig- o. spaltig. Blumenblätter so viele als Kelchzipfel u. mit denselben wechselnd, frei o. in eine 1blättrige Blumenkrone verwachsen. Staubgefässe so wie die Blumenblätter dem Kelche eingefügt u. mit denselben wechselnd, von gleicher o. doppelter Anzahl derselben. Fruchtknoten so viele als Blumenblätter u. ihnen entgegengestellt, frei o. unterhalb verwachsen, an der Basis mit einer unterweibigen Schuppe. Balgfrüchte an der Bauchnaht nach innen aufspringend. Keim in der Achse des Eiweisses gerade, mit kurzen Keimblättern. Kraut- o. strauchartige Pflanzen mit saftigen, fleischigen, ungetheilten, meist zerstreut-stehenden, nebenblattlosen Blättern.

181. *Rhódiola L.* Rosenwurz.

Blüthen 2häusig. Kelch 4theilig. Blumenkrone 4blättrig, an der weiblichen Blüthe fehlend o. viel kleiner. Unterweibige Schuppen 4. Staubgefässe 8. Griffel 4. Frucht 4 balgartige vielsamige Kapseln. (XXII. 7.).

658. ***R.** rosea L.* Gemeine R.

An steinigen Orten u. Felsen der Alpen. — Vorarlberg: auf der Mittagspitze (Str!). Kitzbüchl: z. B. am Tristkogel u. Gamshag über 6000′ (Trn. Str!). Im östlichen Pusterthale: Kalsertaurn, Zabernizen, Trélewitsch u. Krucke bei Lienz (Rsch! Schtz.). Südliche Gehänge des Schlern (Str! Hinterhuber! Hsm.). Seiseralpe (Schultz)! Campitelleralpe in Fassa (Eschl.). Alle Grotte di Camerloi (Petrucci)! Al Botro destro dei Monzoni (Meneghini)! Vette di Feltre (Montini)! Piz del Mezzodì (Tpp.). Alpen um Trient (Per.). Valsugana: am Montalon bei Telve u. am Sasso rotto bei Torcegno (Ambr.). Val di Sol: Joch zwischen Rabbi u. Pejo (Tpp.). Judicarien: Alpe Stracciola u. Val di Breguzzo (Bon.). Val di Genova (Per!).

Sedum Rhodiola De C. Sedum roseum Scop.

Wurzel knollig; Stengel aufrecht, spannhoch, einfach, beblättert, Blätter verkehrt-eiförmig-länglich, spitzig, nach oben zu gezähnt, fleischig. Blüthen klein, grünlich o. röthlich; es findet sich an ihren Theilen auch, doch selten, die Fünfzahl vor.

Die wohlriechende Wurzel ist ein Volks-Arzneimittel.

Jul. Aug. ♃.

182. ***Sedum* L.** Fettkraut. Fetthenne.
(Mauernudel im Volke.)

Blüthen zwitterig. Kelch 5theilig. Blumenkrone 5blättrig. Staubgefässe 10. Unterweibige Schuppen 5. Kapseln 5, balgartig, vielsamig. (X. 5.).

I. Rotte. *Telephium*. Wurzel stark, ästig, vielköpfig, mehrstengelig, ohne kriechende Stämmchen. (Die Wurzel treibt im Herbste neue Knospen o. Schösslinge, die im künftigen Jahre hervorsprossen, während die jährigen Stengel absterben.).

659. ***S. maximum* Sut.** Grösstes F. ***Blätter flach***, länglich o. eiförmig, stumpf, ungleich-gesägt-gezähnt, meist gegenständig o. zu 3 quirlig, ***die untern mit breiter Basis sitzend, die obern an der Basis kurz-herzförmig***, etwas stengelumfassend; Trugdolden endständig gedrungen.

An Mauern, waldigen felsigen Orten, an Hecken bis in die Gebirge. — Oberinnthal: bei Imst (Lutt!). Pusterthal: bei Hopfgarten (Schtz.), Welsberg (Hll.), Lienz (Schtz.). Meran: z. B. von der Marlinger Brücke nach Lana (Kraft). Brixen (Hfm!). Trostburg nächst Colmann; Eppan (Hfl.). Bozen: am Fusse des Haslacher Berges, an Mauern an der Strasse bei Leifers; am Ritten: an den Mauern am Wege von Klobenstein nach Lengmoos und zuoberst im Eyerlwäldchen, also bis gegen 4000' (Hsm.). Felsen der Mittelgebirge um Roveredo (Crist.). Trient (Per!). Am Baldo alla Corona u. auf Hügeln am Gardasee (Poll!). Judicarien: an Mauern längs der Strassen bei Tione (Bon.). Val di Genova (Per!).

S. latifolium Bertol.

Bl. grünlich-gelblich-weiss. Jul. Aug. ♃.

660. ***S. Anacampseros* L.** Rundblättriges F. ***Blätter flach, verkehrt-eiförmig, ganzrandig***, sehr stumpf, kahl; die Stengel niederliegend; ***Ebensträusse endständig, gedrungen.*** —

Felsen der Alpen im südlichen Tirol (Koch Taschenb.)! Judicarien: Alpe Lenzada u. zwischen Val di Ledrò u. Judicarien (Fcch.), Alpe Lenzada alla Roda (Bon.).

Bl. purpurn. Jul. Aug. ♃.

II. Rotte. *Cepæa*. Wurzel dünn. Der Stengel einzeln, einfach o. von der Basis an in Aeste o. Nebenstengel getheilt, kriechende Stämmchen fehlend.

* ***Blätter flach.***

661. ***S. Cepæa* L.** Portulakartiges F. ***Blätter flach, ganzrandig***, stumpf, die untern gestielt, verkehrt-eiformig, gegenständig oder zu 3 — 4, die obern linealisch-keilig; ***die Rispe länglich***; Blumenblätter lanzettlich, in eine sehr feine Haarspitze ausgehend.

Felsige schattige Orte im südlichen Tirol (Koch Taschenb.)! Im südlichen Judicarien bei Riccomassimo u. Bondone (Fcch.).

Bl. rosenroth. Jun. Jul. ⊙.

** *Blätter halbstielrund o. stielrund.*

662. *S. hispanicum L.* Spanisches F. Blätter beinahe stielrund, linealisch, ziemlich spitz, abstehend, mit gleicher Basis aufsitzend; *Trugdolde fast kahl; Blüthen 12männig, 6blättrig;* Blumenblätter lanzettlich, haarspitzig, 4mal so lang als der Kelch; kriechende Stämmchen fehlend.

An Felsen der Alpenthäler in Tirol (Koch syn.)! Gebirgige Orte im wärmern Tirol (Host)! In Primiero, Tesino u. Val di Ledro bei Lenzumo (Fcch!). Umgebung von Castelcorno (Per!).

Bl. weiss mit rothem Mittelnerven. Jul. ⊙.

663. *S. villosum L.* Haariges F. *Blätter linealisch,* stumpf, beinahe stielrund, oberseits ziemlich flach, aufrecht, mit gleicher Basis aufsitzend u. nebst der Rispe *drüsig-flaumig;* Rispe etwas traubig; Blumenblätter eiformig, spitz, noch 1mal so lang als der Kelch; kriechende Stämmchen fehlend.

Auf torfigen Wiesen der Gebirge u. Alpen. — Vorarlberg: am Schlossberg bei Bregenz (Str!), bei Fussach (Cst.). Seiseralpe (C. H. Schultz)! Im italienischen Tirol (Fcch!). Schleinizalpe bei Lienz (Hohenwarth)!

Bl. rosenroth mit purpurnen Rückenstreifen. Jul. Aug. ⊙.

664. *S. atratum L.* Schwärzliches F. Blätter stielrund-keulig, mit gleicher Basis sitzend; *Ebensträusse endständig, einfach, gedrungen, kahl,* nach dem Verblühen gleich hoch; Blüthen gestielt; Blumenblätter ei-lanzettförmig, ziemlich stumpf, mit einem kurzen Spitzchen, noch 1mal so lang als der Kelch; *kriechende Stämmchen fehlend.*

Steinige Triften der Alpen. — Innsbruck: auf dem Solstein, Brandjoch u. Seegruben (Hfl.). Schramkogel ober Lengenfeld (Hrg!). Schmirn (Hfm.). Alpen bei Zirl u. Telfs (Str!). Sonnenjoch bei Rattenberg (Wld!); Kellerjoch (Schm.). Kitzbüchl: am Jufen und Streiteggeralpe (Trn.). Alpen um Lienz (Rsch! Schtz.), u. Welsberg (Hll.). Seiseralpe (Tpp. Schultz!). Wormserjochstrasse; Seiseralpe und Schlern, Villandereralpe (Hsm.). Rittneralpe (Elsm! Hinterhuber)! Alpen von Fassa u. Fleims (Fcch!). Monte gazza (Merlo). Am Portole (Parolini)! Scanucchia bei Roveredo (Crist.). Vette di Feltre (Contareni)! Bondone, Baldo u. Scanucchia (Poll!).

Bl. weisslich o. grün-gelblich. Jul. Aug. ⊙.

675. *S. annuum L.* Jähriges F. Blätter linealisch, stumpf, stielrund, oberseits ziemlich flach, mit gleicher Basis sitzend; *Trugdolden kahl;* der Stengel von der Basis an ästig; Aeste meist 2spaltig, zuletzt verlängert, schlängelig; Blüthen einseitig, fast sitzend; Blumenblätter lanzettlich, spitz, fast noch 1mal so lang als der Kelch; *kriechende Stämmchen fehlend.*

An Felsen, Mauern u. Wegen auf Gebirgen bis in die Alpen. — Oberinnthal: bei Silz (Zcc!), bei Umhausen im Oetzthal; Innsbruck: bei Oberperfuss u. im Viggar (Hfl.). Stubai:

bei Medraz (Hfl!). Kitzbüchl: auf der Thoralpe 4—6000′ (Trn.), tief im Sintersbachgraben daselbst (Str!). An Felsen der Mittelgebirge um Brixen, z. B. um Schalders (Hfm.). Moos in Passeyer (Lbd.). Gemein am Ritten, z. B. an den Felsen und Mauern am Wege von Lengmoos zur Finsterbrücke, dann ober Pemmern gegen die Rittneralpe (Hsm.). Eislöcher bei Eppan (Hfl.). Val di Genova (Per!).

S. saxatile De C. — Bl. gelb. Jun. Aug. ⊙.

III. Rotte. *Seda genuina.* Die Wurzel treibt einen Rasen von kriechenden Stämmchen u. aufstrebenden Stengeln. Die blühenden Stengel treten zwischen den beblätterten hervor (die beblätterten, nicht blühenden Aeste dauern über der Erde fort, die blühenden Stengel aber sterben jährlich ab.).

* ***Blumenblätter weiss o. rosenroth.***

666. ***S. album L.*** Weisses F. Blätter länglich-linealisch u. linealisch, stumpf, beinahe walzlich, oberwärts etwas flach, abstehend, mit gleicher Basis sitzend; ***Rispe fast gleichhoch, kahl;*** Blumenblätter lanzettlich, stumpflich, 3mal so lang als der Kelch; ***Stämmchen kriechend;*** die unfruchtbaren Stengel zerstreut- u. abstehend-beblättert.

An Felsen, Mauern u. Rainen bis an die Voralpen. — Vorarlberg: bei Bregenz (Str!). Imst (Lutt!). Innsbruck (Schpf.). Wiltau: im Stiftsgarten (Prkt.). Stubai (Hfl!). Am Schlosse bei Rattenberg (Wld!); Schwaz (Schm!). Kitzbüchl (Unger)! Zillerthal (Flörke)! Welsberg (Hll.). Hopfgarten (Schtz.). Schleinizalpe (Hohenwarth!); Lienz (Sebtz. Rsch!). Sterzing (Hfl!). Bozen: z. B. an den Felsen vor Runkelstein etc.; am Ritten bei Klobenstein z. B. am Hohlwege gegen Waidach; beim Bade Ratzes (Hsm.). Aufstieg zur Seiseralpe (Schultz)! Bei Kohlegg nächst Bozen (Fcch!). Salurn; Castell Brughier (Hfl!). Trient (Per! Hfl!). Roveredo (Crist.). Baldo: im Gebiethe von Brentonico (Poll!). Judicarien: an den Strassen in Rendena u. an Felsen bei Cavarole (Bon.).

Obsolet: Herba Sedi minoris seu albi.

Bl. weiss o. röthlich. Jul. Aug. ♃.

667. ***S. dasyphyllum L.*** Bereiftes F. Blätter fleischig, ***kurz-elliptisch,*** auf dem Rücken buckelig, mit gleicher Basis sitzend, die meisten gegenständig; ***Rispe drüsig-flaumig;*** Blumenblätter eiförmig, stumpflich, noch 1mal so lang als der Kelch; Stämmchen kriechend, die unfruchtbaren Aeste dichtbeblättert. —

An Mauern u. Felsen bis an die Alpen. — Vorarlberg: bei Au im Bregenzerwald (Tir. B.)! Bei Silz (Zcc!). Oetzthal (Hfl.). Schramkogel über Lengenfeld (Hrg!). Innsbruck: am Wege nach Lans, bei Sonnenburg, bei Oberperfuss (Prkt. Friese. Hfl.). Bei Telfes in Stubai (Hfl.). Kitzbüchl: am Sintersbachwasserfall (Trn.). Schmirn, Gschnitz (Hfm. Hfl.). Brixen (Hfm.). Pusterthal: in Antholz (Hll.), Hopfgarten (Schtz.), auf dem Rauchkogel bei Lienz (Rsch! Schtz.), in Pregratten (Hrnsch!).

Vintschgau: in Schnals (Hfl.). Meran: bei Tscherms (Tpp.). Meran (Eschl.). Eislöcher bei Eppan (Hfl!). Gemein um Bozen: z. B. an den Mauern bei Haslach, am Tscheipenthurm u. Runkelstein; Klobenstein u. Oberinn am Ritten (Hsm.). Salurn (Hfl!). Aufstieg zur Seiseralpe (Schultz)! An den Mauern von Bozen bis Salurn (Mrts!). Fassa u. Fleims (Fcch!). Trient (Per!), allda am Doss Trent (Hfl.). Valsugana (Ambr.). Am Baldo: an den Dörfern la Ferrara u. Campedello (Poll!). Roveredo (Meneghini)! Judicarien (Bon.). Riva u. Arco (Hfl!).

Bl. weiss mit rothem Kiele. Anf. Mai, Jul. ♃.

** *Blumenblätter gelb.*

668. *S. acre L.* Scharfes F. Mauer-Pfeffer. Blätter fleischig, *eiförmig,* spitzlich, auf dem Rüchen buckelig, mit stumpfer Basis sitzend; *Trugdolde kahl;* Blumenblätter lanzettlich, spitz, noch 1mal so lang als der Kelch; *Stämmchen kriechend;* die unfruchtbaren Stengel 6zeilig-beblättert.

An Mauern, Felsen u. Rainen bis an die Voralpen, — Oberinnthal: bei Imst (Lutt!). Innsbruck: bei Egerdach (Prkt.). Stubai: an Mauern bei Medraz u. Vulpmes selten (Hfl!). Gemein um Kitzbüchl (Trn.). Schwaz (Schm!). Pusterthal: um Welsberg (Hll.), Hopfgarten (Schtz.), Lienz (Scbtz. Rsch!). Brixen (Hfm!). Gemein um Bozen: z. B. an der Strasse nördlich unter Heilig-Grab u. am Eisackdamme vom Kalkofen bis an die Rodlerau; um Klobenstein am Ritten (Hsm.). Val di Non: Castell Brughier (Hfl!). Fassa u. Fleims (Fcch!). Trient (Per!). Valsugana (Ambr.). Am Baldo: an den Dorfern Ferrara u. Campedello (Poll!).

Das brennend-scharfe Kraut nun ausser Brauch: Herba recens Sedi minoris vel acris, man kann damit Warzen fortbeizen. — Bl. gelb. Jun. Jul. ♃.

669. *S. sexangulare L.* Sechszeiliges F. Blätter stielrund, *linealisch,* stumpf, *mit abwärts bespitzter Basis sitzend; Trugdolde kahl;* Blumenblätter lanzettlich, spitz, noch 1mal so lang als der Kelch; *Stämmchen kriechend;* die unfruchtbaren Stengel 6zeilig-beblättert.

An Rainen, Triften und Mauern bis an die Voralpen. — Bregenz (Str!). Oberinnthal: bei Imst (Lutt!). Innsbruck: an Ackerrainen im Höttingerfelde (Hfl.). Zillerthal (Schrank)! Steinige sonnige Hügel um Kitzbüchl (Trn.). Sterzing (Hfl!). Innervilgraten, Lienz (Schtz.). An Mauern um Brixen (Hfm.). Gemein um Bozen mit Voriger, z. B. am Kalkofen u. um Klobenstein am Ritten (Hsm.). Fassa u. Fleims (Fcch!). Um Trient u. am Baldo (Poll!).

Blätter der unfruchtbaren Stengel sehr dicht-spiral-förmig u. deutlich 6reihig-aufeinander-liegend. Saft kaum scharf.

Bl. gelb. — Blüht etwa um 14 Tage später als Vorige. Ende Jun. Jul. ♃.

670. *S. repens L.* Kriechendes F. *Blätter linealisch,* stielrund, beiderseits etwas flach, *mit gleicher Basis*

sitzend; Trugdolde 2—5blüthig, kahl; Blumenblätter eiförmig-länglich, stumpf, anderthalbmal so lang als der Kelch; *Stämmchen kriechend;* die unfruchtbaren Stengel zerstreut- u. dicht-beblättert.

An Felsen u. steinigen Triften der Alpen. — Rosskogel u. Neunerspitze bei Innsbruck; Alpein u. Simminger Fernerau; Kellerjoch bei Schwaz (Hfl.). Schieferalpen um Kitzbüchl, z. B. Sintersbachalpe, selten im Thale z. B. Oberkaser im Grünthal (Trn.). Pusterthal: Lesacheralpe am Grossgössnitz, Innervilgraten (Schtz.), auf dem Hochrieb, Zabernizkogel u. Marenwalderalpe bei Lienz (Rsch!). Alpen um Brixen; Schmirn (Hfm.). Vintschgau: auf dem Wormserjoch (Gundlach. Griesselich!), auf dem Contault bei Mals (Hfm.). Penserjoch (Hfl!). Rittner Horn, Villandereralpe u. Sarnerscharte (Hsm.). Giogo di Colem in Rabbi (Hfl.). Judicarien: al Frate in Breguzzo (Bon.). Cima di Vallarga im Fersinathale (Per!).

S. rubens Haenke. S. alpestre Vill. S. saxatile All.

Bl. gelb. Jul. Aug. ♃.

671. ***S. reflexum L.*** Zurückgekrümmtes F. Blätter linealisch-pfriemlich, spitz, kurz-stachelspitzig, fleischig, beiderseits konvex, *an der Basis vorgezogen, etwas gespornt,* an den unfruchtbaren Aesten dachig, abstehend u. zurückgekrümmt; Trugdolde kahl; Kelchzipfel spitz; *Blumenblätter* noch 1mal so lang als der Kelch, lanzettlich, *abstehend;* Stämmchen kriechend.

An felsigen Orten u. Mauern bis an die Voralpen. — Vorarlberg: bei Bregenz (Str!). Kitzbüchl (Trn.). Brixen (Hfm.). Vintschgau: am Godria bei Laas (Tpp.), in Schnals (Hfl.). Bozen: gemein z. B. am Wege zum Wasserfall u. an den Runkelsteiner Schlossfelsen; am Ritten um Klobenstein bis 4000′ (Hsm.). Aufstieg zur Seiseralpe (Schultz!). Bei Salurn (Hfl!). Val di Non: Castell Brughier (Hfl!). Im südlichen Tirol gemein vom Thale bis zur obersten Culturgränze S. reflexum u. rupestre L. (Fcch!). Trient: bei Vela (Hfl!). Roveredo (Crist.). Am Baldo: im Gebiethe von Brentonico (Poll!).

Kommt vor: Blätter entfernter, abstehend oder zurückgekrümmt, o. dicht dachig, dünner o. noch 1mal so dick; dann:

α. viride. Blätter freudig grün. S. reflexum L. Diese Varietät, wenigstens um Bozen, die seltenere, und meist nur an schattigen Orten u. an Wäldern. Auf Granitblöcken hinter dem Posthause von Mittewald bei Sterzing (Mrts!). Mühlbach (Wlf!); Sterzing (Hfl!). Brunecken (Host!).

β. glaucum. Blätter bläulich-grün, meergrün oder hechtblau. S. rupestre L. Vorherrschend an sonnigen, felsigen und trockenen Orten.

Bl. gelb. Jun. Jul. ♃.

183. ***Sempervivum L.*** Hauswurz. Hauslaub. Hauslauch.

Kelch 6—20theilig. Blumenblätter 6—20, an der Basis mit

den Staubfäden u. unter sich zu einer 1blättrigen Blumenkrone verwachsen. Unterweibige Schuppen u. Kapseln so viele als Blumenblätter. Griffel 6—20. (XI. 4.).

I. Rotte. ***Sempervivum genuinum.*** Blumenblätter und Kelchzipfel sternförmig-ausgebreitet.

672. ***S. tectorum L.*** Gemeine H. Blätter der Rosetten länglich-verkehrt-eiförmig, plötzlich in eine Stachelspitze zugespitzt, grasgrün, ***kahl, am Rande überall gewimpert;*** Blumenblätter sternförmig-ausgebreitet, lanzettlich, zugespitzt, noch 1mal so lang als der Kelch; ***unterweibige Schuppen sehr kurz, konvex, drüsenförmig.***

An steinigen felsigen Orten u. Felsenabhängen bis an die Alpen. — Vorarlberg: am Freschen (Str! Cst!), Weg von Krumbach zum Widderstein (Tir. B.)! Anhöhen um Brixen (Hfm.). Bozen: am Kuntersweg (Sternberg!), an den Abhängen im Griesner- Fagner- u. Hertenberg; Klobenstein am Ritten, am Fusse des Fenns im Krotenthale u. am Fusse des Ameisers westlich vom Steige (Hsm.). In der Buchenregion des Monte gazza bei Trient (Per.).

Obsolet: Herba Sempervivi vel Sedi majoris.

Bl. purpurn. Jun. Jul. ♃.

673. ***S. Wulféni Hoppe.*** Wulfen's H. ***Blätter*** der Rosetten länglich-verkehrt-eiförmig, plötzlich in eine Stachelspitze zugespitzt, meergrün, ***kahl, gewimpert,*** Rand der Spitze im Alter kahl werdend; ***Blumenblätter sternförmig-ausgebreitet,*** linealisch, an der Spitze pfriemlich, 3mal so lang als der Kelch; ***unterweibige Schuppen aufrecht, plättchenförmig,*** fast 4eckig.

An Felsen u. steinigen Orten der Alpen u. Voralpen. — Oberinnthal: am Taschachsee in Pizthal (Lutt.). Am Glunggezer bei Innsbruck (Friese). Schmirn (Hfm.). Pusterthal: bei Hopfgarten, dann auf der Hofalpe bei Lienz (Schtz.), Gsiesseralpen (Hll.). Wormserjochstrasse zwischen Trafoi u. Franzenshöhe (Hsm.). Wormserjochstrasse (Fk! Griesselich)! Im Laaserthale (Tpp.). Marienberger Alpe (Hfm.). Malga di Caldes in Rabbi (Hfl.). Fassa: Alpen von Penia, Fedaia; Fleims: Alpen von Viezena u. Bocche (Fcch!). Alpen von Valsugana (Sartorelli), am Montalon (Montini)! Judicarien: Corna vecchia in Val di San Valentino (Bon.).

S. globiferum Wulf. Jacq.

Bl. schwefelgelb. Jul. Aug. ♃.

674. ***S. Funkii Braun.*** Funke's H. ***Blätter*** der Rosetten länglich, kurz-zugespitzt, beiderseits ***drüsig-flaumig*** und von längern starken Haaren gewimpert; ***Blumenblätter sternförmig-ausgebreitet,*** lanzettlich, zugespitzt, fast 3mal so lang als der Kelch; Staubfäden stielrund; ***Fruchtknoten breit-eiförmig, fast rautenförmig;*** unterweibige Schuppen aufrecht, plättchenförmig, fast 4eckig.

Alpen von Tirol u. Kärnthen etc. (Koch syn.)! Kitzbuchl:

an Schieferfelsen der Wildalpe Jochberg bei 4—5000′ (Trn.). Alpen bei Welsberg (Hll.).

Bl. rosenroth. Jul. Aug. ♃.

675. *S. montanum L.* Berg-H. *Blätter* der Rosetten länglich-keilig, kurz-zugespitzt, beiderseits *drüsig-flaumig* u. von etwas längern Haaren undeutlich-gewimpert, *die stengelständigen länglich, aufrecht, vorne ein wenig breiter; Blumenblätter sternförmig-ausgebreitet,* lanzettlich-pfriemlich, sehr spitz, fast 4mal so lang als der Kelch; Staubfäden stielrund; *die Fruchtknoten schief-länglich;* unterweibige Schuppen aufrecht, plättchenförmig, fast 4eckig.

Auf Felsen u. steinigen Triften der Alpen. — Oberinnthal: am Venetberg bei Imst (Lutt!); am Uebergang von Rofen in's Schnalserthal (Hfl.); Alpen bei Zirl u. Telfs u. am Hochederer bei Pfaffenhofen (Str!); am Krähkogel (Zcc!). Alpen um Innsbruck und in Schmirn (Hfm.). Längenthal (Prkt.). Kellerjoch (Hrg!), Tristkogel, Thoralpe und Geisstein (Str!). Zillerthal (Braune)! Schiefergebirge um Kitzbüchl 5—7000′ (Trn.). Plitscherjoch auf der Zamser Seite (Hfl.). Pusterthal: Innervilgraten, Tefereggen, dann Hofalpe u. Gössnitz (Schtz.), Marenwalderalpe u. Zetterfeld bei Lienz (Rsch!), Alpen bei Brunecken (M. v. Kern)! Bergeralpe in Kals (Hrnsch!). Schlern u. Villandereralpe am Aufstiege zur Sarnerscharte, selten auch am Rittner Horn (Hsm.). Vintschgau: Alpen bei Laas (Tpp.); Wormserjochstrasse auf der Einfangmauer (Fk!). Malga di Caldes in Rabbi (Hfl.). Fassa: in Fedaia; Fleims: bei San Pellegrino u. Cavalese an Porphyrfelsen (Fcch!). Auf dem Spinale (Sternberg)! Am Montalon (Montini)! Judicarien: selten auf der Alpe Cengledino (Bon.).

Bl. rosenroth. Jul. Aug. ♃.

675. b. *S. Braunii Funk.* Braun's H. *Blätter* der Rosetten länglich-keilig, spitz, beiderseits *drüsig-flaumig* u. von etwas längern Haaren undeutlich-gewimpert, *die obern stengelständigen aus breiterer eiförmiger Basis lanzettlich, abstehend; Blumenblätter sternförmig-ausgebreitet,* linealisch-lanzettlich, verschmälert-zugespitzt, fast 3mal so lang als der Kelch; Staubfäden unterwärts zusammengedrückt; *Fruchtknoten schief-länglich;* unterweibige Schuppen aufrecht, plättchenförmig, fast 4eckig.

An Felsen der höchsten Alpen. — Kärnthen u. Tirol (Mali enum p. 242)! Auf der Pasterze am Grossglockner (Fk! Braun)!

Bl. gelblich-weiss. Jul. Aug. ♃.

676. *S. arachnoideum L.* Ueberspönnenes H. *Blätter* der Rosetten verkehrt-eiförmig oder länglich, kurz-spitz, drüsig-kurzhaarig, borstig-gewimpert, *an der Spitze büschelig-gebärtet, mit strahlig-auseinandertretenden,* spinnwebartigen, die Spitzen der Blätter verbindenden Haaren; Blumenblätter länglich-lanzettlich, zugespitzt, 3mal so lang als der Kelch. —

An Felsen, steinigen Abhängen u. Triften vom Thale bis in die Alpen. — Oberinnthal: bei Ladis (Gundlach), dann am Schramkogel über Lengenfeld (Hrg!), Oetzthal (Hfl.). Innsbruck: auf dem Patscherkofel u. Seegruben (Eschl.). Hinterdux (Hfl.). Stubai: ober Neustift u. Alpeiner Schafscheide (Schneller). Voldererthal: an den Feldereinfassungen (Str!). Ausser Ellbögen bei Innsbruck am Weg auf einer alten Mauer (Schpf.). Zillerthal (Flörke)! Jochberger Wildalpe u. am kleinen Rettenstein bei Kitzbüchl (Trn.). Schmirn u. gemein um Brixen (Hfm.). Pusterthal: in Tefereggen (Schtz.), bei Rein in Taufers (Iss.), Welsberg (Hll.), Lienz: bei Schlossbruck u. Dölsach (Rsch!), Dorferalpe, Innervilgraten (Schtz.), Schleinizalpe (Hohenwarth!), in Pregratten an Mauern (Hrnsch!). Auf dem Jaufen (Kraft). Mittewald bei Sterzing (Sternberg)! Im Etschlande bis Mals (Fk!). Gemein um Bozen: z. B. am Runkelsteiner Schlosswege, südlich am Calvarienberge, in Hertenberg etc.; am Ritten um Klobenstein; Aufstieg zur Seiseralpe von Ratzes aus (Hsm.). Eislöcher bei Eppan (Hfl!), Gantkofel (Lbd.). Val di Rabbi (Sternberg)! Fleims u. Fassa (Fcch!). Valsugana: bei Borgo u. am Wege von Telve nach Pontarso (Ambr.), am Montalon u. Cima d'Asta (Montini! Petrucci)! Am Baldo: im Gebiethe von Brentonico (Poll!). Judicarien: bei Borzago in Rendena u. in Val di San Valentino (Bon.), Val di Genova (Per.).

Bl. rosen- o. purpurroth. Jun. — Aug. ♃.

II. Rotte. ***Jovibarba.*** Blumenblätter u. Kelchzipfel aufrecht, glockig, erstere an der Spitze umgebogen.

677. ***S. hirtum L.*** Rauhhaarige H. ***Blätter der Rosetten länglich - lanzettlich,*** spitz, von der Mitte nach der Spitze verschmälert, kahl, am Rande gewimpert, ***die stengelständigen*** herz-eiformig, zugespitzt u. nebst den Kelchen am Rande ***wimperig u. ober- u. unterseits kurzhaarig; Blüthen glockig;*** Kelch kürzer als die halbe Blumenkrone.

An kleinen Felsen bei den zum Theil in Felsen gehauenen Treppen bei la Madonna alla Corona am Veronesischen Baldo (Fcch!). Folgende Angaben sind jedenfalls mit S. arenarium Koch zu vergleichen: An Felsen vom Eingange des Oetzthales gegen Umhausen (Zcc!); Alpen u. Alpenniederungen im Zillerthal (Branne!); unweit Meran (Griesselich)! Lienz (Reiner u. Hohenwarth! Rsch!).

Bl. gelblich-weiss. Jul. Aug. ♃.

678. ***S. arenarium Koch.*** Sand-H. ***Blätter der Rosetten lanzettlich,*** von der Mitte an nach der Spitze allmählig schmäler, spitzig, die untern stengelständigen aus breiterer etwas herzförmiger Basis eiförmig-länglich, die obersten dreieckig-eiförmig, ***sämmtlich nebst dem Kelche am Rande bewimpert, ober- u. unterseits kahl; die Blüthen glockig;*** Kelch um ein Drittel kürzer als die Blumenkrone.

Auf felsigem sandigem Boden in Pusterthal, ziemlich gemein um Welsberg von der Ebene bis in die Alpen (Hll.), Thal

Rein in Taufers (Iss.), Innichen (Stapf), Hopfgarten u. Innervilgraten (Schtz.), an der Landstrasse bei Apfaltersbach nicht selten (Hfl.), Antholz u. im Landgerichtsbezirke Windischmatrey (Fcch!), Thal Lüsen bei Brixen (Hfm.).

Am letztgenannten Orte hat diese Pflanze schon Sternberg gefunden, wenigstens weist seine Angabe, dass in der Umgebung Brixens S. hirtum wachse, dahin. Hofrath Koch erhielt sie lebend von Herrn Braun, Lehrer der Naturwissenschaften in Bayreuth, aus der Gegend von Antholz.

S. hirtum β. pumilum Bertol. — Blüht nicht alle Jahre u. dürfte nur Varietät der Vorigen sein.

Bl. gelblich-weiss. Jul. Aug. ♃.

L. Ordnung. CACTEAE. De C.
Cactusartige.

Blüthen zwitterig, Kelch an den Fruchtknoten angewachsen, Zipfel zahlreich, an der Spitze frei, mehrreihig, allmählig in eine vielblättrige dem Kelche eingefügte Blumenkrone übergehend. Blumenblätter 2—vielreihig, frei o. in eine verlängerte Röhre verwachsen u. nur gegen die Spitze frei. Staubgefässe zahlreich, einer die Spitze des Fruchtknotens bekleidenden Scheibe eingefügt. Griffel 1. Narben viele. Fruchtknoten einfächerig, vieleiig. Samenträger wandständig. Frucht eine mit Fleisch ausgefüllte Beere. Samen eiweisslos, Keim gerade, gekrümmt oder spiralig. Fleischige, dornige, oft blattlose o. mit kleinen saftigen Blättern versehene Sträucher, mit wässerigem oder milchigem Safte..

184. *Opuntia Tournef.* Fackeldistel.

Kelchzipfel dem Frucktknoten angewachsen, blattartig, die obersten flach, kurz. Blumenblätter viele, verkehrt-eiförmig, an der Basis verwachsen, radförmig - ausgebreitet. Fruchtknoten 1fächerig, vieleiig. Griffel cylindrisch, mit 3—8theiliger Narbe. Beere fleischig, eiförmig, vielsamig. (XII. 1.).

679. ***O. vulgaris Mill.*** Gemeine F. (Rossfeigen um Bozen). Ausgebreitet-niederliegend, kriechend; Glieder verkehrteiförmig; Stacheln gleich gross, sehr kurz, haarförmig, sehr zahlreich. —

Aus Amerika stammend, nun im südlichen Tirol auf sonnigen Abhängen u. Felsen einheimisch, nach Prof. Hofmann noch bei Brixen am Schlosse Krahkogel ausdauernd. — Meran: im Kiechelberge (Iss.). Um Bozen die südlichen Abhänge streckenweise ganz überziehend, z. B. ober dem Tscheipenthurm gegen den Wasserfall u. ober dem Hofmann, unter St. Georg bei Ceslar, in Hertenberg, am Schlossfelsen bei Ried, am Wege von Gries nach Guntschna etc. (Hsm.). Trient: am Doss Trent gegen Mittag (Hfl! Perl).

Bl. gross, gelb. Jun. ♄.

Im milden Klima von Bozen ertragen an sehr warmen Abhängen mehrere Cacteen gewöhnliche Winter im Freien. Arten der Gattung Mammillaria Hav. (Cactus mamillaris L.) haben den kalten aber nicht lange andauernden Winter 1844/45 mit einem Maximum von — 8° Réaum. überstanden, darauf vom April bis Juni geblüht u. reife Früchte getragen. Der kalte (— 9° R.) u. dabei beispiellos lange Winter 1846/47 hat sie wie die Agaven vernichtet.

Gemeine Topfpflanzen aus dieser Ordnung:

Cereus flagelliformis Mill. (Cactus flagelliformis L.). Stengel fleischig, verlängert, peitschenförmig, walzlich-vielkantig, dicht mit borstentragenden Warzen besetzt. Bl. karminroth. Aus Mexiko. ♄.

Cereus speciosissimus De C. (Cactus speciosus Willd.). Stengel 3—4kantig, Kanten vorragend, Flächen schwach-rinnig. Bl. gross, hochroth. ♄.

Cereus Phyllanthoides De C. (Cactus alatus Willd.). Aeste plattgedrückt, blattartig, länglich, gekerbt-gezähnt, Röhre der Blumenkrone länger als ihr Saum. Bl. schön rosa. ♄.

LI. Ordnung. RIBESIACEAE. Endlicher.

Stachelbeerartige.

Blüthen zwitterig und sehr oft durch Fehlschlagen eingeschlechtig, regelmässig. Kelchröhre gefärbt, verlängert-walzlich, glockig oder beckenförmig, mehr oder weniger mit dem Fruchtknoten verwachsen, mit 4—5theiligem abwelkendem Saume. Blumenblätter 4—5, dem Rande des Kelchschlundes eingefügt u. mit den Zipfeln desselben wechselnd. Staubgefässe 4—5, zwischen den Blumenblättern eingefügt, frei. Staubbeutel der Länge nach aufspringend, 2fächerig. Griffel 2, mehr o. weniger verwachsen. Fruchtknoten 1fächerig, vieleiig. Samenträger 2, wandständig. Frucht beerenartig mit dem abwelkenden Kelche gekrönt. Keim gerade, sehr klein. Keimblätter sehr kurz, stumpf. Sträucher mit zerstreut stehenden, gestielten, handförmig-gelappten Blättern. (Grossularieae De C.).

185. ***Ribes L.*** Stachel- u. Johannisbeere.

Gattungs-Kennzeichen die der Ordnung. (V. 2.).

I. Rotte. ***Grossularia De C.*** Stachelbeere. Blüthenstiele 1—3blüthig; Stengel stachelig.

680. ***R. Grossularia L.*** Stachelbeere. Blüthenstiele 1—3blüthig, 2—3deckblättrig; Kelch glockig, Zipfel länglich, zurückgebogen; Blumenblätter verkehrt-eiförmig; ***Stacheln 3theilig.*** —

An Zäunen, Hecken. — Oberinnthal: bei Prutz (Tpp.), bei Imst (Lutt!). Häufig um Innsbruck (Hfl.), am Wege nach Völs (Schpf.). An der Landstrasse am Schönberg gegen Matrey in

Menge (Hsm.). Stubai: von Unternberg nach Vulpmes (Hfl!). Zillerthal (Moll)! Pusterthal: bei Welsberg (Hll.), Hopfgarten (Schtz.), Taufers (Iss.), um Lienz (Rsch!). Meran: am Josephsberg (Tpp.). Bozen: selten an einer Hecke bei Haslach in der Nähe des südlichsten Hauses gegen das Wäldchen an den Wiesen, einmal auch im Gandelberge; Klobenstein am Ritten selten in der Nähe der Häuser (Hsm.). Am Baldo (Poll!).

Aendert ab: α. *glanduloso-setosum.* Fruchtknoten u. Beeren mit drüsentragenden Borsten. R. Grossularia L.; seltener als β. z. B. in Innervilgraten (Schtz.).

β. *pubescens.* Fruchtknoten mit kurzen weichen, drüsenlosen Haaren, die Beeren zuletzt kahl. R. uva crispa L. Diese um Bozen, um Innsbruck beide Varietäten.

Obsolet: Baccae Grossulariae vel uvae crispae.

Bl. weisslich. Beeren schmutzig-gelb o. blass-grün. Blüht um Bozen Ende März, um Innsbruck Ende Apr. Anf. Mai. ♄.

II. Rotte. ***Ribesia.*** Johannisbeere. Blüthen traubig, Trauben reichblüthig, Stengel unbewehrt.

681. ***R. alpinum L.*** Alpen-J. Trauben drüsig-behaart, aufrecht, Kelch kahl, flach, Zipfel eiförmig; Blumenblätter spatelig; ***Deckblätter lanzettlich, länger als das Blüthenstielchen.*** —

Gebirge u. Alpen. — Vorarlberg: im Gebiethe von Bregenz (Str!), Bregenzerwald bei Au (Tir. B.)! Oberinnthal: bei Ladis (Gundlach). Weg von Voldererbad nach Hall (Hfl.). Bergwälder u. schattige Haine um Kitzbüchl (Trn. Schm.). Zillerthal: am Grawander Schinder (Moll!), und in der Floite und Zemm (Braune)! Schmirn (Hfm.). Pusterthal: bei Welsberg (Hll.), Köniz- u. Leibnigeralpe bei Lienz (Rsch!). Mendel bei Bozen (Elsm! Hfl.). Monte Roen (Hfl!). Sehr selten auf der Rittneralpe am Danzbachthale (Hsm.). Fassa (Fcch!).

Bl. gelblich-grün, die weiblichen gewöhnlich mit verkümmerten Staubgefässen. Beeren essbar, roth. Jun. ♄.

682. ***R. nigrum L.*** Schwarze J. Trauben flaumig, hangend; Kelch flaumig, drüsig-punktirt, glockig, Zipfel des Saumes länglich, zurückgekrümmt; Blumenblätter länglich; ***Deckblätter pfriemlich,*** kürzer als das Blüthenstielchen; ***Blätter*** fast 5lappig, ***unterseits drüsig-punktirt.***

Vorarlberg: am Hacken bei Bregenz (Str!). Angeblich auf der Mendel bei Bozen?

Man findet diesen Strauch auch hie u. da, doch selten, in Gärten. Bl. grünlich. Beeren schwarz, essbar, doch von einem fast wanzenartigen Geruche u. Geschmacke, ehemals officinell: Herba, Stipites et Baccae Ribesium nigrorum. Apr. Mai. ♄.

683. ***R. rubrum L.*** Gemeine J. Trauben fast kahl, nickend, nach dem Verblühen bangend; ***Kelch*** kahl, beckenförmig, Zipfel ***am Rande kahl,*** nebst den Blumenblättern spatelig; ***Deckblätter eiförmig,*** kürzer als das Blüthenstielchen; Blätter fast 5lappig.

An waldigen Orten. — Oberinnthal: bei Imst (Lutt.). An der Ache bei Kitzbüchl (Trn.). Zillerthal (Moll)! Pusterthal: bei Welsberg (Hll.), im Glanzenfelde bei Oberlienz (Rsch!). Partschins ober Meran (Iss.). Klobenstein am Ritten in Menge an allen Häusern u. Hecken an den Gärten, auch in Wäldern doch sehr selten, u. wahrscheinlich nur verwildert. (Hsm.).

Officinell: Baccae Ribium vel Ribesium rubrorum.

Bl. grün-gelblich. Beeren roth, in Gärten auch weisslichgelb. Blüht um Bozen Ende März, April. ♄.

684. ***R. petraeum Wulf.*** Rothblüthige J. Trauben etwas zottig, zuerst aufrecht u. nickend, nach dem Verblühen hängend; ***Kelch kahl***, glockig, ***Zipfel*** spatelig, ***gewimpert***, aufrecht-abstehend; Blumenblätter spatelig; ***Deckblätter eiförmig***, kürzer als das Blüthenstielchen; Blätter fast 5lappig.

Alpen u. Voralpen. — Oberinnthal: bei Imst (Lutt!); Naudererthal (Tpp.). Pusterthal: am Sarl in Prax (Hll.), am Heilig-Bluter Thorl (Schtz.), in Menge im Devantthale u. Zabernizalpe bei Lienz (Rsch!). Reschen u. Graun im Hoch-Vintschgau (Tpp.). Rittneralpe sparsam, z. B. im Lahnergraben; am Schlern z. B. links nach der Schlucht, wo sie schon Elsmann angiebt; am Joch Lattemar (Hsm.). Am Baldo: ai Lavaci (Poll!). Die Angabe Pona's, dass R. rubrum im Vall dell' Artillon am Baldo vorkomme, dürfte hieher zu ziehen sein, so wie die angeblichen Standorte derselben Pflanze auf dem Nonsberge und bei Deutschnofen nächst Bozen?

Blattlappen länger-zugespitzt als an voriger Art. Bl. röthlich. Beeren roth, essbar. Jun. Jul. ♄.

R. aureum Pursh. In Gärten um Bozen als Zierstrauch. Kenntlich an den 3lappigen Blättern, den verlängert-walzlichen Kelchröhren, den schönen goldgelben Bl. u. schwarzen, seltener goldgelben Beeren.

LII. Ordnung. SAXIFRAGACEAE. Vent.

Steinbrechartige.

Blüthen zwitterig, regelmässig. Kelch 4—5spaltig o. 4—5-theilig, bleibend, Röhre mehr o. weniger mit dem Fruchtknoten verwachsen. Blumenkrone 4—5blättrig, Blätter dem Kelche eingefügt u. mit dessen Zipfeln wechselnd o. seltener fehlend. Staubgefässe frei, so viele o. doppelt so viele als Blumenblätter. Fruchtknoten 1fächerig, mit wandständigen Samenträgern o. 2fächerig, mit mittelpunktständigem Samenträger, vieleiig. Griffel 2, bleibend. Frucht kapselig, zwischen den Griffeln mit einem Loche oder der ganzen Länge nach aufspringend, Keim rechtläufig in der Achse des Eiweisses. Unsere Arten krautartig, mit meist zerstreut-stehenden einfachen Blättern und ohne Nebenblätter.

186. *Saxifraga L.* Steinbrech.

Kelch 5spaltig o. 5theilig, mit dem Fruchtknoten verwachsen o. frei. Blumenkrone 5blättrig. Staubgefässe 10. Griffel 2, bleibend. Kapsel 2schnabelig, 2fächerig, zwischen den Griffeln mit einem Loche aufspringend, vielsamig. Samenträger in der Mitte der Scheidewand. (X. 2.).

I. Rotte. *Aizóonia Tausch.* Stämmchen dauernd, beblättert. Blätter am Rande mit einer Längslinie von eingedrückten Punkten bezeichnet, die mit einem weissen, kalkartigen, später ausfallenden Schülferchen bedeckt sind.

S. Cotylédon L. Pyramidenblüthiger St. *Blätter* der Rosetten zungig, längs des gesägten Randes hin *vielpunktig,* die Punkte mit einem kalkigen, grubigen Schülferchen gedeckt, *Sägezähne* an der Spitze knorpelig, *vorwärts-zugespitzt;* Rispe pyramidalisch; *Aeste von der Mitte an 5-15-blüthig;* Blumenblätter keilig.

Am Baldo an vielen Orten (S. pyramidalis Lap.) nach Sternberg! Diese Angabe dürfte zu sichern sein, da die Pflanze überhaupt schon oft mit Folgender verwechselt worden. Aus dem benachbarten Valtellin aus der Gegend von Morbegno hat sie Bertoloni durch Bergamaschi erhalten u. nach Moritzi kommt sie im angränzenden Graubündten vor, es wäre also wohl möglich, dass sie noch im südöstlichen Tirol aufzufinden wäre? Nach Reiner u. Hohenwarth auf der Marenwalderalpe bei Lienz?

S. pyramidalis Lap.

Bl. weiss o. am Nagel purpurn. Jul. Aug. ♃.

685. *S. Aizóon Jacq.* Traubenblüthiger St. *Blätter* der Rosetten zungig, längs des gesägten Randes hin *vielpunktig,* die Punkte mit einem kalkigen, grubigen Schülferchen gedeckt; *Sägezähne* an der Spitze knorpelig, *vorwärts-zugespitzt;* der Stengel oberwärts traubig; *Aeste nackt, 1blüthig o. an der Spitze 2—3blüthig;* Blumenblätter rundlich.

An Felsen, gemein vom Thale bis in die höhern Alpen. — Vorarlberg: am Schlosse Hohenems (Cst!), Widderstein (Köberlin!), Alpen des Bregenzerwaldes (Str!). Lechthal: Mädelealpe (Dobel)! Oberinnthal: am Säuling (Kink), im Oetzthal (Hfl.), Fend (Lbd.), am Krahkogel (Zcc!), Imsteralpe (Lutt!). Zirl u. Telfs bei 7000′ (Str!). Oberiss (Schneller), Längenthal (Prkt.). In der Klamm bei Innsbruck (Schpfr.). Sonnwendjoch bei Rattenberg (Wld.). Kellerjoch (Schm!). Am Hinterkaiser (Hrg!). Kitzbüchler Horn u. am Lämmerbüchl (Trn. Str!). Zillerthaleralpen (Gbh.). Pfitsch (Precht). Pusterthal: Alpe Rein in Taufers (Iss.), Innervilgraten, Hopfgarten u. Lienz (Schtz.), Pregratten (Hrnsch!), in Prax (Hll.). Gemein um Brixen (Hfm.). Bozen: an den Felsen am kühlen Brünnel u. Heilig-Grab, dann hinter Runkelstein; am Ritten im Walde hinter Lengmos, Rittneralpe bis auf die Spitze des Horn; Schlern, Seiseralpe und Ifinger, überall gemein (Hsm.). Eislöcher bei Eppan (Hfl!).

Vintschgau: bei Unser Frau in Schnals (Hfl.). Alpen in Fleims u. Valsugana (Ambr.). Monte gazza (Merlo). Cima di Giotara, Uebergang von Strigno nach Castello in Fleims (Tpp.). Scanucchia u. Cengialto bei Roveredo (Crist.). Baldo, Blemmone u. Spinale (Poll!). Judicarien: Alpe Lenzada u. Spinale (Bon.), Val di Rendena nach Campiglio (Eschl!).

Kelch kahl o. drüsig-behaart. Blumenblätter weiss o. grünlich-weiss, mit purpurnen Tüpfeln o. ohne Tüpfel (S. intacta Willd.). — Aendert ab:

α. major. Blätter länglich-linealisch, an der Spitze nicht viel breiter. S. recta Lap. Gemein.

β. minor. Blätter verkehrt-eiförmig. S. Aizoon Lap. S. Aizoon var. brevifolia Sternb. Im Längenthal mit der Species (Prkt.). In Vintschgau bei Trafoi (Tpp.). Innervilgraten (Schtz.), Seltener als die Species am Schlern (Hsm.). Jun. Aug. ♃.

686. *S. elatior M. u. K.* Hochstengeliger St. ***Blätter*** der Rosetten *zungig*, längs des gekerbten Randes hin *vielpunktig*, die Punkte mit einem kalkigen grubigen Schülferchen gedeckt, ***Kerben*** knorpelig, *abgeschnitten*, die der stengelständigen Blätter abgeschnitten u. gezähnelt; Stengel oberwärts traubig-rispig; Aeste verlängert, nackt, an der Spitze ebensträussig, 6—12blüthig; Blumenblätter verkehrt-eiförmig.

Gebirge u. Voralpen im südlichen Tirol. — Wormserjochstrasse (Gundlach). Im Suldnerthale u. bei Trafoi (Tpp.). Von Primiero bis Valsugana (Fcch.). Am Monte Pavione (Per.). An der Gränze Tirols zwischen Primiero u. Fonzaso (Hfl.).

S. longifolia Host, nicht Lap.

Bl. weiss, roth-punktirt. Jul. Aug. ♃.

687. *S. crustata Vest.* Krustirter St. ***Blätter*** der Rosetten *linealisch*, stumpf, *ganzrandig*, am Rande *vielpunktig;* Punkte mit einem kalkigen grubigen Schülferchen gedeckt; der Stengel oberwärts traubig, Aeste nackt, 1blüthig o. fast rispig, an der Spitze 3—6blüthig; Rispe aufrecht; ***Blumenblätter*** *stumpf, verkehrt-eiförmig* o. keilig.

Alpen des südlichen Tirols. — Pusterthal: Praxergebirge und Taistneralpe (Hll.), auf der Kerschbaumeralpe bei Lienz (Hoppe! Hrg! Bischoff)! Fleims: bei San Martino, ai Monzoni und am Gletscher der Fedaia (Fcch!). Am Ortler (Sternberg)! Am Montalon in Valsugana (Montini)!

Bl. weiss. Jul. Aug. ♃.

688. *S. mutata L.* Verwandelter St. ***Blätter*** der Rosetten *zungig*, mit einem knorpeligen, hinten dicht-gefransten, vorne *ganzrandigen o. undeutlich-kleingesägten* ***Rande*** umgeben, längs des Randes hin *vielpunktig;* der Stengel traubig-rispig; ***Blumenblätter*** *linealisch-lanzettlich, spitz.*

Gebirge u. Alpenthäler. — Alpen um Innsbruck (Hfm.), in der Klamm u. am Ursprung des Mühlauer Baches (Schpf.). Alpen bei Zirl u. Telfs (Str!). Haller Salzberg (Hrg!). Ueber

St. Jodock in Inner-Schmirn; in Stubai, Telfes gegenüber (Hfl.). Im Zillerthal (Braune!), allda in der Zemm (Moll)! Auf der hohen Salve im Brixenthale (Trn.). Gebirge um Sterzing, an Felsen am Ausgange des Pfitschthales (Hfl.). Seiseralpe u. am Schlern; Margreid: im Walde am Wege nach Fennberg (Hsm.). Gantkofel (Lbd.). Montagna di Povo bei Trient (Per!). Val Sella bei Borgo (Ambr.). Gränze zwischen Primiero und Fonzaso (Hfl.). Vallarsa (Meneghini)! Am Cengialto bei Roveredo (Crist.). Baldo: al Sentier di Ventrar u. Val larga; auf der Scanucchia (Poll!).

Blumenblätter pomeranzengelb, schmäler als die Kelchzipfel. Jul. Aug. ♃.

689. ***S. Burseriana L.*** Burser's St. ***Blätter*** der Rosetten gedrungen-gehäuft, ***pfriemlich, zugespitzt, starr-stachelspitzig,*** 3kantig, geschärft-knorpelig-berandet, ***oberseits 7punktig,*** an der Basis kurz-bewimpert, die jüngern kalkig bekrustet; ***der Stengel meist 1blüthig;*** Blumenblätter abstehend, rundlich, klein-gekerbt, vielnervig, Nerven gerade.

An Kalkfelsen bis ins Thal herab. — Kitzbüchl: am Kaiser, Wildanger u. Teufelswurzgarten (Trn. Str!). Pusterthal: bei Lienz am Fuss und an den Wänden des Rauchkogels (Rsch!), Kerschbaumeralpe (Hrg!), an Felsen in Prax mit S. squarrosa (Hll.). An der Strasse zwischen Trient u. Neumarkt in grösster Menge an herabgestürzten Felsblöcken (Zcc!). In Menge bei Salurn u. Laag u. gegen Cadin, auch bei Margreid an den Kalkfelsen am Kirchsteige (Hsm.). Am Calisberg bei Trient (Per.), bei Vela allda (Hfl!). Am Bondon (Fcch!). Valsugana: am Monte Venego u. Val delle Antenne bei Tezze (Ambr.).

Bl. weiss. Blüht bei Salurn schon gegen Ende März. ♃.

690. ***S. Vandellii Sternb.*** Vandellis St. ***Blätter*** der Stämmchen ***dicht-dachig, aufrecht, ei-lanzettförmig, spitz, starr-stachelspitzig,*** 3kantig, knorpelig-berandet, ***oberseits 5punktig,*** an der Basis gefranst, die jüngern dünn-kalkig-bekrustet; ***Stengel armblüthig, dicht-drüsig-zottig;*** Kelch aufrecht; Blumenblätter noch 1mal so lang als der Kelch, glockig-gestellt, oval, 5nervig, Nerven gerade.

Kalkfelsen der Alpen u. Voralpen. — Corne di Tratte bei Roveredo sehr selten (Fleischer)! Auf dem Kankofel in Tirol (Sauter in Koch syn. ed. 2.)! Wormserjoch (Finke)! Jenseits des Wormserjoches bei dem alten Bade von Bormio (Tpp.).

Ein mir vorliegendes, zwar mangelhaftes Exemplar vom Kankofel ober Eppan bin ich geneigt zu Voriger zu ziehen.

Bl. weiss. Jun. Aug. ♃.

691. ***S. squarrosa Sieb.*** Sparriger St. ***Blätter*** der Stämmchen ***dachig,*** aufrecht, ***an der Spitze bogig-abstehend,*** linealisch-lanzettlich, ***stumpf,*** schwach-stachelspitzig, sehr schmal-knorpelig-berandet, auf dem Rücken konvex, stumpfgekielt, ***oberseits 7punktig,*** an der Basis gefranst, die jüngern kalkig-bekrustet; ***der Stengel 2—6blüthig, zerstreut-drü-***

sig-haarig; Blumenblätter rundlich-verkehrt-eiförmig, 5nervig, Nerven gerade.

An Felsen und steinigen Orten der Alpen, vorzüglich auf Kalk. — Tiroler Kalkalpen (Sieber). Pusterthal: am Lugkofel bei Welsberg u. in Prax (Hll.), Kerschbaumeralpe bei Lienz (Fk!). Am Ortler (Hrg!). Schlern u. Seiseralpe (Hsm. Str!). Am Duron u. Davoi in Fassa; Fleims u. Gränzen Tirols gegen die Carnischen Alpen (Fcch.). Alpe Tesin in Valsugana (Montini)! — Bl. weiss o. gelblich-weiss. Jul. Aug. ♃.

692. *S. caesia L.* Meergrüner St. *Blätter* der Stämmchen gedrungen-gehäuft, *von der Basis an bogig-zurückgekrümmt,* linealisch-länglich, spitzlich, oberseits *7punktig,* auf dem Rücken konvex, stumpf-gekielt, von der Basis bis zur Mitte gefranst, die jüngern kalkig-bekrustet; der *Stengel 2-6-blüthig, kahl oder zerstreut-drüsig-haarig;* Blumenblätter verkehrt-eiformig, 3—5nervig, Seitennerven bogig.

An Felsen u. steinigen Orten der Alpen. — Vorarlberg: Alpen bei Feldkirch (Str!), bei Frastanz (Cst!); am Widderstein (Köberlin)! Lechthal: Rossberg bei Vils (Frl!), Mädelealpe, Aggenstein u. Stuiben (Dobel)! Alpen bei Zirl u. Telfs, z. B. am Solstein (Str!). Innsbruck: in der Klamm (Schpf.), am Widersberg (Hfl.). Schmirnerjoch (Hfl.). Zemmergebirge in Zillerthal (Gbh.). Kitzbüchler Horn, am Kaiser u. Teufelswurzgarten (Trn. Str!). In Pfitsch (Precht). Sengeseralpe (Stotter)! Pusterthal: am Lugkofel in Prax (Hll.); Heilig-Bluter Thörl (Schtz.); Kirschbaumeralpe bei Lienz (Rsch!). Innervilgraten u. Alpen südlich von Lienz (Schtz.). Vintschgau: Laaseralpe (Tpp.). Zielalpe bei Meran (Elsm!). Schlern u. Seiseralpe z. B. am Ochsenwalde (Hsm.). Seiseralpe (Schultz)! Alpen von Soial u. Vigo; Triften von Tiers (Fcch!). Val di Sella bei Borgo (Ambr.). Monte gazza bei Trient (Merlo). Monte Castellazzo; am Cornetto in Folgaria (Hfl.). Hochgebirge um Roveredo (Crist.). Am Baldo, Blemmone u. Portole (Poll!). Bondone u. Spinale (Per.). Am Portole (Montini)! Judicarien: Alpe Gavardina bei Tione (Bon.). Monte Baldo: Monte Maggiore (Hfl!). — S. recurvifolia Lap.

Kalkpflanze! Bl. weiss o. gelblich-weiss. Jun. Jul. ♃.

693. *S. patens Gaud.* Abstehender St. *Blätter* der Stämmchen dachig, *weit-abstehend, an der Spitze etwas zurückgekrümmt,* linealisch-länglich, spitz, oberseits 7punktig, auf dem Rücken konvex, stumpf-gekielt, von der Basis bis zur Mitte gefranst, die jüngern dünn-kalkig-bekrustet; der *Stengel* 2—6blüthig, *zerstreut-drüsig-haarig;* Blumenblätter länglich-verkehrt-eiförmig, 3nervig, Seitennerven bogig.

Im Kies der Isar bei Mittewald in Tirol (Zuccarini! Reichenb. fl. exc. p. 558)! Mittewald an der Isar liegt nicht mehr in Tirol, wohl aber nicht weit von der Gränze u. es ist mehr als bloss wahrscheinlich, dass die dort gefundenen Exemplare durch die Isar aus Tirol hinausgeschwemmt u. dass überhaupt die ganze Art nur als Thalform der Vorigen anzusehen sei. Blätter 2—4mal grösser als bei S. caesia.

Bl. gelblich-weiss. Jun. Jul. ♃.

II. Rotte. *Porphyrion Tausch.* Stämmchen ausdauernd, beblättert. Blätter gegenständig, an der dickern gestutzten Spitze mit 1—3 eingedrückten Punkten.

694. *S. oppositifolia L.* Blaublüthiger St. Stämmchen niedergestreckt, sehr ästig; Aeste aufrecht, gedrungen-rasig, ***Blätter gegenständig,*** 4reihig, dachig, länglich, stumpf, an der Spitze verdickt, 1punktig, unterseits durch einen Kiel 3kantig u. ***nebst den Kelchzipfeln drüsenlos-gewimpert;*** Blüthen endständig, fast sitzend, einzeln.

An kiesigen Orten u. Felsen der Alpen. — Vorarlberg: am Freschen (Str!), Bregenzerwald am Widderstein (Köberlin)! Hochjochferner (Lbd.). Alpen bei Zirl u. Telfs (Str!). Innsbruck: auf dem Solstein, Sattelspitze u. Neunerspitze; am Lisenser Ferner u. in Ausserpfitsch (Hfl.). Stubai (Hfm!). Salzberg (Hrg!). Kitzbüchl am Geisstein (Trn.), am Horn u. Jufen (Str!). Gerloswand in Zillerthal (Braune)! Pusterthal: auf der Neunerspitze bei Welsberg (Hll.), Tefereggen, Marenwalder- u. Schleinizalpe bei Lienz (Schtz.). Vintschgau: am Zefall u. im Latscherthale (Tpp.). Schlern u. Villandereralpe (Hsm.), Schlern (Elsm!), Joch Grimm (Gundlach). Col Santo bei Roveredo (Crist.). Alpen von Fassa u. Fleims (Fcch!). Am Bondone (Per.). Montalon (Contareni)! Blemmone (Zantedeschi)!

S. caerulea Pers.

Bl. rosenroth, zuletzt blau. Jul. Aug. ♃.

695. *S. Rudolphiana Hornsch.* Rudolphi's St. Stämmchen niedergestreckt, sehr ästig; Aeste aufrecht, gedrungen-rasig; ***Blätter gegenständig,*** 4reihig-dachig, verkehrt-eiförmig, stumpf, an der Spitze etwas verdickt, 1punktig, auf dem drüsenlosen Rücken flach, schwach-gekielt, ***die obersten nebst den Kelchzipfeln drüsig-gewimpert; Blüthen*** endständig, ***einzeln.***

Auf dem Kalserthörl bei Heilig-Blut (Hrnsch!). Dorferalpe in Kals u. Schleiniz (Schtz.). Im angränzenden Kärnthen am Pasterzengletscher (Pacher).

Wohl nur Varietät der Vorigen, schon Hoppe erklärte sie für eine compacte Form derselben.

S. biflora β. caule unifloro Bertoloni.

Bl. rosenroth, zuletzt blau. Jul. Aug. ♃.

696. *S. biflora All.* Zweiblüthiger St. Stämmchen niedergestreckt, sehr ästig; Aeste aufstrebend; ***Blätter gegenständig,*** ziemlich entfernt, verkehrt-eiförmig o. spatelig, an der Spitze etwas verdickt, 1punktig, auf dem Rücken flach, schwach-gekielt, ***die obern nebst den Kelchzipfeln drüsig-gewimpert; Blüthen*** endständig, ***zu 2—3, kopfig; Blumenblätter abstehend,*** lanzettlich, ***ungefähr so lang als die Staubgefässe.***

Felsen u. an Quellen an der Schneegränze in Tirol, Kärnthen etc. (Sieber). Auf dem Serles bei Innsbruck (Hfl.). Im östlichen Pusterthal (Fcch!). Grossglockner (Tpp.). Ausser der Gränze auf der Gamsgrube bei Heilig-Blut (Fk!). Auf dem Kalsertaurn (Rsch!). Auf der Tristacheralpe u. am grauen Käs (Schtz.). — Bl. rosenroth, selten weiss. Jul. Aug. ♃.

697. ***S. Kochii Hornung.*** Koch's St. Stämmchen niedergestreckt, sehr ästig; Aeste aufstrebend; ***Blätter gegenständig,*** locker-dachig, verkehrt-eiförmig o. spatelig, an der Spitze etwas verdickt, 1punktig, auf dem Rücken flach, schwachgekielt, ***die obern nebst den Kelchzipfeln drüsig-gewimpert; Blüthen*** endständig, ***zu 2—3, kopfig; Blumenblätter*** länglich, einander berührend, ***2—3mal so lang als die Staubgefässe.*** —

An Felsen der höhern Alpen. — Im angränzenden Salzburgischen, in der Zwing bei Zell (Str!). Ich glaube auch unter den von Scheitz am grauen Käs gesammelten Exemplaren der S. biflora 1 Paar hieher gehörige, aber mangelhafte gefunden zu haben?

Nach Heer grossblüthige Varietät der Vorigen.

Bl. rosenroth. Jul. Aug. ♃.

III. Rotte. ***Trachyphyllum Gaud.*** Stämmchen ausdauernd, beblättert. Blätter wechselständig, am Rande, wenigstens nach der Basis mit nicht gegliederten Wimpern besetzt, vor der Spitze mit einem Knötchen bezeichnet, Kelch aufrecht oder abstehend.

698. ***S. aspera L.*** Scharfblättriger St. ***Blätter lanzettlich-linealisch, dörnig-begrannt u. dörnig-gewimpert,*** an der Spitze oberseits 1punktig, die stengelständigen entfernt, abstehend; Stämmchen niedergestreckt, knospentragend; ***Knospen halb so lang als das sie stützende Blatt;*** Stengel mehrbluthig; Kelch unterständig, abstehend, Zipfel kurz-stachelspitzig.

Steinige feuchte Orte der niedern Alpen u. Voralpen. — Oberinnthal: bei Heiligkreuz im Fenderthal, Niederthei in Oetzthal, St. Sigmund u. Zamserthal (Hfl.), am Schramkogel (Hrg!), am Krahkogel (Zcc!), Alpen bei Zirl u. Telfs, Sellrainer Alpen, Brechtenjoch (Str!). Oberiss (Schneller). Hinter der Morgenspitze (Eschl.). Stubai (Hfm!). Zillerthal: in der Zemm (Gbh.). Kitzbüchl: auf Schiefer z. B. auf der Jochberger Wildalpe (Trn.), am kleinen Rettenstein allda (Str!). Pusterthal: am Rudelhorn bei Welsberg (Hll.), Gössnitz u. Hofalpe, dann in Tefereggen u. Innervilgraten (Schtz.), Marenwalder- u. Michelbacheralpe bei Lienz (Rsch!). Am Grossglockner (Tpp.). Kurzras in Schnals (Lbd.). Seiser- u. Rittneralpe, auch im Thale bei Durnholz; Ultneralpe (Hsm.). Kirchbergeralpe in Ulten (Hinterhuber)! Sarnthal: Uebergang von Oberstückl nach Passeyer (Eschl!). Zielalpe bei Meran (Elsm!). Am Davoi nächst Vigo (Parolini)! Alpe Camerloi u. alla Forcella di Sadole (Petrucci)! Botro di mezzo dei Monzoni (Meneghini)! Am Montalon (Montini)! Fierozzo (Per.). Valsugana: Alpen bei Borgo (Ambr.). Judicarien: Val de Breguz (Sternberg)! Val di San Valentino u. Gavardina (Bon.). Val larga im Fersinathale (Per!).

Bl. weisslich-gelb. Jul. Aug. ♃.

699. ***S. bryoides L.*** Moosartiger St. ***Blätter lanzettlich-linealisch, dörnig-begrannt u. dörnig-bewimpert,*** an der Spitze oberseits 1punktig, die stengelständigen etwas genähert, aufrecht, an den Stengel beinahe angedrückt; Stämmchen niedergestreckt; ***Knäuel der Blätter dicht zusammengedrängt, so lang als das sie stützende Blatt;*** der Stengel 1blüthig; ***Kelch unterständig,*** abstehend, Zipfel etwas stachelspitzig.

Felsige Orte u. steinige Triften der Alpen. — Vorarlberg: Alpe Tillisun (Cst!). Oberinnthal: Hochjochferner (Lbd.), am Schramkogel über Lengenfeld (Hrg!), am Krahkogel (Zcc!), Alpen bei Zirl u. Telfs (Str!). Innsbruck: am Widersberg, Glunggezer u. Gleirscherjoch (Hfl.), am Patscherkofel (Friese). Zillerthal: auf der Alpe Sidan (Gbh.), u. in der Zemm (Schrank)! Kellerjoch (Schm.). Kitzbüchl: am Kaiser (Schm.), u. am Geisstein (Trn.). In Pfitsch (Precht). Sengeseralpen (Stotter)! Pusterthal: Hochgruben bei Innichen (Bentham!); Hofalpe, Gössnitz u. Marenwalderalpe, Innervilgraten (Rsch! Schtz.), Tefereggen (Schtz.), Schleinizalpe (Ortner), Prax u. am Rudelhorn bei Welsberg (Hll.). Alpen um Brixen (Hfm!). Wormserjoch (Gundlach). Zielalpe bei Meran (Elsm.). Penserjoch (Hfl!). Ifinger bei Meran; Seiseralpe u. Schlern; Rittneralpe auf der Spitze des Horn; Mendel (Hsm.). Bei Vigo in Fassa (Tpp.). Alpen um Trient (Per.). Alpen von Fassa u. Fleims (Fcch!). Am Sadole (Parolini)! Montalon (Montini)! Am Baldo u. Bondon (Sternberg)! Val di Genova (Per!).

Bl. weisslich-gelb. Jul. Aug. ♃.

700. ***S. tenella Wulfen.*** Zarter St. Stämmchen niedergestreckt o. aufrecht; ***Blätter linealisch-pfriemlich, haarspitzig-begrannt, borstig-wimperig*** o. kahl, an der Spitze oberseits 1punktig; ***Kelch oberständig; Zipfel begrannt.***

Felsige u. kiesige Orte der Alpen in Kärnthen und Krain (Koch syn.)! In Kals (Rsch!).

Bl. weisslich. Jul. Aug. ♃.

701. ***S. aizoides L.*** Immergrüner St. Stämmchen nebst den Stengeln aufstrebend, beblättert; ***Blätter linealisch, stachelspitzig, borstig-wimperig,*** seltener ungewimpert (S. autumnalis L.), unterseits flach, oberseits ziemlich konvex, vor der Spitze 1punktig; ***Kelch halb-unterständig, Zipfel*** abstehend, ***grannenlos.***

An quelligen Orten der Alpen u. Voralpen. — Vorarlberg: im Aachgries bei Bregenz u. Alpen des Bregenzerwaldes (Str!), am Widderstein (Köberlin!), dann im Rheinthale (Cst!). Oberinnthal: bei Imst (Lutt!); Alpen bei Zirl u. Telfs (Str!), auf der Aschaueralpe (Kink), Lechthaleralpen (Dobel!); im Oetzthale bei Fend (Hfl.). Innsbruck: bei Lans (Eschl.), und am Glunggezer u. Solstein (Hfl.). In Stubai: bei Vulpmes (Schneller). Lisens (Prkt.). Kellerjoch (Hrg!). Stanserjoch (Schm!), Brandenbergeralpe bei Rattenberg (Wld.). Zillerthal: am Zemmbache (Moll!). Kitzbüchl: auf feuchten Plätzen der Alpen u. an Gebirgsbächen (Trn.). Pusterthal: bei Welsberg (Hll.), in Taufers (Iss.), Innervilgraten, an Bächen in Tefereggen u. auf der Hofalpe bei Lienz (Schtz.), Marenwalder- u. Schleinizalpe, dann in der Bürgerau bei Lienz (Rsch!). Passeyer (Lbd.). Sarnthal: Oberstückel am Uebergang nach Passeyer (Elsm.). Vintschgau: bei Laas (Tpp.). Penserjoch (Iss.). Alpen um Bozen: Schlern u. Seiseralpe, Rittner- u. Villandereralpe, überall gemein (Hsm.). Fassa (Rainer). Aufstieg zum Camerloi (Petrucci)! Ai Monzoni (Meneghini)! Fleims (Scopoli)! Gebirge um Borgo (Ambr.). Cima di Vallarga im Fersinathale (Per!). Vette di Feltre (Montini)! Spinale u. Cornetto di Bondone (Per.). Folgaria: am Gründel unter der Filadonna (Hfl.). Roveretaneralpen (Crist.). Baldo: am Altissimo; am Spinale (Poll!). Judicarien: an Bächchen am Monte Aprico bei Bolbeno u. Campiglio in Rendena (Bon.).

Bl. citronengelb mit safrangelben Punkten o. safrangelb, manchmal ins Schwarze ziehend. Jun. Aug. ♃.

IV. Rotte. ***Arabida Tausch.*** Stämmchen dauernd, beblättert, Schäfte blattlos. Kelch zuruckgeschlagen, frei, Staubgefässe pfriemlich. Blumenblätter schwielenlos. Blattwimpern nicht gegliedert.

702. ***S. stellaris L.*** Sternblüthiger St. Stämmchen rosettig o. zerstreut-beblättert; Blätter verkehrt-eiförmig-keilig, fast sitzend, an der Spitze gesägt-gezähnt; Schaft an der Spitze ebensträussig; ***Kelch unterständig, zurückgeschlagen; Blumenblätter*** abstehend, lanzettlich, ***sämmtlich in einen Nagel verschmälert; Staubfäden pfriemlich.***

An feuchten Orten der höhern Alpen. — Vorarlberg: auf dem Widderstein (Köberlin!), u. der Mittagspitze (Str!). Alpe Söben bei Vils (Frl!), Stuiben u. Mädelealpe (Dobel)! Oberinnthal: am Krahkogel (Zcc!); Alpen bei Imst (Lutt!). Am Solstein bei Innsbruck (Str!). Alpspitze im angränzenden Bayern (Lbd.). Zuhöchst am Gleirscherjochel; Pfitscherjoch; am Hennensteigel in Nassdux (Hfl.). Sonnenwendjoch bei Rattenberg (Wld.); Kellerjoch u. Lampsenjoch (Schm.). Alpen um Kitzbüchl (Trn.). In Windisch-Matrey u. Pregratten, Hofalpe und Gössnitz, Schleinizeralpe bei Lienz (Rsch! Schtz.). Wormserjoch; Schneeberg bei Sterzing, Alpen zwischen Passeyer, Sarnthal u. Sterzing (Hsm.). Vintschgau: auf dem Stilfserjoch und in Schlinig (Tpp.).

Bl. schneeweiss, mit 2 citronengelben Flecken. Jul. Aug. ♃.

703. ***S. Clusii Gouan.*** Clusischer St. Stämmchen ro-

settig o. zerstreut-beblättert; Blätter länglich-keilig, gestielt, von der Mitte an gezähnt; Schaft an der Spitze ebensträussig; ***Kelch unterständig, zurückgeschlagen; Blumenblätter*** wagrecht-abstehend, ungleich, 3 ei-lanzettlich, ***abgebrochen benagelt,*** 2 lanzettlich, in den Nagel verschmälert; ***Staubfäden pfriemlich.***

An quelligen Orten der Alpen u. Voralpen viel gemeiner als Vorige. — Oberinnthal: am wilden Krahkogel im Oetzthal am Ende der Waldregion (Zcc!), Timmeljoch u. Fend (Lbd.). Patscherkofel bei Innsbruck (Prantner). Kellerjoch (Schm.). Oberiss in Stubai (Schneller). Lisens u. in der Lizum (Hfl.). Sonnenwendjoch bei Rattenberg am See in feuchten Felsschluchten (Wld!). Am hohen Jufen bei Kitzbüchl (Str!). Bei Jochberg an der alten Strasse nächt dem Passe Thurn (Griesselich)! Zillerthal (Schrank)! Pusterthal: um Welsberg auf feuchten Wiesen (Hll.), Innervilgraten, an Brunnen bei Hopfgarten in Tefereggen, Alpen bei Lienz (Schtz.), auf Bergwiesen um Innichen (Stapf). Alpenquellen um Brixen (Hfm.). Naudererthal u. auf den Alpen bei Laas (Tpp.). Gebirge um Meran (Kraft). Gemein auf den Alpen um Bozen, als: Schlern, Mendel, Seiser- u. Rittneralpe (Hsm.). Alpen um Trient (Per.). Val di Sol bei den Mineralquellen von Pejo u. Val di Rendena in Judicarien (Bon.). — S. leucanthemifolia Lap.

Ich halte S. Clusii für der Art nach nicht von Voriger unterschieden, sondern erstere für eine Form der niedern Alpen u. Voralpen, letztere für die der höhern Alpen. Man findet Exemplare mit Blättern der S. stellaris u. den Blüthen der S. Clusii u. umgekehrt, auch, doch seltener an einer Pflanze beide Blattformen, auch finden sich nach den Beobachtungen des Prof. Hofmann manchmal an einem Stengel Blüthen mit gleichförmigen und ungleichen Blumenblättern. Eine weitere Folge des Standortes ist, dass S. Clusii immer stärker und höher von Wuchs ist.

Bl. schneeweiss, mit 2 citronengelben Flecken.

Jun. Aug. ♃.

V. Rotte. ***Hydatica Tausch.*** Stämmchen dauernd, beblättert; Schäfte blattlos. Kelch zurückgeschlagen, frei. Staubfäden aufwärts-breiter, Blattwimpern, wenn sie vorhanden, gegliedert, an der Basis des Blattes aber gliederlos.

704. ***S. cuneifolia L.*** Keilblättriger St. Stämmchen rosettig; Blätter rundlich-verkehrt-eiförmig oder spatelig, sehr stumpf, geschweift-gekerbt, ganz kahl, am Rande knorpelig; ***Blattstiel*** flach, keilig, ***kahl;*** Schaft rispig; ***Kelch unterständig, zurückgeschlagen; Staubfäden oberwärts breiter.***

Schattige Gebirgswälder u. Felsen der Alpen. — Oberiss in Stubai (Schneller). Patscherkofel bei Innsbruck (Schpf.): Kitzbüchl: Wälder unter der Leitneralpe (Trn.), am Wasserfalle nächst der Einsiedelei (Schm.). Pusterthal: ober Windischmatrey am Wege zum Taurn (Hrnsch!), im Thale Rein (Iss.),

Tefereggen (Schtz.), am Hochrieb u. Innstein hinter dem Rauchkofel, dann auf der Marenwalderalpe bei Lienz (Rsch!), Schleinizalpe (Hohenwarth)! Fleims: im Walde von Mon Maor (Fcch!), am Sadole (Ambr.).

Bl. milchweiss, mit 2 gelben Flecken. Jun. Jul. ♃.

S. hirsuta L. Von dieser Pflanze befindet sich aus dem Tappeiner'schen Herbar 1 Exemplar im Herbar des Museums in Innsbruck mit dem Standorte: Alpen von Italien und Tirol, jedoch ohne Gewährsmann. Der einzige sichere Standort für Deutschland bleibt somit bis auf Weiteres: Steyer in Oberöstreich, wo sie erst in neuester Zeit von Dr. Sauter (Vergleiche Flora 1845 p. 131 u. 191), dessen Güte ich auch Exemplare von da verdanke, entdeckt wurde. In der Schweiz findet sie sich nach Moritzi, so wie die nahe verwandte S. umbrosa L. nur in Gärten zur Zierde. Letztere kömmt nach Mielichhofer u. Hinterhuber im Salzburgischen, nach Sauter bei Losenstein nächst Steyer wirklich wild vor. Möglich ist es immerhin, dass S. hirsuta L. bisher in Tirol übersehen worden, u. es mag desshalb auch ihre Diagnose folgen: Blätter oval, gekerbt-gesägt, an der Basis abgerundet oder herzformig, beiderseits behaart; Blattstiele verlängert, halb-stielrund, ungeflügelt, unterhalb u. am Rande rauhhaarig; Blüthenstiele armblüthig.

VI. Rotte. ***Dactyloides Tausch.*** Stämmchen ausdauernd, beblättert. Blätter weder am Rande noch an der Spitze eingedrückt-punktirt, die untern zwar abgestorben, übrigens aber nicht verändert. Schäfte blattlos o. beblättert. Kelch an den Fruchtknoten angewachsen, aufrecht o. abstehend. Blattwimpern sämmtlich gegliedert.

705. ***S. muscoides Wulfen.*** Lebermoosartiger St. Stämmchen rasig, an der Spitze dicht rosettig; ***Blätter ganz glatt*** (getrocknet etwas nervig), ***linealisch, ganz o. linealisch-keilig, 3spaltig, Zipfel gerade-hervorgestreckt, linealisch,*** so wie die ungetheilten ***Blätter an der Spitze abgerundet-stumpf,*** grannenlos, an den jungen Trieben sämmtlich ungetheilt; der Stengel meist 1blättrig, an der Spitze ein- bis mehrblüthig; ***Blumenblätter*** abstehend, oval - länglich, stumpf, ***sitzend,*** länger als der Kelch.

Gemein auf steinigen Triften der Alpen. — Vorarlberg: Alpe Tillisun (Cst!), u. auf der Morgenspitze (Str!), dann am Widderstein im Bregenzerwald (Köberlin)! Lechthal: Stuiben, Gaishorn u. Aggenstein (Dobel)! Alpen bei Zirl u. Telfs, Rosskogel (Str!). Alpen um Innsbruck: Serles, Glunggezer, Rosskogel u. Neunerspitze; in Nassdux u. Pfitscherjoch (Hfl.). Kitzbüchl: am Geisstein (Trn.). Am Salzberg bei Hall (Hrg!). Am kleinen Rettenstein bei Kitzbüchl (Unger)! Alpe Sidan in Zillerthal (Gbh.). Schneeberg (Iss.). Peitlerkofel bei Brixen; Schmirn (Hfm.). Pusterthal: in Prax u. Neunerspitze bei Welsberg (Hll.), Innervilgraten, Hopfgarten (Schtz.), auf dem Hochrieb u. Rauchkogel, der Marenwalder- u. Schleinizeralpe bei

Lienz (Rsch!), Hofalpe allda (Schtz.). Alpen bei Laas (Tpp.). Ifinger bei Meran (Iss.). Suldnerthal (Hrg!). Joch Grimm und Schwarzhorn (Giov!). Schlern, Seiseralpe u. Sarnerscharte, in allen nachaufgeführten Varietäten (Hsm.). Zielalpe bei Meran (Elsm!). Valsugana: am Monte Torcegno bei Borgo (Ambr.). Val larga im Fersinathale (Per!). Monte Castellazzo in Folgaria (Hfl.). Cima d'Asta (Petrucci)! Fleims u. Fassa, z. B. Alpe Coronelle (Fcch!). Am Baldo (Sternberg)! Forcella di Sadole (Ambr.). Val di Genova (Per!). Gipfel des Col Santo bei Roveredo (Crist.).

Kömmt vor: kahl oder mit kurzen drüsentragenden Haaren bestreut; ferner:

α. *compacta.* Rasen klein, sehr gedrungen, Stengel meist 1blüthig, oft kaum länger als ½ Zoll. S. acaulis Gaud.

β. *intermedia.* Rasen gedrungen, aber die obern Blätter in Rosetten ausgebreitet. Stengel mehrblüthig 2—3 Zoll hoch.

γ. *laxa.* Rasen locker, Blätter entfernt, gegen die Spitze der Aeste rosettig, daher die Stämmchen oft gleichsam quirlig.

δ. *integrifolia.* Blätter sämmtlich ungetheilt, manchmal mit dem Ansatze eines zweiten Lappens ausgerandet.

ε. *moschata.* Ueberall reichlich mit drüsig-klebrigen Haaren bedeckt. S. moschata Wulf. — Am Wetterstein an der Gränze Bayerns (Sternberg)!

ζ. *atropurpurea.* Bl. gesättigt-dunkel-purpurn, übrigens kahl o. drüsig-behaart. S. atropurpurea Sternb.

η. *crocea.* Blumenblätter safranfarben. S. crocea Gaud.

Bl. gelblich-weiss, grünlich-gelb, safran-gelb o. purpurn. Jul. Aug. ♃.

Die für S. caespitosa L. in Tirol angegebenen Standorte sind theils hieher, theils zu Folgender zu ziehen.

706. S. *exarata Vill.* Gefurchter St. Stämmchen rasig, an der Spitze dicht-rosettig; ***Blätter mit einer 3fachen Furche durchzogen*** (getrocknet vorspringend-nervig), ***3—5-spaltig,*** die an den Rosetten keilig u. sitzend o. handförmig u. gestielt, an den jungen Trieben gestielt, 3spaltig, mit einem linealischen flachen Blattstiele, ***Zipfel*** linealisch oder länglich, ***abgerundet-stumpf;*** der Stengel meist 1blättrig, an der Spitze gewöhnlich 3—5blüthig; ***Blumenblätter*** abstehend, oval oder länglich, stumpf, noch 1mal so lang als der Kelch, ***sitzend.***

Felsige Orte der Alpen. — Auf dem wilden Krahkogel in Oetzthal (Zcc!). Timmeljoch (Lbd.). Innsbruck: auf dem Rosskogel bei 7000′, auf dem Widersberg, Serles u. Villerspitz, am Kniebiss in Lisens (Hfl.). Pusterthal: Hofalpe bei Lienz (Schtz.), Hochgruben hinter dem Helm bei Innichen (Bentham)! Vintschgau: auf dem Kontault bei Mals (Hfm.), Wormserjoch (Hsm.), Suldnerthal (Frl!), Laaserthal u. Schlinig (Tpp.) Zielalpe bei Meran (Elsm!). Sarnerscharte, Schlern u. Seiseralpe

(Hsm.). Vaëlerjoch in Fassa (Eschl.). Giogo di Colem in Rabbi (Hfl.). Alpen um Trient (Per.). Alpe Spinale (Bon.). Am Gletscher in Val di Genova (Per!).

Bl. weiss o. gelblich. Jul. Aug. ♃.

707. ***S. stenopetala Gaud.*** Blattloser St. Stämmchen zerstreut-beblättert u. rosettig; ***Blätter keilig, 3—5spaltig*** o. ganz, Zipfel ei-lanzettförmig, stumpf, grannenlos; die Stengel blüthenstielförmig, blattlos, 1blüthig; ***Blumenblätter linealisch, zugespitzt, 3mal schmäler als die Kelchzipfel.***

Höhere Alpen, vorzüglich auf Kalk. — Oberinnthaler Alpen bei Zirl und Telfs, am Solstein (Str!), Karwendelgebirg (Weber)! Alpen um Innsbruck: Solstein, Lavatscherjoch und Widersberg (Hfl.). Stanserjoch (Schm.). Kitzbüchl: am grossen Rettenstein (Trn.), am Kaiser (Str!). Stilfserjoch u. bei Franzenshöhe auf Kalk (Fcch.). In Schlinig ober der Wand (Tpp.). S. aphylla Sternb. Bl. citronengelb. Jul. Aug. ♃.

708. ***S. sedoides L.*** Sedumartiger St. Stämmchen zerstreut-blättrig u. rosettig; ***Blätter lanzettlich, spitz,*** stachelspitzig, ***ungetheilt,*** an der Basis in einen verbreiterten Blattstiel verschmälert, getrocknet 3nervig, der ***Stengel blattlos, 1—3blüthig; Blumenblätter*** eiförmig, spitz, ***kürzer u. schmäler als die Kelchzipfel*** oder von ungefährer Länge derselben. —

Felsige Stellen der Alpen mehr im südlichen Tirol. — Oberinnthal: auf dem Grieskogel (Str!). Pusterthal: Alpen südlich von Innichen (Stapf), Geiselberg (Wlf!), Praxer Gebirge und Welsbergeralpen (Hll.), Schleinizalpe bei Lienz (Hohenwarth)! Schleinizalpe bei Lienz (Schwägrichen)! Kirchbergerjoch in Ulten, Schlern (Hinterhuber)! Schlern, z. B. an den Felsen in der Schlucht (Hsm.). Alpen von Fassa: Vaël, Contrin; am Plattkofel (Fcch!). Monte Spinale (Tpp.). Am Baldo, Pavione u. Castellazzo (Per.).

Kommt vor: kahl o. behaart. Stengel blattlos o. fast bis zu den Blüthen beblättert (S. Hohenwarthii Sternberg). Blumenblätter citronengelb, einfärbig o. an der Spitze dunkelpurpurn. Letztere Spielart fand Dr. Facchini am Schlern.

Jul. Aug. ♃.

709. ***S. planifolia Lapeyr.*** Flachblättriger St. Stämmchen dicht-beblättert; ***Blätter dachig, lanzettlich, abgerundet-stumpf, grannenlos,*** an der Basis verschmälert, sämmtlich ungetheilt, die ***abgestorbenen*** 3nervig, an ***der Spitze grau-gefärbt;*** der ***Stengel mehrblättrig, 1—5blüthig;*** die ***Blumenblätter verkehrt-eiförmig, an der Basis abgerundet, noch 1mal so lang u. breit als die Zipfel des Kelches u. 3fach-nervig.***

Felsen der höchsten Alpen in Tirol (Koch syn.)! In der Zwing im Fuscherthale im angränzenden Salzburgischen (v. Spitzel)! Graubündtneralpen (Moritzi)! — Bl. weiss, getrocknet gelblich. Jul. Aug. ♃.

710. *S. Facchinii Koch.* Facchini's St. Stämmchen dicht-beblättert; ***Blätter dachig, linealisch o. lanzettlich, abgerundet - stumpf, grannenlos,*** nach der Basis schmäler, sämmtlich ungetheilt, die abgestorbenen 3—5nervig, zuletzt weisslich; die ***Stengel mehrblättrig, 1—3blüthig; die Blumenblätter*** verkehrt-eiförmig-keilig o. länglich, ***gegen die Basis zu verschmälert,*** ganz oder ausgerandet, 1nervig, so breit als die Zipfel des Kelches, aber etwas länger.

Auf sandigem griesigem Boden 7500′—8000′, am Kamme zwischen der Seiseralpe u. dem Tierseralpel in der Nähe des Schlernkofels, auf dem Rosengarten; Alpe Vaël ober Vigo in Fassa, auf dem Plattkofel u. Alpe Contrin auf der Bellunesischen Gränze (Fcch.). Auf dem Joche der Seiseralpe (C. W. Schultz Flora 1842 p. 622.)!

S. planifolia β. atropurpurea Koch syn. ed. 1.

Farbe der Blumenblätter veränderlich vom Schwarzpurpurnen bis zum Bleichgelblichen. Jul. Aug. ♃.

711. *S. Seguiéri Sprengel.* Seguier's St. ***Wurzelblätter rasig-gehäuft,*** gestielt, spatelig-lanzettlich, in den Blattstiel verschmälert, stumpf, ganzrandig u. 2kerbig, ***die abgestorbenen braun, 5—7nervig; der Stengel nackt*** oder 1blättrig, meist 1blüthig; ***Blumenblätter länglich-linealisch, stumpf,*** so lang u. breit wie die Kelchzipfel u. 3fach-nervig.

Hohere Alpen. — Oberinnthal: auf dem Hochederer bei Pfaffenhofen u. Rosskogel bei Innsbruck auf Glimmerschiefer (Str.), Hochjochferner (Lbd.). Villerspitze auf der Alpeiner Seite, auf dem Karrlsjoch u. Lisens (Hfl.). Vintschgau: Wormserjoch (Giov!), im Laaserthal (Tpp.). Alpe Colern zwischen Ulten u. Val di Sol (Fcch.).

Bl. gelblich. Jul. Aug. ♃.

712. *S. androsacea L.* Mannsschildartiger St. ***Wurzelblätter rasig-gehäuft,*** gestielt, spatelig-lanzettlich oder verkehrt-eiförmig, in den Blattstiel verschmälert, an der Spitze 3zähnig o. ganzrandig, ***getrocknet 5—11nervig; Stengel nackt*** o. 1blättrig, ***meist 2blüthig; Blumenblätter verkehrt-eiförmig,*** ausgerandet, ***noch 1mal so breit u. lang als die Kelchzipfel.***

Feuchte steinige Triften der Alpen. — Vorarlberg: auf der Mittagspitze (Str!), am Widderstein im Bregenzerwald (Tir. B.)! Mädelealpe u. Aggenstein (Dobel)! Solstein (Str!). Innsbruck: Sattel- u. Neunerspitze (Hfl.). Kellerjoch (Hrg!). Marzanerthal bei Schwaz gegen das Joch (Schm.). Zillerthaleralpen, z. B. in der Zemm u. auf der Elsalpe (Gbh. Braune! Flörke!). Alpen um Kitzbüchl: z. B. Griesalpe (Trn.). Alpen um Brixen u. in Schmirn (Hfm.). Pfitscheralpen (Stotter)! Pusterthal: Teischnitzalpe, Lesachalpe am Grossgössnitz u. grauen Käs (Schtz.), Marenwalder- u. Dinzelalpe bei Lienz (Rsch!). Schleinitzalpe (Hohenwarth)! Vintschgaueralpen (Tpp.). Wormserjoch; Villandereralpe bei Bozen (Hsm.). Alpen von Fassa u. Fleims

(Fcch.). Am Montalon u. Vette di Feltre (Montini)! Montalon u. Cima d'Asta (Ambr.). Bondone, Spinale u. Pavione (Per.). Gipfel des Col santo bei Roveredo (Crist.). Am Baldo (Poll!).
Bl. weiss. Jul. Aug. ♃.

VII. Rotte. ***Nephrophyllum Gaud.*** Stämmchen ober der Erde fehlend. Stengel beblättert. Zwei Deckblätter an der Basis der Blüthenstiele, das eine kleiner. Kelch halbangewachsen mit aufrechten o. etwas abstehenden Zipfeln o. frei u. abstehend.

713. ***S. adscendens L.*** Streitiger St. ***Stengel einzeln,*** aufrecht, starr, ***beblättert;*** Aeste an der Spitze 3blüthig; ***Blüthenstielchen 2deckblättrig,*** die fruchttragenden traubig, ***von der Länge der Frucht; Blätter keilig, vorne 3—5-zähnig,*** Zähne gerade-hervorgestreckt, die stengelständigen abwechselnd, die wurzelständigen gehäuft, die ersten spatelig, ganz; Wurzel einfach.

Auf schattigem fettem Boden u. felsigen Grasplätzen der Alpen. — Am Sellrainer Ferner (Str!). Am Glunggezer gegen Volderthal (Str!). Kitzbüchl: am Tristkogel u. Geisstein 6000′ bis 7000′ (Trn. Unger! Str!). Zillerthal: in der Zemm (Schrank)! Pusterthal: in Prax auf der Gufidauneralpe vor der Sennhütte (Hll.), Dorferalpe, Teischnitzalpe u. am grauen Käs (Schtz.), Marenwalderalpe bei Lienz (Rsch!). Vintschgau: am Aufstieg zum Zefriedferner, am Uebergang von Schnals nach Pfelders (Tpp.). Schlern u. Seiseralpe (Elsm! C. H. Schultz)! Fassa: Chiampliè di Penia; Col santo, Bondone (Fcch.). Monte gazza (Merlo). Col Bricone in Paneveggio (Per.).
S. controversa Sternb. — Bl. weiss. Jul. Aug. ⊙.

714. ***S. tridactylites L.*** Dreitheiliger St. ***Stengel einzeln,*** aufrecht, einfach o. ästig, ***beblättert; Blüthenstiele*** 1blüthig, ***2deckblättrig, vielmal länger als die Frucht;*** Wurzelblätter verkehrt-eiförmig, spatelig, ungetheilt, 3lappig o. 3spaltig, lang-gestielt, mit flachem Blattstiel, ***die stengelständigen*** abwechselnd, ***handförmig-3spaltig;*** Wurzel 1fach.

An Mauern, Rainen u. Felsen vom Thale bis in die Voralpen. — Aecker bei Vomp nächst Schwaz (Schm.). Brixen (Hfm!). Gemein um Bozen: z. B. am Wege u. an den Felsen nördlich am Calvarienberge u. am kühlen Brünnel, Runkelstein, Hertenberg, an Mauern in Haslach etc.; Salurn und Margreid (Hsm.). Val di Non: bei Denno (Hfl!). Hügel bei Trient (Per.), allda gegen Cognola (Hfl!). Feldmauern um Roveredo (Crist.). Judicarien: an Mauern längs der Wege bei Tione (Bon.).
Bl. weiss. Ende März — Mai. ⊙.

715. ***S. petraea L.*** Felsen-St. ***Stengel einzeln,*** niederliegend, locker-ästig-rispig, ***beblättert; Blüthenstiele*** 1blüthig, ***2deckblättrig, vielmal länger als die Frucht; Blätter handförmig-3spaltig, geschlitzt-gezähnt,*** die untern beinahe nierenformig, die obersten an der Basis keilig, ganz u. 3spaltig, Lappen zugespitzt, Blattstiel der untern verlängert, halb-stielrund, rinnig; Blumenblätter verkehrt-eiförmig, noch 1mal so lang als der Kelch; Wurzel einfach.

An schattigen felsigen Orten des südlichsten Tirols. — In der Buchen- u. Fichtenregion des Spinale, Bondone u. Baldo, z. B. alla Corona u. al sentier di Ventrar (Poll!). Hügel des Baldo (Clementi). Roveredo: an der Etsch an den Felsen von Castel Corno (Crist.). Bei Castel Corno u. in einer Schlucht des östlichen Armes der Aviana ober Avio (Fcch.).

S. Ponae Sternb.

Bl. weiss. Jun. ⨀.

716. ***S. bulbifera L.*** Knollentragender St. ***Stengel aufrecht, ganz einfach, reichblättrig, an der Spitze trugdoldig;*** Trugdolde 3spaltig, 3—7blüthig; ***Wurzelblätter nierenförmig,*** lappig-gekerbt, gestielt, die obern Stengelblätter sitzend, länglich, an der Basis eingeschnitten, die obersten linealisch, ganz, ***in den Winkeln zwiebeltragend; Kelch halboberständig;*** Blumenblätter länglich-verkehrt-eiförmig, noch 1mal so lang als der Kelch; Wurzel körnig.

In Gräben der Städte Trient u. Verona (Poll!). Habui ex viciniis Veronae a Pollinio sagt Bertoloni (Fl. ital. t. IV. pag. 489), was, wenn auch die Pflanze in neuerer Zeit bei Trient nicht mehr gefunden worden zu sein scheint, doch beweist, dass dieser Angabe wenigstens keine unrichtige Bestimmung zu Grunde liegt.

Bl. weiss. Apr. Mai. ♃.

717. ***S. cernua L.*** Ueberhängender St. ***Stengel aufrecht, einfach*** o. etwas ästig, ***an der Spitze 1blüthig; Wurzelblätter nierenförmig,*** handförmig-5—7lappig, gestielt, die obern Stengelblätter sitzend, an der Basis eingeschnitten, die obersten lanzettlich, ganz, ***in den Winkeln zwiebeltragend; Kelch frei;*** Blumenblätter länglich, gestutzt.

An feuchten Felsen der Alpen im südöstlichen Tirol. — An der Gränze des Gebiethes von Livinalongo u. la Bocca der Provinz Belluno (Fcch.). Padon Fassano (Parolini)! Ai Monzoni in Fassa (Paterno)! Alpe Padon di Penia in Fassa (Fcch.). Im angränzenden Möllthale: auf den Alpen um Sagritz (Pacher).

Bl. weiss. Jul. Aug. ♃.

718. ***S. rotundifolia L.*** Rundblättriger St. ***Stengel aufrecht, rispig, reichblüthig; Wurzelblätter herz-nierenförmig, ungleich-grob-gesägt,*** lang-gestielt; Stengelblätter eingeschnitten-gezähnt; ***Kelch frei, abstehend;*** Blumenblätter lanzettlich, noch einmal so lang als der Kelch.

Feuchte Thäler der Alpen u. Voralpen. — Vorarlberg: am Pfänder bei Bregenz (Str!). Alpe Söben bei Vils (Frl!). Oberinnthal: auf der Aschaueralpe (Kink); Imsteralpe (Lutt!); bei Zirl u. Telfs (Str!). Innsbruck: im Gebüsche ober dem Schlosse Amras (Eschl.). Alpen bei Rattenberg (Wld.). Zillerthal: am Hainzenberge (Gbh.), auf der Elsalpe (Flörke)! Feuchte Bergwälder u. Alpen um Kitzbüchl, z. B. in der Schlucht zwischen Gschöss u. Blaufeld (Trn. Str!). Georgenberg (Schm.). Schmirnerjoch (Hfl.). In der Fichtenregion südlich von Innichen (Stapf).

Prax (Hll.). Lienz (Schtz.). Auf dem Hochrieb bei Lienz (Rsch!). Wormserjochstrasse zwischen Trafoi u. Franzenshöhe; Gebirge u. Alpen um Bozen: Schlern, Seiseralpe, Rittneralpe, Mendel u. ober Salurn; Ifinger bei Meran (Hsm.). Gebirge um Trient, z. B. gegen Terlago (Per!). Am Davoi (Rainer)! Am Odai (Meneghini)! Rabbi (Tpp.). Schattige kühle Orte bei Roveredo (Crist.). Vette di Feltre (Montini)! Baldo: Pascoli di Novesa (Poll!), u. am Tret de spin (Hfl.). Am Sella bei Borgo (Ambr.). Judicarien: Alpe Lenzada u. Val di Bolbeno (Bon.), Val di Rendena (Eschl!).

Eine Varietät mit stumpf-gekerbten Blättern ist: S. repanda Sternb. — Bl. weiss, sternförmig abstehend. Jul. Aug. ♃.

719. ***S. arachnoidea Sternb.*** Uebersponnener St. ***Stengel niederliegend,*** beblättert; ***Blätter rundlich-verkehrt-eiförmig,*** in den Blattstiel verschmälert, ***vorne sehr stumpf, 3—5lappig,*** Lappen sehr kurz, stumpf; Blüthen zuletzt locker-traubig, sehr lang-gestielt; Blumenblätter eiförmig, länger als der Kelch.

An schattigen felsigen Orten im südlichsten Tirol. — Val d'Ampola neben dem Wege, der vom See Ledro zum Dorfe Storo führt (Sternberg)! Val d'Ampola (Bon. Per.). Val d'Ampola an der Gränze des Bezirkes von Val di Ledro u. der Gemeinde Storo (Fcch.).

Bl. schwach citronengelb. Jul. Aug. ♃.

187. *Zahlbrucknéra Reichenb.* Zahlbrucknere.

Kelchröhre an der Basis mit dem Fruchtknoten verwachsen. Kelchsaum strahlig-10theilig, Zipfel abwechselnd kleiner. Blumenkrone fehlend (Koch betrachtet 5 der Kelchzipfel für Blumenblätter). Staubgefässe 10, vor den Kelchzipfeln eingefügt. Griffel 2. Kapsel 2fächerig, 2schnabelig, mit einem Loche aufspringend, vielsamig. (X. 2.).

720. ***Z. paradoxa Reichenb.*** Wunderliche Z. Stengel niederliegend, entfernt-beblättert; die untern Blätter lang-gestielt, herz-nierenförmig, 5—7lappig, Lappen stumpf o. kurzzugespitzt, die obern 3lappig; die Blüthen zuletzt lang-gestielt, einzeln, halb-unterständig; die kleinern Kelchzipfel schmal-lanzettlich, spitz. — „Habui ex Tonale in provincia Brixiensi a Morettio“ Bertoloni fl. ital. tom. IV. p. 485)! Mir ist kein anderer Tonale bekannt, als der an der Gränze Tirols und der Provinz Brescia am Uebergange von Val di Sol nach Val Camonica, u. er liegt nach der neuesten Karte von G. Mayr ganz auf Tiroler Boden. Diese sehr seltene Pflanze wächst sonst nur in Kärnthen im Lavantthale u. im Lassnitzthale in Steyermark.

S. paradoxa Sternberg.

Bl. grünlich. Jul. Aug. ♃.

188. *Chrysosplenium L.* Milzkraut.

Kelch 5spaltig, halb-oberständig, gefärbt, 2 gegenständige Zipfel kleiner. Blumenkrone fehlt. Staubgefässe 8 mit 1fächerigen Staubbeuteln, um einen den freien Theil des Fruchtknotens umringenden drüsigen Wulst eingefügt. Griffel 2. Kapsel zweischnabelig, einfächerig, bis zur Mitte in 2 Klappen aufspringend u. dann einen 4lappigen in der Mitte die glänzenden Samen tragenden Becher darstellend. Zuweilen finden sich auch 5zählige Blüthen. (VIII. 2.).

721. *C. alternifolium* *L.* Gemeines M. Wechselblättriges M. *Blätter wechselständig*, nierenförmig, tiefgekerbt, Kerben ausgerandet.

An Quellen, Bächen u. feuchten schattigen Orten vom Thale bis in die Alpen. — Vorarlberg: um Bregenz (Str!). Imst (Lutt!). Innsbruck: hinter Amras, gegen Völs und im Wäldchen am Steinbruch unter dem Husselhof (Schpf.). Im Villerberg bei Innsbruck u. im Längenthal (Prkt.). Zillerthal: um Zell (Gbh.), u. Waxegger Bergmähder (Moll)! Kitzbüchl (Trn.). Pusterthal: bei Welsberg (Hll.), Innervilgraten, Hopfgarten u. Dorferalpe (Schtz.), Wälder u. Felsen bei Lienz (Rsch! Schtz.). Zenoberg bei Meran (Iss.). Penserjoch (Hfl!). Gemein an der Heerstrasse über den Brenner; selten im Thale bei Bozen; gemein in Gebirgsthälern z. B. bei Kollern, St. Isidor, am Wege von Leifers nach Weissenstein; Klobenstein am Ritten; Seiseralpe; Salurn bei den Mühlen im Thale etc. (Hsm.). Fassa (Rainer)! Voralpen um Trient (Per.). Am Baldo: Val di Novesa u. dell'Artillon (Poll!). Judicarien: Val di Rendena, an den Wiesen bei Verdesina (Bon.).

Obsolet: Herba Chrysosplenii vel Saxifragae aureae.

Bl. mit den Deckblättern einen goldgelben Ebenstrauss bildend. März, Apr. ♃.

722. *C. oppositifolium L.* Gegenblättriges M. *Blätter gegenständig*, halbkreisrund, geschweift-gekerbt, an der Basis abgeschnitten.

An Bächen, Quellen, schattigen Felsen. — In Tirol nach Laicharding! Koch gibt für Deutschland in seiner Synopsis nur allgemeine Standorte, bemerkt aber ausdrücklich, dass die Pflanze (wiewohl überall seltener als Vorige) auch bis in die höheren Alpen ansteige, während dies Reichenbach (Flor. exc. p. 551) verneint. Nach Host in Friaul! Bayern (Schnitzlein)!

Kleiner als Vorige u. rasiger wachsend. Apr. Mai. ♃.

Hydrangea L. Hortensie.

Blüthen alle fruchtbar oder die Randblüthen unfruchtbar. Unfruchtbare Blüthen: Kelch häutig, aderig, flach, 4—5theilig; Geschlechtsorgane und Blumenkrone nur in Rudimenten vorhanden. Fruchtbare Bl.: Kelchröhre gerippt, mit dem Fruchtknoten verwachsen; Kelchsaum oberständig, 4—5zähnig. Blumenblätter 4 — 5, sitzend, eiförmig. Staubgefässe 8 — 10. Griffel 2 — 3. Kapsel mit dem Kelchsaume u. den Griffeln gekrönt, zwischen den Griffeln mit einem Loche aufspringend.

H. hortensis W. (Hortensia speciosa Pers.). Kelch der unfruchtbaren Bl. sehr gross, gefärbt, blumenkronenartig, 4-5blättrig, bleibend. Blätter gestielt, gegenständig, breit-eiformig, zugespitzt, gesägt. Bl. zuerst weisslich-grünlich, dann schön rosenroth, lange dauernd, in Trugdolden. Zierstrauch aus Japan u. China, den man sehr häufig in Töpfen, um Bozen auch im Freien ohne allen Schutz gepflanzt findet. Die Blüthen, deren Stand u. Form mit den Schneeballen viel Aehnlichkeit hat, erhalten durch eine künstliche Mischung der Gartenerde eine blaue Färbung. Im Freien gezogene Sträucher blühen bei Bozen Anfangs Juli. ♄.

LIII. Ordnung. UMBELLIFERAE. Juss.

Doldenblüthige.

Blüthen meist zwitterig. Kelchröhre mit dem Fruchtknoten verwachsen, Kelchsaum 5zähnig o. fast verwischt. Blumenblätter 5, dem Kelche eingefügt, in der Knospenlage einwärts-gerollt, so wie die 5 mit den Blumenblättern abwechselnden hinfälligen Staubgefässe. Fruchtknoten 2fächerig. Fächer 1eiig, Eierchen umgewendet. Griffel 2, jeder an der Basis in eine oberweibige Scheibe (Stempelpolster) verbreitert, das Ende des Fruchtknotens deckend. Frucht sich von der Basis gegen die Spitze in 2, an einer 2spaltigen o. 2theiligen Achse (Fruchthalter) aufgehängte Früchtchen (Halbfrüchte) trennend. Samen meist an das Fruchtgehäus angewachsen. Keim klein, in der Spitze des grossen Eiweisses. Einjährige o. ausdauernde Kräuter mit stielrundem, oft kantigem o. gefurchtem Stengel. Blüthen in schirmförmigen, seltener kopfförmigen Dolden, die äussersten oft strahlend. Von vielen ist die fleischige Wurzel geniessbar, von noch mehreren sind die Samen ihres ätherischen Oeles wegen in der Medicin oder in der menschlichen Haushaltung von Nutzen, einige aber auch giftig. (V. 2.).

I. Unterordnung. ORTHOSPERMAE.

Geradesamige.

Eiweiss auf der Fugenseite flach o. schwach konkav o. konvex, aber weder mit den Rändern eingekrümmt, noch sackartig-hohl.

I. Gruppe. **Hydrocotyleae Spreng.** Frucht von der Seite zusammengezogen o. flach zusammengedrückt, Dolde unvollkommen.

189. ***Hydrocótyle L.*** Wassernabel.

Kelchsaum undeutlich. Blumenblätter eiförmig, ganz, spitzig mit gerader Spitze. Frucht von der Seite flach zusammengedruckt, doppelschildförmig. Früchtchen striemenlos, mit 5 fadenförmigen Riefen, wovon die am Kiele und die 2 seitlichen oft undeutlich.

723. ***H. vulgaris L.*** Gemeiner W. Blätter schildförmig, kreisrund, doppelt-gekerbt, 9nervig; Blattstiele an der Spitze behaart; Dolden kopfig, meist 5blüthig; Frucht an der Basis etwas ausgerandet.

An sumpfigen Orten u. Ufern. — Vorarlberg: bei Fussach (Cst!). An einem kleinen Bache in Val di Ledro (Poll!).

Obsolet: Herba Cotyledonis aquaticae.

Bl. weiss o. röthlich. Jul. Aug. ♃.

II. Gruppe. **Saniculeae Koch.** Frucht auf dem Querdurchschnitte fast stielrund. Dolden büschelig oder kopfig, einfach o. etwas u. zwar unregelmässig-zusammengesetzt oder kopfige Döldchen. Halbfrüchte mit 5 gleichen erhabenen oder undeutlichen Hauptriefen, am Rande nicht geflügelt. Nebenriefen fehlend.

190. *Sanicula L.* Sanikel.

Kelchsaum 5zähnig, Zähne blättchenartig, stachelspitzig, so lang oder länger als die Blumenblätter. Blumenblätter aufrecht, zusammenneigend, schmal-verkehrt-herzförmig, in der Mitte einwärts-geknickt, gleich. Frucht fast kugelig, mit hackig-umgebogenen Stacheln dicht besetzt. Früchtchen reichstriemig, ohne bemerkbare Riefen, unter sich verwachsen, Fruchthalter unmerklich. Eiweiss vorne flach.

724. ***S. europaea L.*** Gemeiner Sanikel. Wurzelblätter handförmig-getheilt; Zipfel 3spaltig, ungleich-eingeschnitten-gesägt; die zwitterigen Blüthen sitzend, die männlichen sehr kurz-gestielt.

Schattige feuchte Wälder und Auen. — Bregenz (Str!). Innsbruck: in der Klamm (Schpf.), u. im Villerberg (Prkt.). Salzberg bei Hall (Hfl.). Wälder um Kitzbüchl (Trn.). Lienz (Schtz.), allda hinter dem Rauchkogel (Rsch!). Bozen: gemein im Kühbacher Walde, vorzüglich am Weiher; Kaltern u. am Montikler See bei Eppan (Hsm.). Valsugana: Wälder bei Borgo (Ambr.). Schattige Triften des Baldo u. der übrigen Tiroler Gebirge (Poll!). Judicarien: bei Stelle (Bon.).

S. vulgaris Koch syn. ed. 1.

Officinell: Radix et Herba Saniculae.

Bl. weiss o. röthlich. Mai, Jun. ♃.

191. *Astrantia L.* Astrantie. Thalstern.

Blüthen vielehig. Kelch 5zähnig, Zähne blättchenartig, stachelspitzig. Blumenblätter aufrecht, zusammenneigend, schmal-verkehrt-herzförmig, in der Mitte einwärts-geknickt, gleich. Frucht vom Rücken her etwas zusammengedrückt, unbewehrt. Früchtchen mit 5 gleichen, aufgeblasenen, faltig-gezackten Riefen, die in ihrer Höhlung kleinere röhrige Riefen einschliessen, striemenlos. Fruchthalter ungetheilt, mit der Berührungsfläche verwachsen. Eiweiss vorne flach.

725. ***A. minor L.*** Kleine A. *Wurzelblätter gefingert,*

Blättchen 7—9, lanzettlich, spitz, ungleich-spitz-eingeschnitten-gesägt; Hüllblättchen ganzrandig; Kelchzähne länglich-eiförmig, sehr kurz-stachelspitzig; Zähne der Riefen spitz.

Auf Alpen im südlichen Tirol. — Vintschgau: auf der Laaseralpe, im Laaserthal an feuchten Plätzen auf Kalkgerölle an der Holzgränze (Tpp.). Fleims: bei Rovazzo; am Bondone, Spinale u. Alpe Pelugo in Judicarien (Fcch!). Alpen von Valsugana (Crist.). Am Bondone (Per.). Am Baldo (Precht. Poll!). Judicarien: Val di Breguzzo, Rendena u. San Valentino (Bon.).

Bl. nebst den Hüllblättern weiss. Jul. Aug. ♃.

726. *A. carniolica Wulf.* Krainerische A. *Wurzelblätter handförmig-5theilig,* Zipfel länglich-verkehrt-eiförmig, spitz, fast 3spaltig, ungleich-spitz-eingeschnitten-gesägt; Hüllblättchen ganzrandig; *Kelchzähne eiförmig, stumpf, kurz-stachelspitzig;* Zähne der Riefen stumpf.

Häufig in den bayerischen Alpen bei Kreuth (Koch)! Am Scharfreuter im Rissthale (Lbd.)! Schwaz: am Wege zur Stallenalpe 3—4000′, dann auf der Platte bis an das Stanserjoch 6714′ (Schm.). Nach Sternberg in Val di Breguz, wenn nicht mit Voriger verwechselt?

Bl. u. Hüllblätter weiss. Jun. Aug. ♃.

726. b. *A. major L.* Grosse A. *Wurzelblätter handförmig-5theilig,* Zipfel länglich-verkehrt-eiförmig, spitz, fast 3spaltig, ungleich-spitz-eingeschnitten-gesägt; Hüllblättchen ganzrandig oder an der Spitze beiderseits 1—2zähnig; *Kelchzähne ei-lanzettförmig, in eine Stachelspitze zugespitzt;* Zähne der Riefen stumpf.

Gebüsche u. waldige Triften der Gebirge u. Voralpen. — Bregenz (Str!). Oberinnthal: bei Ladis (Gundlach), im Arzlerwald u. bei Kronburg nächst Imst (Lutt.), am Sinwag (Kink), Zirl u. Telfs (Str!). Innsbruck: bei Sistrans u. hinter dem Schlosse Amras, dann am Pastberg (Hfl. Eschl. Prkt.). Schwaz (Schm.). Kitzbüchl: am Kaiser u. Teufelswurzgarten bei 4000′ (Unger! Str!). Bozen: am Fuss der Mendel bei Kaltern; Klobenstein am Ritten gegen Kematen, vorzüglich im Gebüsche am Kalkofen, dann einzeln bei Pfaffstall u. Ritzfeld, u. häufig am Magenwasser (Hsm.). Hohe der Mendel (Elsm.), u. welsche Wiesen ober Eppan (Hfl.). Fleims (Fcch!). Monte gazza (Merlo). Am Bondone; Primiero (Per!). Valsugana (Ambr.). Wälder der Buchenregion um Roveredo (Crist.). Am Baldo: auf Wiesen um la Corona; am Bondone (Poll!). Gebirgswiesen in Judicarien (Bon.).

Obsolet: Radix Astrantiae, vel Imperatoriae nigrae.

Bl. u. meist auch die Hülle weiss o. rosenroth.

Jul. Aug. ♃.

192. *Eryngium L.* Mannstreu.

Blüthen zwitterig. Kelch 5zähnig, Zähne blättchenartig, dornig, länger als die Blumenblätter. Blumenblätter aufrecht, zusammenneigend, schmal-verkehrt-herzförmig, in der Mitte einwärts-geknickt, gleich. Frucht verkehrt-eiförmig o. kreiselförmig, im Querdurchschnitte fast stielrund, mit spreuartigen Schuppen o. Knötchen dicht besetzt. Früchtchen ohne bemerkbare Riefen u. Striemen. Fruchthalter 2theilig, der ganzen Länge nach mit den Halbfrüchten verwachsen.

727. *E. campestre L.* Feld-M. ***Blätter 3zählig-doppelt-fiederspaltig, netzig-aderig,*** dornig-gezähnt, die wurzelständigen gestielt, ***die stengelständigen geöhrelt - umfassend; Oehrchen geschlitzt-gezähnt;*** der Stengel rispig, ausgesperrt; Hüllchen länger als die rundlichen Köpfchen; Spreublättchen ganz; Kelch länger als die Blumenkrone.

An Hügeln u. öden Plätzen im südlichen Tirol. — Pusterthal: bei Lienz jenseits der Draubrücke u. in der Görtscherau (Rsch!). Bozen: am grasigen südlichen Abhange am Calvarienberge, auch einzeln zwischen Sigmundscron u. Frangart (Hsm.). Bei Neumarkt im Etschlande mit Folgender (Fcch!). Am Gardasee (Precht). — Obsolet: Radix Eryngii.

Bl. bläulich-grün. Jul. Aug. ♃.

728. *E. amethystinum L.* Stahlblaue M. ***Blätter doppelt-fiederspaltig, nervig-aderig,*** dornig-gezähnt, die wurzelständigen gestielt, ***die stengelständigen mit*** scheidiger ***ganzrandiger Basis umfassend;*** der Stengel an der Spitze ebensträussig; Hüllchen länger als die rundlichen Köpfchen; Spreublättchen ganz; Blumenkrone länger als der Kelch.

An Wegen, Rainen u. trockenen sonnigen Hügeln im südlichen Tirol. — Bei Meran (Eschl.). Burgstall (Gundlach). Am Kunterswege zwischen Bozen u. Klausen (Hfl.). Bozen: gegen Meran; Weg von Trient nach Civezzano (Hsm.). Bei Neumarkt u. im Gebiethe von Trient (Fcch!). Bei Salurn (Sternberg)! Pergine (Iss.). Im Distrikte von Riva längs der Strassen bei Tenno (Bon.).

Bl. so wie der ganze Blüthenstand stahlblau. Jul. Aug ♃.

729. *E. alpinum L.* Alpen-M. ***Wurzelblätter ungetheilt,*** gestielt, tief-herzförmig, spitz, gesägt-gezähnt, die obern sitzend, handförmig-3—5spaltig, gewimpert-gesägt; ***Hüllblättchen vielspaltig-fiederspaltig, borstig-gezähnt,*** ein wenig länger als das längliche Köpfchen; der Stengel 1—3köpfig.

Auf Alpentriften. — In Tirol (Laicharding)! In der angränzenden Schweiz im Prättigau nach Moritzi; also wohl auf dem das tirolische Thal Montafon vom Prättigau scheidenden Gebirge Rhäticon zu suchen? Oberkärnthen nach Koch!

Blüthenhülle bläulich, Bl. weiss. Jul. Aug. ♃.

730. *E. planum L.* Flachblättrige M. ***Wurzelblätter ungetheilt,*** gestielt, oval-herzförmig, stumpf, gekerbt-gesägt, die mittleren stengelständigen sitzend, ungetheilt, die obern 5theilig, dornig-gesägt; ***Hüllblättchen linealisch-lanzettlich, entfernt-dornig-gezähnt,*** so lang als das eiförmige Köpfchen oder ein wenig länger; der Stengel an der Spitze ebensträussig.

Im Herbar des Tiroler Museums findet sich ein von Eschenlohr angeblich in Vintschgau gesammeltes Exemplar dieser Pflanze vor. Nach Koch auf sandigen Orten u. Feldern in Oestreich etc. Sonst auch doch selten in Gärten zur Zierde.

Bl. u. oft der ganze Blüthenstand amethystfarben.

Jun. Jul. ♃.

III. Gruppe. **Ammineae Koch.** Frucht von der Seite deutlich zusammengedrückt, Früchtchen mit 5 Riefen, Riefen sämmtlich gleich. Eiweiss auf der Fugenseite ziemlich flach o. konvex, o. völlig stielrund. Dolden vollkommen.

193. *Cicúta L.* Wasserschierling. Wütherich.

Kelchsaum 5zähnig, Zähne blättchenartig. Blumenblätter verkehrt-herzförmig, mit einem einwärts-gebogenen Läppchen. Frucht fast kugelig, von der Seite her zusammengezogen, 2knotig. Früchtchen mit 5 fast flachen, gleichen Riefen, die seitenständigen randend. Thälchen 1striemig, Striemen die Thälchen ausfüllend u. an der trockenen Frucht etwas mehr vorstehend als die Riefen. Fruchthalter 2theilig. Eiweiss im Querdurchschnitte stielrund.

731. *C. virosa L.* Gemeiner W. Wurzelfasern fädlich; Blätter 3fach-gefiedert; Blättchen linealisch-lanzettlich, spitz, gesägt.

An Gräben u. Sümpfen. — Vorarlberg: gemein um Bregenz (Str!). Sümpfe um Sterzing (Hfl.). Pusterthal: bei Sillian (Fcch!), im Sillianer Moos (Hll.). Im Etschlande gemein auf den Mösern jenseits der Etsch bei Sigmundscron, dann an Gräben bei Vill u. Neumarkt (Hsm.). — Sehr giftig.

Officinell: Herba Cicutae aquaticae.

Bl. weiss. Jul. Aug. ♃.

194 *Ápium L.* Selerie.

Kelchsaum undeutlich. Blumenblätter ganz, fast kreisrund. Stempelpolster niedergedrückt. Frucht fast kugelig, von der Seite her zusammengezogen, 2knotig. Früchtchen mit 5 gleichen fadenförmigen Riefen, wovon die seitenständigen randend. Thälchen 1striemig. Fruchthalter ungetheilt. Eiweiss höckerig-konvex, vorne etwas flach.

732. *A. graveolens L.* Gemeine S. Kahl; Blätter gefiedert, die obern 3zählig; Blättchen keilig, an der Spitze eingeschnitten u. gezähnt.

Wild auf feuchten Orten bei Latsch u. im Laasermoose in Vintschgau (Tpp.).

Eine bekannte Gemüsepflanze, die man in allen Gärten findet, um Bozen u. im italienischen Tirol auch in Weinbergen angebaut.

Officinell: Radix, Herba et Semen Apii.

Bl. weiss. Jul. Sept. ☉.

195. *Petroselinum L.* Petersilie.

Kelchsaum undeutlich. Blumenblätter fast kreisrund, einwärts-gebogen, ganz, kaum ausgerandet, mit einem eingebogenen Zipfelchen. Stempelpolster konvex, kurz-kegelförmig. Frucht eiförmig, von der Seite her zusammengezogen, fast 2-knotig. Früchtchen mit 5 gleichen fadenförmigen Riefen, wovon die seitenständigen randend. Thälchen einstriemig. Fruchthalter 2theilig. Eiweiss höckerig-konvex, vorne fast flach.

733. ***P. sativum L.*** Gemeine P. Stengel aufrecht, kantig; Blätter glänzend, 3fach-gefiedert, die untern Blättchen eiförmig-keilig, 3spaltig und gezähnt, die obern Blätter 3zählig, Blättchen lanzettlich, ganz u. 3spaltig.

An Wegen, Mauern, Felsen u. Abhängen im südlichen Tirol. — Meran: bei Zenoberg (Tpp.). Gemein um Bozen: vorzüglich auf südlichen Lagen z. B. im Hertenberge, bei Runkelstein, im Fagner- u. Gandelberg bei Gries, im Viertel Sand, bei Rafenstein, am Tscheipenthurm, am Rittner Wege bis 1800′ gegen Kleinstein etc. (Hsm.). Trient: am Doss Trent (Per!).

Apium Petroselinum L.

Sonst in allen Gärten gebaut unter dem Namen: Kräutel.

Officinell: Radix, Herba et Semen Petroselini.

Bl. grünlich-gelb. Jun. Jul. ⊙.

196. *Trinia Hoffm.* Trinie.

Kelchsaum undeutlich. Blumenblätter der männlichen Blüthen lanzettlich, in ein eingebogenes Zipfelchen verschmälert, die der Zwitter- oder weiblichen Blüthen eiförmig, mit kurzer eingebogener Spitze. Frucht von der Seite her zusammengedrückt, eiförmig. Früchtchen mit 5 gleichen fadenformigen vorragenden Riefen, wovon die seitenständigen randend. Thälchen striemenlos o. undeutlich 1striemig. Fruchthalter flach, 2theilig. Eiweiss höckerig-konvex, vorne fast flach.

734. ***T. vulgaris De C.*** Gemeine T. Kahl, Hüllchen fehlend o. 1blättrig, Riefen der Früchte stumpf.

Auf Hügeln u. Abhängen im südlichen Tirol. — Gemein um Bozen: z. B. Hertenberg, Runkelstein, Fagner- u. Gandelberg bei Gries, ober dem Tscheipenthurm etc. (Hsm.). Kankofel auf der Mendel; am Doss San Rocco bei Trient (Hfl.). Am Calisberg bei Trient (Per.). Am Gardasee; am Baldo: im Gebiethe von Brentonico (Poll!). Am Gardasee (Clementi).

Pimpinella glauca L. T. pumila Jacq.

Blätter doppelt-gefiedert-fiederspaltig, Zipfel linealisch.

Bl. weiss. Apr. Mai. ⊙.

197. *Helosciadium Koch.* Sumpfschirm. Sumpfdöldchen.

Kelchsaum 5zähnig o. undeutlich. Blumenblätter eiförmig, ganz, mit eingebogener o. gerader Spitze. Frucht von der Seite her zusammengedrückt, eiförmig o. länglich. Früchtchen mit 5 gleichen vorragenden fadenförmigen Riefen, wovon die seitenständigen randend. Thälchen 1striemig. Fructhalter ganz, frei. Eiweiss höckerig- o. stielrund-konvex, vorne etwas flach.

735. ***H. nodiflorum Koch.*** Knotenblüthiger S. Blätter gefiedert, ***Fieder ei-lanzettförmig, gleichförmig-stumpflich-gezähnt;*** Dolden den Blättern gegenständig, gestielt, länger als der Blüthenstiel o. auch sitzend; Stengel an der Basis liegend u. wurzelnd.

An Bächchen u. Gräben im südlichen Tirol. — Um Trient (Facchini bei Bertoloni)! — Sium nodiflorum L.

Obsolet: Herba Sii nodiflori.

Bl. grünlich. Jul. Aug. ♃.

736. ***H. repens Koch.*** Kriechender S. Blätter gefiedert, ***Fieder rundlich-eiförmig, ungleich-gesägt-gezähnt o. gelappt;*** Dolden den Blättern gegenständig, kürzer als der Blüthenstiel; Stengel niedergestreckt, wurzelnd.

In Quellbächen der Langau bei Kitzbüchl u. auf Grasboden in deren Nähe, dann ausser dem Gebiethe bei Reichenhall im angränzenden Salzburgischen, im Wasser nie blühend (Trn.).

Sium repens L. — Bl. weiss. Jul. Sept. ♃.

198. ***Ptychótis Koch.*** Faltenohr.

Kelchsaum 5zähnig. Blumenblätter verkehrt-eiförmig, zweispaltig-ausgerandet, in der Mitte mit einer Querfalte, von der das Zipfelchen ausgeht. Frucht von der Seite her zusammengedrückt, eiförmig o. länglich. Früchtchen mit 5 gleichen fadenförmigen Riefen, wovon die seitenständigen randend. Thälchen 1striemig. Fruchthalter 2theilig. Eiweiss stielrund- o. höckerig-konvex, vorne etwas flach.

737. ***P. heterophylla Koch.*** Verschiedenblättriges F. Stengel aufrecht, sehr ästig; Wurzelblätter gefiedert, Blättchen rundlich, eingeschnitten-gelappt u. gesägt; Stengelblätter vielspaltig, Zipfel linealisch-fädlich; Frucht länglich; Hüllblättchen sämmtlich borstlich.

Sonnige felsige Hügel, im südlichen Tirol weit verbreitet (Koch Taschenb.)! Im Tridentinischen; um Roveredo und am Fusse des Baldo (Poll!). Auf einem hinter der Stadt Trient liegenden Berge (Zcc!). Um Trient u. von da südlich (Fcch!). Roveredo: an der Strasse nach Vallarsa, allo Spino (Per!).

Aethusa Bunius Murr. Carum Bunius L. Meum heterophyllum Mönch. — Bl. weiss. Jul. Aug. ⊙.

199. ***Falcaria Host.*** Sicheldolde. Sichelmöhre.

Kelchsaum 5zähnig. Blumenblätter verkehrt-eiförmig, ausgerandet, mit einem eingebogenen Zipfelchen. Frucht länglich, von der Seite her zusammengedrückt. Früchtchen mit 5 fadenförmigen gleichen Riefen, wovon die seitenständigen randend. Fruchthalter frei, 2spaltig. Thälchen 1striemig, Striemen fadenförmig. Eiweiss stielrund-konvex, vorne etwas flach.

738. ***F. Rivini Host.*** Gemeine S. Wurzelblätter einfach u. 3zählig; Stengelblätter 3zählig, das mittlere Blättchen 3spaltig, die seitenständigen auswärts 2- u. 3spaltig; Zipfel linealisch-lanzettlich, gleich-genähert-gesägt; Sägezähne dornig-stachelspitzig.

Auf Wiesen, gebauten Orten u. an Wegen im wärmern Tirol (Host)! In Tirol (Laicharding)! Im übrigen Deutschland nach Koch stellenweise, in der Schweiz nur bei Basel!

Sium Falcaria L. — Bl. weiss. Jul. Aug. ⊙.

200. *Aegopodium L.* Geissfuss. Giersch.

Kelchsaum undeutlich. Blumenblätter verkehrt - eiförmig, mit einem eingebogenen Zipfelchen ausgerandet. Frucht von der Seite her zusammengedrückt, länglich. Früchtchen mit 5 fadenförmigen Riefen, wovon die seitenständigen randend. Thälchen striemenlos. Fruchthalter borstenförmig, an der Spitze gabelspaltig. Eiweiss stielrund-konvex, vorne etwas flach.

739. ***A. Podagraria L.*** Gemeiner G. Wurzelblätter 2- o. 3fach-3theilig, die stengelständigen 3theilig; Blättchen eiförmig, gleichförmig, gesägt, zugespitzt. Hülle u. Hüllchen fehlend. Wurzelstock kriechend.

An Hecken, Waldrändern u. Gebirgsthälern. — Vorarlberg: um Bregenz (Str!). Innsbruck: gemein z. B. in den Stauden am Steinbruche beim Husselhofe (Schpf.). Kitzbüchl: an Zäunen (Trn.). Wälder u. Obstgärten um Lienz (Rsch! Schtz.). Bozen: häufig in der Rodlerau u. am Fuss des Haslacher Berges an den Wiesen; Klobenstein am Ritten z. B. im Sallrainer Thälchen bei Lengmoos etc. (Hsm.). An Aeckern bei Borgo (Ambr.). Trient (Per!). Judicarien: längs der Strassen bei Tione (Bon.). — Obsolet: Herba Podagrariae.

Stengel kahl, 1—3′ hoch. Bl. weiss. Anf. Jun. Jul. ♃.

201. *Carum L.* Kümmel.

Kelchsaum undeutlich. Blumenblätter verkehrt - eiförmig, mit einem eingebogenen Zipfelchen ausgerandet, regelmässig. Frucht von der Seite her zusammengedrückt, länglich. Früchtchen mit 5 fadenförmigen gleichen Riefen, wovon die seitenständigen randend. Thälchen 1striemig. Fruchthalter frei, an der Spitze gabelspaltig. Eiweiss stielrund-konvex, vorne etwas flach.

740. ***C. Carvi L.*** Gemeiner K. (Küm in der Volkssprache). Blätter doppelt-gefiedert; Blättchen fiederspaltig-vielspaltig, die untersten Paare an den gemeinschaftlichen Blattstiel kreuzweise-gestellt; beide Hüllen fehlend; der Stengel kantig; Wurzel spindelig.

Auf Wiesen u. Triften gemein vom Thale bis in die Alpen. — Bregenz (Str!). Oetzthal: bei Heilig-Kreuz; Innsbruck: am Berg Isel; Thaureralpe (Hfl.). Kitzbüchl (Trn.). Auf dem Jaufen (Eschl.). Brixen (Hfm.). Pusterthal: Innervilgraten, Tefereggen u. um Lienz (Schtz.). Bozen: allenthalben

z. B. in den Wiesen bei St. Antoni im Talferbette u. in Haslach; Klobenstein am Ritten auf allen Wiesen (Hsm.). Val di Non: Castell Brughier u. Cles (Hfl!). Vintschgau: bei Schlanders u. in Bayen (Tpp.). Trient: bei Marzola u. am Bondone (Per!). Valsugana: Voralpenwiesen bei Borgo (Ambr.). Roveredo (Crist.).

Auf den Alpentriften sind die Blüthen meist rosenroth, oft auch tiefroth. Schlern u. Seiseralpe (Hsm.). Alpen bei Welsberg (Hll.). Prax (Wlf!). Monte Gazza (Merlo). Judicarien: in Rendena (Bon.).

Das erste blühende Doldengewächs.

Officinell: Semen Carvi.

Bl. weiss o. roth. Ende März, Apr. Auf Alpen Jun. Jul. ⊙.

202. *Pimpinella L.* Bibernell.

Kelchsaum undeutlich. Blumenblätter verkehrt-eiförmig, mit eingebogenem Zipfelchen ausgerandet. Frucht von der Seite her zusammengedrückt, eiförmig, mit dem Stempelpolster und den zurückgebogenen Griffeln gekrönt. Früchtchen mit 5 gleichen fadenförmigen Riefen, wovon die seitenständigen randend. Thälchen vielstriemig. Fruchthalter frei, 2spaltig. Eiweiss höckerig-konvex, vorne etwas flach.

741. ***P. magna L.*** Grosse B. Blätter gefiedert; Blättchen spitz, gezähnt, ungetheilt o. lappig, o. geschlitzt; *der Stengel beblättert, kantig-gefurcht;* die Griffel länger als der Fruchtknoten; Früchte länglich-eiförmig, kahl.

Wiesen u. Triften, gemein vom Thale bis in die Alpen. — Vorarlberg: um Bregenz (Str!), Bregenzerwald (Tir. B.)! Oberinnthal: bei Imst (Lutt!). Alpe Söben (Frl!). Innsbruck: z. B. am Sonnenburger Hügel (Hfl.). Stubai (Hfl!). Alpen um Rattenberg (Wld.). Bergwiesen um Kitzbüchl (Unger)! Schwaz (Schm!). Schmirn (Hfm!). Pusterthal: um Lienz (Rsch!), allda u. bei Hopfgarten (Schtz.); Sterzing (Hfl!). Auf allen Wiesen um Bozen u. um Klobenstein am Ritten (Hsm.). Eppan (Hfl.). Um Trient u. in Pinè (Per.). Am Baldo (Clementi). Judicarien (Bon.). —

β. rosea. Blumenblätter rosenroth, auf höhern Alpen auch tiefroth. — P. rubra Hoppe. — Am Ritten gemein von 4000′ aufwärts, vorzüglich um Pemmern u. auf dem Fenn; Seiseralpe u. Schlern (Hsm.). Oberinnthal: am Säuling (Kink), Imsteralpe (Lutt!). Zillerthalergebirge (Gbh.). Lisens (Prkt.). Vorarlberg (Str!). In Prax (Wlf!). Auf dem Bondon bei Trient (Poll! Per.). Val di Rabbi u. bei Campiglio di Rendena (Bon.).

γ. dissecta. Blättchen handförmig-doppelt-fiederspaltig. P. dissecta Retz. — Kitzbüchl (Trn.). Am Baldo (Clementi). Baldo, Campo bruno, Bondone u. Campo grosso (Poll!).

Obsolet: Radix Pimpinellae albae majoris, seu Tragoselini majoris. — Bl. weiss o. rosenroth. Mai — Jul. ♃.

742. ***P. Saxifraga L.*** Gemeine B. Blätter gefiedert, Blättchen eiförmig, stumpf, gezähnt, gelappt oder geschlitzt, etwas glänzend o. matt; ***Stengel stielrund, zart-gerillt, oberwärts fast blattlos,*** kahl o. flaumig; Griffel während der Blüthezeit kürzer als der Fruchtknoten; Früchte eiförmig, kahl.

Auf trockenen Triften, Hügeln u. Rainen bis an die Voralpen. — Bregenz (Str!). Oberinnthal: am Säuling (Kink). Rattenberg: am Schlossberg u. bei Kropfsberg (Wld.). Kitzbüchl (Unger)! Plitsch (Precht). Lienz (Rsch!). Innervilgraten (Schtz.). Gemein um Bozen z. B. gegen Runkelstein u. Heilig-Grab; Klobenstein am Ritten (Hsm.). Castell Brughier (Hfl!). Fleims: bei Predazzo (Parolini)! Fassa (Rainer)! Trient (Per.). Roveredo (Crist.). Riva, an der Bastion (Hfl.). Judicarien: bei Tione (Bon.).

β. *alpestris.* Kleiner; Blättchen im Umrisse rundlich, fast handförmig-eingeschnitten, Zipfel lanzettlich, zugespitzt. P. alpina Host. — Auf Bergen des südlichen Tirols u. alla Madonna am Baldo (Fcch.). Valsugana (Ambr.).

γ. *pubescens.* Stengel höher, stärker; Blätter eiförmig, glanzlos, so wie der Stengel ziemlich dicht-flaumhaarig; Blüthenstiele kahl. — Um Bozen u. Trient. Diese Varietät wurde schon für P. nigra Willd. genommen, die echte P. nigra, welche Maly übrigens auch als Tiroler Pflanze anführt, hat jedoch nach Koch auch die Blüthenstiele dicht-flaumhaarig, dann eine Wurzel, die durchschnitten o. abgerissen an der Luft bald eine blaue Färbung annimmt, was jedoch nach Neilreich (Flora von Wien pag. 417) u. Rabenhorst (Flora 1836 pag. 257) nicht immer der Fall ist. Kosteletzky (allgemeine medicinisch-pharmaceutische Flora pag. 1138) führt die P. nigra auch nur als Abart der P. Saxifraga auf u. bemerkt ausdrücklich, dass sich an mehreren Gegenden der blaue Saft der Wurzel, an andern dagegen auch nicht eine Spur davon zeige. Neilreich fand um Wien an einer u. derselben Dolde kahle u. schwach-behaarte Blüthenstiele. Aus dem Angeführten dürfte demnach hervorgehen, dass P. nigra Willd. überhaupt nur als Varietät der P. Saxifraga anzusehen sei.

Obsolet: Radix Pimpinellae albae seu Tragoselini.

Bl. weiss. Jun. Aug. ♃.

203. *Berula Koch.* Berle.

Kelchsaum 5zähnig. Blumenblätter verkehrt-eiförmig, mit eingebogenem Zipfelchen ausgerandet. Frucht eiförmig, von der Seite her zusammengedrückt, fast 2knotig. Stempelpolster kurz-kegelförmig, mit einem schmalen Rande umgeben. Griffel zurückgebogen. Früchtchen mit 5 gleichen fadenförmigen Riefen, wovon die seitenständigen vor den Rand gestellt. Thälchen vielstriemig, Striemen vom dicken rindigen Fruchtgehäuse bedeckt. Fruchthalter 2theilig, den Früchtchen angewachsen, kaum bemerkbar.

743. ***B. angustifolia Koch.*** Schmalblättrige B. Blätter gefiedert; Blättchen eingeschnitten-gesägt; Dolden gestielt, den Blättern gegenständig; Hülle meist fiederspaltig.

In Gräben u. an Bächchen. — Vorarlberg: bei Bregenz (Str!). Innsbruck: in den Giessen, in den Gräben gegen Kranewitten u. in den Seegräben bei Amras (Schm. Hfl.); bei Patsch (Hfl!). Hallerau am Inn (Friese). Lienz: an den Lavanter Wasserleitungen (Rsch!). Bozen: gemein in den Gräben bei Sigmundscron u. gegen Leifers, im Fagnerberg am Wege am Reichriegler Hofe an einem Graben; Pranzoll, Auer etc. (Hsm.). Valsugana: Gräben bei Borgo (Ambr.). Gräben um Trient (Fcch!), im Campo Trentino (Per.). Am Gardasee (Clementi). — Sium angustifolium L.

Bl. weiss. Jul. Aug. ♃.

204. ***Bupleurum L.*** Hasenohr.

Kelchsaum undeutlich. Blumenblätter fast kreisrund, ganz, eingerollt, gleich, mit breitem Zipfelchen. Frucht von der Seite her zusammengedrückt, oft fast 2knotig, mit dem niedergedrückten Stempelpolster gekrönt. Früchtchen mit 5 gleichen, geflügelten fadenförmigen o. undeutlichen Riefen, wovon die seitenständigen randend. Thälchen mit Striemen o. striemenlos. Fruchthalter frei. Eiweiss vorne etwas flach. Bluthen gelb.

a. ***Blätter nicht durchwachsen. Wurzel jährig.***

744. ***B. aristatum Bartl.*** Begranntes H. Der Stengel ästig; ***Blätter linealisch-lanzettlich, zugespitzt, 3nervig,*** die untern nach der Basis verschmälert; ***Hüllchen*** länger als das Doldchen, ***elliptisch*** o. lanzettlich, begrannt-haarspitzig, krautig, mit einem durchscheinenden Rande umgeben, 3nervig, Nerven aderig-ästig; ***Blüthenstielchen halb so lang als der Fruchtknoten,*** gleich, das mittlere kürzer.

Sonnige steinige Hügel in Südtirol (Koch syn.)! Trockene heisse Orte um Trient (Per. Dolliner). Ungebaute dürre, hügelige Orte um Roveredo (Crist.). Am Gardasee (Precht). — B. Odontites L. — Das am Baldo angegebene B. baldense W. K. (B. junceum L. ap. Koch) ist fur unser Gebieth zweifelhaft geworden, um so mehr als es auch schon mit G. aristatum verwechselt wurde.

Bl. gelb. Jul. Aug. ☉.

b. ***Blätter nicht durchwachsen. Wurzel mehrjährig.***

745. ***B. falcatum L.*** Sichelblättriges H. Stengel ästig; ***Blätter 5—7nervig,*** zwischen den Nerven aderig, ***die untern elliptisch o. länglich,*** in den Blattstiel verschmälert, ***die obern lanzettlich, an beiden Enden spitz,*** sitzend; ***Hüllchen lanzettlich, haarspitzig; Blüthenstielchen ungefähr von der Länge der Frucht;*** Riefen schmal-geflügelt; Thälchen flach, 3striemig.

Auf Hügeln u. steinigen Orten. — Bei Lienz (Wlf!).
Jul. Sept. ♃.

746. ***B. ranunculoides L.*** Hahnenfussartiges H. Der Stengel einfach o. ästig; ***Blätter nervig, die wurzelständigen linealisch-lanzettlich o. linealisch***, zugespitzt, nach der Basis verschmälert, ***die stengelständigen aus herz- o. eiförmiger stengelumfassender Basis*** verschmälert-spitz; Hülle meist 3blättrig; ***Hüllblättchen elliptisch***, zugespitzt, länger als die Döldchen; Riefen geflügelt, Thälchen 1striemig.

Triften der Alpen. — Vorarlberg: am Freschen (Cst!). Schlern (Elsm!). Valsugana: Triften des Manasso (Ambr.). Am Baldo u. Gebirge um Trient (Poll!). Baldo (Dolliner. Clementi). Am Baldo: um la Corona; in Primiero; Judicarien: Val di Ledro; Vette di Feltre (Fcch!). Judicarien: an den Felsen von Campiglio u. Lenzada (Bon.).

Bl. gelb. Jul. Aug. ♃.

747. ***B. graminifolium Vahl.*** Grasblättriges H. ***Der Stengel einfach, nackt, oberwärts 1blättrig;*** Wurzelblätter linealisch, zugespitzt, nervig, das stengelständige lanzettlich; Hülle meist 5blättrig, ***Hüllblättchen elliptisch,*** zugespitzt, länger als die Döldchen, ***frei.***

Felsenspalten, steinige Orte der Alpen u. höhern Gebirge im südlichen Tirol. — Höchste Stellen des Baldo, vorzüglich auf Costa bella, Coval santo, Via di Ventrar, dann auf dem Bondon (Poll!). Monte Baldo (Kellner). Judicarien: auf der Alpe Lenzada; Alpe Campobruno nahe an der Vicentinischen Gränze; Alpe Agnerola in der Nähe der Vette di Feltre in Primiero (Fcch!). Judicarien: Val di San Valentino u. Alpe Lenzada (Bon.).

Bl. gelb. Jul. Aug. ♃.

748. ***B. stellatum L.*** Sternförmiger H. ***Der Stengel einfach, nackt, oberwärts 1blättrig;*** Wurzelblätter linealisch-lanzettlich, nach der Basis verschmälert, netzig-aderig; ***Hüllblättchen*** verkehrt-eiförmig, kurz-zugespitzt, ***von der Basis an bis zur Mitte zusammengewachsen,*** länger als die Döldchen; Riefen häutig-geflügelt, Thälchen 1striemig.

Felsige Orte der Alpen im südlichen Tirol. — Mendel bei Bozen und Ultneralpe (Elsm.). In Rabbi (Hinterhuber)! Von Rabbi aus nach dem Martellthale (Fk!). Auf dem Bondon (Poll!). Piz del Mezzodì (Tpp.). Montalon (Montini)! Bergwiesen bei Torcegno in Valsugana (Ambr.). Fleims: bei Cazzorgo; Primiero auf dem Berge Agnellezza; Cima d'Asta in Tesino und Val di Breguzzo in Judicarien (Fcch.). Val di Genova, Rendena, Alpe Lenzada u. am Frate in Breguzzo (Bon.). Cima di Val larga im Fersinathale (Per!).

Bl. gelb. Jul. Aug. ♃.

c. ***Blätter durchwachsen.***

749. ***B. protractum Link.*** Ausgebreitetes H. Stengel von der Basis an ästig; ***Blätter eiförmig, durchwachsen,***

die untern eiförmig-länglich, stengelumfassend, die untersten nach der Basis verschmälert; Hüllchen eiförmig, zugespitzt; Riefen fädlich, ***Thälchen bekörnt***, striemenlos.

Unter der Saat in Südkrain, Südtirol (Kittel Linn. Tschb. p. 127)! Nach Koch u. Reichenb. im Littorale u. auf den Inseln in Dalmatien! In der 1844 erschienenen Flora von Krain von A. Fleischmann wird diese Pflanze nicht unter den Krainer Pflanzen aufgeführt. Ich überlasse es daher jedem Einzelnen, auf diese u. die übrigen Kittel'schen auf Tirol bezüglichen Angaben beliebiges Gewicht zu legen. Mai, Jun. ⊙.

750. ***B. rotundifolium L.*** Rundblättriges H. Der Stengel oberwärts ästig; ***Blätter eiförmig, durchwachsen***, die untern nach der Basis verschmälert, stengelumfassend; Hüllchen eiförmig-zugespitzt, Riefen fädlich, ***Thälchen gerillt***, striemenlos.

Auf Aeckern. — Pusterthal: An Alpenställen bei Welsberg (Hll.). Im Gebiethe von Bozen zwischen Kastelrutt, Seis und Ratzes, dann bei Völs (Hsm.). Aecker, am Margone bei Trient (Hfl.). Roveredo (Crist.). Am Baldo (Rainer)!

Obsolet: Herba et Semen Perfoliatae.

Bl. gelb. Jun. Jul. ⊙.

IV. Gruppe. **Seselineae Koch.** Frucht auf dem Querdurchschnitte stielrund oder ziemlich stielrund. Früchtchen mit 5 Riefen, die seitenständigen gleichbreit o. ein wenig breiter. Eiweiss auf der Fugenseite flach o. fast stielrund. Dolde vollkommen.

205. *Oenanthe L.* Rebendolde.

Kelchsaum 5zähnig. Blumenblätter verkehrt-eiförmig, mit eingebogenem Zipfelchen ausgerandet. Frucht walzlich, fast kreiselförmig o. länglich, mit den geraden langen Griffeln gekrönt. Früchtchen mit 5 stumpfen, etwas konvexen Riefen, die seitenständigen davon randend u. etwas breiter. Thälchen einstriemig. Fruchthalter verwachsen, unmerklich. Eiweiss konvex oder fast stielrund.

O. silaifolia M. B. Silaublättrige R. Wurzel büschelig, ***Fasern länglich o. verlängert-keulig;*** Blätter dreifach- u. doppelt-gefiedert, Zipfel fast gleichförmig, die der untern lanzettlich, die der obern linealisch; ***Früchte walzlich, an der Basis mit einer Schwiele umgeben.***

Auf Sumpfwiesen. — Bei Füssen im angränzenden Bayern (Frölich in Reichenb. fl. exc. p. 463)! Da Füssen keine Viertelstunde von der Tirolergränze entfernt ist, so ist es wohl leicht möglich, dass die Pflanze auch auf Tiroler Boden vorkomme? — Die mittleren Blüthen der Döldchen fast sitzend, fruchtbar, die äussern länger gestielt, strahlend, fehlschlagend.

Bl. weiss. Jun. Jul. ♃.

751. ***O. crocata L.*** Gelbliche R. Giftige R. ***Wurzel*** büschelig, mit ***knollig-verdickten Fasern;*** Blätter dop-

pelt-gefiedert, Blättchen alle keilig-rhombisch, vielspaltig, fast gleich. —

Von den Brüdern Sartorelli bei Borgo in Valsugana gefunden, jetzt durch die Kultur verdrängt (Facchini briefl. Mitth.)! Der noch lebende Bruder Casimir Sartorelli in Borgo bezeichnete mir schriftlich folgenden nähern Standort: Borgo, auf den sumpfigen Abhängeu ober der Brücke am Wege nach Torcegno u. am Hügel der Ciolina rechts am Ceggio. Nach ihm ist die Pflanze zwar selten geworden, aber keineswegs ausgerottet. Ein mir gütigst überschicktes Exemplar ist zu unvollständig, um über die Richtigkeit der Bestimmung evidente Gewissheit zu haben, doch lässt sich selbe mit Wahrscheinlichkeit annehmen. — O. crocata L. Reichenb. fl. exe. p. 464.

Der nächste bekannte Standort dieser im übrigen Deutschland nicht vorkommenden Pflanze wäre: Perlezzo in der Provinz Como, wo sie nach Comolli am kleinen See del Piano wächst. Jun. Jul. ♃.

752. ***O. Phellandrium Lam.*** Rossfenchel. Wasserfenchel. ***Wurzel spindelig;*** Fasern fädlich, an den Gelenken quirlig; der Stengel sehr ästig; Aeste ausgesperrt; Blätter doppelt- u. 3fach-gefiedert; Blättchen spreizend, eiförmig, fiederspaltig-eingeschnitten, die untergetauchten vielspaltig, Zipfel haardünn; Dolden den Blättern gegenständig; Früchte eiförmig-länglich.

Im östlichen Pusterthale: im Sillianer Moose (Rsch!). Sterzing (Hfl!). Im Etschlande sehr selten in Gräben bei Entiklar nächst Margreid (Hsm.). — Phellandrium aquaticum L.

Officinell: Semen Phellandrii vel Foeniculi aquatici.

Bl. weiss, alle gleich lang gestielt und fruchtbar.

Jul. Aug. ☉.

206. *Aethusa L.* Gleisse.

Kelchsaum undeutlich. Blumenblätter verkehrt-eiförmig, mit eingebogenem Zipfelchen ausgerandet. Frucht eiförmig-kugelig. Früchtchen mit 5 erhabenen dicken, geschärft-gekielten Riefen, wovon die seitenständigen randend u. etwas breiter. Thälchen 1striemig. Eiweiss halb-kugelig, vorne flach. Fruchthalter zweitheilig. —

753. ***A. Cynapium L.*** Gartengleisse. Hundspetersilie. ***Hüllchen*** 3blättrig, ***länger als die Döldchen;*** die äussern fuchttragenden Blüthenstielchen noch 1mal so lang als die Frucht; Striemen der Fuge an der Basis etwas auseinander stehend.

Auf Aeckern u. Gartenland. — Bregenz (Str!). Innsbruck: Aecker am Grillhof im Pastberg (Hfl.). Gemein als Unkraut in Gärten um Kitzbüchl (Trn.). Lienz: an Zäunen u. Schutthäufen (Rsch!). Klobenstein am Ritten in u. an Gärten (Hsm.). Am Baldo um la Corona (Poll!). Judicarien: an Wegen bei Tione (Bon.). —

β. pygmaea. 1 — 3 Zoll hoch. A. Cynapium *β.* agrestis Wallr. — Auf Aeckern am Ritten z. B. östlich von Unterkematen u. bei Siffian im Acker in der Nähe des Weihers (Hsm.).
Eine Giftpflanze, deren Blätter einige Aehnlichkeit mit denen der Petersilie haben u. oft unter derselben in Gärten vorkommt.
Bl. weiss. Jun. Aug. ☉.

754. *A. cynapioides M. B.* Hundspetersilienartige G. *Hüllchen* 3blättrig, *so lang als die Döldchen;* die äussern fruchttragenden Blüthenstielchen von der Länge der Frucht; Striemen der Fugen sich an der Basis berührend.
Vintschgau: an der Strasse bei Castelbell (Tpp.).
Ist wohl nur Varietät der Vorigen.
Bl. weiss. Jun. Jul. ☉.

207. ***Foeniculum Hoffm.*** Fenchel.

Kelchsaum undeutlich. Blumenblätter fast kreisrund, ganz, eingerollt, abgestutzt, mit fast 4eckigem Zipfelchen. Frucht im Querdurchschnitte fast stielrund. Früchtchen mit 5 vorragenden stumpf-gekielten Riefen. Thälchen 1striemig, selten 3striemig. Fruchthalter 2theilig. Eiweiss fast halb-stielrund. Stempelpolster kegelförmig.

755. *F. officinale All.* Gebräuchlicher F. Der Stengel an der Basis stielrund; Zipfel der Blätter linealisch-pfriemlich, verlängert; Dolden 13—20strahlig; Hülle fehlend.
In Südtirol an Felsen, Abhängen u. sonnigen Hügeln. — Bozen: wild im Griesner- u. Guntschnáerberg, am Fagnerbache gegen den Wasserfall, beim Einsiedel u. um Ceslar etc.; auch in den meisten Weinleiten angebaut u. allda verwildert (Hsm.). Eppan: in Weinbergen (Hfl.). In Felsritzen im Tridentinischen (Poll!),
Ein bekanntes Gewürz, um Bozen: welscher Anis.
Officinell: Radix et Semen Foeniculi vulgaris.
Bl. gelb. Jun. Aug. ♃.

208. ***Séseli L.*** Sesel.

Kelchsaum 5zähnig, Zähne kurz, dick. Blumenblätter verkehrt-eiförmig, in ein eingebogenes Zipfelchen verschmälert, ausgerandet o. fast ganz. Frucht oval o. länglich, im Querdurchschnitte fast stielrund, mit den zurückgebogenen Griffeln gekrönt. Früchtchen mit 5 vorragenden o. erhabenen, dicken, rindigen Riefen, wovon die seitenständigen randend u. oft etwas breiter. Thälchen 1striemig, selten 2—3striemig. Fruchthalter 2theilig. Eiweiss fast halb-stielrund. Bl. an unsern Arten weiss, auswendig oft röthlich; die Hüllblättchen nicht verwachsen.

756. *S. Gouáni Koch.* Gouan's S. Der Stengel von der Basis an ästig, spreizend; Wurzelblätter 3mal-3zählig-zusammengesetzt u. doppelt-zusammengesetzt, im Umriss 3eckig; Blättchen schmal- u. fast 3eckig - linealisch, *mit stielrundem Blattstiel; Dolden 3—6strahlig;* Strahlen fast stielrund,

kahl; Hüllblättchen pfriemlich, sehr schmal-häutig-berandet, zur Blüthezeit so lang als die Blüthenstielchen; die jüngern Früchte runzelig-flaumig, die ältern kahl; ***Thälchen 3rillig, 3striemig.***

Kalkberge im südlichen Tirol (Koch Taschenb.)! An der Bastion bei Riva (Hfl.). Nordöstlich am Gardasee u. ober Storo in Judicarien (Fcch.).

S. elatum Gouan u. L. nach Bertoloni.

Bl. weiss. Aug. Sept. ⊙.

757. ***S. glaucum Jacq.*** Meergrüner S. Der Stengel ästig; Wurzelblätter 3zählig-3fach-gefiedert, im Umrisse dreieckig; Blättchen lanzettlich-linealisch u. linealisch; ***Blattstiel stielrund oder von der Seite zusammengedrückt; Dolden 10—15strahlig***; ***Strahlen*** fast stielrund, ***kahl;*** Hüllblättchen pfriemlich, sehr schmal-häutig-berandet, zur Blüthezeit halb so lang als die Blüthenstielchen; die jüngern Früchte runzelig, kurz-kreisel-eiförmig, die reifen kahl o. fein-flaumig; ***Thälchen 1rillig, 1striemig.***

Grasige Hügel und waldige Gebirge im südlichen Tirol (Koch Taschenb.)! Sonnige Hügel im Tridentinischen, dann bei Chiusa im Veronesischen (Poll!).

S. elatum L. nach Reichenb.

Bl. weiss. Jul. Aug. ⊙.

758. ***S. varium Trev.*** Bunter S. Der Stengel ästig; Wurzelblätter 3zählig-3fach-gefiedert, im Umrisse 3eckig, Zipfel linealisch; ***Blattstiel oberseits rinnig; Dolden 15 bis 25strahlig; Strahlen*** fast stielrund u. ***nebst dem länglichen Fruchtknoten kahl;*** Hüllblättchen lanzettlich-zugespitzt, häutig-berandet, zur Blüthezeit halb so lang als die Blüthenstielchen; die reifen Früchte linealisch-länglich; ***Thälchen 1rillig, 1striemig.***

Trockene steinige Hügel in Südtirol (Koch Taschenb.)! Auf sonnigen felsigen Orten in Vintschgau, auf Glimmerschiefer von Galzaun bis Schlanders, vorzüglich ober Castelbell (Tpp.).

Strahlen der Dolde noch 1mal so lang als bei S. glaucum.

Bl. weiss. Jul. Aug. ⊙.

759. ***S. tortuosum L.*** Schlänglicher S. Der Stengel ästig; spreizend; die Wurzel- u. Stengelblätter 3zählig-3fach-gefiedert, im Umrisse 3eckig, Zipfel linealisch; Blattstiel oberseits rinnig; ***Dolden 6—10strahlig; Strahlen scharf-kantig, einwärts flaumig;*** Hülle 1—3blättrig; ***Hüllblättchen*** lanzettlich, zugespitzt, ***breit-häutig-berandet,*** zur Blüthezeit so lang als die Döldchen; Früchte flaumig-rauh.

Sonnige felsige Orte im südlichen Tirol (Koch Taschenb.)!

Bl. weiss. Jul. Aug. ♃.

760. ***S. coloratum Ehrh.*** Gefärbter S. Der Stengel einfach-ästig; die Wurzel- u. untern Stengelblätter 3fach-gefiedert, im Umrisse länglich-eiförmig, Zipfel linealisch; Blattstiel oberseits rinnig; ***Hauptdolde 20—30strahlig, Strahlen***

kantig, fast gleich, einwärts nebst den jüngern Früchten *flaumig;* Hülle fehlend; Hüllchen lanzettlich, zugespitzt, breithäutig-berandet, länger als die Döldchen.

Grasige Hügel, an Waldsäumen u. Vorhölzern im südlichen Tirol. — Pusterthal: auf dem Grübelebüchl u. bei der Rauterau nächst Lienz (Rsch!), Welsberg (Hll.). Meran: Weg nach Fragsburg, dann bei Boimond nächst Eppan (Hfl.). Gemein um Bozen: z. B. gegen Runkelstein, gegen den Wasserfall, Weg nach Heilig-Grab u. im Gebüsche an der Strasse nach Siebenaich' (Hsm.). Fleims: bei Predazzo; Trient (Fcch!). Valsugana: Val di Sella bei Borgo (Ambr.). Roveredo (Poll!). Judicarien: bei Prada nächst Tione (Bon.).

S. annuum L. S. bienne Crantz.

Bl. weiss. Aug. — Octob. ⊙.

209. *Libanótis Crantz.* Heilwurz.

Kelchsaum 5zähnig, Zähne pfriemenförmig, verlängert, abfällig. Sonst wie Seseli.

761. ***L. montana All.*** Berg-H. Blätter doppelt- und 3fach-gefiedert; Blättchen fiederspaltig-eingeschnitten, Zipfel lanzettlich, stachel-spitzig, ***die untersten Paare der Blättchen an der Mittelrippe kreuzständig;*** die allgemeine Hülle reichblättrig; der Stengel kantig-gefurcht; ***Früchte kurzhaarig.***

Gebirgige Orte bis in die Alpen. — Innsbruck: im Pastberg am hohen Kreuz u. an der Sill am Berg Isel (Hfl. Schm.). Pusterthal: bei Welsberg (Hll.), Teischnizeralpe u. am grauen Käs (Schtz.), Kerschbaumeralpe bei Lienz (Ortner), Hof- und Marenwalderalpe, am Trelewitsch u. Zabernizen (Rsch!). Reifenstein bei Sterzing (Hfl!). Vintschgau (Tpp.). Schlern u. Seiseralpe, herabgeschwemmt auch einmal im Eisackbette bei Bozen ein 4 Fuss hohes Exemplar (Hsm.). Fassa: in Penia, Duron, Padon u. Seiseralpe (Rainer! Fcch!).

Athamantha Libanotis L.

Auf Alpen ist die Pflanze oft kaum höher als 3—4 Zoll, während sie im Thale fast eben so viele Fuss erreicht. Eine Varietät ist L. gracilis Reichenb., an ihr sind die untersten Paare der Blättchen von der Mittelrippe entfernt. Aendert ferner ab: mit mehr o. weniger flaumigem Stengel (L. vulgaris β. pubescens De C.).

Bl. weiss. Jun. Aug. ♃.

210. *Trochiscanthes Koch.* Quirldolde.

Kelchsaum 5zähnig. Blumenblätter lang-benagelt, spatelförmig-verkehrt-eiförmig, mit einem 3eckigen eingebogenen Zipfelchen. Frucht von der Seite her ein wenig zusammengedrückt. Früchtchen mit 5 gleichen, scharfen, fast geflügelten Riefen, wovon die seitenständigen randend. Thälchen 3 — 4striemig. Fruchthalter 2theilig. Eiweiss fast halb-stielrund. Bl. weiss.

762. *T. nodiflorus Koch.* Gemeine Quirldolde.
Waldige steinige Orte im südlichsten Tirol. — In Vallarsa ober Camposilvano (Koch Taschenb.)!
Ligusticum nodiflorum Vill. Angelica paniculata Lam.
3—4 Schuh hoch, oben nackt, in Quirl aufgelöst. Wurzelblatt gross, doppelt-3zählig, fast vom Ansehen der Blätter der Angelica montana. Bl. weiss. Jun. Aug. ♃.

211. ***Athamantha Koch.*** Augenwurz.

Kelchsaum 5zähnig. Blumenblätter verkehrt-eiförmig, mit eingebogenem Zipfelchen ausgerandet, sehr kurz-benagelt. Frucht eiförmig o. länglich, im Querdurchschnitte fast stielrund o. von der Seite her etwas zusammengedrückt, mit den aufrechten o. auseinander gesperrten Griffeln gekrönt. Früchtchen mit 5 gleichen, fadenförmigen, flügellosen Riefen, wovon die seitenständigen randend. Thälchen 2—3striemig. Fruchthalter zweitheilig. Eiweiss fast halb-stielrund.

763. ***A. cretensis L.*** Alpen-A. Der Stengel etwas ästig, stielrund, gerillt; Blätter 3fach-gefiedert, Zipfel linealisch, zugespitzt, 2—3spaltig; ***Dolde 6—9strahlig;*** Hüllblättchen länglich-lanzettlich, haarspitzig, häutig, mit einem krautigen Rückenstreifen; ***Früchte*** länglich-lanzettlich, in einen Hals verschmälert, ***kurzhaarig von weit abstehenden Haaren.***

An Felsen u. steinigen Triften der Alpen, hie u. da bis ins Thal herab. — Vorarlberg: am Freschen (Str!). Rossberg bei Vils (Frl!), am Stuiben (Dobel)! Alpen bei Zirl und Telfs (Str!). Innsbruck: in der Klamm (Schm.). Haller Salzberg (Hrg!). Markspitze bei Rattenberg (Wld!). Kalkfelsen um Kitzbüchl z. B. am Kaiser (Trn.). Alpen südlich von Innichen (Stapf). Prax (Hll.). Kerschbaumer- u. Laserzeralpe bei Lienz (Rsch!). Kalkalpen um Bozen: Schlern u. Seiseralpe; an den Kalkfelsen bei Salurn bis ins Thal herab (Hsm.). Buchhöfe ober Eppan auf der Mendel (Hfl.). Alpen von Fassa u. Fleims (Fcch.). Monte Spinale (Tpp.). Valle Sellana bei Borgo (Ambr.). Folgaria: am Cornetto nahe gegen die Spitze; Baldo: am Monte maggiore (Hfl.). Baldo, Blemmone, Spinale u. Bondone (Poll!). Alpe Spinale (Bon.).

Blätter behaart, oder:

β. ***mutellinoides.*** Blätter beinahe kahl. A. cretensis β. mutellinoides De C. — Val di Sella bei Borgo (Ambr.). Weisse Wand in Montafon (Cst!). Lienzeralpen (Schtz.). Judicarien: an Felsen an der Bastia di Preore (Bon.).

Bl. weiss, unterseits kurzhaarig. Mai, auf Alpen Jun. Jul. ♃.

764. ***A. Matthioli Wulf.*** Matthioli's A. Der Stengel ästig, stielrund, gerillt; Blätter gefiedert-vielfach-zusammengesetzt, Zipfel fädlich, spreizend; ***Dolde 15—25strahlig;*** Hüllblättchen länglich-lanzettlich, haarspitzig, häutig, mit einem krautigen Rückenstreifen; ***Früchte*** länglich-lanzettlich, in einen

Hals verschmälert, *sammetartig von kurzen, aufrecht-abstehenden Haaren.*

Steinige Orte im südlichen Tirol (Koch Taschenb.)! Alpen zwischen Fleims u. Primiero; Monte Para in Judicarien; ober Avio gegen den Baldo (Fcch.). Val Aviana am Baldo (Hfl.). Judicarien: Val maggiore der Alpe Lenzada (Bon.).

Blätter kahl; Blumenblätter unterseits in der Mitte spärlich behaart, weiss. Jun. Jul. ♃.

212. *Ligústicum L.* Liebstock.

Kelchsaum 5zähnig o. undeutlich. Blumenblätter verkehrt-eiförmig, mit eingebogenem Zipfelchen ausgerandet, sehr kurz benagelt. Frucht im Querdurchmesser fast stielrund o. von der Seite her etwas zusammengedrückt. Früchtchen mit 5 scharfen, gleichen, fast geflügelten Riefen, davon die seitenständigen randend. Thälchen vielstriemig. Fruchthalter 2theilig. Eiweiss halb-stielrund.

765. ***L. Seguiéri Koch.*** Seguier's L. Der Stengel stielrund, gerillt, ästig; Blätter vielfach-zusammengesetzt, Zipfel linealisch, zugespitzt-stachelspitzig, am Rande kahl; Hülle fehlend o. 1—3blättrig; Blättchen ungetheilt.

Gebirgige Orte u. Voralpen. — Im südlichen Tirol (Koch syn.)! Auf Gebirgen im wärmern Tirol (Host)! Auf der Seiseralpe zwischen der Alphütte St. Michael u. dem Frombach (Elsm!)? Fichtenregion des Baldo, Triften von Brentonico, agli Zocchi u. vorzüglich an der Aviana (Poll!).

Selinum Seguieri L.

Bl. weiss. Jul. Aug. ♃.

213. *Silaus Bess.* Silau.

Kelchsaum undeutlich. Blumenblätter verkehrt-eiförmig-länglich, in das eingebogene Zipfelchen verschmälert, ganz oder etwas ausgerandet, mit breiter Basis sitzend. Sonst wie Ligusticum. —

766. ***S. pratensis Bess.*** Wiesen-S. Der Stengel kantig; Wurzelblätter 3- u. 4fach-gefiedert, die seitenständigen Abschnitte ganz oder 2theilig, die endständigen 3theilig, Zipfel linealisch, stachelspitzig; Hülle 1—2blättrig.

Auf Wiesen. — Vorarlberg: bei Mererau (Str!), im Bodenseerried, auf den Riedwiesen zwischen Fussach, Gaissau u. Höchst (Cst.). Pusterthal: bei Hopfgarten in Tefereggen (Schtz.). Innsbruck (Hfl!). Schon von Laicharding als Tiroler Pflanze angeführt. — Peucedanum Silaus L.

Obsolet: Radix, Herba et Semen Silai, vel Seseleos pratensis. — Bl. blassgelb. Jun. Aug. ♃.

214. *Meum Tournef.* Bärenwurz.

Kelchsaum undeutlich. Blumenblätter ganz, elliptisch, an beiden Enden spitz. Sonst wie Ligusticum.

767. ***M. athamanticum Jacq.*** Haarblättrige B. Blätter doppelt-gefiedert; ***Fiederchen fiedertheilig-vielspaltig, Zipfel*** fast quirlig, ***haardünn, spitz.***

Triften der Alpen u. Voralpen durch die ganze Alpenkette (Koch syn.)! Pusterthal: auf der Laserzer- u. Zochalpe bei Lienz (Rsch!). Am Schramkogel über Lengenfeld (Hrg!). Nach Schnizlein in Bayern auf höhern Gebirgen u. Voralpen!

Athamantha Meum L.

Officinell: Radix Mei, vel Foeniculi ursini.

Bl. weiss. Jul. Aug. ♃.

768. ***M. Mutellina Gaertner.*** Alpen-B. (Madaun im Innthal). Blätter doppelt-gefiedert, ***Fiederchen fiedertheilig, Zipfel linealisch-lanzettlich*** u. linealisch, zugespitzt-stachelspitzig, ungetheilt u. 2—3spaltig.

Auf Alpentriften durch ganz Tirol. — Vorarlberg: am Widderstein (Köberlin!); auf der Dornbirneralpe (Str!). Oberinnthal: Gaishorn bei Tannheim (Dobel!); Alpen bei Ladis (Gundlach), und am Säuling (Kink); Imsteralpe (Lutt!); im Oetzthal bei Fend (Hfl.). Innsbruck: auf der Morgenspitze, Patscherkofel u. Glunggezer (Eschl. Karpe. Hfl.). Schmirner- u. Pfitscherjoch (Hfl.). Längenthal (Prkt.). Kelleralpe (Schm!). Alpen um Kitzbüchl: z. B. am Gemsenbrünnel, am kleinen Rettenstein (Trn. Schm.). Zillerthal (Gbh.). Pusterthal: in Prax (Hll.), Innervilgraten, Hof- u. Teischnitzalpe, am grauen Käs (Schtz.). Vintschgau: auf dem Wormserjoch (Gundlach), im Martellthale (Tpp.). Zielalpe bei Meran (Elsm.). Schneeberg bei Sterzing (Senger)! Auf dem Jaufen, Schlern u. Seiseralpe (Tpp. Elsm!). Rittneralpe: in Menge ober dem sogenannten Hornwasserle (Hsm.). Alpe Flavon in Nonsberg u. Alpe Pieza in Livinalongo (Fcch!). Am Baldo: al prato di Brentonico (Poll!). Judicarien: Laghi di Val buona, Alpe Cengledina u. Stracciola (Bon.).

Phellandrium Mutellina L. — Obsolet: Radix Mutellinae.

Bl. weiss o. röthlich. Jul. Aug. ♃.

215. *Gaya Gaud.* Gaye.

Kelchsaum 5zähnig. Blumenblätter verkehrt-eiförmig, etwas ausgerandet mit eingebogenem Zipfelchen. Thälchen striemenlos. Sonst wie Ligusticum.

769. ***G. simplex Gaud.*** Einfache G. Stengel fast nackt. Hülle aus 7—10 oft 3spaltigen Blättchen bestehend.

Auf höhern Alpentriften. — Pfitscherjoch u. in Nassdux (Hfl.). Hohe Schiefergebirge um Kitzbüchl, nicht unter 6000′, am Geisstein (Trn.). Morgenspitze bei Innsbruck (Hfl.). Tefereggeralpen u. am Heilig-Bluter Thörl (Schtz.). Alpen um Lienz (Rsch!). Alpe Karrthal u. Frossnitz am Matreier Taurn (Hänke)! Vintschgau: Hochalpen bei Mals (Hfm.), in Schlinig (Tpp.). Zielalpe bei Meran (Elsm!). Penserjoch im Sarnthal (Hfl!). Schlern und Seiseralpe (Hsm.). Alpen von Fassa und Fleims

(Fcch.). Valsugana: am Montalon (Ambr.), allda u. auf Casa Pinello (Montini)! Fierozzo (Per!). Am Odai (Meneghini)! Judicarien: am Frate in Breguzzo (Bon.).

Laserpitium simplex All. Pachypleurum simplex Reichenb. Neogaya simplex Meisn. Kittel.

Früchtchen blass, an der Spitze oft braunroth.

Bl. weiss. Jul. Aug. ♃.

V. Gruppe. **Angeliceae Koch.** Frucht vom Rücken her zusammengedrückt, auf beiden Seiten 2flügelig, die Flügel nicht auf einander liegend. Jedes Früchtchen mit 5 geflügelten Riefen o. 3 fädlichen Rückenriefen. Eiweiss auf der Fugenseite ziemlich flach. Dolde vollkommen.

216. ***Levisticum Koch.*** Liebstöckel.

Kelchsaum undeutlich. Blumenblätter einwärtsgekrümmt, fast kreisrund, ganz, mit einem kurzen Zipfelchen. Frucht vom Rücken her zusammengedrückt, auf beiden Seiten 2flügelig. Früchtchen am Bande klaffend, mit 5 geflügelten Riefen; Flügel der seitenständigen Riefen um die Hälfte breiter. Thälchen 1striemig. Fruchthalter 2theilig. Eiweiss vorne fast flach.

770. ***L. officinale Koch.*** Gemeines L. (Lunkraut um Bozen). Häufig in Gärten der Landleute vorzüglich auf Gebirgen, auch in der Nähe derselben u. an Häusern verwildert z. B. um Klobenstein am Ritten etc. (Hsm.).

Ligusticum Levisticum L. Levisticum vulgare Reichenb.

Bis Mannshoch, ganz kahl, das Kraut glänzend, gelblichgrün. Stengel hohl. Blätter doppelt- o. einfach-gefiedert, Blättchen keilförmig-rhombisch, eingeschnitten-gesägt, fast vom Ansehen jener von Apium graveolens. Hülle u. Hüllchen vielblättrig. — Obsolet: Radix, Folia et Semen Levistici.

Bl. gelblich-grün. Jul. Aug. ♃.

217. ***Selinum L.*** Silge.

Kelchsaum undeutlich. Blumenblätter verkehrt-eiförmig, ausgerandet, mit eingebogenem Zipfelchen. Frucht vom Rücken her zusammengedrückt, oval, 2flugelig. Früchtchen mit einem schmalen Kiele verbunden. Riefen 5, häutig geflügelt, Flügel der seitenständigen doppelt-breiter. Thälchen 1striemig, die äussern oft 2striemig. Fruchthalter 2theilig. Eiweiss vorne fast flach. —

771. ***S. Carvifolia L.*** Kümmelblättrige Silge. Stengel gefurcht-kantig. Strahlen der Dolde nach innen etwas rauh.

Auf Waldwiesen. — Vorarlberg: bei Bregenz (Str!). Innsbruck: auf dem Berg Isel, Wiesen ober dem Sarntheinhofe gegen die Schrofenhütte u. Alpsee (Hfl.). Bei Bozen ein einzelnes Exemplar auf einem Sandhaufen nächst der Talfer gefunden, also wahrscheinlich von Sarnthal herausgeschwemmt; Ritten: sehr selten im Walde bei Waidach (Hsm.). Subalpine Triften des Baldo: Pascoli di Novesa (Poll!).

Blätter im Umfange eiförmig, doppelt-gefiedert-fiederspaltig, mit kurz-stachelspitzigen Zipfelchen. Hülle fehlend oder 1—2blättrig, Blättchen hinfällig. Hüllchen vielblättrig.

Bl. weiss. Jul. Aug. ♃.

218. ***Angélica L.*** Angelika.

Kelchsaum undeutlich. Blumenblätter lanzettlich, ganz, zugespitzt, mit geradem o. eingebogenem Zipfelchen. Frucht vom Rücken her zusammengedrückt, auf beiden Seiten 2flügelig. Früchtchen mit einem schmalen Kiele verbunden. Riefen 5, die 3 Rückenriefen fadenförmig, erhaben, die 2 seitenständigen in einen breitern häutigen Flugel verbreitert. Thälchen 1striemig. Fruchthalter 2theilig, Eiweiss fast halb-stielrund.

772. ***A. sylvestris L.*** Wilde Engelwurz. Wald-Angelika. Blätter 3fach-gefiedert; ***Blättchen*** ei- o. lanzettförmig, ***geschärft-gesägt, nicht herablaufend,*** das endständige ganz u. 3spaltig, die seitenständigen fast sitzend, an der Basis ungleich u. manchmal 2spaltig.

Auf Gebirgswiesen u. an feuchten Thälern, durch die Flüsse auch in die Thalebene hinab. — Bregenz (Str!). Imst (Lutt!). Innsbruck: am Husselhof u. am Amraser See (Karpe. Hfl.). Stubai (Hfl!), Auen u. Bergwälder um Kitzbüchl (Trn.). Pusterthal: bei Welsberg (Hll.), um Lienz (Sebtz. Rsch!). Schmirn (Hfm!). Vintschgau: bei Laas (Tpp.). Meran: am Vernurbache (Kraft). Selten um Klobenstein am Ritten u. um Lengmoos; hie u. da auch in der Ebene bei Bozen (Hsm.). Terlago nächst Trient (Merlo). Trient (Per!). Judicarien: an der Sarca u. am Arnò (Bon.).

Officinell: Radix Angelicae sylvestris.

Bl. weiss, ins Röthliche o. Grünliche ziehend. Jul. Aug. ♃.

773. ***A. montana Schleich.*** Berg-A. Blätter 3fach-gefiedert; ***Blättchen*** länglich o. lanzettlich, ***geschärft-gesägt, die obersten an der Basis herablaufend,*** das endständige ganz o. 3spaltig, die seitenständigen fast sitzend, an der Basis ungleich u. manchmal 2spaltig.

In Gebirgsthälern. — Ritten hie u. da mit Voriger z. B. am Bache bei Waidach nächst Klobenstein gegen das Rösslerthal u. Rittneralpe (Hsm.). Innsbruck: in der Klamm (Schpf.).

Hinsichtlich der Form der Blättchen sehr abändernd. Exemplare mit linealisch-lanzettlichen Blättern fand ich auf der Villandereralpe, doch selten, solche mit breiten, rhombischen, eingeschnittenen Blättchen um Klobenstein auf 2mähdigen Wiesen. Ueberhaupt wohl nur Varietät der vorigen Art.

Bl. weiss o. röthlich. Jul. Aug. ♃.

VI. Gruppe. **Peucedaneae De C.** Frucht vom Rücken her flach- o. linsenförmig-zusammengedrückt, mit einem verbreiterten, geflügelten, abgeflachten o. konvexen u. verdickten Rande umgeben. Früchtchen mit 5 Hauptriefen, die seitenständigen dem verbreiterten Rande anliegend o. in denselben verschmelzend, Nebenriefen fehlend. Frucht wegen der mit der ganzen Berührungsfläche auf einanderliegenden Früchtchen beiderseits 1flügelig. Eiweiss vorne flach. Dolde vollkommen.

219. ***Ferulágo Koch.*** Birkwurzel.

Kelchsaum 5zähnig. Blumenblätter fast kreisrund, ganz, mit einem kurzen eingebogenen Zipfelchen. Frucht vom Rücken her flach-zusammengedrückt, mit einem verflächten verbreiterten Rande umgeben. Früchtchen mit 5 Riefen, die 3 am Rücken stumpf, die 2 seitenständigen undeutlich, an den verbreiterten Rand verschmelzend. Eiweiss verflächt, ringsum mit sehr zahlreichen Striemen bedeckt, die am Rücken von der Fruchtrinde bedeckt, die auf den Fugen oberflächlich.

774. ***F. galbanifera Koch.*** Steckenkrautartige B. Der Stengel gerillt, etwas kantig; Blätter vielfach zusammengesetzt, im Umrisse eiförmig; Zipfel linealisch, haarspitzig, an den Hauptrippen kreuzständig; Blättchen der Hülle u. Hüllchen linealisch-länglich, zugespitzt; die Griffel der Frucht zurückgebogen, ein wenig länger als der Rand des Stempelpolsters.

Unfruchtbare Wiesen u. felsige Orte im südlichen Tirol (Koch Taschenb.)! Sehr häufig in Folgaria auf Bergwiesen am Monte Finocchio (Hfl!). An felsigen Stellen bei Roveredo, an der Landstrasse gegen Vallarsa (Fcch.). Eben da an buschigen Hügeln alla Segha (Crist.). Auf Hügeln im Tridentinischen (Poll!). Trient (Per!).

Ferula nodiflora Jacq. Pollini.

Bl. gelb. Jun. Jul. ♃.

220. ***Peucédanum L.*** Haarstrang.

Kelchsaum 5zähnig, manchmal undeutlich. Blumenblätter verkehrt-eiförmig, in ein eingebogenes Zipfelchen verschmälert, ausgerandet o. fast ganz. Frucht vom Rücken her flach- o. linsenförmig-zusammengedrückt, mit einem verbreiterten verflächten Rande umgeben. Früchtchen mit 5 fast gleichweit von einander entfernten Riefen, die 3 mittlern fadenförmig, die 2 seitenständigen undeutlicher u. dem verbreiterten Rande anliegend o. mit ihm zusammenfliessend. Thälchen 1—3striemig, Striemen der Berührungsfläche oberflächlich. Eiweiss vorne flach. Fruchthalter 2theilig.

I. Rotte. ***Peucedana legitima Koch.*** Rand der Früchtchen weniger verbreitert. Die allgemeine Hülle fehlend oder armblättrig.

775. ***P. Chabraei Reichenb.*** Kümmelblättriger H. Der Stengel gefurcht, aufrecht; ***Blätter*** beiderseits glänzend, ***gefiedert, Fieder*** aller Blätter sitzend, ***vielspaltig*** o. die der obersten Blätter ungetheilt, Zipfel linealisch, spitz, an der Basis kreuzständig; Strahlen der Dolde auf der innern Seite kurzhaarig; Hüllchen meist 1blättrig; ***Thälchen 3striemig.***

Bergwälder in Südtirol (Reichenb. flor. exc. p. 454)! Auf

Wiesen u. an Gebüschen der Gebirge u. Voralpen am Baldo u. Bondone (Poll!).

Selinum Chabraei Jacq. S. Chabraei Pollini flor. ver. tom. I. p. 368. Pteroselinum Chabraei Reichenb.

Die Pollinischen Standorte dürften mit Folgender zu vergleichen sein?

Bl. gelblich-weiss o. grünlich. Jul. Aug. ♃.

776. ***P. Schottii Bess.*** Meergrüner H. ***Der Stengel stielrund, gerillt,*** aufrecht o. aufstrebend; ***Blätter*** etwas meergrün, glanzlos, ***gefiedert; Fieder*** sitzend, die der untern o. aller Blätter ***vielspaltig;*** Zipfel linealisch, zugespitzt, an der Basis kreuzständig; Strahlen der Dolde kahl; Hüllchen wenigblättrig o. fehlend; ***Thälchen 1striemig.***

Im östlichen Südtirol bei Pieve di Tesino (Fcch.).

Pteroselinum glaucum Reichenb.

Bl. weiss. Jul. Aug. ♃.

II. Rotte. ***Cervaria De C.*** Rand der Frucht weniger verbreitert. Allgemeine Hülle reichblättrig.

777. ***P. Cervaria Lap.*** Hirschwurz. Der Stengel stielrund, gerillt; Blätter 3fach-gefiedert; ***Blättchen meergrün, eiförmig, fast dornig-gesägt,*** die untern an der hintern Seite der Basis gelappt, die obern zusammenfliessend; die allgemeine Hülle reichblättrig, zurückgebogen; Striemen der Berührungsfläche gleichlaufend.

Hügel, Waldwiesen u. lichte Wälder bis in die Voralpen. Innsbruck: Südseite des Buchberges (Hfl.). Lienz: auf dem Hochrieb und Rauchkogel (Rsch!). Bozen: im Fagnerberg und Haslach; gemein um Klobenstein am Ritten bis etwa 4600′ bei Oberkematen (Hsm.). Bei Trostburg nächst Clausen (Hfl.). Trient: alle Laste (Fcch!), u. bei Oltre Castello (Per.). Hügel um Roveredo (Crist.). Trient: am Calisberg gegen den Monte Vaccino (Per.). Am Baldo: im Gebiethe vou Brentonico (Poll!). Judicarien: bei Stelle (Bon.).

Athamantha Cervaria L. Cervaria Rivini Gaertn.

Obsolet: Radix et Semen Cervariae nigrae vel Gentianae nigrae. — Bl. weiss. Jul. Aug. ♃.

778. ***P. Oreoselinum Moench.*** Berg-H. Grundheil. Der Stengel stielrund, gerillt; Blätter 3fach-gefiedert, Verästelungen des Blattstieles zurückgeschlagen-spreizend; Blättchen glänzend, eiförmig, eingeschnitten o. fast fiederspaltig-gezähnt, Zähne kurz-zugespitzt-stachelspitzig; die allgemeine Hülle reichblättrig, zurückgebogen; ***St***
bogig, dem Rande anliegend.

Bergtriften u. lichte Wälder bis in die Voralpen. — Vorarlberg: bei Feldkirch (Cst!). Oetzthal; Innsbruck: bei Hötting u. im Buchberge (Hfl.). Brixen: im Gebüsche neben Köstland (Hfm.). Pusterthal: in Prax u. bei Welsberg (Hll.), am Grübelebüchl u. an der Kranzleiten bei Lienz (Rsch!). Vintschgau: auf den Wiesen bei Tschirland (Tpp.). Eppan (Hfl.). Bozen: im Haslacherwald; gemein um Klobenstein am Ritten bis etwa 4700′ (Hsm.). In Fleims: ober Predazzo (Fcch!). Auf allen Hügeln des Baldo (Poll!). Am Gardasee (Clementi). Judicarien: bei Tione (Bon.).

Athamantha Oreoselinum L. Oreoselinum legitimum M. B.

Obsolet: Radix, Herba et Semen Oreoselini.

Bl. weiss. Jul. Aug. ♃.

779. ***P. venetum Koch.*** Welscher H. Der Stengel kantig-gefurcht, fast rispig; Aeste ruthenförmig; ***Blätter 3fach-gefiedert;*** Blättchen eiförmig, fiederspaltig, Zipfel linealisch-lanzettlich, stachelspitzig, am Rande rauh; allgemeine Hülle 5—8blättrig, abstehend; ***Strahlen der Dolde auf der innern Seite flaumig-rauh; die Griffel der Frucht zurückgebogen, länger als der dritte Theil der Frucht.***

Steinige Orte im südlichen Tirol (Koch Taschenb.)! Bozen: im Gebüsche an der Landstrasse von Morizing bis zur Klaus vor Terlan, seltener am Waldrande in Haslach, wo sie schon Elsmann angibt (Hsm.). Eppan: an Weinbergsrainen nicht selten z. B. im Raut von Gleifheim (Hfl!). Bei Kaltern (Fk!). Bozen: bei Haslach und bei Trient (Fcch!). Povo bei Trient (Per!). Auf einem hinter der Stadt Trient liegenden Berge (Zcc!). An Ackerrändern ober Primolano (Montini)!

Selinum venetum Sprengel. Pteroselinum alsaticum β. venetum Reichenb.

Bl. weiss. Aug. Sept. ♃.

III. Rotte. ***Selinoides De C.*** Rand der Früchtchen breit, fast durchscheinend. Allgemeine Hülle reichblättrig.

780. ***P. rablense Koch.*** Kärnthnerischer H. Der Stengel gefurcht, etwas ästig; ***Blätter 3zählig-3fach-gefiedert, vielspaltig, Zipfel schmal-linealisch,*** zugespitzt, am Rande kahl; allgemeine Hülle reichblättrig, zuletzt zurückgebogen; Strahlen der Dolde auf der innern Seite flaumig-rauh; ***Blumenblätter breit-verkehrt-herzförmig, benagelt.***

Steinige Orte der Voralpen im südlichen Tirol (Koch Taschenb.)! Auf der Mendel bei Bozen (Fcch!). Terlago bei Trient (Merlo). Am Bondone u. Gazza (Per.). In Vallarsa bei Roveredo (Crist.). Alpen um Trient u. am Baldo (Poll!).

Ferula rablensis Wulf. Selinum rablense Spreng. Pteroselinum rablense Reichenb.

Bl. weiss. Jul. Aug. ♃.

221. ***Tommasinia Bertoloni.*** Tommasinie.

Blumenblätter eingerollt. Sonst wie Peucedanum. Allgemeine Hülle fehlend. Bl. grünlich-gelb.

781. ***T. verticillaris Bertol.*** Quirldoldige T. Stengel stielrund, feingerillt, bereift; Blätter 3fach-gefiedert; Blättchen eiförmig, spitz-gesägt, die seitenständigen oft 2lappig, die endständigen 3lappig; Scheiden gross, aufgeblasen; Hülle fehlend.

Auf Gebirgen u. Voralpen, durch die Flüsse in die Ebene herab. — Innsbruck: ober Kranewitten (Friese). Zillerthal (Flörke)! Schmirn (Hfm.). Lienz (Schtz.). Im Eisackthale am Kunterswege ober Steeg (Hfl.). Bozen: in Menge auf der Anschwemmung des Eisacks unter dem Kalkofen u. von hier bis in die Rodlerau, auch in dem sogenannten Zwischenwasser zwischen dem Eisack u. der Etsch (Hsm.). Auf einem Berge zwischen Bozen u. Jenesien, dann in Fleims (Fcch!).

Angelica verticillaris L. Peucedanum verticillare Koch syn. ed. 1. Ostericum verticillare Reichenb.

Bl. grünlich-gelb. Ende Jun. Jul. ♃.

222. ***Thysselinum* Hoffm.** Oelsenich.

Striemen der Berührungsfläche von der Fruchtrinde bedeckt. Sonst wie Peucedanum. (Bl. weiss. Hülle und Hüllchen vielblättrig.). —

782. ***T. palustre* Hoffm.** Sumpf-O. Stengel gefurcht, allgemeine Hülle reichblättrig, zurückgeschlagen; Blätter 3fach-gefiedert; Blättchen tief-fiederspaltig, Zipfel linealisch-lanzettlich, zugespitzt, am Rande etwas rauh; Hüllblättchen frei.

In Gräben, an Teichen u. Sumpfwiesen. — Vorarlberg: im Bodenseerried zwischen Lauterach u. Lustenau (Cst!). Kitzbüchl: am Schwarzsee u. in Wiesengräben (Trn.). Pusterthal: in den Gsieser Mösern (Hll.). Zwischen Meran u. Bozen gemein im Röhrig, dann am Girlaner Weiher (Hfl.). Gemein auf den sogenannten Kaisermösern an der Etsch bei Sigmundscron (Hsm.). Trient: alle Laste (Fcch!).

Selinum palustre L. Peucedanum palustre Moench.

Obsolet: Radix Thysselini vel Olsnitii.

Bl. weiss. Jul. Aug. ⊙.

223. ***Imperatoria* L.** Meisterwurz.

Kelchsaum undeutlich. Sonst wie Peucedanum. (Allgemeine Hülle fehlend. Bl. weiss.).

783. ***I. Ostruthium* L.** Gemeine M. Blätter doppelt-3zählig; Blättchen breit-eiförmig, doppelt-gesägt, die seitenständigen 2spaltig, die endständigen 3spaltig; Scheiden erweitert.

Triften der Alpen u. Voralpen vorzüglich in Thälchen u. an Gebüsch. — Vorarlberg: am Freschen (Cst!), im Bregenzerwald bei Krumbach (Tir. B.)! Rossberg bei Vils (Frl!). Oetzthal: bei Fend (Hfl.). Ober Gunggelgrün bei Imst (Lutt!). Innsbruck: am Mühlthal (Friese). Sonnenwendjoch bei Rattenberg (Wld!). Alpen um Kitzbüchl (Trn.). Zillerthal: auf den Waxeggermähdern (Moll)! Pusterthal: am hohen Krystall u. in Prax (Hll!), auf der Hof- Zetterfelder- u. Marenwalderalpe bei Lienz (Schtz. Bsch!). Auf dem Schlern (Hfl.). Rittneralpe: ober Pemmern westlich unter der Schön; Seiseralpe; Gebirge ober Salurn (Hsm.). Vintschgau: im Laaserthale (Tpp.). Am Campobruno u. Baldo (Poll!). Gebirge von Fierozzo und Val di Genova (Per!). Val di Breguz (Sternberg)! Alpe Lenzada, Geredol u. Genova (Bon.).

Officinell: Radix Imperatoriae albae vel Ostruthii.

Jul. Aug. ♃.

224. ***Pastináca L.*** Pastinak.

Kelchsaum undeutlich o. klein-gezähnt. Blumenblätter fast kreisrund, ganz, eingerollt, gestutzt. Frucht vom Rücken her flach zusammengedrückt, mit einem verflächten verbreiterten Rande umgeben. Früchtchen mit 5 sehr dünnen Riefen, wovon die 2 seitenständigen entfernter u. an den verbreiterten Rand stossend. Thälchen der ganzen Länge nach 1striemig, Striemen linealisch. Eiweiss flach. Fruchthalter frei, 2theilig. Bl. gelb.

784. ***P. sativa L.*** Gemeiner P. Der Stengel kantig-gefurcht, ***Blätter gefiedert, oberseits glänzend, unterseits flaumig;*** Blättchen eiförmig-länglich o. länglich, stumpf-gekerbt-gesägt, die seitenständigen an der Basis gelappt u. 3zählig, das endständige 3lappig, Sägezähne sehr kurz-stachelspitzig; Hüllen fehlend; Kelchzähne verwischt; Früchte oval; Fuge 2striemig.

An Wegen, Dämmen, auch auf Wiesen. — Oberinnthal: bei Imst (Lutt!). Um Innsbruck gemein auf Feldern z. B. ausser dem Ziegelstadel u. an der Sill (Schpf. Hfl.). Schwaz (Schm!). Rattenberg: am alten Schlosse (Wld!). Brixen: neben dem Schiessplatze (Hfm.). Gemein um Bozen auf Wiesen, auch an Wegen u. Dämmen (Hsm.). Bozen (Fcch!). Trient: im Campo Trentino (Per.). Wiesen bei Roveredo (Crist.). Am Gardasee (Poll!). Judicarien: auf Wiesen und längs der Strassen bei Tione (Bon.). — Wird auch in Gärten kultivirt.

Obsolet: Radix et Semen Pastinacae sativae.

Bl. gelb. Jun. Jul. ⊙.

785. ***P. opaca Bernh.*** Glanzloser P. Der Stengel kantig-gefurcht; ***Blätter gefiedert, glanzlos, beiderseits flaumig;*** Blättchen eiformig, an der Basis herzförmig, stumpf, gekerbt-gesägt, die seitenständigen an der Basis gelappt u. 3zählig, das endständige 3lappig; Hüllen fehlend; Kelchzähne verwischt; Früchte oval; Fuge 2striemig.

An Wegen u. trockenen Triften. — Vintschgau: an der Strasse bei Castelbell (Tpp.). Bozen (Fcch!). Allda an magern Orten mit Uebergängen zu Voriger (Hsm.).

Ich halte die P. opaca für Varietät der Vorigen, durch den Standort erzeugt. Kommt bei Bozen auch mit bläulich-grünen Blättern vor.

Bl. gelb. Jul. Aug. ⊙.

225. ***Heracléum L.*** Heilkraut. Bärenklau.

Kelch 5zähnig. Blumenblätter verkehrt-eiförmig, mit eingebogenen Zipfelchen ausgerandet, die äussern oft strahlend, 2spaltig. Striemen der Thälchen kurz, meist keulig. Sonst wie Pastinaca.

786. ***H. Sphondylium. L.*** Gemeines H. Gemeine Bärenklau. (Rossstingel um Bozen). Blätter rauhhaarig, *gefiedert o. tief-fiederspaltig; Fieder lappig o. handförmig-getheilt, gesägt; Dolden strahlend;* Fruchtknoten flaumig; Früchte oval, stumpf ausgerandet, zuletzt kahl; Fuge 2striemig.

Auf Wiesen gemein bis an die Alpen. — Vorarlberg: um Bregenz (Str!). Innsbruck (Hfl.). Schwaz (Schm!). Zillerthal: um Zell (Gbh.). Kitzbüchl (Unger)! In Prax (Hll.), Lienz (Rsch!), Innervilgraten (Schtz.). Vintschgau: bei Trafoi und Laas (Tpp.). Um Bozen auf allen Wiesen u. um Klobenstein am Ritten (Hsm.). Fassa u. Fleims (Fcch!). Trient (Per.). Judicarien: bei Tione (Bon.).

β. *elegans.* Blattzipfel verlängert. H. elegans Jacq. H. Panaces Reichenb. fl. exc. — Hie u. da um Bozen u. um Klobenstein am Ritten (Hsm.). Pusterthal: um Welsberg (Hll.).

Auch an dieser Art fand ich auf Wiesen, doch selten, und zwar nach dem ersten Schnitte, die Blumenblätter fast gleich.

Obsolet: Radix et Herba Brancae ursinae vel Sphondylii.

Bl. weiss. Jun. Aug. ⊙.

787. ***H. sibiricum L.*** Sibirisches H. *Blätter* rauhhaarig, *gefiedert o. tief-fiederspaltig; Fieder gelappt o. handförmig-getheilt, gesägt;* Fruchtknoten fast kahl; die rundlich-ovalen Früchte an der Spitze tief-ausgerandet, kahl; *Blumenblätter fast gleich;* Fuge 2striemig.

Triften der Alpen u. Voralpen, durch die ganze Alpenkette (Koch syn.)! Tirol, Krain, Lombardie etc. (Maly enum p. 231)! Nach Schnitzlein auf Alpentriften in Bayern!

Blumenblätter grünlich oder gelblich, g ch o. nur wenig ungleich. Juli Aug. ⊙.

788. ***H. asperum M. B.*** Rauhes H. *Blätter einfach, fast handförmig-lappig,* unterseits kurzhaarig-grau o. kahl u. auf den Adern kurzhaarig, Zipfel zugespitzt o. feinspitzig, ungleich-gezähnt-gesägt, *die stengelständigen Blätter manchmal 3zählig;* Dolden strahlend; Fruchtknoten kurzhaarig-rauh; Früchte oval, ausgerandet, zuletzt kahl.

Voralpenwälder u. Alpen, vorzüglich an Bächen. — Tiroleralpen (Koch syn.)! Innsbruck: in der Klamm am Ochsensteig; über St. Jodock in Innerschmirn (Hfl.). Am kleinen Rettenstein bei Kitzbüchl (Trn!). Pusterthal: in Prax (Hll.). Schlern u. Seiseralpe (Hsm.). Alpen in Fassa u. Fleims (Fcch. in Reichenb. fl. germ. exs. Nr. 1874). Monte Spinale (Tpp.). Alpe la Becca (Fcch.). Alpen um Trient (Bon.).

H. Panaces Koch syn. ed. 2. u. Bertoloni fl. ital.

Var.: Blätter unterseits dünn-weiss-filzig. H. pyrenaicum Lam. Am Dorso d'Abramo bei Trient (Poll!). Alpen bei Welsberg (Hll.). Man findet übrigens Blätter mit u. ohne diesen Ueberzug auf derselben Pflanze. Ferner kommt auch diese Art wie H. Sphondylium mit verlängerten Blattzipfeln vor.

Bl. weiss. Jul. Aug. ⊙.

789. ***H. austriacum L.*** Oesterreichisches H. ***Blätter gefiedert u. 3zählig; Blättchen*** sitzend, gesägt, die seitenständigen ganz, die der Wurzelblätter eiförmig, stumpf, die ***der Stengelblätter lanzettlich, zugespitzt,*** an der Basis etwas lappig, das endständige 3spaltig; Fruchtknoten flaumig; Früchte oval, kahl; ***Striemen der Berührungsfläche fehlend o. sehr kurz.***

Wiesen der Alpen u. Voralpen im nördlichen Tirol (Koch syn.)! Im Gebiethe von Kitzbüchl auf Kalk am Pillerseer Steinberg (Trn.). Steinige Orte der Kalkalpen um Kitzbüchl 4000 bis 5000′ (Unger)!

Bl. weiss o. röthlich. Jul. Aug. ♃.

VII. Gruppe. **Silerineae Koch.** Frucht vom Rücken her linsenförmig zusammengedrückt. Früchtchen mit 5 Hauptriefen, die seitenständigen randend; Nebenriefen 4, weniger hervortretend. Eiweiss vorne ziemlich flach.

226. *Siler Scop.* Rosskümmel.

Kelchsaum 5zähnig. Blumenblätter verkehrt-eiförmig, mit eingebogenem Zipfelchen ausgerandet. Frucht vom Rücken her linsenförmig zusammengedrückt. Früchtchen mit 9 erhabenen, stumpfen, fadenförmigen Riefen. Hauptriefen 5, wovon die seitenständigen randend; Nebenriefen 4, minder hervortretend. Thälchen unter den Nebenriefen 1striemig.

790. ***S. trilobum Scop.*** Dreilappiger R. Stengel sammt der Rückseite der Blätter bläulich-bereift, kahl wie die ganze Pflanze. Wurzelblätter 2—3fach-3zählig; Blättchen rundlich, stumpf, 2—3lappig, grob- u. ungleich-gesägt. Hülle und Hüllchen fehlend oder aus einigen hinfälligen pfriemigen Blättchen bestehend.

Im Gebüsch an Hügeln u. an Waldrändern. — Passeyer: in der Hölle zwischen Moos u. St. Leonhard (Zcc!). Oberinnthal: bei Finstermünz (Tpp!).

Siler aquilegifolium Gaertn.

Bl. weiss. Jul. Aug. ♃.

VIII. Gruppe. **Thapsieae Koch.** Früchtchen mit 5 fädlichen, manchmal steifhaarigen Hauptriefen; die seitenständigen auf der Berührungsfläche liegend; Nebenriefen 4, die innern fädlich, die äussern geflügelt o. sämmtlich geflügelt, Flügel wehrlos. Daher die Frucht entweder 8- o. beiderseits 2flügelig. Eiweiss vorne flach.

227. *Laserpitium L.* Laserkraut.

Kelchsaum 5zähnig. Blumenblätter verkehrt-eiförmig, mit eingebogenem Zipfelchen ausgerandet. Früchtchen mit 5 fadenförmigen Hauptriefen, die 3 mittleren auf dem Rücken, die 2 seitenständigen auf der Berührungsfläche liegend; Nebenriefen 4, alle geflügelt. Thälchen unter den Nebenstriefen 1striemig.

791. ***L. latifolium L.*** Breitblättriges L. (um Kitz-

büchl Hirschwurz). Die Wurzel- u. untern Stengelblätter 3zählig-doppelt-gefiedert; ***Blättchen eiförmig, gesägt, an der Basis herzförmig, sämmtlich ungetheilt*** o. die endständigen der Wurzelblätter 3spaltig; ***Strahlen der Dolde auf der innern Seite rauh;*** der Stengel stielrund, fein-gerillt, kahl.

An Waldrändern u. Hecken bis in die Alpen. — Vorarlberg: am Freschen (Str!), u. Alpe Valors allda (Cst!). Oberinnthal: Arzlerwald bei Imst (Lutt!). Innsbruck: am Ochsensteige in der Klamm; Thaureralpe (Hfl.). Schwaz: gegen Georgenberg (Schm!). Kitzbüchl: an Kalkfelsen u. Gebüsch nicht selten, auch am Lämmerbüchl bis 4000′ (Unger! Trn.). Pusterthal: bei Welsberg (Hll.), Teischnitzalpe u. am grauen Käs (Schtz.), unter den Wänden des Rauchkogels u. ober dem Ursprung des Amblacher Brunnen bei Lienz (Rsch!). Bozen: im Gebüsche am Wege von Campil nach Kardaun; zwischen Seis u. Ratzes, Seiseralpe; Ritten: selten im Zaune bei Rappesbüchl am Wolfsgruber Wege (Hsm.). Eppan: am Weg zum Kankofel (Hfl.). Fleims u. Fassa (Fcch!). Am Gazza, Montagna di Povo bei Trient (Per.).

Obsolet: Radix Gentianae albae (weisse Hirschwurz, weisser Enzian).

Bl. weiss. Jul. Aug. ♃.

792. ***L. Gaudini Moretti.*** Gaudin's L. Die Wurzel- u. untern Stengelblätter 3zählig-doppelt-gefiedert o. doppelt-3zählig; die ***Blättchen eiförmig o. herzförmig,*** ungleich-gekerbt-gesägt, ***ganz o. 2—3spaltig;*** die Dolde abstehend, die ***Strahlen ungleich, kahl; Blumenblätter rundlich, verkehrt-herzförmig;*** die Hauptriefen der Frucht kahl; der Stengel stielrund, gerillt, kahl.

Gebirge u. Voralpen im südlichen Tirol. — Vintschgau: bei Reschen u. häufig auf den Mähdern am Fusse des Spitzlat gegen Nauders (Tpp.). Bei Deutschnofen u. Völs nächst Bozen; überhaupt im südlichen Tirol weit verbreitet (Fcch!). Am Geyerberge ober Salurn u. bei Kerschbaum allda (Hsm.). Val di Non (Tpp.). Triften der Voralpen um Trient (Per.). Judicarien: Alpe Lenzada (Bon.).

L. luteolum Gaud.

Blumenblätter gelblich, roth-berandet. Jul. Aug. ♃.

793. ***L. Siler L.*** Berg-L. Blätter ganz kahl, die Wurzel- u. untern Stengelblätter 3fach-gefiedert; ***Blättchen lanzettlich, ganzrandig,*** ungetheilt oder 3theilig, ***Hauptadern schief;*** Früchte linealisch-länglich; die Griffel zurückgekrümmt, an die Frucht angedrückt; der Stengel stielrund, gerillt.

Auf Gebirgen u. Voralpen an buschigen Orten. — Oberinnthal: Gunggelgrün bei Imst (Lutt!). Am Hinterkaiser (Hrg!). Mendel ober Eppan (Hfl.). Mendel ober Eppan u. Kaltern u. an Felsen im Gebüsche bei Salurn; ausser der Gränze bei Bormio (Hsm.). Am Gazza u. Bondone bei Trient (Per.). Buchen- u. Fichtenregion am Baldo, z. B. agli Zocchi u. um la

Corona; bei Ponale am Gardasee, dann auf den Jöchern im Tridentinischen (Poll!). Val di Rendena (Eschl!).

Obsolet: Semen Sileris montani vel Seseleos.

Bl. weiss. Jul. Aug. ♃.

794. ***L. peucedanoides L.*** Haarstrangblättriges L. Blätter ganz kahl; die Wurzel- u. untern Stengelblätter 3zählig-doppelt- u. 3fach-gefiedert; ***Blättchen linealisch-lanzettlich und linealisch, ganzrandig, ungetheilt, Hauptadern mit dem Rande gleichlaufend;*** Früchte oval; die Griffel aufrecht, fast spreizend; der Stengel stielrund, gerillt.

Gebirge u. Voralpen im südlichen Tirol. — Pusterthal: in Prax (Hll.). Fassa: ober Campitello (Fcch!). Valsugana: ober Centa (Ambr.). Baldo: am Monte maggiore (Hfl.). Monte Baldo (Clementi). Gebüsche u. Triften des Baldo in der Buchenregion vorzüglich in Val fredda, Basiana u. Vaccaria, dann auf dem Campobruno und Bondone (Poll!). Judicarien: auf der Alpe Lenzada (Bon.).

Bl. weiss. Jun. Jul. ♃.

795. ***L. hirsutum Lam.*** Rauhhaariges L. Blätter kurzhaarig, mehrfach-zusammengesetzt; ***Fiederchen*** im Umrisse eiförmig, ***fiederspaltig - vielspaltig,*** Fiederchen linealisch; Früchte oval, kahl; Stempelpolster kegelförmig; die Griffel auseinander fahrend; der ***Stengel stielrund, gerillt, kahl.***

Triften der Alpen und Voralpen, vorzüglich an waldigen Stellen. — Oberinnthal: Windaualpe bei Sölden (Hilsenberg!), Timbljoch (Zcc!), im Oetzthal bei Fend, auf Glimmerschiefer, über Ochsengarten gegen Kühetei (Hfl.); Gunggelgrün bei Imst (Lutt!). Oberiss in Stubai (Eschl.). Bergmähder um Brixen (Hfm.). Vintschgau: Matscherthal (Eschl!). Laaseralpen, dann im Rayenthale u. Schlinig (Tpp.), Schnalserthal (Hfl.), Wormserjoch am Posthause (Fk!). Gemein auf den Gebirgen u. Alpen um Bozen: Schlern, Ifinger, Seiseralpe u. Mendel; Ritten gleich ober Klobenstein bei 3900′ beginnend und von da gemein bis Pemmern, Rittneralpe (Hsm.). Sarnthal: von Oberstückel nach Passeyer (Eschl!). Judicarien: Val di San Valentino u. Rendena (Bon.). — L. Halleri All.

Blätter rauhhaarig o. fast kahl. Bl. weiss. Jun. Jul. ♃.

796. ***L. pruthenicum L.*** Preussisches L. Blätter an dem Rande u. an den Blattstielen rauhhaarig, doppelt-gefiedert, ***Blättchen fiederspaltig, Zipfel lanzettlich;*** Früchte oval, Hauptriefen steifhaarig, Stempelpolster niedergedrückt, mit einem erhabenen welligen Rande umzogen; ***Stengel kantig-gefurcht, unterwärts steifhaarig,*** Haare rückwärts-gekehrt.

An lichten Waldstellen vom Thale bis in die Voralpen. — Vorarlberg: bei Röthis u. Feldkirch (Cst!). Bozen: nicht gemein im Haslacher Walde gegen den Fuss des Berges; Ritten: bei Wolsgruben u. ziemlich häufig bei Klobenstein im Föhrenwalde nordöstlich am Kemater Kalkofen (Hsm.). In der Gant bei Eppan (Hfl.). Um Trient u. Salurn (Fcch!). In Vallarsa u.

Val dei Ronchi bei Ala, dann an den Abhängen des Baldo gegen den Gardasee (Poll!). Judicarien: Wälder bei Tione (Bon.).

β. glabratum. Stengel u. Früchte ganz kahl. — L. pruthenicum β. glabratum Roch. Neben der Species, doch viel seltener, am Ritten z. B. am Steige von Unterzaun nach Ritzfeld etc. (Hsm.).

Bl. weiss. Jul. Aug. ⨀.

797. ***L. nitidum Zantedeschi.*** Glänzendes L. Die Blätter doppelt-gefiedert; ***Blättchen länglich, fiederspaltig-gelappt, geschärft-gesägt,*** unterseits von zerstreuten Borsten steifhaarig; Früchte kahl; die ***Blättchen der*** vielblättrigen ***allgemeinen Hülle an der Spitze eingeschnitten oder 3-spaltig.*** —

Felsige Gebirge im südlichen Tirol. — Judicarien: auf Kalkgebirgen, ober Molven nahe an der Gränze des Nonsberger Gebiethes, dann Lanziada u. Turrichio (Fcch.). Monte aprico bei Bolbeno vorzüglich al Roccolo del Festi (Bon.). Judicarien: ai Toric (Per!).

L. hirtellum Gaud.

Bl. weiss. Jul. Aug. ♃.

IX. Gruppe. **Daucineae Koch.** Frucht vom Rücken her linsenförmig-zusammengedrückt oder im Querdurchschnitte fast stielrund. Früchtchen mit 5 fädlichen (borstigen) Hauptriefen, die seitenständigen auf der Berührungsfläche liegend; Nebenriefen 4, mehr hervorspringend, stachelig, Stacheln frei o. in einen Flügel verwachsen. Eiweiss flach o. fast halb-stielrund, vorne ziemlich platt.

228. *Orlaya Hoffm.* Orlaye.

Kelchsaum 5zähnig. Blumenblätter verkehrt-eiförmig, mit eingebogenem Zipfelchen ausgerandet, die äussern strahlend, tief-2spaltig. Frucht vom Rücken her linsenförmig-zusammengedrückt. Früchtchen mit 5 fadenförmigen borstentragenden Hauptriefen, die mittleren auf dem Rücken, die 2 seitenständigen auf der Berührungsfläche liegend. Nebenriefen 4, mehr hervorspringend, 2—3reihig-stachelig. Thälchen unter den Nebenriefen 1striemig. Eiweiss verflächt, hinten konvex. (Blättchen der Hülle ungetheilt.).

798. ***O. grandiflora Hoffm.*** Grossblumige O. Der Stengel aufrecht; Blumenblätter strahlend, vielmal länger als der Fruchtknoten; Nebenriefen der Früchtchen gleich, Stacheln an der Spitze pfriemlich, hackig.

Gemein im südlichen Tirol an Weinbergen, Rainen u. Abhängen. — Brixen: an Zäunen bei Krakogel (Hfm.). Meran (Hrg!), allda bei Partschins (Iss.). Bozen: in Menge z. B. am Kalkofen u. die Abhänge vom Fagen bis Terlan ganz überziehend, bei Runkelstein etc. (Hsm.), bei Sigmundscron (Tpp.). Hügel um Trient (Per!). Civezzano (Fcch!). Roveredo (Crist.).

Am Gardasee (Clementi). Judicarien: an der Strasse bei Varrone (Bon.).

Caucalis grandiflora L. — Obsolet: Herba Caucalidis.

Bl. weiss. Ende Mai, Jun. ☉.

229. ***Daucus L.*** Möhre.

Früchtchen mit 4 gleichen geflügelten Nebenriefen. Die Flügel in eine einfache Reihe von Stacheln gespalten oder bis zur Basis getheilt. Sonst wie Orlaya. (Blättchen der Hülle meist 2—3spaltig.).

799. ***D. Carota L.*** Gemeine Möhre. Mohrrübe. Der Stengel steif; Blätter 2—3fach-gefiedert, glanzlos; Fiederchen fiederspaltig, Zipfel lanzettlich, haarspitzig; Hüllblättchen 3spaltig u. fiederspaltig, fast so lang als die Döldchen; Stacheln so lang als der Querdurchmesser der länglich-ovalen Frucht.

An Wegen, Rainen u. Triften bis an die Voralpen.—Bregenz (Str!). Oberinnthal: bei Brennbüchl (Lutt!). Gemein um Innsbruck (Schpf.). Im Stiftsgarten bei Wiltau (Prkt.). Schwaz (Schm!). Kitzbüchl (Unger)! Innervilgraten, Lienz (Schtz.), allda z. B. auf der Kranzenleite (Rsch!). Vintschgau: bei Goldrain (Tpp.). Meran (Kraft). Eppan (Hfl.). Gemein um Bozen: z. B. am Kalkofen u. Eisackdamme; am Ritten z. B. am Wege von Lengmoos zur Finsterbrücke u. beim Weber im Moos ober Unterinn (Hsm.). Val di Non: Castell Brughier (Hfl!). Trient (Per!). Roveredo (Crist.). Riva: an der Bastion (Hfl.). Judicarien: an Wegen bei Tione (Bon.).

Die kultivirte Pflanze (Gelbrübe) liefert eine essbare hinlänglich bekannte Wurzel: Radix Dauci sativi.

Bl. weiss, in der Mitte der Dolden eine gestielte mit 2—3 Hüllblättchen gestützte schwarzpurpurne Blumenkrone, die an den kultivirten Pflanzen fehlt. Ende Mai — Jul. ☉.

II. Unterordnung. CAMPYLOSPERMAE Koch. Eiweiss am Rande einwärts-gekrümmt oder gänzlich eingerollt o. an der innern Seite von einer Längsfurche rinnig.

X. Gruppe. **Caucalineae.** Frucht von der Seite her zusammengezogen o. fast stielrund. Früchtchen mit 5 fädlichen borstigen o. stacheligen Hauptriefen, die 3 mittleren auf dem Rücken, die 2 seitenständigen auf der Berührungsfläche liegend. Nebenriefen 4, mehr hervorspringend, stachelig oder durch die das ganze Thälchen bedeckenden Stacheln verwischt. Eiweiss einwärts-gerollt o. am Rande einwärts-gebogen.

230. ***Caùcalis Hoffm.*** Haftdolde.

Kelchsaum 5zähnig. Blumenblätter verkehrt-eiförmig, mit eingebogenem Zipfelchen ausgerandet, die äussern strahlend. 2spaltig. Frucht von der Seite her schwach-zusammengedrückt, Früchtchen mit 5 fadenförmigen borstigen o. stacheligen Hauptriefen, wovon die mittleren auf dem Rücken, die 2 äussern aber auf der Berührungsfläche liegen. Die 4 Nebenriefen mehr hervorspringend, stachelig, Stacheln in 1—3 Reihen. Thälchen unter den Nebenriefen 1striemig, Eiweiss einwärts-gerollt oder am Rande einwärts-gebogen.

800. ***C. daucoides L.*** Möhrenartige H. Blätter 2—3-fach-gefiedert, Fiederchen fiederspaltig, Zipfelchen linealisch, spitz; Hülle fehlend oder 1blättrig; Stacheln der Nebenriefen 1reihig, kahl, aus einer kegelförmigen Basis pfriemlich, an der Spitze backig, so lang o. länger als der Querdurchmesser der Früchtchen.

Auf Aeckern, in Weinbergen und Abhängen im südlichen Tirol. — Bozen: an den Leiten ober dem Ansitze Hertenberg, Griesnerberg, am Steige von der Landstrasse nach St. Cosmas (Hsm.). Aecker um Trient, auch am Doss Trent (Hfl.). Fleims: bei Tesero (Fcch!). An Zäunen bei Roveredo (Crist.). Judicarien: gebaute Orte bei Preore (Bon.).

Bl. weiss. Mai, Jun. ⊙.

231. *Turgenia Hoffm.* Turgenie.

Frucht von der Seite her zusammengezogen, fast 2knotig. Früchtchen mit 9 Riefen, davon die 2 seitenständigen kurz-stachelig, auf der Berührungsfläche liegend, die 7 übrigen mit 2—3 Reihen gleicher Stacheln. Sonst wie Caucalis.

801. ***T. latifolia Hoffm.*** Breitblättrige T. Blätter gefiedert, Fieder lanzettlich, eingeschnitten-gesägt; Dolde 2—3-strahlig; Stachelchen der Riefen auf der Berührungsfläche so lang als der Querdurchmesser der Fuge o. kürzer.

Im südlichen Tirol bei Roveredo (Pollini flor. ver. tom. I. p. 344)! Am Gardasee (Clementi).

Caucalis latifolia L.

Bl. weiss o. purpurn. Jun. Jul. ⊙.

232. *Torilis Adans.* Borstdolde. Klettenkerbel.

Frucht von der Seite her zusammengezogen. Früchtchen mit 5 mit Borsten besetzten Hauptriefen. Nebenriefen durch die vielen Stacheln, die die Thälchen ganz einnehmen, verwischt. Sonst wie Caucalis.

802. ***T. Anthriscus Gmel.*** Gemeine B. Aeste abstehend; Blätter doppelt-gefiedert; Blättchen eingeschnitten-gesägt; Dolden lang-gestielt; ***allgemeine Hülle reichblättrig; Stacheln*** einwärts-gekrümmt, an der Spitze einfach, spitz, ***nicht widerhackig.***

An Hecken, Zäunen und im Gebüsche an Abhängen. — Schwaz: gegen Viecht (Schm.). Pusterthal: bei Lienz (Rsch!). Bozen: am Wege nach Heilig-Grab u. Campil; Ritten: in den Stauden am Wege von Klobenstein nach Lengmoos und von da bis zur Thalsohle am Eisack (Hsm.). Eppan (Hfl.). Fleims (Fcch!). An Zäunen bei Roveredo (Crist.). Hügel um Trient (Per!). Judicarien: bei Tione (Bon.).

Tordylium Anthriscus L. Caucalis Anthriscus Scop.

Bl. weiss o. rosenroth, seltener tiefroth. Jul. Sept. ⊙.

803. ***T. helvetica Gmel.*** Schweizerische B. Aeste auseinanderfahrend; die untersten Blätter doppelt-gefiedert, die obern gefiedert u. 3zählig; Blättchen eingeschnitten-gesägt; das endständige der obern Blätter oft verlängert; Dolden lang-gestielt; ***Hülle 1blättrig o. fehlend; Stacheln widerhackig;*** Blumenblätter so lang als der Fruchtknoten; Griffel kaum noch 1mal so lang als der Stempelpolster.

An Hecken, Zäunen und Gebüschen. — Vorarlberg: um Bregenz (Str!). Bozen: am Fusse des Gandelberges in Gries, am Wege nach Ceslar u. im Viertel Sand, auch bei Sigmundscron (Hsm.). Vatsugana: in Weinbergen u. Zäunen bei Borgo (Ambr.). —

Scandix infesta L. Caucalis helvetica Jacq.

Bl. weiss. Ende Jun. Jul. ⊙.

804. ***T. nodosa Gaertner.*** Knotenbüthige B. Aeste ausgebreitet; Blätter doppelt-gefiedert; Blättchen fiederspaltig-eingeschnitten; ***Dolden geknäuelt, sitzend, blattgegenständig;*** die äussern Früchte stachelig, widerhackig, die innern körnig-rauh.

An sonnigen Orten, vorzüglich an Ackerrändern auf Hügeln um Roveredo (Poll!). Im Gebiethe von Roveredo und weiter südlich (Fcch!).

Tordylium nodosum L. Caucalis nodosa Scop.

Bl. weiss. Apr. Mai. ⊙.

XI. Gruppe. **Scandicineae Koch.** Frucht von der Seite her augenfällig-zusammengedrückt o. zusammengezogen, oft geschnäbelt. Früchtchen mit 5 durchziehenden oder nur an der Spitze bemerklichen gleichen Hauptriefen; Nebenriefen fehlend. Eiweiss vorne mit einer tiefen Furche ausgehöhlt o. am Rande einwärts-gerollt.

233. ***Scandix L.*** Kammkerbel. Nadelkerbel.

Kelchsaum undeutlich. Blumenblätter verkehrt-eiförmig, abgestutzt mit einem eingebogenen Zipfelchen. Frucht von der Seite her zusammengedrückt, sehr lang geschnäbelt. Früchtchen mit 5 stumpfen gleichen Riefen, wovon die seitenständigen randend. Thälchen striemenlos o. mit undeutlichen Striemen. Eiweiss stielrund-konvex mit einer tiefen Furche durchzogen.

805. ***S. Pecten Veneris L.*** Gemeiner Kammkerbel. Hüllblättchen an der Spitze 2—3spaltig u. ganz; Schnabel der Frucht vom Rücken her zusammengedrückt, 2reihig-steifhaarig.

Auf Aeckern, an Mauern u. im Gebüsche an Abhängen im südlichern Tirol. — Trient: im Gebüsche am Doss Trent und Aecker unter der Malga di Sardagna (Hfl.). Unter der Saat um Trient (Per!). Valsugana: auf Mauern bei Borgo (Ambr.). Aecker bei Roveredo (Crist.).

Obsolet: Herba Scandicis vel Pectinis Veneris.

Bl. weiss. Mai, Jun. ⊙.

234. *Anthriscus Hoffm.* Kerbel.

Kelchsaum undeutlich. Blumenblätter verkehrt-eiförmig, abgestutzt o. ausgerandet mit eingebogenem Zipfelchen, ungleich. Frucht von der Seite her zusammengezogen, geschnäbelt. Früchtchen fast stielrund, ohne Riefen, Schnabel 5riefig. Eiweiss stielrund-konvex, mit einer tiefen Furche durchzogen.

806. ***A. sylvestris Hoffm.*** Wald-K. Der Stengel unterwärts rauhhaarig, oberwärts kahl; Blätter kahl o. unterseits auf den Hauptnerven borstig-haarig, doppelt-gefiedert; Fiederchen fiederspaltig, die untern Zipfel eingeschnitten; ***Früchte länglich, glatt o. zerstreut-knötig, Knötchen grannenlos, Furchen des Schnabels ein Fünftel so lang als die Frucht;*** Hüllblättchen 5blättrig, ziemlich lang-gewimpert; der Griffel länger als der Stempelpolster.

Auf Wiesen, an Ufern u. Gebüschen bis an die Voralpen. Vorarlberg: um Bregenz (Str!). Schwaz: Strasse nach Buch (Schm!). Innsbruck: Wiesen der Rösslerau u. an den Giessen (Hfl.). Kitzbüchl (Trn.). Welsberg (Hll.); Brunecken (F.Naus!); Innervilgraten (Schtz.). Lienz: an Wiesen und in Obstgärten (Scbtz. Rsch!). Vintschgau: bei Kortsch (Tpp.). Bozen: von Gries nach Sigmundscron u. an den fetten Wiesen an der Landstrasse allda; Ritten: an der Amtmannwiese zwischen Lengmoos u. Klobenstein (Hsm.). Fleims u. Fassa (Fcch!). Gebirgswiesen im Tridentinischen u. am Baldo (Poll!). Val di Vezzano (Per!). Judicarien: fette Wiesen bei Tione (Bon.).

Chaerophyllum sylvestre L.

Obsolet: Herba Cicutariae, vel Chaerophylli sylvestris.

Bl. weiss. Mai, Jun. ♃.

807. ***A. Cerefolium Hoffm.*** Küchen-K. Der Stengel oberhalb der Gelenke flaumig; Blätter 3fach-gefiedert, kahl, unterseits auf den Nerven zerstreut-haarig; Blättchen fiederspaltig; ***Früchte*** linealisch, ***glatt; Furchen des Schnabels ungefähr halb so lang als die Frucht;*** Hüllchen halbirt, 2-3-blättrig; der Griffel länger als der Stempelpolster.

An Zäunen u. Wegen in Südtirol. — Vintschgau: selten in Hecken beim Schlosse Montani (Tpp.). Bozen: in Menge in den Stauden an der Strasse bei Frangart am Carnerihofe, einmal auch am Wege ausser dem kühlen Brünnel; an Schutthaufen bei Margreid selten (Hsm.). Valsugana: bei Borgo (Ambr.). Lago di Garda (Clementi).

Scandix Cerefolium L.

Gebaut wird die Pflanze als Küchengewächs (Kerbelkraut) meines Wissens wenigstens um Bozen nicht.

Bl. weiss. April, Mai. ☉.

235. *Chaerophyllum L.* Kälberkropf.

Kelchsaum undeutlich. Blumenblätter verkehrt-eiförmig, mit eingebogenem Zipfelchen. Frucht von der Seite her zusammengezogen, länglich o. linealisch. Früchtchen mit 5 sehr stumpfen gleichen Riefen, wovon die seitenständigen randend. Thälchen 1striemig. Griffel fadenförmig.

808. ***C. temulum* L.** Betäubender K. Der Stengel unter den Gelenken aufgeblasen, an der Basis steifhaarig, oberwärts kurzhaarig; Blätter doppelt-gefiedert; ***Blättchen*** eiförmig-länglich, ***lappig-fiederspaltig, Lappen stumpf,*** kurzstachelspitzig, etwas gekerbt; Hüllchen ei-lanzettförmig, haarspitzig, gewimpert; Blumenblätter kahl; ***die Griffel zurückgekrümmt, so lang als der Stempelpolster.***

An Zäunen u. Hecken. — Bozen: in Menge von Sigmundscron zum Schlosse u. dann an den östlichsten Häusern von Frangart, auch an der Strasse gegen die Paulsnerhöhle (Hsm.). Pusterthal: bei Lienz, rechts neben der Strasse nach Leisach u. unter der Kranzenleite (Rsch!). Bei Terlago nächst Trient (Per!).

Giftpflanze. — Bl. weiss, manchmal mit röthlichem Anfluge. Hälfte Mai, Jun. ⊙.

809. ***C. bulbosum* L.** Knolliger K. Der Stengel unter den Gelenken aufgeblasen, an der Basis steifhaarig, oberwärts kahl; Blätter mehrfach-zusammengesetzt; Blättchen tief-fiederspaltig, ***Zipfel*** linealisch-lanzettlich, spitz, die ***obern Blätter linealisch, sehr schmal; Hüllchen*** lanzettlich, haarspitzig, ***kahl;*** die Griffel zurückgebogen, ungefähr so lang als der Stempelpolster.

In Tirol (Laicharding)! An Zäunen, Hecken u. auf Wiesen an Wasserleitungen bei Lienz (Rsch!).

Bl. weiss. Jun. Jul. ⊙.

810. ***C. aureum* L.** Gelber K. Der Stengel unter den Gelenken etwas angeschwollen; Blätter 3fach-gefiedert; ***Blättchen*** aus eiförmiger Basis lanzettlich, zugespitzt, eingeschnitten u. gesägt, ***an der Basis fiederspaltig, an der lang-vorgezogenen Spitze einfach-gesägt;*** Hüllchen breit-lanzettlich, haarspitzig, gewimpert; Blumenblätter kahl; die ***Griffel*** zuletzt zurückgebogen, ***länger als der konvex-kegelförmige Stempelpolster.***

An Hecken u. Gebüschen bis an die Voralpen. — Vorarlberg: bei Ems (Str!), bei Ammerlugen nächst Feldkirch u. im Thale Laterns (Cst!). Innsbruck: bei Igels (Friese). Kitzbüchl (Trn.). Im Mittelgebirg bei Schwaz (Schm.). Pusterthal: bei Welsberg (Hll.), Hopfgarten (Schtz.). Vintschgau: am Etschdamme bei Eiers (Tpp.). Ritten: Klobenstein in den Haselgebüschen nächst Waidach u. am Oberbozner Steige bei Rappesbüchel (Hsm.). Fassa (Fcch!). Bergwiesen um Roveredo (Crist.). Am Baldo: bei San Giacomo (Hfl.). Baldo (Clementi).

Stengel oft blutroth gefleckt. Bl. weiss. Jun. Jul. ♃.

811. ***C. Villarsii* Koch.** Villars K. Der Stengel fast gleich; Blätter doppelt-gefiedert, Fieder fiederspaltig; Abschnitte lanzettlich, eingeschnitten-gesägt, die untern fiederspaltig; ***Hüllchen*** lanzettlich, zugespitzt, ***krautig, am Rande häutig***

u. nebst den Blumenblättern gewimpert; die Griffel aufrecht, mehrmal länger als der Stempelpolster; *Fruchthalter bis auf die Basis getheilt.*

Waldwiesen auf Gebirgen bis in die Alpen. — Vorarlberg: auf der Dornbirneralpe und Mittagspitze (Str!), am Freschen (Cst!), Bregenzerwald: bei Krumbach (Tir. B.)! Oberinnthal: Planggeross (Tpp.). Innsbruck: am Pastberg, dann Unternberg gegen Stubai in Fichtenwäldern; Lisens (Hfl.). Mittelgebirge um Schwaz (Schm.). Trockene Bergwiesen um Kitzbüchl 3000 bis 5000′ (Trn.). Alpen um Welsberg (Hll.). Brunecken (F. Naus!); Toblacheralpe (Hll.). Kuens bei Meran (Tpp.). Ritten: mit Folgender, doch viel seltener am Waldrande hinter Rappesbüchel u. um 14 Tage später blühend; häufiger um Pemmern, auf den Sulznerwiesen u. an der Schön bis 5500′; Joch Lattemar (Hsm.). Judicarien: am Pissone u. Arnò (Bon.).

Ch. Cicutaria Reichenb. Ch. hirsutum Vill.

Bl. weiss. Jul. Aug. ♃.

812. *C. hirsutum L.* Rauhhaariger K. Der Stengel fast gleich; Blätter doppelt-3zählig; Blättchen 2—3spaltig o. fiederspaltig, eingeschnitten-gesägt; Hüllchen breit-lanzettlich, zugespitzt, krautig, am Rande nebst den *Blumenblättern gewimpert;* Griffel aufrecht, mehrmal länger als der Stempelpolster; *Fruchthalter an der Spitze 2spaltig.*

An Waldwiesen und Gebirgsbächen bis in die Alpen. — Bregenz (Str!), dann im Rheinthale mit β., aber auf der Schweizerseite (Cst!). Oberinnthal: bei Imst (Lutt!). Innsbruck: in der Klamm u. am Amraser Wasserfall (Hfl.). Zillerthal: Waxegger Bergmähder (Braune)! Kitzbüchl (Trn.). Pusterthal: in Ahrn (Prkt.), Lienz (Rschl. Schtz.), Hopfgarten (Schtz.), Welsberg (Hll.). Ritten: häufig am Waldrande u. an der Sumpfwiese (sogenannte Grub) hinter Rappesbüchel u. an feuchten lichten Waldstellen des Fenns bei Klobenstein; am Geierberg bei Salurn (Hsm.). Fassa (Fcch!).

β. *rosea.* Blüthen rosenroth oder pu pu . Ch. Cicutaria Vill. — Innsbruck: am Amraser Bach (Hfl.). Mittelgebirge bei Schwaz (Schm.). Pusterthal: in Ahrn (Prkt.), bei Welsberg (Hll.). Rittneralpe; Schlern einzeln rechts nach der Schlucht (Hsm.). Baldo: Selva d'Avio (Poll!).

Bl. weiss oder rosenroth. Stengel rauhhaarig oder kahl. Jun. Jul. ♃.

813. *C. aromaticum L.* Gewürzhafter K. Der Stengel unter den Gelenken angeschwollen; *Blätter 3fach-3zählig* o. 3fach-3zählig-doppelt-gefiedert; *Blättchen ungetheilt,* eiförmig-länglich, zugespitzt, *gesägt;* Hüllchen breit-lanzettlich, pfriemlich-zugespitzt, gewimpert; die Griffel spreizend, länger als der kegelförmige Polster.

An Zäunen u. Wäldern. — In der an Vorarlberg stossenden Schweiz bei Balzach (Cst!). In Fassa (Rainer bei Bertoloni)! Myrrhis aromatica Sprengel. Bl. weiss. Mai. Jun. ♃.

236. *Myrrhis Scop.* Myrrhenkerbel.

Kelchsaum undeutlich. Blumenblätter verkehrt-eiförmig, mit eingebogenem Zipfelchen ausgerandet. Frucht von der Seite her zusammengedrückt. Samen einwärts-gerollt mit einer doppelten getrennten Bedeckung, wovon die innere fast angewachsen, die äussere aber 5 scharfe innen hohle Riefen bildet. Striemen fehlend. —

814. ***M. odorata Scop.*** Gemeiner Myrrhenkerbel. Blätter fein-zottig von kurzen Haaren, Hüllchen lanzettlich, zugespitzt.

Triften der Gebirge u. Voralpen. — Kitzbüchl: am Sonnberg 3—4000′ an felsigen Stellen (Trn.). Pusterthal: auf dem Kreuzberge (Fcch. nach Hell)! Bozen: bisher an einer einzigen Stelle am Gandelhofe bei Gries*) (Hsm.). Im südlichen Tirol auf mittlerer Gebirgshöhe sehr verbreitet, z. B. auf der Alpe Costa bella, Agnerola in Primiero, Campogrosso in Vallarsa, Lenzumo in Val di Ledro (Fcch.). Valsugana: bei Borgo gegen Sette Selle (Mrts!). Wiesen am Campogrosso bei Roveredo (Crist.). Voralpenwiesen um Trient (Per.). Am Baldo: ai Lavaci (Poll!). Alpe Lenzada in Judicarien (Bon.).

Scandix odorata L. Chaerophyllum odoratum Lam.

Obsolet: Radix, Herba et Semen Cerefolii hispanici vel Myrrhidis majoris.

Kraut u. Samen nach Anis riechend.

Bl. weiss. Mai. Gebirge Jun. Jul. ♃.

237. *Molopospermum Koch.* Striemensame.

Kelch 5zähnig. Blumenblätter lanzettlich, ganz, lang-zugespitzt mit aufsteigender Spitze. Frucht von der Seite her zusammengedrückt. Früchtchen mit 5 häutig-geflügelten Riefen, wovon die 2 seitenständigen randend u. um die Hälfte kürzer, die mittlern scharf. Eiweiss stumpf-4kantig, die der Berührungsfläche entgegen gesetzte Kante mit einer tiefen Furche durchzogen. Zwischen dem Samen u. der Fuge ein hohler Kanal. Thälchen 1striemig. Die sehr schmale Fuge striemenlos. (Striemen braun, breit. Die seitenständigen Riefen oft fast verwischt u. die Striemen der Seitenthälchen oft fehlend.).

815. ***M. cicutarium De C.*** Schierlingsartiger Str. Rauhe gebirgige Orte im südlichen Tirol bis in die Voralpen ansteigend. — Alpe Trivona (Koch syn. ed. 2.)! Abhänge des Baldo, alle bucche di Novesa, ai Lavaci u. Zocchi (Poll!). Judicarien: Val di San Giovanni der Alpe Gavardina (Bon.), u. Val di Breguzzo (Fcch!).

Wird schon von Laicharding als Tiroler Pflanze angeführt.

Ligusticum peloponnesiacum L. Ligusticum cicutarium Lam. M. peloponnesiacum Koch umb.

---

*) Durch den Hausbau im Jahre 1849 nun verschwunden.

Bis 4 Fuss hoch u. darüber, ganz kahl. Blättchen rhombisch-lanzettlich verlängert, zugespitzt, fiederspaltig. Stark und unangenehm riechend. Blüthen mit allgemeiner und besonderer Hülle. — Bl. weiss. Jul. Aug. ♃.

XII. Gruppe. **Smyrneae Koch.** Frucht gedunsen, von der Seite her oft zusammengezogen o. zusammengedrückt. Früchtchen mit 5 Riefen, die seitenständigen randend oder vor dem Rande gelegen. Die Riefen bisweilen fast verwischt. Eiweiss einwärts-gerollt o. auf der innern Seite gefurcht u. desshalb auf dem Querdurchschnitte halbmondförmig oder zusammengefaltet.

238. *Conium L.* Schierling.

Kelchsaum undeutlich. Blumenblätter verkehrt-herzförmig, schwach ausgerandet mit sehr kurzem eingebogenem Zipfelchen. Frucht von der Seite her zusammengedrückt, eiförmig. Früchtchen mit 5 wellig-gekerbten vorragenden Riefen, wovon die seitenständigen randend. Thälchen vielstreifig, striemenlos. Eiweiss mit einer schmalen tiefen Furche durchzogen.

816. ***C. maculatum L.*** Gefleckter Sch. Hüllblättchen lanzettlich, kürzer als das Döldchen.

An Gräben, Schutt u. Wegen. — Vorarlberg: am Schlosse bei Feldkirch (Cst!). Lienz: bei Schlossbruck (Rsch!). Meran (Kraft). Bozen: hie u. da um Sigmundscron, dann an der Strasse gegen Meran an Gräben; bei Auer, Salurn, Neumarkt u. Pranzoll (Hsm.). Eppan: beim Schlosse Freudenstein (Hfl.). Judicarien: an den Wiesen am Castell di Stenico (Bon.). Valsugana: am Berge von Roncegno (Ambr.). — Sehr giftig.

Officinell: Herba Cicutae (terrestris) vel Conii maculati.

Stengel schwarzroth-gefleckt. Ende Jun. Jul. ⊙.

239. *Pleurospermum Hoffm.* Rippensame. Rippnüsschen.

Kelchsaum 5zähnig. Blumenblätter verkehrt-eiförmig, ganz. Frucht von der Seite her zusammengedrückt, eiförmig. Früchtchen mit einer doppelten Haut versehen, die äussere aufgeblasen, gedunsen, mit 5 hohlen Riefen, die innere fest angewachsen mit 5 kleinern den äussern entgegengesetzten Riefen. Thälchen der innern Haut 1—2striemig. Eiweiss im Querdurchschnitte halbmondförmig.

817. ***P. austriacum Hoffm.*** Oestreichischer R. Riefen der Früchtchen stumpf, Kiel etwas gekerbt.

Alpen u. Voralpen durch die ganze Alpenkette (Koch syn.)! Am Salzberg bei Hall (Hfl.). Benachbarte Schweiz am Sentis (Cst!). Valsugana: Bergwiesen von Torcegno (Ambr.).

Ligusticum austriacum L.

Stengel starr, aufrecht, gefurcht, oberhalb ästig. Blätter doppelt-gefiedert, Blättchen keilförmig-länglich, fiederig-eingeschnitten. Blüthen mit allgemeiner und besonderer Hülle. Blättchen der allgemeinen Hülle oft 2—3spaltig.

Bl. weiss. Jul. Aug. ♃.

240. *Malabaila Tausch.* Malabaile.

Kelchsaum 5zähnig. Blätter verkehrt-herzförmig mit eingebogenem Zipfelchen. Frucht vom Rücken her zusammengedrückt, eiförmig. Fruchtrinde zart, fast häutig. Früchtchen mit 5 scharfen, gleichen, fast geflügelten Riefen, wovon die seitenständigen randend. Thälchen flach, 3striemig, Striemen der Fruchtrinde eingewachsen u. nicht wie bei Pleurospermum dem Samen selbst aufliegend. Samen einen freien, striemenlosen, am Rande eingerollten Kern darstellend.

818. *M. Hacquetii Tausch.* Haquet's M.

Höhere Gebirge im südlichen Tirol (Koch Taschenb.)! Alpe Campogrosso in Vallarsa an einem steinigen Abhange (Fcch!).

Hladnickia golacensis Koch syn. ed. 1. Pleurospermum Golaka Reichenb. Athamantha Golaka Hacquet.

Blätter fiederspaltig-doppelt-zusammengesetzt; Blättchen keilförmig-rhombisch, herablaufend, glänzend. Hüllblättchen ganz, lanzettlich.

Bl. weiss. Jun. Jul. ♃.

III. Unterordnung. COELOSPERMÆ. Koch. Eiweiss halbkugelig- o. sackartig-konkav.

XIII. Gruppe. **Coriandreae Koch.** Frucht kugelig o. durch 2 fast kugelige Früchtchen 2knotig. Früchtchen mit 5 niedergedrückten u. geschlängelten oder eine verwischte Furche darstellenden Hauptriefen; die seitenständigen vor dem Nebenrand liegend; Nebenriefen 4, mehr hervorspringend; sämmtlich flügellos.

241. *Bifóra Hoffm.* Bifore.

Kelchsaum undeutlich. Blumenblätter verkehrt-eiförmig, mit eingebogenem Zipfelchen ausgerandet, die äussern fast gleich o. strahlend u. 2spaltig. Frucht 2knotig, Früchtchen fast kugelig-bauchig, gekörnelt-runzelig, mit 5 eingedrückten verwischten Streifen bezeichnet, wovon die seitenständigen halb-kreisförmig u. vor den Rand gestellt. Striemen fehlend. Berührungsfläche mit 2 Löchern durchbohrt. Eiweiss sackartig-konkav.

819. *B. radians M. B.* Strahlblüthige B. Dolden 5strahlig; die äussern Blüthen strahlend; Griffel ungefähr halb so lang als das Früchtchen; Früchtchen sehr stumpf.

Unter der Saat im südlichen Tirol (Koch syn.)! Aeeker bei Trient (Per.). Roveredo: bei San Jlario (Crist.). Am Gardasee (Clementi).

Kraut widerlich riechend.

Bl. weiss. Jun. Jul. ⊙.

Coriandrum L. Koriander.

Kelchsaum 5zähnig. Blumenblätter verkehrt-eiförmig, mit eingebogenem Zipfelchen ausgerandet. Frucht kugelig. Früchtchen mit 5 eingedrückten schlängeligen Hauptriefen, wovon die seitenständigen vor dem Bande liegend. Nebenriefen 4, mehr hervortretend, gekielt. Thälchen striemenlos. Eiweiss ausgehöhlt, mit einer freien Haut umgeben.

C. sativum L. Gemeiner Koriander.

Ganz verwildert in u. an Gärten vorzüglich der Landleute um Bozen. u. auf den umliegenden Gebirgen.

Die untern Blätter gefiedert-fiederspaltig, Blättchen verkehrt-eiförmig fiederspaltig-eingeschnitten; Blättchen der obern Blätter schmal-linealisch, oft tief-gespalten. Das frische Kraut sehr unangenehm nach Wanzen riechend; die Früchte gewürzhaft, man mengt sie bei uns sehr häufig unter dem Namen: Kalander dem Brodteige bei.

Officinell: Semen Coriandri.

Bl. weiss, strahlend. Jun. Jul. ⊙.

LIV. Ordnung. ARALIACEAE. Juss.

Epheuartige.

Blüthen meist zwitterig, regelmässig. Kelchröhre dem Fruchtknoten angewachsen; Saum oberständig, 4—5zähnig. Blumenkrone 5—10blättrig, vor einer oberweibigen Scheibe eingefügt. Blumenblätter mit breiter Basis sitzend, in der Knospenlage klappig. Staubgefässe so viele als Blumenblätter, mit diesen wechselnd. Fruchtknoten 2—mehrfächerig, Fächer 1eiig. Griffel 1 oder mehrere mit einer einfachen Narbe. Frucht beerenartig. Keim rechtläufig, in der Achse des fleischigen Eiweisses. Bäume o. oft kletternde Sträucher mit nebenblattlosen gestielten Blättern.

242. *Hédera Schwartz.* Epheu.

Kelchsaum zahnlos oder gezähnt. Blumenblätter 5—10, zur Blüthezeit ausgebreitet (nicht an der Spitze mützenartig zusammenhängend wie bei Vitis). Staubfäden 5—10. Griffel 5—10, zusammenneigend o. in einen einzigen verwachsen. Beere 5 bis 10fächerig, vom Kelchsaume gekrönt. (V. 1.).

820. *H. Helix L.* Gemeiner E. Der Stengel mit wurzelartigen Fasern kletternd; Blätter lederig, kahl, glänzend, winkelig-5lappig; die obersten u. die der blühenden Aestchen ganz, eiförmig, zugespitzt; Dolden einfach, flaumig.

An alten Mauern u. Bäumen in Auen u. Wäldern, gemein im südlichen Tirol, seltener im nördlichen. — Vorarlberg: bei Bregenz (Str!). Hie u. da um Kitzbüchl (Unger)! Lienz: hinter Schlossbruck (Rsch!). Vintschgau: bei Goldrain (Tpp.). Meran: am Schlosse Tirol (Hfm.). Gemein im ganzen Etschlande bis 2000′, seltener höher z. B. am Wege ober Unterinn; riesige Stämme am südlichen Theile des Schlosses Sigmundscron u. am Schlosse Wart an der Paulsner Höhle, auch am Schlosse Maretsch bei Bozen etc. (Hsm.). Val di Non: bei Castell Brughier (Hfl!). Roveredo (Crist.). Valsugana: um Borgo (Ambr.). Trient: am Doss Trent (Hfl!).

An den Stämmen bei Sigmundscron fend ich einmal auch das in Apotheken bekannte Epheuharz, das sonst nur in südlichern Gegenden aus der Rinde alter Stämme ausfliesst.

Bl. grünlich-gelb. Früchte schwarz, erst im folgenden Frühjahre reifend.

Officinell: Folia Hederae arboreae. — Sept. Oct. ♄.

LV. Ordnung. CORNEAE. De C.

Hornstrauchartige.

Blüthen meist zwitterig. Kelchröhre mit dem Fruchtknoten verwachsen; Saum oberständig, 4zähnig, bleibend. Blumenblätter 4, der Kelchrohre eingefügt, mit den Kelchzähnen wechselnd, in der Knospenlage klappig. Staubgefässe 4, mit den Blumenblättern eingefügt. Fruchtknoten 1, 2—3fächerig. Eierchen in jedem Fache 1, hängend. Griffel 1, fast keulenförmig; Narbe kopfig. Steinfrucht 2—3fächerig o. durch Fehlschlagen 1fächerig. Keim rechtläufig in der Achse des fleischigen Eiweisses. Unsere Arten Bäume o. Sträucher mit einfachen nebenblattlosen Blättern. Holz sehr hart.

243. *Cornus L.* Hornstrauch.

Kelchsaum oberständig, 4zähnig. Blumenblätter 4. Staubgefässe 4. Griffel 1. Steinfrucht beerenartig, mit dem verwischten Kelchsaume genabelt, 2fächerig o. durch Fehlschlagen 1fächerig. (IV. 1.).

821. *C. sanguinea L.* Rother H. Hartriegel. Aeste aufrecht; Blätter eiförmig, gleichfarbig; ***Trugdolden flach; Hülle fehlend;*** Haare der Aeste u. Blüthenstiele angedrückt.

In Auen, Hecken u. Vorhölzern mehr im Thale. — Bregenz gemein (Str!). Innsbruck: z. B. an der Sill (Schpf.), dann im Villerberg (Prkt.). Unterinnthal: bei St. Johann (Trn.); Schwaz (Schm!); Zillerthal: um Zell (Gbh.). Lienz (Rsch! Schtz.). Bozen: z. B. am Wege nach Campil, gemein in den Auen längs der Etsch bis Margreid u. Salurn (Hsm.). Val di Non: Castell Brughier (Hfl!). Trient (Per!). Im südlichen Fleims bis Predazzo (Fcch!). Borgo (Ambr.). Am Gardasee (Clementi). Judicarien: bei Tione (Bon.).

Obsolet: Baccae Corni foeminei.

Bl. weiss. Mai. ♄.

822. *C. mas L.* Gelber H. Kornelkirsche. Aeste kahl; die jüngern angedrückt-haarig; Blätter eiförmig, zuge-

spitzt; die blühenden *Dolden ungefähr so lang als die Hülle, vor den Blättern erscheinend.*

An Zäunen u. im Gebüsche an Abhängen gemein im südlichen, selten im nördlichen Tirol. — Innsbruck: im Wiltauer Stiftsgarten (Prkt.), doch wohl nur gepflanzt? Am Rohrberge in Zillerthal (Braune)! Gemein um Bozen: an allen Abhängen bis Terlan, dann bei Runkelstein u. Haslach, an der Landstrasse bis Salurn, meist nur verkrüppelt, Stämme von Mannsschenkels Dicke an der Strasse bei Atzwang u. Deutschen; geht am Ritten bis 3700′ z. B. bei den Pyramiden, bei St. Sebastian nächst Unterinn noch baumartige Stämme, Siffian, einzeln am Wege bei Unterkematen noch bei 3450′ (Hsm.). In Fleims gegen Neumarkt (Fcch!). Trient (Per.). Am Baldo: im Gebiethe von Brentonico (Poll!). Am Gardasee (Clementi).

Meist nur strauchartig, seltener baumartig, da das sehr harte u. schwere Holz sehr gesucht ist. Bl. klein, gelb, manchmal auch 2häusig o. vielehig. Früchte (Karnellen um Bozen) kirschroth, elliptisch, essbar. Anf. März. ♄.

LVI. Ordnung. LORANTHACEAE. Don.

Mistelartige.

Blüthen zwitterig oder 1geschlechtig. Kelchröhre mit dem Fruchtknoten verwachsen, Saum ganz o. gelappt. Blumenkrone 4theilig o. 4blättrig, in der Knospenlage klappig. Staubgefässe so viele als Blumenblätter u. denselben entgegengesetzt. Staubfäden mehr o. weniger der Blumenkrone angewachsen, o. ganz fehlend u. die Staubbeutel mit der Blumenkrone angewachsen. Ein 1fächeriger, 1eiiger Fruchtknoten. Griffel 1, mit kopfförmiger Narbe oder Narbe sitzend. Frucht beerenartig. Eiweiss fleischig. Keim periferisch o. seitlich. Schmarotzende Sträucher, auf den Aesten der Bäume eingewurzelt.

244. *Viscum L.* Mistel.

Blüthen 1geschlechtig. Männliche Blüthe: Kelch fehlend. Blumenkrone 4theilig, Staubkölbchen der Blumenkrone angewachsen. Weibliche Blüthe: Kelchsaum oberständig, ganz. Blumenkrone 4blättrig. Narbe stumpf, sitzend. Beere einsamig. (XXII. 4.).

823. *V. album L.* Weisse Mistel. Stengel gegliedert, gabelspaltig-ästig, auf verschiedenen Bäumen schmarotzend; Blätter lanzettlich o. keilförmig-länglich, stumpf, lederig, grünlich-gelb, erwachsen mehr oder weniger deutlich 3—5nervig. Blüthen meist 2häusig, zu 3—5, geknäuelt, end- u. gabelständig.

Oberinnthal: auf Föhren bei Imst (Lutt.). Unterinnthal: auf Obstbäumen bei Söll und Niederndorf (Unger)! Brixen (Hfm!). Lienz: auf Fichten, Aepfel- u. Birnbäumen (Schtz.

Rsch!). Bozen: auf Föhren in der Stadtau u. Haslacher Wald; bei Auer im Föhrenwalde gegen die Brücke; geht am Ritten an den stillen Reisten ober Kleinstein bis 2500′; bei Kaltern auch auf Obstbäumen u. Eichen (Hsm.), auf Linden u. Birnbäumen bei Eppan (Hfl!). Trient: bei Povo (Per!).

Die weissen Beeren dienen zur Bereitung des Vogelleimes. Bl. gelb o. grünlich-gelb. März, Apr. ♄.

LVII. Ordnung. CAPRIFOLIACEAE. Juss.

Geissblattartige.

Blüthen zwitterig, regel- o. unregelmässig. Kelch oberständig, Saum 2—5spaltig oder fast ganzrandig. Blumenkrone 1blättrig, mit 4—5spaltigem Saume. Staubgefässe der Blumenkrone eingefügt, frei, so viele o. doppelt so viele als Zipfel der Blumenkrone, seltener durch Fehlschlagen weniger. Fruchtknoten 2—5fächerig, Fächer mit 1 o. mehreren Eierchen. Eierchen hängend, umgewendet. Narben 1—5, Frucht beerenartig, öfter aus 2 verwachsenen Fruchtknoten gebildet. Keim rechtläufig in der Achse des Eiweisses. Meist Sträucher mit entgegengesetzten Blättern.

I. Gruppe. **Sambuceae.** Blumenkrone radförmig. Griffel oder Narben 3—5.

245. *Adóxa L.* Bisamkraut.

Kelchröhre nur an die Basis des Fruchtknotens angewachsen, Saum halb-oberständig, 2—3spaltig. Blumenkrone radförmig, 4—5theilig. Staubgefässe 8—10. Griffel 4—5 mit 1fachen Narben. Beere krautig, saftig, in der Mitte mit den bleibenden Kelchzähnen umgeben u. an der Spitze mit dem Griffel gekrönt, als Fruchtknoten 4—5fächerig, Fächer 1samig, bei der Reife immer mehrere fehlschlagend. (VIII. 4.).

824. *A. Moschatellina L.* Gemeines B. Wurzelstock kriechend. Stengel 2blättrig, kahl wie die ganze Pflanze. Blätter 3theilig-gefiedert. Blüthen bis zu 5 in ein endständiges Köpfchen gehäuft.

An Hecken u. Zäunen bis an die Voralpen. — Um Bregenz gemein (Str!). Imst (Lutt!). Zirl u. Telfs 2—3000′ (Str!). Innsbruck: hinter dem Sillstadel u. in den Sillauen unter dem Reisachhof (Friese. Prkt.). Kitzbüchl (Trn.). Hopfgarten (Schtz.). Welsberg (Hll.). Lienz (Schtz.), allda im Brünnlanger u. beim Dorfe Thurn (Rsch!). Vintschgau: im Gebüsche bei Prad, Schluderns, Laas u. im Taufererthale; Algund u. Dornsberg ober Meran (Tpp.). Bozen: an der Landstrasse links gleich ausser Sigmundscron gegen Frangart; an der Strasse beim Pranzoller Gottesacker; am Ritten bei Lengmoos selten (Hsm.). Fleims: bei Moëna (Fcch!). Valsugana (Ambr.). Trient: Doss di Santa

Agata (Per!). Baldo: Vall di Novesa u. dell' Artillon; am Bondone (Poll!). Judicarien: bei Tione (Bon.).

Obsolet: Radix Moschatellinae.

Bl. grün, bisamduftend. Beeren grün. März, Apr. ♃.

246. ***Sambucus* L.** Hollunder.

Kelch während der Blüthezeit halb-oberständig, mit 5zähnigem Saume. Blumenkrone radförmig, mit 5spaltigem Saume. Staubgefässe 5. Griffel fehlend. Narben 3, sitzend. Beere 3—5samig. (V. 3.).

825. ***S. Ébulus* L.** Zwerg-H. Attich. Der Stengel krautig, kleinwarzig, die *Nebenblätter blattig, eiförmig, o. lanzettlich, gesägt;* Hauptäste der Trugdolde 3zählig.

An Wegen, Hecken u. Zäunen truppenweise u. meist nur im Thale. — Bregenz (Str!). Oberinnthal: am Sinwag (Kink.). Innsbruck: Weg nach Mieders (Schm.), u. im Knappenthale (Friese). Unterinnthal: im Schlosshofe von Kropfsberg (Gbh.), Zillerthal (Schrank!), Rattenberg (Wld.), im Gebiethe von Kitzbüchl, selten an Waldrändern (Unger)! Lienz: auf dem Rauchkogel u. am Wege nach Lavant (Rsch!). Bozen: an der Strasse rechts vor Siebenaich, bei St. Jakob am Mannáhofe u. am Sigmundscroner Schlossberge; am Wege von St. Florian nach Margreid (Hsm.). Eppan: bei Matschatsch (Hfl.). Trient (Per!). Roveredo: auf Hügeln an Weinbergen (Crist.). Val di Sella bei Borgo (Ambr.). An Weinbergen u. auf Hügeln um Roveredo (Crist.). Judicarien: bei Stenico (Bon.).

Officinell: Baccae (früher auch Radix, Cortex, Folia et Flores) Ebuli.

Stengel weissmarkig, jährlich absterbend. Bl. weiss mit violetten o. purpurnen Staubkölbchen. Beeren schwarz.
Jul. Aug. ♃.

826. ***S. nigra* L.** Schwarzer H. Der Stengel strauchig, fast baumig; die Nebenblätter warzenförmig o. fehlend; *Hauptäste der Trugdolde 5zählig.*

An Hecken u. Zäunen vorzüglich in der Nähe der Häuser bis an die Voralpen. — Bregenz (Str!). Innsbruck: an der kleinen Sill (Karpe). Kitzbüchl (Unger)! Welsberg (Hll.). Hopfgarten (Schtz.). Lienz: vorzüglich bei Oberlienz u. Thurn (Rsch! Schtz.). Bozen: an den Zäunen der Strasse bis Salurn; am Ritten z. B. bei Waidach, Klobenstein etc. bis 4000′ gehend (Hsm.). Trient (Per!). Valsugana: bei Borgo (Ambr.). Baldo: Selva d'Avio (Poll!). Judicarien: bei Tione (Bon.).

Officinell: Flores et Baccae Sambuci.

Bl. weiss, Staubkölbchen gelb, Beeren schwarz. Mark der Aeste schneeweiss. Anf. Mai, Jun. ♄.

827. ***S. racemosa* L.** Traubiger H. Rother H. Der Stengel strauchig; *Rispe eiförmig.*

Gebirgswälder bis in die Alpen. — Vorarlberg: auf der Flur bei Bregenz (Str!). Oberinnthal: Fernboden (Lutt!). Innsbruck: am Sonnenburger Schlossberg (Schpf.), u. gegen die Höttinger Alpe (Eschl.). Stubai (Hfl!). In Alpein (Schneller). Auen u. Bergwälder um Kitzbüchl (Trn.). Welsberg (Hll.); Taufers (Iss.); Innervilgraten (Schtz.); Lienz: bei der Ruine Kienburg (Rsch!). Schmirn (Hfm!). Wormserjochstrasse bei Franzenshöhe (Hsm.). Laas (Tpp.). Schlern u. Seiseralpe; bei Weissenstein; am Ritten bei 3800′ beginnend, z. B. unter der Finsterbrücke hinter Lengmoos, bei Wolfsgruben, Kematen etc. (Hsm.). Valsugana (Ambr.). Voralpen um Trient (Per.). Baldo: Vall dell' Artillon u. Prato di Brentonico (Calceolari! Poll!). Judicarien: in Coël u. Val di San Valentino in Rendena (Bon.).

Blätter unterseits grau - grün; Bl. weiss, Staubkölbchen gelb. Beeren roth. Mark der ältern Aeste hellbraun. Blüht neben Voriger am Ritten wenigstens um 4 Wochen früher.

Mai, Jun. ♄.

247. ***Viburnum L.*** Schneeball. Schlingbaum.

Kelch oberständig, mit 5zähnigem Saume. Blumenkrone radförmig, fast glockig oder röhrig, 5lappig. Staubgefässe 5. Narben 3, sitzend. Beere 1samig. (V. 3.).

828. ***V. Lantana L.*** Wolliger Sch. Schlingbaum. *Blätter eiförmig, gezähnelt - gesägt*, an der Basis etwas herzförmig, unterseits runzelig-aderig u. nebst den Aestchen von einem sternförmigen Flaume kleiig - filzig, oberseits von zerstreuten Sternhärchen flaumig; Ebenstrauss endständig, gestielt. —

Hecken u. Vorhölzer bis an die Voralpen. — Bregenz (Str!). Imst (Lutt!). Innsbruck: auf dem Wege von der Kaiserstrasse nach Mühlau (Schpf.), u. am Stickelesteig (Prkt.). Unterinnthal: am Schlosse Kropfsberg (Gbh.), bei St. Johann am Kaiser (Trn.). Welsberg (Hll.). Lienz (Schtz.), allda am Ulrichsbüchl und gegen Leisach (Rsch!). Vintschgau: Zapferbad bei Laas (Tpp.). Bozen: gegen Campil etc.; am Ritten um Klobenstein bis 4300′ gegen Kematen (Hsm.). Val di Non: Castell Brughier (Hfl!). Trient u. Val di Pinè (Per!). Borgo (Ambr.). Roveredo (Crist.). Judicarien: bei Tione (Bon.).

Obsolet: Folia et Baccae Viburni.

Bl. weiss. Beeren roth, zuletzt schwarz. Mai. ♄.

829. ***V. Opulus L.*** Gemeiner Sch. Bach- o. Wasserholder. *Blätter 3- o. 5lappig*, Lappen zugespitzt, gezähnt; Blattstiele drüsig, kahl; Ebensträusse endständig, gestielt; die äussern Blüthen strahlend, geschlechtslos.

An Ufern, in Auen u. feuchten Gebüschen bis an die Voralpen. — Bregenz (Str!). Oberinnthal: bei Imst (Lutt!). Gemein um Innsbruck: z. B. an der Sill u. am Reisachhof (Schpf. Prkt.). Selten an Gebirgsbächen um Kitzbüchl (Unger)! Zillerthal (Schrank)! Welsberg (Hll.). Lienz (Rsch!). Tefereggen (Schtz.). Bozen: gemein in den Auen u. längs der Etsch bis Salurn; am Ritten selten bei Waidach nächst Klobenstein (Hsm.).

Trient (Per!). Valsugana: bei Borgo (Ambr.). Judicarien: bei Stelle (Bon.).

β. roseum. Rosen-Sch. Scheindolde kugelig, mit grösseren sämmtlich geschlechtlosen Blüthen. Häufig zur Zierde in Gärten. — Obsolet: Cortex, Flores et Baccae Sambuci aquatici.

Bl. weiss. Beeren scharlachroth. Hälfte Apr. Mai. ♄.

II. Gruppe. **Lonicereae Brown.** Blumenkrone röhrig o. glockig, oft unregelmässig. Griffel fadenförmig.

248. *Lonicera L.* Lonicere.

Kelchsaum klein, 5zähnig. Blumenkrone röhrig oder fast glockig, mit 5spaltigem unregelmässigem Saume. Staubgefässe 5. Narbe kopfförmig. Beere 3fächerig, Fächer armsamig. (V. 1.).

I. Rotte. *Caprifolium De C.* Geisblatt. Zweige sich windend. Blüthen in Quirlen u. Köpfchen. Beeren mit dem bleibenden Kelche gekrönt.

830. *L. Caprifolium L.* Gemeines G. Blüthen quirlig u. kopfig, *das endständige Köpfchen sitzend;* Blätter abfällig, die obern zusammengewachsen, etwas durchwachsen; *der Griffel kahl;* Aeste sich schlingend.

Waldige, gebirgige Orte im südlichern Tirol. — Trient: an den Hecken am Wege nach Sardagna (Hfl.). Borgo (Ambr.). Hecken u. Zäune bei Arco (Crist.). Monte Baldo (Per.).

Man findet das Geissblatt auch häufig in Gärten u. Anlagen. Blumen wohlriechend, auswendig purpurroth, innwendig weiss o. rosenroth, zuletzt gelblich. Beeren scharlachroth. Mai, Jun. ♄.

831. *L. Periclymenum L.* Deutsches G. Blüthen kopfig; *Köpfchen gestielt; Blätter* abfällig, *sämmtlich getrennt;* Aeste sich schlingend.

An Waldrändern. — Bei Bregenz u. Lindau (Döll rheinische Fl. S. 442)! An Zäunen in Friaul, im Vicentinischen und am Baldo (Reichenb. fl. exc. p. 202)!

Bl. behaart, aussen röthlich, später gelb, innen gelblichweiss. Beeren kirschroth. Jun. Jul. ♄.

L. sempervirens L. Immergrünes G. Blätter kahl, unterseits schimmelig, die obern paarig-zusammengewachsen; Blüthen in gipfelständigen, gestielten, blattlosen Quirlen; Blumenröhre lang, röhrig-trichterförmig, Saum fast regelmässig 5spaltig. — Aus Virginien und Carolina. In Gärten z. B. um Bozen gepflanzt, doch selten.

Bl. korallenroth, geruchlos. Beeren roth. Ein kletternder Strauch. Blüht vom Mai — October. ♄.

L. etrusca Sav. Blüthen in gestielten, end- u. seitenständigen Köpfchen. Blätter abfällig, die obern länglich, verwachsen, kahl o. behaart. Bl. gelblich, aussen rosenroth.

Wild im Wallis, in Friaul u. Istrien. Bei uns hie u. da in Gärten, doch selten. Verwildert ein Strauch am Felsen beim Fuchs in Loch bei Bozen. Mai, Jun. ♄.

II. Rotte. ***Xylósteum De C.*** Heckenkirsche. Blüthen gezweiet. Saum des Kelches abfällig, die Beeren nicht bekrönend. Stengel aufrecht.

832. ***L. Xylosteum L.*** Gemeine H. ***Blüthenstiele*** 2-blüthig, zottig, ***ungefähr so lang als die Blüthen; Fruchtknoten an der Basis zusammengewachsen;*** Blätter oval, flaumig. —

Gemein in Hecken und Vorhölzern bis an die Alpen. — Bregenz (Str!). Oberinnthal: bei Imst (Lutt!). Innsbruck: z. B. am Berg Isel u. in der Klamm (Schpf.). Kitzbüchl (Trn.). Zillerthal: um Zell (Gbh.), u. am Hainzenberg (Moll)! Pusterthal: in Taufers (Iss.), bei Welsberg (Hll.), um Lienz (Rsch! Schtz.). Brixen (Hfm.). Sterzing (Hfl!). Nauders (Tpp.). Bozen: gemein z. B. gegen Heilig-Grab u. den Wasserfall, Haslach etc.; Ritten: am Kemater Kalkofen u. bis 5000′ um Pemmern (Hsm.). Trient (Per!). Valsugana: bei Borgo (Ambr.). Buschige Hügel um Roveredo (Crist.). Am Baldo: alla Madonna (Rainer)! Judicarien: bei Stelle (Bon.).

Obsolet: Baccae Xylostei.

Bl. flaumig, blassgelb. Beeren roth. Ende Apr. Jun. ♄.

833. ***L. nigra L.*** Schwarze H. ***Blüthenstiele*** 2blüthig, kahl, ***mehrmal länger als die Blüthen; Fruchtknoten an der Basis zusammengewachsen;*** Blätter länglich-elliptisch, die jüngern etwas flaumig, die ältern ganz kahl.

Waldige Orte auf Gebirgen u. Voralpen. — Vorarlberg: am Pfänder u. im Bregenzerwald (Str!). Lechthal: am Salober bei Vils (Frl!). Innsbruck: in der Klamm (Hfl.). Schmirn (Hfm.). Auen u. Bergwälder um Kitzbüchl (Trn.), allda in der Schlucht zwischen dem Gschöss u. der Alpe Blaufeld (Str!), dann am Ehrenbach - Wasserfall und am Schattberg (Unger)! Zillerthal: am Gerlosstein (Braune!), u. am Hainzenberg (Moll)! Vintschgau: am Godria bei Laas (Tpp.). Ritten: bei Wolfsgruben, Rappesbüchl u. um Pemmern; beim Bade Ratzes gegen Kastelrutt; Geierberg bei Salurn (Hsm.). Gebirge in Fleims (Fcch!). Wälder der Voralpen um Trient (Per.). Valsugana: bei Borgo (Ambr.).

Bl. röthlich o. weisslich. Beeren schwarz, bereift. Jun. ♄.

834. ***L. caerulea L.*** Blaue H. Blüthenstiele 2blüthig, kürzer als die Blüthen, ***Fruchtknoten in einen einzigen, kugeligen, 2blüthigen zusammengewachsen;*** Blätter länglich-elliptisch, stumpf o. ziemlich spitz.

Alpen u. Voralpen, an Hecken, Zäunen u. steinigen Orten. Unterinnthal: auf Kalkgebirg bei Kössen (Trn.). Schmirn (Hfm.). Pusterthal: bei Welsberg (Hll.), am Landkofel ober dem Praxer Bad (Wlf!), Tefereggen (Schtz.), ober Burgkofel bei Taufers (Iss.), bei Innichen hinter der obern Mühle (Rsch!), Innervilgraten, Dorferalpe bei Lienz (Schtz.); Hochgruben bei Innichen (Bentham)! Vintschgau: im Suldnerthale (Tpp.). Ulten (Hfl.). Ritten: in Menge um Pemmern mit L. nigra, Xylosteum und alpigena; Schlern und Seiseralpe (Hsm.). Fassa und Fleims (Fcch!). Alpen um Trient (Per.). Auf dem Campobruno u. al passo della Lora (Poll!).

Bl. gelblich-weiss. Beeren schwarz, blaubereift. Jun. ♄.

835. ***L. alpigena L.*** Alpen - H. Blüthenstiele 2blüthig, mehrmal länger als die Blüthen; ***Fruchtknoten fast bis an die Spitze zusammengewachsen;*** Blätter elliptisch, langzugespitzt.

In Bergwäldern, auf Alpen und Voralpen, gemein durch ganz Tirol. — Vorarlberg: am Pfänder (Str!). Oberinnthal: bei Imst (Lutt!); Rossberg bei Vils (Frl!). Innsbruck: in der Klamm, Thaureralpe (Hfl!). Zirl u. Telfs 3-5000′ (Str!). Bergwälder um Kitzbüchl (Trn.). Am Kaiser und bei Schwoich (Berndorfer)! Rattenberg: Weg zur Postalpe (Wld!). Zillerthal: am Hainzenberg (Gbh.). Georgenberg (Schm.). Schmirn (Hfm.). Pusterthal: in Taufers am Achufer (Iss.), Prax (Hll.), Lienz: am Auerling (Schtz.), auf den Tristacher Bergwiesen u. im Walde ober Lavant (Rsch!). Vintschgau im Trafoierthale (Tpp.). Bozen: am Wege von Weissenstein nach Aldein; Ritten: bei 3800′ im Deutschherrnwalde u. Sallrainerthälchen bei Lengmoos, um Pemmern; Schlern u. Seiseralpe; Mendel, Gebirge ober Salurn u. bei Fennberg ober Margreid (Hsm.). Am Gazza u. Bondone bei Trient (Per!). Valsugana: Val di Sella bei Borgo (Ambr.). Baldo: Val dell' Artillon (Poll!). Judicarien: Alpe Lenzada (Bon.).

Bl. röthlich. Beeren roth, von der Grösse einer Kirsche. Jun. Jul. ♄.

249. *Linnæa Gronov.* Linnéa.

Kelchsaum oberständig, 5theilig. Blumenkrone oberständig, mit fast gleich 5lappigem Saume. Staubgefässe 4, am Grunde der Blumenkrone eingefügt, 2 davon länger. Fruchtknoten unterständig, 3fächerig, Fächer 1eiig, Eierchen hängend. Griffel abwärts-geneigt, Narbe kugelig. Eine trockene, durch Fehlschlagen 1samige, von 2 an der Frucht vergrösserten Deckblättern eingeschlossene Beere. (XIV. 2.).

836. ***L. borealis L.*** Nordische L. Stengel fadenförmig, kriechend; Blätter entgegengesetzt, gestielt, rundlich, eiförmig, beiderseits mit 1—2 Sägezähnen, immer grün. Blüthenstiel 2 bis 3″ lang, 2blüthig.

Gebirgswälder u. Alpen auf Moospolstern. — Oberinnthal: am Schramkogel in Oetzthal (Hrg!), bei Ladis (Lutt.), am wilden Krahkogel, in der Mitte der Waldregion überall in Oetzthal (Zcc!), über dem Stuibenfall gegen Niederthei (Hfl.), bei Zirl u. Telfs bis 5000′ (Str!). Oberiss u. Alpe Gschwötz (Schneller). Pusterthal: in Taufers am Wege nach Rein an Felsen u. in Wäldern (Iss.). Vintschgau: Waldregion des Ortlers (Sieber), in Sulden (Hrg!), Alpen bei Laas u. in Matsch (Tpp.),

Suldner- u. Matscherthal (Eschl.). Schlern (Fcch!). Ultneralpe u. sehr selten auf der Villandereralpe (Hsm.).
Blumen weiss, mit rothen Streifen. Jun. Jul. ♃.

LVIII. Ordnung. STELLATAE. Linn.

Sternblüthige.

Blüthen zwitterig, regelmässig. Kelch oberständig, Saum 4—6lappig o. verwischt u. an der Frucht verschwindend. Blumenkrone 1blättrig, glockig, trichterig o. radförmig, 4—5spaltig, Zipfel in der Knospenlage klappig. Staubgefässe frei, der Blumenkrone eingefügt, von gleicher Zahl der Zipfel derselben u. mit denselben abwechselnd. Fruchtknoten 1, oft 2knotig, 2fächerig, Fächer 1eiig, Eierchen aufrecht. Griffel 1, oft 2spaltig. Narben 2. Frucht nuss- o. steinfruchtartig, nicht aufspringend, oft sich in 2 Früchtchen lösend. Keim gerade in der Achse des hornartigen Eiweisses. Kräuter mit nebenblattlosen, meist gequirlten, einfachen Blättern.

250. ***Sherárdia L.*** Sherardie.

Kelchsaum 6zähnig. Sonst wie Asperula. (IV. 2.).

837. ***S. arvensis L.*** Acker-Sh. Stengel liegend, ausgebreitet, ästig, 4eckig, von feinen Stächelchen rauh o. fast glatt. Blätter quirlig, ganzrandig, feinzugespitzt, die untern zu 4, verkehrt-eiförmig, die obern zu 5—6, länglich. o. lanzettlich. Blüthen in endständigen Trugdolden, von einer 8blättrigen, sternförmig-ausgebreiteten Hülle umgeben; Hüllblätter von der Gestalt der obern Stengelblätter, vielmal länger als die Blüthen.
Auf Aeckern. — Gemein um Bregenz (Str!). Innsbruck: bei Sistrans und Lans (Prantner. Friese). Kitzbüchl (Trn.). Welsberg (Hll.). Lienz: in der Bürgerau und am Wege nach Leisach (Rsch!). Brunecken (Pfaundler)! Ritten: gemein um Klobenstein z. B. auf dem Fenn, gegen Rappesbüchel u. Kematen (Hsm.). Fassa u. Fleims (Fcch!). Trient: bei Oltrecastello (Per!). Valsugana: bei Borgo (Ambr.). Judicarien: bei Tione (Bon.).
Bl. lila. Jun. Aug. ⊙.

251. ***Aspérula L.*** Waldmeister.

Kelchsaum verwischt, bei der Fruchtreife verschwindend. Blumenkrone glockig o. trichterig, 3- 4- 5spaltig, mit abstehendem Saume. Griffel 2spaltig, Narben kopfförmig. Frucht fast kugelig, 2knotig, mit einer zarten trockenen Fruchtrinde, sich in 2 halbkugelige 1samige nicht aufspringende Früchtchen trennend. (IV. 2.).

838. ***A. arvensis L.*** Acker-W. Blätter unterseits rauh, die untern verkehrt-eiförmig, 4ständig, die übrigen stengelständigen linealisch-lanzettlich, stumpf, 6—8ständig; ***Blüthen*** end-

ständig, *gebüschelt, kürzer als die borstig-gewimperte Hülle;* Früchte kahl.

Auf Aeckern auf Kalkboden. — Unterinnthal: sparsam bei Kaps (Unger)! Innsbruck: am Grillenhof, am Gärberbach u. bei Vill (Hfl. Prkt.). Im Etschlande: bei Margreid u. Kaltern (Hsm.). Trient: auf Aeckern an Hügeln (Per!), allda am Monte Margone u. ober Sardagna (Hfl.). Valsugana: bei Borgo (Ambr.). Trient und Roveredo (Crist.). Judicarien: an der Strasse ai Ragoli (Bon.).

Bl. blau. Jun. Jul. ☉.

839. *A. taurina L.* Welscher W. *Blätter 4ständig, elliptisch, zugespitzt, 3nervig;* Ebensträusse gebüschelt, gestielt; *Röhre der Blumenkrone weit länger als der Saum;* Früchte kahl, punktirt-rauh.

Gebirgswälder und in Hecken an waldigen Abhängen. — Vorarlberg: Wälder am Schlosse Hohenems (Str! Cst!). Val di Non: über Spor maggior in Hecken (Hfl.). Valsugana: bei Borgo (Ambr.). Valsugana, alla Rocchetta und Gränze gegen Feltre am Schener (Fcch.). Schattige Orte am Baldò: vorzüglich in der Buchenregion, Val dell' Artillon (Poll!).

Bl. weiss, getrocknet lila. Mai, Jun. ♃.

840. *A. longiflora W. K.* Langblumiger W. *Blätter 4ständig, linealisch,* kahl, die obern ungleich; Wurzel spindelförmig, reichstengelig; die Stengel aufrecht u. ausgebreitet; Blüthen ebensträussig; die Deckblätter lanzettlich-pfriemlich, haarspitzig; Blumenkrone kahl; *Blumenröhre viel länger als der Saum;* Früchte körnig-rauh.

Gebirgswälder im südlichen Tirol bis an die Alpen. — Wände des Mendelgebirges gegen den Kankofel zu (Hfl.). Fennberg ober Margreid; in Rabbi (Hsm.). Val di Non: Kalkfelsen bei Tassulo (Hfl!). Valsugana: am Monte Rocchetta und Ciolina (Ambr.). Monte Gazza u. Santa Agata bei Trient (Merlo Per!). Riva: an der Rastion (Hfl.). Am Castell Beseno (Hfl!). Triften des Baldo (Poll!). Am Fusse der Berge innerhalb der Weinregion im südlichen Judicarien u. untern Valsugana (Fcch.).

Bl. lila o. purpurn, innen gelblich-weiss. Jul. Aug. ♃.

841. *A. cynanchica L.* Hügel-W. *Blätter 4ständig, linealisch,* kahl, am Rande etwas rauh, die obern ungleich; Wurzel spindelförmig, reichstengelig; die Stengel ausgebreitet, aufstrebend, sehr ästig; Blüthen ebensträussig; die *Deckblätter lanzettlich, stachelspitzig; Blumenkrone rauh,* Röhre so lang als der Saum; Früchte körnig-rauh.

Auf Heiden, trockenen steinigen Triften u. Rainen bis an die Alpen. — Vorarlberg: bei Röthis u. an der Jll bei Bludenz (Cst!). Imst (Lutt!). Zirl (Str!). Innsbruck: am Wege unter Vill u. in der Klamm (Eschl.). Rattenberg: am Fuss des Sonnenwendjoches (Wld.). Schwaz: gegen Viecht (Schm!). Lienz (Schtz.), allda an der Kranzenleite (Rsch!). Steinige Hügel um Brixen (Hfm.). Bozen: am Eisackdamme gegen die Kaiserau u.

ausser dem kühlen Brünnel; Ritten: häufig bei Klobenstein unter dem Kemater Kalkofen; Seiseralpe (Hsm.). Castell Brughier (Hfl!), Fondo (Lbd.). Valsugana (Ambr.). Slavine di San Marco; Montagna di Povo bei Trient (Per!). Roveredo (Crist.). Judicarien: bei Tione (Bon.). Am Gardasee (Clementi).

Var.: Stengel höher, schlaffer, untere Blätter zu 6. A. montana W. K. Reichenb. fl. exc. pag. 205. — Diese mehr an tiefer gelegenen Orten an buschigen Hügeln. Um Bozen seltener als die Species (Hsm.). Fleims (Fcch.).

Bl. aussen lila o. purpurn, innen weisslich. Jun. Aug. ♃.

842. ***A. odorata L.*** Gemeiner W. Wohlriechender W. Blätter lanzettlich, kahl, am Rande u. Kiele rauh, die untern 6ständig, die obern 8ständig; Ebensträusse gestielt; ***Früchte steifhaarig, Borsten hackig.*** •

An Gebüsch u. an Wäldern auf Kalkboden. — Gemein um Bregenz (Str!). Bergwälder am Solstein (Str!); bei Imst (Lutt!). Innsbruck: im Pletschenthale in der Klamm (Hfl.). Ober Hall bei Thaur (Schpf.). Laubwälder um Rattenberg (Wld!). Wälder um Kitzbüchl (Trn.). Lienz: auf den Tristacher- u. Lavanter Bergwiesen u. in den daran stossenden Wäldern (Rsch!). Im Gebiethe von Bozen: bei Andrián (Gundlach). Kaltern und Margreid (Hsm.). Valsugana: bei Borgo (Ambr.). Roveredo: ai Slavini di San Marco (Crist.). Montagna di Povo bei Trient (Per!). Häufig an den Gränzen gegen Italien (Fcch!). Gebüsche des Baldo, Val dell'Artillon (Poll!). Judicarien: schattige Wälder bei Stelle (Bon.).

Officinell: Herba Matrisylvae.

Bl. weiss, wohlriechend. Mai, Jun. ♃.

A. galioides M. B. (Galium glaucum L.). ***Blätter starr linealisch,*** stachelspitzig, am Rande umgerollt u. rauh; ***Stengelblätter zu 8; Stengel*** aufrecht u. aufstrebend, stielrund, schwach-kantig, ***kahl o. an der Basis flaumig,*** oberwärts rispig-ebensträussig; Saum der Blüthen länger als die Röhre; Fruchte glatt.

In Tirol nach Laicharding! Sonst in der Schweiz (nach Moritzi nur um Genf und Basel), in Bayern auf Kalkbergen (Schnizlein!), in Unteröstreich etc. Sollte diese Pflanze wirklich in Tirol vorkommen, so wäre sie also auf der nördlichen Abdachung der Kalkalpen Nordtirols zu suchen?

Bl. weiss. Jun. Jul. ♃.

252. ***Gálium L.*** Labkraut.

Kelchsaum undeutlich (verwischt). Blumenkrone radförmig o. flach, 4- seltener 3spaltig. Staubgefässe 4, selten 3. Griffel 2spaltig. Frucht 2knotig, fast kugelig, sich zuletzt in 2 halbkugelige 1samige nicht aufspringende Früchtchen trennend. (IV. 2.). Labkraut wegen der Eigenschaft einiger Arten die Milch gerinnen zu machen.

I. Rotte. ***Cruciata Tournef.*** Blüthenstand blattwinkelständig. Blüthen vielehig. Die endständige Blüthe an den Verästelungen zwitterig, fruchtbar, die seitenständigen männlich, unfruchtbar. Blüthenstiele nach der Blüthezeit bogig-zurückgekrümmt, die Frucht unter den, nun eben so zurückgeschlagenen Blättern bergend. (Arten von Valantia bei L.).

843. ***G. Cruciata Scop.*** Kreuzblättriges L. ***Blätter*** 4ständig, elliptisch-länglich oder eiförmig, ***3nervig; Blüthenstiele seitenständig, ästig, deckblättrig,*** steifhaarig o. kahl, bei der Fruchtreife abwärts-gekrümmt; Früchte glatt; der Stengel rauhhaarig.

An Zäunen u. Gebüschen vorzüglich am Fusse der Gebirge. Bregenz (Str!). Imst (Lutt!). Innsbruck: bei Egerdach (Prkt.). Unterinnthal: an den Gehängen des Kaisers (Unger)! Pusterthal: sparsam bei Lienz (Rsch!), allda und bei Hopfgarten (Schtz.). Partschins u. Thöll nächst Meran (Iss.). Bozen: an der Strasse ausser Gries links gegen Morizing, von Frangart nach St. Pauls in den Hecken am Wege, längs der Landstrasse gemein von Leifers bis Salurn; Sarnthal: am Wege zum Ifinger (Hsm.). Fleims u. Fassa (Fcch!). Valsugana: bei Borgo (Ambr.). Am Gazza bei Trient (Merlo). Judicarien: an der Strasse bei Darè (Bon.). — Valantia Cruciata L.

Obsolet: Herba Cruciatae vel Asperulae aureae.

Bl. gelb. Apr. Mai. ♃.

844. ***G. vernum Scop.*** Frühlings-L. ***Blätter*** 4ständig, oval o. länglich, ***3nervig; Blüthenstiele seitenständig, ästig, deckblattlos,*** kahl, bei der Fruchtreife abwärts-gekrümmt; Früchte glatt; Stengel kahl o. unterwärts kurzhaarig.

In Wäldern und Gebüschen im südlichen Tirol, von der Thalsohle bis auf mittlere Gebirgshöhe. — Bozen: gemein in Haslach am Fusse des Berges u. gegen Campil; am Geierberg bei Salurn (Hsm.). Laubwälder bei Eppan (Hfl.). Oestlich von Trient (Fcch!). Roveredo: auf buschigen Hügeln (Crist.). Schattige Abhänge an den Hügeln des Baldo (Poll!).

Valantia glabra L. Galium Bauhini R. u. S.

Bl. gelb. Ende Apr. Mai. ♃.

845. ***G. pedemontanum All.*** Piemontesisches L. ***Blätter*** 4ständig, elliptisch-länglich, ***3nervig; Blüthenstiele seitenständig,*** einfach o. 2spaltig, deckblattlos, zottig, bei der Fruchtreife abwärts-gekrümmt; Früchte glatt; kahl; der ***Stengel rückwärts-stachelig,*** ausserdem kahl o. zottig.

Sandige Orte im südlichen Tirol (Koch Taschenb.)! An sonnigen Abhängen u. buschigen Hügeln bei Bozen: stellenweise in Menge im Sigmundscroner Berge südlich vom Schlosse (Hsm.). Valsugana: auf einer Wiese ober Telve (Ambr.).

Valantia pedemontana Bell.

Bl. blassgelb. April. ⊙.

II. Rotte. ***Aparine.*** Blüthenstand blattwinkelständig oder zuletzt rispig. Blüthen zwitterig. Die Stengel von abwärts-gekrümmten ziemlich breiten Stacheln rauh u. mit diesen sich den Kleidern anhängend.

846. *G. Aparine L.* Raubes L. Klebkraut. ***Blätter*** 6- u. 8ständig, ***linealisch-lanzettlich, stachelspitzig,*** 1nervig, ***am Rande u. am Kiele rückwärts-stachelig-rauh;*** die Stengel schlapp, 4eckig, rückwärts-stachelig-rauh; ***Blüthenstiele blattwinkelständig,*** zuletzt fast rispig; ***Blüthenstielchen nach dem Verblühen gerade;*** Früchte steifhaarig oder glatt; ***Blnmenkrone schmäler als die entwickelte Frucht.***

Gemein an Zäunen u. Hecken. — Vorarlberg: um Bregenz (Str!). Innsbruck (Hfl.). Pfitsch (Precht). Kitzbüchl (Unger)! Lienz (Rsch!). Bozen: in Menge an der Landstrasse von Gries nach Siebenaich im Gebüsche etc. (Hsm.). Trient (Per!), allda am Doss Trent (Hfl.). Judicarien: an den Strassen bei Tione (Bon.). —

β. ***Vaillantii.*** Niedriger, an den Gelenken meist kahl; Früchte um die Hälfte kleiner. G. Vaillantii De C. G. agreste α. echinospermum Wall. — Gemein auf Aeckern am Ritten z. B. auf dem Fenn u. gegen Kematen bei Klobenstein (Hsm.).

γ. ***spurium.*** Wie β, nur sind die Früchte kahl, nicht steifhaarig. G. spurium L. G. agreste β. leiospermum Wallr. — Um Bregenz (Str!). Klobenstein am Ritten mit β. (Hsm.).

δ. ***tenerum.*** Stengel schwach, niederliegend; Blätter verkehrt-eiförmig, stumpf, stachelspitzig-begrannt, am Kiele kahl. G. tenerum Schleicher. Koch syn. ed. 1. — Eine auf fettem Boden u. im Schatten gewachsene Form. Man findet sie hie u. da auch im Thale bei Bozen, vorzüglich in nassen Herbsten (Hsm.).

Obsolet: Herba Aparines.

Bl. weiss o. grünlich. Mai — Sept. ⊙.

G. tricorne With. Blätter meist 8ständig, linealisch-lanzettlich, stachelspitzig, 1nervig, am Rande rückwärts-stachelig-rauh; Stengel schlapp, gestreckt, rückwärts-stachelig-rauh; Blüthenstiele seitenständig, meist 3blüthig; Blüthenstielchen nach dem Verblühen zurück-gekrümmt, länger als die warzig-körnige Frucht.

Auf Aeckern. Tirol, Lombardie, Venedig etc (Maly enum p. 161.)! In der wärmern Schweiz nach Moritzi!

847. ***G. uliginosum L.*** Schlamm-L. ***Blätter*** meist 6ständig, linealisch-lanzettlich, stachelspitzig, 1nervig, ***an dem Rande und Kiele rückwärts-stachelig-rauh;*** die Stengel schlapp, 4eckig, rückwärts-stachelig-rauh; ***Blüthenstiele blattwinkelständig, zuletzt fast rispig; Blüthenstielchen nach dem Verblühen gerade;*** Früchte knötig-rauh; ***Blumenkrone breiter als die entwickelte Frucht.***

Auf Moorwiesen u. an deren Gräben bis an die Alpen. — Bregenz gemein (Str!). Innsbruck: an den Giessen u. im Torfmoor bei Judenstein (Hfl.). Schwaz (Schm.). Kitzbüchl: z. B. im Bichlach (Trn. Unger)! Zillerthal (Schrank)! Welsberg

(Hll.). Meran (Tpp.). Ritten: gemein auf den Moorwiesen gegen Kematen, bei Wolfsgruben u. Pfaffstall, überall mit Folgender (Hsm.). Fassa (Fcch!).

Bl. weiss. Jun. Jul. ♃.

848. ***G. palustre L.*** Sumpf-L. ***Blätter*** 4ständig, linealisch-länglich, vorne breiter, stumpf, ***grannenlos, 1nervig,*** am Rande rückwärts-rauh; die Stengel schlapp, ausgebreitet, 4eckig, rückwärts-rauh; ***Rispe ausgebreitet; Blüthenstielchen nach dem Verblühen gerade,*** wagrecht-abstehend; Früchte glatt.

An Gräben, Teichen u. Sümpfen bis in die Alpen. — Bregenz (Str!). Innsbruck: an den Giessen (Hfl.). Schwaz (Schm.). Kitzbüchl: z. B. im Bichlach (Trn. Unger)! Pusterthal: auf der Toblacheralpe (Hll.), an den Wiesengräben bei Lienz (Rsch! Schtz.). Bozen: an den Gräben bei Sigmundscron, auf den an die Rodlerau gränzenden Sumpfwiesen; in Gräben an der alten Strasse von Pranzoll nach Auer; Ritten: überall mit Voriger u. noch häufiger um Klobenstein u. Kematen etc. (Hsm.). Trient: im Campo Trentino (Per!). Valsugana: bei Borgo (Ambr.). Gräben in Fleims; Fassa: bei Sorago (Fcch!). Am Gardasee (Clementi).

Bl. weiss. Mai — Jul. ♃.

IV. Rotte. ***Platygalium De C.*** Blüthenstand endständig, rispig. Blüthen zwitterig. Blüthenstiele nach dem Verblühen gerade. Blätter 3nervig.

849. ***G. rotundifolium L.*** Rundblättriges L. ***Blätter 4ständig, oval, 3nervig, kurz-stachelspitzig,*** am Rande borstig-rauh; die Stengel schlapp, 4eckig, kahl o. kurzhaarig; ***Rispe endständig, gestielt,*** auseinanderfahrend, armblüthig; Früchte borstig-steifhaarig.

In Wäldern des nördlichen Tirols, nicht gemein. — Vorarlberg: selten bei Bregenz (Str!). Innsbruck: im Walde ober der Gallwiese sehr selten (Hfl!). Kitzbüchel: nicht selten in Nadelwäldern z. B. im Schattberg (Trn. Unger!).

Bl. weiss. Jun. ♃.

850. ***G. boreale L.*** Nordisches L. ***Blätter 4ständig, lanzettlich, 3nervig, grannenlos,*** am Rande rauh; der ***Stengel aufrecht, steif,*** 4eckig, kahl o. flaumig, ***oberwärts rispig;*** Blüthenstielchen nach dem Verblühen aufrecht-abstehend; Früchte filzig-steifhaarig o. kahl.

Waldwiesen u. Heiden, mehr auf Gebirgen, bis in die Alpen. — Vorarlberg: zwischen Fussach u. Höchst (Cst!), bei Bregenz (Str!). Oberinnthal: bei Imst (Lutt!). Innsbruck: auf Wiesen zwischen Mutters u. Götzens (Hfl.). Schwaz (Schm.). Zillerthal (Schrank)! Pusterthal: bei Welsberg (Hll.), Lienz (Schtz.), allda auf dem Gamberge und bei Nussdorf (Rsch!). Gebirge um Brixen (Per!). Ritten: gemein von 3800′ aufwärts z. B. am Fenn bei Klobenstein und von da bis in die Rittneralpe; Schlern und Seiseralpe; Geierberg bei Salurn (Hsm.). Fassa: bei Vigo; Fleims: auf der Bella bei Predazzo (Fcch!).

Bl. weiss. Ende Jun. Jul. ♃.

V. Rotte. ***Eugalium* DeC.** Blüthenstand endständig, rispig oder quirlig. Blüthen zwitterig. Blüthenstielchen nach dem Verblühen gerade. Blätter 1nervig. Der Stengel kahl o. rauhhaarig, aber ohne rückwärts-gekrümmte Stachelchen.

851. ***G. verum* L.** Gelbes L. Aechtes L. ***Blätter*** linealisch, stachelspitzig, ***unterseits fast sammetig-flaumlich,*** am Rande umgerollt, die stengelständigen 8- o. 12ständig; der Stengel aufrecht o. aufstrebend, steif, stielrund, 4rippig, flaumig-rauh; Aeste der Rispe abstehend, dicht-bluthig; Blüthenstiele nach dem Verblühen fast wagrecht-abstehend; Zipfel der Blumenkrone stumpflich, sehr kurz-bespitzt; Früchte glatt.

Auf Triften, Heiden u. Waldsäumen bis an die Alpen. — Bregenz (Str!). Oberinnthal: bei Imst (Lutt!). Innsbruck: am Wege zum Ziegelstadel, am Villerberg u. Hügel bei Hötting (Eschl. Prkt. Hfl.). Unterinnthal: bei Eichelwang (Harasser!); Zillerthal (Schrank!); Schwaz (Schm.). Pusterthal: bei Brunecken (M. v. Kern), Welsberg (Hll.), Lienz (Rsch! Schtz.). Bergwiesen um Brixen (Hfm.). Meran: bei Algund u. Partschins (Kraft. Iss.). Bozen: im Thale nicht gemein, z. B. auf den Haslacher Wiesen; gemein am Ritten bis 5000′ z. B. um Klobenstein, auf dem Fenn etc. bis Pemmern (Hsm.). In Fassa u. um Trient (Fcch!). Auf Triften im Tridentinischen u. in Pinè (Per.). Judicarien: bei Tione (Bon.).

Blätter oberseits rauh (G. verosimile R. u. Sch.) o. glatt, unterseits filzig o. flaumig; selten ganz kahl u. gleichfärbig, so auf gedüngten Wiesen nach dem ersten Schnitte bei Klobenstein. Bildet mit G. Mollugo L. Bastarde, die man an den etwas breitern kahlern Blättern, den gelblich-weissen Bl. mit länger-bespitzten Zipfeln erkennt. Solche Bastarde (G. ochroleucum Wolf. G. vero-Mollugo Schiede) finden sich nicht selten bei Klobenstein u. Pemmern am Ritten.

Obsolet: Flores et Herba Galii lutei.

Bl. gelb. Mai — Jul. ♃.

852. ***G. purpureum* L.** Purpurrothes L. ***Blätter linealisch, sehr schmal,*** stachelspitzig, die stengelständigen 8—10ständig; der Stengel aufrecht, steif, rispig, sehr ästig, stielrund, 4rippig, flaumig; ***Blüthenstielchen haarfein, nickend, fast traubig;*** Zipfel der Blumenkrone kurz-bespitzt; Früchte glatt.

Sonnige Hügel u. warme Abhänge im südlichen Tirol. — Bozen: gemein in Hertenberg, am Runkelsteiner Schlossweg, Griesner- u. Fagnerberg etc.; Salurn (Hsm.). Guntschná bei Bozen (Elsm.). An den Buchhöfen bei Eppan (Hfl.). In Fleims u. um Trient (Fcch!). Trient: am Doss Trent; Roveredo: am Wege nach Vallarsa (Per!). Hügel um Roveredo (Crist.). Valsugana: bei Borgo (Ambr.). Am Baldo (Naccari)! Am Gardasee (Clementi). Judicarien: an Kalkfelsen bei Tione (Bon.).

Bl. blutroth. Ende Jun. Aug. ♃.

853. ***G. sylvaticum L.*** Wald-L. ***Blätter länglich-lanzettlich, stumpf,*** stachelspitzig, am Rande rauh, die stengelständigen 8ständig; der Stengel aufrecht, stielrund, stumpf-4rippig, kahl o. kurzhaarig; ***Rispe weitschweifig; Blüthenstielchen haarfein, vor der Blüthezeit nickend,*** nach dem Verblühen aufrecht-abstehend; Zipfel der Blumenkrone kurzbespitzt; Früchte kahl, etwas runzelig.

In Wäldern und Gebüschen im nördlichen Tirol. — Innsbruck: im Wiltauerberge (Schpf.), u. am Pastberge (Precht). Zillerthal (Schrank)! Schwaz: gegen Georgenberg (Schm!).

Bl. weiss. Jun. Jul. ♃.

854. ***G. aristatum L.*** Begranntes L. ***Blätter lanzettlich, nach beiden Enden verschmälert, spitz,*** stachelspitzig, am Rande rauh o. glatt, die stengelständigen 8ständig; der Stengel aufrecht, 4eckig; ***Rispe weitschweifig; Blüthenstielchen haarfein, vor u. nach der Blüthezeit aufrecht, etwas abstehend;*** Zipfel der Blumenkrone haarspitzig; Früchte glatt. —

Gebirgige waldige Orte im südlichen Tirol. — Von Bozen an, weiter südlich an der italienischen Gränze überall in Laubwäldern (Koch syn. ed. 2.)! Im Etschlande in den Stauden an der Landstrasse bei St. Florian gegen Neumarkt, dann häufig bei Salurn, hier auch auf mittlere Gebirgshöhe ansteigend (Hsm.). Valsugana: bei Borgo (Ambr.). Trient (Per.). Roveredo (Crist.). Judicarien: bei Stelle (Bon.).

Bl. weiss. Wurzel kriechend. Jul. Aug. ♃.

855. ***G. Mollúgo L.*** Weisses L. ***Blätter lanzettlich o. verkehrt-eiförmig-lanzettlich,*** stachelspitzig, unterseits glanzlos, die stengelständigen meist 8ständig; die Stengel gestreckt oder aufrecht, 4eckig, kahl oder kurzhaarig; ***Aeste der ausgesperrten Rispe reichblüthig, die untern wagrecht-abstehend; die abgeblühten Blüthenstielchen spreizend; Zipfel der Blumenkrone haarspitzig;*** Früchte kahl, etwas runzelig. —

An Gebüschen, Zäunen und Waldrändern bis an die Voralpen. — Bregenz (Str!). Imst (Lutt!). Oetzthal; Innsbruck (Hfl.). Stubai: bei Mieders (Schneller). Kitzbüchl (Trn.). Zillerthal (Schrank)! Schwaz (Schm!). Pusterthal: bei Welsberg (Hll.), Innervilgraten, um Hopfgarten, Lienz (Schtz.). Brixen (Poll!). Meran: bei Partschins (Iss.). Bozen: im Talferbette hinter Runkelstein und gemein am Ritten, z. B. am Kemater Kalkofen (Hsm.). Val di Non: bei Castel Brughier (Hfl!). Baselga bei Trient; Fleims u. Fassa (Fcch!) Trient (Per!) Judicarien: bei Tione (Bon.).

Gestalt der Blätter sehr wandelbar: linealisch-lanzettlich, dabei oft etwas fleischig (so am Ritten um den Kemater Kalkofen u. im Talferbette hinter Runkelstein), lanzettlich (die gemeine Form) o. verkehrt-eiförmig-lanzettlich (so um Bozen im Thale an Gebüschen u. Zäunen). Der Stengel meist kahl, seltener flaumig, oder unten sammt den untern Blattern kurzhaarig (so bei Bozen im Haslacher Walde). Eine weitere Form mit sehr breiten, mitunter verkehrt-eiförmigen, abgebrochen-bespitzten, stachelspitzigen, zarten, netzaderigen Blättern fand ich im Gebüsche bei Salurn und an der Strasse bei Bozen gegen Siebenaich, diese unterscheidet sich von G. insubricum Gaud. nur durch die Grösse (3—5 Fuss hoch), die reichblüthigen Aeste u. die Zahl der Blätter, die am Stengel zu 6—8 u. an den Aesten zu 5—6 stehen. G. insubricum ist niedriger, hat armblüthige Aeste, die mit einer 1mal-3gabeligen Dolde enden (die Blätter stehen am Stengel zu 6, an den Aesten zu 4) und ist schwerlich eine gute Art. G. tyrolense Willd. ist nach Koch ein kleineres aufrechtes Exemplar von G. Mollugo.

Obsolet: Herba Galii albi.

Bl. weiss. Jun. Aug. ♃.

856. ***G. lucidum All.*** Spiegelndes L. ***Blätter linealisch, stachelspitzig, steif, spiegelnd,*** unterseits mit einem starken Nerven versehen, die stengelständigen meist 8ständig; die Stengel aufrecht, 4eckig, kahl o. kurzhaarig; die ***untern Aeste der länglichen Rispe wagrecht-abstehend; die abgeblühten Blüthenstielchen spreizend; Zipfel der Blumenkrone haarspitzig;*** Früchte kahl, etwas runzelig.

An felsigen Orten u. an Abhängen im südlichen Tirol. — Vintschgau: sonnige Hügel bei Castelbell (Tpp.). Meran (Kraft). Bozen: gemein vorzüglich auf der Sonnenseite, z. B. Hertenberg, Runkelsteiner Schlossweg, Heilig-Grab etc.; am Ritten ober Kleinstein bis wenigstens 2300′ (Hsm.). Auf der Mendel: über den Buchhöfen ober Eppan (Hfl.). Trient: an den Felsen am Doss Trent u. bei Piazzina (Hfl. Per.). Val di Non: bei Cles (Hfl.). Fassa u. Fleims (Fcch!). Roveredo (Crist.). Judicarien: an den Kalkfelsen bei Tenno (Bon.).

β. ***cinereum.*** Blätter weisslich-bereift. G. cinereum All. — Auf sonnigen Hugeln häufig um Roveredo (Poll!). Am Gardasee (Clementi).

Bl. weiss. Mai, Jul. ♃.

857. ***G. rubrum L.*** Rothes L. ***Blätter*** linealisch-lanzettlich o. lanzettlich, ***stachelspitzig, 1nervig,*** die stengelständigen 6—8ständig; die Stengel schlapp, gestreckt, 4eckig, kahl o. kurzhaarig; Rispe ausgebreitet, spreizend; Bluthenstielchen haarfein, gerade; ***Zipfel der Blumenkrone begrannt-haarspitzig; Früchte körnig.***

An Wiesenzäunen, buschigen Triften u. Waldsäumen mehr auf Gebirgen. — Brixen: auf Gestein an Wäldern (Hfm.). Vintschgau: am Eingang ins Martellthal und bei St. Martin (Tpp.). Am Ausgang des Passeyrerthales (Zcc!). Bozen: selten gegen Runkelstein u. den Wasserfall, am Wege ober St. Oswald gegen den Peter Planer; gemein am Ritten um Klobenstein bis 5000′ bei Pemmern (Hsm.). Pinè u. Predazzo (Fcch!). Valsugana: bei Borgo (Ambr.). Am Baldo (Poll!). Am Gardasee (Clementi). Judicarien: Alpe Lenzada (Bon.).

β. ***obliquum.*** Blüthen weisslich. G. obliquum Vill. — Mit der Species gemein um Klobenstein z. B. im Astnerwalde (Hsm.). Fassa: bei Pozza (Meneghini)! Am Baldo (Poll!).

Bl. roth o. weisslich. Im Thale Ende Mai; auf den Gebirgen Jul. ♃.

858. ***G. saxatile L.*** Felsen-L. ***Blätter*** meist 6ständig, ***stachelspitzig, 1nervig,*** die untern verkehrt-eiförmig, die obern umgekehrt-lanzettlich; die Stengel 4eckig, kahl, gestreckt, die blüthentragenden aufstrebend; Blüthen ebensträussig-rispig; Blüthenstielchen aufrecht-abstehend; ***Zipfel der Blumenkrone spitz; Früchte dicht-körnig-rauh.***

Felsen der Bergwälder u. Alpen. — Vorarlberg: auf der Dornbirneralpe (Str!). Innsbruck: auf dem Serles (Hfl.). Kitzbüchl: bis 6000′ (Unger! Trn.). Bei Nambino (Per.).

Bl. weiss. Jul. Aug. ♃.

859. ***G. sylvestre Pollich.*** Heide-L. ***Blätter*** linealisch-lanzettlich, ***vorne breiter, zugespitzt, stachelspitzig, 1nervig,*** die stengelständigen meist 8ständig, die untern verkehrt-lanzettlich; die Stengel aus aufstrebender Basis aufrecht o. liegend, 4eckig, kahl o. kurzhaarig; Blüthen ebensträussig-rispig; Blüthenstielchen aufrecht-abstehend; ***Zipfel der Blumenkrone spitz; Früchte unmerklich-körnig.***

Waldränder und Heidewälder auf Gebirgen, auf steinigen Triften der Alpen. — Im Gebiethe von Bregenz (Str!). Oberinnthal: bei Imst (Lutt!); am Sinwag (Kink), Oetzthal (Hfl.). Innsbruck: am Pastberg u. am Sillgries hinter Pradel, dann am Solstein, Thaureralpe u. Lavantscherjoch (Hfl.). Kitzbüchl: in trockenen Nadelwäldern bis 6000′ (Trn. Unger)! Zillerthal (Braune)! Pusterthal: Welsberg u. Toblacheralpe (Hll.), Brunecken (F. Naus)! Hopfgarten, Innervilgraten, am Teischnitz u. grauen Käs (Schtz.). Ritten: selten um Klobenstein, aber gemein auf der Rittneralpe bis auf die Spitze des Horn; Schlern, Seiseralpe, Joch Grimm etc. (Hsm.). Vintschgau: im Laaserthal (Tpp.). Bergtriften des Bondone u. Monte Gazza bei Trient (Crist. Merlo). Montagna di Povo bei Trient (Per.). Fassa und Fleims (Fcch!). Am Sadole in Fleims (Ambr.). Auf der Höhe des Spinale (Per.). Judicarien: auf der Alpe Lenzada (Bon.). Auf dem Cadino in Valsugana (Ambr.). Baldo (Clementi).

Auf den Alpen niedrig, oft kaum höher als 2—3 Zoll.

G. alpestre R. u. S. Bl. weiss. Jun. Aug. ♃.

860. ***G. pumilum Lam.*** Niedriges L. ***Blätter linealisch, von der Mitte an pfriemlich-verschmälert, begrannt,*** am Rande und an der Basis etwas verdickt, ***unterseits neben dem starken Nerven 2furchig,*** die Stengelblätter 6—8ständig; die Stengel sehr ästig, liegend, aufstrebend, 4eckig; Aeste

ebensträussig-rispig und nebst den Blüthenstielchen steif, diese aufrecht-abstehend; ***Zipfel der Blumenkrone spitz***; ***Früchte fein-körnig.***

Sonnige Hügel im südlichen Tirol (Koch Taschenb.)! Oberinnthal: im Fenderthale (Tpp.). — Die Exemplare vom Fenderthale stimmen mit Exemplaren des G. austriacum Jacq. von Wien ganz genau überein u. bekanntlich zieht Koch dasselbe als grössere Varietät zu G. pumilum Lam. Aehnliche Exemplare, nur mit dem Unterschiede, dass die linealischen Blätter erst gegen die Spitze zu pfriemlich-verschmälert sind oder auch ober der Mitte aber kaum merklich breiter sind, fand ich unter Heidekraut am Ritten bei Pemmern am Steige zu den Sulznerwiesen bei 5200′ u. bin daher der Ansicht wie Neilreich (Fl. v. Wien p. 308), dass G. sylvestre u. G. pumilum nur Formen einer Art sind.

Bl. weiss. Jun. Jul. ♃.

861. ***G. helveticum Weigel.*** Schweizer-L. ***Blätter*** 6—8ständig, ***fast nervenlos, flach, etwas fleischig, grannenlos o. kurz-stachelspitzig,*** sämmtlich verkehrt-eiförmig-spatelförmig u. stumpf oder die obern lanzettlich u. spitz; die Stengel sehr ästig, liegend, aufstrebend, 4eckig, kahl; Blüthenstiele doldig, end- u. blattwinkelständig, 1—3blüthig, ein wenig länger als die Blätter; ***Zipfel der Blumenkrone spitz; Früchte glatt.***

Steinige Triften der Alpen (auf Kalk?). Vorarlberg: am Freschen und am Axberg haufig (Str! Cst!). Stempeljoch bei Innsbruck (Schm.). Nördlicher Abhang des Jufen (Str!). Mendel bei Bozen (Hsm.). Giogo di Colem in Rabbi (Hfl.). Spinale (Tpp.). Monte Gazza (Merlo). Bondone: am Doss d'Abramo (Fcch!). Auf dem Baldo; Campobruno u. der Pertica (Poll!). Baldo (Clementi. Fleischer!). Judicarien: am Frate in Breguzzo (Bon.). — G. baldense Spreng. G. rupicola Bertol.

Bl. weiss. Das Kraut wird durch's Trocknen schwärzlich. Jul. Aug. ♃.

LIX. Ordnung. VALERIANEAE. De C.

Baldrianartige.

Blüthen zwitterig o. durch Fehlschlagen 1geschlechtig, 1- o. 2häusig. Kelch oberständig, gezähnt u. bleibend o. eingerollt u. zuletzt in eine Samenkrone verwandelt u. abfallend. Blumenkrone 1blättrig, einer oberweibigen Scheibe eingefügt; Saum 3—4—5spaltig, fast gleich o. unregelmässig, Rohre an der Basis oft höckerig o. gespornt. Staubgefässe frei, der Röhre der Blumenkrone eingefügt, 4 o. weniger. Fruchtknoten 1fächerig o. 2—3fächerig, aber nur 1 Fach fruchtbar, 1eiig, Eierchen hängend. Samen eiweisslos. Keim gerade. Kräuter mit jähriger dünner, geruchloser o. ausdauernder oft aromatischer Wurzel u. nebenblattlosen gegenständigen Blättern.

253. ***Valeriána L.*** Baldrian.

Kelchsaum während der Blüthezeit eingerollt, später in einen federigen die Frucht krönenden Pappus verwandelt. Blumenkrone trichterförmig, an der Basis höckerig, mit 5spaltigem Saume. (III. 1.).

§. 1. Blüthen alle gleichförmig, alle zwitterig. Blätter sämmtlich gefiedert. Bl. fleischroth.

862. ***V. exaltata Mikan.*** Hoher B. Die ***Blätter sämmtlich gefiedert,*** 7—10paarig; Blättchen lanzettlich, gezähnt-gesägt; Stengel gefurcht; ***Wurzel vielstengelig ohne Ausläufer.***

Häufig auf sumpfigen Wiesen um Kitzbüchl (Unger)! Vintschgau: im Laasermoos (Tpp.). Bozen: auf den Kaisermösern jenseits der Etsch bei Sigmundscron, in der Rodlerau oft bis 8 Fuss hoch (Hsm.).

V. officinalis α. altissima Koch syn. ed. 1.

Ist nur durch den Boden bedingte Varietät der Folgenden, es ist klar, dass die Pflanze auf den dicht mit Rohr bewachsenen Sumpfwiesen keine Ausläufer treiben kann. Man mag hierüber auch Neilreich Fl. v. Wien p. 116 vergleichen.

Bl. fleischroth. Ende Jun. Jul. ♃.

863. ***V. officinalis L.*** Gemeiner B. ***Blätter sämmtlich gefiedert, 7—10paarig;*** Blättchen lanzettlich, gezähnt-gesägt; Stengel gefurcht; ***Wurzel 1stengelig, mit Ausläufern.***

An Ufern u. feuchten Orten an Gebüschen bis an die Alpen. — Bregenz (Str!). Oberinnthal: bei Breitenwang (Kink); bei Imst (Lutt!). Innsbruck: im Wäldchen unter der Mühlauer Höhe (Schpf.). Kitzbüchl: in Auen u. in Feldhölzern (Trn.). Zillerthal: Waxegger Mähder (Moll)! Schwaz (Schm!). Pusterthal: bei Welsberg (Hll.), Innervilgraten, Teischnitzalpe und Devantthal (Schtz.), Lienz: hinter Schlossbruck unter den Wänden des Rauchkogels (Rsch!). Brixen (Hfm.). Sprechenstein bei Sterzing (Hfl!). Hie u. da um Bozen; häufiger am Ritten z. B. im Sallrainer Thälchen bei Lengmoos, Waidach und um Pemmern bis wenigstens 5000′ (Hsm.). Gebirgsthäler um Roveredo (Crist.). Fleims und Fassa (Fcch!). Wiesen des Baldo (Poll!). Trient: bei San Bartolomeo (Per!). Judicarien: bei Tione (Bon.). — Officinell: Radix Valerianae.

Jun. Jul. ♃.

864. ***V. sambucifolia Mikan.*** Hollunderblättriger B. ***Blätter sämmtlich gefiedert, 4—5paarig;*** Blättchen lanzettlich oder länglich, gezähnt-gesägt; der Stengel gefurcht; ***Wurzel 1stengelig, mit Ausläufern.***

In Auen u. feuchten Hainen. — Pusterthal: bei Welsberg (Hll.). Innsbruck (Prkt.). Regglthal bei Bozen (Gredler).

Auch diese Art sieht Neilreich für eine Varietät der Vorigen an u. wahrscheinlich nicht mit Unrecht. Uebergänge habe auch ich um Bozen beobachtet, auch Schultz (Flora der Pfalz S. 211) glaubt derlei beobachtet zu haben.

Bl. fleischroth. Jun. Jul. ♃.

§. 2. Blüthen ungleichförmig, vielehig-2hänsig, auf einigen Pflanzen derselben Art grösser mit herausragenden fruchtbaren Staubgefässen, auf andern kleiner, oft doppelt kleiner mit eingeschlossenen manchmal fehlschlagenden Staubgefässen. Blätter alle o. nur die Wurzelblätter ungetheilt.

865. ***V. dioica L.*** Kleiner B. Die untersten Wurzelblätter rundlich-eiförmig o. elliptisch, die ***Blätter der unfruchtbaren Büschel langgestielt, eiförmig, spitzlich, die untern Stengelblätter leierförmig-fiedertheilig***, die obern meist 3paarig, die Zipfel linealisch; Ebensträusse endständig; ***Früchte kahl; Wurzel ausläufertreibend.***

Auf feuchten Wiesen u. an Gräben gemein vom Thale bis an die Alpen. — Bregenz (Str!). Innsbruck: am Amraser See u. Gärberbach (Hfl. Prkt.). Kitzbüchl (Trn.). Brixen (Hfm.). Lienz (Rsch! Schtz.). Tefereggen (Schtz.). Vintschgau: bei Göflan, Schluderns u. Prad; bei Algund nächst Meran (Tpp.). Bozen: gemein im Thale auf den Wiesen bei St. Jacob vorzüglich an Gräben; am Ritten auf allen feuchten Wiesen von Klobenstein bis Pemmern; um Margreid (Hsm.). Fleims und Fassa (Fcch!). Trient: bei Povo; in Pinè (Per!). Am Gardasee (Poll!). Judicarien: bei Tione (Bon.).

Obsolet: Radix Valerianae palustris, vel Phu minoris.

Bl. blassroth. Mai, Jun. ♃.

866. ***V. tripteris L.*** Dreiblättriger B. ***Blätter*** gezähnt, die untersten wurzelständigen rundlich, kürzer-gestielt, an den unfruchtbaren Büscheln herzförmig, lang-gestielt, ***die stengelständigen 3zählig;*** Ebensträusse endständig; Wurzel vielköpfig. —

Felsige waldige Orte der Alpen u. Voralpen u. den Bächen nach ins Thal herab. — Vorarlberg: am Pfänder u. bei Ems (Str!). Oberinnthal: Gebirge bei Imst (Lutt!). Innsbruck: am Berg Isel, am Eurat an der Sill u. in der Klamm (Hfl. Precht. Karpe). am Martinsbüchel (Str!). Zillerthal: um Zell (Gbh.), u. am Hainzenberg (Moll)! Vorwälder bei Rattenberg (Wld!). Am Hinterkaiser (Hrg!). Bergwälder um Kitzbüchl (Trn.). Am Brenner gegen Sterzing (Sternberg)! Welsberg (Hll.). Innichen (Stapf). Hopfgarten, Innervilgraten (Schtz.). Lienz: hinter Schlossbruck u. am Rauchkogel (Bsch! Schtz.). Kerschbaumeralpe (Bischof)! Vintschgau: in Taufers am Schlosse Rotund und Zapferbad bei Laas (Tpp.). Brixen (Hfm!). Bozen: am Bache gegen Capenn u. an den Felsen am Bache hinter Runkelstein; Margreid an den Felsen ober dem Kalkofen; Ritten im Walde hinter dem Lengmooser Schiessplatze; Seiser- und Rittneralpe (Hsm.). Fleims u. Fassa (Fcch!). Alpen um Trient, an Felsen bei Roveredo (Crist.). Borgo (Ambr.). Am Baldo (Poll!). Judicarien: am Pissone bei Stelle (Bon.).

β. intermedia. Stengelblätter ungetheilt. V. intermedia Vahl. — Bei Steineck nächst Bozen (Gundlach).

Bl. weisslich oder blassroth. Im Thale April, Gebirge Mai, Juni. ♃.

867. ***V. montana L.*** Berg-B. ***Blätter*** etwas gezähnt o. ganzrandig, die untersten wurzelständigen rundlich, kürzergestielt, die der unfruchtbaren Büschel eiförmig, lang-gestielt, ***die stengelständigen eiförmig, zugespitzt,*** die obersten lanzettlich; ***Ebenstrauss endständig, zusammengesetzt;*** Wurzel vielköpfig.

Gebirgswälder, Alpen und Voralpen. — Am Widderstein (Köberlin)! Achgries bei Bregenz (Str!), Bregenzerwald (Tir. B.)! Lechthal: neben der Söbenspitze bei Vils (Frl!), am Aggenstein (Dobel)! Oberinnthal: bei Zirl u. Telfs 5-7000′ (Str!); Gebirge bei Imst (Lutt!). Innsbruck: am Höttingerberg u. bei den Seegruben (Hfl. Eschl.). Zillerthal: am Fusse des Greiner (Gbh.). Um Rattenberg bis in die Alpen (Wld!). Kitzbüchl (Trn.). Schwaz: gegen Georgenberg (Schm!). Am Hinterkaiser (Hrg!). Pusterthal: in Prax (Hll.), bei Hopfgarten (Schtz.), Marenwalderalpe bei Lienz (Rsch!), Teischnitz und am grauen Käs (Schtz.), Tristacheralpe (Ortner). Kalkalpen um Bozen: Schlern u. Seiseralpe, beim Bade Ratzes, in Kolfusk etc. (Hsm.). Schmirn (Hfm!). Laaserthal in Vintschgau; Nauders (Tpp.); Sulden (Eschl!). Montegazza und Bondone bei Trient (Merlo. Per.). Fleims und Fassa (Fcch!). Valsuganeralpen bei Borgo (Ambr,). Roveredo (Crist.). Baldo: Val dell' Artillon u. di Novesa (Poll!). Judicarien: Val di Bolbeno u. Alpe Lenzada (Bon.).

β. pubescens. Blätter flaumhaarig. V. montana β. Reichenb. fl. exc. p. 200. — In Bergwäldern um Kitzbüchl mit der Species (Unger)!

Bl. blassroth. Jun. Aug. ♃.

868. ***V. supina L.*** Niedriger B. ***Blätter*** gestielt, spatelig, ganzrandig o. etwas gezähnelt, ***gewimpert,*** das obere Paar lanzettlich, sitzend; ***Ebenstrauss*** endständig, ***kopfig;*** Wurzel vielköpfig.

Felsen u. steinige Triften der Kalkalpen. — Alpen um Innsbruck (Hfm!). Unterinnthal: am Kaiser bei St. Johann (Trn.). Pusterthal: hinter dem Praxer See (Fcch.), Alpe Innerfeld bei Innichen (Rsch!), Kerschbaumer- u. Tristacheralpe bei Lienz (Schtz. Hoppe! Ortner), dann in der innersten Laserz allda (Wlf!). Am Donnerberg bei Sterzing (Host)! Auf dem Schlern über 6000′ z. B. am Gerölle nach der Schlucht etc. (Hsm.), dann am Tierseralpel (Elsm.), u. rothe Erde (Lbd.). San Martin in Fleims; Alpe Vaël u. Kessel in Fleims (Fcch!).

Bl. blassroth. Jul. Aug. ♃.

869. ***V. saxatilis L.*** Stein-B. Blätter ganzrandig oder etwas gezähnt, 3—5nervig, gewimpert, die wurzelständigen länglich-spatelig, lang-gestielt, die stengelständigen lanzettlich-

linealisch; ***Ebensträusschen armblüthig, zuletzt locker, fast traubig-rispig; Wurzel faserig-schopfig.***

Felsen der Kalkalpen und Voralpen. — Vorarlberg: am Widderstein (Köberlin!); bei Au im Bregenzerwald (Tir. B!); am Gurtiserberg und ober Blank im Lichtensteinischen (Cst!). Lechthal: am Rossberg (Frl!), Mädelealpe (Dobel)! Oberinnthal: Zirl u. Telfs 3—5000′ (Str!). Innsbruck: auf dem Solstein, der Höttingeralpe u. in der Klamm (Hfl. Eschl.). Unterinnthaleralpen (Hfm.). Schwazergebirge (Schm!). Zillerthal (Braune)! Rattenberg: Weg nach Brandenberg (Wld!). Kalkgebirge um Kitzbüchl z. B. am Kaiser und Horn (Str! Trn.). Pusterthal: Innicheralpen (Stapf), Prax (Hll.), Weisse Wand, Rauchkogel u. Zabrot bei Lienz (Schtz. Ortner), Kirschbaumeralpe (Bischof!), Dorferalpe in Kals (Schtz.). Ueber den Wormserbädern (Moritzi)! Jungbrunnthal in Tiers (Lbd.). Schlern, Seiseralpe u. Mendel (Hsm. Tpp.). Fleims u. Fassa bis in die Alpen (Fcch!). Alpen um Trient (Per.). An Felsen bei Borgo (Ambr.). Monte Gazza (Merlo). Baldo, Portole, Blemmone u. Bondone (Poll!). Campogrosso (Mayer)! Scanucchia bei Roveredo (Crist.). Monte Baldo, Monte Maggiore (Hfl!). Jndicarien: Alpe Spinale u. Gavardina (Bon.).

Bl. weiss. Jun. Jul. ♃.

870. ***V. elongata L.*** Verlängerter B. Blätter eiförmig, völlig kahl, die wurzelständigen gestielt, etwas gezähnt, die stengelständigen sitzend, eingeschnitten-gezähnt; ***Ebensträusschen armblüthig, rispig-traubig; Wurzel nicht schopfig.***

An feuchten Felsen der Kalkalpen in Südtirol. — Pusterthal: am Knappenfuss in Prax (Hll.), Tristacher- u. Kerschbaumeralpe (Ortner. Schtz.), Lavanteralpe bei Lienz (Rsch!), Schleinitzalpe (Hohenwarth)! Schlern: zwischen den Wänden (Elsm.), feuchte Felsen an der Nordseite desselben (Str!). Schlern: in der Schlucht; Joch Latemar (Hsm.). Am Davoi in Fassa (Meneghini)! Fleims: an Felsen bei San Martino; Fassa. bei Vaël ober Vigo (Fcch!).

Bl. schmutzig-gelblich. Jul. Aug. ♃.

871. ***V. celtica L.*** Celtischer B. (Gelber oder echter Speik). Blätter ganzrandig, völlig kahl, die wurzelständigen länglich-lanzettlich, in den Blattstiel verschmälert, die stengelständigen meist nur 2, linealisch; ***Ebensträusschen quirlig-ährig; Wurzel schuppig-schopfig.***

Höchste Alpen. — Alpen um Lienz (Wlf. Hanke)! Auf dem Patscherkofel bei Innsbruck (Gymnasialprofessor Tangl). Von den nach Tangl den Patscherkofel besteigenden Botanikern nicht mehr gefunden, daher auch schon der Vermuthung Raum gegeben wurde: Tangl habe die schönen im Musealherbar aufbewahrten, von ihm angeblich auf dem obigen Standorte gesammelten Exemplare vom Lavantthale in Kärnthen, das er öfters besuchte und wo V. celtica gemein ist. Ludwig Steub in seinem Werke: „3 Sommer in Tirol“ versichert, den gelben

Speik auf den Hüten der Bauern im Duxerthale gesehen zu haben. (Steub, wenn gleich nicht Botaniker, macht über die Pflanze Bemerkungen, dass an der Richtigkeit der Angabe kaum zu zweifeln ist.). Auf den Lienzeralpen in neuerer Zeit auch nicht mehr gefunden.

Am Baldo u. Spinale nach Sternberg, wahrscheinlich aber mit V. saxatilis verwechselt?

Ehedem officinell: Spica vel Nardus celtica.

Bl. trüb-gelblich, aussen röthlich. Jul. Aug. ♃.

254. ***Centranthus De C.*** Spornbaldrian.

Kelchsaum während der Blüthezeit eingerollt, später in eine federige Samenkrone (Pappus) verwandelt. Blumenkrone trichterförmig, an der Basis gespornt, mit 5spaltigem Saume. Frucht mit dem Pappus gekrönt. Staubgefässe 1. (I. 1.).

872. ***C. ruber De C.*** Gemeiner Sp. Blätter ei- oder lanzettförmig, die obersten etwas gezähnt; Sporn viel kürzer als die Röhre, noch einmal so lang als der Fruchtknoten.

Felsen, Mauern u. sonnige Abhänge im südlichen Tirol. — Burgstall bei Meran (Tpp.). Gemein um Bozen auf der Sonnenseite z. B. am Tscheipenthurm, Gandelberg, Runkelstein und Fagnerberg etc. (Hsm.). Warme Thäler im Tridentinischen z. B. am Doss Trent (Per. Hfl!). Roveredo: am Castell u. bei Lizzana (Crist.). An der Bastion bei Riva (Hfl. Eschl.). Judicarien: am Castell u. an den Strassenmauern bei Tenno (Bon.).

Valeriana rubra L.

Bl. schön roth. Blätter und Stengel grau-grün.
Mai, einzeln — Sept. ♃.

255. ***Valerianella Pollich.*** Feldsalat.

Kelchsaum 5zähnig. Blumenkrone trichterförmig, mit regelmässigem 5spaltigem Saume, sporn- u. höckerlos. Frucht mit dem bleibenden Kelche gekrönt, nicht aufspringend, 3fächerig. Fächer 1samig, 1 o. 2 davon leer. Blüthen zwitterig. (III. 1.).

I. Rotte. Saum des Kelches aus kurzen getrennten, wenig bemerklichen Zähnen gebildet.

873. ***V. olitoria Poll.*** Gemeiner F. ***Früchte*** eiförmig-rundlich, ***zusammengedrückt, beiderseits ziemlich platt,*** auf dem Rande mit einer Furche durchzogen, ***an den Seiten 2rippig,*** die eine Rippe sehr dünn; Kelchsaum unmerklich 3zähnig. —

Auf Aeckern u. in Weinbergen. — Bregenz (Str!). Innsbruck: bei der Schrofenhütte (Hfl.). Lienz (Rsch!). Bozen: gemein in den Weinbergen z. B. im Gandelhofe bei Gries, in Hertenberg etc., auch bei Unterrain in Ueberetsch (Hsm.). Aecker in Fassa u. Fleims (Fcch!). Judicarien: bei Tione (Bon.).

Valeriana Locusta olitoria L. — An dieser Art findet um Bozen häufig ein Vergrünen der Blumenkrone statt.

Obsolet: Herba Valerianellae.

Als Salatpflanze unter dem Namen: Nüsselsalat um Bozen schon im Februar, in wärmeren Jahren selbst im Jänner zu Markte gebracht.

Bl. blassblau oder weiss. März, Apr. ⊙.

V. carinata Lois. Früchte länglich, fast 4seitig, auf der hintern Fläche tief-rinnig, auf der vordern ziemlich platt, in einen beiderseits hervorspringenden Rand verbreitert, in der Mitte u. auf den beiden Seitenflächen fein-1rippig; Kelch unmerklich-1zähnig. — Gebaute Orte u. Weinberge. Tirol, Steiermark, im Venetianischen etc. (Maly enum. p. 103.

II. Rotte. Saum des Kelches krautig, schief-abgeschnitten, fast glockig.

874. ***V. dentata Pollich.*** Gezähnter F. ***Früchte eikegelförmig,*** hinten konvex, fein 3rippig, vorne ziemlich platt, ***mit einem länglichen, zwischen den erhabenen Rändern eingedrückten Beete; Saum des Kelches halb so breit als die Frucht,*** schief-abgeschnitten, spitz, gezähnelt; Aestchen der Ebensträusse spreizend.

Auf Aekern durch die ganze Getreideregion.

V. Morisonii De C. Koch syn. ed. 1. u. Koch Taschenb.

Kommt vor:

α. lejocarpa. Früchte kahl. — Die gemeinere Form. — Bregenz (Str!). Um Innsbruck: z. B. am Rutzbüchl (Precht. Friese). Am Sonnberg bei Kitzbüchl (Trn.). Pusterthal: bei Welsberg u. in Ahrn (Hll.); Lienz (Schtz.). Ritten: gemein um Klobenstein u. Lengmoos auf allen Aeckern (Hsm.).

β. lasiocarpa. Früchte rauhhaarig. Seltener als *α.* Brixen. bei Tschötsch (Hfm.). Bozen: sehr zerstreut z. B. um Kühbach u. Runkelstein (Tpp. Hsm.). Monte Baldo: letzte Getreidefelder ober Brentonico (Hfl.).

Bl. weiss oder blass-blau. Jun. Jul. ⊙.

875. ***V. Auricula De C.*** Geöhrlter F. ***Früchte fast kugelig-eiförmig,*** fein-5rippig, ***vorne 1furchig; Saum*** des Kelches ***ein Drittel so breit als die Frucht,*** schief-abgeschnitten, vorne gezähnelt, die Zähnchen sehr klein.

Auf Aeckern. — Vorarlberg: bei Gaissau (Cst!), um Bregenz gemein (Str!). Kitzbüchl (Unger)! Trient: Aecker am Monte Margone (Hfl.). Roveredo (Crist.).

Kommt vor:

α. lejocarpa. Früchte kahl. Hieher obige Standorte. und:

β. lasiocarpa. Früchte behaart. — Klobenstein am Ritten sehr selten unter der gemeinen V. dentata auf den Aeckern nordwestlich von Waidach (Hsm.).

Bl. weiss o. bläulich: Mai, Jun. ⊙.

III. Rotte. Saum des Kelches becherförmig, häutig, aderig-netzig, in 6—12 an der Spitze borstliche Zähne ausgehend.

876. ***V. coronata De C.*** Kronenartiger F. Früchte eiförmig, zottig, vorne 1furchig; ***Kelchsaum häutig, netzig-***

aderig, breiter als die Frucht, becherförmig, inwendig ganz kahl, bis über die Mitte 6spaltig; ***Zipfel eiförmig, begrannt, an der Spitze hackig.***

Auf Aeckern im südlichern Tirol. — Salurn und Trient (Hsm.). Trient: am Monte Margone (Hfl.). Im Gebiethe von Trient und Roveredo (Fcch.). Trient: bei Piazzina (Per.). Roveredo (Crist.).

V. hamata Bast. De C. Koch syn. ed. 1.

Bl. weiss o. bläulich. April, Mai. ⊙.

LX. Ordnung. DIPSACEAE. De C.
Kardenartige.

Blüthen zwitterig, mehr oder weniger unregelmässig, auf einem gemeinschaftlichen oft spreuigen Fruchtboden in ein eiförmiges, kugeliges o. halbkugeliges Köpfchen gehäuft u. von einer vielblättrigen Hülle umgeben. Jede Blüthe nebst dem Kelche mit einem Kelchförmigen Hüllchen umgeben. Hüllchen (äusserer Kelch) bleibend, den innern oder eigentliehen Kelch u. bei der Reife die Frucht dicht einschliessend, in einen ganzen, gezähnten o. vieltheiligen Rand endigend. Kelch mit der Röhre dem Fruchtknoten mehr o. weniger angewachsen; Saum oberständig, schüssel- o. beckenförmig, gezähnt o. in borstenförmige Zipfel getheilt, selten ganzrandig. Blumenkrone trichterförmig dem Kelchschlunde eingefügt; Saum unregelmässig, 4—5spaltig, die äussern Blüthen des Köpfchens oft strahlend. Staubgefässe 4, frei, der Blumenkrone eingefügt. Fruchtknoten 1, 1fächerig, 1eiig. Eierchen hängend. Griffel 1. Frucht häutig, nicht aufspringend, mit dem Kelchsaume gekrönt. Keim rechtläufig. Ein- o. mehrjährige Kräuter mit nebenblattlosen gegenständigen Blättern.

256. *Dipsacus L.* Karden.

Innerer Kelch beckenförmig, vielzähnig o. ganz; äusserer mit einem kurz-gezähnten oder gekerbten Saume endigend. Fruchtknoten spreuig. Aeussere Hüllblätter länger als die Spreublättchen. Blumenkrone 4spaltig. (IV. 1.).

877. ***D. sylvestris Mill.*** Wilde K. ***Blätter*** sitzend, gekerbt-gesägt, ***am Rande kahl o. zerstreut-stachelig,*** die untersten an der Basis verschmälert, die stengelständigen breit-zusammengewachsen, ganz o. die mittleren fiederspaltig; Hüllblättchen linealisch-pfriemlich, bogig-aufstrebend; ***Spreublättchen*** biegsam, länglich-verkehrt-eiförmig, begrannt-haarspitzig, ***gerade,*** länger als die Blüthen.

An Gräben, Wegen u. Feldern. — Bregenz (Str!). Innsbruck: am Lemmenhofe, Stickelesteig u. Wiltaueranger (Hfl. Prkt. Schpf.). Schwaz: Vomperau (Schm!). Im Draugebiethe am Gränzmauthamte Kapaun (Rsch!). Eppan (Hfl.). Vintschgau:

bei Mals (Hfm!). Bozen: an der Strasse nach Siebenaich und bei St. Jacob, dann am Wege von Kaltern zum See (Hsm.). Selten an Wegen im südlichen Theile von Fleims (Fcch!). Trient (Per!).

Bl. lila. Jul. Aug. ⊙.

878. ***D. pilosus L.*** Haariger K. ***Blätter gestielt, an der Spitze des Blattstieles geöhrelt;*** Hüllblättchen abwärts gerichtet, ungefähr von der Länge der Blüthen; Spreublättchen verkehrt-eiförmig, begrannt-haarspitig, borstig-gewimpert, gerade. —

In Auen u. an feuchten Gebüschen. — Vorarlberg: selten um Bregenz (Str!); am Wege von Feldkirch nach Balzers (Hiller)! Innsbruck: in der Innau unter der Gallwiese (Hfl.). Bozen: in der Rodlerau, einzeln auch am Wege bei Frangart; häufig bei Salurn gegen Karneid und Buchholz (Hsm.). Am Baldo: Val dell' Artillon (Pona)!

Bl. weiss. Jul. Aug. ⊙.

257. *Knautia Coult.* Knautie.

Innerer Kelch 8—16zähnig; Zähne von breiterer Basis pfriemenförmig-borstig; äusserer kurz-gestielt, nicht gefurcht, in 4 o. mehrere kurze Zähne ausgehend. Fruchtboden behaart, nicht spreuig. Blumenkrone 4-5spaltig. Hülle vielblättrig. (IV. 1.).

879. ***K. longifolia Koch.*** Langblättrige K. ***Blätter verlängert-lanzettlich,*** ganzrandig o. unmerklich-gezähnelt, zugespitzt, ungetheilt; der ***Stengel*** von kurzen Haaren sammetig o. an der Basis kahl, nach der Spitze ***von kurzen drüsentragenden Haaren etwas klebrig*** u. von längern steifhaarig; der innere Kelch halb so lang als die Frucht, meist 8zähnig. —

Fette Triften der Alpen u. Voralpen in Südtirol. — Pusterthal: Innervilgraten, Reschwiesen bei Lienz (Schtz.); auf der Ochsenalpe in Pregratten u. Bergeralpe in Kals (Hrnsch!), Ober Niederdorf, von Prax gegen die Alpe Dürrenstein (Wlf!); bei Heilig-Blut (Pacher). Gemein auf der Seiseralpe u. am Joch Lattemar; Ritten: auf den Wiesen vorzüglich an Gebüsch zwischen der Tann u. Pemmern westlich vom Alpenwege; Ifinger bei Meran (Hsm.). Fleims; Joch Grimm bei Bozen u. zwischen Roveredo u. Torbole an Felsen (Hinterhuber)! Paneveggio in Fleims (Per.). Judicarien: Alpe Lenzada und Trivona in Breguzzo (Bon.).

Scabiosa longifolia W. K. K. variabilis γ. longifolia Fr. Schultz. —

Auch Uebergänge in die Folgende habe ich um Bozen gefunden, so wie Exemplare mit fast linealischen Blättern, doch selten. — Bl. lila. Jul. Aug. ♃.

880. ***K. sylvatica Dub.*** Wald-K. ***Blätter elliptisch-lanzettlich,*** gekerbt, ***ganz*** oder an der Basis eingeschnitten; der ***Stengel ziemlich kahl, an der Basis*** von zwiebeligen

Haaren *steifhaarig, oberwärts von sehr kurzen, drüsenlosen Haaren flaumig u. von längern steifhaarig;* der innere Kelch halb so lang als die Frucht, meist 8zähnig.

Waldige Orte vorzüglich auf Gebirgen. — Bregenz (Str!). Oetzthal: am Wasserfall bei Umhausen (Tpp.). Innsbruck: in der Kranewitter Klamm und Sonnenburg, dann bei Volderbad (Hfl.). Schwaz: gegen Viecht (Schm!). Kitzbüchl: am Schattberg 3—5000′ (Trn.). Pusterthal: bei Welsberg (Hll.), Hopfgarten (Schtz.), Bad Jungbrunn, Tristacher Bergwiesen und Bürgerau bei Lienz (Rsch!), Lienz (Schtz.). Rayen im Hoch-Vintschgau; Naudererthal (Tpp.). Monte Gazza bei Trient (Merlo). Bei Nambino, dann Campiglio in Judicarien (Bon.). Roveredo: im Gebüsche an der Landstrasse nach Terragnuolo (Crist.). Am Baldo (Poll!).

Zwischenformen von K. sylvatica u. arvensis in der Rodlerau bei Bozen (Hsm.).

Scabiosa sylvatica L. K. variabilis β sylvatica Fr. Schultz.

Bl. bläulich-roth. Jun. Jul. ♃.

881. ***K. arvensis*** *Coult.* Feld-K. *Stengelblätter fiederspaltig,* Zipfel entfernt, lanzettlich, ganzrandig, der endständige Lappen grösser, zugespitzt, etwas gesägt; der *Stengel von sehr kurzen, drüsenlosen o. drüsentragenden Haaren graulich u. von längern einfachen steifhaarig;* der innere Kelch halb so lang als die Frucht, meist 8zähnig.

Auf Wiesen gemein vom Thale bis an die Voralpen. — Bregenz (Str!). Gunggelgrün bei Imst (Lutt!). Innsbruck: allenthalben z. B. um Lans (Prkt.). Kitzbüchl (Trn.). Schwaz (Schm!). Pusterthal: bei Welsberg (Hll.), Innervilgraten, Lienz (Rsch! Schtz.). Vintschgau: bei Castelbell u. in Schnals (Tpp.). Meran (Kraft). Allenthalben um Bozen z. B. um Sigmundscron; am Ritten bis 4700′ unter Pemmern, wo K. longifolia beginnt (Hsm.). Fleims: bei Predazzo; Fassa (Fcch!). Trient: im Campo Trentino (Per!). Hügel um Roveredo (Crist.). Am Baldo: bei San Giacomo (Hfl.). Judicarien: bei Tione (Bon.).

Scabiosa arvensis L. K. variabilis α. arvensis Fr. Schultz.

An allen mir vorliegenden Tirolerexemplaren sind die Stengel oberwärts flaumig u. mit Drüsenhärchen u. längern einfachen besetzt (K. arvensis δ. glandulifera Koch). Auch Uebergänge zu K. longifolia u. sylvatica findet man um Bozen, seltener eine Varietät mit strahllosen Randblüthen (Scabiosa campestris Besser. K. arvensis β. campestris Koch.).

Officinell: Herba Scabiosae.

Bl. bläulich-roth, selten weiss. Mai, Jul. ♃.

258. *Succisa M. u. Koch.* Teufels-Abbiss.

Innerer Kelch schüsselförmig, meist mit 5 borstlichen Zähnchen endigend, seltener ganzrandig; äusserer tief 8furchig, mit seicht 4lappigem krautigen Rande. Saum der Blumenkrone 4-lappig. Fruchtboden spreuig. Hülle vielblättrig. (IV. 1.).

882. *S. pratensis Moench.* Gemeiner T. Köpfchen halbkugelig, die fruchttragenden kugelig; der äussere Kelch rauhhaarig; *Saum 4spaltig, Zipfel eiförmig, spitz, stachelspitzig,* der innere Kelch 5borstig.

Auf Wiesen u. feuchten Triften gemein bis in die Alpen. Bregenz (Str!). Oberinnthal: Naudererthal (Tpp.), bei Ladis (Gundlach); Gunggelgrün bei Imst (Lutt!). Innsbruck: Wiesen am Amraser See u. am Schlosse, dann auf dem Patscherkofel (Schpf. Eschl. Precht). Zillerthal (Moll)! Kitzbüchl: am Sonnberg u. im Bichlach (Unger)! Pusterthal: bei Welsberg (Hll.), Lienz (Schtz.); Brunecken (M. v. Kern), bei Kapaun u. Lavant, dann im Schustergraben bei Lienz (Rsch!). Bozen: am Moosrande bei Unterrain; gemein auf allen Gebirgen umher z. B. um Klobenstein bis Pemmern (Hsm.). Fassa: zwischen Vigo u. Soraga; selten in Fleims (Fcch!). Gebirge um Trient (Per.). Judicarien: Gebirgswiesen bei Stelle (Bon.).

Wurzelblätter eiförmig-lanzettlich, ganzrandig.

Scabiosa Succisa L.

Obsolet: Radix et Herba Succisae vel Morsus Diaboli.

Bl. bläulich o. fleischfarben, sehr selten weiss. Jun.—Aug. ♃.

883. *S. australis Reichenbach.* Kriechender T. Die fruchttragenden Köpfchen länglich-eiförmig; der äussere Kelch kahl; *Saum 4lappig, Lappen kurz, stumpf;* der innere Kelch ohne Borsten.

An sumpfigen schlammigen Stellen; in Kärnthen, Friaul u. Südtirol etc. (Reichenb. fl. exc. p. 196)! Sumpfige Orte im wärmern Tirol (Host)! — Scabiosa repens Brign.

Blätter linealisch-lanzettlich oder lanzettlich, fast ganzrandig; Wurzel mit Ausläufern.

Bl. bläulich. Jul. Sept. ♃.

259. *Scabiósa L.* Krätzkraut. Scabiose.

Innerer Kelch schüsselförmig in (meistens) 5 borstliche Zähne ausgehend, seltener ganzrandig; äusserer tief-8furchig o. 8rippig, mit glockigem o. radformigem, durchsichtig-trockenhäutigem Saume. Fruchtboden spreuig. Hülle vielblättrig. Blumenkrone 4—5spaltig. (IV. 1.). Die Randblüthen unserer Arten strahlend.

I. Rotte. *Sclerostemma M. u. K.* Frucht mit 8 tiefen, spitz-eingeschnittenen, auslaufenden Furchen, welche eben so viele starke Riefen abtrennen. Krone des äussern Kelches von einfachen Nerven strahlig, am Rande schwach u. klein-gekerbt.

884. *S. gramuntia L.* Berg-Se. Blätter an den unfruchtbaren Büscheln länglich, stumpf, an der Basis verschmälert, gestielt, gekerbt, ganz o. leyerförmig, *die stengelständigen bis auf die Mittelrippe doppelt- und 3fach-fiederspaltig,* Zipfel der obern Blätter linealisch; Frucht 8furchig mit auslau-

fenden Furchen; ***Borsten*** des innern Kelches ***ungefähr so lang als die Krone des äussern oder fast noch 1mal so lang o. fehlend.***

An Hügeln, Rainen u. trockenen Triften bis an die Voralpen. — Sprechenstein bei Sterzing (Hfl.). Pusterthal: bei Lienz (Schtz.), Welsberg (Hll.). Vintschgau: bei Castelbell u. Juval bis Schlanders (Tpp.). Riffian nächst Meran (Kraft). Gemein um Bozen: z. B. in Haslach, Siebenaich etc.; am Ritten noch in Mengé am Kemater Kalkofen bei 4200′ (Hsm.). Bei Eppan in der Gant (Hfl.). Trient: am Doss di S. Agata (Per!).

Kommt vor: oberseits ziemlich kahl o. weniger flaumig, S. agrestis W. K.; u. mit dicht weich-flaumigen untern Blättern, S. mollis Willd. — Beide um Bozen (Hsm.).

Bl. bläulich. Jun. Aug. ⊙. u. ♃.

885. ***S. ochroleuca L.*** Gelblichweisse Sc. ***Blätter*** an den unfruchtbaren Büscheln länglich, stumpf, an der Basis verschmälert, gestielt, gekerbt, ganz o. leyerförmig, die untersten stengelständigen leyerförmig, die übrigen ***bis auf die Mittelrippe fiederspaltig, Fieder linealisch, an den untern Blättern fiederspaltig-gesägt, an den obersten ganzrandig; Köpfchen*** der Frucht ***eiförmig;*** Früchte 8furchig, Furchen auslaufend; ***Borsten des innern Kelches*** an der Basis zusammengedrückt, nervenlos, ***3- oder 4mal länger als die Krone des äussern.***

Auf unbebautem Boden, an Hügeln u. Rainen. — Pusterthal: bei Lienz mit der Folgenden (Rsch!).

Nach Koch wohl nur Varietät der Folgenden.

Bl. gelblich-weiss. Jun. Aug. ⊙. u. ♃.

886. ***S. Columbaria L.*** Tauben-Se. ***Blätter*** an den unfruchtbaren Büscheln länglich, stumpf, an der Basis verschmälert, gestielt, gekerbt, ganz o. leyerförmig, die untersten stengelständigen leyerförmig, die übrigen ***bis auf die Mittelrippe fiederspaltig, Fieder*** linealisch, an den untern Blättern ***fiederspaltig-gesägt, an den obersten ganzrandig; Köpfchen der Frucht kugelig;*** Früchte 8furchig, Furchen auslaufend; ***Borsten*** des innern Kelches an der Basis zusammengedrückt, nervenlos, ***3—4mal länger als die Krone des äussern Kelches.***

Hügel, Raine u. Triften, selten auf Alpen. — Bregenz (Str!). Imst (Lutt!). Innsbruck: bei Aich (Schneller. Hfl.). Unterinnthal: auf Kalkboden bei St. Johann (Trn.). An Feldrändern bei Kitzbüchel (Unger)! Lienz: an den Leiten u. an der Galena beim Eichwäldchen (Rsch!). Um Bozen viel seltener als S. gramuntia, auch bei Siebenaich; auf der Villandereralpe (Hsm.). Trient (Per!). Val di Non: Castell Brughier; Zambana (Hfl!).

Bl. blau. Jun. Aug. ⊙. u. ♃.

887. ***S. lucida Vill.*** Spiegelnde Sc. Blätter an den unfruchtbaren Büscheln länglich, an der Basis verschmälert, gestielt, gekerbt, ganz o. leyerförmig, die untern stengelständi-

gen ganz o. an der Basis fiederspaltig, die obern fiederspaltig, Zipfel lanzettlich-linealisch, eingeschnitten-gesägt o. ganzrandig; Frucht 8furchig mit auslaufenden Furchen; ***Borsten des innern Kelches*** an der Basis zusammengedrückt, ***auf der innern Seite 1nervig-gekielt, 3—4mal länger als die Krone*** des äussern Kelches.

Auf Alpentriften. — Vorarlberg: am Freschen (Str! Cst!). Rossberg bei Vils (Frl!). Alpeiner Schafscheide (Hfl.). Kitzbüchl: am kleinen Rettenstein (Trn.), allda u. am Brechtenkopf (Unger)! Pusterthal: am grauen Käs u. Teischnitz (Schtz.), auf der Bergeralpe in Kals (Hrnsch!), Prax (Hll.). Laaseralpen in Vintschgau (Tpp.). Schlern, Seiseralpe, Joch Lattemar und Villandereralpe (Hsm.). Alpen von Fassa und Fleims (Fcch!). Mendel bei Bozen (Hfl.). Passeyer; Montagna di Povo und Triften des Rondone (Per.). Scanuppia (Hfl.).

S. norica Vest. — Alpenform der Vorigen.

Jun. Aug. ⊙. u. ♃.

888. ***S. vestina Facchini.*** Facchini's Sc. Sc. von Val Vestino. ***Die Blätter der nichtblühenden Wurzelköpfe spatelig-keilförmig, ungetheilt, ganzrandig, die stengelständigen Blätter fiedertheilig, sämmtliche Zipfel linealisch,*** ganzrandig; die Frucht 8furchig, mit auslaufenden Furchen; ***die Krone des äussern Kelches ungetheilt, gekerbt,*** Borsten 4mal so lang als die Krone.

Waldige Orte des südwestlichen Tirols. — An der Gränze von Val di Vestino bei Bondon (Fcch. Bon.).

Bl. blau. Borsten und oft auch die Kelchkrone schwarzpurpurn. Jul. Aug. ♃.

II. Rotte. ***Asterocéphalus Coult.*** Frucht von der Basis bis zur Mitte stielrund, glatt o. schwach-rippig. Dicht zottig, oberhalb der Mitte in 8 säulenförmige Zähne gespalten, die durch eben so viele Gruben getrennt, durch häutige einwärtsgefaltete Anhängsel verbunden sind u. einen glockigen o. radförmigen häutigen, von einfachen Nerven strahligen Saum tragen.

889. ***S. graminifolia L.*** Grasblättrige Sc. ***Blätter linealisch*** o. lanzettlich-linealisch, ***ganzrandig, meist silberseidenhaarig;*** Blumenkrone strahlend; Früchte von der Basis bis zur Spitze zottig; Borsten des innern Kelches ein wenig länger als die gekerbte Krone.

An Felsen u. steinigen Orten im südlichen Tirol. — Im Etschlande: an den Kalkfelsen ober den Leiten bei Margreid gegen den Kalkofen (Hsm.). Auf der rechten Seite der Etsch Lavis gegenüber (Fcch.). Ober Gardolo u. am Monte Zambana bei Trient; an der Bastion bei Riva (Hfl.). Am Bondone und Kalisberg bei Trient (Per!). Im Kiese der Gebirgsströme in Valsugana z. B. um Borgo u. Ospedaletto (Ambr.). Hügel um Roveredo (Crist.). Am Baldo in der Buchenregion (Poll! Clementi). Judicarien: in Val d'Ampola (Bon.). Auf den Bergen am Gardasee innerhalb Tirol (Fleischer)!

Die Blätter sind nach Facchini nicht selten kahl und grasgrün, eben so abändernd fand ich sie bei Margreid.
Bl. schön himmelblau. Jul. Aug. ♃.

S. atropurpurea L. Garten-Se. Jährig. Wurzelblätter spatelförmig, gekerbt; Stengelblätter fiederspaltig, die grössern Lappen meist gezähnt. Saum des äussern Kelches schwammig aufgeschwollen. Borsten des innern Kelches sehr lang. — Bl. schwarzroth o. auch lichter. — Zierpflanze aus dem Oriente, häufig in Gärten. Jul. October. ⊙.

LXI. Ordnung. COMPOSITAE. Adans.

Korbblüthler.

Blüthen auf einem gemeinschaftlichen Fruchtboden in ein Köpfchen gehäuft u. von einer gemeinschaftlichen mehrschuppigen Hülle (gemeinschaftlicher Kelch, Hauptkelch) umgeben, seltener jede einzelne Blüthe von einer Hülle eingeschlossen u. in Köpfchen zusammengestellt. Schuppen (Blättchen) der Hülle 1—vielreihig o. dachig, frei o. verwachsen, trockenhäutig, lederig, krautig, fleischig o. blattartig, unbewehrt o. dornig, an der Basis manchmal mit Nebenschuppen (Nebenkelch). Fruchtboden flach, gewölbt, kugelig, eiformig o. kegelförmig, nackt o. spreuig, kahl o. behaart. Kelchröhre mit dem Fruchtknoten verwachsen, so lang als dieser o. über ihn hinausragend; Saum (Pappus) oberständig, trockenhäutig, bald in einfache o. ästige o. federige Borsten auswachsend, bald kurz gezähnt, gelappt o. ganzrandig, bald unmerklich o. fehlend. Blumenkrone der Kelchröhre eingefügt, 1blättrig, röhrig, mit 2-5zähnigem Saume, zungenförmig o. 2lippig. Staubgefässe 5, der Röhre der Blumenkrone eingefügt u. mit ihren Zipfeln wechselnd; Staubfäden gegen die Spitze gegliedert; Staubkölbchen linealisch in eine vom Griffel durchbohrte Röhre zusammengewachsen. Fruchtknoten 1eiig, Eierchen aufrecht. Griffel 1, Narben 2. Frucht eine Achene, trocken, nicht aufspringend, 1samig. Keim eiweisslos, rechtläufig. Die zahlreichste Ordnung der Gefässpflanzen, beinahe den 10ten Theil des Pflanzenreiches ausmachend. Unsere Arten 1-2- o. mehrjährige Kräuter mit wässerigem o. milchigem Safte. (XIX.).

I. Unterordnung. CORYMBIFERAE. Vaill. Blüthen alle röhrig o. die des Randes zungenförmig. Griffel an der Spitze nicht verdickt u. daselbst nicht bekränzt.

1. Unterabtheilung. EUPATORIACEAE. Lessing. Griffel der Zwitterblüthen walzlich, 2spaltig, die Schenkel lang, fast stielrund o. etwas keulig, oberseits auswendig von feinen Papillen flaumig, an den männlichen Blüthen ganz o. kurz 2spaltig, Schenkel keulig. Staubkölbchen ohne Anhängsel.

I. Gruppe. **Eupatorieae.** Blüthen alle zwitterig.

260. *Eupatorium L.* Wasserdost.

Hauptkelch walzlich, Blättchen dachig. Köpfchen armblüthig. Blüthen alle zwitterig, röhrig-trichterförmig, sich allmählig in den Saum erweiternd. Schenkel des Griffels verlängert, flaumig. Samenkrone (Pappus) 1reihig, haarförmig. Fruchtboden nackt, flach. Achenen länglich, schwach 5eckig. Blüthen in dichten Ebensträussen. (XIX. 1.).

890. *E. cannabinum L.* Gemeiner W. Wasserhanf. Kunigundenkraut. Blätter gestielt, 3- o. 5theilig (seltener die obern o. auch alle ungetheilt); Zipfel lanzettlich, gesägt, der mittlere länger.

An Gräben, Bächen u. feuchten Waldstellen im Thale. — Bregenz (Str!). Oberinnthal: bei Mils (Lutt!). Innsbruck: Weg zur Gallwiese u. am Bache hinter dem Amraser Schlosse (Schpf.), im Villerberg (Prkt.). Rattenberg (Wld.). Schwaz: am Inn (Schm!). Auen um Kitzbüchl (Trn.). Pusterthal: Lienz, am Ufer des Tristacher Sees, auf feuchten Wiesen bei Lavant und Kapaun (Rsch!). Vintschgau: bei Laas (Tpp.). Am Zilfall bei Partschins (Iss.). Gemein im Etschlande, Bozen: am kühlen Brünnel u. am Wege nach Sigmundscron, Pranzoll, Salurn u. Margreid (Hsm.). Im Tridentinischen (Per.). Roveredo (Crist.). Judicarien: bei Tione (Bon.).

β. integrifolium. Blätter alle ungetheilt. — Nicht selten um Bozen, z. B. am Wege neben den Quellen vor Runkelstein etc. Man könnte geneigt sein, diese schöne Varietät für eine gute Art zu halten, fände man nicht oft gleich neben an u. noch häufiger Exemplare, an denen die untern Blätter getheilt, die obern ungetheilt sind.

Offic.: Radix et Herba Eupatorii, vel Cannabinae aquaticae.

Bl. fleischfarben. Jul. — Sept. ♃.

261. *Adenóstyles Cassin.* Drüsengriffel.

Hauptkelch röhrig; Blättchen 1reihig mit ein- o. anderem Nebenblättchen. Köpfchen armblüthig, Blüthen alle zwitterig, glockig-röhrig, nämlich von der Basis an plötzlich-erweitert. Griffelschenkel verlängert, flaumig-rauh. Samenkrone haarförmig. Fruchtboden nackt. Haarkrone mehrreihig, haarförmig. (XIX. 1.). Blüthen in gegipfelten Ebensträussen.

891. *A. albifrons Reichenb.* Gemeiner Dr. *Blätter* gestielt, nieren-herzförmig, *grob-ungleich-doppelt-gezähnt, unterseits etwas filzig;* Köpfchen 3—6blüthig.

Feuchte waldige Stellen der Alpen u. Voralpen. — Vorarlberg: auf der Mittagspitze (Str!), am Schrecken (Tir. B.)! Rossberg bei Vils (Frl!), Stuiben bei Schattwald (Dobel)! Schoberwaldalpe am Solstein bei Innsbruck (Hfl.). Am Fernerkogel (Prkt.). Subalpine Wälder um Kitzbüchl bei 4000′ (Trn.). Zillerthal: am Wege von Zell nach Dux (Gbh.), und auf der

Elsalpe (Flörke)! Pusterthal: Alpen bei Lienz (Schtz.), Prax (Hll.), bei Peitelstein in Ampezzo (Hsm.). Schlern zwischen den Wänden u. Seiseralpe (Elsm.). Kalkalpen um Bozen: Mendel, Schlern und Seiseralpe (Hsm.). Joch Grimm bei Bozen (Hinterhuber)! Am Col Santo bei Roveredo (Per!). Vette di Feltre (Tita)! Judicarien: Alpe Lenzada (Bon.).

Cacalia alpina α L. A. alpina β albifrons Döll. A. alpestris β albida Spenner.

„Geht durch deutliche Mittelformen in Folgende über" Döll rhein. Fl. pag. 466. Meine Beobachtungen können Döll's Ansicht nur bestätigen.

Bl. purpurn. Jul. Aug. ♃.

892. *A. alpina Bl. u. Fing.* Alpen-Dr. *Blätter* gestielt, nieren-herzförmig, *etwas ungleich-gezähnt-gekerbt, unterseits auf den Adern flaumig;* Köpfchen 3—6blüthig.

Triften der Alpen und schattige Wälder der Voralpen. — Vorarlberg: am Pfänder u. Dornbirneralpe (Str!). Oberinnthal: bei Ehrenberg (Kink); Imsteralpe (Lutt!); Mädelealpe (Dobel!); Rossberg (Frl!); Zirl u. Telfs, Solstein 3—5000′ (Str!). Innsbruck: auf der Höttingeralpe u. am Solstein (Eschl. Hfl.). Voralpen bei Rattenberg (Wld.). Bergwälder um Kitzbüchl z. B. am Schattberg (Trn.), Schlucht zwischen dem Gschöss u. Blaufeld (Str!), am Hinterkaiser (Hrg!). Elsalpe im Zillerthal (Flörke)! Schwaz: gegen Georgenberg (Schm.). Hochgebirge um Brixen (Hfm.). Zoch- u. Ochsenalpe bei Lienz (Hoppe)! Teischnitzalpe (Schtz.). Vintschgau: im Laaserthale (Tpp.), Sulden (Hrg!), Strasse über das Wormserjoch (Eschweiler)! Kalkalpen um Bozen: Schlern, Seiseralpe u. Mendel (Hsm.). Joch Grimm bei Bozen (Hinterhuber)! Monte Röen (Hfl!). Monte Gazza (Merlo). Höhere Gebirge um Trient (Per.). Gebirgswälder um Roveredo (Crist.). Am Baldo: Selva d'Avio; Blemmone, Bondone u. Spinale (Poll!). Judicarien: Wälder am Monte aprico (Bon.).

Cacalia alpina β. L. A. alpina α. viridis Döll. A. alpestris α. alpina Spenner.

Bl. purpurn. Jul. Aug. ♃.

II. Gruppe. **Tussilagineae Cass.** Blüthen vielehig.

262. *Homógyne Cassin.* Homogyne. Alplattich.

Hauptkelch röhrig, Blättchen einreihig o. mit kurzen Nebenblättchen. Fruchtboden nackt. Randblüthen in geringer Anzahl, einreihig, weiblich, fädlich, mit undeutlich - 5zähnigem schiefem Saume. Scheibenblüthen zahlreich, zwitterig, glockigröhrig, 5zähnig. Narben linealisch, auseinander weichend, von der Basis an flaumig-rauh. Samenkrone haarförmig, vielreihig. (XIX. 2.). Stengel 1köpfig.

893. *H. alpina Cass.* Gemeiner Alplattich. *Blätter*

herz-nierenförmig, gezähnt-gekerbt, ***unterseits auf den Nerven flaumig.***

Gebirgswälder und feuchte schattige Triften der Alpen und Voralpen. — Vorarlberg: am Pfänder u. Dornbirneralpe (Str!), am Widderstein (Köberlin)! Mädelealpe im Holzgau (Dobel!), am Rossberg bei Vils (Frl!). Oetzthal (Hfl!). Imsteralpe (Lutt!). Innsbruck: am Solstein (Str!), am Patscherkofel, in der Klamm, am Pastberg u. am heiligen Wasser (Karpe. Schneller. Hfl.). Längenthal (Prkt.). Haller Salzberg (Hrg!). Rattenberg: Weg nach Brandenberg u. auf die Postalpe (Wld.). Zillerthalergebirge (Gbh.), Elsalpe allda (Flörke), Waxeggermähder und Hainzenberg (Moll)! Wälder um Kitzbüchl (Trn.). Pusterthal: Welsberg (Hll.); Innichen (Stapf); Hopfgarten u. Innervilgraten (Schtz.); Alpen um Lienz, Bergwiesen bei Lavant u. Tristach (Rsch!). Geislberg (Wlf!). Hochgebirge um Brixen (Hfm.). Am Zilfall bei Partschins (Iss.). Alpen um Meran (Kraft). Penserjoch (Hfl!). Gemein auf den Alpen u. Gebirgen um Bozen: Mendel, Schlern, Seiseralpe, Ritten bei 3900′ am Waldrande bei Rappesbüchl beginnend, Rittneralpe; Sarnthal: bei Durnholz (Hsm.). Alpen um Trient (Per.). Fleimseralpen (Scopoli)! Valsugana: Val di Sella bei Borgo (Ambr.). Judicarien: Alpe Cengledino u. Lenzada (Bon.). Monte Baldo: am Altissimo (Hfl!).

Tussilago alpina L.

Bl. purpurn. Mai, Jul. ♃.

894. ***H. discolor Cass.*** Zweifärbiger A. ***Blätter*** herz-nierenförmig, geschweift-gekerbt, ***unterseits dicht-filzig.***

Auf höhern Alpen in Südtirol. — Pusterthal: Alpen bei Welsberg (Hll.), Kerschbaumer- und Tristacheralpe bei Lienz (Hoppe! Ortner). Vette di Feltre (Zannichelli)! Baldo: Colma di Malcesine (Pona)!

Tussilago discolor Jacq.

Bl. purpurn. Jun. Jul. ♃.

263. *Tussilágo L.* Huflattig.

Blättchen des Kelches einreihig, an der Basis öfter mit Nebenblättchen umgeben. Strahlenblüthen mehrreihig, zungenförmig, weiblich, fruchtbar. Scheibenblüthen röhrig-glockig, 5zähnig, zwitterig. Narben fädlich, von der Basis an flaumigrauh. Fruchtboden nackt. Samenkrone haarig, mehrreihig. (XIX. 2).

895. ***T. Fárfara L.*** Gemeiner H. Wurzel kriechend. Stengel einfach, aufrecht, beschuppt, 1köpfig. Blätter grundständig, erst nach der Blüthe sich entwickelnd, herzförmigrundlich, winkelig-gezähnt, unterseits graufilzig; Filz im Alter mehr oder weniger schwindend.

An Bächen u. sandigen Triften, gemein bis in die Alpen. Bregenz (Str!). Imst (Lutt!). Innsbruck: z. B. auf der Ulfiswiese (Karpe). Kitzbüchl (Trn.). Pusterthal: Welsberg (Hll.), Lienz, Hopfgarten, Innervilgraten (Schtz.). Meran (Iss.). Bozen: in Menge im Eisack- u. Talferbette u. geht am Ritten bis ober Pemmern gegen 5500′ (Hsm.). Trient (Per!). Borgo (Ambr.). Am Baldo: bei Campion, aque negre u. Brentonico (Poll!). Judicarien (Bon.).

Officinell: Radix, Herba et Flores Farfarae vel Tussilaginis.

Bl. gelb. März, Apr. ♃.

264. ***Petasites Gaertn.*** Pestwurz.

Blättchen des Hauptkelches einreihig, an der Basis öfter mit Nebenblättchen umgeben. Köpfchen 2häusig-verschiedenehig. Weibliche Blüthen fädlich, schief-abgestutzt, in den weiblichen Köpfchen vielreihig, in den zwitterigen einreihig, randständig; Zwitterblüthen (unfruchtbar) röhrig, 5zähnig, in den weiblichen Köpfchen nur sehr wenige im Mittelpunkte, in den männlichen Köpfchen das ganze Mittelfeld einnehmend. Narben von der Basis an flaumig-rauh. Samenkrone haarig. Fruchtboden nackt, flach. (XIX. 2.).

896. ***P. officinalis Moench.*** Gemeine P. ***Blätter herzförmig, ungleich-gezähnt,*** unterseits wollig-grau, ***die Lappen der Basis abgerundet;*** Blüthenköpfchen in länglichen Sträussen; weibliche Blüthen fädlich; die ***Narben der Zwitterblüthen kurz, eiförmig.***

An Bächen u. feuchten Orten in Wäldern. — Vorarlberg: Dornbirnerwald (Str!), Bregenzerwald bei Au (Tir. B.)! Innsbruck: in der Klamm u. im Amraser Thiergarten (Schpf. Eschl.), am Villerbach (Prkt.). Wolfsklamm bei Stans nächst Schwaz (Schm.). Zillerthal: am Hainzenberg (Moll)! Kitzbüchl: auf überschwemmten Wiesen (Trn.). Schmirn (Hfm!). Pusterthal: bei Hopfgarten (Schtz.), Welsberg (Hll.), Lienz am Spital- und Huberanger (Rsch!). Vintschgau: bei Laas; Meran (Tpp.). Bozen: bei Kapenn (Hinterhuber)! Etschland: Wälder bei Salurn u. Margreid (Hsm.). Castell Brughier (Hfl!). Feuchte Thäler um Trient (Per.). Am Baldo: im Gebiethe von Brentonico (Poll!). Judicarien: am Arnò (Bon.).

P. vulgaris Desf.

Zwitterige Pflanze: Strauss eiförmig. Tussilago Petasites L.

Weibliche Pflanze: Köpfchen halb so gross, Strauss länglich. Tussilago hybrida L.

Obsolet: Radix Petasitidis.

Bl. purpurn. Anfangs März, Apr. ♃.

897. ***P. albus Gaertner.*** Weisse P. ***Blätter rundlich-herzförmig, winkelig, stachelspitzig-gezähnt,*** unterseits wollig-filzig; Blüthenköpfchen in gleich hohen o. eiförmigen Sträussen; weibliche Blüthen fädlich; ***Narben der Zwitterblüthen verlängert, linealisch-lanzettlich, zugespitzt.***

An feuchten Orten in Wäldern u. an Bächen bis in die Alpen. — Vorarlberg: im Rückenbachtobel (Str!), Bregenzerwald: zwischen Schnepfau u. Bizeck (Tir. B.)! Innsbruck: am Amraser Wasserfall u. in der Kranewitter Klamm (Hfl.). Rattenberg: Weg nach Brandenberg u. auf die Postalpe (Wld!).

Zillerthal: am Guggelberg (Gbh.). Kitzbüchl: in Bergwäldern bis in die Alpen. (Trn.). Schmirn (Hfm!). Pusterthal: im Kematerberg in Taufers (Iss.), Welsberg (Hll.); Lienz (Schtz.), allda unter dem Rauchkogel u. am Glitzenbache (Rsch!). Bozen: einmal im Talferbette bei St. Antoni herausgeschwemmt; am Ritten (Hsm.). Voralpen des Baldo u. im Tridentinischen (Poll!). Am Bondone (Per!). Judicarien: am Pissone bei Stelle (Bon.). Val di Rendena (Eschl!). Valsugana: Gebirge ober Torcegno (Ambr.). — Tussilago alba L.

Bl. gelblich-weiss. Im Thale Anf. März. Gebirge: Mai. ♃.

898. ***P. niveus Baumg.*** Schneeweisse P. ***Blätter*** eiförmig o. fast 3eckig - herzförmig, ungleich-stachelspitzig-gezähnt, *unterseits schneeweiss-filzig;* die Lappen der Basis auseinanderfahrend, ganz o. fast 2lappig; Blüthenköpfchen in eiförmigen Sträussen; die weiblichen Blüthen fädlich; ***Narben der Zwitterblüthen verlängert, linealisch - lanzettlich, zugespitzt.***

An Bächen u. Waldquellen bis in die Alpen. — Vorarlberg: im Aachgries bei Bregenz (Str!), Bregenzerwald: zwischen Bizeck u. Schnepfau (Tir. B.)! Imsteralpe (Lutt!). Innsbruck: in der Kranewitter Klamm (Hfl.). Thäler am Solstein (Str!). Bergthäler um Kitzbüchl, auf Kalkboden (Trn.). Schwaz gegen Georgenberg (Schm!). Pusterthal: in Prax (Hll.), auf der Kerschbaumeralpe (Bischof)! Vintschgau (Tpp.). Seiseralpe; Bergwälder bei Margreid und Salurn (Hsm.). Valsugana: bei Borgo (Ambr.). Montagna di Povo bei Trient (Per.). Am Baldo (Poll!). — Tussilago nivea Vill.

Bl. weisslich o. röthlich. März, Mai. ♃.

Mit Petasites sehr nahe verwandt die Gattung: ***Nardosmia Cassin.*** Sie unterscheidet sich von ersterer nur durch die kürzern, zungenförmigen weiblichen 1reihigen Randblüthen. ***Nardosmia fragrans Cass.*** (Tussilago flagrans Vill.) stammt aus Neapel u. wird hie u. da in Gartenanlagen gefunden, in meinem Weinberge in der Stadt Bozen, nun seit vielen Jahren ganz zum Unkraute geworden. Die ganze Pflanze hat sehr viele Aehnlichkeit mit P. officinalis, die röthlichen Blüthen riechen nach Vanille. Die Wurzel kriecht sehr stark.

Februar ♃.

II. Unterabtheilung. ASTEROIDEAE. Griffel der Zwitterblüthen walzlich, zweispaltig, Schenkel linealisch, auswendig fast flach u. oberwärts fast gleich- u. kurz-flaumig.

III. Gruppe. **Asterineae.** Staubkölbchen an der Basis ohne Anhängsel.

265. ***Linósyris De C.*** Linosyre.

Blättchen des Hauptkelches dachig. Alle Blüthen zwitterig u, röhrig. Achene ungeschnäbelt, zusammengedrückt. Samenkrone haarig. Fruchtboden nackt. (XIX. 1.).

899. *L. vulgaris Cass.* Gemeine L. Goldhaar. Blätter linealisch, kahl. Hauptkelch locker. Blüthenköpfchen in fast doldigen Sträussen.

An felsigen Orten u. Abhängen in Südtirol. — Vintschgau: bei Goldrain (Tpp.). Meran: am Kiechelberg (Hfm.). Bozen: im Hertenberge, am nördlichen Abhange des Kalvarienberges, an den Felsen ausser dem kühlen Brünnel, bei Karneid (Hsm.). Auf Waldblössen hinter Sigmundscron (Hfl.). Trockene Hügel bei Roveredo (Crist.). Ospedaletto in Valsugana (Ambr.).

Chrysocoma Linosyris L.

Bl. gelb. Jul. — Sept. ♃.

266. *Aster L.* Aster. Sternblume.

Blättchen des Hauptkelches dachig. Blüthen des Randes zungenförmig, weiblich, einreihig (verschiedenfarbig). Blüthen des Mittelfeldes zwitterig, röhrig. Staubkölbchen ohne Anhängsel. Achene ungeschnäbelt, zusammengedrückt. Pappus haarig, gleichförmig. Fruchtboden flach, nackt. (XIX. 2.).

900. *A. alpinus L.* Alpen-Sternblume. Blätter 3-nervig, flaumig, ganzrandig, die stengelständigen lanzettlich, die wurzelständigen länglich, in den Blattstiel verschmälert, die ersten spatelig; Blättchen des Hauptkelches lanzettlich, locker; *Stengel 1köpfig.*

Gebirgstriften u. Alpen durch ganz Tirol, hie u. da auch ins Thal herab. — Vorarlberg: auf der Mittagspitze (Str!), am Widderstein (Köberlin)! Oberinnthal: bei Ladis (Gundlach), Imst (Lutt!), am Krahkogel (Zcc!); Söbenspitze bei Vils (Frl!), Gaishorn bei Tannheim (Dobel!); Alpen bei Telfs u. Zirl (Str!). Innsbruck: Zirler Bergmähder, Rosskogel, Gluirscherjöchel u. Kahlgebirge (Hfl. Eschl.). Rattenberg: am Schlosse bis an die Strasse herab, dann auf der Markspitze (Wld.). Zillerthal (Schrank!), auf den Waxegger Bergmähdern (Moll)! Kitzbüchl (Trn.). Pfitscherjoch (Stotter)! Pusterthal: Hofalpe u. Gössnitz, dann Bergwiesen in Innervilgraten u. Hopfgarten (Schtz.), Prax (Hll.), Alpen von Innichen (Stapf), Bergwiesen u. Alpen um Lienz (Schtz. Rsch!). Vintschgau: im Laaserthal (Tpp.), Matscheralpe (Eschl!), Wormserjoch, italienische Seite (Hsm.). Vigilijoch bei Meran u. auf dem Jaufen (Kraft). Laugenspitze (Iss.). Auf allen Gebirgen u. Alpen um Bozen: am Ritten bei 4000′ nächst Klobenstein beginnend; am Kunterswege bei Blumau an den Felsen der Landstrasse (Hsm.). Alpenwiesen am Bondone; Vela bei Trient; Monte Gazza gegen Vezzano (Hfl.). Monte Feudo u. Rocca (Scopoli)! Hochgebirge um Roveredo (Crist.). Judicarien: Alpe Lenzada u. Campiglio di Rendena (Bon. Eschl.).

Ein mehrköpfiges Exemplar fand ich am Wormserjoche im Jahre 1838.

Strahl blau, Mittelfeld gelb.

Im Thale Mai. Gebirge: Jun. Jul. ♃.

901. *A. Amellus L.* Virgils-A. Blaue Sternblume. Blätter 3nervig, flaumhaarig-rauh, etwas gesägt o. ganzrandig, die untern elliptisch, gestielt, in den Blattstiel verschmälert, die obern länglich-lanzettlich; ***Ebenstrauss einfach, abstehend;*** Blättchen des Hauptkelches abgerundet-stumpf, etwas abstehend.

An waldigen Orten u. auf Hügeln im Gebüsche, bis an die Voralpen. — Oberinnthal: bei Ladis (Gundlach). Innsbruck: Weg nach Vill am hohen Kreuz, bei Zirl u. Martinswand (Hfl. Eschl.). Zirl u. Telfs (Str!). Pusterthal: bei Welsberg (Hll.). Vintschgau: bei Goldrain (Tpp.). Sprechenstein bei Sterzing (Hfl!). Bozen: gemein gegen Runkelstein u. ausser dem kühlen Brünnel etc.; am Ritten: bei 4200′ östlich am Kemater Kalkofen; bei Margreid (Hsm.). Meran (Iss.). Eppan (Hfl.). Val di Non: Castell Brughier (Hfl!). Borgo (Ambr.). Trient (Per.). Roveredo (Crist.). Judicarien: bei Corè u. Sorano (Bon.).

Obsolet: Radix et Herba Asteris attici vel Bubonii.

Strahl blau, Mittelfeld gelb. Aug. — Octob. ♃.

A. novi Belgii L. Herbst-A. Blätter etwas stengelumfassend, am Rande rauh, die untern in der Mitte entfernt-angedrückt-kleingesägt, die obern der Blüthenstiele in die Blättchen des Hauptkelches übergehend; der Stengel ebensträussig, der Ebenstrauss zusammengesetzt o. mehrfach zusammengesetzt; Hauptkelch locker, Blättchen fast gleich-lang, die äussern fast von der Basis an abstehend.

Zierpflanze aus Nordamerika. Häufig in unsern Gärten und Anlagen u. allda wie verwildert. Scheibenblüthen gelb, Randblüthen röthlich-blau. Ende Aug. — Octob. ♃.

Callistephus Cass. Kranzaster.

Hauptkelch vielreihig, Blättchen abstehend, blattartig, gewimpert, stumpflich. Blüthen des Randes zungenförmig, weiblich, 1reihig; die der Scheibe röhrig, zwitterig. Staubkölbchen ohne Anhängsel. Achenen ungeschnäbelt, zusammengedrückt, verkehrt-eiförmig-keilig, dicht rauhhaarig. Pappus doppelt, der äussere sehr kurz spreuig-borstig, fast in ein Krönchen verwachsen, der innere abfällig, aus langen borstigen rauhen Haaren bestehend; beide 1reihig. (XIX. 2.).

C. chinensis Nees. Chinesischer K. Gartenaster. (Aster chinensis L.). Jährig. Aufrecht. Untere Blätter spatelförmig, gestielt, mittlere rhombisch-lanzettlich, oberste länglich, alle grob-gesägt o. mehr o. weniger gewimpert. Aeste 1köpfig, verlängert.

Zierpflanze aus China. Häufig in unsern Gärten, auch wohl hie u. da zufällig auf Schutt. Strahlblüthen weiss, roth, blau, violett etc., Scheibenblüthen gelb oder monströs alle Blüthen röhrig wuchernd o. alle zungenförmig (gefüllt).

Juli — October. ☉.

267. *Bellidiastrum Cass.* Bergmasslieb.

Blättchen des Hauptkelches gleich, 2reihig, Fruchtboden kegelförmig. Sonst wie Aster. (XIX. 2.).

902. *B. Michelii Cass.* Gemeine B. Wurzelblätter spatelig-verkehrt-eiförmig, gekerbt o. geschweift-gezähnelt. Stengel unbeblättert, 1blüthig.

An feuchten kiesigen Orten der Alpen u. Voralpen, vorzüglich auf Kalk, auch ins Thal herab. — Vorarlberg: am Pfänder (Str!). Oberinnthal: bei Tarrenz (Prkt.). Innsbruck: am Solstein u. Serles, dann in Gluirsch u. am Pastberg (Hfl. Precht.). Kitzbüchl: vorzüglich auf Kalkboden (Trn.). Zirl und Telfs (Str!). Zillerthal: um Zell (Gbh.). Pusterthal: Brunecken (F. Naus!); bei Hopfgarten, Innervilgraten, dann Hofalpe und Gössnitz (Schtz.); Lienz (Rsch! Schtz.), Tristacheralpe (Ortner); Welsberg (Hll.). Naturnseralpe bei Meran (Iss.). Bozen: an den Quellen ausser dem kühlen Brünnel; Margreid: am Wege zum Kalkofen; gemein auf der Seiseralpe u. dem Schlern, aber dem ganzen Rittnerberge fehlend (Hsm.). Gemein auf den Voralpen in Fleims (Scopoli)! Val di Non: bei Cles; Trient: am Doss San Rocco gegen Norden (Hfl.). Valsugana: bei Borgo (Ambr.). Roveredo: im Thale des Leno (Crist.). Baldo, Blemmone und Spinale (Poll!). Judicarien: bei Stelle u. am Spinale (Bon.). Am Altissimo des Baldo (Hfl!).

Doronicum Bellidiastrum L. Arnica Bellidiastrum Vill.

Strahl weiss oder röthlich, Mittelfeld gelb.

Im Thale Mai. Gebirge Jun. Jul. ♃.

268. *Bellis L.* Gänseblümchen. Masslieb e.

Blättchen des Hauptkelches gleich lang, 1—2reihig. Strahlenblüthen 1reihig, zungenförmig, weiblich; die des Mittelfeldes zwitterig, röhrig. Achene ungeschnäbelt, flach zusammengedrückt, berandet, ohne Pappus. Fruchtboden kegelig, nackt. (XIX. 2.).

903. *B. perennis L.* Ausdauerndes G. Marienblümchen. Blättchen des Hauptkelches sehr stumpf; Blätter verkehrt-eiförmig-spatelig, gekerbt, meist 3nervig; Wurzel kriechend. Stengel 1blüthig.

Auf Wiesen u. Triften, meist nur im Thale. — Gemein um Innsbruck (Schpf.), allda im Wiltauer Stiftsgarten (Prkt.). Kitzbüchl: überall auf magern kurzbegrasten Hügeln (Unger)! Zillerthal (Moll)! Pusterthal: bei Innichen (Stapf), Lienz und Hopfgarten (Schtz.), bei Lienz hinter Schlossbruck (Rsch!). Brixen: sparsam bei Zinggen (Hfm.). Meran: am Wege bei St. Valentin (Iss.). Bozen: in Menge in den Weinbergen an der Talfermauer ober Maretsch und im Gandelhofe bei Gries (Hsm.). Um Trient (Per!), allda bei Vela (Hfl.). Judicarien: Wiesen bei Tione (Bon.).

Obsolet: Herba et Flores Bellidis minoris.

Strahl weiss oder röthlich, unterseits manchmal purpurn, Mittelfeld gelb. Eine Abart mit wuchernden, lauter röhrigen purpurnen Blüthen findet man häufig in den Gärten der Landleute unter dem Namen: Munelen (Monatlen). März—Oct. ♃.

269. *Stenactis Cass.* Stenaktis. Feinstrahl.

Blättchen des Hauptkelches fast gleich, 2reihig. Strahlenblüthchen 2reihig, zungenförmig, weiblich; die des Mittelfeldes röhrig, zwitterig. Staubkölbchen ohne Anhängsel. Achene ungeschnäbelt, zusammengedrückt. Pappus haarig, an den weiblichen Blüthen einfach kurzborstig, an den Zwitterblüthen doppelt, ein äusserer aus kurzen zahlreichen und ein innerer aus spärlichen langen Haaren gebildet. Fruchtboden nackt, flach o. gewölbt. (XIX. 2).

904. ***S. bellidiflora** Alex. Braun.* Massliebenartige St. Blüthenköpfchen ebensträussig (vor dem Aufblühen nickend); die untern Blätter verkehrt-eiförmig, grob-gesägt, die obern lanzettlich, entfernt-gesägt o. ganzrandig; Hauptkelche rauhhaarig. —

In Auen, auf feuchten Thalwiesen u. an Hecken im südlichen Tirol. — Bozen: sparsam in der Kaiserau, in Menge auf den an die Rodlerau gränzenden Moosgründen; Pranzoll: Mooswiesen an der alten Strasse nach Auer; Gemeinde-Triften bei Margreid (Hsm.). Bei Unterrain nächst Bozen (Hfl.). Valsugana: bei Borgo (Ambr.), und von da längs der Landstrasse bis an die italienische Gränze (Hsm.). Roveredo: an den Bewässerungsgräben der Wiesen (Crist.). Auf Hügeln am Gardasee (Poll!).

Aster annuus L. Diplopappus annuus Bl. u. Fing. Stenactis annua Cass.

Die im Sommer ausfallenden Samen keimen noch im Verlaufe desselben u. wachsen bis zum Winter zu Pflanzen mit Wurzelblättern heran, im Mai beginnt die Pflanze den Stengel zu treiben und zu blühen und stirbt Ende Juli ab. Aussaat im Frühlinge habe ich nie versucht; die Pflanze ist also ⨀. o. ⊙. u. nicht ♃. Strahl weiss.

270. *Erigeron L.* Berufkraut.

Blättchen des Hauptkelches dachig. Strahlenblüthen weiblich, mehrreihig, alle zungenformig o. die innern fädlich. Bluthen des Mittelfeldes zwitterig, röhrig. Staubkölbchen ohne Anhängsel. Achene ungeschnäbelt, länglich, zusammengedrückt. Pappus gleichförmig, haarig. Fruchtboden nackt, flach. (XIX. 2.).

905. ***E. canadensis** L.* Kanadisches B. Stengel steif, rispig; ***Rispe länglich, reich mit Köpfchen besetzt; Aeste nebst den Aestchen traubig;*** Blätter kurzhaarig, linealisch-lanzettlich, beiderseits verschmälert, borstig-gewimpert, die untersten entfernt-gesägt.

Auf bebauten Orten, an Wegen u. Dämmen. — Bregenz (Str!). Imst (Lutt!). Innsbruck: gemein z. B. ober dem Mühlauer Zollhaus (Schpf.). Schwaz (Schm!). Pusterthal: bei Lienz (Bsch! Schtz.), um Welsberg (Hll.). Bozen: in Menge im Talfer- u. Eisackbette, dann auf den Türkäckern u. in Weinbergen; Ritten: in Gärten um Klobenstein; Pranzoll, Margreid etc. (Hsm.). Weinberge in Eppan; Val di Non: Castell Brughier; Zambana (Hfl!). Trient: im Campo Trentino (Per!). Valsugana: bei Borgo (Ambr.). Roveredo (Crist.). Judicarien: an den Strassen bei Tione (Bon.).

Blüthenköpfchen sehr klein, mit weisslichem Strahle. Soll aus Canadien stammen. Aug. Sept. ⊙.

906. ***E. acris L.*** Scharfes B. Stengel traubig, zuletzt fast ebensträussig; Aeste 1—3köpfig; ***Blätter*** entfernt, abstehend, linealisch-lanzettlich, ***rauhhaarig,*** die untern in den Blattstiel verschmälert; ***Strahl aufrecht, so lang als die Blüthen des Mittelfeldes o. etwas länger;*** die innern weiblichen Blüthen fädlich u. zahlreich.

Auf trockenen sparsam berasten Hügeln u. magern Triften, bis an die Voralpen. — Bregenz (Str!). Imst (Lutt!). Innsbruck: bei Hötting, Amras u. Sonnenburg (Hfl.), im Villerberg (Prkt.). Stubai (Hfl!). Zillerthal (Braune)! Schwaz (Schm!). Rattenberg (Wld!). Auf sandigem Boden um Kitzbüchl (Trn.). Welsberg (Hll.). Lienz (Rsch! Schtz.). Bozen: im Eisackbette mit Folgender; um Klobenstein am Ritten bis 3800'; bei Weisenstein (Hsm.). Val di Non: Castell Brughier (Hfl!). Trient (Per!). Borgo (Ambr.). Judicarien: trockene Triften bei Tione (Bon.).

Strahl fleischfarben o. weisslich. Mai, Jun. ⊙.

907. ***E. Droebachensis Müller.*** Kantiges B. Stengel traubig, zuletzt fast ebensträussig; Aeste 1—3köpfig; ***Blätter*** entfernt, abstehend, linealisch-lanzettlich, ***kahl am Rande gewimpert;*** Wimpern aufwärts gekrümmt; die untern Blätter in den Blattstiel verschmälert; ***Strahl aufrecht, so lang als die Blüthen des Mittelfeldes o. ein wenig länger;*** die innern weiblichen Blüthen fädlich, zahlreich.

An ähnlichen Orten wie Vorige. — Vorarlberg: Mündung des Rheins in den Bodensee auf der Schweizerseite (Cst!). Unterinnthal: Gries der Ziller (Gbh.). Kitzbüchl: auf kiesigem Boden in der Langau (Trn.). Bozen: unter Gras am Wege nach Heilig-Grab etc.; Ritten: um Klobenstein wie Vorige (Hsm.).

E. angulosus Gaud.

Ist eine unbedeutende Varietät der Vorigen, auf fetterem, feuchterem Boden o. im Schatten gewachsen. Der nämlichen Ansicht ist Döll (Rhein. Fl. S. 484.).

Strahl purpurn o. fleischroth. Jul. Sept. ⊙. o. ⊙.

908. ***E. Villarsii Bell.*** Villars-B. Stengel 2—3köpfig o. fast rispig; ***Aeste, Blätter u. Hauptkelche drüsig-flaumig;*** Blätter länglich-lanzettlich, die untern in den Blattstiel

verschmälert; Strahl abstehend; die innern weiblichen Blüthen röhrig-fädlich, zahlreich.

Thäler der Alpen u. Voralpen. — Vorarlberg: am Freschen u. südlich vom Joche Omadona (Cst!). Oberinnthal: Finstermünz 3—5000′ (Tpp.), am Galtberg bei Imst (Lutt.). Unterinnthal: am Sintersbach-Wasserfall bei Kitzbüchl (Trn.). Innervilgraten (Schtz.). Marenwalder- u. Schleinizeralpe bei Lienz (Rsch!). Vintschgau: im Kies der Alpenbäche bei Laas (Tpp.). Am Schlern selten mit Folgender (Hsm.). Alpe Padon in Fassa (Koch syn.)! Baldo: Triften dell' Artillon (Treviranus bei Pollini)! —

E. atticum Vill. E. rupestris Hopp.

Strahl purpurn. Jul. Aug. ♃.

909. ***E. alpinus L.*** Alpen-B. Stengel 1—5köpfig; Blätter lanzettlich, rauhhaarig, die untern in den Blattstiel verschmälert, etwas spatelformig; ***Strahl abstehend, noch 1mal so lang als die Blüthen des Mittelfeldes;*** Hauptkelch rauhhaarig; ***die innern weiblichen Blüthen röhrig-fädlich, zahlreich.*** —

Gemein auf den Triften der Alpen u. Voralpen. — Vorarlberg: auf der Mittagspitze (Str!). Oberinnthal: Platteieberg (Lutt!); Sölden (Hfl.). Alpe Söben bei Vils (Frl!), am Aggenstein bei Tannheim (Dobel)! Serles u. Zirler Bergmähder; Alpein u. Innerschmirn (Hfl.). Stanserjoch bei Schwaz (Schm!). Am Schlossberg bei Rattenberg u. Markspitze (Wld!). Zillerthaler- u. Kitzbüchleralpen (Gbh. Trn.). Pfitscherjoch (Stotter)! In der Fichtenregion um Innichen (Stapf). Ochsenalpe in Pregratten (Hrnsch!). Prax (Hll.). Hopfgarten u. Alpen bei Lienz (Schtz.). Marenwalder u. Schleinizeralpe bei Lienz (Rsch!). Tristacheralpe (Ortner.). Hofalpe u. Gössnitz (Schtz.). Alpen um Brixen (Hfm!). Vintschgau: im Martellthale (Tpp.), Naturnseralpe (Iss.), Obernagg in Schnals (Hfl.). Schneeberg (Iss.). Ifinger, Schlern u. Seiseralpe; am Ritten gleich ober Klobenstein bei 3900′ beginnend und von da bis zum Horn (Hsm.). Am Bondone u. Monte Gazza bei Trient (Per! Merlo). Am Cornetto in Folgaria (Hfl.). Valsuganeralpen (Ambr.). Gebirgswiesen um Roveredo (Crist.). Baldo: Triften der Novesa (Poll!), am Altissimo (Hfl!). Judicarien: Alpe Lenzada u. am Spinale (Bon.).

β. *grandiflorus.* Köpfchen doppelt grösser. E. grandiflorus Hoppe. Vintschgau: im Rayenthale (Tpp.). Seiseralpe und Schlern an fetten Stellen (Hsm.). Vorarlberg: am Fresehen u. Omadona (Cst!). Alpe Ködnitz in Kals (Schtz.).

Strahl purpurn. Jun. Aug. ♃.

910. ***E. glabratus Hoppe u. Hornsch.*** Kahles B. Stengel 1—5köpfig; Blätter lanzettlich, kahl, kurzhaarig-gewimpert o. kurzhaarig, die untern in den Blattstiel verschmälert, etwas spatelförmig; ***Strahl abstehend, noch 1mal so lang als die***

Blüthen des Mittelfeldes; Hauptkelch flaumig-kurzhaarig; weibliche Blüthen alle zungenförmig.

Triften der Alpen auf fetten u. mässig feuchten Grasplätzen: Innsbruck: am Haller Salzberg (Hfl.). Alpen um Kitzbüchel (Trn.), allda auf der Leitneralpe (Str!). Alpe Platten bei Georgenberg (Schm.). Schlern u. Seiseralpe (Hsm.). Baldo: Val' Aviana (Hfl.).

Nach meiner Ansicht Varietät der Vorigen.

Strahl wie bei Voriger. Jul. Aug. ♃.

911. ***E. uniflorus L.*** Einblüthiges B. ***Stengel 1köpfig;*** Blätter lanzettlich, rauhhaarig, die untern in den Blattstiel verschmälert, etwas spatelförmig, kahl werdend; Strahl abstehend, noch 1mal so lang als die Blüthen des Mittelfeldes; ***Hauptkelch dicht-wollig-rauhhaarig; weibliche Blüthen sämmtlich zungenförmig.***

Grasige Plätze der höhern Alpen. — Vorarlberg: auf dem Gipfel des Kugelberges (Cst!). Hochjochferner (Lbd.). Innsbruck: Rosskogel und Neunerspitze (Hfl.). Alpen bei Zirl und Telfs (Str!). Zillerthaleralpen (Gbh.). Kitzbüchl: am Geisstein 6000—7000′ (Trn.). Pfitsch (Precht). Schleinizalpe bei Lienz (Hänke!); Innervilgraten und Lesacheralpe am Grossgössnitz (Schtz.). Welsberger- u. Praxeralpen (Hll.). Messerlingwand im östlichen Pusterthale (Hrnsch!). Hochgebirge um Brixen (Hfm.). Vintschgau: in Schlinig (Tpp.). Zilalpe bei Meran (Elsm!). Rittner Horn u. Villandereralpe über 6500′; Schlern und Seiseralpe (Hsm.), Laugenspitze (Lbd.). Valsuganeralpen: bei Sette Laghi (Ambr.).

Strahl weiss o. blass-purpurn. Jul. Aug. ♃.

271. *Solidágo L.* Goldruthe.

Strahl- u. Scheibenblüthen gelb. Achenen walzlich. Sonst wie Aster. (XIX. 2.).

912. ***S. Virga aurea L.*** Gemeine G. Stengel aufrecht, rispig-traubig o. 1fach-traubig, Trauben aufrecht; Blätter ei- u. lanzettförmig, zugespitzt, in den geflügelten Blattstiel herablaufend, ziemlich haarig, die untern gesägt.

Waldige Orte, buschige Hügel und Triften der Alpen. — Bregenz (Str!). Allgäueralpen (Sendtner)! Oberinnthal: bei Imst (Lutt!); Oetzthaleralpen (Eschl!). Innsbruck: im Pradler Sillgries, am Berg Isel, Patscherkofel, zwischen Arzel u. Rum, Höttingeralpe (Hfl. Precht. Friese. Eschl.). Stubai (Hfl!). Längenthal (Prkt.). Zillerthal (Schrank)! Schwaz (Schm!). Gemein um Kitzbüchl (Unger)! Welsberg (Hll.). Lienz, Innervilgraten (Schtz.). Vintschgau: bei Laas u. im Schnalserthale, dann jenseits der Centralkette in Rofen (Tpp.). Partschins ober Meran (Iss.). Gemein um Bozen: z. B. an der Talfermauer und gegen Runkelstein; um Klobenstein am Ritten, Rittneralpe bis auf die Spitze des Horn; Seiseralpe u. Schlern (Hsm.). Eppan: in der Gant; beim Schlosse Salurn; Val di Non bei Castell Brughier (Hfl.). Monte Gazza (Merlo). Hügel um Roveredo (Crist.). Valsugana: bei Borgo (Ambr.). Judicarien: um Tione u. Alpe Lenzada (Bon.). Baldo: Val di Novesa u. dell' Artillon (Poll!).

Auf den Alpen wird die Pflanze niedriger, oft kaum höher als 6 Zoll, die Blüthenköpfchen grösser, die untern Trauben oft kürzer als das sie stützende Blatt. S. alpestris W. K. — Die breitblättrige Form (Blätter eiförmig) fand ich, doch selten am Ritten in Wäldern neben der gemeinen Form. — Mehr Berücksichtigung verdient: Koch's Var. ε. cambrica. S. cambrica Huds. Niedrig, oft kaum 3—4 Zoll hoch, oft mit einer 1fachen Traube endigend, Köpfchen noch 1mal so gross; Blätter haarig, länglich-lanzettlich, Wurzelblätter oft länger als der ganze Stengel. Ich fand diese Var. am Wormserjoche ober Franzenshöhe, und von da in meinen Garten in Klobenstein verpflanzt, hat sie sich durch 8 Jahre gleich erhalten und durch Samen vermehrt.

Obsolet: Herba Virgae aureae, vel Consolidae saracenicae.

Strahl u. Mittelfeld gelb. Jun. Aug. ♃.

IV. Gruppe. **Buphthalmeae.** Staubkölbchen mit Anhängsel. Pappus kronenformig.

272. ***Buphthalmum* L.** Rindsauge.

Blättchen des Hauptkelches dachig. Strahlenblüthen weiblich, zungenformig, 1reihig; die des Mittelfeldes zwitterig, röhrig. Staubkölbchen geschwänzt. Die randständigen Achenen 3-kantig verkehrt-eiförmig; die des Mittelfeldes länglich, zusammengedrückt, fast 4kantig. Pappus kurz, kronenförmig, aus häutigen zerrissen-gezähnelten Schuppen gebildet. Fruchtboden flach, spreuig. Bluthen gelb. (XIX. 2.).

913. ***B. speciosissimum* Arduin.** Schönstes R. ***Blätter*** spitz-gezähnt, netzig-aderig, kahl, gewimpert, ***herzförmig-stengelumfassend,*** die obern eiförmig, zugespitzt, die untern länglich-eiformig, nach der Basis verschmälert; Blättchen des Hauptkelches linealisch-lanzettlich, verschmälert, spitz, die äussern länger als das Mittelfeld; Achenen an der Spitze flaumig.

Im südlichen Tirol. — Im Gebüsche auf Voralpen von Tremosine (westlich vom Gardasee gegen Lodron) nach Parolini! An Kalkfelsen am Uebergange von Judicarien nach Val di Vestino (Fcch.).

Telekia speciosissima De C.

Stengel 1kopfig. Bl. gelb. Jun. Jul. ♃.

914. ***B. salicifolium* L.** Weidenblättriges R. ***Blätter länglich u. lanzettlich,*** etwas gezähnelt, flaumig, die untern stumpf, in den Blattstiel verschmälert, die obern sitzend, verschmälert-spitz; Blättchen des Hauptkelches lanzettlich, haarspitzig, so lang als die Blüthen des Mittelfeldes; Achenen kahl.

Buschige Hügel u. Triften bis an die Alpen. — Vorarlberg: gemein um Bregenz u. bei Ems (Str!). Oberinnthal: bei Ladis (Gundlach), unter dem Schlosskopf bei Reitte (Kink);

Imst (Lutt!). Innsbruck: gegen Zirl, in der Kranewitter Klamm u. in der Sillschlucht (Eschl. Hfl.). Rattenberg (Wld!). Felsige Orte der Kalkgebirge um Kitzbüchl z. B. am Kaiser u. Lämmerbüchl bis 4000′ (Trn. Unger)! Welsberg (Hll.). St. Cassian in Enneberg (Hsm.). Lienz: in der Bürgerau, auf den Lavanter- u. Tristacher Bergwiesen (Rsch! Ortner. Schtz.). Bozen: auf der Mendel ober Kaltern; bei Fennberg ober Margreid; Seiseralpe; Ritten: um den Kemater Kalkofen (Hsm.). Val di Non: Castell Brughier (Hfl!). Buschige Hügel im Tridentinischen (Per.). Roveredo: auf steinigen Orten an Hügeln (Crist.). Valsugana: bei Borgo (Ambr.). Judicarien: bei Tione (Bon.). Cavalese in Fleims (Iss.).

Die schmalblättrige, grossblüthige Form (B. grandiflorum L.) ist in Tirol die bei weitem vorherrschende.

Stengel ästig. Bl. gelb. Jul. Aug. ♃.

273. *Pallénis Cass.* Pallenis.

Blättchen des Hauptkelches dachig. Strahlenblüthen zungenförmig, 2reihig, weiblich; die des Mittelfeldes zwitterig, röhrig, mit an der innern Seite der Länge nach geflügelter und an der Basis fast kugelig aufgeblasener Röhre. Pappus sehr kurz, schuppig. Staubkölbchen geschwänzt. Randständige Achenen flach-zusammengedrückt, 2flügelig mit halbirtem Pappus; die des Mittelfeldes zusammengedrückt, fast geflügelt, mit kronenförmigem Pappus. Fruchtboden spreuig. (XIX. 2.).

915. ***P. spinosa Cass.*** Dornige P. Wollig-zottig; Blättchen des Hauptkelches mit einem Dorne endigend.

Nach Pollini am Baldo im Gebiethe von Brentonico u. bei Riva! Diese sonst in Oberitalien u. im Littorale vorkommende Pflanze scheint seither im südlichen Tirol nicht mehr aufgefunden worden zu sein?

Buphthalmum spinosum L.

Bl. gelb. Jun. Aug. ⊙.

Zur aussereuropäischen Gruppe: **Eclipteae Less.**

Dahlia Cav. Dahlie.

Hauptkelch doppelt, Blättchen des äusseren 1reihig, blattig, zurückgebogen o. abstehend, Blättchen des innern häutig, gefärbt, anliegend, am Grunde verwachsen. Fruchtboden spreuig. Pappus fehlend. (XIX. 2.).

D. variabilis Desv. Vielfärbige D. Georgine. Stengel 2—7′ Fuss hoch. Wurzel knollig. Blätter gegenständig, fiedertheilig oder gefiedert.

Zierpflanze aus Mexiko, in den mannigfaltigsten Farben prangend. Randblüthen zungig, 1- o. mehrreihig, manchmal die Scheibenblüthen ganz verdrängend. Aug. — October. ♃.

V. Gruppe. **Inuleae Cassin.** Staubkölbchen mit Anhängsel. Pappus mit getrennten Strahlen. Blüthen des Randes weiblich, des Mittelfeldes zwitterig.

274. *Ínula* L. Alant.

Blättchen des Hauptkelches dachig. Randblüthen weiblich, zungenförmig, gleichfarbig; die des Mittelfeldes röhrig, zwitterig. Staubkölbchen geschwänzt. Achenen ungeschnäbelt. Pappus haarig, 1reihig, gleichförmig. Fruchtboden nackt, flach o. gewölbt. Blüthen gelb. (XIX. 2.).

I. Rotte. ***Corvisaria Merat.*** Die innern Blättchen des Hauptkelches an der Spitze verbreitert, spatelig.

I. Helenium L. Wahrer A. ***Blätter ungleich-gezähnt-gesägt, unterseits filzig,*** die wurzelständigen gestielt, elliptisch-länglich, die ***stengelständigen herz-eiförmig, zugespitzt, stengelumfassend;*** die äussern Blätter des Hauptkelches eiförmig, die innern linealisch-spatelförmig; Achenen kahl.

Lienz: im Garten des Kräuterklaubers. André Ortner, nach dessen Versicherung die Pflanze auch in Mittertroyen an der Marenwalderalpe bei den Trögen wächst (Rsch!). Vielleicht allda nur verwildert? Nach Braune im benachbarten Salzburgischen an Dörfern im Lungau; im untern Valtellin nach Moritzi! Sonst nach Reichenbach im Vicentinischen, Venetianischen etc., dann im nördlichen Deutschland.

Officinell: Radix Helenii vel Enulae.

Bl. gelb. Jul. Aug. ♃.

II. Rotte. ***Énula Dub.*** Die innern Blättchen des Hauptkelches am Ende zugespitzt.

a. ***Achenen kahl.***

916. ***I. ensifolia L.*** Nervenblättriger A. ***Blätter lanzettlich-linealisch,*** spitz, entfernt-unmerklich-gezähnelt u. ganzrandig, ***nervig, kahl,*** am Rande rauh u. fast wollig, ***die stengelständigen sitzend;*** der Stengel 1 — mehrhöpfig; Köpfchen einzeln, endständig; Hauptkelch von 3—6 lanzettlichen nervigen Blättern von der Länge des Hauptkelches selbst umgeben; ***Achenen kahl.***

An steinigen Orten im südlichen Tirol. — Bei Riva: an der Bastion (Hfl.). Bei Riva u. im untern Valsugana (Fcch.). Ausser der Gränze gegen Cadore u. bei Longarone (Hsm.). Valsugana: bei Ospedaletto u. Tezze (Ambr.). — Als Tirolerpflanze schon von Laicharding (Icones plantarum tirolensium) angeführt.

Jul. Aug. ♃.

917. ***I. salicina L.*** Weidenblättriger A. ***Blätter*** lanzettlich, zugespitzt, entfernt-unmerklich-gezähnelt u. ganzrandig, aderig, ***kahl,*** am Rande rauh, ***die obern herzförmig-stengelumfassend;*** Stengel 1—mehrköpfig, fast ebensträussig; Blättchen des Hauptkelches kahl, gewimpert; ***Achenen kahl.***

Auf feuchten Triften, an Gräben und Dämmen bis an die Voralpen. — Vorarlberg: bei Mererau (Str!). Bozen: auf den Griesner Gemeindemösern u. am Damme des Eisacks an der

Rodlerau; Ritten: häufig in der nassen Wiese rechts ober dem Kemater Kalkofen bei 4300′ u. in der Stafflerwiese ober Sallrain (Hsm.). Trient (Per.). Waldige Hügel u. niedrige Gebirge im Tridentinischen (Poll!).

Obsolet: Radix Bubonii lutei.

Bl. gelb. Jul. Aug. ♃.

918. *I. squarrosa L.* Sparriger A. ***Blätter*** oval oder lanzettlich, gezähnelt, ***aderig, kahl,*** am Rande gewimpert-rauh, ***mit abgerundeter Basis sitzend;*** Stengel 1—mehrköpfig, fast ebensträussig; Blättchen des Hauptkelches kahl, gewimpert, die äussern allmählig kürzer; ***Achenen kahl.***

Auf trockenen Hügeln in Tirol u. am Gardasee (Poll!). Ausser Tirol im Tessin der Schweiz, im Littorale u. Krain.

Bl. gelb. Jun. Jul. ♃.

919. *I. hirta L.* Rauhhaariger A. Blätter oval, länglich o. lanzettlich, ganzrandig o. etwas gezähnelt, aderig und nebst dem Stengel von an der Basis zwiebeligen Haaren rauhhaarig; der Stengel 1köpfig; ***Blättchen des Hauptkelches lanzettlich-verschmälert, steifhaarig, sämmtlich länger als die Blüthen des Mittelfeldes; Achenen kahl.***

Auf grasigen Hügeln u. Abhängen im südlichen Tirol. — Bozen: am Sigmundscroner Schlossberg, in Hertenberg ober dem Streiterischen Weingute, beim Schloss Ried, ausser dem kühlen Brünnel und, doch selten, bei 4200′ am Ritten östlich vom Kemater Kalkofen im Föhrenwalde (Hsm.). Buschige Hügel um Trient (Per.), allda am Monte Margone (Hfl.). Valsugana: bei Borgo und Ospedaletto (Ambr.). Roveredo (Crist.). Am Gardasee (Poll!).

Bl. gelb. Mai. Jul. ♃.

b. ***Achenen rauhhaarig oder flaumig.***

920. *I. Conyza De C.* Dürrwurzartiger A. ***Blätter elliptisch o. elliptisch-lanzettlich,*** ziemlich spitz, oberseits flaumig, unterseits so wie der Stengel dünn-filzig, die untern gestielt; der Stengel oberwärts rispig-ästig; ***Aeste ebensträussig, vielköpfig;*** Blättchen des Hauptkelches abstehend-zurückgebogen; ***Blüthen des Randes 3spaltig, kaum zungenförmig, so lang als die innersten Blättchen des Hauptkelches.***

Buschige Abhänge und an unbebauten Orten. — Bregenz (Str!). Innsbruck: am Sillfall (Hfl.), am Pastberg (Prkt.), am Wege von der Kaiserstrasse nach Mühlau (Schpf.). Bozen: am Talferbette nächst dem Schlosse Ried, im Gebüsche am Wege zum Wasserfall, im Gandelberg bei Gries überall einzeln (Hsm.). Eppan (Hfl.). Trient: bei Oltrecastello (Per!). Roveredo: in der Ebene an Feldwegen (Crist.). Südtirol (Poll!). Judicarien: am Doss bei Tione (Bon.).

Conyza squarrosa L. Koch syn. ed. 1.

Obsolet: Herba Conyzae majoris.

Bl. gelb. Jul. — Sept. ⊙.

921. *I. Britanica L.* Gemeiner A. *Blätter* lanzettlich, ganzrandig oder gezähnelt, unterseits nebst dem Stengel zottig-wollig, die untern in den Blattstiel verschmälert, *die obern mit herzförmiger Basis stengelumfassend,* oft an der Basis deutlicher gezähnt; *Bättchen des Hauptkelches* linealisch-lanzettlich, verschmälert, *die äussern so lang als die innern u. das Mittelfeld o. länger;* Stengel 2—5köpfig; *Achenen kurzhaarig.*

An Gräben und feuchten Grasplätzen der Hauptthäler. — Vorarlberg: am Rhein (Str!). Innsbruck: am Mühlauer Badhaus (Hfl.). Vintschgau (Tpp.). Bozen: gemein an den Gräben gegen Sigmundscron u. Leifers, dann bei Margreid, Pranzoll u. Salurn (Hsm.). Strasse von Neumarkt nach Trient im Gebüsche am Bergesabhang (Zcc!). Trient: am Etschufer am Palazzo degli Alberi; Val di Non: bei Arz (Hfl.). Gräben um Trient (Per!). Bei Volano nächst Roveredo (Crist.). Am Gardasee (Poll!). —

Aendert ab um Bozen: etwas kahler u. mit etwas breitern Blättchen des Hauptkelches (I. Oetteliana Reichenb.) und, doch seltener, ohne Strahl.

Obsolet: Herba Britanicae.

Bl. gelb. Jul. — Sept. ♃.

275. *Pulicaria Gaertn.* Flöhkraut. Badkraut.

Pappus doppelt, der innere haarig, verlängert, der äussere kurz, kronenförmig, klein-gekerbt oder zerschlitzt. Sonst wie Inula. (XIX. 2.).

a. *Aeusserer Pappus zerschlitzt.*

922. *P. vulgaris Gaertn.* Gemeines F. *Blätter* länglich-lanzettlich, wellig, *mit abgerundeter Basis sitzend,* fast stengelumfassend, die jüngern so wie der Stengel zottig; Stengel rispig-ebensträussig; Köpfchen end- u. seitenständig; Strahl sehr kurz.

An Gräben u. feuchten Orten. — Bozen: nicht gemein an den Gräben u. Türkäckern bei St. Jacob (Hsm.). Am Gardasee (Poll!). —

Inula Pulicaria L.

Obsolet: Herba Pulicariae.

Bl. gelb. Jul. Aug. ☉.

b. *Aeusserer Pappus kronenförmig gekerbt.*

923. *P. dysenterica Gaertn.* Ruhr-F. *Blätter* länglich, *mit breiterer, tief-herzförmiger Basis stengelumfassend,* schwach-gezähnelt, unterseits graufilzig; Köpfchen an dem Stengel und den Aesten ebensträussig; Strahl viel länger als das Mittelfeld.

An Gräben. — Bregenz (Str!). Innsbruck: beim Mühlauer Badhaus (Schpf.). Lienz: an Wassergräben bei Lavant u. Lengberg (Rsch!). Vintschgau: bei Laas u. Goldrain (Tpp.). Bozen: an der Strasse bei St. Jacob; Pranzoll: an der alten Strasse nach Auer (Hsm.). Valsugana: bei Borgo (Ambr.). Am Gardasee: bei Riva n. Torbole (Gundlach). Judicarien: feuchte Orte bei Tione (Bon.).

Inula dysenterica L.

Obsolet: Herba et Radix Arnicae suedensis vel Conyzae mediae.

Bl. gelb. Ende Jun. — Sept. ♃.

III. Unterabtheilung. SENECIONIDEAE. Lessing. Griffel der Zwitterblüthen walzlich, Schenkel linealisch, an der Spitze pinselig u. gestutzt o. über dem Pinsel mit einem kurzen Kegel o. einem verlängerten, schmalen, rauhhaarigen Anhängsel versehen.

VI. Gruppe. **Heleniеae Cass.** Staubkölbchen ungeschwänzt; Pappus aus mehreren Spreublättchen bestehend.

276. *Galinsóga Ruiz et Pavon.* Galinsoge.

Hauptkelch halbkugelig, 5—6blättrig. Randblüthen meist 5, weiblich, zungenförmig, die des Mittelfeldes röhrig. Pappus gleichförmig, spreublättrig, so lang als die Achene, Blättchen zugespitzt, tiefgefranst. Fruchtboden kegelig, spreuig. (XIX. 2.).

924. *G. parviflora Cav.* Kleinblüthige G. Blätter herz-eiförmig, kurz-gestielt, gegenständig, seicht sägezähnig.

Aus Peru stammend, nun an mehreren Orten Deutschlands ganz verwildert. In Tirol als Unkraut auf den Feldern bei Telve, Borgo, Castelnuovo, Grigno u. Tezze in Valsugana (Ambr.).

Wiborgia Acmella. Roth.

Meist nur Fuss hoch, 3theilig; Köpfchen klein mit weissen Strahlblüthen u. gelben Scheibenblüthen. Jul. Sept. ☉.

Zur amerikanischen Gruppe: **Tagetineae Cass.:**

Tagétes Tournef. Sammetblume.

Blättchen des Hauptkelches 1reihig, in eine glockige oder walzliche, an der Spitze gezähnte Hülle verwachsen. Strahlenblüthen zungenformig, weiblich; Scheibenblüthen röhrig, zwitterig. Fruchtboden fast wabig. Achenen verlängert, an der Basis verschmälert, zusammengedrückt, 4kantig. Pappus einfach, aus ungleichen Spreublättchen bestehend, wovon einige stumpf, fast verwachsen; andere verlängert, frei u. begrannt. (XIX. 2.).

T. erecta L. Aufrechte S. Aufrecht-ästig. Hauptkelch kantig. Blüthenstiele nach oben bauchig-verdickt. Blätter tieffiederspaltig. Blüthen citronengelb, oft gefüllt, nämlich alle Blüthen zungenförmig.

Aus Mexico, häufig in unsern Gärten wie Folgende unter dem gemeinschaftlichen Namen: Studenten-Nelken oder Todtenblumen. Jun. — Octob. ☉.

T. patula L. Ausgebreitete S. Abstehend-ästig. Hauptkelch glatt. Blüthenstiele nach oben nur mässig-verdickt. Blätter tief-fiederspaltig. Bl. pomeranzengelb, gelb o. braunroth. Var.: mit gefüllten, dann mit grössern o. kleinern, doch immer um die Hälfte kleinern Köpfchen als Vorige. Aus Mexiko. Unangenehm riechend wie Vorige. Jun. — Octob. ☉.

VII. Gruppe. **Heliantheae Lessing.** Staubkölbchen ungeschwänzt, schwärzlich. Pappus fehlend, kronenartig oder grannig.

277. *Bidens L.* Zweizahn.

Hauptkelch vielblättrig, Blättchen 2reihig, die äussern abstehend. Blüthen alle zwitterig, röhrig o. die am Rande zungenförmig u. geschlechtlos. Pappus aus 2—5 mit rückwärtsgerichteten Stächelchen besetzten bleibenden Grannen bestehend. Fruchtboden flach, spreuig. Bl. gelb. (XIX. 3.).

925. *B. tripartita L.* Dreitheiliger Z. Köpfchen meist strahllos; die äussern Blättchen des Hauptkelches länger als die Köpfchen; *Blätter 3theilig* o. fiederig-5spaltig, Zipfel lanzettlich, gesägt; Achenen verkehrt-eiförmig, am Rande rückwärts-stachelig, so lang als die äussern Blättchen des Hauptkelches. —

An Gräben, Ufern u. Sümpfen. — Bregenz (Str!). Innsbruck: in den Pfützen am Wege zur Gallwiese (Hfl.). Schwaz: am Wege nach Vill (Schm!). Kitzbüchl (Trn.). Lienz (Rsch!). Brunecken, Dietenheimer Wassergräben (Hll.). Bozen: am Uebergange über die Talfer bei St. Antoni nach Gries, an der Landstrasse bei St. Jacob gegen Leifers; Ritten: östlich am Wolfsgruber See (Hsm.). Campo Trentino (Per.). Valsugana: bei Borgo (Ambr.). Am Gardasee (Clementi).

Meist ohne Strahlblüthen, aber auch nicht selten mit strahligen Köpfchen.

Obsolet: Herba Verbesinae vel Cannabis aquaticae.

Bl. gelb. Jul. — Octob. ☉.

926. *B. cernua L.* Nickender Z. Köpfchen strahllos o. strahlig, nickend; die äussern Blättchen des Hauptkelches länger als die Köpfchen; *Blätter lanzettlich,* gesägt, an der Basis etwas zusammengewachsen; Achenen verkehrt-eiförmig-keilig, am Rande rückwärts-stachelig, ungefähr so lang als die innern Blättchen des Hauptkelches.

In Gräben u. Sümpfen. — Bregenz (Str!). Innsbruck: beim Löwenhaus (Schpf.), u. in den Völser Giessen (Hfl.). Rattenberg (Wld!). Sumpfige Triften um Kitzbüchl (Trn.). Zillerthal (Hfm!). Pusterthal: bei Welsberg (Hll.), Hopfgarten, Lienz, Sillian (Schtz.), Tristacher See u. bei Amblach (Rsch!). Bozen: auf den Mösern bei Terlan und Sigmundscron; bei St. Florian nächst Neumarkt u. Salurn (Hsm.). Val di Non: Denno (Hfl!).

β. *radiata.* Mit strahligen Köpfchen. Coreopsis Bidens L. Diese Varietät um Bozen u. Innsbruck gemein (Hsm.). In Stubai: auf Weiden Vulpmes gegenüber (Hfl!). — Kleine 1köpfige, 2—3 Zoll hohe Exemplare (B. minima L.) auf moorigen Triften.

Bl. gelb. Aug. — Octob. ☉.

927. ***B. bipinnata L.*** Gefiederter Z. Köpfchen etwas strahlig; die äussern Blättchen des Hauptkelches von der Länge der innern; ***Blätter doppelt-gefiedert,*** Blättchen eingeschnitten; Achenen linealisch, nach der Spitze verschmälert, am Rande glatt, noch 1mal so lang als der Hauptkelch.

Auf Feldern u. an Wegen im südlichen Tirol. — Bozen: stellenweise in Menge z. B. an der Talfermauer bei und unter St. Antoni, unter dem Wege auf Schutt zwischen dem Hofmann u. Kellermann jenseits der Talfer; am Rittnerwege bei Waldgries u. am Stelzerecke bei Rentsch (Hsm.). Auf Schutt bei Zambana (Hfl.). Im Tridentinischen (Per.). Valsugana: auf Aeckern bei Borgo (Ambr.). Im südlichsten Tirol eine Landplage z. B. bei Mori, Roveredo etc. (Fcch!). Judicarien: auf bebautem Boden bei Saone (Bon.).

Soll aus Nordamerika stammen.

Bl. gelb. Aug. — Octob. ☉.

Helianthus L. Sonnenblume.

Blättchen des Hauptkelches dachig. Randständige Blüthen geschlechtlos, zungenförmig, die des Mittelfeldes zwitterig, röhrig. Staubkölbchen ungeschwänzt. Achenen gleichförmig. Pappus abfällig, aus 2 o. mehr Spreublättchen bestehend. Fruchtboden schwach-gewölbt, spreuig. Bl. gelb. (XIX. 3.).

H. annuus L. Gemeine S. Blätter sämmtlich herzförmig, 3nervig, gesägt; Blüthenstiele verdickt; Köpfchen nickend. ***Wurzelstock faserig.***

Aus Peru stammend. In den Gärten der Landleute gepflanzt z. B. am Ritten und um Lienz und allda sich selbst aussäend. Wird anderwärts als Oelgewächs kultivirt.

Bl. sehr gross, gelb. Jul. Sept. ☉.

H. tuberosus L. Knollige S. Blätter 3fach-nervig, gesägt, rauh, die untern herz-eiförmig, die obern länglich-eiförmig o. lanzettlich, zugespitzt, wechselständig. ***Wurzelstock knollentragend.***

Aus Brasilien stammend. Wird hie u. da z. B. bei Bozen der essbaren kartoffelartigen Wurzelknollen wegen doch selten angebaut. Sie vermehrt sich sehr schnell durch die erwähnten Knollen u. verliert sich wo einmal angepflanzt, nicht so bald mehr. (Erdbirne um Bozen).

Bl. gelb. Octob. Nov. ♃.

Zinnia L. Zinnie.

Blättchen des Hauptkelches dachig, eiförmig-rundlich, schwachberandet. Strahlenblüthen 1reihig, zungenförmig, breit verkehrteiförmig, 2—3kerbig, bleibend, weiblich, die der Scheibe röhrig, zwitterig. Fruchtboden kegelig o. walzlich, mit länglichen, gekielten, gefalteten, die Scheibenblüthen einwickelnden Spreublättchen. Achenen etwas geflügelt, zusammengedrückt, 3kantig, an der Spitze 1—2zähnig o. begrannt, seltener unbewehrt. (XIX. 2.).

Z. multiflora L. Vielblumige Z. Blüthen langgestielt; Blätter gegenständig, eiförmig-lanzettlich, sehr kurz gestielt, am Grunde schwach-herzförmig, die obern sitzend. Spreublättchen an der Spitze fast ganzrandig. Achenen pfriemenförmig, die der Scheibe 1- selten 2grannig.

Zierpflanze aus Louisiana, häufig in unsern Gärten.

Strahlbl. roth o. gelb; Scheibenbl. gelb. Jul. — Oct. ☉.

Z. elegans Jacq. Schöne Z. (Z. violacea Cav.). Blüthen langgestielt; Blätter gegenständig, sitzend, herzförmig, spitz, stengelumfassend. Spreublättchen an der Spitze gewimpert-gesägt. Achenen fast verkehrt-eiförmig, die der Scheibe an der Spitze 2zähnig.

Zierpflanze aus Mexiko, häufig in unsern Gärten.

Scheibenblüthen gelb, die des Strahles violett, lila oder verschieden roth. Jul. — Octob. ☉.

Calliopsis Reichenb.

Blättchen des Hauptkelches 2reihig, die äussern schuppenförmig, kurz, abstehend, die innern aufrecht, mehr o. weniger verwachsen. Strahlbl. 1reihig, zungenförmig, geschlechtlos, an der Spitze grob-3—5zähnig. Scheibenbl. röhrig, zwitterig. Fruchtboden flach, mit linealischen abfälligen Spreublättchen. Achenen gekrümmt, gestutzt, kahl. Pappus fehlt. (XIX. 3.).

C. tinctoria Reichenb. Blutstropfen. (C. bicolor Reichenb.). Kahl. Wurzelblätter einfach- o. doppelt-gefiedert, die obern 3theilig-vielspaltig, Zipfel ganzrandig, linealisch.

Zierpflanze aus Nordamerika. Häufig in unsern Gärten und daselbst wie verwildert.

Strahlbl. gelb, an der Basis braunroth. Jun. Sept. ☉.

Spilanthes Jacq.

Blättchen des Hauptkelches 2reihig, kürzer als die Scheibe, angedrückt, die äussern etwas blattig, die innern gefaltet, fast häutig. Strahlenblüthen zungenförmig, weiblich, Scheibenblüthen röhrig, zwitterig; oder alle Blüthen röhrig, zwitterig. Fruchtboden konvex o. kegelig, mit gefalteten Spreublättchen. Achenen ungeschnäbelt, die der Scheibe zusammengedrückt, an den Seiten gewimpert, grannenlos, die der Strahlenblüthen (wo solche vorhanden) mit 2 haarförmigen Grannen. (XIX. 1.).

Sp. oleraceus Jacq. Zahnwehblümchen. Jährig. Ausgebreitet-ästig. Blätter gegenständig, ei- fast herzförmig. Alle Bl. röhrig, zwitterig, Achenen alle gleichförmig, zusammengedrückt, grannenlos.

Aus dem südlichen Amerika. Ein sehr unansehnliches, höchstens Fuss hohes, mit schmutzig-purpurner Farbe übergossenes, brennend-salzig-schmeckendes, Speichel ziehendes Kraut, daher die eiförmigen fast konischen getrockneten Blüthenköpfchen bei Zahnweh angewendet, u. in unsern Gärten hie u. da angepflanzt gefunden werden. Jul. Sept. ☉.

Ximenesia Cavan. Ximenesie.

Blättchen des Hauptkelches 2reihig, abstehend, die Blüthenscheibe überragend, blattig, schmal und spitz. Strahlenblüthen 1reihig, zungenförmig, weiblich; Scheibenbl. röhrig, zwitterig. Fruchtboden gewölbt, mit lanzettlichen häutigen fruchtumfassenden Spreublättchen. Achenen verschiedenförmig, die des Strahles verkehrt-eiförmig, fast 4kantig, grubig; die der Scheibe flachgedrücht, geflügelt, an der Spitze tief-ausgerandet, zweigrannig, etwas haarig u. am Flügelrande gewimpert. (XIX. 2.).

X. encelioides Cav. Gemeine X. Blätter gegenständig, eiförmig, gesägt, am Grunde mit stengelumfassenden Oehrchen.

Zierpflanze aus Mexiko. In Gärten. Blüthen gelb, Strahlblümchen verkehrt-eiförmig, mit 3 groben Zähnen an der Spitze. Jul. — Octob. ⊙.

VIII. Gruppe. **Gnaphalieae**. Staubkölbchen geschwänzt.

278. *Carpesium L.* Kragenblume.

Blättchen des Hauptkelches dachig. Blüthen alle röhrig, 5zähnig, die randständigen weiblich, mehrreihig, schmäler, die des Mittelfeldes zwitterig. Staubkölbchen geschwänzt. Achenen nach oben zu in einen Schnabel verschmälert. Pappus fehlt. Fruchtboden nackt. Bl. gelb. (XIX. 2.).

928. *C. cernuum L.* Ueberhangende K. Köpfchen einzeln, endständig, überhängend.

In Auen u. schattigen waldigen Orten der Ebene u. Mittelgebirge im südlichen Tirol. — Bozen gemein: in den Gebüschen an der Landstrasse vor Blumau (Gundlach), in der Rodlerau, in den Etschauen bei Sigmundscron, im Leuchtenburger Walde bei Kaltern etc. (Hsm.). Valsugana: auf Aeckern bei Borgo (Ambr.). Im untern Valsugana u. bei Arco selten (Fcch.). Am Gardasee (Clementi).

Bl. gelb. Blätter breit-lanzettlich. Jul. Aug. ⊙.

279. *Filágo L.* Fadenkraut. Schimmelkraut.

Hauptkelch 5kantig, Blättchen dachig. Blüthen des Mittelfeldes zwitterig, röhrig, 4zähnig, fruchtbar; die randständigen weiblich, fädlich, an der Spitze gezähnelt, mehrreihig, die äusserste Reihe o. mehrere zwischen die Blättchen des Hauptkelches u. die Spreublätter gestellt. Achenen ungeschnäbelt. Pappus haarförmig, abfällig, an den Achenen der äussersten oder mehrerer Reihen fehlend. Achenen stielrund. (XIX 2.).

929. *F. germanica L.* Deutsches F. Filzig-wollig; der Stengel gabelspaltig; Blätter lanzettlich; Köpfchen geknäuelt; Knäuelchen gabel- u. endständig; ***Blättchen des Hauptkelches haarspitzig,*** Haarspitze kahl.

An Wegen, Rainen u. trockenen grasigen Hügeln. — Pusterthal: Lienz u. an Zäunen bei Grafendorf (Rsch!). Bozen: am Wege von Heilig-Grab nach Virgel; gemein am Ritten am

Wege von Kleinstein bis ober Unterinn, dann beim Siffianer-Kreuz (Hsm.). Valsugana: an Ackerrändern bei Borgo (Ambr.). Am Gardasee (Clementi).

Blattfilz gelb-graulich, Haarspitzen des Hauptkelches meist röthlich, o. Blattfilz weiss u. Haarspitzen meist gelblich-weiss: F. pyramidata Gaud. u. der deutschen Aut. nicht L. F. germanica β. pyramidata De C. Um Bozen u. am Ritten kommen beide Formen vor.

Bl. gelblich-weiss. Ende Jun. Jul. ☉.

930. ***F. arvensis L.*** Acker-F. Dicht-wollig; ***Stengel rispig; Aeste aufrecht, beinahe einfach, fast ährig;*** Knäuelchen seiten- u. ährenständig; Blätter lanzettlich; Blättchen des Hauptkelches stumpflich, wollig, an der Spitze zuletzt kahl.

In Weinbergen, auf Hügeln, Rainen u. Abhängen. — Bregenz (Str!). Oetzthal: bei Lengenfeld; Innsbruck: Weg von Rothenbrunn nach Sellrain, bei Ellbögen, dann bei Neustift in Stubai (Hfl.). Welsberg (Hll.). Lienz (Rsch! Schtz.). Brixen (Hfm.). Vintschgau: bei Laas (Tpp.). Gemein um Bozen: z. B. Heilig-Grab südlich, Hertenberg, im Fagen bei Gries etc.; am Rittner Wege gemein bis Klobenstein u. Siffian (Hsm.). Eppan und Girlan (Hfl.). Valsugana: an Mauern und Sandplätzen bei Borgo (Ambr.). Im Fersinathale bei Trient (Per!). Judicarien: in Rendena (Bon.).

F. arvensis u. montana L. F. montana Wahlenb.

Obsolet: Herba Filaginis vel Impiae.

Bl. gelblich-weiss. Jun. Aug. ☉.

931. ***F. minima Fries.*** Kleinstes F. Filzig, etwas wollig; der ***Stengel ästig; Aeste gabelspaltig;*** Knäuelchen gabel- seiten- u. endständig, länger als die Blätter; Blätter linealisch-lanzettlich, aufrecht u. angedrückt; ***Blättchen des Hauptkelches ziemlich stumpf, an der Spitze kahl.***

Ungebaute Orte, Hügel u. Abhänge im südlichen Tirol. — Bozen: stellenweise in Menge u. meist mit Voriger z. B. am Sigmundscroner Schlossberg gegen Frangart, Weg nach Rafenstein, Hertenberg etc.; Ritten: am Wege von Kleinstein bis Unterinn (Hsm.). Eppan: in der Gant (Hfl.). Valsugana: sandige Orte bei Telve (Ambr.).

Bl. gelblich-weiss. Ende Mai, Jul. ☉.

280. ***Gnaphalium L.*** Ruhrkraut.

Hauptkelch halbkugelig o. stielrund; Blättchen dachig, trockenhäutig. Blüthen des Mittelfeldes zwitterig, röhrig, 5zähnig, fruchtbar; die des Randes weiblich, fädlich, an der Spitze gezähnelt, mehrreihig; o. Köpfchen 2häusig, die zwitterigen fehlschlagend. Haare des Pappus fädlich o. nach oben zu nur wenig verdickt o. an den Zwitterblüthen keulenförmig. Fruchtboden nackt. (XIX. 2.).

I. Rotte. ***Gnaphalion.*** Köpfchen 1häusig. Blüthen des Randes weiblich, die des Mittelfeldes zwitterig. Pappus aller fädlich o. an der Spitze nur wenig verdickt.

932. ***G. sylvaticum L.*** Wald-R. ***Stengel einfach,*** ruthenförmig, ***ährig;*** Wurzelblätter lanzettlich, ***Stengelblätter allmählig kleiner,*** die obern linealisch, sämmtlich spitz, nach der Basis verschmälert, unterseits weiss-filzig, oberseits zuletzt kahl werdend; ***die äussersten Blättchen des Hauptkelches 3mal kürzer als das Köpfchen.***

Auf Heiden und lichten Waldplätzen bis an die Alpen. — Vorarlberg: Weisse Wand in Montafon (Cst!). Bregenz (Str!). Innsbruck: bei Ellbögen u. am Pastberg (Hfl.). Stubai (Eschl.). Trockene Wälder um Kitzbüchl (Trn.). Schmirn (Hfm!). Welsberg (Hll.); Innervilgraten, Hopfgarten u. Lienz (Schtz.); Lienz: hinter dem Rauchkogel, ober Grafendorf, im Lavanter- u. Tristacher Walde (Rsch!). Rittneralpe bei 5500′ am sogenannten krummen Lärche südwestlich an der Quelle; am Wege von Durnholz nach Reinswald im Sarnthale selten; auf der Mendel (Hsm.). Valsugana (Ambr.). Roveredo: auf trockenen Gebirgswiesen n. auf Hügeln im Gebüsche (Crist.). Judicarien: Wälder bei Tione (Bon.).

Gn. rectum Sm.

Bl. gelblich-weiss Jul. Aug. ♃.

933. ***G. norvegicum Gunner.*** Norwegisches R. ***Stengel*** einfach, ruthenförmig, ***ährig; die Blätter lanzettlich, 3nervig, oberseits dünn- unterseits dicht-filzig, in einen kurzen Blattstiel allmählig verschmälert,*** die mittlern stengelständigen zugespitzt-stachelspitzig, von der Länge der untern o. länger; ***die äussern Blättchen des Hauptkelches 3mal kürzer als das Köpfchen.***

Alpen u. Voralpen. — Vorarlberg: am Freschen u. weisse Wand in Montafon (Cst!). Mädelealpe im Holzgau u. Gaishorn bei Tannheim (Dobel!). Innsbruck: am Glunggezer u. Patscherkofel (Friese), am Pastberg u. im Voldererthal (Hfl.). Kellerjoch (Hrg!), Kelleralpe u. Schwaderalpe (Schm.). Zillerthal: am Hainzenberg (Gbh.). Alpen u. hohe Bergmähder um Kitzbüchl, z. B. Alpe Blaufeld 4—6000′ (Trn.). Pusterthal: Bergeralpe in Kals, Ochsenalpe in Pregratten (Hrnsch!), Kerschbanmer- u. Lavanteralpe bei Lienz (Rsch! Ortner), Innervilgraten, Teferegges, Hofalpe u. Gössnitz (Schtz.). Joch Lattemar nächst Bozen (Hsm.). Wälder der Alpen in Südtirol (Fcch.). Monte Gazza bei Trient (Merlo). Valsuganer Gebirge (Ambr.). Judicarien: Alpe Lenzada (Bon.).

Gn. sylvaticum β. fuscatum Wahlenb. De C.

Blätter oberseits manchmal auch fast kahl.

Bl. gelblich-weiss. Jul. Aug. ♃.

934. ***G. Hoppeanum Koch.*** Hoppe's R. Stengel einfach, aufrecht, an der Spitze ährig; ***Blätter lanzettlich, an der Basis undeutlich 3nervig, beiderseits dicht-filzig, die***

mittleren stengelständigen spitz in einen Blattstiel fast von der Länge des Blattes verschmälert, *so lang o. länger als die untern;* die äussern Blättchen des Hauptkelches 3mal kürzer als das Köpfchen.

Alpen u. Voralpen. — Schlern bei Bozen, doch seltener als Folgende (Hsm.). Heilig-Bluter Taurn (Pacher).

Gn. supinum Hoppe.

Bl. gelblich-weiss. Jul. Aug. ♃.

935. ***G. supinum L.*** Kleines R. *Stengel einfach, fast fädlich;* Stämmchen kriechend, dicht-rasig; Blätter sämmtlich schmal-lanzettlich u. linealisch, wollig-filzig; *Köpfchen kurzährig o. fast traubig o. einzeln an der Spitze des Stengels;* die äussersten *Blättchen des Hauptkelches länger als die Hälfte des Köpfchens.*

Felsige spärlich beraste Orte der Alpen. — Auf allen Alpen Vorarlbergs (Cst!), auf der Mittagspitze (Str!). Innsbruck: auf dem Brandjoch u. Rosskogel; in Lisens; auf dem Kellerjoch bei Schwaz (Hfl.). Zillerthaleralpen (Gbh.). Alpen um Kitzbüchl über 5000′ (Trn.). Pusterthal: Alpen bei Lienz, Hofalpe u. Gössnitz; Innervilgraten (Schtz.), Alpen bei Welsberg (Hll.). Hegedexspitze (Hfm!). Passeyer und auf dem Schlern (Eschl.). Zielalpe bei Meran (Elsm!). Ifinger; Schlern u. Seiseralpe; Rittner Horn, in Menge von der Quelle bis zur Spitze (Hsm.). Valsuganer Alpen; Fleims u. Cadino (Ambr.). Am Portole (Montini). Judicarien: Alpe Lenzada (Bon.).

G. pusillum Haenke. Einblüthige Exemplare sind G. pusillum Willd. —

Bl. gelblich-weiss. Jul. Aug. ♃.

936. ***G. uliginosum L.*** Sumpf-R. Der Stengel von der Basis an ästig, ausgebreitet; Blätter lanzettlich-linealisch, nach der Basis verschmälert, graulich; *Köpfchen knäuelig-gehäuft, beblättert.* —

An feuchten Orten, an Wegen, Gräben, auch an Ackerrändern. — Bregènz (Str!). Innsbruck (Prantner). An der Strasse bei Ellbögen (Hfl!); am Lanbach bei Schwaz (Schm.). Kitzbüchl: z. B. im Bichlach (Trn.). Welsberg (Hll.). Lienz (Schtz.). Gemein am Ritten z. B. am Wolfsgruber See, am Ackerrande bei Oberkematen, am Weg von Klobenstein nach Kematen und Lengmoos etc. (Hsm.). Roveredo (Poll!).

Achenen glatt. Aendert ab:

β. pilulare. Achenen kurz-weichstachelig. G. pilulare Wahlenb. — Am Ritten mit der Species, aber viel gemeiner (Hsm.). Kitzbüchl (Trn.).

Bl. gelblich-weiss. Jun. Aug. ⊙.

937. ***G. luteo-album L.*** Gelblichweisses R. Stengel einfach o. an der Spitze ästig-ebensträussig; *Köpfchen geknäuelt, blattlos;* Blätter lanzettlich, beiderseits wollig-flaumig, halbstengelumfassend, die untern vorne breiter, stumpf, die obern nach der Spitze verschmälert.

An Gräben, Mauern u. Wegen. — Vorarlberg: im Ried zwischen Höchst und Dornbirn (Cst!). Trockene Anhöhen um Brixen (Hfm.). Vintschgau: bei Castelbell (Hfl.). Bozen: an den Gräben am Wege von Morizing zu den Türkäckern, bei Terlan am Graben gegen die Brücke; Ritten: an der Mauer links gleich ober Kleinstein, dann unter St. Sebastian (Hsm.). Ueberetsch: am Montickler See (Hfl.). Trient: an der Strasse gegen Civezzano (Hsm.). Roveredo: an hügeligen felsigen Orten (Crist.). Am Gardasee (Clementi).

Hauptkelch gelblich-silberfarben. Bl. schmutzig-gelb oder trüb-röthlich. Jun. Jul. ⨀.

II. Rotte. ***Leontopodium.*** Köpfchen 1häusig, Bluthen des Randes weiblich mit fädlichem Pappus; die des Mittelfeldes zwitterig mit an der Spitze verdicktem Pappus.

938. ***G. Leontopodium Scop.*** Gestrahltes R. Edelweiss. Stengel ganz einfach; Köpfchen endständig, ebensträussig-gehäuft; ***Ebenstrauss strahlig durch dicht wollige Blätter, welche länger als das Köpfchen sind.***

Steinige Weiden der Alpen durch ganz Tirol. — Nicht auf den nördlichen Alpen Vorarlbergs, wohl aber auf den angränzenden Schweizeralpen (Cst!). Am Widderstein auf der Allgauer Seite (Köberlin!). Oberinnthal: am Schramkogel (Hrg!); Aggenstein bei Tannheim (Dobel!); Reinjoch u. Heiterwand bei Tarrenz (Lutt.); Alpen bei Zirl u. Telfs (Str!). Innsbruck: auf dem Solstein u. in der Klamm (Precht). Lisens, Nasswand (Prkt.). Alpeiner Schafscheide u. Ausserpfitsch (Hfl.). Felsen der Zillerthaleralpen (Gbh.). Sonnenwendjoch und Markspitze (Wld!). Geisstein bei Kitzbüchl (Trn.). Pusterthal: in Prax (Hll.); Tefereggen, Innervilgraten, Teischnitzalpe u. am grauen Käs (Schtz.); Affenthal (Iss.); Pregratten, auf der Goldspitze; Marenwalder- Lavanter- u. Leibnizeralpe bei Lienz (Rsch!). Im Thale am Wege von Sterzing nach Pfitsch in riesigen Exemplaren an Felsen (Trn!). Joch vom Burgunerthal nach Senges (Stotter!). Alpen um Brixen (Hfm.). Passeyreralpen (Per.). Vintschgau: im Laaserthale (Tpp.). Zielalpe bei Meran (Elsm!). Falgamaierjoch in Ulten (Giov!). Schlern, Seiseralpe u. Mendel bei Bozen (Hsm.). Fassaneralpen (Eschl.). Fleimseralpen (Scopoli!). Von Fassa über den Monzoni nach Agordò (Gruner!). Monte Gazza u. Bondone (Merlo. Per.). In Tesino (Ambr.). Roveretaneralpen (Crist.). Monte Castellazzo in Folgaria; am Baldo: über Aque negre (Hfl.). Auf dem Blemmone und der Scanucchia (Poll!). Judicarien: Alpe Lenzada u. Spinale (Bon.).

Filago Leontopodium L. Leontopodium alpinum Cass.

Bl. grün-gelblich. Jul. Aug. ♃.

III. Rotte. ***Antennaria Gaertn.*** Köpfchen 2häusig; die zwitterigen mit einem an der Spitze verdickten Pappus.

939. ***G. dioicum L.*** Berg-R. ***Ausläufer gestreckt, wurzelnd;*** Stengel ganz einfach; Wurzelblätter verkehrt-eiförmig-spatelig, oberseits kahl, unterseits schneeweiss-filzig;

die ***Stengelblätter sämmtlich fast gleich,*** linealisch-lanzettlich, an den Stengel angedrückt; Ebenstrauss endständig, gedrungen; Blättchen der weiblichen Hauptkelche gefärbt, stumpf, die der innersten Reihe spitz.

Auf Heiden u. lichten Waldstellen, bis in die Alpen. — Bregenz (Str!). Oberinnthal: bei Zirl u. Telfs 2—5000′ (Str!), Gunggelgrün bei Imst (Lutt!). Innsbruck: am Patscherkofel u. Glunggezer (Hfl.), beim Schloss Amras (Eschl.). Höttingeralpe, Klamm u. Pastberg (Precht). Schwaz (Schm!). Zillerthal. an der Nagler Leite bei Zell (Gbh.). Sonnige Hügel um Kitzbüchl (Trn.). Sengeseralpe bei Mauls (Stotter!). Pusterthal: Alpe Rein in Taufers (Iss.), Welsberg (Hll.), Hopfgarten und Lienz (Schtz.), Innichen (Stapf), Lienz: im Lavanterwald (Rsch!). Pfitscherjoch (Hfl!). Vintschgau: bei Laas (Tpp.). Meran: bei Partschins (Iss.), bei Josephsberg (Kraft). Bozen: am Wege nach Runkelstein u. Kapenn; gemein um Klobenstein am Ritten, Rittner- u. Villandereralpe bis an die Spitze der Sarnerscharte; Seiseralpe; Ifinger bei Meran (Hsm.). Kankofel auf der Mendel (Hfl.). Monte Gazza u. Bondone bei Trient (Merlo. Per!). Pinè (Per!). Roveredo (Crist.). Gebirgstriften bei Borgo (Ambr.). Judicarien: Alpe Cengledino und bei Campiglio in Rendena (Bon.). Monte Baldo (Hfl!).

Antennaria dioica Gaertn. De C.

Obsolet: Flores Gnaphalii vel Pedis Cati.

Kauptkelch u. Bl. rosenroth o. weiss. Mai, Jul. ♃.

940. ***G. carpaticum Wahlenb.*** Alpen-R. Ausläufer fehlend; Wurzel mehrköpfig mit aufrechten Köpfen; ***Stengel ganz einfach; Blätter lanzettlich,*** an der Basis verschmälert, beiderseits wollig, 3nervig, spitz, die ersten wurzelständigen stumpf, die stengelständigen allmählig an Grösse abnehmend; Ebenstrauss endständig, gedrungen; Blättchen des Hauptkelches spatelig, trockenhäutig, die innern zugespitzt.

Felsige Grasplätze der höhern Alpen. — Unterinnthal: im Fatscherthale (Hfl.); Kellerjoch (Hrg!), Alpe Blaufeld u. Geisstein bei Kitzbüchl über 6000′ (Trn. Str!). Am Jufen allda (Unger!). Pusterthal: Neunerspitze bei Welsberg (Hll.), Kerschbaumeralpe (Bentham), in Kals (Rsch!). Vintschgau: Alpen bei Laas (Tpp.). Zielalpe bei Meran (Elsm.). Schlern und Sarnerscharte (Hsm.). Rondone bei Trient u. am Gletscher in Genova (Per.). Auf dem höchsten Joche des Baldo (Poll!).

Antennaria carpatica Bluff et Fing. G. alpinum Willd. G. alpinum Pollini.

Hauptkelch olivenbraun, Bl. weisslich. Jul. Aug. ♃.

Helichrysum Gaertn. Strohblume. Sonnengold.

Blüthen des Randes weiblich, wenige, 1reihig, die übrigen zwitterig. Sonst Alles wie bei Gnaphalium. (XIX. 2.).

H. orientale Tourn. Gnaphalium orientale Willd. Weissfilzig. Blätter linealisch-lanzettlich, die stengelständigen spitz;

Köpfchen büschelig-ebensträussig, einen halben Zoll im Durchmesser, schwefel- o. goldgelb. Gemeine Topfpflanze aus dem Oriente, bekannt unter dem Namen: Ewigkeitsblümchen, auch Imortelle. ♃.

H. bracteatum (Xeranthemum) Vent. H. Chrysanthum Pers. H. lucidum Spreng. Blätter lanzettlich, an beiden Enden zugespitzt, schärflich. Die äussern Blättchen des Hauptkelches kurz, rundlich, abstehend, meist röthlich- oder bräunlich-gelb, die mittleren verlängert, schön goldgelb (seltener weiss, die innersten zugespitzt. Köpfchen einzeln, ziemlich gross (1 Zoll im Durchmesser). Zierpflanze unserer Gärten u. daselbst sich selbst aussäend. ⨀.

H. arenarium De C., von ältern Autoren in Tirol angegeben, scheint auf Verwechslung (mit Gnaphalium luteo-album?) zu beruhen, wenigstens ist diess mit dem Standorte Civezzano der Fall. —

IX. Gruppe. **Anthemideae.** Staubkölbchen gelb, ungeschwänzt. Pappus fehlend o. kronenförmig.

281. *Artemisia L.* Beifuss.

Hauptkelch eiförmig o. kugelig, Blättchen dachig. Blüthen des Mittelfeldes zwitterig, 5zähnig, die des Randes einreihig, fädlich, weiblich; o. alle zwitterig. Achenen verkehrt-eiförmig, flügellos, mit einer kleinen Scheibe an der Spitze. Fruchtboden nackt o. zottig. (Die meisten Arten der Gattung variiren mit um die Hälfte kleinern Blüthenköpfchen). (XIX. 2.).

I. Rotte. *Absinthium Tournef.* Randblüthen weiblich. Fruchtboden zottig.

941. *A. Absinthium L.* Bitterer B. Wermuth. Stengel aufrecht, rispig; ***Blätter grau, die wurzelständigen 3fach- die stengelständigen doppelt-fiederspaltig oder einfach-fiederspaltig, Zipfelchen lanzettlich, stumpf;*** die blüthenständigen Blätter ungetheilt; ***Blattstiele öhrchenlos;*** Köpfchen fast kugelig, nickend; Blättchen des Hauptkelches grau, die innern sehr stumpf, am Rande trockenhäutig, die äussern linealisch, nur an der Spitze trockenhäutig, so lang als die innern; ***Fruchtboden rauhhaarig.***

An Abhängen, Rainen u. Ackerrändern. — Vorarlberg: am Pfannenberg bei Bregenz (Str!), und allda am Gebhardsberg (Cst!). Stubai (Hfm!), allda bei Neustift (Schneller). Patsch u. Ellbögen (Hfl!). Pusterthal: bei Welsberg (Hll.), Hopfgarten (Schtz.), Lienz: bei Dölsach u. Nussdorf (Rsch!). Vintschgau: bei Laas (Tpp.), u. in Schnals (Hfl.). Meran (Iss.). Sterzing (Hfl!). Gemein um Bozen: z. B. in Haslach u. an der Strasse gegen Siebenaich; an allen Wegen u. Hügeln um Klobenstein am Ritten; Salurn: an einem Abhange gegen Kerschbaum (Hsm.). Welschnofen nächst Bozen (Eschl.), u. Seit (Gredler). In Menge im Fersinathale bei Trient (Per!). Valsugana: in

Weinbergen bei Borgo (Ambr.). An Wegen im untern Val di Sol (Bon.).

Officinell: Herba seu summitates Absinthii.

Bl. gelb. Ende Jun. Aug. ♃.

942. ***A. camphorata Vill.*** Kampher-B. Die unfruchtbaren Stengel liegend, die blüthentragenden aufstrebend, oberwärts traubig-rispig; Rispe schmal, ruthenförmig; ***Blätter*** filzig-grau oder etwas grau oder kahl, ***im Umrisse rundlich-eiförmig, doppelt-gefiedert,*** mit schmal-linealischen Zipfeln, ***sämmtlich gestielt, an der Basis des Blattstieles geöhrelt,*** die obern einfach-gefiedert, die blüthenständigen ganz; ***Köpfchen fast kugelig,*** nickend; Blättchen des Hauptkelches grau, die innern sehr stumpf, am Rande trockenhäutig, die äussern linealisch, krautig; Fruchtboden von gekräuselten Haaren etwas zottig.

An Hügeln, Wegen u. Abhängen im südlichen Tirol. — Bozen: am alten Oberbozner Wege ober Prazöll, unter Ceslar und in Menge auf der sogenannten Sandner Gemeinde (öder Grund am Wege von St. Jacob im Sand nach Rafenstein); Margreid; Trient: am Wege nach Civezzano (Hsm.). Val di Sol (Tpp.), Val di Non: bei Castell Brughier (Hfl.). Trient (Per.); Zambana; Castell Beseno (Hfl.). Roveredo (Crist.). Torbole (Gundlach). Im Bezirke von Riva bei Tenno u. Roncone (Bon.).

Der Ueberzug der Pflanze ist an demselben Orte sehr veränderlich. — Stark uach Kampher riechend.

Bl. gelb. Aug. — Octob. ♃.

943. ***A. lanata Willd.*** Piemontesischer B. (Edelraute). Die unfruchtbaren ***Stengel*** rasig, die ***blüthentragenden*** aufstrebend, ***einfach; Blätter grau-seidenhaarig,*** die untern gestielt, 3theilig-vielspaltig, mit linealisch-lanzettlichen Zipfelchen, ***die obern u. blüthenständigen sitzend, fiederspaltig; Köpfchen fast kugelig, traubig, sämmtlich gestielt u. nickend, meist 24blüthig;*** Blättchen des Hauptkelches filzig, am Rande trockenhäutig, eiförmig.

Felsige Orte der Kalkalpen im südlichen Tirol. — Pusterthal: in Prax (Hll.). Spitze des Kankofels ober Eppan u. auf dem höchsten Kopfe der Mendel ober Matschatsch (Hfl.). Schlern, Seiseralpe und Mendel (Hsm.). Seiseralpe: an den der Mahlknechtshütte gegenübergelegenen Felsen (Elsm!). Fassaneralpen: an vielen Orten, ungefähr an der obersten Baumgränze, aber auch viel niedriger (Fcch!). Fassa (Ambr.). Judicarien: Val maggior der Alpe Lenzada (Bon.).

A. pedemontana Balb.

Bl. gelb. Stengel (wiewohl selten) auch ästig, so an tiefergelegenen fetten Orten der Mendel (Hsm.). Jul. Aug. ♃.

A. glacialis L. Gletscher-B. Unfruchtbare ***Stengel*** rasig, die ***blüthentragenden*** aufstrebend, ***ganz einfach; Blätter grau-seidenhaarig,*** gestielt, die untern 3theilig-vielspaltig, mit linealisch-lanzettlichen Zipfelchen; ***die obern u. blü-***

thenständigen Blätter fast fingerig-fiederspaltig, an der Basis des Blattstieles oft geöhrelt; *Köpfchen* rundlich, *aufrecht,* etwas geknäuelt-ährig, *30—40blüthig;* Blättchen des Hauptkelches filzig, am Rande trockenhäutig, die äussern eiförmig; *Fruchtboden rauhhaarig.*

Auf den höchsten Alpen an der Schneegränze. — Im Innthal innerhalb der Schweiz (Koch syn.)! Im untern Engadein (Moritzi!). Zillerthal: auf dem Greiner (Hacquet!), auf der Elsalpe (Flörke!). Schleiniz- und Marenwalderalpe bei Lienz (Rsch!). Schleiniz (Hohenwarth!). Fassa u. Valsugana (Poll!). Am Glockner östlich (Lösche!). Am Glockner fand David Pacher, Kaplan in Sagritz bisher nur Folgende. (Vergleiche ferner Flora 1836 pag. 144).

Die 3—6 um die Hälfte grössern Köpfchen zu einem endständigen Knäuel zusammengestellt, sonst wie Folgende. Ob die echte A. glacialis L. wirklich in Tirol vorkomme, ist zweifelhaft geworden, sie scheint mit A. glacialis Wulf. verwechselt zu werden.

Bl. schön gelb. Jul. Aug. ♃.

844. *A. mutellina Vill.* Kleiner B. Edelraute. Die unfruchtbaren *Stengel* rasig, die *blüthentragenden* aufstrebend, *ganz einfach; Blätter grau-seidenhaarig,* gestielt, die untern 3theilig-vielspaltig, mit linealisch-lanzettlichen Zipfeln, *die obern u. blüthenständigen fast fingerig-fiederspaltig,* an der Basis des Blattstieles oft geöhrelt; *Köpfchen* rundlich-kreiselförmig, *aufrecht,* traubig-ährig, meist 15blüthig; Blättchen des Hauptkelches filzig, länglich, am Rande trockenhäutig; *Fruchtboden zottig.*

An felsigen steinigen Orten der höhern Alpen. — Oberinnthal: Alpen bei Ladis (Gundlach), in Pizthal (Lutt.), am Sellrainer Ferner (Str!). Innsbruck: Ellbogneralpe (Hfl.), Hornthal in Lisens (Prkt.), am Thalferner in Stubai (Eschl.). Zillerthaleralpen (Gbh.). Kitzbüchl: am Geisstein über 6000′ (Trn.). Pusterthal: Tefereggen, Hofalpe u. Gössnitz (Schtz.), Schleinizeralpe bei Lienz (Ortner), Heilig-Geistalpe gegen den Krimmler Tanrn (Iss.); am Glockner an der Schneegränze (Ruprecht). Am Glockner (Sieber, als A. glacialis Jacq.). Vintschgau: Laaseralpe am Zefall*) in Martell (Tpp.). Zielalpe bei Meran (Elsm.). Ultneralpen (Franz Mayer). Höchste Alpen in Valsugana (Cristofori bei Pollini)! Am Montalon (Ambr.).

A. glacialis Wulf. in Jacq. collect.

Bl. gelb. Jul. Aug. ♃.

II. Rotte. *Abrótanum Tournef.* Randblüthen weiblich. Fruchtboden nackt.

---

*) Zefall (Zerfall?), Zefried: so schreibe ich, u. nicht Zufall, Zufried, wie man in Büchern u. auf Karten findet, denn so nennt nach Dr. Tappeiner der Eingeborne diese Berge u. Gletscher.

945. *A. spicata Wulf.* Aehriger B. (Edelraute). Die unfruchtbaren *Stengel* rasig, die *blüthentragenden* aufstrebend, *ganz einfach; Blätter* grau-seidenhaarig, gestielt, die untern fingerig-vielspaltig, mit linealisch-lanzettlichen Zipfelchen, die *stengelständigen im Umrisse länglich, fiederspaltig, an der Basis öhrchenlos, die obersten u. blüthenständigen ganz o. an der Spitze 3zähnig;* Köpfchen fast kugelig, aufrecht, traubig-ährig; Blättchen des Hauptkelches filzig, am Bande trockenhäutig; *Fruchtboden kahl.*

An Felsen u. steinigen Triften der höhern Alpen. — Schmirn (Hfm.). Am Geisstein bei Kitzbüchl (Trn.). Pusterthal: im Affenthale (Fcch.); am Kalsertaurn, Dorferalpe in Pregratten, Marenwalderalpe bei Lienz (Rsch!), Teischnizalpe u. am grauen Käs (Schtz.). Am Grossglockner (Pacher). Vintschgau: im Suldnerthal u. am Zefall in Martell (Tpp.). Zielalpe bei Meran (Elsm!). Schlern u. Mendel bei Bozen (Hsm.). Passeyreralpen (Per!). Spinale (Sternberg!). Valsugana: Alpe Sette Laghi (Ambr.). Judicarien: Val di Breguzzo (Bon.), u. auf der Genova in Rendena (Per!). Juli. Aug. ♃.

A. Abrotanum L. Stabwurz-B. Stengel strauchig, aufrecht, rispig; *Blätter* unterseits flaumig, sämmtlich gestielt, *an der Basis des Blattstieles öhrchenlos, die untern doppelt-gefiedert, mit sehr schmal-linealischen Zipfeln,* die obern u. blüthenständigen 3spaltig o. ganz, verlängert-linealisch; *Köpfchen graulich, fast kugelig, nickend;* die innern Blättchen des Hauptkelckes verkehrt-eiformig, am Rande trockenhäutig, die äussern lanzettlich, spitz, fast krautig.

Iu Tirol (Laicharding)! Am Gardasee (Eschl!). Vielleicht nur Gartenflüchtling? Wild sonst nirgends in Deutschland.

Officinell: Herba Abrotani. Aug. Sept. ♃.

946. *A. campestris L.* Feld-B. *Die unfruchtbaren Stengel rasig,* die bluthentragenden aufstrebend, rispig; *Blätter seidenhaarig-grau o. kahl,* im Umrisse rundlich-eiförmig, doppelt-3fach-gefiedert, mit linealischen stachelspitzigen Zipfelchen, *die untern stengelständigen am Blattstiel geöhrelt o. fiederspaltig-gezähnt,* die obern sitzend, einfach-fiederspaltig, die obern bluthenständigen ungetheilt; *Köpfchen eiförmig, kahl,* aufrecht o. nickend; Blättchen des Hauptkelches eiförmig, am Bande trockenhäutig, die äussern kürzer, die innersten eiförmig-länglich.

An Rainen, Mauern u. sonnigen felsigen Hügeln bis an die Voralpen. — Oetzthal (Hfl.). Innsbruck: bei Weiherburg, in der Sillschlucht und ober dem Mühlauer Zollhause (Karpe. Hfl. Schpf.). Stubai: bei Mieders (Schneller). Pusterthal: bei Welsberg (Hll.), um Lienz (Rsch!). Eppan; Val di Non: an der Novellamündung (Hfl.). Gemein um Bozen: an der Talfermauer gegen St. Antoni; Ritten: an Felsen bei Klobenstein doch selten (Hsm.). Bei Lana nächst Meran (Tpp.). Valsugana: bei

Borgo (Ambr.). Hügel um Trient (Pèr!). Roveredo (Crist.). Judicarien: an den Strassen bei Tione (Bon.).
Bl. gelb. Jul. Aug. ♃.

947. *A. nana Gaud.* Niedriger B. *Die nicht blühenden Stengel rasig,* die blüthentragenden aufstrebend, rispigtraubig; *Blätter seidig-grau* o. fast kahl, im Umrisse rundlich-eiförmig, doppelt-fiederspaltig, mit linealisch-stachelspitzigen Zipfeln; *die untern stengelständigen am Blattstiele geöhrelt o. fiederspaltig-gezähnt,* die obern sitzend, einfach-fiederspaltig, die obern blüthenständigen ungetheilt; *die Köpfchen kugelig, kahl,* aufrecht o. geneigt; die Blättchen des Hauptkelches eiförmig, am Rande trockenhäutig, die äussern kürzer.

Vintschgaueralpen gegen die Schweiz u. im Schnalserthal in Felsritzen am Eishofe 6—7000′ (Tpp.). Im benachbarten Pinzgau (Sauter bei Reichenb.)! Pusterthal: Lienzeralpen, Teischnizalpe u. am grauen Käs, dann Alpe Ködnitz in Kals (Schtz.).

A. helvetica Schleich. — Der vorigen sehr ähnlich, in allen Theilen mit Ausnahme der Köpfchen kleiner; Blätter ändern ab wie bei Voriger: fast kahl o. seidenhaarig-graulich.
Bl. gelb. Jul. Aug. ♃.

948. *A. vulgaris L.* Gemeiner B. Die Stengel aufrecht, rispig; *Blätter* unterseits weiss-filzig, *fiederspaltig, Fieder lanzettlich, zugespitzt, eingeschnitten, gesägt oder ganz;* die stengelständigen Blätter an der Basis geöhrelt, die obersten linealisch-lanzettlich, zugespitzt; Köpfchen eiförmig o. länglich, nickend o. aufrecht, fast sitzend, filzig.

An Wegen, Hecken u. Gräben im Thale, seltener auf Gebirgen. — Innsbruck (Schpf.), allda bei Egerdach (Prkt.). Schmirn (Hfm.). Sterzing (Hfl!). Hopfgarten in Pusterthal (Schtz.), um Lienz (Rsch!), Brunecken (M. v. Kern!). Gemein um Bozen z. B. im Talferbette, bei Haslach etc.; auf dem Ritten an einem Ackerrande auf dem Ameiser u. nordwestlich am Astnerhofe bei Klobenstein; Pranzoll, Margreid (Hsm.). Val di Non: bei Castell Brughier (Hfl!). Trient (Hfl.). Borgo (Ambr.). Am Gardasee (Iss.). Judicarien: an den Zäunen längs der Strassen bei Tione (Bon.).

Officinell: Radix, Herba et Flores Artemisiae rubrae et albae.
Bl. gelb. Jul. Sept. ♃.

282. *Tanacetum L.* Rainfarn.

Hauptkelch halbkugelig, Blättchen dachig. Blüthen des Mittelfeldes zwitterig, röhrig, 5zähnig, stielrund; die des Randes fädlich, 3zähnig; o. alle zwitterig. Achenen kantig-gestreift, mit einer Scheibe an der Spitze von der Breite der Achene. Pappus fehlend o. klein, kronenförmig. Fruchtboden nackt, gewölbt. (XIX. 2.).

949. *T. vulgare L.* Gemeiner R. Wurmkraut. Blätter doppelt-fiederspaltig, Zipfel gesägt. Blüthenköpfchen in gedrängten Ebensträussen.

An Wegen, Bainen u. Ufern. — Oberinnthal: in der Imsterau (Lutt!). Innsbruck: an einer Mauer bei Patsch (Prkt.), hinter dem Schlosse Amras u. Hügel bei Egerdach (Schpf.). Unterinnthal: am Inn bei Kropfsberg (Gbh.). Pusterthal: Lienz (Schtz.), bei Innichen u. im Devantthale, in Gärten bei Lienz (Rsch!). Vintschgau: bei Laas (Tpp.). Meran: ober Vernur (Kraft). Brixen (Hfm!). Bozen: längs des Eisacks vom Kalkofen bis in die Rodlerau; Ritten: am Wege von Klobenstein nach Lengmoos am Weiher u. auf der abhängigen Wiese daneben, hinter Sallrain neben dem kleinen Weiher (Hsm.). Valsugana: gemein bei Borgo (Ambr.). Trient: im Gebüsche bei San Rocco (Per!).

β. crispum. Der krausen Blätter wegen zur Zierde in Gärten. —

Officinell: Herba, flores, summitates Tanaceti.

Bl. gelb. Wurzel kriechend. Jul. Aug. ♃.

283. ***Achilléa L.*** Schafgarbe.

Hauptkelch eiförmig o. länglich; Blättchen dachig. Blüthen des Mittelfeldes zwitterig, röhrig, 5zähnig; die des Randes zungenförmig mit rundlicher Platte, weiblich. Achene zusammengedrückt, an der Spitze nackt o. mit einem kurzen häutigen Saume. Fruchtboden spreuig. (XIX. 2.).

I. Rotte. *Ptármica Tournef.* Strahl meist 10blüthig. Züngchen so lang als der Hauptkelch.

950. ***A. Ptarmica L.*** Sumpf-S. Dorant. ***Blätter kahl, lanzettlich-linealisch,*** verschmälert-spitz, an der Basis eingeschnitten-gezähnt, ***von da an klein- u. dicht- über der Mitte tiefer- u. entfernter-gezähnt; Sägezähne*** stachelspitzig, klein-gesägt, ***ziemlich angedrückt;*** Ebenstrauss zusammengesetzt; Zungenblüthen von der Länge des Hauptkelches. —

Auf feuchten Wiesen. — Vorarlberg: um Bregenz (Str!). Zillerthal: auf der Unterseewiese (Braune!). Um Schwoich (Berndorfer!). Auf einem moosigen Boden bei Ebbs (Harasser!).

Ptarmica vulgaris De C.

Officinell: Herba et flores Ptarmicae.

Strahl weiss, Mittelfeld weisslich. Jul. Aug. ♃.

951. ***A. Clavenae L.*** Clavena's Sch. Steinraute (um Kitzbüchl). Die Wurzel- u. die untern ***Stengelblätter*** im Umrisse ***länglich-keilig, in den Blattstiel verschmälert, einfach-fiederspaltig, mit länglichen, stumpfen, ganzrandigen o. 2—3zähnigen Läppchen;*** die obern stengelständigen Blätter sitzend; der Stengel ganz einfach, oberwärts nackt; Ebenstrauss einfach o. zusammengesetzt; Zungenblüthen von der Länge des Hauptkelches.

Steinige Triften der Kalkalpen. — Zillerthal: in der Zemm u. am Greiner (Schrank!). Am Kaiser bei St. Johann (Schm.

Trn.). Pusterthal: auf den Praxeralpen (Hll.), Tristacheralpe (Ortner), Innervilgraten, am grauen Käs u. Teischnizalpe (Schtz.), Kohlalbl bei Innichen, am Kalsertaurn, Laserzer- Marenwalder- Lavanter- u. Kerschbaumeralpe bei Lienz (Rsch!). Kalkalpen um Bozen: Schlern, Seiseralpe, Mendel u. Joch Latemar (Hsm.). Monte Roèn ober Tramin (Hfl.). Zilalpe bei Meran (Elsm!). Monte Gazza bei Trient (Merlo). Bondone u. Baldo (Per.). Valsuganeralpen: z. B. Scanuppia, al Cavallara in Tesino (Ambr.). Spinale (Tpp.). Scanucchia bei Roveredo (Crist.). Folgaria: am Cornetto; Baldo: Spitze des Altissimo, Monte maggiore und über Aque negre (Hfl.). Blemmone etc. (Poll!). Judicarien: Alpe Lenzada (Bon.).

Ptarmica Clavenae De C.

β. *glabrata Hoppe.* Ganz kahl. Am Grossglockner (Avé-Lallemant! Tpp.). Im angränzenden Kärnthen auf der Pasterze (Hoppe! Pacher). Fast kahle Exemplare auch am Schlern an feuchten fetten Stellen (Hsm.).

Strahl weiss, Mittelfeld schmutzig-weiss. Jul. Aug. ♃.

952. *A. macrophylla L.* Grossblättrige Sch. ***Blätter*** ziemlich kahl, die stengelständigen im Umrisse breit-eiförmig, ***einfach-gefiedert; Fieder*** ziemlich breit-lanzettlich, zugespitzt, ***eingeschnitten-doppelt-gesägt, Sägezähne zahlreich;*** die obern Fiedern an der Basis zusammenfliessend, herablaufend; Ebenstrauss zusammengesetzt; Zungenblüthen von der Länge des Hauptkelches.

Wälder der Alpen u. Voralpen. — Vorarlberg: Wälder des Axberg u. Freschen (Cst!), Höhe des Arlberges (Hfl.), Bregenzerwald bei Krumbach (Tir. B.)! Mädlesalpe in Algau (Köberlin!). Am Kreuzberg in Sexten (Tschurtschenthaler). Im Thale Ulten unter der Laugenspitze (Tpp.). Seiseralpe im Saltariathale (Giov!). Fassa u. Fleims (Fcch!). Fleims, Bosca di Cadino (Ambr.). Judicarien: Val minore der Alpe Lenzada (Bon.).

Ptarmica macrophylla De C.

Strahl weiss, Mittelfeld weisslich. Jul. Aug. ♃.

953. *A. moschata Wulfen.* Bisam-Sch. (Frauen-Raute um Kitzbüchl). ***Blätter kahl*** oder etwas haarig, im Umrisse länglich, ***kammförmig-fiederspaltig; Fieder*** lanzettlich-linealisch, kurz-stachelspitzig, ***ungetheilt o. 1zähnig;*** Ebenstrauss einfach; Zungenbluthen von der Länge des Hauptkelches.

Steinige Triften der Alpen. — Alpen bei Zirl und Telfs, am Rosskogel (Str!). Imsteralpe (Lutt!). Alpen bei Ladis (Gundlach), am Krähkogel (Zcc!). Innsbruck: auf dem Glunggezer u. Morgenkopf; Pfitschgründl, Lisens u. Gleirscherthal (Hfl.). Patscherkofel u. Kellerjoch (Hrg!). Geisstein bei Kitzbüchl (Trn.). Pusterthal: Hochgruben bei Innichen (Bentham!); Toblacher- u. Gsiesseralpe (Hll.). Innervilgraten, Lesacheralpe u. Grossgössnitz (Schtz.); Afererthal (Iss.), Dorferalpe in Pregratten, Hofalpe, Schleinizer- u. Thurneralpe bei Lienz (Rsch!), Kerschbaumeralpe (Hrg!). Brixneralpen (Hfm.). Vintschgau:

Wormserjochstrasse (Hsm.), im Laaserthale u. am Zefriedferner (Tpp.). Gemein auf allen Alpen um Bozen: Mendel, Ifinger, Schlern u. Seiseralpe, Rittner Horn etc. (Hsm.). Passeyreralpen (Per!). Valsuganeralpen (Ambr.). Giogo di Colem in Rabbi (Hfl.). Fierozzo; Genova in Rendena (Per!). Jöcher des Baldo (Poll!). —

Ptarmica moschata De C.

Strahl weiss, Mittelfeld weisslich. Jul. Aug. ♃.

954. ***A. hybrida Gaud.*** Bastard-Sch. ***Blätter zottig-wollig***, im Umrisse länglich, ***kammförmig-gefiedert, die Fiedern*** lanzettlich-linealisch, kurz-stachelspitzig, ***ungetheilt o. 1zähnig*** o. die der untern Blätter fiederspaltig-3—5zähnig; Ebenstrauss einfach; die Zungenblüthen so lang als der Hauptkelch. —

Höchste Alpen in Vintschgau: im Kiese des Zefriedferners im Martellthale bei 7000′ (Tpp.).

A. moschata β. hybrida Gaud.

Strahl weiss, Mittelfeld weisslich. Jul. Aug. ♃.

955. ***A. nana L.*** Zwerg-Sch. ***Blätter sehr wollig-zottig***, im Umrisse schmal-lanzettlich, ***gefiedert***; ***Fieder der Stengelblätter an der Basis durch ein Läppchen vergrössert***, 2spaltig, Zipfel linealisch-lanzettlich, spitz, der 2te kleiner, die der Wurzelblätter 2theilig, der vordere Zipfel 3-spaltig, der hintere 2spaltig; Ebenstrauss einfach, fast kugelig; Zungenblüthen von der Länge des Hauptkelches.

Höhere Alpen von Mittel- u. Obervintschgau, Schattenseite 6—7000′ z. B. Laaserthal u. Martellthal am Zefriedferner (Tpp.). Zwischen Martell u. Suldenthal, am Salend- u. Madritschferner gegen den Ortler zu, Wormserjoch: Anhöhen beim Posthause (Fk!). Am Ortler (Fleischer!).

β. ***glabrescens Tappeiner***. Weniger wollig-zottig oder fast kahl. Mit der Species im Martellthale (Tpp.).

Ptarmica nana De C.

Strahl weiss, Mittelfeld weisslich. Jul. Aug. ♃.

956. ***A. atrata L.*** Geschwärzte Sch. ***Blätter etwas haarig***, im Umrisse länglich, ***gefiedert; Fieder 2—3spaltig, oder gefingert-5spaltig***, Läppchen linealisch, spitz, stachelspitzig; Ebenstrauss einfach; Zungenblüthen von der Länge des Hauptkelches.

Auf Alpentriften. — Vorarlberg: am Widderstein (Köberlin!); am Freschen u. auf der Mittagspitze (Str!). Rossberg bei Vils (Frl!), Aggenstein u. Gaishorn (Dobel!). Oberinnthal: am Venet (Lutt!), und Aschaueralpe (Kink). Innsbruck: auf dem Solstein, Widersberg u. Hechenberg (Hfl.). Zillerthal: in der Zemm (Schrank!), Elsalpe (Flörke!), u. Waxegger Bergmähder (Moll!). Sonnenwendjoch (Wld.). Alpen um Kitzbüchl (Trn.). Stanserjoch (Schm!). Pfitsch (Precht. Hfl!). Joch zwischen Burguner- u. Sengesthal (Stotter!). Pusterthal: Maurergebirge in Virgen, Alpe Kaarthal u. Frossnitz (Hänke! Rsch!), Teischnizalpe, Hofalpe u. am grauen Käs (Schtz.), Pregratten, Weg zur Ochsenalpe (Hrnsch!). Vintschgau: auf dem Wormserjoch (Hsm.), im Suldnerthal (Tpp.). Zilalpe (Iss.). Schlern (Hsm.). Alpen von Fassa (Per.). Vette di Feltre (Zanichelli!), am Gletscher in Val di Genova (Per!).

Ptarmica atrata De C. Anthemis corymbosa Haenke.

Strahl weiss, Mittelfeld weisslich. Jul. Aug. ♃.

II. Rotte. ***Millefolium Tournef.*** Strahl 5blüthig; Züngchen halb so lang als der Hauptkelch.

957. ***A. tomentosa L.*** Zottige Sch. ***Blätter zottig-wollig***, im Umrisse lanzettlich-linealisch, ***gefiedert; Fieder*** der Wurzelblätter u. untern Stengelblätter ***fingerig-3theilig; Zipfel*** linealisch, stachelspitzig, ***der mittlere 3spaltig, die seitenständigen 2—3spaltig;*** Fieder der obern Blätter 2—3-spaltig, die der obersten ungetheilt, ***dicht-kammförmig-genähert;*** Ebenstrauss doppelt-zusammengesetzt; Zungenblüthchen halb so lang als der Hauptkelch.

Hügel u. trockene sonnige Triften in Südtirol. — Vintschgau: bei Laas u. Kastelbell (Tpp.), bei Rabland (Hfl.). Meran: am Zilbach, dann am Wege von Lana nach Nals (Hfl.), Josephsberg u. alte Töll (Kraft), auf den Kiesinseln der Etsch bei Meran (Zcc!). Mittewald u. Brixen (Sternberg!). Sprechenstein bei Sterzing (Hfl!). Brixen: am Krahkogel (Hfm.). Gemein um Bozen: z. B. südlich u. östlich am Kalvarienberge, am Kalkofen, in der Sandnergemeinde am Wege nach Rafenstein, zwischen Sigmundscron u. Frangart, bei Völs etc. (Hsm.). Am Doss di Pez, Val di Non (Per!). Roveredo (Crist.). Am Gardasee (Clementi). Judicarien: al Paparel u. alla Molla bei Tione (Bon.).

Bl. gelb. Ende April — Jun. ♃.

958. ***A. Millefolium L.*** Gemeine Sch. ***Blätter*** wollig-zottig o. fast kahl, die ***stengelständigen im Umrisse lanzettlich o. fast linealisch, doppelt-fiederspaltig; Fiederchen 2—3spaltig o. gefiedert-5spaltig,*** Läppchen linealisch u. eiförmig, zugespitzt, stachelspitzig; ***Blattspindel ungezähnt*** o. an der Spitze der Blätter etwas gezähnt, Zähne ganz; Ebenstrauss doppelt-zusammengesetzt; Zungenblüthen halb so lang als der Hauptkelch.

Gemein an Rainen u. Triften bis in die Alpen. — Bregenz (Str!). Imst (Lutt!). Innsbruck (Hfl.). Durch ganz Stubai (Hfl!). Kitzbüchl (Unger!). Schwaz (Schm!). Welsberg (Hll.), Tristacheralpe bei Lienz (Ortner), Lienz u. Innervilgraten (Schtz.). Vintschgau: bei Laas (Tpp.). Allenthalben um Bozen; Klobenstein am Ritten; Seiseralpe u. Schlern (Hsm.). Eppan (Hfl!). Meran (Kraft). An der Strasse in Vintschgau: A. setacea W. u. K. (Hrg!). Val di Non: bei Castell Brughier (Hfl!). Monte Gazza (Merlo). Trient (Per!). Roveredo (Crist.). Valsugana (Ambr.). Judicarien: um Tione (Bon.).

Kommt vor: mit weissen o. schmutzig-weissen, rosenrothen oder seltener (vorzüglich auf Alpen) tief-rothen Strahlblüthen; grössern u. um die Hälfte kleinern Köpfchen; fast kahl oder wollig-zottig; mit schmälern o. breitern Blattzipfeln. Auf den höhern Alpen wird die Pflanze oft kaum höher als 3 Zoll.

Officinell: Herba et flores Millefolii. Jun. Sept. ♃.

959. ***A. lanata Sprengel.*** Wollige Sch. ***Blätter*** wollig-zottig o. ziemlich kahl, die ***stengelständigen im Umrisse länglich o. lanzettlich, doppelt-fiederspaltig; Fiederchen gezähnt-gesägt, Zähne zugespitzt, stachelspitzig; Blattspindel geflügelt, die der untern Blätter unter den Fiedern gezähnt;*** Ebenstrauss doppelt-zusammengesetzt; Zungenblüthen halb so lang als der Kelch.

Auf sonnigen Hügeln im südlichen Tirol. — Trient (Per!).

Scheint Hügelform der Folgenden? Jun. Jul. ♃.

960. ***A. tanacetifolia All.*** Rainfarrnblättrige Sch. ***Blätter*** wollig-zottig o. fast kahl, die ***stengelständigen im Umrisse länglich, doppelt-fiederspaltig; Blattspindel geflügelt, gezähnt; Spindelzähne, Fieder u. Fiederchen gezähnt-gesägt,*** Zähne zugespitzt, stachelspitzig; Ebenstrauss doppelt-zusammengesetzt; Zungenblüthen halb so lang als der Hauptkelch.

Auf Waldtriften im südlichen Tirol bis an die Voralpen. — Vintschgau: bei Laas (Tpp.). Maraunerloch in Ulten; Furglau u. welsche Wiesen bei Eppan (Hfl.). Am Fusse der Mendel u. im Leuchtenburger Walde bei Kaltern (Hsm.). Voralpenwiesen des Baldo, Campogrosso u. Bondone (Poll!).

Bl. weiss, seltener rosenroth. Jun. — Sept. ♃.

961. ***A. nobilis L.*** Edle Sch. ***Blätter*** wollig-flaumig o. fast kahl, die ***stengelständigen im Umrisse oval, doppelt-fiederspaltig; Fiederchen fiederspaltig-gezähnt,*** die grössern ***5—7zähnig,*** Zähne kurz, stachelspitzig; ***Spindel schmal,*** von der Spitze bis zur Mitte des Blattes ***gezähnt,*** Zähne linealisch, ganzrandig o. gezähnt; Ebenstrauss doppelt-zusammengesetzt; Zungenblüthen halb so lang als der Hauptkelch.

Auf sonnigen Hügeln u. Gebirgen im südlichen Tirol. — Vintschgau: bei Taufers u. an den Glurnser Leiten (Tpp.). Gebirge um Lana und beim Egger ober Marling nächst Meran (Kraft). Val fredda am Baldo (Poll!).

Bl. weiss o. gelblich-weiss. Jul. Aug. ♃.

284. *Ánthemis L.* Hunds-Kamille.

Hauptkelch halbkugelig o. flach-gewölbt; Blättchen dachig. Blüthen des Mittelfeldes zwitterig, röhrig-zusammengedrückt, 2flügelig, mit 5zähnigem Saume; die des Bandes weiblich, oft unfruchtbar, zungenförmig, mit linealisch-länglicher Platte. Achenen ungeflügelt o. schmal geflügelt, fast gleichförmig, ohne

Pappus, oben ein kurzer häutiger, manchmal verdickter Rand. Fruchtboden gewölbt o. kegelig, spreuig. (XIX. 2.).

962. *A. tinctoria L.* Färberkamille. Blätter flaumig, doppelt-fiederspaltig; Spindel gezähnt; ***Fiederchen kammförmig-gestellt, gesägt,*** Sägezähne stachelspitzig; ***Fruchtboden fast halbkugelig; Spreublättchen lanzettlich, in eine starre Stachelspitze zugespitzt;*** Achenen 4eckig-zusammengedrückt, schmalgeflügelt, beiderseits 5streifig, mit einem geschärften Rande endigend; ***Zungenblüthchen kaum halb so lang als der Querdurchmesser des Mittelfeldes.***

Auf Hügeln im Tridentinischen (Poll!). Im Brescianischen bei Desenzano (Hfl.).

Obsolet: Herba et flores Buphthalmi.

Bl. gelb. Jul. Aug. ⊙.

963. *A. arvensis L.* Gemeine Hunds-K. Blätter wollig-flaumig (auch fast kahl), doppelt-fiederspaltig; Fiederchen linealisch-lanzettlich, ungetheilt o. 2—3fach-gezähnt, spitz, stachelspitzig; ***Fruchtboden verlängert-kegelförmig; Spreublättchen lanzettlich-spitz, in eine starre Stachelspitze zugespitzt; Achenen*** stumpf 4kantig, gleich-gefurcht, die ***äussern mit einem gedunsenen, faltig-runzeligen Ringe,*** die innern mit einem spitzen Rande *endigend.*

Auf Aeckern, Sandfeldern u. an Wegen. — Bregenz (Str!). Innsbruck: z. B. an der Holzlegstätte u. Inngries bei Egerdach (Hfl.). Stubai: an Wegrändern bis Volderau (Hfl!). Kitzbüchl (Trn.). Schwaz (Schm!). Welsberg (Hll.); Sillian, Hopfgarten, Innervilgraten u. Lienz (Schtz.). Brunecken (F. Naus!). Brixen (Hfm!). Meran (Iss.). Bozen: z. B. im Talferbette etc.; am Ritten gemein auf allen Aeckern um Klobenstein bis wenigstens 4800′ (Hsm.). Pigenò bei Eppan (Hfl.). Trient (Per.). Matarello (Hfl.). Borgo (Ambr.). Roveredo (Crist.). Tione (Bon.).

Mittelfeld gelb, Strahl weiss. Mai — Aug. ⊙.

964. *A. Cótula L.* Stinkende Hunds-K. Blätter ziemlich kahl, doppelt-fiederspaltig; Fiederchen linealisch, ungetheilt o. 2—3zähnig, kurz-stachelspitzig; ***Fruchtboden verlängert-kegelförmig; Spreublättchen linealisch-borstlich;*** Achenen beinahe stielrund, knötig-gestreift, mit einem klein-gekerbten, ein etwas konvexes Mittelfeld umgebenden Rande endigend.

An Wegen u. Schutt. — Vorarlberg: an der Glasfabrik bei Bregenz (Str!). Am Veronesischen Baldo: Val di Caprino (Poll!). — Maruta Cotula De C.

Obsolet: Herba et Flores Cotulae vel Chamomillae foetidae.

Strahl weiss, Mittelfeld gelb. Jun. Sept. ⊙.

965. *A. alpina L.* Alpen-Hunds-K. ***Blätter*** wollig-flaumig o. kahl, gefiedert, die untern stengelständigen ***10-12-paarig;*** Fieder einfach o. 2—3spaltig, Zipfel linealisch, verschmälert-spitz, stachelspitzig; Fruchtboden halbkugelig; Spreublättchen linealisch-länglich, stumpf, ***an der Spitze zerfetzt-***

gezähnt u. brandfleckig, so lang als der halbe Saum der Blüthen des Mittelfeldes, die Stengel ganz einfach, 1köpfig.

Steinige Triften der Kalkalpen im südlichen Tirol. — Pusterthal: auf der Praxeralpe (Hll.), Kerschbaumeralpe (Bischof! Schtz.), Schleinizspitze und Kerschbaumer Thal an der Klause (Rsch!). Peitlerkofel bei Brixen (Hfm.). Zilalpe bei Meran (Elsm!). Schlern, Seiseralpe u. Joch Latemar (Hsm.). Südöstliche Alpen Tirols an vielen Orten gemein (Fcch!). Palla di San Martino (Per.). Baldo, Blemmone, Spinale und Scanucchia (Poll!). —

Ptarmica oxyloba De C.

Strahl weiss, Mittelfeld schmutzig-weiss. Jul. Aug. ♃.

285. ***Matricaria L.*** Kamille.

Fruchtboden nackt, walzlich-kegelig. Sonst wie Chrysanthemum. (XIX. 2.).

966. ***M. Chamomilla L.*** Aechte K. Fruchtboden zuletzt verlängert-kegelig, hohl. Achenen stielrundlich, gefurcht, ungeflügelt. Pappus ein unmerklicher Band. Blätter 2—3fach-fiederspaltig, Zipfel linealisch o. linealisch-fädlich, kahl.

Auf Aeckern, an Häusern u. Wegen. — Selten um Bregenz (Str!). Innsbruck: Schuttplätze gegen die Froschlacke u. auf Aeckern (Hfl. Schpf.). Rattenberg (Wld!). Pusterthal: unter der Saat bei Hopfgarten (Schtz.), um Lienz (Rsch!). Aecker um Brixen (Hfm.). Selten um Bozen, einmal auch auf einem Acker bei Haslach; Klobenstein am Ritten u. Siffian an Häusern, Wegen u. Gärten (Hsm.). Valsugana: Aecker bei Borgo (Ambr.). Judicarien: an Gärten u. Wegen bei Tione (Bon.).

Matricaria suaveolens De C.

Officinell: Flores Chamomillae vulgaris.

Mittelfeld gelb, Strahl weiss. Jun. Jul. ⊙.

286. ***Chrysánthemum L.*** Wucherblume.

Hauptkelch flach-gewölbt o. halbkugelig, Blättchen dachig. Blüthen des Mittelfeldes zwitterig, röhrig, mit 5zähnigem Saume; die des Randes zungenförmig, mit zusammengedrückter Röhre, weiblich. Achenen gleichförmig, ungeflügelt, ohne Pappus, mit einem unmerklichen o. mehr o. weniger hervortretenden o. in eine Krone übergehenden Saume an der Spitze. Fruchtboden nackt, flach-gewölbt o. halbkugelig. (XIX. 2.).

a. ***Strahl weiss.***

967. ***C. Leucánthemum L.*** Gemeine W. ***Die untern Blätter*** lang-gestielt, verkehrt-eiförmig-spatelig, ***gekerbt***, ***die obern*** sitzend, langlich-linealisch, ***gesägt***, Sagezähne der Basis schmäler u. spitzer; ***Achenen sämmtlich ohne Krönchen.***

Gemein auf Wiesen und Grasplätzen bis in die Alpen. — Bregenz (Str!). Oberinnthal: auf der Aschaueralpe (Kink), dann bei Silz (Hfl.); Imst (Lutt!). Innsbruck: z. B. auf den

Höttingerwiesen (Hfl.). Stubai (Hfl!). Zillerthal: um Zell (Gbh.). Kitzbüchl (Unger!). Welsberg (Hll.). Hopfgarten (Schtz.). Lienz (Rsch! Schtz.). Allenthalben um Bozen ebenso um Klobenstein am Ritten u. Rittneralpe (Hsm.). Val di Non: bei Castell Brughier (Hfl.). Trient u. in Pinè (Per.). Valsugana (Ambr.). Judicarien: um Tione (Bon.).

β. *atratum.* Niedriger, nur fingerslang o. Spanne hoch u. kahl; Blättchen des Hauptkelches breit schwarzbraun-berandet. C. atratum Gaud. — Vorarlberg: Dornbirneralpe (Str!). Kalkalpen um Kitzbüchl 5—6000′, z. B. am Horn, auch am Lämmerbüchl (Str! Unger!).

Kommt um Bozen, doch selten, auch ohne Strahlblüthen vor.

Obsolet: Herba et Flores Bellidis majoris.

Strahl weiss, Mittelfeld gelb. Mai — Aug. ♃.

968. *C. montanum L.* Berg-W. ***Die untern Blätter*** länglich, in den Blattstiel verschmälert o. verkehrt-eiförmig, ***gekerbt, die darauf folgenden*** sitzend, lanzettlich u. linealisch, ***gesägt,*** Sägezähne der Basis schmäler u. spitzer; Achenen des Bandes ***mit einem*** häutigen, halbirten, ***gezähnten Krönchen, das halb so lang als die Röhre ist,*** endigend, die des Mittelfeldes ohne Krönchen.

Alpen und Voralpen, auch hie und da ins Thal herab. — Vorarlberg: am Freschen (Str!), am Widderstein (Tir. B.)! Welsberg (Hll.). Lienz: am Fusse des Rauchkogels unter Heidekraut (Rsch!). Brixen (Hfm!). Im Fenderthale in Oberinnthal (Tpp.). Von Gröden nach St. Cassian in Enneberg (Hsm.). Roveredo (Crist.). Judicarien: auf der Alpe Cambiarec und Lenzada (Bon.).

Strahl weiss, Mittelfeld gelb. Jul. Aug. ♃.

969. *C. coronopifolium Vill.* Krähenfussblättrige W. ***Die untersten Blätter*** verkehrt-eiförmig-keilig, ***eingeschnitten, 5—7zähnig, die stengelständigen*** lanzettlich und linealisch, ***eingeschnitten-gesägt,*** Zähne lanzettlich-pfriemlich; Achenen sämmtlich häutig-bekrönt; ***Krönchen der randständigen*** schief-abgeschnitten, gezähnt, ***ungefähr so lang als die Röhre der Blumenkrone.***

Felsige Orte der Alpen im nördlichen Tirol. — Vorarlberg: sehr häufig am Freschen u. den umliegenden Bergen (Cst!). Oberinnthal: auf der Imsteralpe (Lutt.). Seegruben bei Innsbruck u. Salzberg bei Hall (Hfl.). Kitzbüchl: am Tristkogel u. Geisstein über 6000′ (Trn.). Auf der Platte u. dem Lampsenjoch bei Schwaz (Schm.).

C. Halleri Sut. C. atratum L. Pyrethrum Halleri Willd. DeC.

Strahl weiss, Mittelfeld gelb. Jul. Aug. ♃.

C. ceratophylloides All. Zinkenblättrige W. ***Die wurzel- u. stengelständigen Blätter fiederspaltig, Zipfel lanzettlich-linealisch, verlängert,*** ungetheilt u. 2spaltig, ***entfernt,*** Spindel linealisch o. keilförmig-verbreitert; Achenen sämmtlich häutig-bekrönt; Krone der randständigen schief-abgeschnitten, ungefähr so lang als die Röhre der Blumenkrone.

Felsige Orte der Alpen. — Auf dem Linkerskopf in den bayerischen Alpen (Zcc!).

Ich kann den Linkerskopf auf den Karten zwar nicht finden, jedenfalls aber kann er nicht weit von der Tiroler Gränze liegen, auch scheinen die auswärtigen Botaniker mit den bayerischen Alpen rücksichtlich auf unsere Gränze es nicht allzugenau zu nehmen.

Ob Varietät der Vorigen (Koch)?

Pyrethrum ceratophylloides Willd.

Bl. wie bei Voriger. Jul. Aug. ♃.

970. *C. alpinum L.* Alpen-W. *Wurzelblätter* u. die der unfruchtbaren Stengel *kammförmig-fiederspaltig,* im Umrisse rundlich-eiförmig, *mit dichtgenäherten, ganzrandigen Fiedern, die der blüthentragenden Stengel linealisch, ganzrandig;* Achenen sämmtlich häutig-bekrönt; Krone der randständigen gleichförmig - glockig, gekerbt; Blättchen des Hauptkelches länglich-eiförmig, stumpf.

Felsige unberaste Orte der Alpen. — Vorarlberg: Alpe Tillisun in Montafon (Cst!), am Uebergang von Krummbach über die Egg ins Jllerthal (Tir. B.)! Oberinnthal: im Kiesgerölle bei Umhausen (Zcc!), Alpen bei Zirl u. Telfs (Str!); Alpen bei Imst (Lutt!). Innsbruck: am Glunggezer u. Widdersberg (Hfl.). Stubai: im Längenthal (Prkt.), u. Oberiss (Schneller). Kelleralpe (Schm!), Kellerjoch bei Schwaz (Wld!). Schiefergebirge um Kitzbüchl (Trn.), am Jufen u. auf der Thoralpe allda (Str! Schm.). In Dux (Hfm.). Pfitsch (Precht. Stotter!). Pusterthal: auf den Praxeralpen (Hll.), Villgratneralpe (Stapf), Tefereggen (Schtz.), Kirschbaumeralpe (Bischof!), Lienzeralpen (Schtz. Rsch!), Hochgruben bei Innichen (Bentham!); Hofalpe u. Gössnitz (Schtz.). Alpen um Brixen (Hfm.). Vintschgau: Wormserjoch (Hsm.), Laaserthal (Tpp.). Alpen um Meran (Kraft), Ifinger (Hsm.). Gemein auf den Alpen um Bozen: Schlern u. Seiseralpe, Mendel, Rittner Horn u. Villandereralpe (Hsm.). Sarnthal: von Oberstückel nach Passeyer (Eschl!). Valsugana (Ambr.). Fierozzo und Paneveggio (Per.) Baldo (Poll!). Judicarien: Alpe Stracciola u. Cengledino (Bon.).

Pyrethrum alpinum Willd.

Strahl weiss, Mittelfeld gelb. Eine Varietät mit an der Basis schön rosenfarbenem ins Violette ziehenden Strahle nach Custer auf der Alpe Tillisun! Jul. Aug. ♃.

971. *C. Parthenium Pers.* Mutterkraut. *Blätter* flaumig, *gefiedert; Fieder elliptisch-länglich,* stumpf, fiederspaltig, die obersten zusammenfliessend, *Zipfel etwas gezähnt,* sehr kurz-bespitzt; Stengel ästig; Köpfchen ebensträussig; Achenen mit einem geschärften sehr kurzen Bande endigend.

An Felsen, Mauern u. Schutt. — Vorarlberg: an Felsen ober Wellenstein (Str!). Schwaz: in Waldschlägen des Stallenbachthales (Schm.). Um Lienz hie u. da in Gärten u. auch wild (Rsch!). Bozen: bei Leifers (Gundlach), an der Strasse zwischen Blumau u. Atzwang links nach der Blumauer Brücke an einer Stelle häufig; auf Schutt bei Margreid; Bitten an Felsen und Häusern in Klobenstein, auch fern von menschlichen Wohnungen an einer Ackermauer westlich von Waidach gegen Rappesbüchel ober dem sogenannten Oberboznersteige (Hsm.). Um Trient, Unkraut in Gärten (Per!).

Matricaria Parthenium L. Pyrethrum Parthenium De C. Sm.

Officinell: Herba et Summitates Matricariae.

In Gärten auch mit gefüllten Blüthen. Strahl weiss. Mittelfeld gelb. Jun. Jul. ♃.

972. ***C. corymbosum L.*** Ebensträussige W. ***Blätter gefiedert; Fieder der untern fiederspaltig, Fiederchen geschärft-gesägt,*** Sägezähne stachelspitzig; Köpfchen ebensträussig; ***Zungenblüthen linealisch-länglich;*** Achenen sämmtlich häutig-bekrönt; Krone der randständigen ungefahr so lang als die Röhre.

Gebirgswälder und Voralpen im südlichen Tirol. — Am Monte Margone bei Trient; Monte Finocchio bei Roveredo; Baldo: über Brentonico gegen den Altissimo (Hfl.). Hügel um Roveredo (Crist.). Judicarien: auf der Alpe Lenzada, am Doss degli Armani (Bon.).

Pyrethrum corymbosum Willd. De C.

Bl. wie bei Voriger. Jun. Jun. ♃.

973. ***C. inodorum L.*** Geruchlose W. ***Blätter doppelt-3fach-fiederspaltig, Zipfel linealisch-fädlich;*** der Strahl abstehend; Fruchtboden halbkugelig.

Auf Schutt in Vintschgau z. B. in Matsch (Tpp.).

Tripleurospermum inodorum C. H. Schultz.

Bl, wie bei Vorigen. Jul. Sept. ⊙.

b. ***Strahl gelb.***

974. ***C. segetum L.*** Acker-W. ***Blätter kahl, gezähnt, vorne verbreitert, 3spaltig-eingeschnitten, die obern mit herzförmiger Basis stengelumfassend;*** Achenen mit einem verwischten Rande endigend.

Auf Aeckern. — Lienz: in dem an das Klosterfrauen-Feld gränzenden Mohrenfelde gefunden im August 1798 (Rsch!).

Bl. gelb. Jul. Aug. ⊙.

C. indicum Curt. (Pyrethrum sinense Sabin.). Häufig in Gärten unter dem Namen: Allerheiligen-Aster. Stengel ästig, fast strauchig; Blätter lederig, grau-grün, gestielt, eiförmig, eingeschnitten oder buchtig-fiederspaltig, Fiederchen gezähnt; Schuppen des Hauptkelches sehr stumpf, am Rande trockenhäutig, Zungenblüthen vielmal länger als der Hauptkelch. Bl. des Mittelfeldes gelb, Zungenblüthen weiss, gelb oder purpurn. Oft gefüllt (sämmtliche Blüthen Zungenblüthen) und dann der Fruchtboden spreublättrig. Blüht sehr spät, Ende October, November.

Pinardia Cass. Pinardie.

Achenen der randständigen Blüthen 3flügelig, der innere Flügel grösser, die des Mittelfeldes 1flügelig, sämmtliche Flügel an der Spitze in einen Dorn vorgezogen. Sonst Alles wie bei Chrysanthemum. (XIX. 2.).

P. coronaria Less. Kranz - P. Kranz - Wucherblume. (Chrysanthemum coronarium L.). Blätter vorne breiter, doppelt gefiedert, sammt dem ästigen Stengel kahl.

Zierpflanze aus Spanien und Nordafrika. Dass sie in der Schweiz auf dem Fräla vorkomme, wie Haller angibt und seither in den Floren ihm nachgeschrieben wurde, ist nach Moritzi eine Unrichtigkeit. Bei uns findet man sie häufig in Gärten.

Bl. gelb. Jul. Aug. ⊙.

X. Gruppe. **Senecioneae.** Pappus haarig, sonst alles wie bei den Anthemideen.

287. *Dorónicum L.* Gemswurz.

Hauptkelch halbkugelig o. etwas flach; Blättchen gleich, 2—3reihig. Blüthen des Mittelfeldes zwitterig, röhrig, mit 5-zähnigem Saume und kopfförmig-gestutzten Narben; die des Randes weiblich, zungenförmig. Achenen ungeschnäbelt, ungeflügelt, gefurcht, die des Randes ohne Pappus, die im Mittelfelde mit mehrreihigem haarförmigem Pappus. Fruchtboden nackt. (XIX. 2.).

975. ***D. Pardalianches L.*** Gemeine G. ***Blätter*** eiförmig, gezähnelt, die ***wurzelständigen*** lang-gestielt, ***tief-herzförmig,*** die mittleren stengelständigen geöhrelt-gestielt, die obern sitzend, stengelumfassend; Fruchtboden zottig; ***unterirdische Ausläufer verlängert, dünn, an der Spitze zuletzt verdickt, blättertragend u. wiederum ausläufertreibend.***

Gebirgswälder. — Zillerthal: Alpe Zemm am Schwarzenstein (Schrank! Braune!). Am Kaiser u. um Schwoich (Berndorfer!). Diese Angaben lassen eine Bestätigung derselben wünschenswerth. — In der Schweiz im Wallis; in Krain, Oesterreich, Oberbaden, um Würzburg etc.

Officinell: Radix Doronici.

Bl. gelb. Jun. ♃.

976. ***D. cordifolium Sternberg.*** Herzblättrige G. ***Blätter*** fast kahl, ***die wurzelständigen lang-gestielt, grobgezähnt, rundlich-eiförmig, tief-herzförmig,*** Bucht abgerundet, offen, die Stengelblätter mit tief - herzförmiger Basis stengelumfassend; ***Rhizom schief, abgebissen;*** Wurzelköpfe aufstrebend.

Felsige schattige Orte der Kalkalpen. — Pusterthal: Kerschbaumeralpe bei Lienz (Wlf! Rsch! Bentham!); Alpen südlich von Innichen (Stapf). Schlern (Tpp.), allda z. B. einzeln in der Schlucht (Hsm.). Im Nonsberge (Fcch!). Spinale (Per.). Valsugana: an Felsen in Val Porcina ober dem Civeron bei

Borgo (Ambr.). Nach Traunsteiner von Spitzel auch auf dem Steinberge in Unterinnthal jedoch auf der Loferer Seite gefunden! —

Arnica cordata Wulf. Doronicum orientale Adans. D. caucasicum Roch.

An sehr üppigen Exemplaren ist manchmal eines der Stengelblätter geöhrelt-gestielt.

Bl. schwefelgelb. Jul. Aug. ♃.

977. *D. austriacum Jacq.* Oesterreichische G. *Die Wurzelblätter fehlend, die untersten 1—2 Stengelblätter viel kleiner als die übrigen, die folgenden zahlreich,* genähert, *herzförmig, zugespitzt,* gezähnelt, geöhrelt-gestielt, die obern länglich, stengelumfassend, die obersten lanzettlich; Rhizom abgebissen; Ausläufer fehlend.

Wälder der Alpen und Voralpen um Kitzbüchl 4—6000′ z. B. Sintersbachalpe (Trn.). Bergwiesen auf der Zoch- u. Laserzeralpe bei Lienz (Hoppe!), Hofalpe (Schtz.). Mittlere Region des Peitler bei Brixen (Hfm.). Alpen um Trient; am Baldo: Val di Novesa u. dell' Artillon (Poll!). Baldo (Per.). Auf dem Baldo; in Folgaria u. Canal di San Bovo (Fcch!).

Arnica austriaca Hoppe.

Kommt vor: fast ganz kahl (so die Exemplare vom Peitler u. Kitzbüchl) u. flaumhaarig (so das vom Baldo).

Bl. gelb. Jul. Aug. ♃.

288. *Arónicum Necker.* Schwindelkraut.

Sowohl die Achenen des Randes als die des Mittelfeldes sind mit einem haarigen Pappus versehen. Sonst wie Doronicum. (XIX. 2.).

978. *A. Clusii Koch.* Clusisches Schw. Blätter krautig-weich, eiförmig o. länglich, entfernt-gezähnt o. gezähnelt, o. ganzrandig, die untern gestielt, die obern halbstengelumfassend; *Haare der Blüthenstiele sämmtlich spitz, gegliedert, Gelenke derselben entfernt; Stengel hohl;* Wurzel wagrecht.

Steinige Triften der Alpen. — Oberinnthal: Alpen bei Imst (Lutt!). Alpen um Innsbruck: Neunerspitze, Rosskogel etc. (Hfl.). Stubai: am Thalferner (Eschl.). Alpen bei Zirl u. Telfs, am Hocheder bis 7000′ (Str!). Schmirn (Hfm.). Kitzbüchl: auf den höhern Schiefergebirgen selten auf Kalk (Trn.). Pfitscherjöchel (Hfl.). Rudelhorn bei Welsberg (Hll.). Tefereggen (Schtz.); Rohrbachgletscher im Ahrnthal (Pfaundler!). Lienzeralpen, Kals (Wlf!). Wormserjochstrasse (Hsm.). Alpen bei Laas und in Langtaufers in der Region des Knieholzes (Tpp.). Ultneralpe, Schlern, Schöenant u. Villandereralpe (Hsm.). Spinale u. Colbricone in Paneveggio (Per.). Valsuganeralpen (Ambr.). Alpe Cengledino (Bon.), u. Alpe Spinale in Judicarien (Per!).

A. Doronicum De C. Arnica Doronicum Jacq. Arnica Clusii All. — Der Stengel weniger starr, vielmehr leicht zu biegen, röhrig, die Stengelblätter nicht starr und fest, vielmehr weich u. biegsam (Wulfen).

Die Pflanze behaarter als A. glaciale.

Hieher zieht Koch als eine Varietät mit stark behaartem Stengel u. Blättern:

A. Bauhini Sauter. Niedrig, 2—3 Zoll hoch, rauhhaarig; Wurzelblätter lang-gestielt, an der Basis abgerundet, Stengelblätter halbstengelumfassend, verkehrt - eiförmig - länglich, rauhhaarig, an der Basis scharf gezähnt, Blume klein. (Reichb. flor. exc. p. 234 u. Flora 1831 p. 46.). Diese Var. fand Andr. Sauter auf dem weissen Berge bei Sterzing. Aehnliche, nur etwas höhere Exemplare liegen mir auch von Pusterthal u. vom Thale Stubai vor, sie haben einen starren Stengel und derlei Blätter; es gibt also keine Gränzen zwischen A. Clusii und glaciale u. ich halte mit Traunsteiner beide nur für eine Art.

Bl. schwefel- o. dunkelgelb. Jul. Aug. ♃.

979. ***A. glaciale Reichenb.*** Gletscher-Schw. Blätter starr, dicklich, eiförmig o. länglich, gezähnt o. ganzrandig, die untern gestielt, die stengelständigen halbstengelumfassend; sämmtliche ***Haare der Blüthenstiele kurz, gegliedert mit entfernt-gestellten Gelenken; Stengel starr, gefüllt, nur*** unter dem Köpfchen hohl; Wurzel schief-hinabsteigend.

Feuchte Orte der höchsten Alpen in der Nähe der Gletscher. — Vorarlberg: auf dem Widderstein (Köberlin!). Oberinnthal: am Krähkogel (Zcc!). Kitzbüchl (Trn. Schm.). Patscherkofel (Hrg!). Elsalpe in Zillerthal (Flörke!). Nassdux (Hfl.). Tristacheralpe, Pregrattneralpen, Marenwalderalpe, Hofalpe bei Lienz (Ortner. Rsch! Schtz.). Kerschbaumeralpe (Hrg! Bischof! Schtz.). Teischnizalpe und am grauen Käs (Schtz.). Vintschgau: in Schlinig u. am Griánkopfe (Tpp.). Wormserjoch: an dem beim Posthause vorbeifliessenden Bache (Fk!). Genova in Rendena (Per!). Valsugana: am Montalon (Ambr.).

Arnica glacialis Wulfen. A. Clusii δ. glaciale Koch syn. ed. 1.

Blätter fast zerbrechlich. Pflanze kahler als Vorige, oft ganz kahl. — Bl. gelb. Jul. Aug. ♃.

980. ***A. scorpioides Koch.*** Breitblättriges Schw. Blätter gezähnt, die untern breit-eiformig, an der Basis stumpf, abgeschnitten o. fast herzformig, die stengelständigen eiförmig o. länglich, die obern stengelumfassend; ***Haare der Blüthenstiele stumpf, gegliedert, Gelenke derselben dicht-genähert.***

Steinige Orte der Alpen. — Vorarlberg: auf der Mittagspitze (Str!). Mädelealpe im Holzgau (Dobel!). Oberinnthal: am Seeberg bei Imst (Lutt.). Innsbruck: auf der Frauhütt und Lavatscherjoch (Schm. Hfl.). Zirler Bergmähder u. Brandjoch (Schpf.). Sonnenwendjoch in der Nähe des Sees (Wld!). Zillerthaleralpen (Braune!). Kalkgebirge um Kitzbüchl 6—7000′, am Kaiser und grossen Rettenstein (Trn.). Kerschbaumeralpe (Bischof!). Laserzer- u. Lavanteralpe bei Lienz (Rsch!). Neunerspitze bei Brunecken (Pfaundler!). Baldo: Valle Losanna (Poll!). Baldo, Bondone u. Paneveggio (Per!).

A. scorpioides Reichenb. — Ueppigere Exemplare, deren untere Stengelblätter geöhrelt-gestielt, sind A. latifolium Reichenb. — Die Wurzel heisst im Unterinnthale Gamswurz, man schreibt ihr allda die Kraft den Schlaf zu vermindern zu (Trn.).

Bl. gelb. Jul. Aug. ♃.

289. *Arnica L.* Wolverlei.

Hauptkelch walzlich; Blättchen gleich, 2reihig. Blüthen des Mittelfeldes zwitterig, röhrig, mit 5zähnigem Saume; Randblüthen weiblich, zungenförmig, zuweilen mit unfruchtbaren Staubgefässen. Narben der Blüthen des Mittelfeldes nach oben zu verdickt, mit konischer, flaumhaariger Spitze. Achenen ungeschnäbelt, ungeflügelt, gestreift, stielrundlich. Pappus haarig. Fruchtboden nackt, gewölbt. (XIX. 2.).

981. *A. montana L.* Berg-W. Fallkraut. Die Wurzelblätter länglich-verkehrt-eiförmig, fast ganzrandig, 5nervig; der Stengel mit wenigen Köpfchen; Blüthenstiele u. Hauptkelch zottig o. drüsig-flaumig.

Gemein auf Gebirgswiesen u. Alpentriften. — Vorarlberg: am Pfänder u. Dornbirneralpe (Str!). Oberinnthal: Bergwiesen bei Imst (Lutt!). Bergwiesen um Innsbruck: z. B. ober Sistrans (Hfl.). Zirler Bergmähder (Schpf.). Längenthal (Prkt.). Kelleralpe (Schm!). Zillerthaler Gebirge (Gbh.). Pusterthal: Welsberg (Hll.), Innervilgraten, Tefereggen u. bei Lienz (Schtz.), Thal Bein in Taufers (Iss.), Lienz (Rsch!). Pfitscherjoch (Hfl!). Bergwiesen um Brixen (Hfm.). Affererthal (Iss.). Vintschgau: im Laaserthal (Tpp.), Wormserjoch (Hsm.), Matscheralpe (Eschl!). Gebirge um Meran (Kraft). Ulten (Giov!). Auf allen Gebirgen u. Alpen um Bozen: am Ritten bei Klobenstein bei 4000′ beginnend; Gebirge ober Salurn; am Ifinger bei Meran (Hsm.). Monte Gazza (Merlo.). Am Bondone bei Trient (Per.). Roveretaner Gebirge (Crist.). Voralpen bei Borgo (Ambr.). Baldo: Wiesen bei San Giacomo (Hfl.). Judicarien: Campiglio di Rendena (Bon.).

Officinell: Radix et Flores Arnicae. Ein vielgebrauchtes Wundmittel bei Quetschungen etc.

Bl. gelb. Jun. Jul. ♃.

Emilia Cass. Emilie.

Hauptkelch eiförmig-walzlich, mit einreihigen linealischen, nach dem Verblühen zurückgebogenen Blättchen, ohne Nebenkelch. Blüthen alle röhrig, 5lappig, Lappen linealisch, verlängert. Fruchtboden flach, kaum wabig. Achenen länglich, 5kantig, an den Kanten gewimpert-rauhhaarig. Pappus aus mehrreihigen, fädlichen, kaum etwas gebärteten Borsten bestehend. (XIX. 2.).

E. sonchifolia Cass. Feuerrothe E. Bläulich-grünlich; untere Blätter leyerförmig, obere herzförmig-lanzettlich, umfassend, gezähnt. — Cacalia sonchifolia L. — Blüthenköpfchen lang-gestielt, klein, Bl. dunkelroth o. safrangelb. Zierpflanze aus Ostindien. Häufig in Gärten. Jul. Sept. ⊙.

290. *Cineraria L.* Aschenpflanze.

Blättchen des Hauptkelches 1reihig, ohne Nebenblättchen an der Basis. Sonst alles wie bei Senecio. (Strahlenbl. manchmal fehlend. Unterscheidet sich von Senecio mehr durch den Habitus als die Kennzeichen. XIX. 2.).

C. crispa Jacq. Krausblättrige A. Ebenstrauss endständig, einfach; Blätter glatt, etwas spinnwebig-wollig, gezähnt, ***die wurzel- u. untern stengelständigen Blätter eiförmig-herzförmig,*** die folgenden in den breit-geflügelten, mehr oder weniger gezähnten Blattstiel zusammengezogen, die obern lanzettlich u. linealisch, fast ganzrandig; ***Fruchtknoten kahl;*** der Pappus während der Blüthezeit so lang als die Röhre der Blumenkrone o. kürzer.

In Tirol (Laicharding!). Auf den Voralpen in Unterösterreich, Steiermark etc. (Koch syn.)!

Bl. hellgelb, dotter- o. safrangelb. Mai, Jun. ♃.

982. *C. pratensis Hoppe.* Wiesen-A. Ebenstrauss endständig, einfach; ***Blätter*** etwas spinnwebig-wollig, ***die untern*** ausgeschweift-gezähnelt, ***länglich,*** an der Basis ***in den Blattstiel verschmälert, die folgenden lanzettlich, an der Basis verschmälert,*** die obern sitzend, lanzettlich u. linealisch; ***Fruchtknoten kahl;*** Pappus während der Blüthezeit ungefähr so lang als die Blumenröhre.

In Tirol (Laicharding!). Sumpfige Wiesen der Ebene im Salzburgischen (Hoppe!). Dürfte daher im Zillerthale o. Unterinnthale aufzusuchen sein.

Var.: ohne Strahl (C. pratensis β. capitata Hoppe), nach Hoppe im Salzburgischen häufiger als die Species.

Bl. gelb. Mai, Jun. ♃.

983. *C. longifolia Jacq.* Langblättrige A. Ebenstrauss endständig, einfach; ***Blätter*** kurzhaarig-rauh u. mehr o. weniger wollig, ***die wurzelständigen eiförmig u. länglich,*** gekerbt-gezähnt o. ganzrandig, ***die folgenden verlängert-lanzettlich, an der Basis verschmälert,*** die obern sitzend, lanzettlich und linealisch; ***Fruchtknoten flaumig; Pappus während der Blüthezeit so lang als die Röhre der Blumenkrone o. kürzer als diese.***

Alpenwiesen in Tirol (Koch syn.)! Tirol (Laicharding!). Taistneralpe in Pusterthal (Hll.). Abhänge des Schlern gegen die Seiseralpe (Zcc!). Wiesen u. Triften des Baldo, Spinale u. der Scanucchia (Poll!).

S. brachychaetus De C.

β. *discoidea.* Strahl fehlend. An der Kärnthner Seite des Glockner bei Heilig-Blut (Hoppe!).

Bl. gelb. Jun. Jul. ♃.

984. *C. alpestris Hoppe.* Alpen-A. Ebenstrauss endständig, einfach; ***Blätter*** kurzhaarig-rauh u. mehr o. weniger wollig, ***die untersten eiförmig*** o. fast herzformig, gekerbtgezähnt, ***die folgenden länglich-eiförmig, in den breitgeflügelten, keiligen Blattstiel zusammengezogen,*** die obern sitzend, lanzettlich u. linealisch; Fruchtknoten kahl o. schwachflaumig; ***Pappus während der Blüthezeit so lang als die Röhre o. kürzer als diese.***

Voralpen in Tirol u. Kärnthen (Koch syn.)! Tirol (Laicharding!). Lienz: hinter dem Rauchkofel an der öden Wand (C. integrifolia alpina Jacq.) nach Rauschenfels! Auf der Mendel bei Bozen (Hsm.). Um Alpenhütten im Maraunerloch am Wege von Ulten nach Provais (Hfl.). Am Monte Gazza (Merlo), allda auf Bergwiesen über Molveno (Hfl.). Judicarien: Wiesen alla Molla bei Tione (Bon.). Baldo: Altissimo di Nago; am Bondoné, Alpe von Sardagna (Hfl.).

Senecio alpestris De C.

Bl. gelb. Der Ueberzug der Pflanze sehr wandelbar. Jun. Jul. ♃.

985. *C. spathulaefolia Gmel.* Spatelblättrige A. Ebenstrauss endständig, einfach; ***Blätter*** mit gegliederten, kurzen Haaren spärlich bestreut u. zugleich oberseits spinnwebig-flockig, ***unterseits weiss-wollig, die untersten eiförmig, an der Basis fast abgeschnitten,*** gekerbt o. gezähnelt, ***die folgenden eiförmig-länglich, in den breitgeflügelten, keiligen Blattstiel zusammengezogen,*** die obern sitzend, lanzettlich und linealisch; Hauptkelch wollig; ***Fruchtknoten dicht- u. kurz-steifhaarig; Pappus während der Blüthezeit ungefähr so lang als die Blüthen.***

Waldige Triften der Alpen u. Voralpen. — Auf der Seiseralpe (Str!), allda auf den Rinderweiden, ungefähr 1 Viertelstunde bevor man zu der Mahlknechtshütte kommt, am Fusse der sich linker Hand schroff erhebenden Felswand (Elsm!). Schlern (Hsm.). Rosszähne (Schultz. Flora 1833. p. 633.)!

Kommt nach Koch auch ohne Strahl u. mit kahlen Fruchtknoten vor.

Eine Form mit fast kahlen u. mehr spateligen Blättern ist nach Koch: C. tenuifolia Gaud. Diese nach Moritzi auf dem Wormserjoche unweit der Bündnergränze!

Tephroseris spathulaefolia Reichenb.

Senecio spathulaefolius De C. Ende Jun. Jul. ♃.

986. *C. campestris Retz.* Feld-A. Ebenstrauss endständig, einfach; ***Blätter*** fast glatt, spinnwebig-wollig, ***die wurzelständigen eiförmig oder rundlich, in den kurzen Blattstiel zusammengezogen,*** ganzrandig o. etwas gekerbt, die untern stengelständigen länglich, nach der Basis verschmä-

lert, die obersten lanzettlich; ***Hauptkelch*** fast kahl, ***an der Basis wollig, an der Spitze meist ungefleckt;*** Fruchtknoten dicht- u. kurz-steifhaarig; ***Pappus während der Blüthezeit ungefähr so lang als die Blüthen.***

Auf Wiesen bei Verdesina in Judicarien (Bon.).

Hieher dürfte die von Eschenlohr in Val di Rendena angegebene C. palustris L. zu ziehen sein, diese sonst nur im nördlichen Deutschland.

Senecio campestris De C. Tephroseris campestris Reichenb. Flora von Sachsen.

Kommt nach Koch auch mit kahlen Achenen vor.

Bl. blassgelb. Jun. Jul. ♃.

987. ***C. aurantiaca Hoppe.*** Safranfarbene A. Ebenstrauss endständig, einfach; ***Blätter*** fast glatt, ***spärlich-wollig, die wurzelständigen eiförmig, in den kurzen Blattstiel zusammengezogen,*** ganzrandig oder etwas gekerbt, die untersten stengelständigen lanzettlich, nach der Basis verschmälert, die obern linealisch; ***der Stengel oberwärts wegen der*** entfernten Blätter ***fast nackt; Hauptkelch gefärbt;*** Fruchtknoten dicht- u. kurz-steifhaarig; Pappus während der Blüthezeit so lang als die Blüthen.

β. ***lanata.*** Dicht-wollig. — C. capitata Koch syn. ed. 1.

Alpentriften der Schweiz u. in Tirol (Koch syn. ed. 1.)!

Bl. rothpomeranzenfarben. Jun. Jul. ♃.

291. *Senecio L.* Kreuzwurz. Kreuzkraut.

Hauptkelch walzlich o. kegelig; Blättchen 1reihig, gleich, an der Basis mit meist kleinern Nebenblättchen. Blüthen des Mittelfeldes zwitterig, röhrig, mit 5zähnigem Saume. Griffel nach oben zu kahl; Narben halbstielrund, kopfförmig-gestutzt, gegen die Spitze zu dichter-flaumhaarig. Blüthen des Bandes zungenförmig, weiblich; seltener alle röhrig und zwitterig. Achenen ungeschnäbelt, ungeflügelt, gefurcht. Pappus haarig, der der randständigen Achenen öfters abfällig. Fruchtboden nackt, gewölbt. (XIX. 2.).

§. 1. ***Blüthen sämmtlich röhrig o. die randständigen zurückgerollte Zungenblüthen.***

988. ***S. vulgaris L.*** Gemeines K. Blätter kahl o. spinnwebig-wollig, fiederspaltig, die untern in den Blattstiel verschmälert, die obern mit geöhrelter Basis stengelumfassend; Fieder entfernt, länglich, stumpf, nebst der Spindel und den Oehrchen spitz-ungleich-gezähnt; ***Schuppen des Aussenkelches meist 10,*** angedrückt, viel kürzer als der Hauptkelch, ***lang-schwarz-gespitzt, die randständigen Zungenblüthen fehlend;*** Achenen fläumlich.

Gebaute Orte u. an Wegen. — Bregenz (Str!). Innsbruck (Schpf.), bei Wiltau (Prkt.). Schwaz (Schm!). Kitzbüchl (Unger!). Welsberg (Hll.). Innervilgraten (Schtz.). Lienz (Rsch!).

Bozen: in Menge in den Weinbergen etc. (Hsm.). Val di Non: Castell Brughier (Hfl!). Trient: z. B. am Doss Trent (Hfl!). Judicarien: bei Stenico u. ai Ragoli nächst Tione (Bon.). Roveredo u. Avio (Hsm.).

Obsolet: Herba Senecionis.

Bl. gelb. Blüht um Bozen in warmen Weinbergen den ganzen Winter, also das ganze Jahr hindurch. ☉.

989. ***S. viscosus L.*** Klebriges K. ***Blätter*** tief-fiederspaltig, nebst den Blüthenstielen u. den Hauptkelchen ***drüsighaarig, klebrig;*** Fieder länglich, ungleich-gezähnt und fast fiederspaltig, nach der Basis allmählig an Grösse abnehmend; Aussenkelch locker, halb so lang als der Hauptkelch; ***Zungenblüthen zurückgerollt; Achenen kahl.***

An Wegen u. ungebauten Orten, auch in lichten Wäldern. Vorarlberg: bei Lustenau (Str!). Oberinnthal: hinter Oetz gegen Tumpen (Hfl.). Innsbruck: bei Wiltau (Hfl.), u. im Thale hinter der Morgenspitze (Eschl.). Kitzbüchl: auf sandigem Boden (Trn.). Schmirn (Hfm!). Pusterthal: bei Lienz (Schtz.), um Welsberg und auf Felsenschutt in der Sarl in Prax (Hll.). Vintschgau: im Laaserthal (Tpp.). Bozen: einmal am Wege nach Heilig-Grab, bei Kühbach, ober Jenesien; Bilten: selten am Wege von Lengmoos nach Klobenstein; Ulten u. Sarnthal (Hsm.); Kastelrutt (Lbd.). Eppan (Hfl.). Am Gazza bei Trient (Per!). Roveredo u. am Gardasee (Poll!). Judicarien: in Rendena (Bon.).

Bl. gelb. Jun. — Sept. ☉.

990. ***S. sylvaticus L.*** Wald-K. Blätter spinnwebigflaumig, tief-fiederspaltig; ***Fieder fast linealisch, gezähnt o. fast fiederspaltig, die dazwischen gelegenen kleiner;*** Ebenstrauss weitschweifig, gleichhoch; Hauptkelch kahl o. flaumig; Aussenkelch sehr kurz, angedrückt, meist ungefleckt; ***Zungenblüthen zurückgerollt; Achenen grau-flaumig.***

In Wäldern. — Vorarlberg: bei Oberegg (Str!). Innsbruck: am Pastberg u. ausser Kranewitten (Hfl.). Lienz: im Lavanter Walde u. hinter dem Rauchkogel (Rsch!).

Bl. gelb. Jul. Aug. ☉.

§. 2. ***Blüthen des Randes abstehende Zungenblüthen. Blätter eingeschnitten, fiederspaltig oder herzförmig u. an der Basis etwas leyerförmig.***

991. ***S. nebrodensis L.*** Felsen-K. ***Blätter kahl*** oder etwas wollig, die untern länglich-verkehrt-eiförmig, leyerförmig, gestielt, ***die stengelständigen mit einem gezähnten Oehrchen stengelumfassend, die mittleren fiederspaltig; Fieder länglich, stumpf und nebst der Spindel gezähnt,*** die vordern zusammenfliessend; Ebenstrauss locker; ***Aussenkelch 6—12blättrig,*** 4mal kürzer als der Hauptkelch u. nebst den Deckblättern an der Spitze lang-schwarz-gespitzt; Strahl abstehend; Achenen grau-flaumig; Pappus hinfällig.

An felsigen kiesigen Orten, mehr im südlichen Tirol, bis

in die Alpen. — Unterinnthal: am Wege von Gebra nach Pillersee (Schm!). Bei Lofer im angränzenden Salzburgischen (Spitzel!). Pusterthal: bei Welsberg (Hll.), Hopfgarten und Lienz (Schtz.). Kirschbaumeralpe (Bischof!). Vintschgau: im Trafoierthale (Eschl.). Bozen: am Talferbette hinter Runkelstein, bei Kühbach, an der Heerstrasse am Bache zwischen Leifers u. Pranzoll; Schlern und Seiseralpe (Hsm.). Ritten: bei Wangen (Hfl.); bei Petersberg nächst Bozen (Hinterhuber!). Im Gebüsche am Bergabhange an der Strasse zwischen Neumarkt u. Trient (Zcc!). Valsuganeralpen (Ambr.). Im Grus und an den Felsen am Leno bei Roveredo (Crist.). Baldo: zwischen Tret de spin u. Aque negre (Hfl.). Judicarien: im Thale bei Bolbeno u. am Bache Pissone (Bon.).

S. rupestris Koch syn. ed. 1. S. montanus und rupestris Willd. (S. paradoxus Hoppe Exemplare ohne Strahl).

Bl. gelb. Mai — Aug. ⚇. u. ☉.

992. *S. abrotanifolius L.* Stabwurzblättriges K. ***Blätter*** kahl, die untern *doppelt-gefiedert;* Fieder schmal, linealisch, ganzrandig, seltener 1zähnig, die der Basis kleiner; ***Blattstiel öhrchenlos, fiederspaltig-gezähnt,*** Zähne linealisch-pfriemlich; ***Spindel ganzrandig; Ebenstrauss 3—6-köpfig;*** Aussenkelch halb so lang als der Hauptkelch; Strahl abstehend; Achenen kahl; Pappus bleibend.

Steinige Triften der Alpen. — Fend u. Rofen in Oetzthal (Lbd.). Kalkalpen im Unterinnthal (Hfm.). Im Pillerseer Steinberg, auf Kalk (Trn.). Pusterthal: auf der Gsiesseralpe (Hll.), Innervilgraten (Schtz.), Kohl- u. Schwabenalbl bei Innichen (Stapf), Laserzer- Lavanter- und Kerschbaumeralpe bei Lienz (Rsch! Bischof! Schtz.). Vintschgau: am Godria bei Laas (Tpp.). Wormserjochstrasse (Hsm.). Kirchbergeralpe in Ulten (Hinterhuber!). Kalkalpen um Bozen: Mendel u. Schlern (Hsm.). Monte Röen über Tramin; Monte Gazza bei Trient (Hfl.). Cavaleseralpen (Iss.). Alpen um Trient (Per.), am Bondone (Crist.). Alpen bei Borgo (Ambr.). Auf dem Portole (Montini). Auf der Scanuppia in der Region des Knieholzes (Hfl.). Scanuccia und Campogrosso (Poll!). Auf dem Spinale (Bon.).

Bl. safrangelb. Jul. Aug. ♃.

993. *S. erucifolius L.* Rauckenblättriges K. ***Blätter fiedertheilig,*** die untern gestielt, die übrigen sitzend; ***Fieder linealisch, gezähnt u. fiederspaltig, die der Basis kleiner, ganzrandig,*** öhrchenförmig; Spindel ganzrandig; Ebenstrauss vielköpfig, gedrängt; Aussenkelch mehrblättrig, angedrückt, halb so lang als der Hauptkelch; Strahl abstehend; ***Achenen haarig-rauh, sämmtlich mit gleichförmigem Pappus;*** Wurzel kriechend.

Ungebaute Orte und grasige Hügel. — Vorarlberg: um Bregenz (Str!).

Bl. gelb. Jul. Aug. ♃.

994. *S. Jacobaea L.* Jacobs-K. Die Wurzel u. untern Stengelblätter gestielt, länglich-verkehrt-eiförmig, an der Basis verschmälert, leyerförmig, *die übrigen stengelständigen mit vieltheiligen Oehrchen stengelumfassend,* fiedertheilig; *Fieder gezähnt oder fast fiederspaltig, vorne 2spaltig, Zipfel auseinanderfahrend; Spindel ganzrandig;* Aeste des Ebenstrausses aufrecht; Aussenkelch meist 2blättrig, sehr kurz, angedrückt; Strahl abstehend; *Achenen* des Mittelfeldes haarig-rauh, die *des Randes kahl,* diese mit wenigbehaartem hinfälligem Pappus; Wurzel abgebissen, faserig.

Auf Wiesen, buschigen Hügeln und Auen. — Gemein um Bregenz (Str!). Imst (Lutt!). Innsbruck (Hfm!). Schwaz (Schm.). Lienz (Rsch!). Dürre Hügel um Roveredo u. am Gardasee (Poll!).

Der Standort: Lienz dürfte mit den zwei folgenden Arten zu vergleichen sein, welche übrigens nach meiner Ansicht (in Uebereinstimmung mit Neilreich Fl. v. Wien p. 250 u. 251) nur durch versehiedenen Standort bedingte Abarten des S. Jacobaea L. sind.

Obsolet: Herba Jacobaea.

Bl. gelb. Jul. Aug. ⊙.

995. *S. aquaticus Huds.* Wasser-K. Die Wurzel- u. untern Stengelblätter gestielt, länglich-eiförmig, an der Basis verschmälert, ungetheilt oder fast leyerförmig, die übrigen *stengelständigen mit getheilten Oehrchen halb-stengelumfassend,* an der Basis eingeschnitten o. leyerförmig, *die seitenständigen Fiedern länglich o. linealisch, schief aus der Mittelrippe ausgehend,* der endständige eiförmig-länglich,gezähut o. fast lappig, die obern Blätter fiederspaltig o. ungetheilt, gezähnt; Ebenstrauss aufrecht-abstehend, locker; Aussenkelch meist 2blättrig, angedrückt, sehr kurz; Strahl abstehend; Achenen des Mittelfeldes schwach fläumlich, die des Randes kahl, diese mit wenig-behaartem hinfälligem Pappus.

Auf feuchten Wiesen im Thale. — Vorarlberg: bei Fussach (Str!), am Rhein bei Fussach (Cst!). Vintschgau: in der Aue bei Goldrain; in Passeyer (Tpp.). Bozen: auf den Mösern bei Sigmundscron, dann bei Leifers, Pranzoll u. Auer mit Folgender (Hsm.).

Kommt auch doch selten ohne Strahl vor wie Folgende.

Bl. gelb. Jul. Aug. ⊙.

996. *S. erraticus Bertoloni.* Bertoloni's-K. *Blätter* leyerförmig, die untern gestielt, die übrigen *mit getheilten Oehrchen halbstengelumfassend; Fieder* gezähnt, meist zu 5, *die seitenständigen weit-abstehend, verkehrt-eiförmig-länglich,* der endständige der Wurzelblätter sehr gross, herz-eiförmig, der der obern keilig; Ebenstrauss spreizend, locker; Aussenkelch meist 2blättrig, angedrückt, sehr kurz; Strahl abstehend; *Achenen* des Mittelfeldes kahl oder schwach-fläumlich, die *des Randes kahl,* diese mit wenigbehaartem hinfälligem Pappus.

An Wegen, Gräben u. feuchten Wiesen im südlichen Tirol. Vintschgau: an der Strasse bei Goldrain (Tpp.). Bozen: bei Gries am Wege vom Lageeder zum Gandelhofe u. von da zum Dorfe Gries, an der Strasse nach Sigmundscron u. Leifers etc. (Hsm.). Am Leno bei Roveredo (Per!). Judicarien: bei Tione (Bon.). Am Gardasee (Clementi).

Bl. gelb. Jul. — Octob. ⊙.

997. *S. lyratifolius Reichenb.* Leyerblättriges K. Blätter unterseits dünn-spinnwebig-filzig, leyerförmig, mit vieltheiligen Oehrchen halbstengelumfassend, *die Seitenlappen länglich, gezähnt - gesägt, der endständige sehr gross, geschärft-doppelt-gesägt o. an der Basis fast fiederspaltig-eingeschnitten*, der der Stengelblätter eiförmig, der obersten länglich; Strahl abstehend; Achenen fläumlich.

Thäler der böhern Alpen, hin u. wieder durch die ganze Alpenkette (Koch syn.)! Vorarlberg: bei Ems (Str!).

Senecio alpinus L. fil. Cineraria alpina β. alata L.

Bl. gelb. Jul. Aug. ♃.

998. *S. cordatus Koch.* Alpen-K. *Blätter* unterseits dünn-spinnwebig-filzig, gestielt, *herzförmig, eiförmig, anderthalbmal so lang als breit, ungleich-gezähnt;* Blattstiel mit einem Anhängsel o. nackt; die obersten Blätter lanzettlich; Blattstiel schmal, ganzrandig, an der Basis etwas geöhrelt; Oehrchen kurz, kaum halbstengelumfassend; Strahl abstehend; Achenen kahl.

Gebirgswälder, Alpen und Voralpen. — Vorarlberg: bei Bregenz (Str!), bei Krumbach im Bregenzerwalde (Tir. B.)! Rossberg bei Vils (Frl!). Oberinnthal: Alpe Maldon bei Imst (Lutt.). Aschaueralpe (Kink). Imsteralpe (Lutt!). Innsbruck: an der Sill; Völs gegen Axams in der Waldschlucht u. gemein bei Waldrast (Hfl.), Höttingerberg unter den Seegruben (Schpf.). Unterinnthal: Kellerjoch (Hrg!), am Achenthaler See (Hfl.), Schwaz: gegen Georgenberg u. Viecht (Schm!). Lisens bei 3800′ (Prkt.). Am Fuss des Kaiser bei Wörgl (Trn.), Sonnenwendjoch bei Rattenberg (Wld.). Brennerstrasse (Schneller. Hsm.). Meran: bei Riffian (Schm.). Joch Grimm bei Bozen (Gundlach). Gebirge ober Salurn z. B. bei Kerschbaum (Hsm.). Fassa (Tpp.). Alpen und Voralpen bei Borgo (Ambr.). Rabbi (Tpp.). Gebirge um Roveredo (Crist.). Auf dem Baldo: bei Pozzo ferrera u. an den Alphütten des Altissimo (Hfl.). Judicarien: Alpe Lenzada u. Gavardina (Bon.).

S. alpinus De C.

Bl. gelb. Jul. Aug. ♃.

999. *S. subalpinus Koch.* Voralpen-K. *Blätter* kahl, unterseits auf den Adern kurzhaarig, *herzförmig, so breit als lang, gezähnt,* gestielt; Blattstiel nackt o. der der obern Blätter mit Anhängsel; die obersten Blätter lanzettlich, eingeschnitten-gezähnt o. ungetheilt; Blattstiel derselben breit-ge-

flügelt, an der Basis geöhrelt, stengelumfassend; Strahl abstehend; Achenen kahl.

Waldige feuchte Orte der Voralpen, auch ins Thal herab. Unterinnthal: am Austritt des Brixenbaches in das Brixenthal (Unger Einfl. p. 311)! An der Jller im angränzenden Bayern (Flora 1848 p. 203)!

S. alpinus β. auriculatus Reichenb. De C.

Eine Varietät der Vorigen, durch den Standort bedingt. Die angegebenen Merkmale finde ich wandelbar u. Zwischenformen liegen mir von Unterinnthal u. vom Bozner Gebiethe vor, die echte Pflanze besitze ich vom Radstädter Tanrn in Salzburg durch Dr. Sauter und aus Steiermark durch R. von Pittoni. —

Bl. gelb. Jul. Aug. ♃.

1000. ***S. carniolicus Willd.*** Krainisches Kr. ***Blätter von angedrücktem fast seidenhaarigen Filze grau, zuletzt kahl werdend,*** die Wurzel- und untern Stengelblätter langgestielt, eingeschnitten-gekerbt o. fiederspaltig, Fieder stumpf, ganzrandig u. gekerbt; die obern Blätter kurz-gestielt, ***öhrchenlos,*** Fieder linealisch, spitz; Strahl abstehend; ***Achenen kahl.*** —

Felsige unberaste Orte der Alpen. — Oberinnthal: Alpen bei Imst (Lutt!). Alpen bei Zirl u. Telfs (Str.!). Innsbruck: Patscherkofel, Glunggezer u. Morgenspitze (Hfl.). Südseite des Pfitscherjoches (Hfl.). Pusterthal: auf der Taistneralpe (Hll.), Innervilgraten, Hofalpe u. Gössnitz (Schtz.), am Matreyerthörl, Bergeralpe u. Teischnitzalpe in Kals (Hrnsch!). Vintschgau: Alpen bei Laas (Tpp.). Auf allen Alpen um Bozen über 6000′ z. B. Rittner Horn, Villandereralpe, Schlern; Ifinger bei Meran (Hsm.). Laugenspitze (Lbd.). Valsugana: Alpen bei Borgo (Ambr.). Col Bricone in Paneveggio (Per.). Judicarien: Alpe Cengledino (Bon.). Val di Genova in Rendena (Per.). Alpe Padon (Fcch.).

β. ***glabrescens.*** Kahl o. fast kahl. — Beinahe überall mit der Species, doch mehr an feuchten, fetten Orten. — Rosskogel bei Innsbruck (Hfl.). Schmirn und Stubai (Hfm.). Pusterthal: Gsieseralpen (Hll.), Vilgrattneralpe (Stapf), Ellner Spitze bei Brunecken (M. v. Kern), Tefereggen (Schtz.), Tristacheralpe (Ortner). Vintschgau: am Zefriedferner im Martellthale (Tpp.), Marienbergeralpe (Hfm.). Auf allen Alpen um Bozen (Hsm.). Fleims: Cima di Cadino (Ambr.).

Die graufilzige Form wird häufig mit Folgender verwechselt, sie lässt sich aber durch den angedrückten Filz erkennen; übrigens findet man kahle u. filzige Exemplare zu gleicher Zeit neben einander u. schon vor der Blüthezeit, es ist also unrichtig, dass sich an den kahlen nur der Filz verloren habe. Ferner stimme ich ganz der Ansicht derer bei, die S. carniolicus u. incanus für eine Art halten.

Bl. gelb. Jul. Aug. ♃.

1001. *S. incanus L.* Graufilziges K. ***Blätter von wolligem Filze schneeweiss,*** die wurzel- u. untern stengelständigen eiförmig, fiederspaltig, Fieder stumpf, eingeschnitten-2—3fach-gekerbt; die obern Blätter kurz-gestielt, ***öhrchenlos,*** Fieder linealisch, spitz; Ebenstrauss dicht; Strahl abstehend; ***Achenen kahl.***

Kiesige Orte der höchsten Alpen in Tirol (Koch syn. und Reichenb. flor. exc.)! Oberinnthal: am Krähkogel (Zcc!). Am Brechtenjoche (Str!). In Lisens (Prkt.). Pfitscherjoch (Hfl.). Felsen am Schwarzsee in Zillerthal (Moll!). Alpen um Lienz (Bsch! Hänke!), Schleinizalpe allda (Hoppe!). Am Glockner Kärnthner Seite (Lösche!). Vintschgau: am Zefriedferner (Tpp.), Wormserjoch neben dem Hause: zum Schuster und vor dem Posthause Monte Braulio (Fk!). Ifingerjoch (Iss!). Alpen um Bozen, aber viel seltener als Vorige (Hsm.).

Bl. gelb. Jul. Aug. ♃.

§. 3. ***Strahlen des Randes abstehend; Blätter gesägt o. ganzrandig (weder eingeschnitten noch zertheilt).***

1002. *S. Cacaliaster Lam.* Pestwurzartiges K. ***Blätter elliptisch-lanzettlich,*** zugespitzt, ungleich-gezähnt-gesägt; ***Spitzchen der Sägezähne gerade,*** die untern Blätter kurz-herablaufend, die obern sitzend; Deckblätter linealisch; Ebensträusse vielköpfig; ***Strahl fehlend.***

Waldige Orte der Alpen u. Voralpen im südlichen Tirol. Pusterthal: am Fusse des Sarl in Prax (Hll.), Innervilgraten u. Teischnizalpe (Schtz.). Wormserjochstrasse; Gebirge ober Salurn; Seiseralpe am Ochsenwalde (Hsm.). Fassa u. Joch Grimm (Hinterhuber!). In Menge in Fassa u. Fleims in der Waldregion der Alpen (Fcch.). Ausser der Gränze bei Heilig-Blut gegen den Rauriser Tanrn (Hoppe!).

S. croaticus W. K.

Kommt nach Dr. Facchini, doch sehr selten, mit einem Strahle vor (Koch Taschenb.).

Bl. weisslich o. gelblich-weiss. Jul. Aug. ♃.

1003. *S. nemorensis L.* Hain-K. ***Blätter elliptisch-lanzettlich o. eiförmig, kahl o. unterwärts flaumig,*** ungleich-gezähnt-gesägt, ***mit geradem Spitzchen der Sägezähne,*** die untern in einen geflügelten Blattstiel zusammengezogen, die obern sitzend oder sämmtlich gestielt; Ebenstrauss vielköpfig; Deckblättchen linealisch o. lanzettlich linealisch; ***der Aussenkelch 3—5blättrig,*** so lang als der Hauptkelch; Strahl 5—8blüthig; Achenen kahl.

Gebirgswälder u. Voralpen. — Vorarlberg: um Bregenz, am Freschen, Axberg u. ober Hohenems (Cst!), auf der Dornbirneralpe (Str!). Oberinnthal: bei Arzel nächst Imst (Lutt.). Innsbruck: in der Klamm (Schneller), am Sillfall und in der Schlucht bei Amras (Hfl.). Gebirgswälder um Kitzbüchl (Trn.). Am Achenthaler See (Hfl.). Rattenberg (Wld!). Georgenberg (Schm.). Pusterthal: bei Hopfgarten (Schtz.), unter der Pregratter Dorferalpe (Hrnsch!), Brunecken (F. Naus!). Rittneralpe: sehr selten am Bache ober Pemmern; Villandereralpe (Hsm.). Monte Gazza (Merlo). An der Noce bei Pejo (Bon.). Folgaria (Hfl.). Judicarien: bei Stelle (Bon.).

Senecio Fuchsii Gmel. ist nach Koch und wie man sich in der Natur allenthalben überzeugen kann, eine Abart mit schmälern Blättern u. Deckblättern u. kommt beinahe überall mit der Hauptart vor.

Bl. gelb, Köpfchen meist 5- seltener 6—8strahlig, auch, doch sehr selten, strahllos. Jul. Aug. ♃.

1004. *S. saracenicus L.* Saracenisches K. ***Blätter ziemlich kahl, länglich-lanzettlich,*** sehr spitz, an der Basis keilig, die untersten in den geflügelten Blattstiel verschmälert, die übrigen mit breiter Basis sitzend, sämmtlich ungleich-gezähnelt-gesägt; ***Spitzchen der Sägezähne vorwärts-gekrümmt;*** Ebenstrauss vielköpfig; Deckblätter lanzettlich-linealisch; ***Aussenkelch 5blättrig, ungefähr so lang als der Hauptkelch;*** Strahl 7—8blüthig; Achenen kahl.

An Ufern u. Weidengebüschen. — Unterinnthal: am Kaisergebirge (Unger!).

Wird sonst nur in der Ebene, an den Ufern des Mains, des Unterrheins, der Mosel, der Donau, Moldau u. Elbe angegeben. Unterscheidet sich von Voriger auch durch die weit kriechende Wurzel.

Obsolet: Herba Consolidae saracenicae.

Bl. gelb. Jul. Aug. ♃.

1005. *S. paludosus L.* Sumpf-K. ***Blätter sitzend, verlängert-lanzettlich,*** verschmälert-spitz, ***geschärft-gesägt,*** kahl o. unterseits filzig; Ebenstrauss vielköpfig; ***Strahl meist 13blüthig; Aussenkelch meist 10blättrig,*** halb so lang als der Hauptkelch; Achenen fläumlich.

Auf Sumpfwiesen der Thalebene. — Vorarlberg: Mereran bei Bregenz (Str!). Gemein im Etschlande auf den Sumpfwiesen längs der Etsch von Terlan bis Trient, namentlich auf den Kaisermösern bei Frangart nächst Bozen u. links an der Strasse unter St. Jacob am Steinmannhof (Hsm.). Judicarien: am Lago d'Idro (Bon.). Ufer des Gardasees (Per!).

Blätter unterseits meist filzig.

Bl. gelb. Jun. Jul. ♃.

1006. *S. Dorónicum L.* Gemswurzartiges K. ***Blätter lederig,*** von sehr kurzen Härchen etwas rauh u. zugleich wollig o. ohne Wolle, die untern länglich-lanzettlich, gezähnt oder gezähnelt, gestielt, die untersten oft eiförmig, die obern lanzettlich, sitzend; ***Stengel meist 1—3köpfig; Hauptkelch ziemlich kahl o. etwas wollig; Aussenkelch vielblättrig, so lang als der Hauptkelch; Strahl vielblüthig.***

Triften u. steinige Orte der Alpen u. Voralpen. — Vorarlberg: am Freschen (Str!), am Widderstein (Köberlin!). Rossberg bei Vils (Frl!). Schramkogel bei Lengenfeld (Hrg!).

Krähkogel (Zcc!). Imsteralpe (Lutt!). Alpen bei Zirl u. Telfs (Str!). Innsbruck: im Lavatscherthal und auf den Seegruben (Hfl.), hinter der Morgenspitze (Eschl.), auf der Frauhütt (Schm.). Haller Salzberg (Hrg!). Schmirn (Hfm.). Längenthal (Prkt.). Zillerthal (Braune!). Kalkgebirge um Kitzbüchl: z. B. am Kaiser (Trn.). Pfitscherjoch (Hfl!). Pusterthal: Gsieser- und Taistneralpen (Hll.), Teischnitzalpe u. am grauen Käs (Schtz.), Schleinizalpe (Hohenwarth!). Marenwalderalpe bei Lienz (Rsch!), Ochsenalpe in Pregratten (Hrnsch!). Wormserjochstrasse (Hsm.). Alpen bei Laas u. am Strimmhof allda (Tpp.). Zilalpe bei Meran (Elsm!). Seiseralpe u. Schlern (Hsm.). Fassa (Tpp.). Monte Gazza u. Spinale (Per.). Gebirge um Roveredo (Crist.). Baldo: südliche Abhänge des Altissimo (Hfl.).

Kalkpflanze?

Bl. gold- o. pomeranzengelb. Stengel 1-10blüthig, wie die Blätter fast kahl o. etwas wollig; auch, doch sehr selten, ästig, Aeste beblättert, so von Dr. Hell auf der Amperspitze bei Taisten in Pusterthal gesammelt. Jul. Aug. ♃.

II. Unterordnung.

CYNAROCEPHALAE. Vaill.

IV. Unterabtheilung. CYNAREAE. Lessing.

Griffel der Zwitterblüthen oben unter den Schenkeln desselben in einen Knoten verdickt, am Knoten oft kurzhaarig.

XI. Gruppe. **Calendulaceae De C.** Blüthen des Strahles weiblich, fruchtbar, zungenförmig; Griffel 2spaltig, Schenkel verlängert. Blüthen des Mittelfeldes röhrig, zwitterig, fehlschlagend; Griffel an der Spitze in einen Knoten verdickt, kurz 2spaltig o. ganz.

292. *Caléndula L.* Ringelblume.

Hauptkelch halbkugelig; Blättchen gleich, 2reihig. Strahlblüthen zungenförmig, 2—3reihig, die des Mittelfeldes röhrig, 5spaltig, unfruchtbar. Achenen der Strahlenblüthen ungleichartig, die des Randes mehr o. weniger in einen Scbnabel verlängert, alle mehr o. weniger gekrümmt; Achenen des Mittelfeldes fehlend. Pappus fehlend. (XIX. 4.).

1007. *C. arvensis L.* Acker-R. Achenen am Rande ganz, auf dem Rücken weich-stachelig, die 3—5 äussersten linealisch, geschnäbelt, Schnabel aufrecht, wenige eiförmig, nachenförmig, die innern linealisch, in einen Ring zusammengekrümmt; Blätter länglich-lanzettlich, etwas gezähnelt, die untern an der Basis verschmälert, kurz-gestielt, die obern mit abgerundeter Basis halbstengelumfassend; der Stengel ausgebreitet. —

Auf Aeckern im südlichern Tirol. — Unter der Saat auf Hügeln im Tridentinischen (Poll!). Am Gardasee auf Brescianischem Gebiethe (Fcch!). In meinem Garten in Bozen vor einigen Jahren angepflanzt, nun ganz verwildert.

Bl. gelb. Mai — Octob. ⊙.

C. officinalis L. Garten-R. Todtenblume. Blätter entfernt-kleingezähnelt, die untern gestielt, spatelförmig, die obern stengelständigen keilig-länglich o. lanzettlich, sitzend, mit feiner aufgesetzter Haarspitze. Achenen nachenförmig, weich-stachelig, alle einwärts-gekrümmt, die mittleren fast lanzettlich, die äussern fast glatt. Häufig in Gärten u. auf Gottesäckern u. allda wie verwildert.

Kraut u. Blüthen officinell: Herba et Flores Calendulae.

Bl. gelb oder pomeranzenfarben, viel grösser als die der Vorigen; Pflanze klebriger. Jun. Aug. ⊙.

XII. Gruppe. **Echinopsideae Less.** Zahlreiche ungestielte, 1blüthige Köpfchen in kugeligen Knäueln auf einem gemeinschaftlichen Boden beisammenstehend.

293. *Échinops L.* Kugeldistel.

Köpfchen 1blüthig, zahlreich, auf einem nackten kugeligen Fruchtboden. Allgemeine Hülle wenigblättrig; Blätter klein, zurückgebogen. Kelch der Köpfchen vielblättrig, bleibend, 3-fach; äussere Blättchen kürzer, haarförmig, die mittlern kaum länger, fast spatelförmig, die innersten linealisch, verlängert. Blüthen röhrig, Röhre kurz, mit ungleichem 5zähnigem Saume. Achenen walzlich, seidig-zottig. Pappus sehr kurz, fast kronenförmig. (XIX. 5.).

1008. ***E. sphaerocephalus L.*** Gemeine K. Blätter oberseits von etwas klebrigen Haaren flaumig, unterseits wollig-filzig, graulich, fiederspaltig; Fiederchen auseinander-weichend, buchtig-gezähnt, dornig; Hauptkelch an der Basis borstig, Borsten länger als die halbe Länge desselben; die äussern Blättchen desselben drüsig-haarig; Strahlen des Pappus nur an der Basis verwachsen.

In Weinbergen, an Rainen und Schutt sehr zerstreut. — Vintschgau: bei Laas (Tpp.), Schlanders u. Castelbell (Fcch!). Bozen: beim Kalkofen nächst der Legs-Zeughütte; Kaltern an Weinbergen; bei Salurn an Wegen (Hsm.). Kaltern am Wege östlich unter dem Kalvarienberge (Hfl.). Roveredo (Fcch!). Im Tridentinischen, am Baldo: um la Corona (Poll!), ebenda (Per!).

Obsolet: Herba Echinopis.

Bl. weisslich. Staubbeutel bläulich. Ende Jun. Aug. ♃.

XIII. Gruppe. **Carduineae Less.** Hauptkelch vielblüthig. Blüthen alle röhrig und zwitterig, die des Randes manchmal fehlschlagend. Pappus haarig o. federig (nicht aber ästig), an der Basis zu einem Ringe verbunden, abfällig.

294. *Cirsium Tournef.* Kratzdistel.

Blättchen des Hauptkelches dachig. Blüthen zwitterig oder 2häusig-1geschlechtig, alle röhrig. Staubfäden frei. Pappus haarig, an der Basis zu einem Ring verbunden, abfällig. Fruchtboden borstlich-spreuig. (XIX. 1.).

I. Rotte. ***Epitrachys De C.*** Blätter oberseits dornig-kurzhaarig. Blüthen purpurn.

1009. ***C. lanceolatum Scop.*** Lanzettblättrige K. ***Blätter herablaufend, oberseits dörnig-steifhaarig, unterseits etwas spinnwebig-wollig,*** tief-fiederspaltig, Fieder 2-spaltig, Zipfel lanzettlich o. eiförmig, ganzrandig, der vordere an der Basis gelappt, Zipfel u. Lappen mit einem derben Dorne endigend; ***Köpfchen*** einzeln, ***eiförmig,*** spinnwebig-wollig; Blättchen des Hauptkelches lanzettlich, mit der pfriemlichen, in einen Dorn endigenden Spitze abstehend.

An Wegen, Zäunen und Schutt bis an die Voralpen. — Bregenz (Str!). Gemein um Innsbruck: am Pastberg (Hfl.). Schwaz (Schm!). Kitzbüchl (Unger!). Schmirn (Hfm!). Pusterthal: bei Welsberg (Hll.), um Lienz (Rsch!), Innervilgraten (Schtz.). Gemein um Bozen: z. B. gegen Leifers u. Terlan; um Eppan etc.; Klobenstein am Ritten bis wenigstens 4300′ (Hsm.). Val di Non: bei Castel Brughier (Hfl!). Trient: an der Etsch im Campo Trentino (Per!). An Feldwegen um Roveredo (Crist.).

Carduus lanceolatus L. Cnicus lanceolatus Willd. Cirsium lanceolatum Koch syn. ed. 1. u. Taschenb.

β. nemorale. Blätter weniger tief-fiederspaltig, unterseits weiss-wollig, Köpfchen oft (nicht immer) rundlich. — C. nemorale Reichenb. Koch syn. ed. 1. u. Taschenb. — Auf gleiche Art variirt auch C. arvense.

Selten in Gebüschen u. Wäldern. — Bozen: im Gebüsche am Talferbette hinter dem Schlosse Ried u. nächst der Quelle vor Runkelstein (Hsm.).

Bl. purpurn. Jul. Sept. ⊙.

1010. ***C. eriophorum Scop.*** Wollköpfige K. ***Blätter stengelumfassend, nicht herablaufend, oberseits dörnig-steifhaarig,*** unterseits filzig, tief-fiederspaltig, Fieder 2theilig, Zipfel lanzettlich, ganzrandig, der vordere an der Basis gelappt, Zipfel u. Lappen mit einem Dorn endigend; Köpfchen einzeln, kugelig, spinnwebig-wollig; Blättchen des Hauptkelches lanzettlich, mit der linealischen vor dem Dorne verbreiterten Spitze abstehend.

An Wegen und magern hügeligen Triften der Gebirge und niedern Alpen. — Oberinnthal: bei Ladis (Gundlach). Kitzbüchl: auf der Trattalpe bei 4500′ (Trn.). Pusterthal: Kalserthal u. Pregratten, am Wege zur Bewellalpe (Hrnsch!), in Prax (Hll.), Nordseite des Devantthales u. Hofalpe (Schtz.), Lienz: hinter dem Rauchkofel und auf der Marenwalderalpe (Rsch!).

Vintschgau: in Sulden (Hrg!). Ritten: Klobenstein am Wege nach Siffian unter dem Spitale, auf dem Ameiser am Ackerrande u. am Oberboznersteige beim Moosbacher; Seiseralpe am Ochsenwalde; bei Vigo in Fassa (Hsm.). Häufig an den Alphütten der Mendelalpe (Hfl.). Fassa: an Ackerrändern und Triften von Paneveggio; in der Buchenregion der Scanucchia (Per!). Am Baldo: bei Campione u. Aque negre (Poll!). Bei Molveno (Merlo). Judicarien: auf der Alpe Lenzada (Bon.).

Carduus eriophorus L.

Bl. purpurn. Jul. Aug. ⊙.

II. Rotte. *Chamæleon.* Blätter oberseits nicht dörnig-kurzhaarig. Blättchen des Hauptkelches mit einem einfachen Dorn o. fast wehrlos. Blüthen zwitterig.

§. 1. ***Blätter völlig o. doch etwas herablaufend. Bl. purpurn.***

1011. ***C. palustre Scop.*** Sumpf-K. ***Blätter gänzlich herablaufend,*** zerstreut-haarig, tief-fiederspaltig, Fieder 2-spaltig, Zipfel lanzettlich, ganzrandig, der vordere an der Basis gelappt, Zipfel und Lappen mit einem Dorne endigend; ***Aeste an der Spitze vielköpfig; Köpfchen traubig-geknäuelt;*** Blättchen des Hauptkelches dörnig-stachelspitzig.

Feuchte Wiesen von der Thalsohle bis an die Alpen. — Gemein um Bregenz (Str!). Oberinnthal: bei Imst (Lutt!). Innsbruck: im Wiltauerberg gegen die Gallwiese (Schpf.). Durch ganz Stubai bis Falbeson (Hfl!). Waldwiesen um Kitzbüchl (Trn.). Schwaz: Vomperau (Schm!). Schmirn (Hfm!). Lienz (Rsch!), Innervilgraten (Schtz.). Bozen: auf den fenchten Wiesen bei St. Jacob ober Leifers u. an der Talfer-Holzlege; Klobenstein am Ritten, z. B. in der sogenannten Grub hinter Rappesbüchl; Sarnthal etc. (Hsm.). Trient (Per!). Baldo: Val Aviana, Aque negre u. al Campione (Poll! Clementi).

Carduus palustris L.

Bl. purpurn. Jun. — Sept. ⊙.

1012. ***C. pannonicum Gaud.*** Pannonische K. ***Blätter*** zerstreut-haarig u unterseits oft spinnwebig-wollig, länglich-lanzettlich, ***ungetheilt, ganzrandig u. gezähnelt,*** ungleich-dörnig-gewimpert, die wurzelständigen in den Blattstiel verschmälert; ***die mittleren stengelständigen Blätter hinten verschmälert, an der Basis selbst ein wenig verbreitert,*** halbstengelumfassend, kurz-herablaufend; der Stengel von der Mitte an nackt, mit wenigen schuppenförmigen Deckblättern bestreut, 1—3köpfig; Blüthenstiele verlängert; ***Hauptkelch deckblattlos; Rhizom schief; Fasern fädlich.***

Gebirgige Orte und Bergwiesen im südlichen Tirol (Koch syn.)! Im Tridentinischen (Per.). Judicarien: am Gaggio ai Ronchei bei Tione (Bon.). Am Gardasee (Clementi).

Carduus pannonicus L. fil.

Bl. purpurn. Jun. Jul. ♃.

§. 2. ***Blätter nicht herablaufend. Bl. purpurn oder gelblich.***

1013. ***C. Erisithales Scop.*** Klebrige K. ***Blätter zerstreut-flaumig,*** ungleich-dornig-gewimpert, ***stengelumfassend, tief-fiederspaltig,*** die untern stengelständigen in den geflügelten, gezähnten, an der Basis verbreiterten Blattstiel zusammengezogen, ***Fieder*** länglich o. lanzettlich, ***zugespitzt, gezähnt; Köpfchen auf dem nickenden Blüthenstiele einzeln o. etwas gehäuft; Blättchen des Hauptkelches dörnig-stachelspitzig, von der Mitte an wagrecht-abstehend o. zurückgekrümmt;*** Stengel oberwärts fast nackt.

Gebirgswälder u. Alpen vorzüglich in Thälchen. — Innsbruck: in der Klamm (Hfl.), u. ober dem Ursprung des Mühlauer Baches (Schpf.). Pusterthal: auf der Kerschbaumeralpe (Hrg!), in Altprax (Hll.), in der Fichtenregion südlich von Innichen (Stapf), ober Windischmatrey gegen den Tauern (Hrnsch!). Vintschgau: Wormserjochstrasse (Fk!), im Laaserthale (Tpp.). Bei Moos in Passeyer (Zcc!). Gebirge u. Alpen um Bozen: Ritten von 4000′ aufwärts z. B. am Steige von Lengmoos zum Magenwasser, südöstlich bei Pfaffstall in Menge, um Pemmern im Gebüsche beim Zach, Rittneralpe etc.; Seiseralpe u. Schlern; am Geierberge bei Salurn (Hsm.). Mendel bei Bozen; Folgaria: im Walde ober der Alpe Parisa (Hfl.). Fleims: alla Monte (Scopoli!). Valsugana: auf den Gebirgen um Borgo, z. B. Val di Sella (Ambr.). Voralpentriften des tirolischen Baldo (Poll!).

Cnicus Erisithales L.

Bl. gelb oder gelblich-weiss, selten ins Röthliche.

Jul. Aug. ♃.

1014. ***C. heterophyllum All.*** Verschiedenblättrige K. ***Blätter*** oberseits kahl, ***unterseits schneeweiss-filzig,*** ungleich-dornig-gewimpert, stengelumfassend, lanzettlich oder elliptisch-lanzettlich, zugespitzt, die wurzel- u. untern stengelständigen gesägt, letztere in den breitgeflügelten, an der Basis geöhrelt-verbreiterten Blattstiel zusammengezogen, die obern fast ganzrandig, ***sämmtlich ungetheilt o. die mittlern vorne eingeschnitten, Zipfel lanzettlich, vorwärts-gerichtet; der Stengel reichblättrig,*** 1—3köpfig; die Köpfchen endständig, einzeln, deckblattlos; Blättchen des Hauptkelches angedrückt. —

Feuchte Waldwiesen der Gebirge und niedern Alpen. — Oberinnthal: am Krähkogel (Zcc!), bei Heilig-Kreuz im Oetzthal u. am Seekirchel bei Seefeld (Hfl.). Innsbruck: am Patscherkofel (Hfl.), Bergmähder am Glunggezer gegen Volderthal (Str!). Zillerthal (Schrank!). Alpenthäler und Bergwiesen um Kitzbüchl: z. B. am Jochberg (Trn.). Pfitsch (Precht). Pusterthal: Hof- Marenwalder- u. Michelbacheralpe bei Lienz (Schtz. Rsch!). Vintschgau: im Laaserthale (Tpp.). Gemein am Ritten von 3900′ aufwärts: an einer feuchten Stelle des Fenns und am Waldrande hinter Rappesbüchel nächst Klobenstein, im Kematerthale, um Pemmern, Rittneralpe am Glöck u. Laden; Seiseralpe; Gebirge ober Salurn; Ifinger bei Meran; Sarnthal; St. Cassian in Enneberg (Hsm.). Val di Sol bei Pejo (Bon.). Auf Alpentriften in Primiero (Per!). Alpen bei Borgo (Ambr.). Judicarien: Val di Ledro (Poll!).

Carduus heterophyllus L.

Var.: Blätter alle ungetheilt. Carduus helenioides All. nicht L. Mit der Species am Ritten (Hsm.).

Bl. purpurn. Anf. Jul. Aug. ♃.

1015. ***C. rivulare** Link.* Bach-K. ***Blätter zerstreut-flaumig,*** ungleich-dornig-gewimpert, ***stengelumfassend, fiederspaltig,*** die untern stengelständigen in den geflügelten, gezähnten, an der Basis verbreiterten Blattstiel zusammengezogen; ***Fieder lanzettlich, zugespitzt, spärlich-gezähnt;*** der Stengel oberwärts nackt; Köpfchen endständig, 2 — 4, meist gehäuft; ***die Deckblätter linealisch, ganzrandig; Blättchen des Hauptkelches angedrückt,*** stachelspitzig.

Feuchte Waldwiesen auf Gebirgen und Voralpen. — Vorarlberg: am Emserberg (Cst!), bei Bregenz (Str!). Bei Moos in Passeyer (Zcc!). Bei Ried in Oberinnthal (Str!). Gebirge ober Salurn (Hsm.). Aus Fassa durch einen Kräuterklauber erhalten (Hsm.). Eppan: in der Furgelau und auf dem Kankofel (Hfl.). Judicarien: feuchte Wälder bei Stelle und am Bache Arnò (Bon.).

Carduus rivularis Jacq.

Bl. purpurn. Jun. Jul. ♃.

1016. ***C. oleraceum** Scop.* Kohlartige K. ***Blätter kahl oder zerstreut-fläumlich,*** ungleich-dornig-gewimpert, ***stengelumfassend,*** die untersten fiederspaltig, Fieder lanzettlich, zugespitzt, gezähnt, die obern stengelständigen Blätter stengelumfassend, ungetheilt, gezähnt; ***Köpfchen endständig, gehäuft, deckblättrig; die äussern Deckblätter eiförmig, verbleicht;*** Blättchen des Hauptkelches in ein Dörnchen endigend, an der Spitze abstehend.

Auf feuchten Wiesen u. an Gräben mit fliessendem Wasser. Vorarlberg: bei Lustenau (Cst!), bei Bregenz (Str!). Oberinnthal: bei Ladis (Gundlach). Innsbruck: bei Amras (Schpf.), im Wiltauer Stiftsgarten (Prkt.). Stubai: gemein auf Wiesen vorzüglich in den Schluchten unter Telfes (Hfl!). Kitzbüchl (Trn.). Pusterthal: Lienz (Rsch!), bei Welsberg gegen Niederndorf (Hll.). Feuchte Wiesen bei Sterzing (Per.). Bozen: einzeln am Graben in der Haslacher Wiese gegen den Berg, häufig auf der Sumpfwiese südlich an der Rodlerau (Hsm.). Um Trient u. Ala; am Fusse des Baldo bei Castion (Poll!).

Cnicus oleraceus L.

Bl. gelblich-weiss, nach Custer bei Lustenau auch sattpurpurn! Jul. Aug. ♃.

1017. ***C. spinosissimum** Scop.* Vieldornige K. Blätter kahl o. zerstreut-behaart, unterseits auf den Nerven etwas zottig, länglich oder lanzettlich, die untersten an der Basis verschmälert, die stengelständigen stengelumfassend, sämmtlich fiederspaltig-gelappt, Lappen eiförmig, 3spaltig, Zipfel spreizend, dörnig-gewimpert und mit einem verlängerten starken Dorn endigend; der Stengel von der Basis bis zur Spitze dichtbeblättert, an der Spitze zottig; die Köpfchen endständig, gehäuft, deckblättrig; ***Deckblätter verbleicht, geschlitzt-fiederspaltig, dornig; Blättchen des Hauptkelches mit einem Dorne von der Länge des Hauptkelches selbst endigend.***

Auf steinigen Alpentriften gemein. — Vorarlberg: auf der Dornbirneralpe (Str!), Bregenzerwald (Tir. B.)! Gaishorn bei Tannheim (Dobel!), Söbenspitze bei Vils (Frl!). Oberinnthal: am Krähkogel (Zcc!), bei Fend im Oetzthale (Hfl.), Alpen bei Zirl und Telfs (Str!), Imsteralpe (Lutt!). Innsbruck: auf den Seegruben und Brandjoch (Schpf.). Schwaderalpe bei Schwaz (Schm!). Schmirn (Hfm.). Stubai: gegen den Ferner (Eschl.). Kellerjoch (Hrg!). Kitzbüchleralpen: z. B. Griesalpe, 5—6000′ (Trn.). Pusterthal: auf der Marenwalder- u. Kerschbaumeralpe, Dorferalpe in Kals (Rsch!), Taistneralpe (Hll.). Alpen um Brixen (Hfm.). Pfitscherjöchel (Hfl!). Vintschgau: im Laaserthale (Tpp.). Penserjoch (Hfl!). Gemein auf allen Alpen um Bozen: Rittneralpe bei 5500′ ober Pemmern beginnend, Schlern und Seiseralpe etc. (Hsm.). Monte Rocca in Fleims (Scopoli!). Fassa; Fierozzo u. am Gazza (Per!). Casa Pinello in Valsugana (Ambr.). Val de Breguzzo in Judicarien (Sternberg!).

Bl. gelblich-weiss. Jul. Aug. ♃.

1018. ***C. acaule All.*** Stengellose K. ***Blätter kahl,*** lanzettlich, buchtig-fiederspaltig, ***Fieder eiförmig, eckig, fast 3spaltig,*** Lappen kurz, dörnig-gewimpert u. mit einem starken Dorn endigend; das Köpfchen einzeln stehend o. 2—3 zusammengestellt oder an der stengeltreibenden Pflanze zerstreut; ***der Stengel meist gar nicht vorhanden,*** seltener vorhanden, aber niedrig u. von der Basis bis zur Spitze beblättert; Blättchen des Hauptkelches angedrückt, kurz-stachelspitzig, die äussern eiförmig, 1nervig; Wurzelfasern fädlich.

Gebirgstriften u. niedere Alpen. — Vorarlberg (Cst!). Pusterthal: bei Welsberg u. auf allen umliegenden Bergen (Hll.). Grödnerjöchel gegen Kolfusk (Hfl.). Mals (Hfm!). Weg zum Joch Grimm bei Bozen (Hinterhuber!). Gemein am Ritten um Klobenstein, dann am Wege nach Weissenstein ober Leifers (Hsm.). Valsugana: Alpen bei Borgo (Ambr.). Campitelleralpe in Fassa (Eschl.). Hinter der Pfarrkirche in Cavalese (Scopoli!). Am Baldo: Val fredda (Poll!).

Carduus acaulis L.

Bl. pu pu . Ende Jun. — Aug. ♃.

1019. ***C. anglicum De C.*** Englische K. ***Blätter*** oberseits zerstreut-haarig, ***unterseits spinnwebig-wollig,*** länglich-lanzettlich, spitz, ungleich-dörnig-gewimpert, gezähnt o. fast buchtig, Lappen 2—3spaltig; die Wurzelblätter gestielt, ***der stengelständigen wenige, über der stengelumfassen-***

den Basis zusammengezogen; der Stengel 1köpfig, oberwärts blattlos; Hauptkelch deckblattlos, ziemlich wollig; Blättchen angedrückt, stachelspitzig.

Feuchte Wiesen im südlichern Tirol. — Bei Trient, und in Val di Vestino (Fcch.).

Carduus anglicus Lam.

Bl. purpurn. Jun. Jul. ♃.

III. Rotte. ***Breea Lessing.*** Blätter oberseits nicht dörnig-kurzhaarig. Blättchen des Hauptkelches mit einem einfachen Dorn. Köpfchen 2häusig.

1020. ***C. arvense Scop.*** Acker-K. Blätter etwas herablaufend, länglich-lanzettlich, dörnig-gewimpert, ungetheilt oder fiederspaltig-buchtig, an der Spitze u. an dem Ende der Lappen mit einem stärkern Dorne versehen; ***Köpfchen rispig-ebensträussig, eiförmig; Blättchen des Hauptkelches angedrückt,*** stachelspitzig, fast wehrlos; Wurzel kriechend.

Auf Aeckern, an Wegen, Schutt etc. — Bregenz (Str!). Innsbruck (Hfl. Schpf.), am Villerberg (Prkt.). Stubai: sehr häufig in den Auen vor Falbeson (Hfl!); Schwaz (Schm!). Kitzbüchl (Unger!). Innervilgraten, Lienz (Sebtz.). Gemein um Bozen in allen nach aufgeführten Varietäten, δ. in der Rodlerau; um Klobenstein am Ritten bis wenigstens 4500′ (Hsm.). Valsugana: bei Borgo (Ambr.). Roveredo (Crist.).

Serratula arvensis L.

Var.: α. ***horridum.*** Blätter sämmtlich wellig, fiederspaltig, sehr dornig.

β. ***mite.*** Stengelblätter buchtig; Blätter der Aeste ungetheilt o. gezähnt, weicher dornig.

γ. ***integrifolium.*** Blätter sämmtlich flach, ganzrandig oder etwas gezähnt oder nur etwas lappig.

δ. ***vestitum.*** Blätter unterseits weissfilzig.

Ein auf Aeckern der kriechenden Wurzeln wegen sehr lästiges fast unvertilgbares Unkraut.

Bl. purpurn. Jul. Aug. ♃.

IV. Rotte. Wirkliche o. muthmassliche Bastarde.

1021. ***C. flavescens Koch. (C. spinosissimo-Erisithales).*** Gelbliche K. Blätter mit zerstreuten Härchen besetzt u. unterseits auf der Mittelrippe zottig, ungleich-dörnig-gewimpert, stengelumfassend, tief-fiederspaltig, die untern stengelständigen in den geflügelten, gezähnten, an der Basis verbreiterten Blattstiel zusammengezogen, Fieder eiförmig oder lanzettlich, zugespitzt; ***Köpfchen auf dem nickenden Blüthenstiel zu mehreren gehäuft; Deckblätter*** linealisch, ungleich-dörnig-gewimpert, ***kürzer als das Köpfchen;*** Blättchen des Hauptkelches in einen Dorn endigend, die innern stachelspitzig, an der Spitze abstehend o. zurückgebogen; der Stengel bis an die Spitze beblättert.

Auf Alpenwiesen. — Vintschgau: Laaseralpen bei 4500′ (Tpp.). Alpenwiesen in Prax (Hll.). Ritten sehr selten (nur 2 Exemplare) bei Pemmern gegen die Alpe (Hsm.). Gröden; Fleims u. Fassa, Monte di Pozza (Fcch.).

Unterscheidet sich von C. Erisithales durch die Deckblätter, den bis zur Spitze beblätterten Stengel und breitere genäherte Blattzipfel; von C. spinosissimum durch breitere, tief-fiederspaltige Blätter, nickenden Blüthenstiel, linealische Deckblätter, welche kürzer als das Köpfchen sind und schwächere Dornen der Köpfchen.

Bl. gelb. Jul. Aug. ♃.

1022. ***C. praemorsum Michl.* (*C. oleraceo-rivulare De C.*).** Abgebissene K. ***Blätter zerstreut-flaumig o. kahl,*** unterseits bleicher o. in das Lauchgrüne ziehend, ungleich-dörnig-gewimpert, ***stengelumfassend, fiederspaltig,*** die untern stengelständigen in den geflügelten, gezähnten, an der Basis verbreiterten Blattstiel zusammengezogen, ***Fieder lanzettlich, zugespitzt, spärlich-gezähnt;*** Köpfchen endständig, 2—4, meist gehäuft; ***Deckblätter lanzettlich, gezähnt, dörnig;*** Blättchen des Hauptkelches nach oben verschmälert; angedrückt oder an der Spitze etwas abstehend, kurz-dörnig-stachelspitzig.

Feuchte Wiesen. — Oberinnthal: bei Ried in Gesellschaft mit C. rivulare (Str.).

Bl. gelblich-weiss. Jul. Aug. ♃.

1023. ***C. ambiguum All.* (*C. heterophyllo-Erisithales*).** Zweifelhafte K. ***Blätter*** oberseits kahl, ***unterseits weisslich-filzig,*** ungleich-dörnig-gewimpert; ***stengelumfassend, fiederspaltig,*** mit hervorgezogener, gezähnter Spitze, die untern stengelständigen in den geflügelten, gezähnten, an der Basis verbreiterten Blattstiel zusammengezogen; Fieder lanzettlich, zugespitzt, ungetheilt und 2spaltig, mit einem kurzen Dörnchen endigend; Blättchen des Hauptkelches an der Spitze abstehend; ***Köpfchen endständig,*** 2—5, gehäuft, ***an der Basis deckblattlos.***

Auf Alpentriften im mittleren Vintschgau z. B. bei Laas unter den Stammältern (Tpp.). Am Ritten bei Pemmern eine Menge Bastarden von C. Erisithales u. heterophyllum, die sich bald der einen bald der andern Art mehr nähern (Hsm.). Bei Moos in Passeyer mit seinen Stammältern (Zcc!).

Bl. purpurn oder gelb und gegen di Spitze purpurn.
Jul. Aug. ♃.

1024. ***C. Cervini Thomas.* (*C. spinosissimo-heterophyllum Naegeli*).** ***Blätter unterseits fein-spinnwebig-filzig,*** länglich o. lanzettlich, ***die untersten in den Blattstiel verschmälert, die stengelständigen mit herzförmiger Basis stengelumfassend,*** sämmtlich ***fiederspaltig-gelappt, Lappen 2—3spaltig.*** Zipfel lanzettlich, dörnig-gewimpert und ***mit einem verlängerten schlanken Dorn endigend;*** Stengel bis zur Spitze beblättert; *Köpfchen endständig, 2 bis mehrere, gehäuft, an der Basis u. den Blüthenstielen deckblättrig;* Deckblätter linealisch-lanzettlich; Blättchen des Hauptkelches in einen Dorn verschmälert, an der Spitze etwas abstehend.

Hochvintschgau: sehr selten an den Höfen im Rayenthale (Tpp.). Graubündtneralpen (Koch Taschenb.)!

Bl. röthlich o. weisslich. Jul. Aug. ♃.

1025. ***C. subalpinum Gaud. (C. palustri-rivulare Naegeli).*** *Blätter* zerstreut-haarig, *die untern halbherablaufend, tief-fiederspaltig; Fieder lanzettlich,* spitz, vorne durch einen Zahn vergrössert, ungleich-dörnig-gewimpert, recht-winkelig-abstehend; *Stengel* oberwärts wegen der entfernten, verkleinerten und wenig herablaufenden obern Blätter *fast nackt; Köpfchen 2—4, endständig, dicht zusammengestellt; Deckblätter linealisch,* kürzer als das Köpfchen.

Nasse Wiesen unter den Stammältern. — Süddeutschland: von Bregenz bis ins Breisgau (Nägeli in Koch syn. ed. 2.)! Im Rheinthale (Moritzi!). Bregenz (Döll rhein. Fl. p. 509)!

Bl. purpurn. Jul. Aug. ♃.

Bastarde von C. oleraceum u. arvense, C. lanceolatum u. palustre, C. palustre u. oleraceum wurden nach einer schriftlichen Mittheilung Traunsteiners im Jahre 1847 von den Herren Dr. Kummer u. v. Zwackle aus München um Kitzbüchl gefunden.

Cynara L. Artischocke.

Blättchen des Hauptkelches an der Basis fleischig, an der Spitze ausgerandet, dornig. Sonst wie Cirsium. (XIX. 1.).

C. Scolymus L. Gemeine A. Blätter etwas dornig, fiederspaltig o. ungetheilt; Blättchen des Hauptkelches eiförmig. Stengel ästig. — Vaterland unbekannt.

In Südtirol angepflanzt z. B. im Grossen beim Dorfe Sarnthal nächst Bozen, auch auf den Bergen bei Salurn (Hsm.).

Der Fruchtboden u. die Kelchblättchen liefern das bekannte Gemüse. — Bis Mann hoch.

Bl. blauviolett. Jul. Aug. ♃.

295. *Silybum Gaertn.* Mariendistel.

Staubfäden 1brüderig. Pappus fast federig (haarig-spreuig). Sonst wie Carduus. Blättchen des Hauptkelches dachig, an der Basis blattartig, angedrückt, mit einem dornigen zurückgebogenen Anhängsel. (XIX. 1.).

1026. ***S. marianum Gaertn.*** Gemeine M. Stengel 2-3′ hoch; Blätter länglich, stengelumfassend, spiessförmig-fiederspaltig, gezähnt-dornig, glänzend, netzaderig; Köpfchen einzeln, endständig.

Auf Schutt um Trient (Poll!). Trient: am Doss degli Zoccolanti (Per.).

Carduus marianus L.

An den angegebenen Orten wohl nur verwildert wie an mehreren Orten Deutschlands; wild im österreichischen Littorale bei Duino, Ternova, dann nach Fleischmann bei Görz und Wippach.

Obsolet: Radix, Herba et Semen Cardui Mariae.

Bl. purpurn. Blätter meist weisslich gefleckt. Jul. Aug. ⊙.

296. *Cárduus L.* Distel.

Blättchen des Hauptkelches dachig. Blüthen zwitterig, alle röhrig. Staubfäden frei. Pappus haarig, gezähnelt, an der Basis zu einem Ringe verbunden, abfällig. Fruchtboden borstig-spreuig. (XIX. 1.).

I. Rotte. ***Homalolepidóti.*** Blättchen des Hauptkelches angedrückt o. zurückgekrümmt, aber nicht hinabgeknickt.

1027. *C. acanthoides L.* Stachel-D. ***Blätter herablaufend, kahl*** o. unterseits auf den Adern zottig, tief-fiederspaltig, Fieder eiförmig, *fast handförmig-3spaltig* und gezähnt, dörnig-gewimpert, Lappen u. Zähne *mit einem starken* ***Dorn*** *endigend;* ***Köpfchen*** *meist einzeln, rundlich;* ***Blüthenstiele kurz,*** *gekräuselt, dornig;* Achenen sehr feinrunzelig. —

An Wegen und ungebauten Orten. — Innsbruck: an der Sillbrücke gegen Pradel u. bei Vill (Hfl.), am Wiltauer Sauanger (Schpf.). Pusterthal: auf dem Kreuzberge, bei Innichen und Sillian, Inner- und Ansser-Villgraten (Fcch.); bei Lienz (Schtz.). Vintschgau (Tpp.). Trient: ober Sardagna (Per.). Val di Non: Castell Brughier (Hfl!).

Bl. purpurn. Jul. Aug. ⊙.

1028. *C. crispus L.* Krause D. ***Blätter*** herablaufend, oberseits zerstreut-haarig, *unterseits wollig-filzig* u. auf den Adern etwas zottig, länglich, buchtig-fiederspaltig, ***Fieder*** eiförmig, *3lappig* und gezähnt, der mittlere Lappen grösser, Lappen u. Zähne dörnig-gewimpert u. mit einem stärkern Dorn endigend; ***Köpfchen*** rundlich, *gehäuft* u. einzeln; ***Blüthenstiele kurz,*** *dörnig* o. an der äussersten Spitze nackt; Achenen auf den Streifen deutlich quer-runzelig.

An Wegen, Schutt u. ungebauten Orten. — Vorarlberg: gemein um Bregenz (Str!), und häufig bei Feldkirch (Cst!). Lienz (Bsch!).

Bl. purpurn. Jul. Aug. ⊙.

1029. *C. Personata Jacq.* Klettenartige D. ***Blätter*** herablaufend, oberseits zerstreut-haarig, *unterseits spinnwebig-wollig,* ungleich-dörnig-gewimpert, *die obern* ungetheilt, *eiförmig u. lanzettlich,* gesägt-gezähnt, *die untern* im Umrisse breit-eiförmig, *bis zur Mittelrippe fiederspaltig,* Fieder länglich, spitz, lappig und gezähnt, die obern zusammenfliessend; ***Köpfchen*** rundlich, *gehäuft;* Aeste u. Blüthenstiele sehr schmal-geflügelt o. an der äussersten Spitze nackt.

Gebirgswiesen und Wälder der Voralpen. — Vorarlberg:

bei Ebnat (Cst!), im Bregenzerwald (Str!). Innsbruck: in der Kranewitter Klamm; in Sellrain und Gries (Hfl.). In Schmirn (Hfm!). Kitzbüchl (Trn.). Zillerthal (Schrank!). Pusterthal: zwischen Matrey und dem Taurnhause (Bischof!). Vintschgau: im Trafoierthale auf Wiesen bei Gomagoi (Hsm.), u. bei Trafoi (Tpp.). Selten: am Schlern u. der Seiseralpe (Hsm.). Judicarien: Wälder bei Stelle (Bon.).

Arctium Personata L. C. arctioides Vill.

Bl. purpurn. Jul. Aug. ♃.

1030. *C. arctioides Willd.* Rothspitzige D. Blätter herablaufend, unterseits spinnwebig-flaumig, zuletzt kahl, tieffiederspaltig, der endständige Lappen verlängert; *Fieder lanzettlich,* ungleich-dörnig-gewimpert, *an der vordern Seite 2—3lappig; Blüthenstiele nackt,* meist 1köpfig; Blättchen des Hauptkelches linealisch, dörnig-stachelspitzig, von der Mitte an abstehend.

Alpen und Voralpen im südlichen Tirol, Krain, Kärnthen (Koch syn.)! Wiesen in Primiero in der Region des Maulbeerbaumes; Bergwiesen in Val di Ledro (Fcch.).

Arctium Carduelis L. Carduus centauroides Hoppe.

Bl. purpurn. Jul. Aug. ♃.

1031. *C. defloratus L.* Wald-D. *Blätter* halb herablaufend, kahl o. unterseits auf den Adern haarig, lanzettlich, etwas meergrün o. *fast gleichfärbig,* dörnig-gewimpert, *gezähnt-gesägt oder gesägt-kleinlappig, die untersten und obern halb-herablaufend,* Läppchen 2spaltig; Blüthenstiele verlängert, nackt; Blättchen des Hauptkelches linealisch, dörnig-stachelspitzig, von der Mitte an abstehend.

Gebirgige Orte und steinige Triften von der Thalsohle bis in die Alpen. — Vorarlberg: bei Bregenz (Str!), u. im Bregenzerwalde (Tir. B.)! Oberinnthaleralpen (Schm.). Um Innsbruck; Thaureralpe (Hfl!). In Lisens (Prkt.). Rattenberg (Wld!). Zillerthal: bei Zell (Gbh.). Alpen u. Berge um Kitzbüchl (Trn.). Zabernizen u. Marenwalderalpe bei Lienz (Rsch!). Teischnizalpe, Innervilgraten u. am grauen Käs (Schtz.). Pfitsch (Hfl!). Brixen (Hfm!). Alpen um Bozen: Schlern u. Seiseralpe, Grödnerjöchl etc. (Hsm.). Vintschgau: bei Trafoi (Tpp.), Sulden (Giov.)! Monte Baldo (Clementi). Fleims (Scopoli!).

Kommt vor: grasgrün und (auf Kalk) mehr oder weniger graugrün. Ferner:

1. Graugrün. Blätter grob-gezähnt und dabei dornig-gewimpert. C. summanus Pollini. An Waldwiesen auf Kalkgebirgen. Ober Salurn u. auf der Mendel (Hsm.). Eppan: ober den Buchhöfen (Hfl.). Am Gazza bei Trient (Per!). Bergwiesen bei Roveredo (Poll!). Judicarien: Alpe Lenzada (Bon.).

2. Blätter tiefer-buchtig. Dornen stark. C. carlinaefolius Lam. Koch syn. ed. 1. Die gemeinste Form im südlichen Tirol von der Thalsohle bis an die Alpen, auf Kalk ist die Pflanze gemeiniglich graugrün. Pusterthal: bei Peitelstein (Hsm.), bei

Welsberg (Hll.). Bozen: hie und da z. B. im Talferbette bei Runkelstein; Klobenstein am Ritten bis Pemmern, bei Barbian u. Villanders; Salurn auf Kalkgrus gegen Cadin (Hsm.). Monte Gazza (Merlo). Tret de Spin am Baldo (Hfl.). Gebirgswiesen bei Tione (Bon.).

Beide Varietäten gehen unmerklich in einander und in die Species über; auch die Form mit halb-fiederspaltigen Blättern findet man hie u. da im südlichen Tirol (C. alpestris W. K.?).

Bl. purpurn, seltener röthlich o. weiss. Jun. Aug. ♃.

II. Rotte. *Clastolepidóti.* Blättchen des Hauptkelches oberhalb der eiförmigen Basis etwas verengert und mit einer Querfalte herabgeknickt.

1032. *C. nutans L.* Nickende D. Blätter herablaufend, oberseits ziemlich kahl, unterseits auf den Adern zottig, tief-fiederspaltig, Fieder eiförmig, fast bandförmig-3spaltig und gezähnt, dörnig-gewimpert, Lappen u. Zähne mit einem starken Dorne endigend; *Köpfchen* rundlich, *einzeln, nickend; die mittleren Blättchen des Hauptkelches ober der eiförmigen Basis verengert, oberhalb der Verengerung lanzettlich,* in einen starken Dorn zugespitzt, zurückgeknickt-abstehend. —

An Wegen, Rainen u. magern Triften. — Vorarlberg: bei Bregenz (Str!). Innsbruck: am Wege nach Völs; Ellbögen (Hfl.). An Wegen um Kitzbüchl (Unger!). Welsberg (Hll.). Vintschgau: bei Laas (Tpp.). Hie u. da um Bozen; Ritten gemein z. B. am Wege von Lengmoos nach Klobenstein u. bei Waidach, auch am Ameisersteige (Hsm.). Trient: bei Fontana santa u. Sardagna (Per.). Valsugana (Ambr.). Roveredo (Crist.). Judicarien: bei Tione (Bon.).

Bl. purpurn. Jul. Aug. ♃.

1033. *C. platylepsis Sauter.* Breitschuppige D. Blätter herablaufend, oberseits ziemlich kahl, unterseits auf den Adern zottig, tief-fiederspaltig, Fieder eiförmig, fast handförmig-3spaltig u. gezähnt, dörnig-gewimpert, Lappen u. Zähne mit einem stärkern Dorne endigend; *Köpfchen* rundlich, aufrecht, *einzeln oder gezweiet, das eine sitzend, wagrecht; die mittleren Blättchen des Hauptkelches oberhalb der eiförmigen Basis etwas verengert,* ober der Verengerung etwas lanzettlich, in einen Dorn zugespitzt; zurückgeknickt, etwas abstehend.

Auf Feldern u. an Aeckern, auch an Wegen. — Um Kitzbüchl (Trn.). Allda am Sonnberg, dann bei Lofers im angränzenden Salzburgischen (Unger!). Pusterthal: bei Welsberg (Hll.). Bei Heilig-Blut (Hoppe in Fl. 1830 p. 469)! Klobenstein am Ritten, in feuchten Jahren o. auf gutem Boden (Hsm.).

Dass die Pflanze nur eine üppigere Form der Vorigen ist, wie schon Unger (Einfluss. p. 106) bemerkte, sind alle Tiroler Botaniker einig.

C. platylepis Saut. in Flor. 1830. p. 410.

Bl. purpurn. Jul. Aug. ♃.

297. ***Onopórdum L.*** Eselsdistel.

Fruchtboden tief-bienenzellig, Zellenränder gezähnt. Sonst wie Carduus. (XIX. 1.).

1034. ***O. Acánthium L.*** Gemeine E. Krebsdistel. Blätter elliptisch-länglich, buchtig, dornig, spinnwebig-wollig; Blättchen des Hauptkelches aus eiförmiger Basis linealisch-pfriemlich, die untern weit-abstehend.

An Wegen, Schutt u. ungebauten Orten bis an die Voralpen. — Allenthalben um Innsbruck: z. B. am Wege nach Mühlau, Hötting und Völs (Schpf.), Sparberegg bei Lans (Hfl.). Lienz (Rsch! Schtz.). Bozen gemein z. B. an der Eisack-Holzlege u. an der Strasse nach Meran; an den Häusern um Klobenstein am Ritten (Hsm.). Val di Sol; Judicarien: Val di Breguzzo (Bon.).

Bl. purpurn. Stengel ästig, anderthalb bis 5 Fuss hoch. Jul. Aug. ⊙.

298. ***Lappa Tournef.*** Klette.

Blättchen des Hauptkelches dachig, oberwärts pfriemlich, mit borstlicher, backig-eingebogener Stachelspitze. Blüthen zwitterig, alle röhrig. Staubfäden frei. Pappus haarig, kurz, mehrreihig. (XIX. 1.).

1035. ***L. major Gaertner.*** Grosse K. ***Hauptkelch ziemlich*** kahl; ***Blättchen*** meist ziemlich pfriemlich u. backig, ***die innern gleichfärbig;*** Blüthenstand fast ebensträussig.

An Wegen, Zäunen u. Schutt. — Innsbruck: bei der Schnpfen (Hfl.). Schwaz (Schm!). Kitzbüchl: gemein in Auen (Trn.), ebenda an Zäunen (Unger!). Bozen: am Eisackdamme an der Rodleran gegen die Etsch; Margreid etc. (Hsm.).

Arctium Lappa Willd. Arctium majus Schkuhr.

Wurzel wie die der 2 Folgenden offic. als Radix Bardanae.

Bl. purpurn. Köpfchen um die Hälfte grösser als an Folgender. Jul. Aug. ⊙.

1036. ***L. minor De C.*** Kleine K. Hauptkelch meist etwas spinnwebig; ***Blättchen*** meist linealisch-pfriemlich und backig, ***die innern etwas gefärbt; Blüthenstand traubig.***

An Wegen, Schutt u. Zäunen. — Vorarlberg: bei Bauren (Cst.). Oberinnthal: bei Imst (Lutt!). Pusterthal: bei Welsberg (Hll.). Eppan: über Pigenò (Hfl.). Hie u. da im Gebiethe von Bozen, Frangart etc. (Hsm.).

Arctium minus Schk.

Bl. purpurn. Jul. Aug. ⊙.

1037. ***L. tomentosa Lam.*** Filzige K. ***Hauptkelch spinnwebig-wollig; die innern Blättchen*** linealisch-lanzettlich, ***gefärbt,*** spitzlich, gespitzt oder mit einem aufgesetzten Spitzchen; ***Blüthenstand fast ebensträussig.***

An Wegen, Häusern, mehr auf Gebirgen u. in Seitenthälern. — Innsbruck: am Thiergarten bei Amras (Hfl.). Unterinnthal: bei Jochberg (Trn.). In Gröden zwischen St. Cristina

u. St. Ulrich; bei Ratzes gegen Seis; Ritten: am Wirthshause und an der Deutschordens-Commende bei Lengmoos (Hsm.). Trient: bei Oltrecastello (Per!). Am Baldo: um la Ferrara (Poll!). —

Arctium Bardana Willd. Arctium tomentosum Schk.

Bl. purpurn. Jul. Aug. ⊙.

XIV. Gruppe. **Carlineae Cass.** Hauptkelch reichblüthig; Blüthen zwitterig. Pappus 1reihig, ästig, abfällig.

299. *Carlina L.* Eberwurz.

Blättchen des Hauptkelches dachig, die innersten strahlend, rauschend. Blüthen zwitterig, alle röhrig. Pappus abfällig, Strahlen an der Basis zu einem Ring verbunden, ästig, Aeste federig. Fruchtboden spreuig, Spreublättchen an der Spitze gespalten. (XIX. 1.).

1038. C. *acaulis L.* Stengellose E. *Meist stengellos, selten stengelig sich erhebend, 1köpfig;* Blüthen kahl oder unterseits etwas spinnwebig-wollig, tief-fiederspaltig; Fieder eckig-gelappt, gezähnt; die strahlenden Blättchen des Hauptkelches von der Basis bis über die Mitte linealisch, an der Spitze lanzettlich, die längern Fasern der Spreublättchen stumpfkeulig. —

Gebirgstriften bis in die Voralpen. — Vorarlberg: bei Bregenz (Str!). Bergmähder bei Zirl (Schpf.). Stubai: auf Weiden bei Volderau (Hfl!). Innsbruck: gegen die Höttingeralpe (Hfl.). Sonnenwendjoch bei Rattenberg (Wld!). Schwaz: gegen Vomp (Schm!). Kitzbüchl (Trn.). Zillerthal: z. B. am Gerlos- und Hainzenberg (Schrank! Moll!). Pfitsch (Precht). Pusterthal: Lienz, Tefereggen und Innervilgraten (Schtz.). Vintschgau, bei 4000′ (Tpp.). Gemein um Klobenstein am Ritten bis wenigstens 4500′ (Hsm.). Seiseralpe (Giov!). Matschatscher Wiesen ober Eppan (Hfl.). Gebirge um Trient (Per!). Judicarien: bei Tione (Bon.). —

β. *caulescens.* Stengelig. Stengel bis 9 Zoll hoch, beblättert. — C. caulescens Lam. C. subacaulis De C.

Klobenstein am Ritten, selten mit der Species am Pipperer (Hsm.). Im mittleren Vintschgau bei 2000′ (Tpp.).

Strahlen des Hauptkelches weiss, hygrometrisch, daher auch der Name: Wetterdistel.

Wurzel officinell: Radix Carlinae.

Jul. Aug. ♃, nicht ⊙.

1039. *C. vulgaris L.* Gemeine E. *Stengel 2—mehrköpfig, fast ebensträussig;* Blätter länglich-lanzettlich, buchtig, gezähnt; die äussern *Blättchen des Hauptkelches* doppelt-fiederspaltig-dornig, die innern lanzettlich, verschmälertstachelspitzig, *die strahlenden* linealisch-lanzettlich, an der Basis ein wenig breiter, *bis zur Mitte gewimpert; die Deckblätter kürzer als die Köpfchen.*

Auf Hügeln u. ungebauten Orten bis in die Voralpen. —

Bregenz (Str!). Oberinnthal: bei Imst (Lutt!). Innsbruck: in der Klamm, am Berg Isel u. bei Aich (Schpf. Precht. Schneller). Sonnenwendjoch bei Rattenberg (Wld!). Schwaz (Schm!). Pusterthal: auf Bachgries u. in dürren Wäldern bei Welsberg (Hll.), Lienz (Rsch! Scbtz.). Brixen (Hfm!). Bozen: z. B. am kühlen Brünnel u. in Hertenberg etc.; gemein um Klobenstein am Ritten, bis wenigstens 4500′ bei Kematen (Hsm.). Val di Non: Castell Brughier (Hfl!). Trient (Per!). Roveredo (Crist.). Am Baldo: im Gebiethe von Brentonico (Poll!). Judicarien: bei Tione (Bon.).

Strahlen weisslich-gelb. Jul. Aug. ⊙.

1040. C. *nebrodensis Guss.* Langblättrige E. ***Stengel 1—3köpfig;*** Blätter lanzettlich, entfernt-gezähnt, die untern verlängert-lanzettlich; die äussern ***Blättchen des Hauptkelches*** doppelt-fiederspaltig-dornig, die innern lanzettlich, verschmälert-stachelspitzig, ***die strahlenden*** linealisch-lanzettlich, an der Basis ein wenig breiter, ***bis zur Mitte gewimpert; die Deckblätter länger als die Köpfchen.***

An felsigen Abhängen auf Schiefergebirg bei Kitzbüchl, bei 5000′ unter der Jochbergeralpe u. bei 4000′ am Sintersbachgraben von Traunsteiner entdeckt (Flora 1831 pag. 193), ebenda (Schm.).

C. longifolia Reichenb. flor. exc. Koch syn. ed. 1. C. nebrodensis Koch syn. ed. 2.

Strahlen bleichgelb o. weisslich. Jul. Aug. ⊙.

XV. Gruppe. **Serratuleae Cass.** Hauptkelch reichblüthig; Blüthen zwitterig. Pappus mehrreihig, federig o. haarig, bleibend, die innerste Reihe länger als die übrigen.

300. ***Saussurea De C.*** Alpen-Scharte. Saussurea.

Blättchen des Hauptkelches dachig. Blüthen zwitterig, alle röhrig. Pappus federig, bleibend, die äussern Strahlen kurz u. gezähnelt. Fruchtboden borstig-spreuig. Blüthen purpurn. (XIX. 1.).

1041. ***S. alpina De C.*** Gemeine Alpen-Scharte. ***Blätter unterseits spinnwebig-filzig,*** oberseits zuletzt kahl, ***die wurzelständigen eiförmig-lanzettlich,*** an der Basis abgerundet, gestielt, die stengelständigen lanzettlich, die obern sitzend; Köpfchen ebensträussig-gehäuft.

Grasige Plätze der höhern Alpen. — Vorarlberg: Joch Omodona am Freschen und Alpe Tillisun in Montafon (Cst!). Lechthal: auf dem Gimpele bei Steeg (Frl!). Kitzbüchl: am Geisstein u. Kleinröthenstein 6—7000′ (Trn.). Pusterthal: Mühlwalderalpe in Taufers (Str!), Kalsertaurn u. Marenwalderalpe bei Lienz (Rsch!), Innervilgraten, Hofalpe u. Gösssnitz (Schtz.), Kalserthörl gegen Kals (Bischof!). Vintschgau: im Martellthale (Tpp.). Schlern, Seiser- u. Villandereralpe bei Bozen (Hsm.). Schlern: gegen die Seiseralpe (Zcc!). Auf dem Spinale (Tpp.).

Serratula alpina L.

Die S. macrophylla Sauter sieht Koch mit Recht als blosse Varietät: mit breitern u. stumpfern Hüllblättchen an. Sie hat auch breitere Blätter als die gemeine Form u. kommt bei Kitzbüchl am Geisstein u. Kleinröthenstein vor. Sauter hat sie folgendermassen diagnosirt: Blätter unterseits spinnwebig-filzig, oberseits zuletzt kahl; Wurzelblätter breit-eiförmig-länglich, an der Basis herzförmig, die untersten Stengelblätter gestielt, die mittleren breit-länglich, etwas herablaufend, die obersten länglich, an der Basis verschmälert, Blüthenköpfchen 3—5, genähert; Blättchen des fast walzlichen zottigen Hauptkelches stumpf, angedrückt. (Flora 1840 p. 412). S. latifolia Ledeb. Kittel Linnaeisch. Taschenb.

Bl. violettroth. Jul. Aug. ♃.

1042. *S. discolor De C.* Zweifärbige A. *Blätter unterseits schneeweiss - filzig,* oberseits zuletzt kahl, *die wurzel u. untern stengelständigen* ei-lanzettförmig, *an der Basis herzförmig,* gestielt, die obersten sitzend, lanzettlich; Köpfchen ebensträussig-gehäuft.

Triften der Alpen. — Vorarlberg: Alpe Tillisun auf Schiefer mit Voriger (Cst!). Grödnerjöchel: am westlichen Abhange gegen Kolfusk (Hfl.). Am Schlern gegen Fassa (Hsm.). In Fassa: auf Alpen, in Soreghes auch an der obersten Gränze des Getreidebaues; Padon italiano (Fcch!). Höchste Alpen im Tridentinischen, vorzüglich auf der Scanucchia (Poll!). Judicarien: auf der Alpe Lenzada (Bon.).

Serratula discolor Willd. Serratula alpina γ. L.

Bl. violettroth. Jul. Aug. ♃.

301. *Serrátula L.* Scharte.

Blättchen des Hauptkelches dachig, die innern nicht strahlend. Köpfchen gleich-ehig. Blüthen röhrig, 5spaltig, zwitterig o. 2häusig. Pappus haarig, mehrreihig, in keinen Ring verwachsen, die innerste Reihe länger. Fruchtboden borstigspreuig. Staubfäden mehr oder weniger rauh. Bl. purpurn. (XIX. 1.).

1043. *S. tinctoria L.* Färber-Scharte. Gilbkraut. Blätter etwas rauh, geschärft-gesägt, eiförmig, ungetheilt oder leyerförmig o. fiederspaltig; *Köpfchen länglich, ebensträussig;* Hauptkelch länglich.

Auf Hügeln im Gebüsche, Gebirgswälder bis an die Voralpen. — Gemein um Bregenz (Str!), in Menge im Sarganser Ried im schweizerischen Rheinthale nach Döll! Innsbruck: Bergwiesen von Rum gegen die Taureralpe (Schm.). Wälder der Mendel ober Eppan und am Matschatscherkofel (Hfl.). Trient: am Doss di Santa Agata u. am Monte Zambana (Per. Hfl.). Am Baldo: im Gebiete von Brentonico (Poll!). Judicarien: längs der Strasse der Scaletta am Bleggio (Bon.). Am Gardasee (Precht).

Köpfchen eiförmig, in einem Ebenstrausse.

Die Blätter geben eine dauerhafte schöne gelbe und mit Indigo eine grüne Farbe.

Obsolet: Radix et Herba Serratulae.

Bl. purpurn. Jul. Sept. ♃.

1044. *S. Rhapónticum De C.* Blätter gestielt, eiförmiglänglich, gezähnelt, unterseits wollig-filzig, die wurzelständigen fast herzförmig, die obern lanzettlich; *der Stengel 1köpfig;* Blättchen des Hauptkelches an der Spitze in ein breit-eiförmiges, trockenhäutiges, wehrloles Anhängsel verbreitert.

Alpen im südlichen Tirol (Koch syn.)! Häufig zwisehen Gestein am Baldo: in Val fredda, dann bei Canalette am Altissimo; Campogrosso, Spinale u. Scanucchia (Poll!). Im benachbarten Graubündten auf alpinen und subalpinen Weiden (Moritzi!). Vallarsa: unweit der Gränze von Recoaro; Judicarien: auf der gemeinschaftlichen Gränze von Val di Ledro, Val di Vestino u. Storo (Fcch.).

Centaurea Rhapontica L. Rhaponticum scariosum Lam.

Köpfchen gross, meist 1 einziges; Stengel 2 Fuss hoch u. darüber. —

Bl. purpurn. Jul. Aug. ♃.

302. *Jurinea Cassini.* Jurinie.

Pappus mit seiner Basis an einem kurzwalzlichen Knötchen angewachsen u. mit demselben abfallend. Sonst alles wie bei Serratula. (XIX. 1.).

1045. *J. mollis Reichenb.* Weiche J. Blätter unterseits filzig, fiederspaltig, Fieder linealisch, ganzrandig; der Stengel oberwärts nackt, meist 1köpfig; Hauptkelch fast kugelig; Blättchen lanzettlich-pfriemlich, spinnwebig-wollig; Achenen in Plättchen gefaltet.

An Felsen, waldigen Hügeln. — In Tirol (Laicharding!). Sonst im österreichischen Littorale, in Krain, Untersteyermark etc., dann nach Tita in den Feltrinischen Alpen in Valdella u. auf dem Monte Summano nach Zannichelli!

Bl. purpurn. Jun. Jul. ♃.

XVI. Gruppe. **Centaurieae Lessing.** Hauptkelch reichblüthig. Blüthen zwitterig o. die randständigen geschlechtlos. Pappus mehrreihig, federig o. haarig, bleibend, die vorletzte Reihe der Strahlen desselben länger als die übrigen oder kein Pappus.

Cárthamus L. Saflor.

Blättchen des Hauptkelches dachig. Blüthen zwitterig, gleichförmig, alle röhrig. Achenen 4kantig, ohne Pappus. Fruchtboden borstig-spreuig. (XIX. 1.).

C. tinctorius L. Gemeiner S. Blätter ungetheilt, gezähnt-gesägt u. nebst dem Stengel kahl; Sägezähne dörnig.

Aus Aegypten stammend. Man findet ihn in Gärten zur Zierde u. in denen der Landleute auch als Surrogat des Safrans

angepflanzt, z. B. um Oetz im Oetzthale (Hfl.), bei Laas im Vintschgau (Tpp.), in Gröden etc. (Hsm.).
Stengel ästig, Fuss hoch u. darüber.
Obsolet: Semen Carthami.
Bl. anfangs hellgelb, dann safranfarben. Jul. Aug. ⊙.

303. *Kentrophyllum Neck.* Spornblatt.

Blättchen des Hauptkelches dachig. Blüthen zwitterig, gleichförmig, alle röhrig. Pappus borstig-spreuig, mehrreihig, vorletzte Reihe länger, innerste viel kürzer, zusammenneigend, Strahlen lanzettlich-linealisch; an den Randblüthen (unserer Art) fehlend. Fruchtboden borstlich-spreuig. Bl. gelb. (XIX. 1.).

1046. ***K. lanatum De C.*** Wolliges Sp. Die untern Blätter fiederspaltig, gezähnt, die obersten stengelumfassend, fiederspaltig-zähnig; Stengel nebst dem Hauptkelche wollig; die randständigen Blüthen ohne Pappus.

An Wegen und gebirgigen Orten im südlichen Tirol. — Im südlichen Tirol weit verbreitet (Fcch.). Val di Non: bei Tajo; um Trient (Hfl.). Valsugana: ober Telve (Ambr.). Im Gebiethe von Brentonico (Poll!). Judicarien: an den Strassen bei Tenno (Bon.).
Carthamus lanatus L.
Stengel 1 — $2^1/_2$ Fuss hoch, ästig.
Bl. citronengelb. Jul. Aug. ⊙.

304. *Centauréa L.* Flockenblume.

Blättchen des Hauptkelches dachig. Randblüthen geschlechtlos, Röhre allmählig in einen trichterförmigen 5spaltigen Saum erweitert. Blüthen des Mittelfeldes zwitterig, röhrig, kleiner. Achenen länglich, zusammengedrückt. Pappus mehrreihig, Strahlen borstenförmig o. linealisch, die vorletzte Reihe länger, die innerste kürzer, zusammenneigend; seltener fehlend. Fruchtboden borstig-spreuig. (XIX. 3.).

I. Rotte. *Jacéa Juss.* Blättchen des Hauptkelches mit einem trockenhäutigen Anhängsel endigend, dieses ungetheilt o. an den mittleren u. äussern Blättchen fransig-getheilt, die letzte Franse borstlich, nicht dicker als die übrigen u. nicht starrer. Blüthen purpurn, fleischroth o. ausnahmsweise weiss.

1047. ***C. amara L.*** Bittere Fl. ***Die Anhängsel der Blättchen des Hauptkelches den ganzen Hauptkelch bedeckend,*** trockenhäutig, konkav, eiförmig, ganzrandig o. zerfetzt; ***Pappus fehlend; Blätter*** nebst dem Stengel flockig, fast filzig, ***die untersten ungetheilt*** o. fiederspaltig, ***die stengelständigen lanzettlich-linealisch, ganzrandig.***

Trockene waldige Hügel u. Raine in Südtirol. — Pusterthal: bei Welsberg (Hll.). Marling nächst Meran (Tpp.). Bozen: am kühlen Brünnel, wo manchmal auch mit weissen Bl.; gemein am Ritten; um Siffian, Klobenstein etc. bis 4500′ bei

Kematen (Hsm.). Eppan: am Fusse der Mendel auf Triften u. in steinigen Wäldern bis auf die Mendelhöhe (Hfl.). Castell Brughier (Hfl!). Gemein auf Hügeln im Tridentinischen (Poll!). Roveredo (Crist.). Judicarien: bei Tione (Bon.).

Stengel aufsteigend, niederliegend o. aufrecht, 2—18 Zoll hoch, 1köpfig o. ästig-mehrköpfig. Anhängsel des Hauptkelches weisslich, manchmal ins Lichtbraune ziehend. Im Grunde eine flockhaarige Form von C. Jacea genuina mit lichtergefärbten Anhängseln.

Bl. purpurn, selten weiss. Jul. Sept. ♃.

1048. ***C. Jacéa L.*** Gemeine Fl. ***Die Anhängsel den ganzen Hauptkelch bedeckend,*** trockenhäutig, konkav, eiförmig, ungetheilt, zerrissen o. die untern kammförmig-gefranst; ***Pappus fehlend; Blätter lanzettlich, ungetheilt oder die untern entfernt-buchtig o. fiederspaltig.***

Auf Wiesen und Triften bis in die Alpen. — Vorarlberg: in vielen Formen im Bodenseerried (Cst!).

Var.: α. ***genuina.*** Anhängsel sämmtlich ungetheilt o. nur zerrissen-gespalten. — Innsbruck: auf der Höttingeralpe, am Pastberg und bei Sistrans (Eschl. Hfl.). Stubai: Wiesen unter Telfes (Hfl!). Kitzbüchl (Trn.). Brunecken (F. Naus!). Lienz (Schtz.). —

β. ***pratensis.*** Die untern o. die untern u. mittleren Anhängsel kammförmig-gefranst. C. pratensis Thuill. — Vorarlberg: um Bregenz (Str!). Pusterthal: bei Innichen und Welsberg (Stapf. Hll.). Vintschgau: bei Kortsch u. Schlanders (Tpp.). Gemein am Ritten um Klobenstein von 3900′ bis wenigstens 5000′, wo auch manchmal die Form: mit gleichförmigen Blüthen d. i. die randständigen nicht grösser (C. Jacea δ. capitata Koch Taschenb.).

γ. ***decipiens.*** Die äussern Anhängsel kammförmig-gefranst u. zurückgekrümmt. — C. decipiens Thuill. — Mit β. doch seltener am Ritten und auf den feuchten Wiesen bei St. Jacob nächst Bozen. Lienz (Schtz.).

Alle diese Varietäten gehen unmerklich in einander — β. u. γ. auch in die Folgende über und man findet oft kaum auf derselben Pflanze 2 ganz gleiche Hauptkelche. Aendert ferner ab wie Folgende: 1—mehrköpfig, 8—12 Zoll hoch. Stengel aufrecht, niederliegend o. aufstrebend.

Obsolet: Radix et Herba Jaceae nigrae, vel Carthami sylvestris. —

Hauptkelch lichtbraun, braun o. bei β. schwarzbraun.

Bl. purpurn. Jun. Aug. ♃.

1049. ***C. nigrescens Willd.*** Schwärzliche Fl. ***Die Anhängsel des Hauptkelches*** eiförmig, aufrecht oder an der Spitze zurückgekrümmt, kammförmig-gefranst, ***von einander entfernt;*** die Fransen ungefähr von der Breite ihres Mittelfeldes, die innern Blättchen rundlich, zerrissen-gezähnt; ***Pappus fehlend; Blätter*** länglich u. eiförmig, gezähnelt, ***ungetheilt oder die untern leyerförmig-buchtig.***

Gemein auf Wiesen im südlichen Tirol vom Thale bis an die Voralpen. — Pfitsch (Precht). Sterzinger Moos (Hfl.). Brixen (Hfm.). Partschinser Berg bei Meran (Iss.). Gemein um Bozen, auf allen Wiesen; am Ritten bei Klobenstein bis 3900′ wo Vorige beginnt. Eppan: bei Matschatsch (Hfl.). Wiesen um Roveredo (Crist.). Judicarien: bei Corè (Bon.). Am Gardasee (Clementi).

Man Unterscheidet:

α. transalpina. Anhängsel der untern Blättchen des Hauptkelches klein, 3eckig, von einander entfernt, die mittlern angedrückt. — C. transalpina Schleicher. De C.

β. vochinensis. Anhängsel der untern u. mittlern Blättchen ei-lanzettförmig, an der Spitze zurückgekrümmt, sonst wie *α.* — C. vochinensis Bernhardi.

γ. Candollii. Anhängsel der untern Blättchen grösser, mit den Rändern sich deckend, mittlere entfernt, sonst wie *α.* — C. nigrescens De C. Diese erhielt Koch mit Uebergängen zu *α* u. *β* aus Südtirol von Dr. Facchini.

Alle 3 Varietäten, vorzüglich *α* u. *β* um Bozen. Ich habe auch schon auf derselben Stelle vor der Heuernte die eine, nach derselben eine andere Varietät beobachtet.

Bl. purpurn. Anhängsel schwarz, schwarzbraun oder seltener lichtbraun. Jun. — Sept. ♃.

1050. ***C. austriaca Willd.*** Oesterreichische Fl. ***Die Anhängsel*** des Hauptkelches aus lanzettlicher Basis ***lang-pfriemlich, zurückgekrümmt, gefiedert-gefranst,*** die untersten Fransen genähert, die obern entfernt, sämmtlich borstlich, ***die Anhängsel der 3 innern Reihen rundlich,*** zerrissen, gezähnt, ***über die äussern hinausragend;*** Pappus 3mal kürzer als die Achene; Köpfchen eiförmig; Blätter länglich, elliptisch u. lanzettlich, gesägt-gezähnt; Stengel aufrecht, ästig.

Wiesen u. steinige Orte im südlichen Tirol (Koch syn.)! Judicarien: in Val di Ledro und Val di Vestino (Fcch.). Benachbarte Schweiz auf montanen Weiden im Unter-Engadin doch selten nach Moritzi!

C. phrygia *β.* austriaca Döll rhein. Fl. p. 502.

Ich halte sie für Varietät der Folgenden, wie auch Koch andeutet; Uebergänge wenigstens finden sich an mehreren Orten, wo die Folgende ins Thal herabsteigt.

Anhängsel u. Fransen schwarz oder gelblich-braun.

Bl. purpurn. Jul. Aug. ♃.

1051. ***C. phrygia L.*** Phrygische Fl. ***Die Anhängsel*** des Hauptkelches aus lanzettlicher Basis ***lang-pfriemlich, zu-***

rückgekrümmt, fiederig-gefranst, die untersten Fransen genähert, die obern entfernt, sämmtlich verlängert-borstlich, die Anhängsel der innersten Reihe rundlich, zerrissen-gezähnt, von den Fransen der folgenden Reihe bedeckt; ***Pappus dreimal kürzer als die Achene;*** Köpfchen rundlich; Blätter länglich-elliptisch u. eiförmig, ungetheilt, gezähnelt; ***der Stengel*** aufrecht, *ästig.*

Gebirgswiesen u. niedere Alpen. — Im untern Engadin u. Oberinnthal (Koch syn.)! Pizthal (Tpp.). Innsbruck: am Pastberg (Karpe), am Sillfall (Hfl.). Stubai: Wiesen unter Telfes (Hfl!). In Pfitsch, Stubai u. Schmirn (Hfl. Hfm.). Felder und Bergwiesen um Kitzbüchl (Trn. Schm.). Im Leukenthale (Braune!). Pusterthal: bei Welsberg (Hll.), im Thale Virgen u. zwischen Matrey u. Lienz (Fcch.); Innervilgraten (Schtz.). Vintschgau: in Schlinig u. im Rayenthale (Tpp.). Im Gebiethe von Bozen: auf den Alpenwiesen am Wege von Reinswald (im Sarnthale) zur Villandereralpe (Hsm.).

Anhängsel des Hauptkelches schwarzbraun, lichtbraun oder seltener bräunlich-gelb. Kommt auch, doch seltener, mit strahllosen Köpfchen vor.

Bl. purpurn. Jul. Aug. ♃.

1052. ***C. nervosa Willd.*** Nervige Fl. ***Die Anhängsel*** des Hauptkelches aus lanzettlicher Basis ***lang-pfriemlich, zurückgekrümmt, gefiedert-fransig,*** die untersten Fransen genähert, die obern entfernt, sämmtlich verlängert-borstlich, die Anhängsel der innersten Reihe rundlich, zerrissen-gezähnt, von den Fransen der folgenden Reihe bedeckt; ***Pappus ungefähr so lang als die Achene; der Stengel einfach, 1köpfig;*** Köpfchen rundlich; Blätter lanzettlich, ungetheilt, gezähnelt, die obern an der Basis tiefer-gezähnt u. fast abgeschnitten.

Alpentriften im südlichen Tirol. — Kalkalpen um Bozen: Schlern, Seiseralpe u. Latemar (Hsm.). Valsugana: Alpen bei Borgo (Ambr.). Fassa (Hinterhuber!). Bergmähder der Scanuppia in Folgaria u. ober Mittenwald daselbst (Hfl.). Judicarien: auf der Alpe Gavardina u. Lenzada, dann Val di San Valentino (Bon.).

C. uniflora L. wächst nicht in Tirol, was dafür ausgegeben wurde gehört hieher.

C. phrygia De C. u. Reichenb.

Bl. purpurn. Jul. Aug. ♃.

II. Rotte. ***Cyanus L.*** Das Anhängsel oder der Rand der Spitze der Blättchen des Hauptkelches trockenhäutig, fransig-gespalten; die Endfranse stärker u. breiter (obgleich sie nicht selten kürzer ist als die übrigen), oft dörnig oder auch starrdörnig. Die Länge der dornigen Spitze ist sehr veränderlich und zwar bei einer und derselben Art. Bl. blau, purpurn oder röthlich. —

1053. ***C. montana L.*** Berg-Fl. Blättchen des Hauptkelches geschwärzt-berandet, gesägt-fransig; ***Fransen ungefähr so breit als der Rand; Blätter herablaufend,*** länglich-lanzettlich, ungetheilt o. buchtig, ganzrandig o. gezähnelt.

Gebirgswälder und Voralpen. — Vorarlberg: am Hacken (Str!), Bregenzerwald: zwischen Bizeck u. Schnepfau (Tir. B.). Oberinnthal: am Säuling (Kink); Rossberg bei Vils (Frl!); Weissenbach u. Schattwald (Dobel!). Unterinnthal: auf Kalkgebirgen bei St. Johann (Trn.), Teufelswurzgarten am Kaiser u. vom Lämmerbüchel zum Kitzbüchler Horn (Str!), am Fusse des Sonnenwendjoch (Wld!); Zillerthal (Schrank!). Pusterthal: am Gamberge bei Lienz u. im Walde ober Thurn allda (Rsch!).

Obsolet: Flores Cyani majoris.

Randblüthen kornblau, die des Mittelfeldes röthlich-violett.
Jnl. Aug. ♃.

1054. *C. axillaris Willd.* Buntfarbige Fl. Blättchen des Hauptkelches geschwärzt-berandet, gesägt-fransig; ***Fransen fast knorpelig u. fast noch 1mal so lang als der geschwärzte Rand; Blätter herablaufend,*** verlängert-lanzettlich, ungetheilt o. buchtig o. buchtig-gezähnt.

Im südlichern u. südöstlichen Tirol weit verbreitet, von der Ebene des Etschlandes bis auf die oberste Baumgränze (Fcch.). Voralpen im Tridentinischen (Per.). Trient: bei der Alphütte von Sardagna; Baldo: Altissimo di Nago (Hfl.). Gebirgstriften um Roveredo (Crist.). Judicarien: im Gebüsche bei Stelle (Bon.).

Aendert ab: mit ungetheilten oder buchtig-gezähnten, mit linealischen oder verlängert-lanzettlichen Blättern.

Bl. wie die der Vorigen o. oft auch die des Randes röthlich-violett. Jul. Aug. ♃.

1055. *C. Cyanus L.* Korn-Fl. Kornblume. ***Blättchen des Hauptkelches*** geschwärzt-berandet, ***gesägt-fransig; Blätter linealisch-lanzettlich, die untersten an der Basis gezähnt,*** die wurzelständigen verkehrt-eiförmig-lanzettlich, ungetheilt u. 3spaltig; Pappus ungefähr so lang als die Achene.

Gemein auf Aeckern. — Bregenz (Str!). Imst (Lutt!). Innsbruck: Aecker an der Froschlacke (Hfl.), bei Sistrans (Prkt.). Unterinnthal: sehr sparsam im Brixenthale (Unger!); Schwaz (Sehm!). Pusterthal: bei Welsberg (Hll.), Innervilgraten u. Hopfgarten, Lienz (Schtz.). Brixen (Hfm.). Vintschgau: bei Laas (Tpp.). Im ganzen Etschlande; Klobenstein am Ritten bis wenigstens 4800′ (Hsm.). Trient (Per!). Roveredo (Crist.). Judicarien: bei Tione (Bon.).

Officinell: Flores Cyani minoris.

Randständige Blüthen blau, die des Mittelfeldes violett.
Jun. Jul. ⨀ u. ⊙.

1056. *C. Kotschyana Heuffel.* Kotschy's Fl. ***Die Anhängsel des rundlichen Hauptkelches schwärzlich,*** 3-eckig, spitz, flach, gefranst, ***die nervenlosen Blättchen bedeckend u. breiter als die Blättchen selbst,*** die Fransen schlängelig, länger als der Querdurchmesser des Anhängsels, die endständige kurz o. in einen Dorn verlängert; Pappus ungefähr so lang als der Fruchtknoten; ***Blätter*** etwas wollig, kahl oder glatt, *fiederspaltig oder leyerförmig-fiederspaltig.* —

Auf Alpentriften. — Vorarlberg: am Freschen u. Axberg bei Dornbirn und vorzüglich schön und gross im Oberengadin (Cst.). Innsbruck: unweit der Höttingeralpe (Eschl.). Vintschgau: auf Mähdern am Fusse des Spitzlat (Tpp.).

Den Uebergang zu Folgender bildet: C. alpestris Hegetschw. An dieser verdecken die Anhängsel des Hauptkelches nicht völlig die Blättchen desselben; sie findet sich überall mit der Species u. auch in der Tiefe bei Egerdach nächst Innsbruck (Prkt.). Ich vergleiche unsere Tiroler Exemplare mit einem von Dolliner auf dem Oetscher in Unteröstreich gesammelten Exemplare der C. Kotschyana. Dr. Custer hält sie übrigens für die Alpen-Form der C. Scabiosa, welcher Ansicht ich vollkommen beistimme. —

Köpfchen meist grösser als die der Folgenden, satt violettroth. Stengel meist 1köpfig. Jul. Aug. ♃.

1057. ***C. Scabiosa L.*** Scabiosenartige Fl. ***Die Anhängsel des rundlichen Hauptkelches geschwärzt,*** 3eckig, spitz, flach, ***gefranst, schmäler als die dieselben nicht verdeckenden Blättchen, diese nervenlos,*** Fransen schlängelig, so lang als der Querdurchmesser des Blättchens oder kürzer, die endständige kurz oder in einen Dorn vorgezogen; Pappus ungefähr so lang als der Fruchtknoten; ***Blätter*** fast wollig u. ausserdem rauh o. kahl, ***fiederspaltig o. doppelt-fiederspaltig, Zipfel lanzettlich,*** ganzrandig oder gezähnt, ***mit einem schwieligen Punkte endigend.***

Trockene Hügel, magere Triften, lichte sonnige Wälder bis in die Voralpen. — Bregenz (Str!). Imst (Lutt!). Innsbruck (Schpf.). Stubai: bei Mieders (Schneller), u. Telfes (Hfl!). Schwaz: gegen Vomp (Schm!). Zillerthal (Schrank!). Kitzbüchl (Trn.). Rattenberg (Wld!). Pusterthal: bei Hopfgarten u. Lienz (Schtz.), Lienz (Rsch!), Welsberg (Hll.). Gemein um Bozen: z. B. am Eisackdamme am Kalkofen, bei Siebenaich u. um Klobenstein am Ritten bis wenigstens 4300′ z. B. am Kemater Kalkofen; bei Siebenaich auch, doch selten, mit weissen Blüthen; Salurn etc. (Hsm.). Val di Non: Castell Brughier (Hfl!). Trient (Per!). Roveredo (Crist.). Judicarien: bei Tione (Bon.).

Var.: mit etwas wolligem o. kahlem Hauptkelche; mit ungetheilten (selten im Eisackbette bei Bozen u. um Klobenstein), fiederspaltigen o. doppelt-fiederspaltigen Blättern, mit breitern o. schmälern Blattzipfelchen; ferner:

α. vulgaris. Blätter am Rande rauh u. auf der Oberfläche kurzhaarig oder fast filzig. Diese selten und zwar bei Castelbell in Vintschgau (Tpp.).

β. coriacea. Blätter kahl, am Rande rauh; Hauptkelch fast kahl. Diese die gemeinste Form. C. coriacea W. K.

γ. spinulosa. Die endständige Franse der Blättchen des Hauptkelches in einen länglichen, stärkern Dorn verwandelt. — C. spinulosa Rochel. nicht De C. — Hie u. da um Bozen, doch seltener (Hsm.). Pusterthal: auf der Gsieseralpe (Hll.).

Bl. violett-roth o. purpurn, selten weiss.

Jun. Aug. ♃.

1058. ***C. sordida Willd.*** Trübfarbige Fl. ***Anhängsel*** des rundlich-eiförmigen Hauptkelches ***geschwärzt,*** 3eckig, spitz, flach, ***gefranst, die Blättchen nicht verdeckend, diese nervenlos,*** Fransen schlängelig, die endständige kurz oder in einen Dorn vorgezogen; Pappus ungefähr so lang als die Achene; ***Blätter*** etwas wollig, am Rande rauh o. kahl; ***die wurzelständigen doppelt-gefiedert, die obern stengelständigen fiederspaltig, Zipfel linealisch, in eine borstliche schwielige Stachelspitze endigend.***

An Kalkfelsen im südlichen Tirol. — Bisher nur, aber häufig, auf den Kalkwänden bei Margreid im Etschlande (Hsm.).

An derselben Stelle sehr veränderlich: Blüthen trüb-purpurn oder schmutzig-gelb; Blattzipfel breit-linealisch oder fast fädlich; Anhängsel kaum dornig o. mit einem stärkern längern Dorn und zwar sowohl an den Köpfchen mit trüb-purpurnen, als an denen mit schmutzig-gelben Bl. Uebergänge in die Vorige bemerkte ich bei Salurn, doch selten. Jun. Jul. ♃.

1059. ***C. maculosa Lam.*** Fleckige Fl. ***Anhängsel des rundlichen eiförmigen Hauptkelches mit einem 3eckigen geschwärzten,*** beiderseits sich etwas hinabziehenden ***Flecken bezeichnet, die erhaben-5nervigen Blättchen nicht bedeckend, gefranst,*** Fransen schlängelig, etwas knorpelig, die endständige oft einen Dorn bildend; ***Pappus halb so lang als die Achene;*** die Blätter kahl, etwas wollig, die wurzelständigen meist doppelt-gefiedert, die stengelständiden einfach-gefiedert mit linealischen Zipfeln, die astständigen oft ungetheilt, linealisch; ***Stengel*** aufrecht, oberwärts ***rispig u. fast ebensträussig.*** —

Hügel, Wege und ungebaute Orte im südlichen Tirol, gemein bis an die Voralpen. — Lienz (Ortner. Schtz.). Brixen (Hfm.). Sterzing (Hfl!). Gemein um Bozen mit Folgender und allenthalben um Klobenstein am Ritten bis 4000′ (Hsm.). Eppan (Hfl.). Judicarien: bei Tione (Bon.).

C. maculata Koch Taschenb. C. paniculata Jacq. u. Koch syn. ed. 1.

Bl. lichtpurpurn, sehr selten weiss (Klobenstein am Ritten). Köpfchen grösser als an der Folgenden. Jul. Sept. ⊙.

1060. ***C. paniculata Lam.*** Rispige Fl. ***Die Anhängsel des eiförmig-länglichen Hauptkelches lederbraun, die erhaben-5nervigen Blättchen nicht bedeckend, gefranst,*** die Fransen etwas knorpelig, schlängelig, die endständige dicker u. ein steifes fast stechendes Dörnchen bildend; ***Pappus ungefähr so lang als der dritte Theil der Achene;*** Blätter rauh, filzig, die wurzelständigen meist doppelt-fiederspaltig, die stengelständigen einfach-fiederspaltig, mit linealischen Zipfeln, die astständigen meist einfach, linealisch; ***Stengel*** aufrecht, ***oberwärts locker-rispig; die Köpfchen zerstreut.***

Trockene Hügel u. wärmere Abhänge im südlichern Tirol. Um Bozen: z. B. am Gandelberg bei Gries, auch gegen Runkelstein mit Voriger.

Die echte Pflanze ist nicht so häufig u. mehr in feuchtwarmen Sommern zu finden, wohl aber gibt es eine Menge Uebergänge zu Voriger, für deren Varietät ich sie halte. Es liegen mir von mehreren Orten, z. B. von Roveredo, Trient etc. Exemplare vor, die man weder zur einen noch zur andern mit einiger Gewissheit ziehen kann.

Bl. licht-purpurn. Jul. Sept. ⊙.

III. Rotte. ***Calcitrápa.*** Blättchen des Hauptkelches am Rande nicht gefranst, aber an der Spitze in einen handförmiggetheilten Dorn endigend.

C. solstitialis L. Sonnenwende-Fl. ***Blättchen des wolligen Hauptkelches handförmig-dornig,*** der mittlere Dorn stark, länger als das Köpfchen, ***die endständigen Köpfchen einzeln;*** Blätter graulich, linealisch-lanzettlich, herablaufend, ganzrandig, die wurzelständigen leyerförmig.

Südkrain und Südtirol (Kittel Linn. Taschenb. pag. 428)! Nach Koch einzeln hie und da, doch selten, im Gebiethe der Flora Deutschlands u. wahrscheinlich nur mit Getreide eingeschleppt! Meine Exemplare sind von Istrien.

Bl. citronengelb. Jul. Aug. ⊙.

1061. ***C. Calcitrapa L.*** Sterndistel. Stern-Fl. Blättchen des ganz kahlen Hauptkelches fast handförmig-dornig, der mittlere Dorn stark, länger als das Köpfchen; die seitenständigen Köpfchen einzeln, fast sitzend; Pappus fehlend; Blätter tief-fiederspaltig, mit linealischen gezähnten Fiedern, die untern gestielt, die obern sitzend, die obersten ungetheilt; der Stengel sehr ästig, behaart.

An Wegen im südlichen Tirol. — Roveredo: bei San Giorgio (Crist.). Ausser der Gränze häufig im Veronesischen und Bassanesischen (Hsm.).

Obsolet: Herba Calcitrapae vel Cardui stellati.

Bl. purpurn. Jul. Aug. ⊙.

III. Unterordnung. CICHORACEAE. Juss.

(Semiflosculosae L. Lactuceae Cass.).

Der Griffel nicht gegliedert. Blüthen sämmtlich zungenförmig u. zwitterig. Die Schenkel des Griffels fädlich, zurückgerollt, kurz-flaumig.

XVII. Gruppe. **Scolymeae Lessing.** Achenen ringsum von einem Spreublättchen eingeschlossen und an dasselbe angewachsen.

305. *Scólymus L.* Golddistel.

Blättchen des Hauptkelches dachig. Die Spreublättchen des Fruchtbodens die Achenen einschliessend und denselben angewachsen u. so zusammengedrückte breit-geflügelte Samen darstellend. Pappus ein ganzer o. schwach-gekerbter Rand o. aus 2 Borsten u. einem kurzen gezähnelten Krönchen gebildet. Bl. gelb, alle zungenförmig u. zwitterig. (XIX. 1.).

1062. *S. hispanicus L.* Spanische Golddistel. Blätter mit einem abwärts-verschmälerten Flügel herablaufend; der Stengel fast traubig; Köpfchen blattwinkelständig, einzeln oder 2—4 zusammengestellt; Blättchen des Hauptkelches sämmtlich zugespitzt; Pappus 2borstig.

In Südtirol am Wege von Bozen nach Verona (Reichenb. flor. exc. p. 280)! Nach Pona am Baldo: Val dell' Artillon! In Menge im Veronesischen (Poll! Hsm.). In Südkrain nach Kittel! —

Wenn die Pflanze in neuester Zeit nicht mehr aufgefunden, so ist dies noch kein Beweis, dass sie sich nicht noch vorfinde, noch weniger aber, dass sie niemals vorhanden; eine im Veronesischen und um Triest an Wegen so gemeine Pflanze, wie leicht kann sie bei unserm lebhaften Verkehre eingeschleppt worden und vielleicht auch wieder verschwunden sein. Ist dasselbe ja auch (nach Neilreich) bei Wien der Fall.

Bl. gelb. Bl. weiss-geadert. Anf. Jun. Jul. ⊙.

XVIII. Gruppe. **Lampsaneae Lessing.** Pappus fehlend o. an dessen Statt ein vorspringender kronenförmiger Rand. Fruchtboden ohne Spreublättchen.

306. *Lápsana L.* Rainkohl.

Blättchen des Hauptkelches einreihig, an der Basis mit 2—5 Nebenblättchen. Blüthen zwitterig, zungenförmig. Fruchtboden nackt. Achenen zusammengedrückt, länglich, ungeschnäbelt, 20streifig. Pappus ein undeutlicher abfälliger Rand. (XIX. 1.).

1063. *L. communis L.* Gemeiner Rainkohl. Blätter gezähnt, die untern leyerförmig; Stengel ästig, rispig.

Auf Aeckern, an Wegen u. ungebauten Orten. — Bregenz (Str!). Brennbüchl bei Imst (Lutt!). Innsbruck: z. B. unter Weiherburg u. beim Ziegelstadel (Schpf.). Pusterthal: bei Welsberg (Hll.), bei Hopfgarten (Schtz.), Lienz (Rsch!). Um Bozen: hie u. da an Wegen; gemein am Ritten auf allen Aeckern bis 5000′; in Sarnthal etc. (Hsm.). Trient (Per!). Judicarien: an Wegen bei Tione (Bon.).

Obsolet: Herba Lapsanae.

Bl. gelb. Jul. Aug. ⊙.

307. *Apóseris Necker.* Drahtstengel.

Achenen zusammengedrückt, 5streifig, gegen die Spitze zu etwas zusammengezogen. Sonst wie Lapsana. (XIX. 1.).

1064. *A. foetida Lessing.* Stinkender Dr. Schäfte 1köpfig; Blätter schrotsägenförmig-fiederspaltig, Lappen fast rautenförmig, der endständige 3eckig, fast 3lappig.

Wälder der Kalkgebirge. — Unterinnthal: am Kaiser vor der Alphütte zum Wildanger (Str!), bei St. Johann (Trn.). Zillerthal (Schrank!). Pusterthal: in Prax (Hll.). Fichtenregion um Innichen (Stapf). Trient: am Monte Gazza und Bondone (Merlo. Per!). Monte Baldo: über Aque negre (Hfl.), Val fredda u. dell' Artillon (Poll!). Scanuccia, Portole, Bondone u. Montalon (Poll!). Valsugana: Wälder bei Borgo am Civeron (Ambr.). Judicarien: auf der Alpe Lenzada (Bon.)

Hyoseris foetida L. Lapsana foetida Scop. Koch syn. ed. 1.

Bl. gelb. Jul. Aug. ♃.

XIX. Gruppe. **Cichorieae C. H. Schultz.** Pappus kurz, von verflächten stumpfen, freien o. mehr o. weniger verwachsenen u. ein Krönchen darstellenden Börstchen zusammengesetzt.

308. *Cichórium L.* Cichorie.

Blättchen des Hauptkelches 2reihig, die 5 äussern kurz, die 8 innern länger; am Grunde verwachsen. Pappus kronenförmig, kürzer als die Achene, 1—2reihig. Fruchtboden nackt o. etwas bienenzellig. Bl. blau, alle zwitterig u. zungenförmig. (XIX. 1.).

1065. *C. Íntybus L.* Gemeine C. Wegwart. Köpfchen gezweiet o. mehrere zusammengestellt, sitzend u. gestielt, *die blüthenständigen Blätter aus breiterer, fast stengelumfassender Basis lanzettlich*; Pappus vielmal kürzer als die Achene. —

Gemein an Wegen, Rainen, Triften und ungebauten Orten bis an die Voralpen. — Bregenz (Str!). Imst (Lutt!). Innsbruck: z. B. am Ziegelstadel (Hfl.). Um Kitzbüchl sehr selten (Trn!). Pusterthal: um Lienz (Rsch! Schtz.). Welsberg (Hll.). Allenthalben um Bozen; Klobenstein am Ritten bis 4500′ bei Kematen; Margreid etc. (Hsm.). Eppan (Hfl.). Trient (Per!).

Officinell: Radix et Herba Cichorei.

Die Wurzel dient als Kaffeesurrogat und wird zu diesem Zwecke anderwärts selbst angebaut, bei uns dient sie im Frühjahre sammt den Wurzelblättern allgemein als Salat.

Bl. blau, seltener rosenroth o. weiss. Jun. Jul. ♃.

C. Endivia L. Garten-C. Endivie. Köpfchen gezweiet o. mehrere zusammengestellt, sitzend u. gestielt; *die blüthenständigen Blätter breit-eiförmig, mit herzförmiger Basis stengelumfassend;* Pappus 4mal kürzer als die Achene.

In Gärten allgemein als Salatpflanze kultivirt. Aus Indien stammend. Var.: mit breitern o. schmälern, ziemlich flachen o. krausen Blättern.

Jun. Jul. ⊙.

XX. Gruppe. **Leontodonteae C. H. Schultz.** Pappus aller Achenen federig, mit freien Haaren der Strahlen o. der Pappus der randständigen Achenen kronenförmig; Fruchtboden nackt (d. i. ohne Spreublättchen), dabei kahl oder feinfaserig; Fasern bleibend.

309. *Leóntodon L.* Löwenzahn.

Blättchen des Hauptkelches dachig. Achenen allmählig in einen Schnabel verschmälert. Pappus gleichförmig, federig, bleibend; Strahlen am Grunde trockenhäutig und breiter, alle gleich o. die äussern haarförmig. Federchen der Strahlen nicht abfällig. Fruchtboden nackt. Bl. gelb oder gelb ins Safranfarbene spielend, alle zwitterig u. zungenförmig. (XIX. 1.).

I. Rotte. *Oporina Don.* Wurzel abgebissen. Strahlen des Pappus fast gleich, sämmtlich federig, an der breitern Basis aber bloss kleingesägt. Die Köpfchen vor dem Aufblühen aufrecht. —

1066. *L. autumnalis L.* Herbst-L. *Wurzel abgebissen,* überall faserig; Stengel 1—mehrköpfig, nackt; *Blüthenstiele allmählig verdickt, oberwärts schuppig, vor dem Aufblühen aufrecht*; Blätter fiederspaltig-gezähnt; Riefen der Achenen fein-runzelig; sämmtliche Strahlen des Pappus federig u. gleichgestaltet, an der lanzettlichen Basis kleingesägt.

An Rainen, Wegen und trockenen Weideplätzen. — Vorarlberg: im Bodenseerried (Cst!), um Bregenz (Str!). Innsbruck: am Prügelbau, bei Planetzing u. an Schuttplätzen beim Militärspitale (Hfl.). Schwaz: gegen Vomp (Schm!). Wiesen um Kitzbüchl (Trn.). Pusterthal: bei Welsberg (Hll.), um Lienz (Rsch!). Klobenstein am Ritten bis 4800′ (Hsm.). Eislöcher bei Eppan (Hfl!). Am Baldo (Poll!). Judicarien: bei Tione (Bon.).

Apargia autumnalis Willd.

β. *pratensis.* Hauptkelch nebst den Blüthenstielen oberwärts dicht-braun-behaart. Apargia pratensis Link., und wenn der Stengel 1köpfig: A. Taraxaci Sm. Vorarlberg: am Freschen u. Bindelalpe, 1—mehrköpfig (Cst.). Um Klobenstein am Ritten mit der Species (Hsm.).

Kommt ferner auch mit ganzen o. gezähnten Blättern vor z. B. am Ritten um Klobenstein (Hsm.).

Bl. gelb. Jul. Aug. ♃.

II. Rotte. *Dens Leonis.* Wurzel abgebissen. Die Strahlen des Pappus ungleich, die innern federig, an der breitern Basis klein-gesägt; die äussern kurz u. bloss rauh.

1067. *L. Taráxaci Lois.* Schwarzhaariger L. *Wurzel abgebissen,* von der Basis an mit starken Fasern besetzt; *Stengel blattlos, 1köpfig,* mit 1—2 Schuppen versehen, oberwärts allmählig verdickt u. nebst dem Hauptkelche von schwarzen Haaren sehr rauhhaarig; Blätter lanzettlich in den Blattstiel verschmälert, fast ganzrandig, gezähnt o. fiederspaltig, kahl o.

mit einfachen Haaren bestreut; die innern Strahlen des *schneeweissen Pappus* federig, an der linealischen Basis klein-gesägt, die äussern sehr kurz u. bloss rauh.

Triften der höhern Alpen. — Vorarlberg: am Freschen (Cst!). Aggenstein u. Gaishorn bei Tannheim (Dobel!). Alpen um Innsbruck: z. B. im Viggar (Schpf.). Unterinnthal: am Kaiser u. Breithorn des Steinberges (Trn.). Am Wolfthurn dem Brenner gegenüber (Rosenhauer!). Pusterthal: Tefereggeralpen (Schtz.), Pregrattner- und Leibnigeralpe bei Lienz (Hänke!). Kerschbaumeralpe (Hoppe! Schtz.), Teischnizeralpe und am grauen Käs (Schtz.). Alpen bei Sagritz im angränzenden Möllthale (Pacher). Wormserjoch: auf Kalk bei 6—7000′ (Tpp.). Zilalpe bei Meran (Elsm!). Schlernalpe (Hsm.). Penserjoch (Hfl!). Joch von San Martin di Castrozzo nach Paneveggio (Hfl.). Am Baldo: prato di Brentonico u. agli Zocchi (Poll!).

Apargia Taraxaci Willd.

Bl. gelb. Jul. Aug. ♃.

1068. *L. pyrenaicus Gouan.* Alpen-L. *Wurzel abgebissen,* von der Basis an mit starken Fasern besetzt; *Stengel blattlos, 1köpfig, schuppig, oberwärts allmählig verdickt, vor dem Aufblühen überhangend;* Blätter verkehrteiförmig-lanzettlich, ausgeschweift-gezähnelt o. gezähnt, kahl o. mit einfachen Haaren bestreut; die innern Strahlen federig, an der linealischen Basis kleingesägt, die äussern rauh, sehr kurz. —

Triften der Alpen. — Vorarlberg: auf den Dornbirneralpen und am Freschen (Str! Cst!). Oberinnthal: am Schramkogel über Lengenfeld (Hrg!), Alpen bei Zirl u. Telfs (Str!). Innsbruck: auf dem Glunggezer und Rosskogel (Hfl.). Lisens: im Thalboden (Prkt.). Kelleralpe (Schm!). Kitzbüchleralpen (Trn.). Pusterthal: Alpen bei Welsberg u. Toblach (Hll.), Gössnitz, Hof- u. Dorferalpe bei Lienz (Schtz.). Hegedexspitze (Hfm!). Vintschgau: am Ferner in Sulden (Eschl!); auf der Laaseralpe (Tpp.). Zilalpe bei Meran (Elsm!). Alpen um Bozen: Schlern und Seiseralpe, Rittner- und Villandereralpe (Hsm.). Alpen in Passeyer; Gebirge von Fierozzo (Per!). Val larga im Fersinathale (Per!). Baldo, Bondone u. Scanuccia (Poll!). Am Altissimo des Baldo (Hfl!). Judicarien: Alpe Cengledino u. Stracciola; Val di Breguzzo (Bon.).

Apargia alpina Willd.

Kommt überall: mit kahlen o. behaarten Blättern vor, dann:

β. *aurantiacus.* Bl. in das Safranfarbene spielend, übrigens der gewöhnlichen Form ähnlich. — L. croceum Haenke. Apargia aurantiaca Kit. — Schlern: in der Nähe der Kapelle (Str!), im Thale rechts über dem Hohlwege gegen die Kapelle (Elsm!).

γ. *pinnatifidus.* Blätter alle o. nur die innern fiederspaltig. — Apargia crocea Willd. — Schlern (Str! Hsm.).

Bl. gelb o. ins Safrangelbe spielend. Jul. Aug. ♃.

1069. *L. hastilis L.* Wiesen-L. ***Wurzel abgebissen,*** von der Basis mit starken Fasern besetzt; ***Stengel blattlos, 1köpfig, nackt oder mit 1—2 Schuppen besetzt, an der Spitze dicker;*** Blätter länglich-lanzettlich, in den Blattstiel verschmälert, gezähnt oder fiederspaltig, kahl oder kurzhaarig, ***Haare 2—3gabelig;*** die innern Strahlen federig, an der breitern Basis klein-gesägt, die äussern kurz, rauh.

Gemein auf Wiesen u. Triften vom Thale bis in die Alpen. Kommt vor:

α. vulgaris. Blätter o. auch der Stengel kurzhaarig; Blätter gezähnt o. buchtig-gezähnt. — L. hispidum L. L. hispidus Reichenb. flor. exc. — Stuiben bei Schattwald (Dobel!). Zirl (Str!). Innsbruck: bei Hötting u. Thaureralpe; im Thale Stubai u. Gschnitz (Hfl.). Schwaderalpe (Schm.). Zillerthal (Schrank!). Kitzbüchl: seltener als β. (Unger!). Pusterthal: bei Lienz (Rsch!), Welsberg (Hll.), in Tefereggen und Vilgraten (Schtz.). Pfitsch (Hfl l). Brixen (Hfm.). Bozen; gemein um Klobenstein am Ritten z. B. bei Waidach (Hsm.); Eppan (Hfl.); Schlern (Elsm!). Val di Non: bei Castell Brughier; Zambana (Hfl!). Trient; am Baldo: prato di Brentonico (Poll!). Hügel bei Roveredo (Crist.). Judicarien: Alpe Lenzada (Bon.).

β. glabratus. Blätter, Stengel u. Hauptkelch kahl o. nur spärlich mit Haaren bestreut, sonst wie α. L. hastile Reichenb. flor. exe. L. danubiale Jacq. — Vorarlberg: um Bregenz (Str!). Oberinnthal: auf der Aschaueralpe (Kink). Innsbruck: bei Sistrans und am Glunggezer (Hfl.); Arzlerjoch und bei Schwaz (Schm.). Kitzbüchl (Trn. Unger!). Zillerthal (Schrank!). Lienz (Rsch! Schtz.). Innichen (Stapf). Bozen: z. B. am Wege nach Runkelstein; gemein um Klobenstein am Ritten, Rittner- und Seiseralpe (Hsm.). Um Trient (Per!), am Monte Gazza (Merlo). Judicarien: um Tione (Bon.). — Sind die Blätter glänzend, so ist es nach Koch: Apargia dubia Hoppe. Diese gemein um Bozen, am Ritten etc. (Hsm.). Zirl u. Telfs (Str!). Bei Heilig-Blut am Glockner (Hoppe!).

γ. hyoseroides. Blätter bis zur Mittelrippe fiedertheilig, Fieder linealisch; dabei kahl o. sparsam-behaart o. auch dichtbehaart, manchmal auch glänzend, immer dicklich. — L. hyoseroides Welw. Reichenb. flor. exc. in addend. pag. 853. — Vorarlberg: am Fusse der Dornbirneralpen; bei Zirl (Str!). Innsbruck: am Serles u. Schönberg (Hfl.). Um Bozen u. Klobenstein am Ritten auf steinigem Boden u. Hügeln sowohl kahl als kurzhaarig (Hsm.).

δ. opimus. Blätter breiter, Stengel niedriger, an der Spitze verdickt, Hauptkelch fast zottig; Köpfchen grösser. L. caucasicus Reichenb. flor. exe. in add. p. 853. — Kirschbaumeralpe bei Lienz (v. Spitzel!). Am Joche Latemar bei Bozen (Hsm.).

Bl. gelb. Im Thale Mai, Jun. Auf Gebirgen: Jul. Aug. ♃.

III. Rotte. ***Apargia C. H. Schultz.*** Wurzel senkrecht hinabsteigend, spindelförmig, einfach, etwas ästig, mit haarfeinen Fäserchen bestreut. Die Köpfchen vor dem Aufblühen nickend. Strahlen des Pappus sämmtlich fiederig oder die äussern kürzern rauh, die innern aber an der Basis klein-gesägt.

1070. ***L. incanus Schrank.*** Grauer L. ***Wurzel senkrecht, einfach,*** etwas ästig; ***Stengel*** blattlos, ***1köpfig,*** nackt oder mit 1—2 Schuppen besetzt, unter dem Köpfchen dicker; ***Blätter*** länglich-lanzettlich, in den Blattstiel verschmälert, ganzrandig oder entfernt-gezähnelt und nebst dem Stengel ***von sehr kurzen, 3—4gabeligen Haaren grau- fast filzig-kurzhaarig; Strahlen des Pappus etwas länger als die Achenen,*** sämmtlich federig, die innern auf der breitern Basis klein-gesägt. —

An Kalkfelsen und steinigen Triften bis in die Alpen. — Zirl u. Telfs (Str!). Innsbruck: im Pradler Sillgries u. auf der Spitze des Hechenberges (Hfl.), bei Taur (Schpf.). Zillerthal (Schrank!). Kitzbüchl: am Lämmerbüchl bis 5000′ (Trn.). Pusterthal: in Prax (Hll.). Vintschgau: in Schlinig (Tpp.). Am Schlern, auf der Mendel und an Felsen bei Margreid (Hsm.). Eppan (Tpp.). Wiesen ober Völs am Fuss des Schlern (Elsm!). Nonsberg: bei Castell Brughier (Hfl.). Felsen und Hügel bei Roveredo (Crist.). Trient: gegen Terlago (Per.). Borgo (Ambr.). Baldo: alla Corona u. al sentier di Ventrar; dann am Gardasee bei Ponale (Poll!). Judicarien: bei Sorano nächst Tione (Bon.).

Hieracium incanum L.

Bl. gelb. Mai, Jul. ♃.

IV. Rotte. ***Asterothrix Cass.*** Wurzel wie bei voriger Rotte. Die unaufgeblühten Köpfchen nickend. Strahlen des Pappus sämmtlich von der Basis an federig; die äussern kürzer.

1071. ***L. saxatilis Reichenb.*** Stein-L. ***Wurzel senkrecht, einfach, etwas ästig;*** Stengel 1köpfig, nackt o. mit 1—2 Schuppen besetzt, unter dem Köpfchen dicker; ***Blätter*** lanzettlich, in den Blattstiel verschmälert, buchtig- o. fiederspaltig-gezähnt, ***steifhaarig von starren 3gabeligen Haaren; die Achenen fast noch 1mal so lang als der Pappus,*** von der Mitte an in einen kurzhaarig-rauhen Schnabel verschmälert; die Strahlen des Pappus sämmtlich von der Basis an federig, die äussern kürzer; die Röhre der Blüthen fast so lang als das Zünglein.

An sonnigen felsigen Hügeln im südlichern Tirol. — Valle Lagarina (Fcch.). Trient: am Monte degli Zoccolanti (Per.).

Apargia saxatilis Ten. Apargia tergestina Hoppe. L. crispus Koch syn. ed. 1.

Bl. gelb. Jun. Jul. ♃.

310. *Picris L.* Bitterkraut. Bitterich.

Blättchen des Hauptkelches dachig. Blüthen alle zwitterig und zungenförmig. Achenen allmählig in einen Schnabel verschmälert o. an der Spitze unter dem Pappus verengert und so sehr kurz-geschnäbelt. Pappus gleichförmig, abfällig; Strahlen an der Basis zu einem Ringe verbunden, die innern an der Basis breiter, federig; die äussern (weniger an der Zahl) haarförmig. Fruchtboden nackt. Bl. gelb. (XIX. 1.).

1072. ***P. hieracioides L.*** Gemeines B. Steifhaarig; Blätter länglich-lanzettlich, gezähnt o. etwas buchtig, die mittleren stengelständigen mit abgeschnittener oder spiessförmiger Basis etwas stengelumfassend; die Köpfchen an dem Stengel u. den Aesten endständig, ebensträussig; die äussern Blättchen des Hauptkelches abstehend, auf dem Rücken steifhaarig, am Rande kahl; Zünglein fast noch 1mal so lang als die Röhre der Blüthen; Achenen unter dem Pappus eingeschnürt, fast schnabellos, fein-quer-runzelig.

An Rainen, Wegen und Waldsäumen. — Bregenz, gemein (Str!). Oberinnthal: am Wege von Telfs nach Stams (Zcc!). Innsbruck: in der Klamm u. auf dem Pradler Sillgries (Hfl.), im Wiltauer Stiftsgarten (Prkt.). Ebbs (Harasser!). Kitzbüchl: auf Wiesen (Unger! Trn.). Lienz: auf dem Mohrenfelde nächst der Messingfabrik (Rsch!). Brixen (Hfm.). Vintschgau: sonnige Triften der Voralpen bei Laas (Tpp.). Um Bozen: z. B. an der Kaiserau und am Kalkofen etc.; Ritten: am Wege von Lengmoos zur Finsterbrücke auf Sandgeschiebe (Hsm.). Val di Non: bei Castell Brughier (Hfl!). Trient: am Kalisberg (Per.). Roveredo: auf dem Grus der Wildbäche (Crist.). Am Gardasee (Poll! Clementi). Judicarien: bei Tione (Bon.).

Var.: Blätter ganzrandig (P. ruderalis Schm.) u. Köpfchen ebensträussig (P. umbellata N. ab. E.). Letztere mit der Species um Kitzbüchl (Unger!), u. beide um Bozen (Hsm.).

Eine bemerkenswerthe Varietät u. vielleicht eigene Art ist:

β. *crepoides.* Blätter lanzettlich-spatelig, die obern Stengelblätter eiförmig-länglich o. eiförmig-lanzettlich, lang-zugespitzt, stachelspitzig-gezähnt; Köpfchen ansehnlich, viel grösser, traubig-rispig. Achenen fast um die Hälfte grösser. Pflanze in allen Theilen stärker. P. sonchoides Vest. Reichenb. flor. exc. P. crepoides Sauter. Flor. 1830 p. 409. — Auf Bergwiesen um Kitzbüchl z. B. am Sonnberg (Trn. Unger!).

Bl. gelb. Jun. — Sept. ⊙.

Helminthia Juss. Wurmsalat.

Blättchen des Hauptkelches 2reihig, äussere 5, locker abstehend, innere 8 gleichlang, die Frucht einhüllend. Pappus federig, gestielt, bleibend. Achenen quer-gefurcht. Fruchtboden nackt. Bl. gelb. (XIX. 1.).

H. echioides Gaertn. Scharfblättriger W. Aeussere Blättchen des Hauptkelches ei-herzförmig, zugespitzt.

Unter Gesträuch in Krain und Südtirol (Kittel Linnaeisch. Taschenb. p. 384)! In der Flora Krains von Fleischmann (1844) nicht als Krainer Pflanze angeführt.

2-3 Fuss hoch; stechend-borstig; Stengel ästig; die untern Blätter verkehrt-eiförmig, geschweift-gezähnt, die obern länglich-lanzettlich, stengelumfassend.

Picris echioides L.

Bl. goldgelb. Jun. Aug. ⊙.

XXI. Gruppe. **Scorzonereae C. H. Schultz.** Pappus an allen Achenen federig, Federchen der Strahlen, oder an den randständigen spreuig, Spreublättchen einfach; oder an allen einfach, die Strahlen kleingesägt-rauh und an der Basis inwendig zottig, Zotten verstrickt, Fruchtboden nackt.

311. *Tragopógon L.* Bocksbart.

Blättchen des Hauptkelches 8—12, einreihig, an der Basis verwachsen. Blüthen alle zwitterig u. zungenförmig. Achenen in einen Schnabel verdünnt, eckig, länglich, Pappus bleibend, gleichförmig, Strahlen federig, Federchen verstrickt. Fruchtboden nackt. (XIX. 1.).

1073. ***T. major Jacq.*** Grosser B. ***Blüthenstiele*** aufwärts allmählig verdickt, ***keulig,*** während der Blüthezeit so dick als die Basis des Hauptkelches; Hauptkelch meist 12blättrig, länger als die Blüthen; ***Köpfchen oberseits konkav,*** die randständigen Achenen schuppig-weichstachelig, scharfkantig, ungefähr so lang als der fadenförmige Schnabel.

Sonnige Hügel u. an Rainen der Weinberge im südlichen Tirol. — Brixen (Hfm.). Bozen: gemein z. B. im Gandelhofe bei Gries, Hertenberg, Runkelstein etc. (Hsm.). Valsugana: Weinberge bei Borgo (Ambr.). Trient: am Doss Trent (Hfl.). Roveredo (Crist.).

Schmächtiger u. niedriger als die Folgenden.

Bl. blassgelb. Mai, Jun. ⊙.

1074. ***T. pratensis L.*** Wiesen-B. ***Blüthenstiele gleich,*** unter dem Köpfchen ein wenig verdickt; ***Hauptkelch 8blättrig,*** Blättchen oberhalb der Basis quer-eingedrückt; Blüthen so lang als der Hauptkelch u. kürzer; ***die randständigen Achenen*** so lang als der fadenförmige Schnabel, ***knötig-rauh.***

Auf Wiesen und Triften, gemein bis an die Voralpen. — Bregenz (Str!). Oberinnthal: bei Imst (Lutt!). Innsbruck (Schpf.). Felder um Kitzbüchl (Trn.). Taufers (Iss.); Lienz (Rsch! Schtz.). Brixen (Hfm.). Auf allen Wiesen um Bozen; Klobenstein am Ritten einzeln bis 4300′ unter Kematen (Hsm.). Roveredo (Crist.). Judicarien: bei Tione (Bon.).

Um Bozen sind die Blüthen meist so lang u. wohl auch oft etwas länger als der Hauptkelch, auch die Blätter sind nicht selten wellenförmig o. gedreht, solche Exemplare lassen sich jedoch leicht durch die Achenen von Folgender unterscheiden.

Officinell: Radix Tragopogonis, vel Barbae hirci.

Bl. gelb. Die jungen Pflanzen werden hie u. da als Salat verspeist. Mai. Jun. ⊙.

1075. ***T. orientalis L.*** Morgenländischer B. ***Blüthenstiele gleich,*** unter dem Köpfchen ein wenig verdiekt; ***Hauptkelch 8blättrig;*** Blättchen oberhalb der Basis quereingedrückt; Blüthen meist länger als der Hauptkelch; ***die randständigen Achenen*** fast noch 1mal so lang als der fadenförmige Schnabel, ***von knorpeligen Schuppen kurz-stachelig;*** Blätter aus verbreiterter Basis linealisch-pfriemlich-verschmälert, steif o. an der Spitze zurückgebogen o. gedreht.
Auf Wiesen. — Innsbruck: unter Weiherburg (Hfl.). Unterinnthal: bei St. Johann (Trn.).
Bl. gelb. Mai, Jun. ⊙.

312. *Scorzonèra L.* Schwarzwurz.

Blättchen des Hauptkelches dachig. Achenen allmählig in einen Schnabel verschmälert, an der Basis mit einer unmerklichen Schwiele. Pappus gleichförmig, Strahlen federig, Federchen verstrickt. Fruchtboden nackt. Blüthen alle zungenförmig, zwitterig. (XIX. 1.).

1076. ***S. austriaca Willd.*** Oesterreichische Schw. Die wurzelständigen Blätter länglich, lanzettlich o. linealisch, die stengelständigen 2—3, schuppenförmig; der Stengel kahl, meist 1köpfig; ***Blättchen des Hauptkelches zugespitzt,*** an der Spitze selbst stumpf, ***die äussern eiförmig;*** Achenen gerieft, die Riefen glatt; ***Wurzel-Schopf fädig.***
Sonnige felsige Hügel u. Abhänge im südlichen Tirol. — Vintschgau: bei Kastelbell und bis Schlanders (Tpp.). Meran (Iss.). Bozen: im Hertenberge u. im Berge ober dem Streiterischen Weingute, am Wege ober dem Tscheipenthurm und am Steige von da zum Einsiedel, dann bei Kardaun an den Felsen am Eingange ins Eggenthal (Hsm.). Valsugana: auf Hügeln bei Borgo (Ambr.). Am Baldo (Bielz).
S. angustifolia Reichenb.
Blätter lanzettlich, linealisch oder linealisch - lanzettlich. Stengel 1 — 3blüthig.
Bl. schwefelgelb. Apr. Mai. ♃.

1077. ***S. humilis L.*** Niedrige Schw. Wurzelblätter länglich, lanzettlich o. linealisch-lanzettlich; die 2—3 stengelständigen linealisch; der Stengel wollig, 1—3köpfig; ***Hauptkelch halb so lang als die Blüthen,*** die äussern Blättchen ei-lanzettförmig, zugespitzt, an der Spitze selbst stumpf; ***Achenen*** gerieft, die Riefen ***glatt; Wurzel-Schopf*** schuppig.
Wälder u. Gebirgswiesen bis an die Alpen. — Vorarlberg: im Bodenseerried (Cst!). Unterinnthal: bei Ebbs (Harasser!), u. Stans (Schm.). Pusterthal: bei Hopfgarten (Schtz.), Welsberg (Hll.). Bergwiesen um Brixen z. B. in Schalders (Hfm.). Hafling bei Meran (Tpp.). Gebirge um Bozen gemein z. B. bei Kollern u. um Klobenstein am Ritten bis 5000′ bei Pemmern; am Wege von Weissenstein nach Aldein (Hsm.). Feuchte Wiesen in Pinè (Per!). Valsugana: bei Borgo gegen Selte Selle

(Mrts!), und Voralpenwiesen ober Roncegno, allwo auch mit linealischen Blättern (Ambr.). Am Baldo: alla Corona (Poll!).

S. plantaginea Schleich.

Blattform sehr veränderlich, meist länglich, lanzettlich oder linealisch-lanzettlich, seltener linealisch, ja selbst elliptisch, bis 2 Zoll breit, so bei Rappesbüchel u. Kematen in Wäldern, doch sehr selten. Meist höher als Vorige u. Folgende, bis andert-halb Fuss hoch.

Officinell: Radix Scorzonerae.

Bl. gelb. Jun. Anf. Jul. ♃.

1078. ***S. aristata Ramond.*** Alpen-Schw. Blätter linealisch-lanzettlich o. linealisch; *Stengel nackt, 1köpfig; die äussern Blättchen des Hauptkelches* ei-lanzettförmig, *an der verlängerten Spitze pfriemlich, oft so lang als die innern;* Achenen quer faltig-knötig; Wurzelkopf nackt oder etwas schuppig.

Triften der Alpen im südlichen Tirol. — Pusterthal: in Prax (Hll.), Alpe Kaathal und Frossnitz (Sieber). Im angränzenden Kärnthen bei Heilig-Blut (Hoppe!). Wiesen der Seiseralpe (Zcc!). Schlern: z. B. am grasigen Abhange links ober der Schlucht, Seiseralpe (Hsm.). Zilalpe bei Meran; Seiseralpe: gegen den Saltariabach (Elsm!). Voralpen des südöstlichen Tirols z. B. im Duronthale in Fassa (Fcch.). Paneveggio; Scanuccia, in der Region des Knieholzes (Per!). Valsuganer Gebirge (Ambr.).

S. grandiflora Lap. Koch syn. ed. 1. S. alpina Hoppe. S. Hoppeana Sieb.

Bl. gelb. Jul. ♃.

1079. ***S. purpurea L.*** Purpurrothe Schw. Blätter linealisch o. linealisch-lanzettlich; Stengel beblättert 1köpfig o. ästig u. 2—4köpfig; die äussern Blättchen des Hauptkelches eiförmig-lanzettlich; Wurzelschopf fädig.

Kalkhügel u. Gebirgstriften im südlichern Tirol. — Triften des Baldo (Crist.). Vette di Feltre (Tita!). Am Baldo: vorzüglich in Val Fredda; dann im Tridentinischen (Poll!). Valsugana: im Thale Tesino bisher an einer einzigen Stelle (Ambr.).

Die Triftenform: mit flachen, breitern Blättern und meist 1köpfigem oder an der Basis mit einem oder andern Aste versehenen Stengel ist: S. rosea W. K.

Bl. rosenroth. Jun. Jul. ♃.

Galásia Cass. Galasie.

Blättchen des Hauptkelches dachig. Achenen bis zum Pappus gleich, ungeschnäbelt. Pappus gleichförmig, mehrreihig, Strahlen rauh, die äussern haarförmig, die innersten an der Basis lanzettlich-verbreitert u. allda auf der innern Seite zottig, Zotten in einander verstrickt. Fruchtboden nackt. Bl. gelb. (XIX. 1.).

G. villosa Cass. Zottige G. Vielstengelig, ästig; Blätter stengelumfassend, linealisch, lang-zugespitzt, gekielt, rinnig, ganzrandig, zottig. Blüthenköpfchen einzeln, endständig; Blättchen des Hauptkelches lanzettlich, lang-zugespitzt, die äussern zottig-bewimpert.

Trockene Wiesen in Südkrain, Südtirol selten (Kittel Linn. Taschenb. pag. 382)! Im Veronesischen nach Pollini! Meine Exemplare sind von Triest, wo die Pflanze ziemlich gemein. In der Flora Krains von Fleischmann nicht als Krainer Pflanze angeführt. —

Bl. gelb, unterseits ins Purpurne ziehend, kaum länger als der Hauptkelch. Mai, Jun. ♃.

XXII. Gruppe. **Hypochoerideae Lessing.** Pappus federig. Fruchtboden spreuig, Spreublättchen abfällig.

313. *Hypochœris L.* Ferkelkraut.

Blättchen des Hauptkelches dachig. Blüthen alle zungenförmig u. zwitterig. Achenen in einen verlängerten Schnabel verschmälert oder nur wenig verschmälert und fast ungeschnäbelt. Pappus federig. Fruchtboden spreuig, Spreublättchen abfällig. (XIX. 1.).

I. Rotte. *Hypochœris genuina.* Aeussere Strahlen des Pappus kürzer; rauh, die innern federig.

1080. *H. radicata L.* Aestiges F. Der Stengel ästig, kahl, blattlos; Blüthen länger als der Hauptkelch; Achenen sämmtlich lang-geschnäbelt.

Auf Triften u. an Rainen bis an die Voralpen. — Vorarlberg: im Bodenseerried (Cst!), bei Bregenz (Str!). Oberinnthal: bei Zirl (Str!). Innsbruck (Hfl.). Schwaz (Schm!). Zillerthal: bei Zell (Gbh.). Kitzbüchl: gemein auf Wiesen und begrasten Anhöhen (Unger! Trn.). Bozen: am Wege nach Rafenstein u. Ceslar; Klobenstein: am Ritten auf den Triften am Oberbozner Steige bei Waidach und gegen Rappesbüchel (Hsm.). Eppan (Hfl.). Judicarien: an der Strasse von Tione nach Rendena (Bon.). Gardasee (Clementi).

Bl. gelb. Jun. Aug. ♃.

II. Rotte. *Achyrophorus.* Strahlen des Pappus alle federig. —

1081. *H. maculata L.* Geflecktes F. ***Stengel 1—3-köpfig, meist 1blättrig, steifhaarig;*** Blüthenstiele fast gleich dick; ***Blättchen des Hauptkelches am Rande ganz,*** die mittleren an der Spitze filzig-berandet.

Waldtriften u. Bergwiesen. — Kitzbüchl (Hfm.). Zillerthal: Waxeggermähder (Moll). Pusterthal: im Lavanter Walde und auf den Görtschacher Bergwiesen bei Lienz (Rsch!). Vintschgau: bei Reschen u. am Fusse des Spitzlat (Tpp.). Ausser der Gränze im Veronesischen am Gardasee bei Lazise (Poll!).

Blätter meist braun-gefleckt.

Bl. gelb. Jul. Aug. ♃.

1082. *H. uniflora Vill.* Einblüthiges F. Stengel 1-köpfig, steifhaarig, oberwärts allmählig verdickt, fast keulig, an der Basis beblättert; die äussern und mittleren ***Blättchen des Hauptkelches am Rande zerrissen-fransig.***

Gemein auf Triften der Alpen u. Voralpen. — Vorarlberg: am Freschen (Str! Cst!), am Widderstein (Tir. B.)! Oberinnthal: am Rosskogel (Str.); Imsteralpe (Lutt!). Innsbruck: am Patscherkofel (Hrg!), hinter der Morgenspitze (Eschl.). Waldrast und in Schmirn (Hfm.). Längen- und Voldererthal (Hfl.). Ueber Hall am Glunggezer (Str!). Zillerthal: in der Zemm und in der Floiten (Schrank!). Kitzbüchl: sparsam am Geisstein (Trn.). Pusterthal: Alpen bei Welsberg (Hll.), Ellnerspitze bei Brunecken (M. v. Kern), Innervilgraten, Tefereggen (Schtz.), Alpe Mühl in Taufers (Iss.), Schleiniz (Hoppe!), Matreyerthörl u. Bergeralpe in Kals (Hrnsch!), am grauen Käs, Teischniz, Hofalpe u. Gössnitz (Schtz.), Zabernizen u. Zölterfeld, Marenwalder- u. Schleinizeralpe bei Lienz (Rsch!). Zilalpe bei Meran (Elsm!). Brixen: Bergmähder von Feldthurns (Hfm.). Joch Grimm bei Bozen (Hinterhuber!). Schlern, Seiseralpe, Mendel, Rosszähne, Rittner- u. Villandereralpe, Durnholzer Bergmähder etc. (Hsm.). Valsugana: Alpen bei Borgo (Ambr.). Monte Gazza (Merlo). Bondone; Cles u. Tuenno (Per.). Baldo: Colma di Malcesine (Poll!). Judicarien: Alpe Cèngledino (Bon.).

H. helvetica Wulf. Jacq.

Bl. gelb. Jul. Aug. ♃.

XXXIII. Gruppe. **Chondrilleae.** Pappus haarig; Strahlen haarförmig, an der Basis nicht breiter. Fruchtboden nackt. Achenen geschnäbelt; Schnabel an der Basis mit einem hervorragenden Krönchen oder mit schuppenförmigen Weichstacheln umgeben.

314. *Willemetia Necker.* Willemetie.

Blättchen des Hauptkelches dachig, flach. Blüthen vielreihig, alle zungenförmig und zwitterig. Achenen an der Spitze mit einem die Basis des fadenförmigen, verlängerten Schnabels umgebenden, gekerbten Krönchen. Pappus haarig. Fruchtboden nackt. (XIX. 1.).

1083. *W. apargioides Cass.* Löwenzahnartige Willemetie. Wurzelblätter spatelig-lanzettlich, seicht buchtig-gezähnt. Stengel kantig, nach unten zu rauh, meist nur 1—2-köpfig. Stengelblatt linealisch-lanzettlich. Hauptkelch mit schwarzen Haaren besetzt.

Auf Wiesen bis in die Alpen. — Vorarlberg: am Freschen und Axberg (Cst!), am Hacken bei Bregenz (Str!). Lechthal: am Rossberg bei Vils (Frl!). Innsbruck: auf Sumpfwiesen zwischen Mutters u. Götzens (Hfl.). Bei Ebbs (Harasser!). Wiesen um Kitzbüchl bis 5000′ (Trn.). Alpen bei Welsberg (Hll.). Naudererthal: auf Moorwiesen (Tpp.). Meran (Schm.). Seiseralpe (C. H. Schultz! Hsm.). — Hieracium stipitatum Jacq.

Bl. gelb. Jul. Aug. ♃.

315. *Taraxacum Juss.* Pfaffenröhrlein.

Blättchen des Hauptkelches 2reihig, die äussern viel kürzer. Blüthen vielreihig, alle zwitterig u. zungenförmig. Achenen etwas zusammengedrückt, oberwärts schuppig-weichstachelig o. feinknötig, plötzlich in einen fädlichen Schnabel zusammengezogen. Pappus haarig. Fruchtboden nackt. (XIX. 1.).

1084. T. *officinale Wigg.* Gemeines Pf. Röhrlkraut. Achenen linealisch - verkehrt - eiförmig, gerieft, an der Spitze schuppig-weichstachelig, Riefen der äussern Achenen von der Basis an knötig - runzelig, die der innern glatt; der farblose Theil des Schnabels länger als die Achene mit dem gefärbten Theile des Schnabels; Blätter länglich o. linealisch-lanzettlich, fiederspaltig-schrot-sägenförmig oder ungetheilt, gezähnt oder ganzrandig.

Gemein auf Wiesen, Triften u. an Rainen, bis in die Alpen.

Var.: α. *genuinum.* Blättchen des Hauptkelches sämmtlich linealisch, die äussern abwärts - gebogen. Bl. meist goldgelb. Taraxacum officinale Reichenb. flor. exe. — Auf Wiesen. Vorarlberg: bei Bregenz (Str!). Innsbruck: am Höttingerbüchl (Hfl.). Kitzbüchl (Trn.). Schwaz (Schm!). Pusterthal: bei Welsberg (Hll.), Hopfgarten, Innervilgraten u. Lienz (Schtz.). Bozen u. Klobenstein am Ritten (Hsm.). Meran (Iss.). Eppan; Val di Non: Castell Brughier, Cles gegen Vergondola (Hfl!). Trient (Per! Hfl!). Roveredo (Crist.). Judicarien: bei Tione (Bon.). —

β. *lævigatum.* Blätter schrot - sägeförmig - fiederspaltig, Abschnitte meist zerschlitzt. Aeussere Blättchen des Hauptkelches eirund, abstehend o. angedrückt, die innern an der Spitze behörnelt. T. laevigatum De C. Reichenb. flor. exe. Blüthen schwefelgelb. Schlanker u. kleiner als α. — Auf sonnigen Hügeln u. Anhöhen. An Rainen in Kreit (Hfl.). Bozen: häufig auf dem grasigen Hügel am Fusse des Kühbacher Berges an den Haslacher Wiesen u. im Sigmundscronerberg (Hsm.), bei Kühbach (Tpp.).

γ. *alpinum.* Aeussere Blättchen des Hauptkelches eiförmig, abstehend, innere an der Spitze nicht behörnelt. Niedrig, ganz glatt, Hauptkelch u. Schaft getrocknet schwärzlich. T. nigricans Reichenb. flor. exe. — Auf Alpentriften. — Vorarlberg: am Freschen (Cst!). Am Rosskogel bei Innsbruck; in Lisens, dann auf dem Kellerjoch bei Schwaz (Hfl.). Schwaderalpe (Schm.). Am Geisstein bei Kitzbüchl bis 7000′ (Trn.). Wormserjoch (Gundlach). Laaserthal (Tpp.). Schlern (Hsm.). Fassa: auf der Duronalpe u. bei San Pellegrino (Fcch.).

δ. *palustre.* Die äussern Blättchen des Hauptkelches eiförmig, zugespitzt, angedrückt, die innern an der Spitze nicht behörnelt. Blätter linealisch - lanzettlich, buchtig-gezähnt, ausgeschweift o. ganzrandig. T. palustre De C. Reichenb. flor. exc.

Leontodon lividus W. K. — Auf sumpfigen Wiesen. — Bregenz (Str!). Zirl (André Sauter!). Innsbruck: Südseite am Berg Isel u. am Buchberge an der Sill, am Höttingerbüchl u. Viller See (Hfl.). Welsberg (Hll.). Am Ritten (Hinterhuber!). Brixen (Hfm.). Cles (Hfl.).

Officinell: Radix et Herba Taraxaci.

Um Bozen wie die Cichorie im März als Salat benützt.

Bl. gold- o. schwefelgelb. März — Aug. ♃.

T. Pacheri C. H. Schultz (in Flora 1848 p. 169—171). Von David Pacher am Rande des Salmgletschers am Grossglockner entdeckt (Schultz!). Der Salmgletscher liegt nach der neuesten Karte von Mayer an und theilweise innerhalb der Gränze Tirols. An den mir von Pacher mitgetheilten Exemplaren vermisse ich ausgebildete Achenen, die blühende Pflanze jedoch ist von kleinen Exemplaren des T. nigricans Reichenb. durchaus nicht verschieden. Schultz beschreibt diese seine neue Art: Zuletzt kahl; Stengel 2-2¼ Zoll hoch, von ungefährer Länge der verkehrt-lanzettlichen, schrot-sägezähnigen, seltener fast ganzen Blätter; Hauptkelch schwärzlich, innere Blättchen 10—12, äussere eben so viele, aufrecht eiförmig-spitz, 2—3mal kürzer. Bl. pomeranzen- seltener goldgelb, die äussern auf dem Rücken ins Olivengrüne ziehend. Achenen bei ihrer völligen Reife sammt dem Schnabel aschgrau ins Olivengrüne ziehend, 3¼—3½ Linien lang, länglich, rundlich-zusammengedrückt, gestreift-gefurcht, nach oben breiter, klein-dornig-schuppig, von der Länge des starken Schnabels. Pappus 2 Linien lang, weiss, Strahlen fast gleich, gezähnelt. Durch den kurzen dicken Schnabel der vollkommen reifen Früchte von allen deutschen Arten zu unterscheiden (Schultz wie oben).

316. *Chondrilla L.* Knorpelsalat.

Blättchen des Hauptkelches meist zu 8, 1reihig, an der Basis mit einigen kurzen Nebenblättchen. Blüthen 7—12, 2reihig, alle zungenförmig u. zwitterig. Achenen gegen die Spitze zu schuppig-weich-stachelig, an der Spitze mit einem die Basis des Schnabels umgebenden Krönchen. Fruchtboden nackt. (XIX. 1.).

1085. *C. juncea L.* Binsenartiger Kn. Wurzelblätter schrot-sägenförmig, *die obern stengelständigen Blätter linealisch-lanzettlich und linealisch;* Aeste ruthenförmig, die seitenständigen Köpfchen einzeln, gezweiet oder gedreiet; Achene mit 5 lanzettlichen Zähnen endigend.

An Rainen, sonnigen Hügeln und im Grus der Flüsse. — Auf Schutt um Brixen (Hfm.). Vintschgau: bei Laas (Tpp.). Bozen: im Eisack- u. Talferbette, in Weinbergen bei Gries im Gandelhofe (Hsm.). Valsugana: bei Borgo (Ambr.). Trient (Per!). Roveredo (Crist.). Am Gardasee (Clementi).

Wenn der Stengel unterhalb u. die Blätter am Rande stachelig-borstig: C. acanthophylla Borkhausen. Diese hie und da mit der Species um Bozen u. auch in Vintschgau.

Var. ferner:

β. *latifolia.* Pflanze stärker; die mittlern u. obern Stengelblätter lanzettlich o. elliptisch-lanzettlich. C. latifolia M. B. Koch syn. ed. 1. — Mit der Species um Bozen z. B. im Eisackbette u. Eisackdamme unter dem Kalkofen u. allda an der Rodlerau (Hsm.). Eppan (Hfl.). Vintschgau: bei Laas (Tpp.).

Bl. gelb. Jul. — Sept. ⊙.

1086. *C. prenanthoides Vill.* Gipfelblüthiger Kn. Wurzelblätter lanzettlich, nach der Basis verschmälert, entfernt-gezähnt; die Stengel fast nackt, gabelspaltig-ästig, ***die endständigen Köpfchen gleich hoch;*** Achene ungefähr so lang als ihr Schnabel, mit einem kurzen, klein-gekerbten Krönchen endigend. —

Im Grus der Räche. — Vorarlberg: an den Ufern aller Bäche, auf der linken Seite der Jller von St. Anton bis Bludenz (Cst!), Bregenz im Achgries (Str.). Valsugana: im Gruse des Baches von Val Caldiera (Fcch.), bei Borgo vorzüglich am rechten Ufer der Brenta gegen Grigno (Ambr.). Ausser der Gränze bei Kreuth (Koch syn.).

Prenanthes chondrilloides L. Lactuca prenanthoides Scop.

Bl. gelb. Jul. Aug. ♃.

XXIV. Gruppe. **Lactuceae.** Pappus haarig; Strahlen haarfein, an der Basis nicht breiter. Fruchtboden nackt. Achenen flach-zusammengedrückt, schnabellos o. mit einem an der Basis nicht gekrönten Schnabel endigend.

317. *Prenanthes L.* Hasenlattich.

Blättchen des Hauptkelches 1reihig, an der Basis mit kürzern Nebenblättchen u. dadurch fast dachig. Blüthen 5, 1reihig, alle zwitterig und zungenförmig. Achenen zusammengedrückt, schnabellos. Pappus haarig. Fruchtboden nackt. (XIX. 1.).

1087. ***P.** purpurea L.* Purpurblüthiger H. Blätter mit herzförmiger Basis stengelumfassend, kahl, unterseits meergrün, die untern eiförmig o. länglich, in den geflügelten Blattstiel zusammengezogen, gezähnt, die obern lanzettlich, zugespitzt, ganzrandig; Köpfchen rispig.

Gebirgswälder bis an die Voralpen. — Bregenz (Str!). Oberinnthal: am Piller (Tpp.); bei Imst (Lutt!). Innsbruck: in der Klamm und hinter dem Schlosse Amras (Eschl.). Stubai (Hfl.). Kitzbüchl (Trn.). Zillerthal: am Hainzenberg (Schrank!). Pusterthal: bei Welsberg (Hll.), um Innichen (Stapf), Lienz: an den Lavanter Bergwiesen (Rsch!). Bozen: am Wege nach Kollern gleich ober dem Badl; Ritten: im Walde hinter Rappesbüchel, dann am Wege von Klobenstein nach Lengmoos ober dem Oehlberg u. auf dem Fenn (Hsm.). Val di Sol bei Pejo; Valsugana: bei Levico (Tpp.). Am Sella bei Borgo (Ambr.). Monte Gazza (Merlo). Im Tridentinischen u. am Baldo (Poll!). Roveredo (Crist.). Judicarien: Wälder bei Stelle (Bon.).

β. *angustifolia.* Blätter aus herzförmiger Basis lanzettlich-linealisch, verlängert. — P. tenuifolia L. — Zell im Zillerthal (Gbh.). Bozen: am Wege von St. Isidor nach Kollern mit der Species u. unzähligen Uebergängen (Hsm.). Voralpenwälder am Baldo vorzüglich al Sentier di Ventrar (Poll!).
Bl. purpurn. Jul. Aug. ♃.

318. *Lactúca L.* Salat. Lattich.

Blättchen des Hauptkelches dachig. Blüthen 2—3reihig, alle zungenförmig und zwitterig. Achenen flach-zusammengedrückt, in einen fädlichen Schnabel auslaufend. Pappus haarig. Fruchtboden nackt. (XIX. 1.).

I. Rotte. *Lactúcae genuinae.* Achenen beiderseits mit mehreren erhabenen Riefen. Bl. gelb.

L. sativa L. Garten-S. Blätter am Kiel stachelig oder glatt, mit herz-pfeilförmiger Basis stengelumfassend, gezähnelt, ungetheilt o. schrot-sägenförmig-fiederspaltig; ***Rispe*** verbreitert, ***ebensträussig, flach;*** Achenen beiderseits 5riefig; ***Schnabel weiss, so lang als die Achene oder länger.***

Angepflanzt in allen Gärten als Salatpflanze. — Auch nicht selten zufällig an Schutt etc. Um Bozen wird er im Grossen in den Weinbergen im Spätherbste angesäet und kommt dann schon zeitlich im Frühjahre: Ende März auf den Markt; auch findet man ihn allda fast verwildert.

Der eingedickte Saft der Pflanze officinell: Lactucarium seu Thridacium.
Bl. gelb. Mai, Jun. ☉.

1088. *L. virosa L.* Giftiger S. Gift-Lattich. Blätter am Kiele stachelig, oval-länglich, stumpf, pfeilförmig, stachelspitzig-gezähnelt, ungetheilt o. buchtig, die obern zugespitzt; Rispe abstehend; ***Achenen beiderseits 5riefig, ziemlich breit-berandet, an der Spitze kahl; Schnabel weiss, so lang als die Achene.***

An Abhängen und felsigen Orten im Gebüsche. — Bozen: sehr zerstreut z. B. im Gandelberge bei Gries im Thale unter dem Reichrieglerhofe, beim Schlosse Sigmundscron und hinter Ried; sehr selten am Ritten östlich von Siffian (Hsm.).

Officinell: Herba Lactucae virosae. Der milchige bittere Saft narkotisch-giftig.

Achenen schwarz. Bl. gelb. Stengel 3—5' hoch.
Jun. Aug. ⊙.

1089. *L. Scariola L.* Wilder L. Wilder S. Blätter am Kiele stachelig, oval-länglich, spitz, pfeilförmig, stachelspitzig-gezähnelt, fiederspaltig-schrot-sägenförmig, seltener ungetheilt; Rispe pyramidenförmig; Aeste traubig; ***Achenen*** beiderseits 5riefig, ***schmal-berandet, an der Spitze borstlich-flaumlich; Schnabel weiss, so lang als die Achene.***

An Wegen, Gräben, auch an Weinbergen im südlichen Tirol. — Bozen: gemein mit Folgender an Wegen z. B. am

Gandelhofe in Gries etc., auch an den Mösern bei Frangart (Hsm.). Eppan u. am Weiher bei Girlan (Hfl.). Im untern Val di Sol (Bon.). Trient: bei Santa Agata u. Piazzina (Per.). Valsugana: bei Borgo (Ambr.). Am Gardasee (Poll!).

Officinell: Herba Lactucae sylvestris vel Scariolae.

Narkotisch-giftig. — Achenen bräunlich-grau.

Bl. gelb. Jul. Aug. ⊙.

1090. ***L. saligna L.*** Weidenblättriger L. ***Blätter*** unterseits am Kiele stachelig o. glatt, ***linealisch, zugespitzt,*** ganzrandig, die untersten schrot-sägenförmig-fiederspaltig; ***Aeste ruthenförmig,*** traubig-ährig; die Achenen auf beiden Seiten 5riefig; der Schnabel weiss, noch einmal so lang als die Achene.

An Wegen im südlichen Tirol. — Brixen (Hfm.). Bozen: gemein z. B. am Wege nach Sigmundscron u. von Gries nach Morizing, dann am Wege von der Knoppernmühle zum Lageeder Hof in Gries; seltener an der Strasse nach Leifers (Hsm.). Trient: bei Piazzina und Oltre Castello (Per.). An Mauern und Wegen bei Roveredo (Crist.).

An stärkern Exemplaren sind auch die mittlern Stengelblätter schrot-sägenförmig-fiederspaltig; auch habe ich bei Bozen Exemplare gesammelt, an denen die untern Stengelblätter ganzrandig u. die mittlern schrot-sägenförmig-gefiedert waren.

Bl. gelb. Jul. — Sept. ⊙.

1091. ***L. viminea C. H. Schultz.*** Stein-L. ***Blätter herablaufend,*** die untern tief-fiederspaltig, ***Zipfel linealisch,*** etwas gezähnt o. ganzrandig, die obersten linealisch, ganz.

Auf Hügeln u. steinigen Orten. — In Tirol (Laicharding!). Meine Exemplare vom Gardasee doch ausserhalb der Gränze. In der Schweiz im Canton Wallis (Schleicher!). Sonst nach Reichenbach und Koch in Mähren, Böhmen, Oesterreich und Sachsen.

Prenanthes viminea L. Phoenixopus vimineus Reichenb. Koch syn. ed. 1.

Bl. gelb. Jul. Aug. ⊙.

1092. ***L. muralis Fresenius.*** Mauer-L. ***Blätter*** gestielt, ***leyerförmig-fiederspaltig, Zipfel eiförmig, winkelig,*** gezähnt; Köpfchen rispig.

An Wegen, Schutt u. Wäldern. — Bregenz (Str!). Innsbruck: am Lemmenhofe und in der Klamm (Hfl. Schneller). Schwaz: gegen Viecht (Schm!). Kitzbüchl (Unger!). Am Kaiser u. bei Schwoich (Berndorfer!). In Lisens (Prkt.). Rattenberg (Wld!). Zillerthal (Braune!). Pusterthal: bei Hopfgarten (Schtz.), um Lienz (Rsch! Schtz.), Welsberg (Hll.). Brixen: am Wege nach Lüsen (Hfm.). Bozen: z. B. am Wege nach Runkelstein und Kühbach am Walde, bei Kollern etc.; Ritten um Klobenstein z. B. bei der Rösslermühle u. im Thale darüber (Hsm.). Eppan (Hfl.). Am Gazza bei Trient (Per!). An Mauern bei Borgo (Ambr.). Roveredo (Crist.). Judicarien: feuchte Gebüsche um Tione (Bon.). Baldo: Val dell' Artillon und Sentier del Ventrar (Poll!).

Prenanthes muralis L. Mycelis muralis Reichenb. Cicerbita muralis Wallr. L. murorum C. Baubin.

Bl. gelb. Jul. Aug. ⨀.

II. Rotte. *Cyanóseris.* Achenen auf der Mitte beiderseits mit einer Riefe, am Rande etwas verdickt.

1093. ***L. perennis L.*** Ausdauernder L. Blauer L. Blätter kahl, fiederspaltig, Zipfel linealisch-lanzettlich, auf der vordern Seite gezähnt; Ebenstrauss locker, endständig; ***Achenen beiderseits einriefig,*** ungefähr so lang als der weisse Schnabel.

Gebirgige Orte, Hügel u. Abhänge. — Auf einem fast unzugänglichen Felsen westlich am Calvarienberge bei Zirl (Str!). Martinswand bei Innsbruck; Sprechenstein bei Sterzing (Hfl.). Brixen (Hfm.). Gemein um Bozen: z. B. am Runkelsteiner Schlosswege, im Gandelberge etc.; am Ritten am Abhange des Pipperer gegen Siffian bis 3600′ (Hsm.). Eppan (Hfl.). Am Ausgange des Passeyrerthales bei Meran (Zcc!). Trient: bei Gocciadoro (Per!), am Doss Trent (Hfl!). Roveredo (Crist.). Valsugana: bei Borgo (Ambr.). Am Baldo: im Gebiethe von Brentonico u. am Gardasee (Poll!). Judicarien: bei Tenno (Bon.).

L. caerulea Sauter.

Bl. blau, oft ins Röthliche spielend, sehr selten weisslich. Apr. — Jun. ♃.

319. *Sonchus L.* Gänsedistel. Saudistel.

Blättchen des Hauptkelches dachig. Blüthen vielreihig, alle zungenförmig u. zwitterig. Achenen zusammengedrückt, an der Spitze gestutzt o. ein wenig zugespitzt, aber nicht geschnäbelt. Pappus haarig, weich, biegsam, an der Basis ohne Krönchen. Fruchtboden nackt. Bl. gelb. (XIX. 1.).

1094. ***S. oleraceus L.*** Gemeine G. Wurzel einjährig, spindelig. ***Stengel ästig, Aeste doldig-ebensträussig;*** Hauptkelch kahl. Blätter länglich, schrot-sägezähnig, buchtig-fiederspaltig o. ungetheilt; die stengelständigen an der Basis herzformig, mit zugespitzten Oehrchen; ***Achenen quer-runzelig, beiderseits auf dem Mittelfelde 3riefig.***

Auf Aeckern, in Weinbergen, an Mauern und Wegen. — Bregenz (Str!). Imst (Lutt!). Innsbruck (Schpf.). Stubai: bei Mieders (Schneller). Schwaz (Schm!). Kitzbüchl (Unger!). Welsberg (Hll.). Lienz (Rsch! Schtz.). Brixen (Späth). Auf bebautem Boden gemein um Bozen; am Ritten um Klobenstein (Hsm.). Val di Non: Castell Brughier (Hfl!). Trient (Per!). Roveredo (Crist.). Judicarien: bei Tione (Bon.).

Blätter ganz o. schrot-sägenförmig o. tief-fiederspaltig, der Endzipfel gross, 3eckig. Var.:

β. ***lacerus.*** Blätter tief-fiederspaltig, Zipfel lanzettlich, ungleich-doppelt-gezähnt, Zähne stachelspitzig, manchmal fast dornig, Endzipfel kaum grösser. S. lacerus Willd. — Bozen: an den Mauern am Wege von Gries zum Tscheipenthurm und von da am Wege bis zum Kellermann, schon Ende März und April blühend (Hsm.).

Bl. gelb, bei β. oft ins Röthliche spielend. Apr.—Nov. ⊙.

1095. *S. asper Vill.* Rauhe G. Wurzel 1jährig, spindelig. *Stengel ästig, Aeste doldig-ebensträussig;* Hauptkelch kahl; Blätter oval-länglich, ungetheilt, buchtig- oder schrot-sägenförmig-fiederspaltig, die stengelständigen an der Basis herzförmig mit abgerundeten Oehrchen. *Achenen glatt, berandet, beiderseits auf dem Mittelfelde 3riefig.*

An Wegen, Schutt etc. nicht so gemein wie Vorige. — Bregenz (Str!). Hie und da um Kitzbüchl (Unger!). Brixen (Hfm.). Lienz (Rsch!). Meran: am Kiechelberge (Tpp.). Bozen: einzeln an der Strasse bei Leifers u. Pranzoll, in Menge an einem Feldwege an den Türkäckern zwischen Siebenaich und Sigmundscron; Ritten: bei den Pyramiden nächst der Finsterbrücke (Hsm.). Borgo (Ambr.). Judicarien: am Doss Tione (Bon.). — Bl. gelb. Jun. — Sept. ⊙.

1096. *S. arvensis L.* Acker-G. *Wurzelstock* senkrecht, stielrunde, *wagrecht-kriechende Ausläufer treibend.* Stengel einfach oder ästig, *Stengel oder Aeste* 2—vielköpfig, *ebensträussig.* Blätter lanzettlich o. länglich, spitz, feindornig-gezähnt, ungetheilt (besonders die obern) o. schrot-sägenförmig-buchtig o. fiederspaltig, mit herz- o. pfeilförmiger Basis sitzend. *Hauptkelch nebst den Blüthenstielen drüsig-behaart.* Achenen mit quer-gerunzelten Riefen.

Auf Aeckern u. an Gräben bis an die Voralpen.

Var.: α. *minor.* Wurzelstock walzlich, Wurzelausläufer weit-kriechend. Stengel 1—2 Fuss hoch, einfach, Blätter ganz o. schrot-sägenförmig, an der Basis abgerundet oder schwach-herzförmig. S. arvensis α. minor Neilreich. Fl. v. Wien pag. 282. — Bregenz (Str!). Oberinnthal: bei Starkenberg (Lutt!). Innsbruck: auf den Feldern ausser Pradel u. ausser der Schiesshütte (Schpf.), dann auf den Aeckern am Lanser See (Hfl.). Schmirn (Hfm.). Kitzbüchl (Trn.). Pusterthal: bei Welsberg (Hll.), Brunecken (F. Naus!), Lienz (Rsch!). Bozen mit β. auf den Aeckern bei St. Jacob u. Sigmundscron; Ritten: gemein auf Aeckern um Klobenstein u. Kematen bis wenigstens 4600′ (Hsm.). Trient (Per!). Judicarien: bei Roncone (Bon.).

β. *major.* Wurzelstock kegelförmig, dick, Wurzelausläufer kurz. Stengel meist ästig, bis 5 Fuss hoch. Blätter buchtig o. fiederspaltig, an der Basis herz- o. pfeilförmig. S. arvensis β. major Neilr. — Bozen: an den Gräben u. Sumpfwiesen bei Sigmundscron u. St. Jacob (Hsm.). Diese dem S. palustris L. sich nähernde Form unterscheidet sich vom letztern durch die kriechende Wurzel.

Bl. gelb. Jun. Aug. ♃.

320. ***Mulgédium Cass.*** Milchlattich. Melkkraut.

Blättchen des Hauptkelches fast dachig; die äussern 2—3-mal kürzer. Blüthen vielreihig, alle zwitterig u. zungenförmig. Achenen an der Spitze o. von der Mitte an gegen die Spitze verschmälert. Pappus haarig, zerbrechlich, an der Basis mit einem aus kurzen Börstchen gebildeten Krönchen umgeben. Fruchtboden nackt. Bl. blau. (XIX. 1.).

1097. ***M. alpinum Less.*** Alpen-M. Trauben einfach o. zusammengesetzt, drüsig-behaart; Blätter gezähnt, leyerförmig, der endständige Lappen sehr gross, spiessförmig-3eckig, lang-zugespitzt, die stengelständigen Blätter mit geflügeltem, an der Basis herzförmigem Blattstiele stengelumfassend; Achenen länglich-linealisch, vielriefig, an der Spitze ein wenig verschmälert.

Gebirgswälder u. Alpenthäler. — Vorarlberg: am Freschen (Cst! Str!). Lechthal: unter der Wand bei Steeg (Frl!); am Arlberg (Lutt!). Oberinnthal: am Säuling (Kink). Zirler Bergmähder (Hfl.). Schmirn (Hfm.). Kuefstein (Hrg!). Zillerthal: Alpe Schwen (Gbh.). Kitzbüchl: am Schattberg (Trn. Str!). Pusterthal: auf den Taistneralpen u. am Sarl in Prax (Hll.), Lienz: im Devantthale am Wege zur Hofalpe u. auf den Bergwiesen der südlichen Kette allda (Rsch! Hoppe!). Vintschgau: im Martellthale unter der Alm (Tpp.). Rittneralpe: selten in Ramiss gegen Sarnthal (Hsm.). Schattige Alpen im Tridentinischen, vorzüglich auf der Scanuccia (Crist.). Alpe Gavanello bei Borgo (Ambr.). Judicarien: Val de Breguz (Sternberg!), Alpe Lenzada u. Stracciola (Bon.).

Sonchus alpinus L. Koch syn. ed. 1.

Bl. blau. Jul. Aug. ♃.

XXV. Gruppe. **Crepideae.** Pappus haarig; die Strahlen haarfein oder pfriemlich-borstlich, aber an der Basis nicht spreuig-verbreitert. Achenen stielrund o. kantig o. etwas zusammengedrückt, an der Spitze geschnäbelt o. schnabellos u. an der Spitze zusammengezogen o. daselbst von gleicher Breite.

321. ***Crepis L.*** Pippau. Grundfeste.

Blättchen des Hauptkelches 2reihig, die äussern kürzer, Nebenblättchen darstellend; oder fast dachig. Achenen gleichförmig, stielrund o. etwas zusammengedrückt, 10—30riefig, an der Spitze verschmälert o. mit einem mehr o. weniger verlängerten Schnabel versehen. Pappus haarig, Strahlen haarfein. Fruchtboden nackt. Bl. zahlreich, vielreihig, alle zungenförmig und zwitterig. (XIX. 1.).

I. Rotte. ***Barkhausia Moench. De C.*** Achenen des Mittelfeldes oder alle lang-geschnäbelt.

1098. ***C. foetida L.*** Stinkender P. Der Stengel aufrecht, beblättert, ästig, nebst den Blättern rauhhaarig; Blätter schrot-sägenförmig-fiederspaltig, die obersten lanzettlich, an der

Basis tief-eingeschnitten; Blüthenstiele vor dem Aufblühen nickend; ***Schnabel der randständigen Achenen kürzer als der Hauptkelch, die innersten länger als derselbe; Hauptkelch überall grau u. zottig,*** mit einfachen u. drüsentragenden Haaren; Blättchen des Aussenkelches lanzettlich, spitz.

An Wegen, Rainen u. Weinbergen im südlichen Tirol. — Vintschgau: bei Castelbell (Tpp.). Bozen: am Talferbette beim Kellermann St. Antoni gegenüber, an den Weinleiten bei St. Oswald; Ritten: am Wege von Waldgries bis gegen St. Sebastian unter Unterinn; an der Landstrasse bei Pranzoll und Leifers (Hsm.). Weinberge bei Eppan (Hfl.). An Wegen bei Vezzano (Hfl.). Roveredo: auf hügeligen Grasplätzen (Crist.). Bei Besenello an Feldrainen (Per!). Am Gardasee (Poll!). Judicarien: bei Stenico (Bon.).

Barkhausia foetida De C. Koch syn. ed. 1.

Bl. gelb. Kraut unangenehm riechend. Ende Jun. Aug. ⊙.

1099. C. *taraxacifolia Thuill.* Löwenzahnblättriger P. Der Stengel aufrecht, beblättert, an der Spitze ebensträussig; Blätter schrot-sägenförmig-gezähnt o. schrot-sägenformig-fiederspaltig; Blüthenstiele vor dem Aufblühen aufrecht; ***Hauptkelch*** grau u. oft steifhaarig, ***nach dem Verblühen die Hälfte des Pappus erreichend; Blättchen des Aussenkelches ei-lanzettförmig, nach der Spitze verschmälert, kahl,*** am Rande häutig; ***die Deckblätter*** linealisch, ***krautig,*** schmal-häutig-berandet.

Auf Wiesen am Bodensee. — Bregenz (Str. Cst!).

Barkhausia taraxacifolia De C. Koch syn. ed. 1.

Bl. gelb. Mai, Jul. ⊙.

1100. *C. setosa Haller fil.* Borstiger P. Der Stengel aufrecht, beblättert, ästig; Aeste ebensträussig; Blätter schrot-sägenförmig-gezähnt oder leyer-schrot-sägenförmig, die obern pfeilförmig, ganz o. an der Basis eingeschnitten-gezähnt; ***Blüthenstiele vor dem Aufblühen aufrecht; Hauptkelch nach dem Verblühen von der Länge des Pappus, Blättchen des Aussenkelches lanzettlich, spitz, nebst den Deckblättern am Rande,*** den innern Blättchen auf dem Rücken und den Blüthenstielen ***fast dörnig-steifhaarig;*** Borsten starr, 1fach.

An Aeckern, Strassenrändern u. Rainen im südlichen Tirol. Gemein um Bozen: z. B. an der Landstrasse gegen Sigmundscron u. Morizing, in Menge am Graben am Feldwege von Siebenaich nach Sigmundscron etc. (Hsm.), unter dem Calvarienberge (Giov!). Häufig im südlichern Tirol, z. B. in Valsugana (Fcch.). Trient: am Doss di Santa Agata (Per!). Judicarien: längs der Strasse ai Ragoli (Bon.).

Crepis hispida W.K. Barkhausia setosa DeC. Koch syn. ed. 1.

Bl. gelb. Jun. Jul. ⊙.

II. Rotte. *Crepis De C.* Achenen an der Spitze etwas schmäler, walzlich oder in einen kurzen Schnabel ausgehend. Achenen 10—13riefig. Pappus schneeweiss, weich.

§. 1. *Stengel blattlos, an der Spitze vielköpfig; Köpfchen klein. Nebenblättchen kurz, angedrückt.*

1101. *C. praemorsa Tausch.* Traubiger P. *Schaft blattlos, traubig;* Trauben an der Basis zusammengesetzt; die untern Blüthenstiele 2—3köpfig, die obern 1köpfig; Blätter oval-länglich, an der Basis verschmälert, gezähnelt, flaumig.

Hügel u. Gebirgstriften, auch auf Voralpen. — Oberinnthal: auf den Zirler Bergmähdern an Waldwiesen (Schm.). Innsbruck: am Pastberg, am Gluirschhof u. auf einem Hügel bei Allerheiligen (Hfl.), am Berg Isel gegen die Sill (Schpf.). Trient: auf Voralpen bei Marzola (Per.). Tridentinergebirge u. Triften des Baldo (Poll!). Judicarien: auf Hügeln bei Sorano u. Stelle (Bon.).

Hieracium praemorsum L. Geracium praemorsum Reichenb. flor. exc. —

Bl. gelb. Jun. Jul. ♃.

1102. *C. incarnata Tausch.* Röthlichblühender P. *Schaft blattlos, ebensträussig;* Blätter verkehrt-eiförmig-länglich, an der Basis verschmälert, gezähnelt.

Gebirgswiesen u. Alpentriften. — Pusterthal: in Prax (Hll.), in der Fichtenregion südlich von Innichen (Stapf). Innichen: am Fusse des Rohrwaldes beim Ursprung des Drauflusses und im nahen Walde, der Haspen genannt gegen die Fauster Kaser (Rsch!).

Hieracium incarnatum Wulf.

Bl. fleischroth, röthlich o. weiss, und:

β. *lutea.* Bl. gelb. Crepis Froelichiana De C. Geracium parviflorum Reichenb. Hieracium parviflorum Schleicher. — Im Daréethale hinter dem Schlern (Frl!). Schlern (Fleischer!). Schlern u. Mendel bei Bozen (Hsm.). Padon Fassano (Fcch.). Duron u. Lusia (De C. Prodr.)! Val di Non: zwischen Rochetta u. Spor maggior (Hfl.). Valsugana: Hügel bei Borgo, Grigno u. Tezze (Ambr.).

Die rothe Farbe der Bl. geht nach Facchini durch das Weisse in das Gelbe über. Jun. Jul. ♃.

§. 2. *Stengel blattlos oder an der Basis mit einem oder dem andern Blatte, an der Spitze 1köpfig oder mit wenigen 1köpfigen Aesten.*

1103. *C. aurea Cass.* Goldblumiger P. *Schaft einköpfig, blattlos* oder seltener an der Basis wenigblättrig und etwas ästig, *oberwärts nebst dem Hauptkelche schwarzrauhhaarig;* Blätter länglich, gezähnt o. schrot-sägenförmig, kahl; Wurzelfasern stielrund.

Gemein auf den Triften der Alpen u. Voralpen. — Vorarlberg: auf der Dornbirneralpe (Str!), Widderstein (Köberlin!); Bregenzerwald bei Au (Tir. B.)! Oberinnthal: Rossberg bei Vils (Frl!); am Krahkogel (Zcc!), Aschaueralpe (Kink), Zirler Bergmähder (Schpf.), Alpen bei Zirl u. Telfs (Str!). Längenthal (Prkt.). Am Lahnbach bei Schwaz (Schm!). Zillerthaleralpen (Gbh.), Waxegger Bergmähder allda (Moll). Alpen bei Rattenberg (Wld!). Am Kaiser u. Schwoich (Berndorfer!). Bergwiesen um Kitzbüchl (Trn.). Pfitscherjoch (Hfl!). Pusterthal: Hochgruben hinter dem Helm bei Sillian (Bentham!), in Prax und auf der Toblacheralpe (Hll.), Pregratten (Hrnsch!), Tristacher Bergwiesen, auf dem Zetterfelde u. Marenwalderalpe bei Lienz (Rsch!), Teischnitzalpe u. am grauen Käs (Schtz.). Ober Plan in Gröden (Hfl.). Auf dem Jaufen (Kraft). Meran: auf der Zilalpe (Elsm!), u. Partschinseralpe (Iss.). Gemein auf den Alpen um Bozen: am Ritten bei 5300′ ober Pemmern an den Sulznerwiesen in Menge; Schlern u. Seiseralpe etc.; Ifinger bei Meran (Hsm.). Penserjoch (Iss.). Alpentriften um Trient (Per.). Baldo u. Campobruno (Poll!). Judicarien: Val di San Valentino u. bei Campiglio in Rendena (Bon.).

Leontodon aureum L. Geracium aureum Reichenb.

Bl. pomeranzengelb. Ende Jun. Aug. ♃.

1104. *C. alpestris Tausch.* Alpen-P. *Schaft 1köpfig, blattlos* o. an der Basis wenigblättrig u. etwas ästig, *an der Spitze filzig;* Hauptkelch grau o. kurzhaarig; Blätter lanzettlich, gezähnt o. schrot-sägenförmig.

An felsigen Triften der Gebirge u. Alpen. — Tirol (Sieber). Vorarlberg: am Freschen (Str! Cst!), am Widderstein (Köberlin!). Oberinnthal: am Eingang ins Oetzthal (Zcc!), Alpen bei Zirl u. Telfs (Str!). Innsbruck: auf dem Solstein, der Thaurer- u. Höttingeralpe (Hfl.). Stubai (Hfm!). Kalkgebirge um Kitzbüchl (Trn.). Alpe Platten bei Schwaz (Schm.). Pusterthal: Sarlalpe in Prax (Hll.), an der Landstrasse bei Peitelstein in Ampezzo (Hsm.), Lienz (Schtz.). Wormserjoch italienische Seite (Hsm.). Vintschgau: am Spitzlat (Tpp.). Schlern u. Seiseralpe (Hsm.). Wiesen am Schlern ober Völs (Elsm!). Am Col Bricone in Paneveggio (Per!). Judicarien: auf Hügeln bei Stelle u. Corè (Bon.).

Hieracium alpestre L.

Bl. gelb. Jul. Aug. ♃.

1105. *C. jubata Koch.* Rauhhaariger P. *Stengel 1köpfig, 1—2blättrig, oberwärts nebst dem Hauptkelche dicht-kurzhaarig* von abstehenden etwas zurückgebogenen, drüsenlosen, gelblichen Haaren; Blättchen des Hauptkelches lanzettlich, dachig; Wurzelblätter verkehrt-eiförmig-länglich o. länglich-lanzettlich, stumpf, nach der Basis verschmälert, ganzrandig, etwas gezähnt oder schrot-sägenförmig, kahl, das stengelständige kurzhaarig.

Auf dem Joche des Fimberg-Gletschers in Tirol, Landgerichts Ischgl von Apotheker Ducke in Wolfegg entdeckt. (Fl. 1845 p. 62 u. 144)!

C. chrysantha Froelich. De C. Prodr.

Bl. goldgelb. Jul. Aug. ♃.

§. 3. *Stengel beblättert, an der Spitze ebensträussig. Blüthen citronen- oder goldgelb.*

1106. *C. biennis L.* Zweijähriger P. ***Der Stengel*** beblättert, an der Spitze ***ebensträussig;*** Blätter gezähnt oder schrot-sägenförmig-fiederspaltig, die stengelständigen sitzend, fast stengelumfassend, flach, ***an der Basis geöhrelt-gezähnt,*** die obersten ganzrandig; ***Blättchen des Hauptkelches*** sämmtlich länglich-linealisch, ziemlich stumpf, grau-flaumlich, ***die äussern etwas abstehend, die innern*** auf dem Rücken steifhaarig oder kahl, ***auf der innern Oberfläche fast seidighaarig;*** Achenen an der Spitze schmäler, 13riefig.

Auf Wiesen. — Bregenz (Str!). Innsbruck: z. B. am Sarntheinhofe (Hfl.), Wiltauer Stiftsgarten (Prkt.). Kitzbüchl (Trn.). Schwaz: gegen Buch (Schm!). Welsberg (Hll.). Lienz (Rsch! Schtz.). Um Bozen alle Wiesen überziehend z. B. in Haslach; seltener um Klobenstein am Ritten (Hsm.). Trient: im Campo Trentino (Per!).

β. lacera. Blätter schrot-sägenförmig-fiederspaltig. — Innsbruck (Hfl.). Die junge Pflanze wird um Bozen wie die Cichorie, doch nicht so häufig, als Salatpflanze zu Markte gebracht. —

Bl. gelb. Mai, Jun. ⊙.

C. nicaeensis Balb. Südlicher P. ***Der Stengel*** beblättert, an der Spitze ***ebensträussig;*** Blätter gezähnt oder schrot-sägenförmig, die stengelständigen sitzend, fast stengelumfassend, flach, ***an der Basis pfeilförmig, mit zugespitzten, abwärts gerichteten Oehrchen,*** die obersten ganzrandig; ***Blättchen des Hauptkelches*** lanzettlich, ***nach vorne verschmälert,*** grau-fläumlich, ***die äussern etwas abstehend, die innern*** auf dem Rücken steifhaarig, ***auf der innern Fläche kahl;*** Achenen an der Spitze verschmälert, 10riefig.

Auf trockenen Wiesen u. steinigen Hügeln im südlichen Tirol (Kittel Linn. Taschenb. p. 367)! — Als C. nicaeensis habe ich auch schon Vorige erhalten.

Bl. gelb. Mai — Jun. ⊙.

1107. *C. tectorum L.* Mauer-P. Der Stengel beblättert, ebensträussig; die wurzelständigen ***Blätter*** lanzettlich, gezähnt o. schrot-sägenförmig-fiederspaltig; ***die stengelständigen linealisch,*** sitzend, ***pfeilförmig, am Rande zurückgerollt;*** Blättchen des Hauptkelches lanzettlich nach vorne verschmälert u. nebst den Blüthenstielen grau-flaumig, die äussern linealisch, etwas abstehend, die innern auf der innern Oberfläche angedrückt-behaart; ***Achenen*** 10riefig, an der Spitze verschmälert-zusammengezogen, ***fast geschnäbelt, Schnabel rauh.*** —

An Aeckern, Rainen u. Dämmen. — Lienz (Rsch!). Bozen: am Etschdamme ober dem sogenannten Merl Mitterling an einer Stelle in Menge; Pranzoll: an einem Türkacker gegen Auer an der alten Landstrasse (Hsm.). Girlan nächst Bozen (Hfl.).

Bl. gelb. Mai, Jun. ⊙.

1108. *C. virens Vill.* Grüner P. Der Stengel beblättert,

ästig, ebensträussig; die wurzelständigen *Blätter* lanzettlich, gezähnt o. schrot-sägenförmig-fiederspaltig, die obern stengelständigen linealisch, *flach, an der Basis pfeilförmig; die äussern Blättchen des Hauptkelches linealisch, angedrückt,* auf der innern Fläche kahl; *Achenen linealisch-länglich, 10-riefig, an der Basis und der Spitze fast gleichmässig-stumpf; Fruchtboden kahl.*

Auf Aeckern u. Triften. — Vorarlberg: gemein um Bregenz (Str!). Innsbruck: bei Planetzing u. auf Brachen zwischen St. Quirein u. Rothenbrunn (Hfl.). Schwaz: auf Wiesen an der Strasse gegen Buch (Schm!). Felder um Kitzbüchl (Trn.), am Sonnberg allda (Unger!). Pusterthal: bei Welsberg (Hll.). Judicarien: bei Tione (Bon.).

β. *agrestis.* Köpfchen noch 1mal so gross. C. agrestis W. K. — Auf der Flue bei Bregenz (Str!). An Feldrainen bei Kitzbüchl (Unger!). Innsbruck: Aecker über Büchsenhausen (Hfl.).

Bl. gelb. Jun. — Sept. ⊙.

1109. *C. pulchra L.* Schöner P. Der Stengel an der Spitze rispig; die wurzelständigen Blätter schrot-sägenförmig, die stengelständigen lanzettlich, an der Basis abgeschnitten, hinten gezähnt; *Rispe gleich-hoch, nackt; Hauptkelch ganz kahl; Blättchen des Aussenkelches sehr kurz, eiförmig, angedrückt;* Achenen linealisch, schwach - 10riefig, an der Spitze wenig verschmälert, kahl, die randständigen rauh.

Auf Hügeln, an Abhängen im Gebüsche, in Weinbergen. — Im südlichen Tirol: Weinberge bei Burgstall nächst Meran (Tpp.). Bozen: am Sandnerwege unter dem Köfelehofe zwischen dem Kellermann und Hofmann an einer einzigen Stelle; Salurn: gegen die Mühlen (Hsm.). Zerstreut u. sparsam im südlichen Tirol z. B. in Fleims (Fcch.).

Prenanthes pulchra De C. Lapsana pulchra Vill.

Bl. gelb. Jun. Jul. ⊙.

III. Rotte. Achenen 10—13riefig. Pappus zerbrechlich, in das Gelbliche spielend. Bl. gelb.

1110. *C. Jacquini Tausch.* Jacquin's-P. *Der Stengel an der Spitze 1—5köpfig; Blätter lanzettlich, kahl, gestielt, die äussern wurzelständigen ungetheilt, die stengelständigen schrot-sägenförmig,* lang-zugespitzt, Zipfel der obern linealisch; Hauptkelch nebst den Blüthenstielen lockerfilzig u. oft schwarz-rauhhaarig; Achenen meist 12riefig.

Felsige Triften der Alpen. — Vorarlberg: am Widderstein (Köberlin!); Sonnenwaldalpe bei Frastanz (Cst!). Lechthal: am Rossberg bei Vils (Frl!). Alpen bei Zirl und Telfs, Solstein. (Str!). Innsbruck: auf Kalk am Widersberg (Hfl.). Kitzbüchl: am Teufelswurzgarten am Kaiser u. am Wildanger (Trn. Str!). An Felsen hinter Sexten (Fcch.). Kerschbaumeralpe (Hrg!). Vintschgau: Wormserjoch, Endkopf bei Graun, in Schlinig (Tpp.). Kalkalpen bei Bozen: Schlern und Joch Latemar (Hsm.). Valle Sellana bei Borgo (Ambr.). Höhere

Triften des Baldo, vorzüglich am Coval Santó, alla Lonza und Valle Losanna; dann auf der Scanuccia, am Bondone u. Campogrosso (Poll!). Judicarien: Alpe Lenzada (Bon.).

Hieracium chondrilloides L. Geracium chondrilloides Reichb.

Bl. gelb. Jul. Aug. ♃.

1111. ***C. paludosa Moench.*** Sumpf-P. Der ***Stengel*** aufrecht, ästig, ***ebensträussig; Blätter*** kahl, die untern länglich, spitz, schrot-sägenförmig-gezähnt, an der Basis verschmälert, ***die obern ei-lanzettförmig, an der Basis herzförmig, stengelumfassend, gezähnt,*** an der Spitze ganzrandig, langzugespitzt, sehr spitz; ***Blättchen des Hauptkelches*** lanzettlich, verschmälert-spitz, ***drüsig-behaart,*** die äussern dreimal kürzer; Achenen 10riefig.

Sumpfwiesen u. Waldränder bis an die Alpen. — Bregenz (Str!). Innsbruck: im Moore bei Vill u. Lans; Haller Salzberg u. Zirler Mähder (Hfl.). Kitzbüchl (Trn.). Im Kugelmoos bei Schwaz (Schm.). Pusterthal: Alpenweiden bei Welsberg (Hll.), Hopfgarten, Innervilgraten (Schtz.), auf den Wiesen unter Capaun u. am Bächchen unter dem Brünnelanger bei Lienz (Rsch!), Dorferalpe, am grauen Käs u. Teischnitzalpe (Schtz.). Ritten: in der sogenannten Grube, Waldwiese hinter Rappesbüchel bei Klobenstein u. häufig auf den feuchten Triften am Alpenwege unter Pemmern südlich vom Zachenhofe gegen die Tann (Hsm.). Auf der Mendel: lichte Waldstellen der Scharte; in Rabbi; in Folgaria über Mittewald (Hfl.). Voralpen im Tridentinischen (Per.). Feuchte Orte an Gebüsch auf Hügeln bei Roveredo (Crist.).

Hieracium paludosum L. Geracium paludosum Reichenb.

Bl. gelb. Jun. Jul. ♃.

IV. Rotte. Achenen 20riefig. Pappus schneeweiss. Bl. gelb.

1112. ***C. succisaefolia Tausch.*** Ganzblättriger P. Der Stengel an der Spitze ebensträussig; Blüthenstiele ästig; ***Blätter länglich, schwach-gezähnt,*** kahl o. mit einfachen Haaren bestreut, die wurzelständigen an der Basis verschmälert, gestielt, stumpf, ***die stengelständigen stengelumfassend, das unterste über der Basis zusammengezogen; Blüthenstiele nebst den Hauptkelchen drüsig-behaart;*** Blättchen des Hauptkelches lanzettlich, verschmälert-spitz, die äussern halb so lang, angedrückt.

Feuchte Bergtriften. — Vorarlberg: auf der Dornbirneralpe (Str!). Lechthal: Rossberg bei Vils (Frl!). Unterinnthal: bei Ebbs (Harasser), Kitzbüchl (Trn.). Hoch-Vintschgau: im Rayenthale; dann auf Wiesen bei Nauders (Tpp.).

Hieracium succisaefolium All. Geracium succisaefolium Reichenb. H. integrifolium Hoppe. H. molle Jacq.

Bl. gelb. Jul. Aug. ♃.

1113. ***C. pygmaea L.*** Zwerg-P. Der Stengel wenigköpfig, liegend, an der Basis ästig; ***Blätter gestielt, eiförmig o. etwas herzförmig, gezähnelt; Blattstiel leyerförmig-gezähnt;*** Achenen 20riefig.

Auf Gerölle der höhern Alpen im mittlern westlichen Tirol. — Stilfserjoch (Frl!). Wormserjoch (Rainer). Wormserjoch: Schweizerseite 5—7000′ (Tpp.).

H. prunellaefolium Gouan.

Bl. gelb. Jul. Aug. ♃.

1114. C. *blattarioides Vill.* Pfeilblättriger P. Der Stengel 1—6köpfig; Köpfchen fast ebensträussig; ***Blätter*** länglich, gezähnt, die wurzelständigen an der Basis verschmälert, ***die stengelständigen*** stengelumfassend, ***an der Basis pfeil- o. spiessförmig; Blättchen des Hauptkelches*** länglich-lanzettlich, stumpf, ***die äussern*** etwas abstehend, ***so lang als die innern, sämmtlich rauhhaarig;*** Haare borstig, einfach; Achenen 20riefig.

An waldigen Triften der höhern Gebirge und Alpen. — Widderstein (Köberlin!); Bregenzerwald (Tir. B.)! Am Schröcken im Lechthale u. am Rossberg bei Vils (Frl!), am Aggenstein (Dobel!). Innsbruck: ober der Höttingeralpe (Schpf.), ober der Thaureralpe bei Hall (Hfl.), am Haller Salzberg unter Gebüsch (Schm.). Schmirn (Hfm.). Kalkgebirge um Kitzbüchl: z. B. Teufelswurzgarten am Kaiser (Trn.). Pusterthal: auf der Sarlalpe in Prax (Hll.), unter der Pregrattner-Dorferalpe (Hrnsch!). Vintschgau: im Schlinigerthale (Tpp.). Judicarien: Alpe Lenzada u. Gavardina (Bon.).

Hieracium pyrenaicum L. C. austriaca Jacq.

Bl. gelb. Jul. Aug. ♃.

1115. *C. grandiflora Tausch.* Grossblüthiger P. Der Stengel einfach, 3—5köpfig; ***Blätter drüsig-flaumig,*** gezähnt, die wurzelständigen länglich-lanzettlich, in einen breiten Blattstiel verschmälert, ***die stengelständigen pfeilförmig-stengelumfassend,*** lanzettlich, fast ganzrandig; ***Hauptkelch*** nebst den Blüthenstielen von längern, einfachen und kürzern drüsentragenden Haaren rauhhaarig, dessen ***Blättchen*** länglich-lanzettlich, die innern stumpf, ***die äussern halb so lang,*** ziemlich locker, spitz, ***sämmtlich rauhhaarig.***

Gebirgstriften bis in die niedern Alpen. — Am Schröcken im Lechthale (Frl!). Oberinnthal: auf Wiesen bei Sölden (Tpp.), am Seekirchel bei Seefeld (Hfl.). Innsbruck: im Viggar, am Glunggezer und im Lanser Torfmoore (Hfl.). Kitzbüchl: auf Schiefer, auf den Bergwiesen am Jochberg 3—5000′ und Pass Thurn (Trn.). Pusterthal: bei Welsberg (Hll.), Prax (Wlf!), Hofalpe, Innervilgraten und Gössnitz (Schtz.), Kalserthörl (Bischof!), Matreyerthörl, Ochsenalpe in Pregratten, Bräueralpe in Kals (Hrnsch!). Mendel bei Bozen u. Aufstieg zum Pfitscherjoch vom Brenner aus (Hfl.). Gemein am Ritten: von 3800′ aufwärts z. B. hinter Rappesbüchel am Steige nach Wolfsgruben, um Pemmern u. Rittneralpe bis 5500′ an der Schön (Hsm.). Vintschgau: in Sulden, Rayen u. am Spitzlat (Tpp.). Judicarien: auf der Alpe Cengledino und alla Fontana rossa bei Corè nächst Tione (Bon.). — Hieracium grandiflorum All.

Bl. gelb. Ende Jun. Jul. ♃.

322. ***Soyeria Monnier.*** Soyerie.

Strahlen des Pappus pfriemig-haarförmig, an der Basis etwas dicker. Sonst wie Crepis. Bl. gelb. (XIX. 1.).

1116. ***S. montana Monn.*** Berg-S. Der Stengel 1köpfig, an der Basis beblättert, an der Spitze verdickt; ***Blätter** elliptisch-länglich, **gezähnt, die stengelständigen halb-stengelumfassend;*** Hauptkelche sehr rauhhaarig.

Triften der Alpen u. Voralpen. — Vorarlberg: am Freschen u. auf den Dornbirneralpen (Cst. Str!); Widderstein (Köberlin!). Allgaueralpen; obere Alpe neben der Söbenspitze bei Vils (Frl!). Alpen bei Zirl u. Telfs (Str!). Auf den Bergmähdern im Viggar nächst Innsbruck (Schpf.). Pusterthal: auf dem Kreuzberge (Facchini nach Hell)!

Hieracium montanum Jacq. Hypochoeris pontana L. Crepis montana Tausch.

Bl. gelb. Jun. Jul. ♃.

1117. ***S. hyoseridifolia Koch.*** Schrotsägeblättrige S. Der Stengel 4köpfig, blattreich; ***Blätter sämmtlich gestielt, schrot-sägenförmig,*** das oberste linealisch, ganzrandig; Hauptkelch schwarz, sehr rauhhaarig.

Höchste Alpen im nördlichen Tirol. — Bayerische Alpen u. Vorarlberg (Koch syn.); am Widderstein (Köberlin!). Kalkalpen um Innsbruck: z. B. am Solstein (Str. Hfm.), auf der Frauhütt (Prkt.). Höchste Alpen des Allgau in Tirol (De C. prodr.)! Auf der Markspitze bei Rattenberg (Wld.). Kalkalpen bei Lofer (Spitzel!).

Hieracium hyoseridifolium Vill. Crepis hyoseridifolia Tausch.

Bl. gelb. Jul. Aug. ♃.

323. ***Hieracium L.*** Habichtskraut.

Blättchen des Hauptkelches dachig. Achenen gleichförmig, stielrund, 10riefig o. fast prismatisch bis zur Spitze gleichbreit, an der Spitze schwach, ganz schnabellos. Pappus haarig; Strahlen zerbrechlich, haarförmig. Fruchtboden nackt. Bl. gelb, vielreihig, alle zwitterig u. zungenförmig. (XIX. 1.).

I. Rotte. ***Piloselloidea.*** Stengel schaftförmig. Strahlen des Pappus sehr fein, 1reihig und gleichlang, nur ein oder der andere kurze eingemischt.

§. 1. Stengel blattlos, einfach, 1köpfig oder in eine Gabel gespalten u. 2köpfig, Blüthenstiele verlängert, in einem spitzen Winkel aufrecht; oder wiederhohlt gabelig und 3—5- seltener mehrköpfig. —

1118. ***H. Pilosella L.*** Gemeines H. Kleines Mausöhrchen. ***Stengel nackt, 1köpfig; Ausläufer hingestreckt,*** unfruchtbar oder blüthentragend, letztere an der Spitze aufstrebend, in einen 1köpfigen o. gabelig 2—3köpfigen Blüthenstiel verlängert; ***Hauptkelch kurz-walzlich,*** mit linealischen Blättern; Blätter etwas ins Meergrüne spielend, verkehrt-eiförmig, verkehrt-eiförmig-lanzettlich oder lanzettlich, borstig-behaart, unterseits grau- oder weiss-filzig.

Auf Triften, Heiden u. Hügeln bis in die Alpen. — Bregenz (Str!). Innsbruck: in der Klamm und am Berg Isel (Precht. Eschl.). Schwaz (Schm!). Gschnitz (Hfl.). Kitzbüchl (Trn.). Pusterthal: in Tefereggen u. Innervilgraten (Schtz.), um Lienz (Schtz. Rsch!), Schleiniz (Hoppe!). Brixen (Hfm.). Vintschgau: bei Laas u. in Langtaufers (Tpp.). Gemein um Bozen; Klobenstein am Ritten bis 5300′ ober Pemmern (Hsm.); Eppan (Hfl.). Zambana und Welschmetz (Hfl!). Trient (Per!). Valsugana (Ambr.). Roveredo (Crist.). Judicarien: bei Campiglio in Rendena und um Tione (Bon.).

β. *grandiflorum.* Köpfchen noch einmal so gross, Hauptkelch mit kurzen Drüsenhaaren; Ausläufer ziemlich dick, aber kaum kürzer als an der Species. H. pilosella γ. grandiflorum De C. — Bozen: an Abhängen z. B. am Fusse des Gandelberges in Gries im April (Hsm.).

γ. *pilosissimum.* H. peleterianum Merat. Dicht mit langen borstlichen (mehr oder weniger gelben) Haaren besetzt; Blätter lanzettlich oder verkehrt-eiförmig-lanzettlich verlängert. Köpfchen von langen Haaren zottig, Blättchen des Hauptkelches an der Spitze verschmälert-spitz. Ausläufer dick, meist kurz. — Bei Bozen (Sieber herb. flor. austr. Nr. 242). Meran: am Veranerberg (Iss.).

Obsolet: Herba et flores Pilosellae seu Auriculae muris.

Bl. schwefelgelb, unterseits röthlich.

Ende März — Mai, auf Gebirgen: Jun. Jul. ♃.

1119. ***H.*** *pilosellaeforme* ***Hoppe.*** Hoppe's H. ***Ausläufer fehlend oder sehr kurz,*** dick; äussere ***Blättchen des Hauptkelches oval - lanzettlich, ziemlich stumpf.*** Sonst wie Vorige.

Auf Alpentriften. — Lechthal: am Schröcken (Frl!). Oberinnthal: am Krähkogel (Zcc!), Kühetei (Hfl.). Bergmähder am Glunggezer gegen das Voldererthal (Str!). Höttingeralpe, Stubai u. Lisenseralpe (Hfl.). Pusterthal: Bergeralpe in Kals, Matreyerthörl (Hrnsch!), Alpen bei Welsberg (Hll.). Hochgebirge um Brixen und in Schmirn (Hfm.). Rittneralpe von 5300′ bis 7500′ z. B. am grasigen Abhange ober Pemmern am Bache an den sogenannten Snlznerwiesen unter der Schön; Villandereralpe bis an die Sarnerscharte; Schlern u. Seiseralpe (Hsm.). Vintschgau: am Premiour (Tpp.), Alpen bei Mals (Hfm.).

Ich beobachte diese Art seit vielen Jahren u. halte sie für wenigstens eben so gut als manche der Folgenden. Grösse der Köpfchen und Ueberzug derselben wie bei H. pilosella β. grandiflorum.

Bl. schwefelgelb, unterseits röthlich. Jul. Aug. ♃.

1120. ***H. stoloniflorum W. K.*** Peitschenartiges H. ***Stengel meist 1blättrig, gabelig-2köpfig oder wiederhohlt-***

gabelig-3- u. mehrköpfig; Blüthenstiele verlängert, aufrecht; Ausläufer liegend, unfruchtbar o. blüthentragend, letztere aufstrebend, 1köpfig o. gabelig-mehrköpfig; *der fruchttragende Hauptkelch unterhalb der Mitte niedergedrückt-kugelig-bauchig;* Blätter grasgrün, verkehrt-eiförmig-lanzettlich, borstig-behaart, unterseits durch den fein-sternförmigen zerstreuten Flaum etwas grau.

Auf warmen Hügeln um Brixen und Bozen, selten (Hfm. Hsm.). —

Im Grunde ein 2—5köpfiges H. Pilosella (Neilreich Flora von Wien pag 287.).

Bl. wie bei Vorigen. Jun. Jul. ♃.

1121. *H. bifurcum M. B.* Hügel-H. *Schaft meist 1blättrig, gabelig-2köpfig o. wiederhohlt-gabelig und 3- bis mehrköpfig;* Blüthenstiele verlängert, aufrecht; Ausläufer liegend, verlängert, unfruchtbar u. blüthentragend, letztere aufstrebend, 1köpfig o. gabelig-mehrköpfig; *der fruchttragende Hauptkelch an der Basis ei-kegelförmig; Blüthen gleichfarbig;* Blätter meer-grünlich, verkehrt-eiförmig-lanzettlich o. lanzettlich, borstig-haarig, unterseits durch den zerstreuten sternförmigen Flaum etwas grau.

Sonnige und unbebaute Orte im südlichen Tirol (Koch syn.)! Hie und da, doch selten, z. B. bei Völs nächst Bozen (Facchini briefl. Mitth.)! Bozen: einzeln u. selten, auch nicht von bleibendem Standorte, immer zwischen H. pilosella und praealtum o. piloselloides (Hsm.).

Neilreich (Fl. v. Wien p. 287) hält die Pflanze für einen Bastard von H. pilosella u. praealtum, ebenso Döll (Rheinische Flora pag. 524.).

Bl. wie bei Vorigen. Mai. Jul. ♃.

1122. *H. furcatum Hoppe.* Gabelblüthiges H. *Stengel nackt o. 1blättrig, gabelig-2köpfig o. wiederhohlt-gabelig u. 3—4köpfig;* Blüthenstiele verlängert; aufrecht; *Ausläufer meist fehlend; Hauptkelch nach dem Verblühen fast kugelig;* Blätter kahl o. zerstreut-borstig, unterseits mit sternformigem Flaume bestreut u. auf der Mittelrippe borstig, die innern lanzettlich, spitz, die äussern halb so lang, verkehrt-eiförmig, stumpf.

Auf Alpentriften. — Vorarlberg: Bindelalpe am Freschen (Cst!). Höchste Jöcher der Bockbachalpe in Lechthal (Frl!). Am Serles bei Innsbruck; Duxerjoch (Hfl.). Schmirn (Hfm.). Kitzbüchl: 5—6000′ z. B. auf der Trattenbachalpe (Trn.). Alpe Platten bei Schwaz (Schm.). Pusterthal: Alpentriften bei Welsberg (Hll.), Hofalpe u. Gössnitz (Schtz.). Vintschgau: im Martellthale gegen die Alm (Tpp.). Rittneralpe: z. B. bei 5200′ am Steige von Pemmern zu den Sulznerwiesen mit H. Auricula aber seltener (Hsm.). Auf dem Schlern (Frl!). Im angränzenden Kärnthen auf der Pasterze (Hoppe!).

H. sphaerocephalum Froelich. De C.

β. *alpicola.* Schaft sehr rauhhaarig; Hauptkelch dichtzottig von schwarzen Haaren; Ausläufer kurz. H. alpicola Schleich. Rittneralpe: gegen Sarnthal (Hsm.).

Bl. gelb, meist gleichfarbig. Anf. Jul. Aug. ♃.

§. 2. Stengel an der Spitze 2—5köpfig, mit ebensträussig-zusammengestellten Köpfchen; oder an verkümmerten Exemplaren mit einem einzelnen Köpfchen oder an wuchernden in mehr als 5 endigend.

1123. ***H. angustifolium Hoppe.*** Schmalblättriges H. ***Stengel nackt oder 1blättrig, an der Spitze 2—5köpfig; Blüthenstiele ebensträussig, nach dem Verblühen aufstrebend; Ausläufer sehr kurz o. fehlend;*** Blüthen gleichfarbig; Blätter freudig-grün, lanzettlich o. fast linealisch, kahl o. am Rande und auf der Rippe sternförmig-flaumlich, zerstreut-borstig-behaart.

Triften der höhern Alpen. — Vorarlberg: am Freschen (Cst! Str!). Am Rosskogel bei Innsbruck (Hfl.). Kitzbüchl: am kleinen Rettenstein bei 7000′ (Trn.) u. am Geisstein bei 5000′ (Unger!). Am Glockner (Tpp.). Alpen bei Sagritz im angränzenden Möllthale (Pacher). Alpen von Vintschgau (Tpp.).

Bl. gelb, auch die randständigen einfarbig. Jul. Aug. ♃.

1124. ***H. Auricula L.*** Grosses Mausohrchen. ***Stengel nackt o. 1blättrig, an der Spitze 2—5köpfig; Blüthenstiele ebensträussig, nach dem Verblühen aufstrebend; Ausläufer liegend, verlängert,*** unfruchtbar o. (sehr selten) aufstrebend u. blüthentragend u. gabelig-2—mehrköpfig; Blüthen gleichfarbig; Blätter bläulich-grün, lanzettlich, kahl, zerstreut-borstig-behaart, die äussern stumpf, die innern spitz.

Gemein an Wegen, Rainen u. Triften bis in die Alpen. — Bregenz (Str!). Am Schröcken im Lechthale (Tir. B.)! Innsbruck: auf Bergwiesen z. B. am Pastberg; in Sellrain und Gschnitz (Hfl.). Kitzbüchl: auf trockenen Wiesen, seltener auf Moorwiesen, bis in die Alpen (Trn.). Pusterthal: Hofalpe und Gössnitz (Schtz.), Welsberg (Hll.), um Lienz (Rsch! Schtz.). Brixen (Hfm.). Hie u. da um Bozen; gemein am Ritten: z. B. Weg von Lengmoos zur Finsterbrücke, auch auf den Sumpfwiesen hinter Rappesbüchel, dann um Kematen, Pemmern und Rittneralpe bis auf den Horn (Hsm.). Wiesen über Völs am Schlern (Elsm!). Gebirge um Trient z. B. bei Vela, am Bondone etc. (Per!). Baldo: südliche Abhänge des Altissimo (Hfl.). Judicarien: Wiesen bei Stelle u. in Val di Rendena (Bon.).

H. dubium Willd.

Wird auf höhern Gebirgen und Alpen 1blüthig: Kitzbücheralpen 5—6000′ (Unger!), Rittneralpe an der Hornquelle etc. (Hsm.), Kellerjoch (Schm.). Bl. gelb. Jun. — Sept. ♃.

§. 3. Stengel an der Spitze ebensträussig-vielköpfig. Blätter mehr o. weniger bläulich-grün, am Rande o. überall borstig-steifhaarig u. unterseits o. beiderseits mit sternförmigem Flaum bestreut, selten ganz kahl.

1125. ***H. piloselloides Vill.*** Mausöhrchenartiges H. ***Der Stengel schlank, nackt o. unterwärts armblättrig, kahl; Ebenstrauss vielköpfig, fast rispig, locker,*** kahl o. zerstreut-behaart; Hauptkelch schwach-sternförmig-fläumlich; Blüthenstiele nach dem Verblühen abstehend und aufstrebend; ***Blätter bläulich-grün, schmal-lanzettlich,*** kahl oder am Rande o. auf der ganzen Oberfläche zerstreut-borstig-behaart, ***Borsten*** stark, ***starr.***

Felsige Triften und im Grus der Flüsse. — Vorarlberg: Thal Laterns südlich am Freschen (Cst!). Oberinnthal: bei Imst; Bergwiesen um Innsbruck z. B. am Gluirsch bei 2500′; bei Afling u. Telfes (Hfl.). Pusterthal: Iselau bei Lienz (Avé-Lallemant! Schtz.). Vintschgau: bei Laas u. Morter (Tpp.). Bozen: im Eisack- u. Talferbette (Hsm.).

Naeh Dr. Custer, Döll etc. nur eine Varietät der Folgenden: mit lockerm, rispig-doldentraubigem Blüthenstande; eine Meinung, die ich vollkommen theile.

H. praealtum α. piloselloides Döll.

Bl. gelb. Jun. — Sept. ♃.

1126. ***H. praealtum Koch.*** Hohes H. ***Der Stengel*** kahl oder zerstreut borstig-behaart und mit fein-sternförmigem Flaume bestreut, ***unterwärts 1—wenigblättrig; Ebenstrauss vielköpfig, gleichhoch, locker;*** Blüthenstiele und Hauptkelch lockerer- o. dichter-fein-sternhaarig-grau u. behaart; Blüthenstiele nach dem Verblühen gerade; ***Blätter bläulich-grün,*** lanzettlich, am Rande o. auf der ganzen Fläche ***borstig-haarig von starken Borsten,*** die länger sind als der Durchmesser des Stengels.

Trockene Wiesen, Hügel u. im Gruse der Flüsse. — Vorarlberg: bei Lustenau, Ems u. im Ried zwischen Dornbirn u. Höchst in vielen Formen (Cst!), um Bregenz gemein (Str!). Stubai: bei Telfes (Hfl!); Schwaz (Schm.). Kitzbüchl: auf Sandboden z. B. in der Langau (Trn. Unger!). Lienz (Schtz.). Auf sandigem Boden um Brixen (Hfm.). Bozen: im Talfer- u. Eisackbette (Hsm.). Roveredo (Crist.). Trient (Per!). Am Gardasee, überhaupt im südlichen Tirol (Poll!).

H. florentinum Willd. H. fallax De C. H. obscurum Reichenb.

Kommt vor: mit o. ohne Ausläufer; Blätter oberseits überall mit Borsten bestreut o. nur am Rande u. auf der Mittelrippe unterseits mit Borsten bewimpert; Stengel kahl o. mehr o. weniger behaart; Hauptkelch u. Blüthenstiele manchmal auch schwarzdrüsig.

Bl. gelb. Anf. Jun. Jul. ♃.

1127. ***H. Nestléri Vill.*** Nestler's H. Der Stengel mit fein-sternförmigem Flaum bestreut u. von Borsten, die so lang o. kürzer sind als der Durchmesser des Stengels, kurzhaarig, an der Basis mehrblättrig (3 — 6blättrig); ***Blätter länglich-lanzettlich u. länglich, beiderseits fein-sternförmig-fläumlich u. von kurzen Borsten kurzhaarig,*** die äussern stumpf, die innern spitz; ***Ebenstrauss gedrungen, vielköpfig***, graulich u. von drüsigen Haaren o. Borsten rauhhaarig; Blüthenstielchen büschelig.

Bergwiesen u. Triften der Voralpen. — Innsbruck: bei den Gluirschhöfen u. auf den Wiesen dem Sonnenburger Schlossberg gegenüber (Prkt.). Lienz: auf den Tristacher Bergwiesen u. auf der Wiese unter dem Wasserraine am Wege zum Dorfe Thurn (Rsch!). Trient: auf der Höhe des Doss Trent; am Baldo: südliche Abhänge des Altissimo (Hfl.). Grasplätze der Gebirge u. Voralpen um Trient (Per.).

H. cymosum L. Reichenb. flor. exc.

Borsten des Stengels so lang als dessen Durchmesser oder sehr kurz.

Bl. gelb. Jun. Jul. ♃.

1128. ***H. pratense Tausch.*** Wiesen-H. ***Der Stengel unterwärts armblättrig, von verlängerten schlanken Haaren rauhhaarig***, oberwärts nebst dem Ebenstrauss von drüsentragenden Haaren u. Borsten schwarzbehaart; ***Ebenstrauss gedrungen, vielköpfig; Blüthenstielchen während der Blüthezeit geknäuelt; Blätter grasgrün*** oder nur etwas bläulich-grün, länglich-lanzettlich, von schlanken Haaren rauhhaarig, aber ohne den sternförmigen Flaum o. unterseits nur spärlich damit bestreut.

Auf Wiesen u. Grasplätzen bis in die Voralpen. — Vorarlberg: auf den Riedwiesen bei Bregenz (Str!), zwischen Höchst, Dornbirn, Lauterach u. Lustenau (Cst!). Gemein um Kitzbüchl auf trockenen Wiesen bis 4000′ (Trn.). Brunecken (F. Naus!). Bozen: auf der Anschwemmung des Eisacks unter dem Kalkofen etc.; sparsam am Ritten auf Wiesen von Klobenstein bis Pfaffstall (Hsm.).

H. dubium L. H. cymosum Willd.

Bl. gelb. Jun. Jul. ♃.

§. 4. Stengel 2—mehrköpfig, wie in §. 3, aber die Blätter grün, ohne Mischung von Bläulichem, übrigens rauhhaarig.

1129. ***H. aurantiacum L.*** Pomeranzenblüthiges H. ***Der Stengel unterwärts armblättrig, von verlängerten schlanken Haaren rauhhaarig, oberwärts nebst dem Ebenstrauss schwarz-drüsig-behaart*** und von einfachen Haaren rauhhaarig; Ebenstrauss 2—10köpfig, geknäuelt, zuletzt locker; Blätter grasgrün, länglich oder verkehrt-eiförmig-lanzettlich oder verkehrt-eiförmig, von schlanken Haaren rauhhaarig, ohne fein-sternförmigen Flaum.

Triften der Alpen und Voralpen. – Vorarlberg: am Freschen u. Alpe Tillisun in Montafon (Cst!), auf der Mittagspitze (Str!), am Schröcken (Tir. B.)! Imsteralpe (Lutt!). Zirler Bergmähder (Schpf.). Seefeld (Str!). Höttingeralpe, Nock und Saileberg bei Innsbruck (Eschl. Prkt.), Bergmähder am Glunggezer gegen das Voldererthal (Str!). Kellerjoch (Hrg!). Alpenwiesen um Kitzbüchl: z. B. am Lämmerbüchel meist zwischen 4—5000′ (Trn.). Pfitscherjoch (Stotter!). Marenwalder- u. Michelbacheralpe bei Lienz (Rsch!), Matreyer- u. Kalserthörl (Hrnsch! Bischof!), Laserzeralpe (Hoppe!). Pfitsch (Per!). Vintschgaueralpen: z. B. im Rayenthale (Tpp.), Naturnserjoch (Iss.), in Sulden (Hrg!). Alpen um Trient und Valsugana (Crist.). Alpe ober Torcegno (Ambr.). Am Bondone (Per!).

Kommt vor: ohne oder mit Ausläufer. Ferner:

β. *bicolor*. Blüthen des Randes pomeranzenfarben, die des Mittelfeldes zitronengelb. — Vorarlberg: Bindelalpe am Freschen (Cst!). Hoch-Vintschgau: auf Wiesen im Rayenthale (Tpp.).

Bl. pomeranzenfarben oder seltener zweifarbig: gelb und pomeranzenfarben. Jun. Jul. ♃ oder ⊙.

II. Rotte. *Aurella*. Die Blätter satt bläulich-grün, lanzettlich oder länglich, meist von verlängerten Haaren zottig oder am Blattstiele bärtig. Die der nicht blühenden Wurzelköpfe überwinternd u. noch zur Blüthezeit vorhanden. Zähne der Blüthen auswendig kahl. Haare der Blätter gezähnelt, nicht mit drüsigen gemischt. Strahlen des Pappus stärker als bei der vorigen Rotte u. wie bei allen Folgenden undeutlich 2reihig, die langen mit mehreren kurzen gemischt.

1130. *H. staticefolium Vill.* Grasnelkenblättriges H. Der Stengel fast nackt, 1—5köpfig; Blüthenstiele verlängert, oberwärts vielschuppig und nebst dem Hauptkelche granlich; Blättchen des Hauptkelches zugespitzt; Wurzelblätter linealisch oder lanzettlich-linealisch, ziemlich stumpf, entfernt-gezähnt oder ganzrandig, nach der Basis verschmälert, kahl; *Wurzel kriechend.*

Gemein im Gruse der Flüsse im Thale und auf steinigen Triften der Alpen. — Vorarlberg: an den meisten Bächen in Montafon (Cst!), im Achgries bei Bregenz (Str!). Oberinnthal: am Krähkogel (Zcc!); Oetzthal (Hfl.); Zirl (Str!). Innsbruck: am Mühlauer Spitzbüchl (Hfl.). Stubai: bei Volderau (Hfl!). Auf Gebirgen und am Achufer bei Kitzbüchl (Trn.). Schwaz (Schm!). Schmirn (Hfm!). Am Brenner (Sternberg!). Pfitsch (Hfl!). Pusterthal: bei Hopfgarten u. Innervilgraten (Schtz.), Welsberg (Hll.), Prax (Wlf!). Tristacher- und Bürgerau bei Lienz (Rsch! Schtz. Hoppe!); bei Taufers (Trn!). Gebirge um Brixen (Hfm.). Sterzing (Hfl!). Vintschgau: bei Mals (Tpp.). Um Meran (Kraft). Bozen: in Menge im Eisack- u. Talferbette, auch am Wege ausser dem kühlen Brünnel; Klobenstein am Ritten am Bache bei Waidach; Seiseralpe u. Schlern; am Wege von Gröden nach Enneberg (Hsm.). Trient (Per.). Valsugana (Ambr.). Wiesen am Col santo bei Roveredo (Crist.). Baldo: Altissimo di Nago (Hfl.), Vall' Aviana, pian della Cenere und ai Lavaci (Poll!). Judicarien: längs der Sarca u. Triften bei Prada (Bon.).

Wurzelstock senkrecht, oberwärts in verlängerte Aeste getheilt, tief unter der Erde wagrecht kriechende Stocksprossen treibend. — Bl. gelb, getrocknet grünlich. Mai. Jul. ♃.

1131. *H. porrifolium L.* Lauchblättriges H. *Stengel* beblättert, aufrecht, *locker-rispig, kahl. Blüthenstiele* oberwärts schuppig u. nebst dem Hauptkelche *fast kahl oder von fein-sternförmigem Flaume etwas graulich.* Blättchen des Hauptkelches an der Spitze stumpf, angedrückt; *Blätter bläulichgrün, linealisch, zugespitzt,* kahl o. an der Basis gewimpert, ganzrandig o. mit einzelnen schwachen Zähnchen. Wurzelstock senkrecht, oberwärts einfach o. kurz ästig, keine Stocksprossen treibend.

Felsige Orte, Gebirge u. Voralpen. — Lienz: in der Bürgerau (Rsch!). Im mittlern Vintschgau: an Felsen z. B. bei Göflan (Tpp.). Gebirge um Bozen u. Meran (Eschl.). Auf der Mendel (Hfl.). Val di Non (Tpp.). Trient: auf Hügeln bei Santa Agata (Per.). Am Castell Beseno (Hfl!). Valsugana: bei Borgo (Ambr.). Am Baldo (Clementi). Hügel u. Gebirge im Tridentinischen; am Baldo: bei la Corona, Malcesine u. Brentonico (Poll!). Judicarien (Bon.).

H. porrifolium Reichenb. fl. exc. H. porrifolium *α.* armerifolium Froel. De C. Koch syn. ed. 2.

Wenn sich aus Samen des echten H. porrifolium L. nach Koch Exemplare mit lanzettlichen u. unterseits haarigen Blättern ziehen lassen, so weiset diess nur dahin, dass H. porrifolium, saxatile u. glaucum nur Formen einer Art sein dürften. Uebergänge zu Folgender finden sich eine Menge in Tirol. Am echten H. porrifolium L. sind die Köpfchen kleiner als die der Folgenden, aber auch diess Merkmal ist als nicht constant zu betrachten, zumal noch mehrere Arten von Hieracium mit kleinern und grössern Köpfchen vorkommen. Auch die Blätter der Scorzonera humilis kommen in allen Abstufungen von der linealischen bis zur breit-elliptischen. Form vor.

Bl. gelb. Jun. Aug. ♃.

1132. *H. saxatile Jacq.* Stein-H. *Stengel beblättert,* aufrecht, *kahl,* in einige 1köpfige Aeste gabelig-getheilt oder doldentraubig u. vielköpfig. *Blätter länglich, lanzettlich o. schmal-lanzettlich,* spitz o. zugespitzt, entfernt- o. buchtig-gezähnt oder ganzrandig, *meist bläulich-grün,* an der Basis bärtig-gewimpert, sonst kahl o. nebst den Wimpern rückwärts mit langen Haaren bestreut o. fein-sternhaarig, die grundständigen in den Blattstiel herablaufend, die obern stengelständigen sitzend, an Grösse allmählig abnehmend. Blättchen des Hauptkelches so wie die oberwärts schuppigen Blüthenstiele von fein-sternförmigem Flaume graulich, übrigens kahl o. mit einfachen o. drüsigen Haaren spärlich bestreut. Wurzelstock wie bei Voriger.

H. saxatile Neilreich Fl. v. Wien p. 290.

Aendert ab:

α. angustifolium. Stengel $^1/_2$ — 1′ hoch. Grundständige Blätter schmal-lanzettlich, nach oben u. unten verschmälert, Stengelblätter 1—3. H. saxatile Reichenb. fl. exc. H. saxatile *α.* angustifolium Neilreich. — Vorarlberg: im Sonnenwald (Str.). Kitzbüchl: am Kaiser 4—5000′ (Str! Trn.). Bei Füssen (Frl!). Am Achensee (Koch bei Reichenbach)! Innsbruck: auf Alpentriften am Haller Salzberg bei 5000′ u. in der Klamm (Schm.). Oetzthal: bei Fend (Tpp.). Schmirn (Hfm!).

β. latifolium. Meist höher. Die grundständigen Blätter länglich-lanzettlich. Stengelblätter zahlreich. Hauptkelch meist kahler als bei *α*. H. saxatile *β*. latifolium Neilr. H. glaucum Reichenb. fl. exc. — Oberinnthal: bei Pfunds u. Finstermünz (Tpp.), Kalkfelsen in der Scharnitz u. am Ausgang des Hinterauthales (Hfl.). An Kalkfelsen bei Schwaz (Schm.). Am Fusse des Unütz am Achensee (Koch Fl. 1830 p. 151. u. Reichenb. fl. exe. p. 265)! Bei Heilig-Blut an der Möll im benachbarten Kärnthen (Hoppe!). Lienz (Rsch!). Pfitsch (Hfl!). Bei Moena in Fassa (Fcch.). Val di Non: bei Revò (Sternberg!). Trient: am Doss di Santa Agata (Per.). Bergwiesen um Roveredo (Crist.).

Die äussersten Endglieder dieser 2 Varietäten sind übrigens selten, gewöhnlich findet man zwischen ihnen schwankende Uebergangsformen, doeh kommen in trockenen Jahren mehr schmalblättrige, in nassen mehr breitblättrige Formen vor, auch scheint mir H. porrifolium L. ebenfalls nur eine Varietät des H. saxatile mit sehr schmalen Blättern, kommt aber hier (nämlich bei Wien) nur auf Voralpen vor (Neilreich Flora v. Wien p. 290 u. p. 291).

Blüthenstiele abstehend oder auseinandergesperrt.

Bl. gelb. Jul. Aug. ♃.

1133. ***H. bupleuroides*** ***Gmel.*** Hasenohrartiges H. *Stengel blattreich,* 2—mehrköpfig, *kahl; Blüthenstiele aufrecht,* oberwärts schuppig und *nebst dem Hauptkelche von fein-sternförmigem Flaume etwas graulich und behaart mit einfachen Haaren;* Blättchen des Hauptkelches ziemlich spitz, die äussern etwas abstehend; *Blätter bläulich-grün, lanzettlich-zugespitzt,* nach der Basis verschmälert, gestielt, ausgeschweift-gezähnelt o. gezähnt, kahl o. an der Basis gewimpert, die stengelständigen zahlreich, genähert, die obern sitzend. —

Felsige Orte der Alpen und Voralpen. — Im Kiese der Bergströme im Allgau (Frl!). Schmirn (Hfm.). In Pfitsch bei Sterzing (Trn.). Im Bündten in der Schweiz (Moritzi)! Am Fusse d s Unütz am Achensee mit H. glabratum und villosum (Koch!)e —

H. polyphyllum Willd. H. graminifolium De C. prodr. H. glaucum Wahlenb.

Von H. saxatile durch die aufrechten Blüthenstiele, von H. villosum und glabratum durch die Blättchen des Hauptkelches verschieden. Nach Moritzi und Traunsteiner nur Varietät von H. saxatile.

Bl. gelb. Jul. Aug. ♃.

H. speciosum Hornem. Ansehnliches H. *Stengel beblättert,* 2—mehrköpfig, *rauhhaarig von der Mitte an sparsam* — nach oben zu so wie die Blüthenstiele und der Hauptkelch dicht *mit sternförmigem Flaume bestreut und kurzhaarig;* Blüthenstiele aufrecht, nach oben zu schuppig, Blättchen des Hauptkelches ziemlich spitz, die innersten spitz, die äussersten ziemlich locker; *Blätter bläulich-grün, lanzettlich o. länglich-lanzettlich, zugespitzt,* an der Basis verschmälert, gezähnt, am Rande u. der Mittelrippe gewimpert o. auf beiden Seiten rauhhaarig u. oft mit sternförmigem Flaume bestreut, *ziemlich steif;* die des Stengels zahlreich, die obern sitzend. —

Voralpen des Allgau (Koch syn. u. De C. prodr.)!

Von H. saxatile durch den rauhhaarigen Hauptkelch u. die aufrechten Blüthenstiele, von H. bupleuroides durch die meist breitern u. behaarten o. am Rande u. der Mittelrippe bewimperten steifen (an Folgender weichen) Blätter verschieden.

Bl. gelb. Jun. Jul. ♃.

1134. *H. dentatum Hoppe.* Gezähntes H. *Stengel beblättert, 1—mehrköpfig, mit sternförmigem Flaume bestreut u. zottig; Blätter bläulich-grün, rauhhaarig* oder oberseits kahl werdend, lanzettlich, zugespitzt, ausgeschweift o. klein-gezähnt, in den Blattstiel verschmälert, weich; *die des Stengels zahlreich, die obern kleiner, eiförmig, sitzend;* Blüthenstiele sammt dem Hauptkelche graulich u. rauhhaarig; Blättchen des Hauptkelches zugespitzt-verschmälert, angedrückt.

Alpen und Voralpen. — Vorarlberg: auf der Dornbirneralpe (Str!). Am Schröcken im Lechthale (Frl!). Am Geisstein bei Kitzbüchl (Trn. Str!). Waidringer Joch (Braune!) Am Glockner (Tpp.). Teischnitzalpe und am grauen Käs (Schtz.). Im angränzenden Möllthale bei Sagritz (Pacher). Am Schlern mit H. villosum (Hsm.).

Bl. gelb. Jul. Aug. ♃.

1135. *H. glabratum Hoppe.* Kahles H. *Der Stengel beblättert,* 1—mehrköpfig und etwas ebensträussig, *kahl; Blätter bläulich-grün, lanzettlich, zugespitzt,* flach, ganzrandig o. entfernt-gezähnelt, *in den schmalen Blattstiel verschmälert, ganz kahl* o. an der Basis etwas gewimpert, die obern stengelständigen sitzend; *Blüthenstiele* oberwärts von fein-sternförmigem Flaume graulich u. *nebst dem Hauptkelche von weisslichen Haaren sehr zottig;* Blättchen des Hauptkelches nach vorne verschmälert und sehr spitz, die äussern etwas abstehend.

Steinige Triften der Alpen. — Haller Salzberg u. Klamm bei Innsbruck (Schm.). Pusterthal: ober Kreuzberg unter den Felswänden (Fcch.). Auf Kalk am Kaiser im Unterinnthale (Trn.). Am Fusse des Unütz am Achensee (Koch in Fl. 1830)! Vintschgau: an Felsen bei Laas bei 5000′; Seiseralpe (Tpp.). Schlern u. Joch Grimm bei Bozen (Hsm.).

H. flexuosum De C. H. flexuosum *γ.* Gaud.

Blätter u. Habitus von H. saxatile; Köpfchen u. Büthenstiele von H. villosum. Blätter flach, deutlich gestielt; Blattstiel schmal. Bei H. villosum sind die Blätter fast sitzend mit breitem Blattstiele u. am Rande wellig.

Bl. gelb. Jun. Jul. ♃.

1136. ***H. villosum* Jacq.** Zottiges H. ***Der Stengel*** beblättert, 1—mehrköpfig u. etwas ebensträussig u. ***nebst den Blättern wollig-rauhhaarig; Blätter bläulich-grün, länglich - lanzettlich und lanzettlich,*** gezähnelt, etwas wellig, ***nach der Basis verschmälert, die stengelständigen sitzend; die obern eiförmig u. halbstengelumfassend; der Stengel*** oberwärts ***nebst den Blüthenstielen von sternförmigem Flaume graulich, von der Wurzel an nebst den Blüthenstielen u. dem Hauptkelche von weissen Haaren sehr rauhhaarig;*** Blättchen des Hauptkelches aus einer eiförmigen Basis verschmälert u. sehr spitz, locker, die äussern weitabstehend.

Steinige Alpentriften. — Vorarlbergeralpen in vielen Formen (Cst!), Dornbirneralpe (Str!), am Widderstein (Köberlin!). Allgaueralpen; am Schröcken (Frl!). Schattwald, Aggenstein bei Tannheim (Dobel!). Am Fusse des Unütz am Achensee (Koeh!). Am Solstein (Str!). Innsbruck: ober der Höttingeralpe (Eschl.), in der Klamm u. Haller Salzberg (Schm.), am Serles u. Hechenberg (Hfl.). Schmirn (Hfm.). Sonnenwendjoch bei Rattenberg (Wld!). Zillerthaleralpen (Gbh.). Alpen um Kitzbüchl, vorzüglich auf Kalk (Trn.). Stanserjoch (Schm!). Am Kaiser (Str!). Pusterthal: in Prax (Hll.), Hopfgarten und Teischnitzalpe, dann am grauen Käs (Schtz.), Kalsertaurn, Marenwalder- u. Lavanteralpe bei Lienz (Rsch!), am Metreyerthörl und Ochsenalpe in Pregratten (Hrnsch!). Pfitscherjoch gegen Pfitsch (Hfl!). Zilalpe bei Meran (Elsm!). Schlern- Seiser- u. Villandereralpe (Hsm.). Joch Grimm bei Bozen (Hinterhuber!). Am Gazza u. Bondone bei Trient (Merlo. Per!). Alpentriften um Roveredo (Crist.) Baldo, Bondone u. Scanucchia (Poll!). Judicarien: auf dem Spinale u. der Alpe Lenzada (Bon.).

Bl. gelb. Jul. Aug. ♃.

1137. ***H. Schraderi* Schleich.** Schrader's H. ***Der Stengel 1—wenig-köpfig, fast nackt, mit sternförmigem graulichem Flaume bedeckt u. nebst dem Hauptkelche von verlängerten, drüsenlosen,*** grauen, an der Basis schwarzen ***Haaren sehr zottig;*** Blüthenstiele in einem spitzen Winkel aufrecht; Blättchen des Hauptkelches locker, die äussern abstehend; ***Blätter*** bläulich-grün, lanzettlich, spitz, in den Blattstiel verschmälert, ganzrandig o. gezähnelt, die wurzelständigen rasig, ***stengelständige wenige o. fehlend.***

Triften der Alpen. — Unterinnthal: auf Schiefergebirgen um Kitzbüchl z. B. am Geisstein (Trn.), am Jufen u. Thoralpe allda (Str!). Pusterthal: Hochgruben bei Innichen (Bentham!); Innervilgraten u. Rauchkogel bei Lienz (Schtz.). Vintschgau:

in Schlinig u. am Zefriedferner (Tpp.). In Folgaria: am Cornetto (Hfl.). Höchste Alpen des südlichen Tirols (De C. Prodr.)! Alpen bei Sagritz im angränzenden Möllthale (Pacher).

Kaum von voriger verschieden?

Bl. gelb. Jul. Aug. ♃.

1138. ***H. glanduliferum** Hoppe.* Drüsentragendes H. ***Der Stengel 1köpfig, mit fein-sternförmigem graulichem Flaume u. kurzen, drüsentragenden Haaren dicht-bedeckt; Hauptkelch von verlängerten, russfarbig-grauen,*** an der Basis schwarzen ***Haaren sehr zottig;*** Blättchen locker; Blätter gras-grün, lanzettlich, spitz, in den Blattstiel verschmälert, ganzrandig o. klein-gezähnelt, die wurzelständigen rasig, stengelständige wenige oder fehlend.

Höhere Alpen. — Unterinnthal: am Geisstein bei Kitzbüchl 6—7000′ (Trn.). Alpen bei Sagritz im angränzenden Möllthale (Pacher). Wormserjoch auf Gerölle; Hochalpen bei Laas und Matsch, am Zefallberg u. Hochwart (Tpp.). Schlern u. Rittneralpe z. B. westlich am Horn, dann Villandereralpe gegen die Sarnerscharte (Hsm.). Seiseralpe (Schultz!).

Die drüsentragenden Haare am Stengel sind nicht immer dicht, sondern manchmal, wie ich an einigen Exemplaren von Vintschgau ersehe, auch ziemlich sparsam.

Bl. gelb. Jul. Aug. ♃.

III. Rotte. ***Pulmonarioidea.*** Blätter gras-grün oder bei einigen, dem Hieracium murorum verwandten Arten o. Abarten bläulich-grün, die der nicht blühenden Wurzelköpfe überwinternd und noch zur Blüthezeit vorhanden. Zähne der Blüthen auswendig kahl. Haare der Blätter gezähnelt, nur bei H. Jacquini mit drüsigen gemischt.

1139. ***H. vulgatum** Koch.* Wald-H. ***Der Stengel einen Ebenstrauss tragend, von der Basis an beblättert, an der Spitze nebst den Blüthenstielen u. dem Hauptkelche*** von sternförmigem Flaume graulich und ***von kohlschwarzen drüsentragenden Haaren kurzhaarig; Blätter gras-grün,*** unterseits und am Rande rauhhaarig, ***ei-lanzettförmig oder eiförmig, an der Basis verschmälert,*** gezähnt, die Zähne der Basis tiefer und vorwärts-gewandt; Stengelblätter 3 oder mehrere; die Wurzel- und untern Stengelblätter gestielt, die obern fast sitzend.

Waldwiesen u. Waldsäume bis an die Alpen. — Oberinnthal: Wiesen bei Nauders u. bei Fend (Tpp.). Innsbruck: in der Gluirsch und bei Oberperfuss; Stubai: bei Obernberg und Neustift (Hfl.). Wälder u. Auen um Kitzbüchl (Trn.). Pusterthal: auf der Hofalpe bei Lienz (Schtz.), Bergwiesen um Welsberg (Hll.). Am Ritten von 3900′-5400′, Klobenstein: auf dem Fenn, bei Pfaffstall, am Waldsteige von Rappesbüchel nach Wolfsgruben, um Pemmern bis zur Rittner Schön (Hsm.). Seiseralpe (Schultz). Folgaria: auf sonnigen Bergwiesen über Mitteward (Hfl.).

H. Lachenalii Gmel. ist nach Koch eine Varietät mit breitern fast eiförmigen Blättern. Diese auf der Höhe des kleinen Rettensteins bei Kitzbüchl (Unger!).

Variirt ferner, doch selten: mit von der Basis an ästigem Stengel. Diese nur durch die Pubescenz der Rispe von H. ramosum W. K. verschiedene Varietät fand ich in einem feuchten Sommer am Waldsteige von Rappesbüchel nach Wolfsgruben.

Bl. gelb. Jun. Jul. ♃.

1140. ***H. pallescens W. K.*** Bleiches H. ***Der Stengel einen Ebenstrauss tragend, 2—4blättrig, an der Spitze nebst den Blüthenstielen u. dem Hauptkelche graulich u. mit einfachen, grauen, an der Basis schwarzen Haaren behaart; Blätter bläulich-grün,*** am Rande und unterseits rauhhaarig, ***länglich,*** an der Basis ***allmählig in den Blattstiel verschmälert,*** gezähnt, ***die Zähne der Basis tiefer u. vorwärts-gekehrt,*** die Wurzel- u. untern Stengelblätter gestielt, das oberste fast sitzend.

Unterinnthal: auf den Vorbergen des Kaiser (Unger Einfl. p. 304)! Am Kaiser vor der grossen Scharte (Sauter in Flora 1830 pag. 464)!

Bl. gelb. Jun. Aug. ♃.

1141. ***H. Schmidtii Tausch.*** Schmidt's H. ***Der Stengel*** einen Ebenstrauss tragend, meist 1blättrig, ***an der Spitze nebst den Blüthenstielen u. dem Hauptkelche*** graulich und ***mit an der Basis schwarzen, meist drüsentragenden Haaren behaart; Blätter bläulich-grün,*** am Rande u. unterseits rauhhaarig, ei-lanzettförmig, an der Basis verschmälert, gezähnt, die Zähne der Basis tiefer und vorwärts-gekehrt, die Wurzelblätter gestielt, ***das Stengelblatt fast sitzend.***

Auf steinigen sonnigen Orten in Vintschgau. Auf Glimmerschiefer bei Laas u. Schlanders 2400′—3400′ (Tpp.).

Bl. gelb. Jun. Aug. ♃.

1142. ***H. murorum L.*** Mauer-H. ***Der Stengel*** ebensträussig, meist 1blättrig, ***an der Spitze nebst den Aesten u. dem Hauptkelche graulich und von ganz schwarzen, drüsentragenden Haaren kurzhaarig; Blätter gras-grün,*** unterseits u. am Rande rauhhaarig, ***die wurzelständigen ei— fast herzförmig,*** gezähnt, ***die tiefern Zähne der Basis ruckwärts-gekehrt, das Stengelblatt*** kurzgestielt o. ***sitzend;*** Blättchen des Hauptkelches verschmälert, die äussern stumpflich, die innern spitz.

Steinige waldige Orte bis an die niedern Alpen. — Vorarlberg: am Freschen (Cst!), um Bregenz (Str!). Oberinnthal: bei Fend u. St. Sigmund (Hfl.), bei Nauders (Tpp.). Innsbruck: in der Kranewitter Klamm und bei Sistrans; in Stubai (Hfl.). Kitzbüchl (Trn.). Schwaz (Schm.). Pusterthal: bei Welsberg (Hll.), Innervilgraten, Hopfgarten (Schtz.), Lienz (Rsch!). Brixen und in Schmirn (Hfm.). Pfitscherjöchl (Hfl.). Vintschgau: auf Wiesen im Martellthale (Tpp.). Bozen mit Folgender z. B.

Haslach; Klobenstein am Ritten, gemein (Hsm.). Eppan: bei Gandegg; Val di Non (Hfl.). Trient (Per!). Roveredo (Crist.). Folgaria; am Monte maggiore des Baldo (Hfl!).

β. sylvaticum. Blälter an der Basis eingeschnitten-gezähnt; Zähne rückwärts-gerichtet. H. murorum β. sylvaticum L. Pollich. — Klobenstein am Ritten auf einer etwas feuchten Waldblösse des Fenns (Hsm.). Kitzbüchl (Unger!).

Obsolet: Herba Pulmonariae gallicae seu Auriculae majoris.

Bl. gelb. Jun. Jul. ♃.

1143. ***H. incisum Hoppe.*** Schlitzblättriges H. ***Der Stengel*** 1-mehrköpfig u. ebensträussig, ***meist 1blättrig, an der Spitze nebst den Blüthenstielen u. dem Hauptkelche graulich und von einfachen, grauen, an der Basis schwarzen Haaren kurzhaarig; Blätter*** bläulich-grün, unterseits u. am Rande rauhhaarig, die wurzelständigen gestielt, eiförmig oder eiförmig-länglich, ***an der Basis stumpf, fast herzförmig,*** gezähnt, ***Zähne der Basis tiefer, abstehend; das Stengelblatt*** kurzgestielt o. ***sitzend.***

Waldige Orte. — Oberinnthal: bei Tarrenz (Prkt.), bei Nauders an Rainen (Tpp.). Innsbruck (Hfl.), im Villerberg allda (Prkt.). Kitzbüchl (Unger!). Pfitsch (Hfl!). Bozen: am Wege nach Runkelstein etc. (Hsm.). In der Furglau bei Eppan (Hfl.). Valsugana: bei Borgo (Ambr.). Judicarien: Wälder bei Tione (Bon.). —

Eine Varietät der Vorigen. Man findet Exemplare mit einfachen Haaren an derselben Stelle, an der man ein anderes Jahr solche mit drüsentragenden gefunden, eben so wandelbar ist die Glaucescenz der Blätter. Blätter oft gefleckt wie die der Vorigen.

Bl. gelb. Jun. Jul. ♃.

1144. ***H. bifidum Kit.*** Gabelästiges H. ***Der schlanke Stengel 2spaltig oder gabelig-ästig, nackt oder 1blättrig: Aeste abstehend, 1köpfig, ziemlich ebensträussig, so wie die Hauptkelche weisslich u. mit einfachen weiss-grauen, an der Basis schwarzen Haaren bestreut; Blätter*** graulich-grün, unterseits u. am Rande kurzhaarig, die wurzelständigen ***elliptisch o. lanzettlich, an der Basis verschmälert, gezähnt,*** die Zähne der Basis länger, vorwärts-gerichtet oder abstehend, fast sitzend.

An Felsen und sonnigen Rainen. — Nauders bei 4000′ (Tpp.). Bozen: sparsam an den Felsen ausser dem kühlen Brünnel mit H. murorum, incisum u. amplexicaule (Hsm.).

Mit ganz grünen Blättern fand ich die Pflanze bei Bozen hinter Runkelstein auf Sandboden im Schatten.

Bl. gelb. Jun. Jul. ♃.

1145. ***H. rupestre All.*** Felsen-H. ***Der Stengel*** schlank, fast fadenförmig u. fast ***gabelig-getheilt, mit wenigen verlängerten, 1köpfigen, an der Spitze nebst dem Haupt-***

kelche graulichen u. von einfachen u. drüsentragenden Haaren kurzhaarigen *Aesten; Blätter* bläulich-grün, *die wurzelständigen breit-lanzettlich, zugespitzt, ungleich-wenig-zähnig, in den Blattstiel verschmälert,* fast ungleichseitig, am Rande u. unterseits behaart o. überall dicht-rauhhaarig; Stengelblätter wenige, lanzettlich-linealisch.

In Felsenritzen. — Unterinnthal: am Jufen, Geisstein und Pfaffel bei Kitzbüchl (Unger!). Nach Traunsteiner wahrscheinlich mit einer breitblättrigen Form von H. alpinum verwechselt?

Bl. gelb. Jun. Jul. ♃.

1146. ***H. Jacquinii*** *Vill.* Jacquin's H. *Der Stengel niedrig, aufstrebend,* beblättert, *von einfachen u. drüsigen Haaren kurzhaarig, meist 2köpfig* oder von der Basis an ästig mit abstehenden 1—2köpfigen Aesten; Blätter gras-grün, länglich-eiförmig, unterseits u. am Rande behaart, *die Wurzel- u. untern stengelständigen Blätter* gestielt, *an der Basis tief-gezähnt o. fast fiederspaltig,* die obern sitzend, die obersten lanzettlich, ganzrandig; Hauptkelche kurzhaarig.

Felsige Orte der Alpen u. Voralpen. — Vorarlberg: am Gebhardsberg bei Bregenz u. bei Hohenems, aber auch auf Alpen z. B. am Freschen (Cst!), an Felsen hinter dem Pfannen (Str!). Am Schröcken im Lechthale (Frl!). In der Klamm bei Innsbruck (Hfl.). Voldererthal (Str!). Wälder und Voralpen des Kaisers bei St. Johann (Trn.), allda von 3—5000′ (Unger!). Villandereralpe (Hinterhuber!).

H. humile Host. H. pumilum Jacq.

Bl. gelb. Jun. Jul. ♃.

V. Rotte. *Andryaloidea Monnier.* Die Blätter grün o. kaum in das Bläuliche ziehend, die der nicht blühenden Wurzelköpfe überwinternd u. noch zur Blüthezeit vorhanden. Zähne der Blüthen auswendig mit kurz-gegliederten Haaren besetzt. Haare der Blätter sämmtlich o. zum Theil drüsentragend.

1147. ***H. amplexicaule*** *L.* Stengelumfassendes H. *Ueberall drüsig-behaart mit durchsichtigen gelblichen Haaren, von denen die obern an den Aesten mit schwärzlicher Basis; Stengel 3—vielköpfig, ober dem untern Zweige 1—3blättrig;* die Aeste durch ein Blatt gestützt, abstehend, etwas ebensträussig; *Blätter dicklich, steiflich, die* wurzelständigen elliptisch-länglich, *in einen Blattstiel verschmälert, nach hintenzu grob-gezähnt,* die stengelständigen sitzend o. halb-stengelumfassend, *die obern so wie die Deckblätter eiförmig o. herzförmig;* die innern Blättchen des lockern Hauptkelches verschmälert, sehr spitz.

An felsigen Orten bis in die Alpen. — Vorarlberg: bei Hohenems (Cst!). Am Schröcken im Lechthale (Frl!). Oberinnthal: am Krähkogel u. bei Silz (Zcc!). Engelewand in Oetzthal; in der Klamm bei Innsbruck, dann zwischen Hall und Voldererbad (Hfl.). Kitzbüchl: an schattigen Kalkfelsen am Gschöss und Schattberg (Trn.). Schwaz: gegen Georgenberg

(Schm!). Pusterthal: in Pregratten und Windischmatrey, Weg zum Taurn (Hrnsch!). Bozen: an den Felsen ausser dem kühlen Brünnel u. nördlich am Kalvarienberge, dann am Wege von Kampil nach Cardann; Ritten: häufig im Thale am Bache von Waidach zur Rösslerbrücke nächst Klobenstein, dann ober Pemmern an einem Felsen nächst dem Steige zu den Sulznerwiesen mit H. albidum (Hsm.). Eppan: bei den Eislöchern (Hfl.). Trient: bei Vela (Hfl!). Gebirge um Roveredo und am Baldo vorzüglich um la Corona (Poll!). Bei Trient: gegen Terlago (Per!). Judicarien: Val di San-Valentino u. Alpe Lenzada (Bon.).

Bl. gelb. Jun. Jul. ♃.

1148. ***H. pulmonarioides Vill.*** Lungenkrautartiges H. ***Ueberall drüsig-haarig, die Haare durchsichtig-gelblich, die der obern Aeste an der Basis schwärzlich, die Wurzelblätter zugleich von verlängerten Haaren rauhhaarig; Stengel unter dem untern Zweige 1—mehrblättrig,*** 2—4-köpfig; Aeste mit einem Blatte gestützt, abstehend, ziemlich ebensträussig; ***Blätter weich, die wurzelständigen elliptisch***-länglich, ***in den Blattstiel verschmälert, nach hinten zu grob-gezähnt, die stengelständigen sitzend,*** kaum halbstengelumfassend, an der Basis verschmälert, lanzettlich; die innern Blättchen des lockern Hauptkelches verschmälert.

An trockenen Felsen. — Bozen: an den Felsen ausser dem kühlen Brünnel und an der Talfer hinter Runkelstein (Hsm.). Schwankende Formen auch an einigen der bei H. amplexicaule aufgezählten Standorte.

H. petraeum Hoppe.

Koch sagt (Taschenb. p. 335): wahrscheinlich Varietät von H. amplexicaule, was meine Beobachtungen vollständig bestätigen.

Bl. gelb. Jun. Jul. ♃.

1149. ***H. alpinum L.*** Alpen-H. ***Der Stengel 1- bis wenig-köpfig, mit fein-sternförmigem graulichem Flaume bestreut und nebst dem Hauptkelche von verlängerten, grauen, an der Basis schwarzen u. von andern kurzen, drüsentragenden, kohlschwarzen Haaren sehr zottig; Blüthenstiele in einem spitzen Winkel aufrecht; Blätter gras-grün,*** lanzettlich o. elliptisch, in den Blattstiel verschmälert, ganzrandig oder gezähnt, stengelständige 1 oder mehrere, fast sitzend.

Gemein auf Alpentriften durch ganz Tirol. — Vorarlberg: am Freschen (Str! Cst!). Am Schröcken u. Bockbach (Frl!). Alpen bei Zirl u. Telfs (Str!). Kühetei, Glunggezer, Obernberg in Stubai, Duxerjoch u. Pfitschgründel (Hfl.). Innsbruck: auf der Höttingeralpe (Eschl.), und am Rosskogel (Hfl.). Schmirn (Hfm.). Keller- u. Schwaderjoch (Schm.). Zillerthal (Schrank!), Waxegger Mähder allda (Moll!). Kitzbüchl: am Jufen u. Geisstein, Streiteggeralpe (Trn.). Pusterthal: Kalsertaurn u. Teischnitzeralpe (Rsch!), Bruneckeralpen (F. Naus), Matreyerthörl, Windischmatreyer Taurn, Ochsenalpe in Pregratten (Hrnsch!),

Hofalpe, Gössnitz und Heilig-Bluter Thörl (Schtz.). Alpen um Bozen: Schlern, Seiseralpe, Rittner- u. Villandereralpe (Hsm.). Zilalpe bei Meran (Elsm!). Valsuganeralpen (Crist.), allda z. B. Sette Laghi (Ambr.). Judicarien: Alpe Cengledino (Bon.).

Aendert ab:

β. *pumilum.* Haare des Hauptkelches kürzer, zuweilen alle drüsentragend. H. pumilum Hoppe. — Matreyerthörl, Bergeralpe in Kals u. Windischmatreyer Taurn (Hrnsch!).

γ. *Halléri.* Wurzelblätter elliptisch-länglich, abgerundet, stumpf, an der Basis gezähnt u. oft fast spiessförmig, gestielt; Stengelblätter 1—2, lanzettlich. H. Halleri Vill. — Alpen um Kitzbüchl, aber tiefer als die Species (Trn. Unger!). Vorarlberg: am Freschen (Cst!). Ellnerspitze bei Brunecken (F. Naus!). Windischmatreyer Taurn (Hrnsch!). Villandereralpe bei Bozen (Hsm.). Schlern (Hinterhuber!).

Bl. gelb. Jun. Jul. ♃.

VI. Rotte. *Intybacea.* Die Pflanze hat im Herbste keine Wurzelblätter, sondern Knospen auf der Wurzel, die sich im nächsten Jahre zu Stengeln erheben. Zähne der Blüthen auswendig kahl; Blätter, Stengel u. Hauptkelch dicht-drüsenhaarig.

1150. ***H. albidum Vill.*** Weissliches H. ***Der Stengel*** beblättert, ***nebst den Blüthenstielen, dem Hauptkelche und den Blättern drüsig-behaart, klebrig,*** 1köpfig o. von der Basis an ästig, mit 1köpfigen Aesten; ***Blätter verlängert-lanzettlich,*** geschweift o. buchtig-gezähnt, die untersten an der Basis verschmälert, die nächstfolgenden sitzend oder stengelumfassend.

Felsige Triften der Alpen, hie und da auch in Seitenthäler herab. — Am Arlberg (Hfl.). Oberinnthal: am Schramkogel (Hrg!); Alpen bei Imst (Lutt!), auf Schiefer im Flaurlinger Thale (Str!), Oetzthal: bei Heilig-Kreuz (Hfl.). Innsbruck: Weg von Sistrans znr Alpe (Friese), am Glunggezer (Prkt.). Ueber Hinterdux; Südseite des Pfitscherjoches (Hfl.). Oberiss in Stubai und von da gegen den Thalferner (Eschl. Schneller). Kellerjoch (Hrg!). Zillerthaleralpen (Gbh.). Kitzbüchl: Griesalpjoch (Trn.), Geisstein u. Jufen (Unger!). Pusterthal: Tefereggen, Hofalpe u. Gössnitz (Schtz.), Kalsertaurn, Zetterfeld und Marenwalderalpe bei Lienz (Rsch!). Bergeralpe in Kals (Hrnsch!). Wormserjoch (Funk!); Sulden (Hrg!). Alpen in Passeyer (Per!). Ifinger bei Meran (Hsm.). Gemein auf allen Alpen um Bozen: Rittneralpe ober Pemmern einzeln bei 5200′ mit H. amplexicaule, allgemein gegen den Horn zu, Villandereralpe etc.; geht am Durnholzer See in Sarnthal bis 5000′ herunter (Hsm.). Val di Sol; Paneveggio; Bondone (Per!). Valsuganeralpen: z. B. am Montalon bei Telve (Ambr.). Judicarien: Val di San Valentino (Bon.).

H. intybaceum Jacq.

Bl. weisslich-gelb. Jul. Aug. ♃.

VII. Rotte. ***Prenanthoidea.*** Die Wurzel treibt im Herbste kleine Blätterbüschel, die sich im folgenden Frühling vergrössern, aber nebst den untern Stengelblättern, auch an freien Orten, absterben, ehe die Blüthen entwickelt sind, so dass zu dieser Zeit der Stengel keine Wurzelblätter hat. Die Blüthenstiele und Hauptkelche drüsig-haarig. Die Zähne der Blüthen auswendig mit kurz-gegliederten Haaren besetzt. Blätter (an unserer Art) ohne Drüsenhaare.

1151. ***H. prenanthoides Vill.*** Hasenlattichartiges H. Der Stengel blattreich, unterwärts von einfachen Haaren rauhhaarig, oberwärts rispig; Aeste an den grössern Exemplaren vielköpfig, fast traubig, nebst den ***Blüthenstielen*** und dem Hauptkelche etwas filzig, ***dicht-drüsig-behaart; Blätter mit herzförmiger Basis stengelumfassend***, länglich-lanzettlich o. eiförmig, zugespitzt, ***gezähnelt, gezähnt o. ganzrandig***, unterseits netzaderig, ***die untern oberhalb der Basis fast geigenförmig-verschmälert***, fast spatelig, ***die untersten zur Blüthezeit vertrocknet.***

Gebirge, Alpen- und Voralpenwälder durch die ganze Alpenkette (Koch syn.)! Vorarlberg: Joch Omadona u. Bindelalpe am Freschen (Cst.). Lechthal: auf der obern Alpe neben der Söbenspitze bei Vils (Frl!). St. Leonhard im Pizthale (Tpp.). Pusterthal: Alpe Ködnitz u. Hofalpe, am grauen Käs u. Teischnitzalpe (Schtz.). Judicarien: auf der Alpe Lenzada (Bon.).
Bl. gelb. Jul. Aug. ♃.

VIII. Rotte. ***Accipitrina.*** Die Pflanze hat im Herbste keine Wurzelblätter, sondern Knospen auf der Wurzel, die sich im nächsten Jahre zu Stengeln erheben, aber niemals Wurzelblätter treiben. Zähne der Blüthen auswendig kahl. Haare der Blätter nicht drüsentragend.

1152. ***H. sabaudum L.*** Savoyer - H. Der ***Stengel*** starr, blattreich, rauhhaarig o. auch fast kahl, oberwärts ***rispig, an der Spitze fast ebensträussig; Blüthenstiele graulich*** u. oft etwas kurzhaarig, bemerklich ***länger als das stützende Deckblatt,*** unter den Köpfchen mit einer einzigen o. 2 Schuppen versehen; der fruchttragende Hauptkelch breiteiförmig, an der Basis abgestutzt und sehr stumpf; ***Blätter*** eiförmig, gezähnt, die untern in den kurzen verbreiterten Blattstiel verschmälert, ***die obern mit herzförmiger Basis genau sitzend, stengelumfassend, die wurzelständigen fehlend;*** Blättchen des Hauptkelches angedrückt.

Im Gebüsche auf Hügeln u. Abhängen bis an die Voralpen. — Innsbruck: rückwärts am Berg Isel (Schm.), und am Mühlauerberge (Schpf.). Zillerthal (Braune!). Lienz: am Gamberge, dann im Walde ober Dölsach u. Nussdorf (Rsch!). Ritten: gemein um Klobenstein z. B. im Eyerlwäldchen östlich, ober Lengmoos am Steige zum Magenwasserle u. hinter Lengmoos im Tribischerthälchen, am Fennabhange gegen das Krotenthal etc. (Hsm.). Gandegg bei Eppan (Hfl.). Schattige gebirgige Orte um Trient (Per.).

Stengel dick, meist rauhhaarig. Blätter allzeit breiter als an der Folgenden. Blättchen des Hauptkelches am Rande blassgrün. Aug. Sept. ♃.

1153. ***H. boreale* Fries.** Nördliches H. Der Stengel starr, blattreich, rauhhaarig oder kahl, oberwärts ästig; ***Aeste fast ebensträussig;*** Blüthenstiele graulich u. oft etwas kurzhaarig, bemerklich länger als das stützende Deckblatt, unter dem Köpfchen mit mehreren Schuppen bestreut, welche in den fruchttragenden, an der Basis eiförmigen Hauptkelch übergehen; ***Blätter*** ei-lanzettförmig o. lanzettlich, gezähnt, die untern in den kurzen Blattstiel verschmälert, ***die obern fast sitzend, die wurzelständigen fehlend; Blättchen des Hauptkelches angedrückt,*** gleichfarbig, ***getrocknet schwärzlich.***

Im Gebüsche der Hügel u. Abhänge in den Hauptthälern. Oberinnthal: bei !Zirl an der Strasse nach Seefeld (Schm.). Kitzbüchl (Trn.). Brixen (Hfm.). Meran (Kraft). Bozen: am Wege nach Runkelstein u. Compill etc. meist mit H. umbellatum (Hsm.). Eppan (Hfl.). Judicarien: Wälder bei Stelle (Bon.).

Ich betrachte mit Traunsteiner, Neilreich, Schultz etc. diese angebliche Art für eine Form des H. sabaudum L. An Uebergängen fehlt es namentlich um Bozen u. um Klobenstein nicht. — Jedenfalls ist der Name ein unpassender und der Tauschische (H. sylvestre Tausch. Reichenb. Fl. exc. p. 268) vorzuziehen.

Bl. gelb. Aug. Sept. ♃.

1154. ***H. rigidum* Hartmann.** Starres H. ***Der Stengel*** starr, beblättert, rauhhaarig oder kahl, ***oberwärts ästig, mit fast ebensträussigen Aesten;*** Blüthenstiele nebst dem Hauptkelche graulich oft etwas kurzhaarig; ***Blätter*** ei-lanzettförmig, lanzettlich o. linealisch-lanzettlich, gezähnt, die untern in den kurzen Blattstiel verschmälert, ***die obern fast sitzend, die wurzelständigen fehlend; Blättchen des Hauptkelches angedrückt, am Rande bleich, getrocknet unverändert,*** die äussern an den jüngern Blüthenknöpfen aufrecht, den Blüthenknopf überragend.

Waldige Orte und sonnige Abhänge im Gebüsche auf Gebirgen. — Vintschgau: bei Ratheis in Schnals u. beim Schlosse Juval (Tpp.). Klobenstein am Ritten: häufig bei 3800′ am südlichen Abhange des Fenns zwischen H. sabaudum und umbellatum (Hsm.).

Blättchen des Hauptkelches an der Spitze oft etwas abstehend (wie auch Koch bemerkt, aber in der Diagnose nicht anführt). Blüht am Ritten neben Voriger und Folgender um 14 Tage früher als erstere und eben so viel später als letztere. Alles zusammen führt mich auf die Vermuthung, dass die Pflanze ein Bastard der genannten Arten sei. Döll (Rheinische Flora p. 529) sieht sie gar nur als Varietät von H. sabaudum L. an, so wie Neilreich (Fl. v. Wien p. 293). — Var:

β. *coronopifolium.* Blätter schmal-lanzettlich, beiderseits mit 2—3 verlängerten Zähnen. — Unter der Species um Klobenstein (Hsm.).

Bl. gelb. Aug. Sept. ♃.

1155. *H. umbellatum L.* Doldenblüthiges H. Der Stengel steif, vielköpfig, rauhhaarig o. kahl, oberwärts ästig, die *obersten Aeste doldig;* Blüthenstiele graulich; Blätter lanzettlich o. linealisch, gezähnt o. ganzrandig, die untern in den kurzen Blüthenstiel verschmälert, die obern fast sitzend, *die wurzelständigen fehlend; Blättchen des Hauptkelches an der Spitze zurückgekrümmt.*

Gebirgswiesen, waldige Orte u. buschige Hügel bis an die Alpen. — Vorarlberg: bei Bregenz (Str!). Oberinnthal: im Pizthal (Tpp.), im Oetzthale (Hfl.). Innsbruck: am Wege nach Lans u. am Glunggezer (Hfl.). Stubai: Wälder hinter Unternberg (Hfl!). An Waldrändern bei Kitzbüchl (Trn.). Brunecken (M. v. Kern!). Pusterthal: in Olang (Hll.); Hopfgarten in Teferegen, Innervilgraten (Schtz.). Vintschgau: bei Juval (Tpp.). Seiseralpe und um Brixen (Hfm.). Bozen: z. B. am Wege nach Runkelstein; gemein am Ritten: z. B. um Klobenstein ober dem Oelberge mit H. sabaudum u. am Fennabhange, dann auf den meisten Bergwiesen von da bis Kematen und Pfaffstall (Hsm.). Valsugana: bei Borgo (Ambr.). Im Tridentinischen u. am Gardasee (Poll!).

β. *coronopifolium.* Blätter am Rande beiderseits mit 2-3 verlängerten Zähnen. H. coronopifolium Bernh. Bozen und Ritten (Hsm.).

γ. *angustifolium.* Blätter linealisch. Bozen: im Gebüsche vor Runkelstein (Hsm.).

Ferner: kahl, rauh o. rauhhaarig. — Auf Wiesen z. B. um Klobenstein u. vorzüglich nach der Heuernte: niedrig, 1—2köpfig o. von der Basis an ästig, Aeste 1köpfig, Blätter ziemlich breit (H. Lactaris Bertoloni).

Bl. gelb. Jul. Sept. ♃.

LXII. Ordnung. AMBROSIACEAE. Link.

Ambrosienartige.

Blüthen eingeschlechtig; die männlichen bilden ein von einer vielblättrigen o. vielspaltigen Hülle umgebenes Köpfchen; die weiblichen einzeln o. zu 2 von einer verwachsenblättrigen Hülle eingeschlossen. Blumenkrone der männlichen Blüthen röhrig-trichterig, 4—5zähnig; die der weiblichen fädlich oder fehlend. Staubgefässe 4—5, mit dem Grunde der Blumenkrone schwach zusammengewachsen. Fruchtknoten 1fächerig, 1eiig. Eierchen aufrecht, umgewendet. Griffel 1, 2spaltig. Achenen ohne Pappus, von der erhärteten Hülle, die eine falsche Nuss darstellt, eingeschlossen. Keim eiweisslos, rechtläufig. Unsere Art: krautartig, mit wechselständigen Blättern.

324. ***Xanthium L.*** Spitzklette.

Blüthen 1häusig. Männliche Blüthen: zahlreich auf einem walzlichen spreuigen Fruchtboden, röhrig; Hülle vielblättrig. Weibliche Blüthen: paarweise von einer verwachsenblättrigen 2fächerigen Hülle eingeschlossen, fädlich; Narben 2. Achenen in den Fächern der zuletzt erhärteten dornigen Hülle eingeschlössen. (XXI. 5.).

1156. ***X. Strumarium L.*** Gemeine Spitzklette. Wehrlos; die Früchte flaumhaarig; Schnäbel der Früchte gerade, etwas zusammenneigend; Dornen gerade an der Spitze backig. Blätter herzförmig, gezähnt o. buchtig-gezähnt.

Auf Schutt u. an Wegen im südlichen Tirol. — Weg von Meran nach Bozen (Zcc!). Bei Lana an Misthaufen und Wegen (Hfl.). Bozen: einmal an der Eisack-Holzlege; Pranzoll und Gmund (Hsm.).

Obsolet: Herba et Semen Lappae minoris.

Bl. grünlich. Jul. Sept. ⊙.

X. macrocarpum De C. Von Voriger durch die steifhaarigen Früchte u. hackigen Schnäbel verschieden. Nach Maly in Tirol! Sonst in Istrien; der Standpunkt bei Wien ist nach Neilreich unrichtig.

LXIII. Ordnung. CAMPANULACEAE. Juss.

Glockenblumenartige.

Blüthen zwitterig. Kelch oberständig, 5spaltig, bleibend. Blumenkrone 1blättrig, dem Kelche eingefügt, glockenförmig o. röhrig, regelmässig, selten unregelmässig. Staubgefässe 5, mit der Blumenkrone eingefügt u. mit deren Zipfeln abwechselnd. Staubkölbchen 2fächerig, frei o. an der Basis verwachsen. Fruchtknoten 1, 3—5fächerig; Fächer vieleiig; Samenträger mittelständig. Griffel 1; Narben 2—5spaltig. Frucht kapselartig, an der Spitze oder an der Seite mit Löchern oder Ritzen aufspringend. Keim rechtläufig, in der Achse des fleischigen Eiweisses. Jährige o. ausdauernde Kräuter mit wechselständigen, nebenblattlosen u. einfachen Blättern.

325. ***Jasióne L.*** Jasione.

Blumenkrone 5theilig, Zipfel linealisch, zuerst zu einer Röhre verbunden, zuletzt vom Grunde nach der Spitze sich theilend. Staubgefässe 5, Staubfäden pfriemlich, Staubkölbchen am Grunde zusammenhängend. Narben 2. Kapsel 2fächerig, an der Spitze mit einem Loche aufspringend. (V. 1.).

1157. *J. montana L.* Berg-J. Kugelnelke. Blätter linealisch; Wurzel einfach, vielstengelig.

Auf sonnigen grasigen Hügeln und gebirgigen Orten. — Vorarlberg: am Pfänder bei Bregenz (Str!), zwischen Lustenau u. Lauterach (Cst!). Um Meran allenthalben (Eschl.), allda am Kiechlberg (Hfm.). Bei Eppan: in der Gant (Hfl.). Gemein um Bozen: Sigmundscroner Schlossberg, Weg zum Schloss Rafenstein, am Rittnerwege unter Kleinstein und Signat, Hertenberg (Hsm.), bei Kühbach (Elsm!). Trient: bei Gocciadoro (Per!). Borgo (Ambr.). Judicarien: al prato di Stelle bei Tione (Bon.).

Bl. blau. Jun. Jul. einzeln bis Sept. ⊙.

326. ***Phyteuma L.*** Rapunzel.

Blumenkrone 5theilig, Zipfel linealisch, zuerst zu einer Röhre verbunden, zuletzt vom Grunde nach der Spitze sich theilend. Staubgefässe 5; Staubfäden am Grunde verbreitert; Staubkölbchen frei. Narben 2—3. Kapsel 2—3fächerig, an der Seite mit Löchern aufspringend. (V. 1.).

I. Rotte. Blüthen ährig, Aehre kugelig o. walzlich.

a. ***Aehre allzeit kugelig oder nach dem Verblühen eiförmig.***

1158. *P. pauciflorum L.* Armblüthige R. ***Das Köpfchen fast kugelig, 5blüthig; Blätter verkehrt-eiförmig o. verkehrt-eiförmig-lanzettlich, stumpf, an der Spitze meist 3kerbig,*** in den Blattstiel verschmälert; die Deckblätter rundlich-eiformig, stumpf, zottig-gewimpert, kürzer als die Köpfchen.

Alpenjöcher. — Zillerthal: in der Zemm (Schrank!), und wilden Gerlos (Trn!). Pusterthal: Toblacheralpe (Hll.), Hochgruben bei Innichen (Bentham!), Kerschbaumer- Laserzer- und Lavanteralpe bei Lienz (Rsch!), Innervilgraten, Dorfer- und Teischnitzalpe, Schleinitz, am grauen Käs (Schtz.). Wormserjoch (Fk! Gundlach). Am Ortler (Fleischer!). Laaserthal in Vintschgau (Tpp.). Zilalpe bei Meran (Elsm!). Alpen um Brixen (Hfm.). Fleims und Fassa (Fcch!). Am Monzoni und Montalon (Montini!). Fleimseralpen (Scopoli!). Valsuganeralpen (Poll!). Colbricon (Per!). Judicarien: am Frate in Breguzzo (Bon.).

β. *globulariaefolium.* Blätter breiter, fast verkehrt-eiförmig, Deckblätter stumpf. P. globulariaefolium Hoppe. — Diese Form die vorherrschende in Tirol.

Bl. blau. Jul. Aug. ♃.

1159. *P. hemisphaericum L.* Halbkugelige R. ***Das Köpfchen kugelig, meist 12blüthig; Blätter linealisch o. lanzettlich-linealisch, ganzrandig*** o. an der Spitze etwas gekerbt; die Deckblätter eiförmig, zugespitzt, ganzrandig, zottig-gewimpert, halb so lang als die Köpfchen.

Triften der Alpen, gemein. — Oberinnthal: bei Fend im Oetzthal (Hfl.), Alpen bei Zirl u. Telfs, am Rosskogel (Str!).

Patscherkofel bei Innsbruck (Friese). Alpein in Stubai (Schneller). Nordostseite des Kellerjoches (Schm.). Zillerthal: Alpe Sidan u. am Gerlos (Gbh.). Schiefergebirge um Kitzbüchl: z. B. auf der Streitegger Alpe 5—7000′ (Trn.). Pusterthal: in Tefereggen, Hofalpe u. Gössnitz, Innervilgraten (Schtz.), Toblacheralpen (Hll.), Marenwalder- u. Schleinizeralpen bei Lienz (Rsch!). Pfitscherjoch: auf der Zamser Seite (Hfl.). Hochgebirge um Brixen (Hfm.). Wormserjoch (Fk!). Zilalpe bei Meran (Elsm!). Passeyer (Per.). Ulten (Tpp.). Penserjoch (Hfl!). Gemein auf den Alpen um Bozen: Schlern, Seiseralpe und Mendel, Ritten gleich ober Pemmern schon bei 5200′ auf den Sulznerwiesen in Menge und von da bis auf die Spitze des Horn (Hsm.). Alpenwiesen in Fleims (Scopoli!). Wälder und Alpen in Fassa (Fcch!). Ai Monzoni (Meneghini!). Am Sadole in Fleims und bei Vigo in Fassa (Parolini!). Cima d'Asta (Petrucci!). Monte Gazza; Fierozzo (Per.). Judicarien: Alpe Geredol u. Cengledino (Bon.). Am Gletscher in Genova (Per!).

Variirt, wiewohl selten: mit verschmälert-lanzettlichen Deckblättern, die dann meist von der Länge der Köpfchen sind. So unter der Species am Ifinger bei Meran (Hsm.), u. auf den Alpen bei Lienz (Schtz.). Solche Exemplare unterscheiden sich von Folgender nur durch die schmälern ganzrandigen o. an der Spitze etwas gekerbten Blätter. Auch die Deckblätter fand ich (doch sehr selten) an der Basis mit einzelnen Zähnen.

Bl. blau, selten weiss (am Jufen bei Kitzbüchl).
Ende Jun. Jul. ♃.

1160. ***P. humile Schleicher.*** Niedrige R. ***Das Köpfchen kugelig, meist 12blüthig; Blätter*** lanzettlich - linealisch, ***die obern entfernt-gezähnelt*** u. nebst den Deckblättern am Rande von sehr kurzen etwas zurückgebogenen Haaren gewimpert-rauh; ***die äussern Deckblätter aus eiförmiger, zugespitzt-gezähnter Basis lanzettlich-verschmälert,*** ungefähr so lang als die Köpfchen.

Auf den höchsten Jöchern der Granitfelsen in Felsritzen.— Im südlichen Tirol, auf Granitfelsen der Venezia im nordwestlichen Judicarien auf mittlerer Höhe der Gletscher (Fcch!). Im Möllthale am Glockner nach Lösche!

Bl. blau. Jul. Aug. ♃.

1161. ***P. Sieberi Spreng.*** Sieber's R. ***Die Köpfchen kugelig, meist 15blüthig; Blätter*** der unfruchtbaren Büschel langgestielt, herzförmig, eiförmig oder ei-lanzettlich, ***gekerbt,*** die stengelständigen lanzettlich, ***die obern sitzend, aus rauten-eiförmiger Basis verschmälert; die*** äussern ***Deckblätter eiförmig, zugespitzt, geschärft-gesägt.***

Triften der höhern Alpen im südlichen Tirol. — Pusterthal: auf der Neunerspitze bei Brunecken u. Sarlalpe in Prax (Hll.), Kerschbaumeralpe bei Lienz (Tpp.), Alpen bei Lienz, Alpe Ködnitz in Kals (Schtz.). Peitlerkofel bei Brixen (Hfm.). Zilalpe bei Meran (Elsm!). Seiseralpe u. Schlern: z. B. am

Abstiege zur Seiseralpe (Hsm.). Schlern (Eschl.). Duronthal in Fassa (Fcch!). Monte Baldo: am Altissimo (Hfl!).

P. cordatum Vill. Reichenb. flor. exc.

Bl. blau. Stengelblätter ganzrandig oder sägezähnig.
Jul. Aug. ♃.

1162. ***P. orbiculare L.*** Rundköpfige R. ***Das Köpfchen reichblüthig, kugelig*** oder nach dem Verblühen oval; ***Blätter gekerbt-gesägt,*** die der nicht blühenden Büschel u. oft auch die untersten stengelständigen langgestielt, herzförmig, eiformig o. ei-lanzettförmig, ***die obern*** stengelständigen ***linealisch; die*** äussern ***Deckblätter aus eiförmiger Basis lanzettlich-verschmälert, etwas gesägt.***

Gebirgswiesen und Waldränder, auch auf Alpentriften. — Vorarlberg: am Freschen (Cst!), Dornbirneralpe (Str!). Oberinnthal: am Säuling (Kink); Imst (Lutt!). Innsbruck: hinter dem Amraser Schloss (Eschl.), am Gärberbach u. bei Sistrans (Prkt.), Solstein u. Serles, dann zwischen Mutters u. Gotzens (Hfl.). Kellerjoch (Schm!). Nassdux (Hfl.). Bergwiesen bei Rattenberg (Wld!). Zillerthal (Schrank!), Wälder u. Alpen um Kitzbuchel (Trn.). Brennerstrasse nächst der Poststation (Hsm.). Pusterthal: Welsberg (Hll.), Tristacheralpe (Ortner), Bergwiesen um Lienz (Rsch!). Vintschgau: bei Laas (Tpp.). Gemein auf den Gebirgen um Bozen: Mendel, Geierberg bei Salurn; Ritten: um Klobenstein von 3900′ aufwärts bei Rappesbüchl, Kematen, Pemmern etc.; Seiseralpe u. Schlern (Hsm.). Monte Gazza (Merlo). Fassa u. Fleims (Fcch!). Spinale (Tpp.). Bondone, Baldo, Scanuccia (Per.). Folgaria: am Cornetto (Hfl.). Wälder der Voralpen um Roveredo (Crist.). Am Portole (Montini!). Judicarien: Alpe Lenzada (Bon.).

β. *fistulosum.* Stengel röhrig. P. fistulosum Reichenb. — Hie u. da mit der Species am Ritten, auch am Brenner (Hsm.).

Bl. blau. Jun. Jul. ♃.

1163. ***P. Scheuchzeri All.*** Scheuchzer's R. ***Das Köpfchen vielblüthig, kugelig;*** Blätter gekerbt-gesägt, die untern langgestielt, lanzettlich, verschmälert-zugespitzt, die der nicht blühenden Büschel herzformig, die obern linealisch; ***die*** äussern ***Deckblätter linealisch,*** meist länger als die Köpfchen.

An Felsen im südlichen Tirol, bis ins Thal herab. — Passeyer: bei Moos u. Rabenstein 4—5000′ (Tpp.). Ausser der Gränze bei den Wormser Bädern (Hsm.). An Kalkfelsen im Etschlande bei Salurn u. Margreid (Hsm.). Monte Gazza (Merlo). Val di Non: bei Denno; Trient: am Doss Trent, Doss San Rocco u. zwischen Meano u. Gardolo (Hfl.). Am Sella bei Borgo (Ambr.). Roveredo: an den Dämmen der Bergströme (Crist.) Judicarien: Felsen ober Tione und Wälder bei Stelle (Bon.), Val di Rendena (Eschl!). Baldo (Poll! Clementi).

Deckblätter ganzrandig o. seltener gesägt u. zwar auf derselben Wurzel, z. B. bei Salurn.

Bl. blau. Jun. Jul. ♃.

b. *Aehre fast kugelig o. eiförmig, zuletzt walzlich.*

1164. ***P. Michelii Bertol.*** Micheli's R. *Aehre reichblüthig, rundlich o. oval, zuletzt walzlich; Blätter entfernt-gekerbt-kleingesägt,* die wurzelständigen und untern stengelständigen herzförmig, eiförmig o. lanzettförmig o. fast linealisch, gestielt, die obern lanzettlich-linealisch o. linealisch, sitzend, etwas gesägt; *die Deckblätter linealisch, so lang o. kürzer als die Blüthen.*

Wälder u. Waldwiesen vom Thale bis in die Alpen.

Var.: *α. betonicifolium.* Wurzel- und unterste Stengelblätter herzeiförmig o. herzförmig-länglich. P. betonicaefolium Vill. Koch syn. ed. 1.

Gemein. — Vorarlberg: auf der Mittagspitze u. dem Freschen (Str! Cst!). Imst (Lutt!). Innsbruck: auf den Lanserköpfen, Vill, Grinzens u. Sonnenburg (Hfl.), in der Klamm u. bei Amras gegen Aldrans (Eschl.). Rattenberg: von Thierbach gegen die Wildschönau (Wld!). Kitzbüchl: an Ackerrändern u. Hügeln bis in die Alpen (Trn.). Schwaz (Schm.). Pass Thurn (Griesselich!). Pusterthal: bei Welsberg (Hll.), Innervilgraten, Hopfgarten, Lienz (Schtz.). Brixen (Hfm!). Wormserjochstrasse (Fk!). Voralpen bei Laas (Tpp.). Rabland ober Meran; bei Eppan (Hfl.). Bozen: im Walde gegen Runkelstein u. Kühbach; gemein am Ritten: um Klobenstein, Pemmern und Rittneralpe (Hsm.). Monte Roën (Hfl!). Seiseralpe (Schultz!). Welschnofen bei Bozen; bei Cavriana in Fleims; Fassa: Alpen von Giumella u. Penia (Fcch!). Valsugana: bei Borgo (Ambr.). Am Bondone (Per!). Judicarien: längs der Strasse von Tione nach Villa Rendena (Bon.).

β. scorzonerifolium. Wurzelblätter lanzettlich, langgestielt. P. scorzonerifolium Vill. Koch syn. ed. 1. — Am Ritten sehr selten mit der Species bei Rappesbüchel (Hsm.)

γ. angustissimum. Wurzelblätter linealisch-lanzettlich, kurz-gestielt. — P. Michelii All. Koch syn. ed. 1. — Bei den sieben Seen nächst Meran (Hinterhuber!). Martellerjoch, Laugen (Herb. Giov!). Angeblich im Fiemmenthale (Reichenb. fl. exc. p. 297)! Judicarien: Val di San Valentino und Alpe Cengledino (Bon.).

Bl. blau. Mai, Jul. ♃.

1165. ***P. spicatum L.*** Aehrige R. *Aehre länglich; Blätter doppelt-gekerbt-gesägt,* die untern gestielt, *eiförmig, an der Basis herzförmig,* die obersten linealisch.

Wälder u. Gebirgwiesen. — Vorarlberg: gemein um Bregenz (Str!). Schattige Bergwiesen um Kitzbüchl (Trn.), daselbst nicht selten in Laubwäldern (Unger!). Im Gebiethe von Lienz (Schtz.). Gebirge von Primiero (Fcch!).

Bl. weisslich mit grün-gelblicher Spitze. Mai, Jun. ♃.

1166. ***P. Halléri All.*** Haller's R. *Aehre verkehrt-eiförmig-länglich; Blätter grob-doppelt-gesägt,* die untern gestielt, *eiförmig*, die obersten lanzettlich: die Deckblätter linealisch.

Waldtriften u. Thäler der Alpen u. Voralpen. — Vorarlberg: am Schröcken (Tir. B.)! Oberinnthal: bei Fend (Lbd.), am Wege zum Umhausener Wasserfall auf Wiesen (Zcc!); bei Imst (Lutt!); am Seekirchl bei Seefeld (Hfl.). Rattenberg: Weg von Thierbach gegen Wildschönau (Wld!). Alpenwiesen im Wippthale u. um Brixen (Hfm.). Pusterthal: in Prax (Hll.), Innervilgraten (Schtz.). Wormserjoch (Fk!). Bei Laas (Tpp.). Gebirge um Bozen: 4—6000', Mendel, Schlern, Ifinger; Ritten: im Thälchen hinter Sallrain, am Wege von Pemmern nach Gismann u. bei Wangen (Hsm.). Niedere Voralpenwälder in Fassa u. Fleims (Fcch!). Am Sella bei Borgo (Ambr.). Monte Scanuppia unter Krummholz an den Abhängen gegen Nord (Hfl.). Judicarien: auf der Alpe Lenzada u. Wiesen bei Verdesina (Bon.).

Bl. dunkel - violett. Ein weissblüthiges Exemplar erhielt Hofr. Koch von Dr. Facchini. Jun. Jul. ♃.

II. Rotte. Blüthen gestielt, doldig.

1167. ***P.** comosum **L.*** Schopfige R. ***Blüthen in einer endständigen Dolde*** auf kurzen Stielchen; Blätter gezähnt, die wurzelständigen nierenförmig.

Auf Kalkfelsen zerstreut im ganzen südlichen Tirol, von der obersten Baumgränze bis fast zur Region des Oelbaumes herab z. B. Schlern, dann bei Riva an Felsen (Fcch.). Pusterthal: auf dem hohen Kristall (Hll.). Schlern: am sogenannten Schäufelsteige und links ober der Schlucht gegen denselben (Hsm.). Fleimseralpen (Scopoli!). An Felsen bei Borgo (Ambr.). Alpen um Trient (Per.). Valsuganeralpen, Bondone und Baldo (Poll!). Baldo (Clementi). Val d'Ampola (Bon.). Vallarsa: sopra il piano della jugazza (Crist.). Kalkfelsen am Schiner in der Schlucht von Fonzaso nach Primör (Hfl.).

Bl. blau, vorne schwarzblau. Jun. Jul. ♃.

327. *Campánula **L.*** Glockenblume.

Kelchröhre kreiselförmig. Blumenkrone glockig, mehr o. minder 5spaltig. Staubgefässe 5; Staubfäden am Grunde eiförmig verbreitert und den Grund der Blumenkrone schliessend; Staubkölbchen frei. Narben 3—5. Oberweibige Scheibe flachgewölbt u. von der Basis der Staubfäden verdeckt. Kapsel 3- bis 5fächerig, an den Seiten mit Löchern aufspringend. (V. 1.).

I. Rotte. Buchten des Kelches ohne Anhängsel. Blüthen gestielt, an den reichblüthigen Stengeln traubig o. rispig.

a. ***Kapsel überhängend, an der Basis aufspringend.***

C.** pulla **L. Dunkelblaue Gl. ***Blätter elliptisch,*** gekerbt, gestielt, ***3mal so lang als der Blattstiel,*** die untern stumpf, die obern spitz; ***Stengel 1blüthig; Blüthen nickend; Zipfel des Kelches pfriemlich.***

Auf Alpen u. Voralpen in Tirol (Reichenb. fl. exc.)! Im Möllthale bei Heilig-Blut im angränzenden Kärnthen (Lösche!)?

C. pulla ist für Tirol zweifelhaft geworden, die Pollinischen Standorte gehören nach Bertoloni zu C. Morettiana. Vielleicht kommt sie auf den an Salzburg gränzenden Gebirgen vor. Meine Exemplare sind von Salzburg u. Steyermark. Auch in der Schweiz kommt sie nach Moritzi nicht vor, so wie sie am [illegible]ck von Kaplan David Pacher nicht gefunden werden konnte. —

Bl dunkel-violett. Jul. Aug. ♃.

1168. ***C. caespitosa Scop.*** Rasenartige Gl. ***Die Wurzel- u. untersten Stengelblätter verkehrt-eiförmig, in einen ziemlich breiten Blattstiel, kaum von der Länge des Blattes herablaufend,*** wenig-kerbig, die stengelständigen sitzend, linealisch-lanzettlich, etwas gesägt, die obern linealisch, ganzrandig; ***Stengel mehrblüthig,*** traubig o. rispig; ***Blüthenstiele 1—2blüthig; Blumenkrone länglich-glockig,*** unter den Zipfeln verengert; Zipfel des Kelches pfriemlich.

Alpen u. Voralpen, in den Ritzen der Kalkfelsen im südlichen Tirol (Koch syn. ed. 2.). Val di Ledro (Poll!). — Von Tirol besitze ich durch die Güte des Hofr. Koch ein Exemplar, doch ohne nähere Bezeichnung des Standortes.

Blumenkrone blass-violett ins Purpurne ziehend, länglich-glockenförmig, in der Mitte breiter, etwas bauchig, unter den Zähnen verengert, mit einem deutlichen Adernetze von der Basis an bis an die Zähne durchzogen. Jul. Aug. ♃.

1169. ***C. pusilla Haenke.*** Kleine Gl. ***Blätter der unfruchtbaren Büschel eiförmig, herzförmig o. nierenförmig, gesägt, gestielt; Blattstiel mehrmal länger als das Blatt, die untern Stengelblätter elliptisch,*** kürzer-gestielt, ***die obern linealisch,*** sitzend; ***Stengel traubig, 3 — 6-blüthig; Blumenkrone halbkugelig - glockig;*** Kelchzipfel pfriemlich. —

Felsige Triften der Alpen, mit den Bächen ins Thal herab. Vorarlberg: im Aachgries bei Bregenz (Str!), Bregenzerwald bei Au (Tir B.)! Oberinnthal: Plangeross (Tpp.); am Stuibenfall in Oetzthal (Hfl.), am Säuling (Kink). Innsbruck: ober Hötting u. im Sillgries (Hfl.), in der Klamm (Karpe). Im Gerölle der Gebirgsbäche in Stubai (Hfm.). Haller Salzberg, auch mit schneeweissen Blüthen (Hfl.). Achenthal, an der Strasse am See (Hsm.). Berge u. Auen um Kitzbüchl, vorzüglich auf Kalk (Trn.). Schwaz (Schm!). Pusterthal: Welsberg (Hll.), Hopfgarten (Schtz.), Laserzer- und Schleinitzeralpe, dann am Ufer der Isel u. Drau bei Lienz (Rsch! Hänke!), Mühlbacheralpe (Iss.), Dorferalpe, Teischnitzalpe und am grauen Käs (Schtz.). Vintschgau: im Laaserthal, Trafoi u. Martell; am See in Passeyer (Tpp.). Bozen: herabgeschwemmt am Talferbette hinter Runkelstein; Schlern, Seiseralpe; Ifinger, Rittneralpe, dann am Wege von Lengstein nach Barbian im sogenannten Diktele-Graben (Hsm.). Monte Röen (Hfl!). Judicarien: an Kalkfelsen der Alpe Lenzada (Bon.).

β. pubescens. Kurzhaarig. — C. pubescens Schmidt. Auf der Seiseralpe u. am Bache bei Ratzes (Hsm.).

Bl. blau, seltener weiss, mit einigen Nerven, aber nicht adernetzig. Jun. Aug. ♃.

1170. *C. rotundifolia L.* Rundblättrige Gl. ***Blätter der nicht blühenden Büschel eiförmig, herz- oder nierenförmig,*** gestielt; ***Blattstiel mehrmal länger als das Blatt,*** die untersten Stengelblätter lanzettlich, die übrigen linealisch, ganzrandig; ***Stengel rispig-vielblüthig; Blumenkrone ei- o. fast kreisel-glockenförmig;*** Kelchzipfel pfriemlich, aufrecht.

An Felsen, Triften und Nadelwäldern bis an die Voralpen. Vorarlberg: gemein um Bregenz (Str!). Innsbruck (Karpe). Stubai: Wegränder bei Medraz (Hfl!). Schwaz (Schm!). An Feldrainen um Kitzbüchl, seltener als Vorige (Trn. Unger!). Zillerthal (Braune!). Gemein auf Felsen um Lienz (Rsch!). Bozen: an den Felsen am kühlen Brünnel u. bei Runkelstein; gemein um Klobenstein am Ritten in lichten Nadelwäldern bis 4500′, auch doch selten mit schneeweissen Bl. (Hsm.). Wiesen bei Eppan (Hfl.). Val di Non: bei Tassulo (Hfl!). Roveredo (Crist.). Bei Ponale am Gardasee (Poll!). Trient (Hfl.) Judicarien: an Wegen bei Tione (Bon.).

β. lancifolia. Höher, die untern Stengelblätter lanzettförmig, 2—3 Zoll lang. Diese im Gebiethe von Bozen, doch selten, an Felsen u. Mauern im Schatten (Hsm.).

Bl. blau, selten weiss. Jun. Aug. ♃.

1171. *C. Scheuchzèri Vill.* Scheuchzer's Gl. ***Blätter der nicht blühenden Büschel ei- oder herzförmig,*** gestielt, ***Blattstiel mehrmal länger als das Blatt,*** die Stengelblätter linealisch-lanzettlich, ganzrandig o. die untern gekerbt-gesägt; ***Stengel 1blüthig oder traubig 2—6blüthig; Kelchzipfel pfriemlich.***

Triften der Alpen u. Voralpen. — Vorarlberg: am Freschen (Cst!), Dornbirneralpe (Str!). Am Schramkogel bei Lengenfeld (Hrg!), Fend (Lbd.), am Säuling (Kink). Solstein (Str!). Innsbruck (Hfl.). Stubai (Eschl.). Schwaderalpe bei Schwaz (Schm!). Zillerthal (Braune!). Kitzbüchl: vom Thale bis in die Alpen 3—7000′ (Trn.). Pusterthal: Lienz (Rsch!), Toblacheralpe (Hll.), Innervilgraten, Hofalpe und Gössnitz (Schtz.). Vintschgau: Wormserjoch bei den hölzernen Gallerien ober Franzenshöhe (Hsm.), in Schlinig (Tpp.). Gemein auf den Gebirgen u. Alpen um Bozen: Mendel, Schlern u. Seiseralpe; am Ritten von 4800′ aufwärts in Menge u. sehr schön auf den Wiesen bei Pemmern, Rittneralpe bis auf die Spitze des Horn (Hsm.). Eislöcher bei Eppan (Hfl!). Alpen von Fassa (Fcch!). Judicarien: Alpe Cengledino u. Lenzada (Bon.). Am Gletscher in Val di Genova (Per!).

C. Scheuchzeri Vill. C. linifolia De C.

β. hirta. Kurzhaarig. C. valdensis All. — Pusterthal: in

Prax (Hll.). Schlern u. Rosszähne, doch viel seltener als die Species (Hsm.). Vintschgau: in Schlinig (Tpp.). Alpen von Fassa u. Fleims (Fcch!). Höchste Tridentineralpen (Poll!).

Auf höhern Alpen: niedrig, meist 1blüthig, auf Wiesen der Voralpen bis Schuh hoch u. 2—12blüthig.

Bl. blau, auf Alpen dunkler. Jun. Jul. ♃.

1172. ***C. carnica Schiede.*** Krainische Gl. ***Blätter der nicht blühenden Büschel ei- o. herzförmig,*** gestielt; ***Blattstiel mehrmal länger als das Blatt,*** die Stengelblätter linealisch, die obern sehr schmal; ***Stengel 1blüthig; Kelchzipfel linealisch - borstlich,*** so lang als die Blumenkrone, zurückgebogen.

Auf Alpen in Krain, Kärnthen und am Baldo (Reichenb. flor. exc. p. 299)!

Bl. blau. Jun. Jul. ♃.

C. rhomboidalis L. Wird von Kittel als auf Voralpen in Südtirol wachsend angegeben, da sie aber in neuester Zeit von keinem Tiroler Botaniker aufgefunden, führe ich sie hier unter den zweifelhaften Tiroler Pflanzen auf. Sie ist in der westlichen Schweiz nicht selten, eben so in Friaul. Von den verwandten Arten unterscheidet sie sich durch die ei-lanzettlichen gesägten Blätter, wovon die obern sitzend, die untern kurzgestielt sind, durch die pfriemlichen Kelchzipfel u. die rispigen einerseitswendigen Blüthen.

1173. ***C. bononiensis L.*** Bologneser Gl. ***Blätter*** gekerbt-gesägt, ***unterseits filzig-grau, die untern herzförmig,*** langgestielt, die obern eiförmig, zugespitzt, sitzend; die endständigen Trauben einfach o. rispig zusammengezogen; Kelchzipfel lanzettlich; ***der Stengel aufrecht, stielrund.***

Auf Abhängen, trockenen Triften u. Hügeln im Gebüsche, im südlichen Tirol. — Brixen (Hfm.). Weg von Meran nach Bozen (Zcc!). Fragsburg bei Meran; Eppan (Hfl.). Bozen: gemein vom Eisackthale bis unter Siffian am Ritten, in Hertenberg ober St. Oswald, bei Siebenaich, auf der Wiese nördlich am Kalvarienberge etc. (Hsm.). Bei Kastelrutt (Lbd.). Val di Non, Fleims, Trient (Fcch!). Am Doss Trent (Per!). Monte Baldo: agli Zocchi (Poll!). Val dell'Artillon (Sternberg!).

Bl. blau o. lila. Ende Jun. Aug. ♃.

1174. ***C. rapunculoides L.*** Kriechende Gl. ***Blätter*** ungleich-gesägt, ***etwas rauhhaarig, die untern fast herzförmig,*** langgestielt, die obern lanzettlich; ***Trauben*** endständig, ***einerseitswendig;*** Kelchzipfel lanzettlich, der Stengel aufrecht, stumpfkantig; ***Wurzel kriechend.***

An Feldern u. Waldsäumen bis an die Voralpen. — Gemein um Bregenz (Str!). Felder um Innsbruck: z. B. bei Sonnenburg (Hfl.). Bei Mieders in Stubai (Schneller). Kitzbüchl (Unger!). Welsberg (Hll.). Brunecken (Pfaundler!). Hopfgarten, Innervilgraten und Lienz (Schtz.). An Rainen um Brixen (Hfm.). Um Bozen; Klobenstein: an Ackerrändern am Fenn n.

bei Lengmoos in Menge u. bis 4500′ (Hsm.). Fleims: bei Predazzo (Parolini!). Trient (Per!). Folgaria: auf Aeckern bei Serrada (Hfl.). Am Baldo (Poll!). Judicarien: an Wegen bei Corè (Bon.).

Bl. violettblau. Jul. Aug. ♃.

1175. ***C. Trachelium L.*** Nesselblättrige Gl. ***Blätter grob-doppelt-gesägt, steifhaarig, die untern*** langgestielt, ***herzförmig,*** die obern länglich, sitzend; Blüthenstiele blattwinkelständig, 1—3blüthig, in eine Traube zusammengestellt; Kelchzipfel ei-lanzettförmig; der ***Stengel aufrecht, scharfkantig.*** —

Wälder und Gebüsche, an Zäunen bis an die Voralpen. — Bregenz (Str!). Imst (Lutt!). Innsbruck: in den Innauen (Hfl.). Mieders in Stubai (Schneller). Schwaz (Schm!). Im Gebüsche an Wegen um Kitzbüchl (Trn.). Zillerthal (Schrank!). Prax (Wlf!). Welsberg (Hll.). Tefereggen (Schtz.). Lienz: am Ufer der Drau u. Isel (Rsch! Schtz.). Schmirn (Hfm!). Gebirge um Meran (Kraft). Bozen: im Gebüsche im Fagen und gegen den Wasserfall; Sarnthal u. Durnholz; Klobenstein am Ritten z. B. an der Sallrainer Mühle (Hsm.). Val di Non: bei Castell Brughier (Hfl!). Trient (Per!). Judicarien: an Zäunen bei Prada u. Corè (Bon.).

*β. **dasycarpa.*** Kelch steifhaarig. C. urticifolia Schmidt.— Fast überall mit der Species, an vielen Orten häufiger.

Obsolet: Herba et Radix Trachelii vel Cervicariae majoris, grosses Halskraut.

Bl. violett-blau, lila o. seltener weiss. Jul. Sept. ♃.

1176. ***C. latifolia L.*** Breitblättrige Gl. ***Blätter ei-lanzettförmig, zugespitzt, grob-doppelt-gesägt, kurzhaarig,*** kurzgestielt; Blüthenstiele blattwinkelständig, einblüthig, in eine Traube zusammengestellt; Kelchzipfel ei-lanzettförmig; ***Stengel aufrecht, stumpfkantig.***

Wälder und schattige Gebüsche. — Pusterthal: bei Lienz jenseits der Schlossbrücke am Wege gegen die Pollant u. bei Grafendorf in Weidengebüschen (Rsch!). Im benachbarten Valtellin (Comolli!).

Bl. blau. Jul. Aug. ♃.

b. ***Kapsel aufrecht, an der Basis aufspringend.***

1177. ***C. Morettiana Reichenb.*** Moretti's Gl. ***Blätter*** einfach-gesägt, die der unfruchtbaren Buschel ***herzförmig,*** langgestielt, die stengelständigen eiformig, in den kurzen Blattstiel vorgezogen, die untern und obern kleiner; ***der Stengel aufrecht, 1—2blüthig; Blüthen aufrecht;*** Blumenkrone 4-mal so lang als die lanzettlichen Kelchzipfel, 5lappig.

An Felsen u. auf Kalkgerölle im südlichen Tirol. — Am Fusse des Schlern zwischen Völs und Ratzes an einer Lahne (Hsm.). Vailerjoch in Fassa (Eschl.). Bei Mazzin in Fassa und am Udai (Tpp. Elsm!). Fassa: am Udai u. Väel; Fleims: an den Felsen bei San Martino u. al Castellazzo; Alpen von Paneveggio u. von da nach Feltre u. Agordo (Fcch.). Am Davoi (Parolini!). Am Castellazzo, Sasso maggiore in Primiero (Per. Ambr.).

C. filiformis Moretti. C. pulla Poll.

Bl. blau. Jul. Aug. ♃.

1178. ***C. Raineri Perpenti.*** Rainer's Gl. ***Blätter länglich-verkehrt-eiförmig,*** stumpf, ***entfernt-gekerbt,*** in den kurzen Blattstiel herablaufend, flaumig, die untern kleiner, spatelig; der ***Stengel*** aufstrebend, ***1blüthig;*** Blüthen nickend; ***Kelchzipfel breitlanzettlich, zugespitzt,*** entfernt-gezähnelt; Blumenkrone 5lappig, Lappen breit-eiförmig.

An felsigen Orten im südlichsten Tirol. – Valsugana und Vall' Armonica (Host!). Val Trompia im benachbarten Brescianischen und an Felsen am Wege vom Dorfe Paver zur Alpe Blemmone in Tirol (Poll!).

Das Thal Armonica ist mir unbekannt; sollte damit Val Camonica im angränzenden Brescianischen gemeint sein?

Bl. blau. Jul. Aug. ♃.

C. pyramidalis L. Nach Kittel an Mauern und Felsen in Südtirol und Krain! Im Veronesischen z. B. im Garten des Conte Giusti. — Von den Verwandten durch die gesägten, ganz kahlen, herzförmigen, langgestielten Wurzel- u. eiförmigen untern — lanzettlichen obern Stengelblätter, dann den steifen aufrechten, einfachen, kurze aufrechte, meist 3theilige Blüthenäste treibenden Stengel verschieden.

c. ***Kapsel aufrecht, in der Mitte oder oben aufspringend.***

1179. ***C. patula L.*** Breitrispige Gl. ***Blätter*** gekerbt, ***die wurzelständigen länglich-verkehrt-eiförmig,*** in den Blattstiel herablaufend, die stengelständigen linealisch-lanzettlich, sitzend; ***Rispe*** abstehend, ***fast ebensträussig; Blüthen aufrecht;*** Aeste oberwärts getheilt; Kelchzipfel pfriemlich.

Auf Wiesen und an Gebüsch gemein. — Bregenz (Str!). Innsbruck: auf allen Wiesen (Schpf.), am Berg Isel allda (Hfl.). Stubai: Brachfelder hinter Unternberg (Hfl!). Kitzbüchl (Trn.). Schwaz (Schm!). Welsberg (Hll.). Hopfgarten (Schtz.). Brunecken (Pfaundler!). Lienz (Rsch! Schtz.). Brixen (Hfm.). Eppan (Hfl.). Meran (Iss.). Bozen: auf den meisten Wiesen, auch im Gebüsche an der Landstrasse nach Siebenaich (Hsm.). Fleims: bei Predazzo (Fcch!). Trient (Per!). Roveredo (Crist.). Valsugana: bei Borgo (Ambr.). Am Baldo: im Gebiethe von Brentonico (Poll!). Grasige Hügel bei Tione (Bon.).

β. flaccida. Aeste fadenförmig. Bl. um die Hälfte kleiner. Oft niederliegend. C. patula β. flaccida Wallr. — Bozen: hie u. da an Mauern u. an Waldwegen (Hsm.).

Bl. blau. Mai. Jul. ⊙.

1180. ***C. Rapunculus L.*** Rapunzel-Gl. ***Blätter*** gekerbt, ***die wurzelständigen länglich-verkehrt-eiförmig,***

in den Blattstiel herablaufend, die stengelständigen linealisch-lanzettlich; ***Rispe fast traubig; Aestchen an der Basis getheilt;*** Kelchzipfel pfriemlich.

An Rainen und sonnigen Hügeln im Gebüsche. — Vorarlberg: am Hacken bei Bregenz (Str!). Bozen: gemein an der Strasse nach Siebenaich im Gebüsche mit Voriger, Weg nach Runkelstein neben Rendelstein, in den Weinleiten im Fagen bei Gries, z. B. im Gandelhofe (Hsm.). Trient (Per!). Roveredo (Crist.). Hügelige Triften ober Primolano (Montini!). Am Gardasee (Eschl!).

Bl. blau o. blassblau ins Röthliche. Mai — Jul. ⊙.

1181. ***C. persicifolia L.*** Pfirsichblättrige Gl. ***Blätter*** entfernt, kleingesägt, ***die wurzelständigen länglich-verkehrt-eiförmig, in den Blattstiel herablaufend,*** die stengelständigen linealisch-lanzettlich, sitzend; ***Trauben armblüthig; Kelchzipfel lanzettlich.***

Wälder u. Gebüsche vom Thale bis an die Alpen. — Oberinnthal: bei Imst (Lutt!). Innsbruck: neben Weiherburg und ober dem Gallwieser Wege (Schneller). Stubai: Holzschläge hinter Unternberg (Hfl!); Schwaz (Schm!). Welsberg (Hll.), Hopfgarten, Innervilgraten, Lienz (Schtz.). Gemein um Bozen: z. B. gegen Runkelstein u. Kühbach; am Ritten um Klobenstein z. B. auf dem Fenn bis wenigstens 4500′ (Hsm.). Fleims bei Capriana (Fcch!). Trient (Per!). Borgo (Ambr.). Roveredo (Crist.). Am Baldo: im Gebiethe von Brentonico (Poll!).

Aendert ab: mit um die Hälfte grössern Blüthen.

Bl. blau, selten weiss. In Gärten gefüllt. Jun. Jul. ♃.

II. Rotte. Buchten des Kelches ohne Anhängsel. Bl. sitzend, in Aehren o. Köpfchen gestellt.

1182. ***C. thyrsoidea L.*** Straussblüthige Gl. Steifhaarig; Blätter linealisch-länglich, schwach-gekerbt; ***Blüthen sitzend in einer eiförmig-länglichen dichten Aehre;*** Kelchzipfel ei-lanzettlich.

Auf Alpentriften, mehr im nördlichen Tirol. — Vorarlberg: gemein auf den Dornbirneralpen (Str!), am Widderstein (Tir. B.). Lechthal: am Aggenstein bei Tannheim (Dobel!). Oberinnthal: im Thale Pfafflar (Lutt.). Auf der Seegrube bei Innsbruck (Friese). Haller Salzberg (Hrg!). Kitzbüchl: sparsam an der Nordseite des kleinen Rettensteins (Trn.). Pusterthal: auf dem Kalsertaurn (Rsch!). Vintschgaueralpen: selten z. B. auf Mähdern am Fusse des Spitzlat (Tpp.).

Bl. gelblich-weiss. Jul. Aug. ♃.

1183. ***C. spicata L.*** Aehrige Gl. Steifhaarig; ***Blätter länglich-lanzettlich,*** schwach-gekerbt, ***die untern nach der Basis verschmälert,*** die obern aus verbreiterter, stengelumfassender Basis lanzettlich-zugespitzt; ***Blüthen sitzend, in einer verlängerten, ununterbrochenen Aehre, die untern zu 3, die obern einzeln.***

Felsige Orte u. Abhänge im südlichen Tirol vom Thale bis

in die Alpen. — Hölle in Passeyer und am Ausgang des Passeyerthales (Zcc!). Pusterthal: Lienz u. Innervilgraten (Schtz.), am Burgstall bei Welsberg (Hll.), in Kals (Rsch!). In Pfitsch (Hfl!). Sparsam auf Hügeln um Brixen (Hfm.). Häufig bei 4000′ im untern u. mittlern Vintschgau (Tpp.). Um Bozen bis ins Thal herab: im Hertenberg, Gries im Gandelberge etc.; am Ritten häufig bei 3900′ am sudlichen Abhange des Fenn bei Klobenstein; auf dem Schlern (Hsm.). Auf der Mendel über den Buchhöfen (Hfl.). Fassa: ober Campitello, Penia und am Duron (Fcch!). Fleims: bei Cavalese (Scopoli!). Monte Gazza (Per!). Valsugana (Ambr.). Hügel um Trient und Roveredo; am Baldo: Val dell' Artillon u. bei Brentonico (Poll!). Roveredo (Crist.). Judicarien: an der Strasse von Lisano nach Stenico (Bon.). Ausser der Gränze an den Bädern von Bormio (Hsm.). —

Bl. blau. Ende Mai. Jul. ♃.

1184. ***C. Cervicaria L.*** Borstige Gl. ***Steifhaarig;*** Blätter klein-gekerbt, die wurzelständigen lanzettlich, in den Blattstiel verschmälert, die stengelständigen lanzettlich-linealisch, die obern mit stengelumfassender Basis sitzend; ***Blüthen sitzend in end- u. seitenständigen Köpfchen.***

An waldigen Orten u. Gebuschen, einzeln. — Um Bozen (Hfm.). Beim Besteigen der Seiseralpe (Schultz!). Seiseralpe in der Waldregion selten, ich fand ein einziges Exemplar (Hsm.). Baldo: Val dell'Artillon u. Val fredda (Sternberg!).

Obsolet: Herba et Radix Cervicariae mediae (Mittleres Halskraut). —

Bl. blau. Jul. Aug. ♃.

1185. ***C. glomerata L.*** Knauelblüthige Gl. Kurzhaarig o. grauflaumig o. kahl; ***Blätter*** klein-gekerbt, ***die wurzelständigen eiförmig o. lanzettlich, an der Basis abgerundet o. herzförmig,*** die obern stengelständigen mit herzförmiger stengelumfassender Basis sitzend; ***Blüthen sitzend in end- und seitenständigen Köpfchen.***

Auf Wiesen u. Triften von der Thalsohle bis an die Voralpen. — Bregenz (Str!). Imst (Lutt!). Innsbruck (Hfl.), bei Sistrans (Prkt.). Stubai: Wiesen bei Vulpmes (Hfl!). Schwaz (Schm!). Unterinnthal (Unger!). Pusterthal: Bergwiesen bei Lienz, Leisach u. Tristach (Rsch!), Innervilgraten, Hopfgarten u. Lienz (Schtz.), Welsberg (Hll.), Prax (Wlf!). Vintschgau: im Laaserthale (Tpp.). Bei Lana nächst Meran (Fr. Mayer). Gemein um Bozen: z. B. auf den Haslacherwiesen; Klobenstein am Ritten bis 4500′ bei Kematen, auch mit schneeweissen Blüthen (Hsm.). Trient (Per!). Cavalese in Fleims (Parolini!). In Primiero (Mayer!). Wiesen in Fassa (Fcch!). Am Gardasee (Clementi). Judicarien: trockene Triften bei Tione (Bon.).

Bl. dunkel-violett, selten weiss. Var.:

β. farinosa. Blüthen 2—3mal kleiner, lila; obere Blätter herzförmig stengelumfassend, unterseits so wie der Stengel filzig. C. aggregata α. farinosa Reichenb. flor. exc. C. farinosa Anderz. — Bozen: in lichten Wäldern u. buschigen Abhängen z. B. Haslach u. ober dem Wege ausser dem kühlen Brünnel (Hsm.). — Obsolet: Folia Cervicariae minoris. Mai—Sept. ♃.

1186. *C. petraea L.* Felsen-Gl. ***Stengel rauhhaarig; untere Blätter eiförmig-länglich, stumpf,*** gestielt; obere länglich-lanzettlich, spitz, alle gekerbt, ***unterseits schneeweiss***-filzig; ***Deckblätter eiförmig-länglich, fast von der Länge des endständigen vielblüthigen Köpfchens.*** Zipfel des rauhen Kelches länglich-linealisch, stumpf; ***Griffel weit hervorragend.***

In Felsenspalten am Baldo in der Region der Buchen, häufig in der Nähe der Madonna della Corona, dann um Peri und Chiusa längs der Strasse nach Trient (Poll!). Bei Chiusa (Sendtner). Am Baldo (Precht); allda um la Corona (Per!). Im italienischen Tirol (Meneghini bei Bertoloni)!

C. petraea Bertol. flor. ital. tom. II. pag. 500. C. petraea Reichenb. flor. exc. pag. 302.

Bl. klein, weisslich, wenig länger als der Kelch.
Jul. Sept. ♃.

III. Rotte. Buchten des Kelches mit Anhängseln.

1187. *C. alpina Jacq.* Alpen-Gl. ***Der Stengel*** oberwärts nebst den Blättern am Rande und den Blüthenstielen und Kelchen ***wollig-zottig; Blätter linealisch*** oder linealisch-länglich, fast ganzrandig; Blüthen langgestielt, fast traubig, hängend; Kelchzipfel lanzettlich-pfriemlich; ***Anhängsel der Buchten sehr kurz;*** Blumenkrone ein wenig länger als der Kelch, an der Spitze spärlich mit Haaren bestreut.

Trockene steinige Orte der Alpen in Tirol, Kärnthen etc. (Koch syn.)! Kellerjoch (Hrg!). Zillerthal (Braune!). Alpen bei Lofer meist auf Kalk (Spitzel!). Alpe Spinale (Poll!). Am Baldo: in Val fredda (Barbieri!).

Bl. blau. Jun. Jul. ♃.

1188. *C. barbata L.* Bärtige Gl. Rauhhaarig; Blätter länglich-lanzettlich, fast ganzrandig; Blüthen gestielt, traubig, hängend, etwas einerseitswendig; Kelchzipfel ei-lanzettlich; ***Anhängsel der Buchten ungefähr so lang als die Kelchröhre; Blumenkrone*** fast 3mal so lang als der Kelch, ***an der Spitze dicht-bärtig.***

Gebirgswiesen u. Triften der Alpen u. Voralpen, gemein. Vorarlberg: am Widderstein (Köberlin!); Schlossberg bei Bregenz u. im Bregenzerwald (Str!). Oberinnthal · Lechthal am Stuiben bei Schattwald (Dobel!); Alpen bei Zirl u. Telfs (Str!), auf den Imster- u. Arzler Bergwiesen (Lutt.); Zirler Bergmähder (Hfl.), Oberleutasch (Zcc!). Innsbruck: Villerspitz, Glunggezer und Patscherkofel (Hfl.). Oberiss und Gleins in Stubai (Schneller). Schwaderalpe (Schm.); Kellerjoch (Hrg!). Zillerthal: am Gerlosberg und Heinzenberg (Gbh.). Bergwiesen um Kitzbüchl (Trn.). Schmirn (Hfm!). Pusterthal: Welsberg (Hll.),

Innervilgraten, Hopfgarten u. um Lienz (Schtz.), Mühlbacheralpe (Iss.), Hochgruben bei Innichen (Bentham!), Lienzer Bergwiesen (Rsch!), Alpe Ködnitz in Kals (Schtz.). Kurzras in Schnals (Lbd.). Matscheralpe (Eschl!). Ifinger bei Meran; Mendel, Schlern u. Seiseralpe; Ritten: gemein um Klobenstein von 3900′ aufwärts bis in die Rittneralpe (Hsm.). Salten bei Bozen, dann ober Völs (Elsm!). Deutschnofen (Hinterhuber!). Alpen um Trient (Per!). Welschnofen; Fassa und Fleims (Fcch!). Fleims (Scopoli!). Bei Predazzo (Parolini!). Alpe Colmandro in Primiero (Montini!). Gebirge um Borgo (Ambr.). Bergtriften um Roveredo (Crist.). Folgaria: am Cornetto (Hfl.). Baldo: agli Zocchi u. prato di Brentonico (Poll!). Baldo (Clementi). Judicarien. am Gaggio bei Tione u. Alpe Lenzada (Bon.).

Bl. blau, seltener schneeweiss z. B. hie u. da am Ritten u. Seiseralpe (Hsm.). Ende Jun. Aug. ♃.

1189. *C. sibirica L.* Sibirische Gl. Kurzhaarig; Blätter lanzettlich, wellig, die untersten stumpf, in den Blattstiel verschmälert, die obern spitz, halbstengelumfassend; Blüthen gestielt, rispig, nickend; *Kelchzipfel* lanzettlich-pfriemlich, *mit Anhängseln von der Länge der Kelchröhre; Blumenkrone an der Spitze kahl.*

Auf trockenen Hügeln im Gebüsche im südlichen Tirol. — Trient: auf Hügeln u. an Wegen über Gardolo (Hfl. Per.), alle Laste (Fcch.). Roveredo (Crist.). Am Gardasee (Clementi). Am Baldo: im Gebiethe von Brentonico und am Gardasee (Poll!). Gardasee (Eschl!).

Bl. blau. Mai, Jun. ⊙.

328. *Adenóphora Fischer.* Drüsenglocke.

Oberweibige Scheibe in Gestalt eines die Basis des Griffels umgebenden Rohrchens hervorragend. Sonst wie Campanula. (V. 1.). —

1190. *A. suaveolens Meyer.* Wohlriechende D. Der Stengel aufrecht; Blätter länglich, die untern kurzgestielt; Rispe ausgebreitet; Kelchzipfel mit einigen Drüsenzähnchen; Griffel länger als die Blumenkrone.

Gebüsche und Wälder im südlichsten Tirol. — Judicarien: in Val di Ledro (Bon.). Bei Trembellen ober Roveredo; unter Bondon am Schlosse Lodron im südlichen Judicarien; im Bezirke Bagolin im Brescianischen an der Gränze Judicariens (Fcch.).

A. lilifolia De C. A. communis Fisch. Campanula lilifolia L. C. Alpini L.

Bl. blau. Jul. Aug. ♃.

329. *Specularia Heister.* Spiegelglocke. Venuspiegel.

Blumenkrone radförmig, mit flachem Saume. Kapsel linealisch-länglich, prismatisch. Sonst wie Campanula. (V. 1.).

1191. *S. Speculum De C.* Gemeine Sp. Der Stengel aufrecht, ästig, spreizend, die untern Aeste verlängert, aufstrebend; Blätter länglich, die untern verkehrt-eiformig; Blüthen einzeln; ***Kelchzipfel linealisch, von der Länge der Blumenkrone oder kürzer.***

Auf bebautem Boden. — Bregenz (Döll rhein. Fl.)! Imst (Lutt!). Innsbruck: bei Igels, Patsch u. Unternberg auf Aeckern, dann am Wege nach Ambras (Hfl. Karpe). Schwaz: gegen Vomp (Schm!). Gemein um Lienz (Rsch! Schtz.). Bozen: sehr zerstreut z. B. bei Sigmundscron auf den Türkäckern, aber gemein in Ueberetsch bei St. Pauls, Unterrain, Margreid u. Eppan (Hsm.). Lana bei Meran (Fr. Mayer). Ulten (Iss.). Trient (Per.). Roveredo (Crist.). Judicarien: bei Tione (Bon.)

Campanula Speculum L. Prismatocarpus Speculum L'Herit.

Bl. blau-violett. Jun. Jul. ⊙.

1192. *S. hybrida De C.* Bastard-Sp. Der Stengel aufrecht, ästig, die untern Aeste verlängert, aufstrebend; Blätter länglich, die untern verkehrt-eiförmig; Blüthen einzeln; ***Kelchzipfel lanzettlich, an der Basis u. Spitze verschmälert, länger als die Blumenkrone; Fruchtknoten unter der Blüthe zusammengeschnürt.***

Unter der Saat im südlichsten Tirol. — In der Nähe des Gardasees u. bei Arco (Fcch.).

C. hybrida L. Prismatocarpus hybridus L'Herit.

Bl. blau-violett. Jun. Jul. ⊙.

LXIV. Ordnung. VACCINEAE. De C.

Heidelbeerartige.

Blüthen zwitterig. Kelch oberständig, 4—5zähnig o. ganz. Blumenkrone 1blättrig, 4—5lappig. Staubgefässe so viele als Kelchzipfel o. doppelt so viele, vor eine oberweibige gekerbte Scheibe eingefügt. Staubkölbchen 2fächerig, 2hörnig. Fruchtknoten 4—5fächerig; Fächer mehreiig; Samenträger mittelpunktständig. Griffel 1; Narbe einfach. Frucht beerenartig. Keim in der Achse des Eiweisses. Holzige Gewächse mit flachen nebenblattlosen wechselständigen Blättern.

330. *Vaccinium L.* Heidelbeere.

Blüthen zwitterig. Kelch 4—5spaltig o. zähnig, seltener fast ganz. Blumenkrone regelmässig, abfällig, 4—5spaltig oder 4—5zähnig. Staubgefässe 8—10. Griffel 1. Beere kugelig. (VIII. 1.). —

I. Rotte. ***Myrtillus.*** Blätter abfällig. Blumenkrone eiförmig oder kugelig.

1193. *V. Myrtillus L.* Gemeine H. Schwarzbeere. ***Blätter*** abfällig, ***eiförmig,*** kleingesägt, kahl; Büthenstiele

1blüthig, einzeln, blattwinkelständig, überhängend; Blumenkrone kugelig; *Aeste scharfkantig.*

In Wäldern gemein vorzüglich auf Gebirgen bis an die Alpen. — Bregenz (Str!). Oberinnthal: im Oetzthal (Hfl.), Zirl u. Telfs 3—5000′ (Str!). Innsbruck: allenthalben z. B. am Berg Isel (Schpf.). Kitzbüchl (Trn.). Zillerthal: am Gerlosberg (Moll!). Pusterthal: in Taufers (Iss.), Welsberg (Hll.), Innervilgraten, Hopfgarten (Schtz.), Lienz (Rsch! Schtz.). Sterzing (Hfl!). Vintschgau: im Schnalserthale (Tpp.). Bozen: seltener im Thale, einzeln gegen Runkelstein und im Haslacher Wald; gemein am Ritten von Klobenstein bis Pemmern bis wenigstens 5000′ (Hsm.); Guntschnáerberg bei Bozen (Elsm!). Monte Roën bei Bozen (Hfl!). Trient: am Bondone u. Montagna di Povo (Per!). Fichtenregion des Baldo u. Tridentiner Gebirge (Poll!). Cima d'Asta (Petrucci!). Gemein um Tione (Bon.), Rendena (Eschl!). —

β. leucocarpa. Beeren weiss. Im Röhrerbüchl bei Kitzbüchl (Unger!). Angeblich bei Bozen am Wege von Deutschnofen nach Kollern!

Bl. hellgrün, röthlich überlaufen. Beeren schwarz, blau bereift, essbar; aus ihnen wird hie und da ein Branntwein bereitet. Mai, Jun. ♄.

1194. ***V. uliginosum L.*** Moor-H. Rauschbeere. ***Blätter*** abfällig, ***verkehrt-eiförmig,*** stumpf, ganzrandig, ***unterseits bläulich-grün, netzig;*** Aeste stielrund; Blüthenstiele gehäuft, überhangend; Blumenkrone eiförmig.

An Waldrändern u. Torfwiesen bis in die höhern Alpen. Vorarlberg: auf den Riedwiesen bei Bregenz (Str!). Oetzthal bei Fend (Hfl!). Innsbruck: auf dem Sattel und Glunggezer (Hfl.). Oberisseralpe in Stubai (Schneller). Kitzbüchl: häufig auf Torfboden bis in die Alpen (Trn.). Pusterthal: Innervilgraten, Hofalpe u. Gössnitz, Tefereggen (Schtz.), Hochgruben bei Innichen (Bentham!), Welsberg (Hll.), auf dem Zetterfeld u. der Marenwalderalpe bei Lienz (Rsch!). Vintschgaueralpen (Tpp.). Gemein am Ritten, von 3900′ aufwärts z. B. Rappesbüchel gegen Wolfsgruben, am Klee ober Kematen, um Pemmern u. Rittneralpe bis auf die Spitze des Horn (Hsm.). Fassa: ai Monzoni (Meneghini!). In Primiero (Mayer). Am Bondone (Per!). Val di Rendena (Poll!). Alpe Spinale (Bon.).

Auf höhern Alpen kaum 2 Zoll- sonst bis anderthalb Fuss hoch, Blätter 3—12 Linien lang. Beeren blau-schwarz, essbar. Bl. weiss o. röthlich. Ende Mai, Juni, auf Alpen Jul. ♄.

II. Rotte. ***Vitis idæa.*** Blätter immergrün. Blumenkrone glockig. —

1195. ***V. Vitis idæa L.*** Rothe H. Preisselbeere. ***Blätter immergrün, verkehrt-eiförmig,*** stumpf, unmerklichgekerbt, am Rande zurückgerollt, ***unterseits punktirt;*** Tranben endständig, überhängend; Blumenkrone glockig; Staubkölbchen wehrlos; Griffel über die Blumenkrone hinausragend; Aeste stielrund.

Heidewälder bis an die Alpen. — Bregenz (Str!). Imst (Lutt!). Innsbruck: in der Klamm (Eschl.). Durch ganz Stubai (Hfl!). Längenthal (Prkt.). Kitzbüchl (Trn.). Zillerthal (Schrank!). Welsberg (Hll.). Innervilgraten, Hopfgarten (Schtz.). Taufers: im Ahornachberge (Iss.). Lienz: am Rauchkogel (Rsch! Schtz.). Vintschgau: bei Laas (Tpp.), in Schnals (Hfl.). Meran (Kraft). Bozen: nicht gemein im Kühbacher Walde, aber in Menge auf den umliegenden Gebirgen z. B. um Klobenstein u. bis 5300′ an den Sulznerwiesen der Rittneralpe (Hsm.). Eppan (Hfl.). Monte Roën (Hfl!). Cima d'Asta (Petrucci!). Botro di Mezzo dei Monzoni (Meneghini!). Valsugana: am Sella bei Borgo u. bei Telve (Ambr.). Montagna di Povo bei Trient; Scanuccia (Per!). Baldo (Poll!). Am Gaggio bei Tione (Bon.), Val di Rendena (Eschl!).

Bl. weiss o. ins Röthliche ziehend. Beeren roth, essbar. Granten um Bozen, um Kitzbüchl: Granglbeere.

Officinell: Baccae et Folia Vitis Ideae. Mai, Jul. ♄.

III. Rotte. *Oxycoccos Pers.* Blätter immergrün. Blumenkrone radförmig, zurückgebogen.

1196. *V. Oxycóccos L.* Sumpf-H. Moosbeere. Der Stengel kriechend; Aeste fadenförmig, liegend; *Blätter* immergrün, *eiförmig, ziemlich spitz, unterseits aschgrau;* Blüthen langgestielt, nickend; Blumenkrone radförmig, Zipfel länglich. —

Auf Moorboden bis in die Alpen. — Vorarlberg: am Laagsee zwischen Höchst u. dem Bodensee (Cst!), im grossen Ried (Str!). Kitzbüchl: im Bichlach u. am Schwarzsee (Trn. Schm.). Pusterthal: in den Antholzer Mösern (Hll.). Bei Nauders (Tpp.). Alpe Spinale auf sumpfigen Stellen (Sternberg!). Fleims: auf der Alpe Bellamonte mit Andromeda (Fcch.).

Oxycoccos palustris Pers. Schollera Oxycoccos Roth.

Bl. u. Beeren roth. Um Kitzbüchel wird von den Beeren der sogenannte Moosbeerbranntwein bereitet.

Obsolet: Baccae Oxycoccos. Jun. Aug. ♄.

LXV. Ordnung. ERICINEAE. Desv.

Heideartige.

Blüthen zwitterig. Kelch 4—5spaltig o. theilig, bleibend. Blnmenkrone regelmässig o. etwas unregelmässig, in der Knospenlage dachig, abfällig. Staubgefässe so viele als Zipfel der Blumenkrone u. mit ihnen wechselnd o. doppelt so viele, vor einer unterweibigen Scheibe eingefügt, frei o. an der Basis der Blumenkrone etwas anhängend. Fruchtknoten frei, vielfächerig; Fächer so viele als Zipfel der Blumenkrone, 1—mehreiig. Grif-

-fel 1. Narbe 1. Frucht kapsel- o. beerenartig. Samen flügellos. Keim in der Achse des Eiweisses. Immergrüne Sträucher oder Halbsträucher mit nebenblattlosen Blättern.

I. Gruppe. **Arbuteae De C.** Frucht beerenartig.

331. ***Arctostaphylos Adans.*** Bärentraube.

Blüthen zwitterig. Kelch 5theilig. Blumenkrone fast eiförmig, mit 5spaltigem Saume. Staubgefässe 10. Staubkölbchen an der Spitze mit 2 Löchern aufspringend. Beere (Steinfrucht) mit 5 knöchernen 1samigen Kernen. (X. 1.).

1197. ***A. alpina Spreng.*** Alpen-B. Stamm hingestreckt; ***Blätter*** verkehrt-eiförmig, ***ungleich-kleingesägt,*** kahl, an der Basis ganzrandig u. gewimpert, verwelkend, netzig-aderig; Adern unterseits etwas hervortretend; Trauben kurz, endständig.

Felsige Orte der Alpen. — Oberinnthal: Rossberg bei Vils (Frl!); am Krähkogel (Zcc!); Alpen bei Zirl u. Telfs 5-7000′ (Str!). Thaureralpe bei Innsbruck (Giov!). Griesalpjoch bei Kitzbüchl 5—6000′ (Trn.). Pusterthal: Kalsertaurn, Marenwalderalpe bei Lienz (Rsch!), Teischnitzalpe u. am grauen Käs (Schtz.), in Prax (Hll.). Vintschgau: im Suldnerthale (Tpp.). Schlern und Joch Latemar, dann in Gröden gegen Kolfusk (Hsm.). Monte Roen an der Mendel (Hfl.). Alpe Venigiotta in Fleims; unter dem Gletscher der Marmolatta (Fcch.). Felsen der Scanucchia bei Roveredo (Crist.). Baldo: Monte maggiore; am Cornetto in Folgaria (Hfl.). Portole und Vette di Feltre (Montini!). Bondone, Baldo u. Scanucchia (Poll!).

Arbutus alpina L.

Bl. grünlich-weiss. Beeren schwarz. Jun. Jul. ♄.

1198. ***A. officinalis Wimm. u. Grab.*** Gemeine B. Stamm hingestreckt; ***Blätter*** länglich-verkehrt-eiförmig, ***ganzrandig,*** immergrün, kahl, netzig-aderig, Adern beiderseits-eingedrückt, unterseits unmerklicher, die jüngern Blätter am Rande flaumig; Trauben kurz, endständig.

In Nadelwäldern u. Heiden bis in die Alpen. — Oberinnthal: bei Zirl (Str!). Innsbruck: am Rosskogel über 6000′, Gleirscherjöchel, Hechenberg und bei Unternberg gegen Stubai (Hfl.). Alpen um Kitzbüchl z. B. am Geisstein (Trn.). Pusterthal: Welsberg (Hll.), Bergwälder u. Wiesen um Lienz (Rsch!), Teischnitzalpe u. am grauen Käs (Schtz.). Vintschgau: im Laaserthal (Tpp.). Mendel bei Bozen u. Schlern (Eschl.). Bozen: im Walde ober dem Wege vor Runkelstein u. im Streiterberge am Schiessbüchel; gemein um Klobenstein u. Rittneralpe bis an den Horn (Hsm.). Valsugana (Ambr.). Val di Non: bei Cles (Hfl!). Trient: bei Santa Agata und Povo (Per.). Fassa: am Davoi u. Udai (Rainer!). Gebirgswälder u. Voralpen um Roveredo (Crist.). Am Baldo (Poll!). Marcesine an der Gränze Tirols gegen das Vicentinische (Ambr.). Am Spinale (Sternberg!). Judicarien: bei Tione (Bon.).

Arbutus uva ursi L. — Die officinellen Blätter: Folia uvae ursi, führen um Bozen den Namen: Bergrauschlaub u. kommen als schlechtes Surrogat des Rhus Cotinus in den Handel.

Bl. röthlich. Beeren roth.

Anf. April, auf Gebirgen Mai, Jun. ♄.

II. Gruppe. **Andromedeae De C.** Frucht kapselartig, 5fächerig, klappig-aufspringend. Blumenkrone abfällig.

332. *Andrómeda L.* Andromede. Gränke.

Kelch 5spaltig. Blumenkrone fast eiförmig, mit 5spaltigem Saume. Staubgefässe 10. Staubbeutel an der Spitze mit Löchern aufspringend. Kapsel 5fächerig, 5klappig. (X. 1.).

1199. *A. polifolia L.* Poleiblättrige A. Blüthenstiele endständig, fast doldig, 3mal so lang als die Blüthen; Blätter linealisch-lanzettlich, am Rande zurückgerollt, oberseits glänzend, unterseits bläulich-grün.

Torfmoore u. sumpfige Triften. — Vorarlberg: am Laagsee bei Höchst (Cst!), im Riede bei Fussach (Str!). Am Ufer des Walchsee (Harasser!). Kitzbüchl: am Schwarzsee (Trn. Schm.). Welsberg (Hll.). Feuchte Wiesen bei Lienz, z. B. ober dem Taxhofe (Rsch!). Alpe Bellamonte in Fleims (Fcch.). Marcesine an der Gränze gegen das Vicentinische (Ambr.).

Die ganze Pflanze scharf u. verdächtig.

Kelch rosenroth. Bl. weisslich oder röthlich.

Jun. Jul. ♄.

III. Gruppe. **Ericeae.** Frucht kapselartig. Bl. verwelkend.

333. *Callúna Salisbury.* Besenheide.

Blumen zwitterig. Kelch 4blättrig, länger als die 4spaltige Blumenkrone. Staubgefässe 8. Fruchtknoten 4fächerig, mehreiig. Kapsel 4fächerig, 4klappig; Scheidewände sich von den Klappen trennend und dem mittelpunktständigen Samenträger angewachsen. (VIII. 1.).

1200. *C. vulgaris Salisb.* Gemeine B. Strauchig, liegend, ästig. Blätter gegenständig oder 4zeilig, sich dachig deckend, immergrün, linealisch, 3seitig, stumpf, kahl. Blüthen in endständigen meist einerseitswendigen Trauben. Staubkölbchen in der Blumenkrone eingeschlossen.

Wälder, Heiden u. Gebirgstriften bis in die Alpen. — Bregenz (Str!). Oberinnthal: bei Pflach (Kink), im Oetzthale (Hfl.); bei Imst (Lutt!). Hinterauthal bei Scharnitz; Innsbruck: bei Weiherburg u. am Wege von Kranewitten nach Zirl (Hfl.), Heilig-Wasser u. Waldrast (Prkt.). Längenthal (Prkt.). Durch ganz Stubai (Hfl!). Kitzbüchl (Unger!). Innichen (Stapf); Welsberg (Hll.); Innervilgraten, Lienz (Rsch! Schtz.). Hugel um Brixen (Hfm.). Vintschgau: im Laaserthal (Tpp.). Am Pirchberg bei Partschins u. Penserjoch (Iss.). Bozen: im Haslacher Walde am Fusse des Berges, dann am Schiessbüchl im Streiterberge etc.; gemein am Ritten, auf trockenen Triften um Klobenstein bis wenigstens 5300′ ober Pemmern; Sarnthal: am Wege zum Ifinger (Hsm.). Eppan (Hfl.). Fleims; bis in die Alpen; seltener in Fassa (Fcch!). Gebirge und Voralpen um Trient (Per.). Monte Gazza (Merlo). Valsugana: um Borgo (Ambr.). Hügel um Roveredo (Crist.). Judicarien: am Gaggio bei Tione (Bon.).

Erica vulgaris L.

Bl. blassroth, selten (z. B. um Klobenstein) weiss.

Aug. — Octob. ♄.

334. *Erica L.* Heide.

Blumen zwitterig. Kelch 4theilig oder 4blättrig. Saum der Blumenkrone 4spaltig. Staubgefässe 8. Fruchtknoten 4fächerig, vieleiig. Kapsel 4fächerig, 4klappig; Scheidewände in der Mitte der Klappen. (VIII. 1.).

1201. ***E. carnea L.*** Fleischrothe H. ***Staubkölbchen wehrlos, hervorragend, an der Spitze 2spaltig, an der Basis mit der Spitze des Staubfadens verschmelzend***; Narbe klein; Blumenkrone krugig-röhrig, 4zähnig; Blättchen des Kelches lanzettlich, halb so lang als die Blumenkrone; Blätter 4ständig, linealisch, spitz, mit scharfem Rande, kahl, die traubigen Blüthen etwas nach einer Seite gewendet.

Waldränder u. Heiden bis in die Voralpen. — Vorarlberg: selten bei Au (Str!), am Widderstein (Tir. B.)! Oetzthal; Innsbruck: ober Hötting (Hfl.). Stubai: im Walde hinter Unternberg (Hfl!). Kitzbüchl: am Kaiser (Trn.). Zillerthal (Schrank!). Welsberg (Hll.); Hopfgarten (Schtz.); Lienz (Rsch! Schtz.); Mühlbach: am Kalvarienberge (Iss.). Brixen (Hfm.). Vintschgau: in Martell u. Trafoi; Meran bis Dornsberg (Tpp.). Gemein um Bozen: z. B. gegen Runkelstein, Haslach und von da längs der Landstrasse bis Salurn (Hsm.). Schloss Maultasch bei Terlan (Tpp.). Eppan (Hfl.). Cles: gegen Vergondola (Hfl!). Trient (Per. Hfl!). Roveredo (Crist.). Fassa (Rainer!). Borgo (Ambr.). Am Baldo (Poll!). Monte maggiore des Baldo (Hfl!). Judicarien: bei Tione (Bon.).

Bl. fleischroth, selten weiss, z. B. bei Imst in Oberinnthal (Lutt.), bei Kastelrutt nächst Bozen (Tpp.).

Anfang März — April. ♄.

1202. ***E. arborea L.*** Baumartige H. Staubkölbchen mit einem Anhängsel, eingeschlossen; Griffel hervorgestreckt, etwas abwärtsgeneigt; ***Narbe schildförmig; Blumenkrone glockig, 4spaltig,*** mit eiförmigen stumpfen Zipfeln; Blätter 3ständig, linealisch, mit einem scharfen Rande, stumpf, unterseits konvex mit einer Ritze durchzogen, kahl; Aeste kurzhaarig; Blüthen traubig-rispig.

Steinige waldige Orte im südlichsten Tirol. — Judicarien:

in Laubwäldern zwischen Darzo u. Lodron (Fcch.), bei Lodron am Idrosee (Per.).

Bl. weiss. Mai, Jun. ♄.

IV. Gruppe. **Rhodoreae De C.** Frucht kapselartig; Scheidewände gedoppelt, aus den eingeschlagenen Rändern der Klappen gebildet. Blumenkrone abfällig.

335. *Azálea L.* Azalee.

Blüthen zwitterig. Kelch 5theilig. Blumenkrone regelmässig, glockenförmig, 5spaltig. Staubgefässe 5. Staubkölbchen mit 2 Längsritzen aufspringend. Kapsel 4klappig, durch die eingeschlagenen Ränder der Klappen 4fächerig. (V. 1.).

1203. *A. procumbens L.* Niederliegende Azalee. (Gamsheiderich). Ein ästiges, kriechendes, niederliegendes Sträuchchen mit lederartigen kurz-gestielten, elliptisch-lanzettlichen, glänzenden, kaum ½ Zoll langen, am Rande eingerollten Blättern u. endständigen doldigen rosenrothen Blüthen.

Auf den höhern Alpen bis an die Schneegränze, an felsigen unberasten Stellen. — Vorarlberg: auf der Mittagspitze (Str!). Oberinnthal: am Krähkogel (Zcc!), Timml (Lbd.), am Leinerberge bei Imst (Lutt.), Alpen bei Zirl u. Telfs (Str!), im Oetzthal bei Fend (Hfl.). Innsbruck: auf dem Patscherkofel, Glunggezer u. Rosskogel, dann am Lisenser Ferner (Hfl.). Zillerthaleralpen (Gbh.), am Guggelberg allda (Moll!). Längenthal (Prkt.); Griesalpe bei Kitzbüchl (Trn.). Pfitsch (Precht). Am Wolfenthurn (Rosenhauer!). Pusterthal: am Rudelhorn bei Welsberg (Hll.), Tefereggen, Innervilgraten, Teischnitzalpe u. am grauen Käs (Schtz.), Marenwalderalpe bei Lienz (Reiner u. Hohenwarth!). Vintschgau: Stilfseralpe (Tpp.). Wormserjoch (Hsm.). Zilalpe bei Meran (Elsm!). Falgamaierjoch (Giov!). Gemein auf den höhern Alpen um Bozen: Ifinger, Schlern, Spitze des Rittner Horn etc. (Hsm.). Fleimseralpen (Fcch.). Vette dei Monzoni in Fassa (Meneghini!). Alpen in Val di Sol (Per.). Am Collo u. alle Prese ober Torcegno (Ambr.). Valsuganeralpen u. auf dem Baldo (Poll!). Judicarien: auf der Alpe Cengledino (Bon.). — Loiseleuria procumbens Desv.

Bl. rosenroth. Jul. Aug. ♄.

336. *Rhododendron L.* Alpenrose. Alpbalsam.

Blüthen zwitterig. Kelch 5theilig. Blumenkrone trichterförmig oder radförmig, regelmässig oder unregelmässig, 5spaltig. Staubgefässe 10; Staubkölbchen an der Spitze mit 2 Löchern aufspringend. Kapsel wie bei Azalea. (X. 1.). — Die Gränze der Alpenrosen gibt L. v. Buch für die Alpen zwischen dem 45°, 25′ u. 46°, 5′ N. B. zu 6840 Fuss Par. M. an.

I. Rotte. *Eurhododendron De C.* Blumenkrone trichterförmig.

1204. ***R. ferrugineum L.*** Rostfarbige A. Blätter länglich, lanzettlich oder elliptisch, ganzrandig oder schwach-gekerbt, am Rande kahl, unterseits drüsig-schuppig, ***die Schüppchen die ganze Unterfläche dicht-bedeckend***, zuletzt rostbraun; Trauben fast doldig; ***Zähne des Kelches kurz-eiförmig, in die Quere breiter;*** Blumenkrone trichterförmig. —

Alpen u. Voralpen, vorzüglich auf Urgebirg. — Vorarlberg: auf der Mittagspitze u. Dornbirneralpe (Str!). Oberinnthal: bei Tumpen im Oetzthal (Hfl.), bei Fend (Herrmann!); Oberleutasch (Zcc!); Imsteralpe (Lutt!). Alpen bei Zirl und Telfs (Str!). Innsbruck: am Nock, Glunggezer u. in der Klamm (Hfl. Eschl. Schneller). Stubai: bei Falbeson (Hfl!). Längenthal (Prkt.). Pfitscherjoch u. Brenner (Hfl!). Zillerthalergebirge (Gbh.). Schwaderalpe bei Schwaz (Schm.). Auf Schiefer um Kitzbüchl, selten auf Kalk (Trn.). Pusterthal: Alpe Seebach gegen Tefereggen (Iss.), auf dem Rauchkogel bei Lienz (Rsch!), Schleinitzalpe (Hohenwarth!), Welsberg (Hll.), Innervilgraten, Hopfgarten, Lienz (Schtz.). Am Jaufen, dann bei Hafling und Josephsberg nächst Meran (Kraft). Zilalpe (Elsm!). Penserjoch (Hfl!). Am Salten ober Jenesien nächst Bozen (Elsm!). Gemein auf den Alpen um Bozen, geht bei Signat am Ritten bis 2800′- auf der Schattenseite z. B. bei Steineck bis 2000′ herab; am Ritten bei Kematen, Rappesbüchel, Pemmern; Rittneralpe bis 6500′; seltener am Schlern (Hsm.). Eppan an den Eislochern u. in Hinterulten (Hfl.). Fassa: ai Monzoni (Meneghini!). Bondoné, Scanucchia und Colsanto (Per!). Valsugana: bei Borgo, in Val di Sella auch auf Kalk (Ambr.). Monte Gazza (Merlo). Gebirge um Roveredo (Crist.). Baldo: am Altissimo (Hfl.). Gemein auf den Alpen in Judicarien (Bon.).

Officinell: Folia et stipites Rhododendri ferruginei.

Bl. purpurroth, selten weiss, z. B. in Schmirn, Schwaderalpe bei Schwaz und Alpe Rein in Taufers (Hfm. Schm! Iss.). Ende Mai — Jul. ♄.

1205. ***R. intermedium Tausch.*** Bastard-A. Blätter länglich-lanzettlich o. elliptisch, schwach-gekerbt o. ganzrandig, entfernt-gewimpert, unterseits dicht-drüsig-punktirt, Punkte gesondert, zuletzt rostbraun; Trauben fast doldig; ***Kelchzähne länglich-lanzettlich;*** Blumenkrone trichterförmig.

Zwischen Voriger u. Folgender in Folgaria an Kalkfelsen am Monte Castellazzo, dann am Monte maggiore des Baldo (Hfl.). Am Grossglockner; Vintschgau: auf Kalk in Schlinig (Tpp.). Kellerjoch bei Schwaz (Zuccarini in Flor. 1837. pag. 204)! Bei Heilig-Blut am Wege zur Pasterze (Hoppe in Flor. 1837. pag. 184)!

Wahrscheinlich Bastard von R. ferrugineum u. hirsutum.

Bl. purpurroth. Jun. Jul. ♄.

1206. ***R. hirsutum L.*** Rauhhaarige A. Blätter elliptisch o. länglich-lanzettlich, stumpf-gekerbt, entfernt-gewimpert, kahl, unterseits drüsig-punktirt, *die Punkte weitläufig-erstreut;* Trauben fast doldig; *Kelchzähne länglich-lanzettlich;* Blumenkrone trichterförmig.

Auf Kalkalpen, hie u. da auch ins Thal herab. — An der Gränze bei Füssen (Einsele!). Vorarlberg: auf der Mittagspitze (Str!), Widderstein (Köberlin!), Bregenzerwald bei Au (Tir. B.)! Schattwald (Dobel!). Oberinnthal: am Säuling (Kink); Imsteralpe (Lutt!); am Fragenstein bei Zirl (Str!). Innsbruck: in der Klamm, Patscherkofel, Solstein, Nock und Spitzbüchel (Schneller. Eschl. Hfl.). Schmirnerjoch (Hfl.). Schlossberg bei Rattenberg (Wld!), am Kaiser (Harasser!). Zillerthal (Schrank!). Kalkgebirge um Kitzbüchl u. Schwaz (Trn. Schm.). Pusterthal: in Prax (Hll.), an der Strasse bei Peitelstein in Ampezzo (Hsm.), Tefereggen u. Lienz (Schtz.), Lienz: auf der Marenwalderalpe u. ober dem Ursprung der Amblacher Brunnen (Rsch!). Vintschgau: Naturnseralpe (Iss.). Zwischen Ulten u. Proveis (Hfl.). Kalkalpen um Bozen: Schlern u. Seiseralpe, Mendel, Latemar; geht bei Margreid am Kalkofen bis ans Thal herab (Hsm.). Fassa (Rainer!). Monte Gazza (Merlo). Bondone, Scanucchia u. Colsanto (Per!). Gebirge um Roveredo (Crist.), in Vallarsa (Meneghini!). Portole (Montini!). Monte Castellazzo und am Cornetto in Folgaria (Hfl.). Baldo: am Altissimo; auf der Scanuppia bei Roveredo (Hfl.). Valsugana: all' Armentara bei Borgo (Ambr.). Judicarien: Val di Bolbeno (Bon.).

Var. mit dichter- o. entfernter-gewimperten, o. fast kahlen, grössern oder 2-3mal kleinern Blättern, mit kleinern oder grössern Blüthen. Sind die Blätter breit-elliptisch o. verkehrt-eiförmig u. dabei die Bl. grösser: R. latifolium Hoppe (Flora 1837. pag. 187).

Bl. purpurroth, selten weiss, z. B. am Spitzlat bei Reschen (Tpp.). Mai, Jul. ♄.

II. Rotte. *Chamaecistus De C.* Bl. radförmig.

1207. ***R. Chamaecistus L.*** Zwerg-A. ***Blätter*** elliptisch-lanzettlich, gesägt-gewimpert, kahl, ***drüsenlos;*** Blüthen meist gezweiet; Blüthenstiele nebst den Kelchen drüsig-behaart; Blumenkrone flach, radformig.

Alpen u. Alpenthäler. — Oberinnthal: im Däges- u. Salvesenthale bei Imst (Lutt.). Kitzbüchl: z. B. am Schwenkogel, auch hie u. da ins Thal herabsteigend (Trn.). Am Hinterkaiser (Hrg!), Am Kaiser bei Ebbs (Harasser!). Häufig in den Oefen bei Waidring; sparsam am Lämmerbüchel bei Kitzbüchel (Unger!). Lienzeralpen (Schtz.). Kalkalpen südlich bei Innichen (Stapf). Alpen bei Brunecken (M. v. Kern!); am Kreuzberg in Sexten (Tschurtschenthaler). Lienz: auf der Tristacheralpe (Ortner), auf der Laserzeralpe am Rauchkogel und Hochrieb (Rsch!), Schleinizalpe (Hohenwarth!). Fassa (Fcch!). Alpen um Trient (Per.). Am Derocca bei Trient (Joh. Sartorelli!). Scanuppia bei Calliano (Crist.). Portole und Vette di Feltre

(Montini!). Baldo, Scanucchia, Campobruno und Campogrosso (Poll!). —

Rhodothamnus Chamaecistus Reichenb.

Bl. rosenroth. Jun. Jul. ♄.

LXVI. Ordnung. PYROLACEAE. Lindl.

Wintergrünartige.

Blüthen zwitterig. Kelch 5theilig, frei, bleibend. Blumenblätter 5, regelmässig. Staubgefässe 10, frei, unterweibig. Fruchtknoten 1, oberständig, 4—5fächerig, vieleiig. Griffel 1. Kapsel mit Ritzen fachspaltig-aufspringend, die Scheidewände mit den Klappen u. der Achse verbunden. Samen klein, geflügelt, eiweisshältig. Keim rechtläufig. Unsere Arten: Kräuter mit lederartigen immergrünen rundlichen oder eiförmig-elliptischen Blättern. —

337. *Pyrola L.* Wintergrün. Birnkraut.

Blüthen zwitterig. Kelch 5theilig. Blumenblätter 5. Staubgefässe 10. Griffel 1. Kapsel 5fächerig, 5klappig; Klappen an die Basis u. Spitze des Fruchtsäulchens angewachsen u. daher die Kapsel mit 5 Ritzen aufspringend. (X. 1.).

1208. ***P. rotundifolia L.*** Rundblättriges Birnkraut. Die Staubgefässe aufwärts-gekrümmt; ***der Griffel*** abwärtsgeneigt, ***an der Spitze bogig;*** Blumenblätter verkehrt-eiförmig; ***Kelchzipfel lanzettlich, zugespitzt,*** an der Spitze zurückgekrümmt, halb so lang als die Blumenkrone; Trauben gleich. —

Schattige Gebirgswälder. — Vorarlberg: am Pfänder (Str!). Imst (Lutt!). Innsbruck: am Berg Isel (Eschl.), ober Hötting (Späth), allda und Weg nach Vill (Schpf.). Kitzbüchl: nicht selten auf Kalkboden, in Laubwäldern z. B. im Buchwalde (Trn. Unger!). Rattenberg: Weg auf die Postalpe (Wld!). Pusterthal: bei Lienz im Kerschbaumerthale, im Walde ober dem Tristacher See (Rsch!). Welsberg (Hll.), Alpen bei Lienz z. B. Ködnitzalpe und Kerschbaumeralpe (Schtz.). Brixen (Hfm!). Vintschgau: in Trafoi unter Pinus Pumilio (Tpp.). Seiseralpe (C. H. Schultz!). Fassa: am Bache in Vallonga u. im schattigen Walde in Fedaia (Fcch!).

Officinell: Herba Pyrolae.

Bl. weiss. Jun. Jul. ♃.

1209. ***P. chlorantha Schwartz.*** Grünlichblühendes B. Die Staubgefässe aufwärtsgekrümmt; ***Griffel*** abwärtsgeneigt, ***an der Spitze bogig;*** Blumenblätter verkehrt-eiförmig; ***Kelchzipfel eiförmig,*** kurz-zugespitzt, ***so breit als lang,*** an die Blumenkrone und Kapsel angedrückt, 4mal kürzer als die Blumenkrone.

Schattige Wälder. — Im Rheinthale auf der Schweizerseite z. B. im Buchberge (Cst!). Bei Bregenz (Döll rhein. Flor. p. 432)! Voralpen des Solsteins nach C. H. Schultz (in Flora 1836 p. 124)!

Ehemals als Herba Pyrolae wie Vorige und Folgende gebräuchlich. —

Bl. grünlich-weiss. Jun. Jul. ♃.

1210. ***P. media** Schwarz.* Mittleres B. ***Die Staubgefässe gleichförmig-zusammenschliessend;*** Griffel gerade, etwas schief, ***der Ring an der Spitze des Griffels breiter als die Narbe.***

Gebirgswälder bis an die Alpen. — Innsbruck: am Berg Isel (Hfl.). Seiseralpe (C. H. Schultz!). Am Ritten gemein in lichten Wäldern z. B. um Klobenstein auf dem Fenn, hinter Rappesbüchel u. am Alpenwege ober Pemmern bei etwa 5200′ (Hsm.). Monte Gazza (Merlo). Montalon bei Strigno (Parolini!). Valsugana (Ambr.). Judicarien: bei Tione (Bon.).

Bl. weiss, oft ins Röthliche ziehend. Jul. ♃.

1211. ***P. minor** L.* Kleines B. ***Die Staubgefässe gleichförmig-zusammenschliessend;*** der Griffel gerade, senkrecht; ***Narbe*** 5kerbig, ***noch 1mal so breit als der Griffel.***

Gebirgswälder bis in die Alpen. — Bregenz: am Schlossberg (Str!). Oberinnthal: bei Imst (Lutt!). Innsbruck: am Breitbüchel hinter Mühlau (Schpf.). Kitzbüchl (Trn.). Kalchstein in Innervilgraten (Schtz.); Lienz (Rsch!). Voralpen bei Sagritz im Möllthale (Pacher). Vintschgau: im Suldner- u. Martellthale (Tpp.), bei Glurns (Iss.). Klobenstein am Ritten: auf dem Fenn u. hinter Rappesbüchel am Waldrande in der sogenannten Grube einige Schritte östlich von der Schupfe mit P. media; Seiseralpe etc. (Hsm.). Fassa: bei Alba u. in Fleims westlich von San Pelegrino in der Nähe des Weges (Fcch!). Alpe Spinale (Bon.). Val di Sella bei Borgo (Ambr.).

Bl. schwach-rosenroth o. weiss. Jul. ♃.

1212. ***P. secunda** L.* Einseitiges B. ***Blüthentrauben einerseitswendig.*** Stengel bis ungefähr zur Hälfte beblättert; Blätter eiförmig o. eiförmig-länglich.

Wälder von der Thalebene bis an die Alpen. — Bregenz (Str!). Oberinnthal: bei Tarrenz (Prkt.), Zirl (Str!), Imst (Lutt!). Stubai: bei Telfes (Hfl!). Innsbruck: am Berg Isel u. ober der Gallwiese (Hfl. Schpf.). Rattenberg: Weg nach Brandenberg und am Fusse des Sonnenwendjoches (Wld!). Zillerthal: in der Zemm (Schrank!). Kitzbüchl (Trn.). Lienz: im Tristacher u. Lavanter Walde (Rsch! Schtz.). Brunecken (Hfl.). Welsberg (Hll.). Taufers (Iss.). Selten um Brixen (Hfm.). Vintschgau: im Laaserthale u. Trafoi (Tpp.). Meran: im Walde ober Vernur (Kraft). Bozen: seltener in der Ebene z. B. stellenweise in der Rodlerau, gemein auf den Gebirgen umher; am Ritten beim Einsiedel hinter Lengmoos, hinter Rappesbüchl am Waldrande an der Grub, von Wolfsgruben nach Signat etc.

(Hsm.). Am Sadole in Fleims (Parolini!). Monte Gazza (Merlo). Scanuccia (Per!). Portole (Parolini!). Gebirge um Roveredo (Crist.). Valsugana: Val di Sella bei Borgo (Ambr.). Baldo: Val dell' Artillon (Poll!).

Blumenkrone eiförmig-länglich, weiss. Jun. Jul. ♃.

1213. ***P. uniflora L.*** Einblüthiges B. *Schaft 1blüthig.* Blumenblätter abstehend.

Wälder der Gebirge u. Alpen. — Vorarlberg; im Gebiethe von Bregenz (Str!). Oberinnthal: ober Starkenberg bei Imst (Lutt!); Zirl u. Telfs 3—5000′ (Str!). Innsbruck: auf dem Hechenberg u. im Viggar (Hfl.), am Patscherkofel (Prantner), Schön-Lisens (Prkt.). Rattenberg: am Wege nach Brandenberg u. am Fusse des Sonnenwendjoches (Wld!). Zillerthal: am Hainzenberg (Gbh.). Kitzbüchl (Unger!). Pusterthal: Innervilgraten, Hopfgarten u. Lienz (Schtz.), Taufers (Iss.), Welsberg (Hll.), Tristacheralpe (Ortner), Tristacher Bergwiesen (Rsch!). Vintschgau (Tpp.). Ulten (Iss.); Meran (Kraft). Bozen: bei Kollern u. Ratzes am Steige zur Eisenquelle; Ritten: am Waldrande hinter Rappesbüchl, doch nun durch das Waldstren Gewinnen fast ausgerottet; Sarnthal: bei Reinswald gegen die Seeberge der Villandereralpe (Hsm.). Voralpenwälder in Fleims u. Valsugana (Ambr.). Im Tridentinischen (Per.). Am Baldo (Poll!). Scanucchia (Crist.). Judicarien: auf der Alpe Lenzada u. Spinale (Bon.). Val di Genova (Per!).

Moneses grandiflora Salisb.

Bl. ansehnlich, weiss. Jun. Jul. ♃.

LXVII. Ordnung. MONOTROPEAE. Nutt.

Blüthen zwitterig. Kelch bleibend, 4—5blättrig. Blumenkrone 4—5blättrig, bleibend, in der Knospenlage dachig, unterständig. Staubgefässe doppelt so viele als Blumenblätter, theils vor, theils zwischen den 4—5 unterständigen Drüsen. Fruchtknoten 1, frei, halb 4—5fächerig. Kapsel 5klappig; Klappen in der Mitte unvollständige Scheidewände tragend. Griffel 1; Narbe gross, trichterförmig. Samen zahlreich in einem röhrigen netzigen Samenmantel eingeschlossen, viel kleiner als der Samenmantel. Blattlose nicht grüne Pflanzen, statt der Blätter mit Schuppen bekleidet.

338. *Monótropa L.* Ohnblatt.

Blüthen zwitterig. Kelch 4—5blättrig, Blätter flach. Blumenkrone 4—5blättrig; Blätter an der Basis höckerig, fast gespornt, inwendig honighältig. Staubgefässe 8—10. Griffel 1. Kapsel halb 4—5fächerig, 4—5klappig. Blüthentheile der endständigen Blüthe 5zählig, 10männig, der Seitenblüthen 4zählig, 8männig. (X. 1.).

1214. ***M. hypópitys L.*** Vielblüthiges O. Gemeines O. Bluthentrauben reichblüthig; Blumenblätter gezähnelt.

Schattige Wälder bis in die Voralpen. — Pflanze bleich u. farblos, nur die Narbe honiggelb.

Var.: *α. glabra.* Ganz kahl; Fruchtknoten mit kleinen erhabenen Punkten besetzt. M. Hypophegea Wallr. Hypopitys glabra Bernh. De C. — Innsbruck: am Schönberg u. an einem Hohlwege zwischen Natters und Götzens (Hfl.), am Corethof (Giov!). Schwaz: in Wäldern am Wege zum Kogelmoos (Schm.). Pusterthal: bei Welsberg (Hll.). Waldregion der Seiseralpe (Hsm.). Monte Gazza (Merlo). Judicarien: Wälder am Monte aprico bei Bolbeno (Bon.). Monte Baldo: bei Aque negre (Clementi).

β. hirsuta. Deckblätter gewimpert; Kelchblätter inwendig u. am Bande, Blumenblätter auf beiden Seiten, Staubgefässe u. Stempel rauhhaarig. M. Hypopitys Wallr. Hypopitys multiflora Scop. De C. — Bergwälder am Kogel bei Kitzbüchl (Trn.). Vintschgau: bei Glurns am Wege ins Münsterthal (Iss.). Eppan (Hfl.). Bozen: im Walde am Wege vom Capenner Schlössel nach St. Isidor (Hsm. Fr. Mayer); am Ritten sudöstlich von Klobenstein, dann östlich von Mittelberg (Giov. Hsm.).

Ohne Rücksicht auf obige Varietäten: Vorarlberg: am Hacken (Str!). Pusterthal: im Rohrwalde bei Innichen, im Lavanter u. Tristacher Walde bei Lienz (Rsch!). Bei Trient: in Wäldern ober Romagnano u. am Spinale (Fcch!).

Meist truppenweise und an verfaulten Baumstämmen.

Jul. Aug. ♃.

III. Unterklasse. COROLLIFLORAE.

Kronblüthige.

Kelch frei, 1blätterig. Blumenkrone 1blätterig, unterweibig. Staubgefässe der Blumenkrone eingefügt. Fruchtknoten frei.

EBENACEAE. Vent.

Kelch bleibend, 3—6spaltig. Blumenkrone regelmässig, unterweibig; Saum 3—6spaltig, Zipfel in der Knospenlage dachig. Staubgefässe der Blumenkrone eingefügt, doppelt so viele als Zipfel der Blumenkrone o. von unbestimmter Anzahl. Eine unterweibige Scheibe fehlt. Fruchtknoten mehrfächerig, Fächer 1—2eiig, Eierchen hängeng. Griffel 1, oft getheilt. Frucht eine Kapsel o. eine Beere. Blüthen oft vielehig. Bäume o. Sträucher mit sehr hartem Holze, wechselständigen, ganzrandigen, lederigen, nebenblattlosen Blättern.

Diospyros L. Dattelpflaume.

Kelch 4—6spaltig. Blumenkrone dem Grunde des Kelches eingefügt, napfförmig, mit 4—6spaltigem Saume. Staubgefässe 8—16, dem Grunde der Bumenkrone eingefügt, manchmal unfruchtbar. Narben 4. Frucht eine 8—12fächerige Beere. (VIII. 4.). Blüthen vielehig.

D. Lotus L. Gemeine D. Blätter eiförmig-länglich, meist rinnig-gefaltet, oberseits glänzend, dunkelgrün, unterseits matt, bleich, spärlich behaart. — Aus Afrika stammend. In Italien und dem südlichen Frankreich nun eingebürgert. Im südlichen Tirol angepflanzt, doch selten. Um Bozen z. B. in meinem Weinberge in der Stadt, wo er sich selbst aussäet, beim Schlosse St. Antoni, im landwirthschaftlichen Garten etc. — Verwildert auch im Canton Tessin der Schweiz. — Die gelbbraunen Früchte von der Grösse einer Haselnüsse werden erst nach Eintritt des Frostes geniessbar, haben aber einen etwas faden süssen Geschmack.

Mittelmässiger Baum. Bl. klein. Ende Mai. ♄.

Die den Ebenaceen verwandte Art: *Styrax officinalis L.* Storaxbaum (X. 1.) erträgt um Bozen sehr gut die Winter u. kommt in Italien, in der Provence, in Syrien etc. wild vor.

LXVIII. Ordnung. AQUIFOLIACEAE. De C.

Stechpalmartige.

Blüthen meist zwitterig, regelmässig. Kelch 4—6zähnig, in der Knospenlage dachig. Blumenkrone 4—6theilig, unterständig. Staubgefässe so viele als Zipfel der Blumenkrone, mit diesen wechselnd. Fruchtknoten 2—6fächerig, Fächer 1eiig; Eierchen hängend. Unterweibige Scheibe fehlend. Narbe lappig, fast sitzend. Steinfrucht 2—6steinig. Eiweiss gross, Keim gerade, klein. Blüthen manchmal 1geschlechtig. Immergrüne Bäume o. Sträucher mit gestielten, einfachen, meist lederigen Blättern ohne Nebenblätter.

339. *Ilex L.* Stechpalme.

Kelch 4—5zähnig. Blumenkrone regelmässig, radförmig, 4—5theilig. Staubgefässe so viele als Zipfel der Blumenkrone. Narben 4—5, fast sitzend. Steinfrucht beerenartig, 4—5steinig. (IV. 4.). —

1215. *I. Aquifolium L.* Gemeine St. Blätter wechselständig, eiförmig, spitz, kahl, spiegelnd, dornig-gezähnt oder ganzrandig u. mit einem Dorne endigend; Blüthenstiele blattwinkelständig, kurz, reichblüthig; Blüthen fast doldig.

Gebirgswälder. — Gemein auf Bergen um Bregenz (Str!). Unterinnthal: am Kaiser (Harasser), auf Kalk bei Kössen und Ellmau (Trn.). Im Etschlande: häufig auf Kalk auf dem Geier-

Wir erlauben uns hiebei auch aufmerksam zu machen, daß von der

Flora Oenipontana,

oder Beschreibung der in der Gegend um Innsbruck wildwachsenden Pflanzen, nebst Angabe ihrer Wohnorte, Blüthezeit und Nutzen, noch Exemplare zum ermäßigten Preise von 1 fl. CM. zu haben sind.

(400 Seiten) Groß-Oktav (1805) brosch.

Die Gletscher des Vernagtthales in Tirol und ihre Geschichte.

Von Dr. **M. Stotter.**

Mit einer Karte des Rofenthales.

In Umschlag cartonirt, 40 kr. C. Mze.

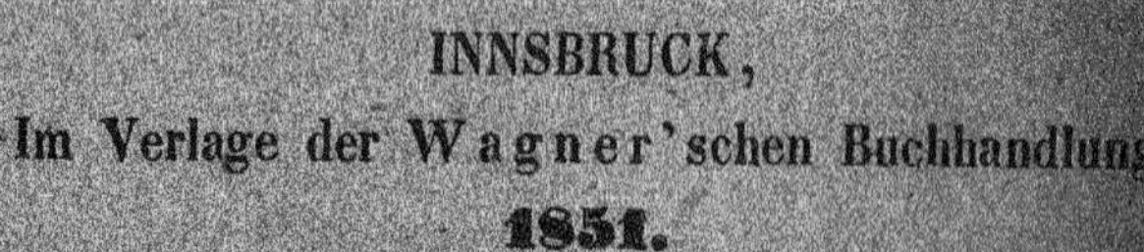

INNSBRUCK,
Im Verlage der Wagner'schen Buchhandlung.
1851.

Lightning Source UK Ltd.
Milton Keynes UK
UKHW020911260119
336226UK00009B/328/P

9 781332 473359